AF238222

ACCESO GRATIS a la Lectura en la Nube

Para visualizar el libro electrónico en la nube de lectura envíe junto a su nombre y apellidos una fotografía del código de barras situado en la contraportada del libro y otra del ticket de compra a la dirección:

ebooktirant@tirant.com

En un máximo de 72 horas laborales le enviaremos el código de acceso con sus instrucciones.

RETOS DEL DERECHO FINANCIERO Y TRIBUTARIO ANTE LOS DESAFÍOS DE LA ECONOMÍA DIGITAL Y LA INTELIGENCIA ARTIFICIAL

RETOS DEL DERECHO FINANCIERO Y TRIBUTARIO ANTE LOS DESAFÍOS DE LA ECONOMÍA DIGITAL Y LA INTELIGENCIA ARTIFICIAL

Directora

AMPARO NAVARRO FAURE

Coordinadora

ELIZABETH GIL GARCÍA

tirant lo blanch

Valencia, 2021

*Ayudas para la realización de proyectos de I+D para grupos de investigación de excelencia: «Los Planes de Acción contra la erosión de la base imponible y el traslado de beneficios, y la seguridad jurídica en el ordenamiento europeo e internacional» (PROMETEO 2016/053). Conselleria de Innovación, Universidades, Ciencia y Sociedad Digital.

** Subvenciones para la organización y difusión de Congresos, Jornadas y Reuniones científicas, tecnológicas, humanísticas o artísticas de carácter internacional (AORG/2019/009). Conselleria de Innovación, Universidades, Ciencia y Sociedad Digital.

© Amparo Navarro Faure
Elizabeth Gil García y otros

© TIRANT LO BLANCH
EDITA: TIRANT LO BLANCH
C/ Artes Gráficas, 14 - 46010 - Valencia
TELFS.: 96/361 00 48 - 50
FAX: 96/369 41 51
Email:tlb@tirant.com
www.tirant.com
Librería virtual: www.tirant.es
DEPÓSITO LEGAL: V-3186-2020
ISBN: 978-84-1355-667-3

Si tiene alguna queja o sugerencia, envíenos un mail a: *atencioncliente@tirant.com*. En caso de no ser atendida su sugerencia, por favor, lea en *www.tirant.net/index.php/empresa/politicas-de-empresa* nuestro procedimiento de quejas.

Responsabilidad Social Corporativa: http://www.tirant.net/Docs/RSCTirant.pdf

Autores

Álvaro Antón Antón

María Cruz Barreiro Carril

Juan Calvo Vérgez

María del Carmen Cámara Barroso

Eva María Cordero González

Ernesto Eseverri

María-José Fernández-Pavés

Diana Ferrer Vidal

Patricia Font Gorgorió

Juan Benito Gallego López

Jaime García Puente

María Jesús García-Torres Fernández

José Ángel Gómez Requena

Juan Ignacio Gorospe Oviedo

Rosa Litago Lledó

Estefanía López Llopis

José Manuel Macarro Osuna

Ana Belén Macho Pérez

Jacques Malherbe

Félix Daniel Martínez Laguna

Saturnina Moreno González

Luis Miguel Muleiro Parada

Albert Navarro García

Bernardo D. Olivares Olivares

Germán Orón Moratal

Fátima Pablos Mateos

Isabel Paladini Bracho

Teresa Pontón Aricha

Esteban Quintana Ferrer
Soraya Rodríguez Losada
Carmen Ruiz Hidalgo
Víctor Manuel Sánchez Blázquez
Miguel Ángel Sánchez Huete
Guillermo Sánchez-Archidona
Begoña Sesma Sánchez
Mónica Siota Álvarez
Laura Soto Bernabeu
María del Mar Soto Moya
Paula Vicente-Arche Coloma
Juan Zornoza

Índice

PARTE II. LOS RETOS DEL DERECHO FINANCIERO Y TRIBUTARIO ANTE LA INTELIGENCIA ARTIFICIAL

PARTE III. LA DERIVA DEL DERECHO FINANCIERO Y TRIBUTARIO

Prólogo

El redactar unas líneas para la presentación de la monografía titulada *Retos del Derecho Financiero y Tributario ante los desafíos de la Economía Digital y la Inteligencia Artificial* es una de esas satisfacciones que ofrece la vida universitaria y académica en especiales ocasiones. En este caso, el agrado es debido a que esta obra culmina un trabajo de más de dos años, llevado a cabo de forma institucional y colectiva. En efecto, todo se inició cuando la Universidad de Alicante asumió el encargo de organizar la VI Reunión bianual de la Red de Profesores de Derecho Financiero y Tributario (RPDFT) en la Asamblea celebrada en la Universidad del País Vasco en septiembre de 2017. Como marcan los Estatutos de la Asociación asumí, muy honrada, la presidencia de la RPDFT junto con el profesor Isaac Merino como Vicepresidente y la profesora Isabel García-Ovies como Secretaria General.

Las Jornadas de la RPDFT forman parte de los objetivos fundacionales de nuestra asociación y constituyen una oportunidad magnífica para estrechar lazos académicos entre profesores de diferentes universidades y de diferentes etapas de su carrera académica, promoviendo el debate científico y la colaboración académica.

Los objetivos de la VI Reunión, que se celebró el 18 de octubre de 2019 en la Universidad de Alicante, consistieron en conciliar en sesiones de mañana y tarde temas académicos y científicos. En esta ocasión, el tema académico estuvo dedicado al novedoso *«sexenio de transferencia»* cuya primera convocatoria había tenido lugar en enero de ese mismo año. Precisamente este libro arranca con los trabajos introductorios de los profesores Ernesto Eseverri y Juan Zornoza que nos ilustran sobre la gestación de este sexenio de evaluación de la transferencia y su aplicación al ámbito de las actividades realizadas por los profesores y profesoras de Derecho Financiero y Tributario.

En el ámbito científico, la jornada tuvo por objeto el debate sobre temas de actualidad que han ocupado gran parte de las líneas de investigación de los profesores de Derecho Financiero y Tributario en los últimos años: la relación del Derecho Financiero y Tributario con la Inteligencia Artificial y la Economía digital. Son muchos los proyectos de investigación que sobre estos temas trabajan los grupos de investigación de las Universidades españolas. Por ello, alrededor de estas líneas científicas, se compusieron dos mesas redondas consecutivas en las que los ponentes y comunicantes nos ilustraron con algunas de las conclusiones recogidas en los capítulos de esta monografía.

Finalmente, la Jornada se cerró con una mesa redonda de reflexión sobre temas dogmáticos y universales de nuestra disciplina bajo el título común sugerido por la profesora Soler Roch: «*La deriva del Derecho Financiero y Tributario*». Ese título fue el que llevó también la primera entrada del recién estrenado blog de la página web de la RPDFT a cargo de la profesora Soler Roch.

Algunos aspectos que quiero resaltar también de esta jornada: por un lado, la presencia de profesores de Universidades extranjeras, lo que confirió al evento el carácter de congreso internacional, y, por otro lado, una especial preocupación por la paridad en la composición de las mesas redondas, tanto en relación al género como a las distintas generaciones académicas de los profesores y profesoras que las compusieron. Mi agradecimiento especial a los profesores Jacques Malherbe, Pasquale Pistone y Ana Paula Dourado que formaron parte del comité científico junto con el comité asesor de la RPDFT.

Sin embargo, la monografía que ahora me honro en presentar es mucho más que el resultado de aquellas exitosas jornadas. En ella se recogen a través de 40 capítulos agrupados en III partes, el resultado de trabajos científicos de máximo nivel sobre los principales temas que se trataron en las Jornadas. Los temas de aquel Congreso son solo el hilo conductor de excelentes trabajos científicos que ahora ven la luz. Los hemos agrupado por los tres temas que antes he reseñado, incluyendo por orden a los distintos ponentes y comunicantes. Es suficiente con ver el título de los capítulos y de sus autores para darse cuenta de su importancia doctrinal. Asimismo, todos ellos están actualizados al momento en que esta monografía ve la luz, por lo que los autores han tenido un periodo de reflexión sobre los temas que se trataron en las Jornadas.

No quiero acabar esta breve introducción sin agradecer a muchas personas e instituciones que hicieron posible el desarrollo de las VI Jornadas como del libro que ahora tienen entre sus manos. En primer lugar, a la RPDFT que confió en la Universidad de Alicante para celebrar su principal evento. Puedo decir que ha sido uno de los encargos que con mayor gusto y facilidad hemos desarrollado en nuestra Universidad. Evidentemente, ello ha sido debido al trabajo colectivo y corresponsable de los miembros del consejo asesor de la RPDFT: los profesores Ernesto Eseverri, Antonia Agulló, Miguel Ángel Martínez Lago, Juan Arrieta, Diego Marín Barnuevo, Isabel García-Ovies, Begoña Sesma e Isaac Merino, sin cuya ayuda no habría sido posible todo lo que con este libro hoy se cierra.

También mi agradecimiento a la Universidad de Alicante, en especial al Departamento de Derecho Financiero y Tributario que se involucró desde el primer momento en la organización de estas Jornadas, en especial a la profesora Elizabeth Gil y al Gestor Jefe David Mateo. A la Facultad de Derecho y al Vicerrectorado de Investigación y Transferencia de conocimiento que ayudaron en su financiación.

Finalmente debo agradecer a todos los autores de este libro por el esfuerzo realizado con sus aportaciones en forma de ponencias, comunicaciones y pósteres el día de las jornadas, como en la elaboración de los trabajos que hoy conforman esta obra.

En el momento de cerrar estas líneas, nuestro país y el mundo entero se encuentra confinado por una crisis sanitaria sin precedentes en nuestra generación. Son muchas las incógnitas sobre el mundo académico, económico y social que nos espera. Entre las medidas propuestas tanto a nivel nacional e internacional hay muchas relacionadas con el Derecho Financiero y Tributario. No me cabe la menor duda de que los profesores y profesoras de Derecho Financiero y Tributario darán respuesta con sus investigaciones a la Hacienda global y post-Covid que nos espera. Del mismo modo, estoy segura de que cuando nos podamos reunir de nuevo, intercambiaremos experiencias sobre el salto que dimos estos días de nuestra docencia presencial a una docencia y evaluación on-line hasta entonces desconocida para muchos de nosotros.

Para volvernos a ver, tenemos afortunadamente a la RPDFT, que se ha ido consolidando como un punto de encuentro de todos los profesores y todas las profesoras de Derecho Financiero y Tributario. Pronostico una larga y saludable vida a nuestra RPDFT y le deseo a la Universidad de Santiago de Compostela y a nuestro nuevo presidente, el profesor Antonio López Díaz, que disfrute lo mismo que hicimos nosotros con este entrañable proyecto. El espíritu del Camino le ayudará.

Amparo Navarro Faure
Catedrática de Derecho Financiero y Tributario

Alicante, a 14 de mayo de 2020

El sexenio de transferencia de los profesores de Derecho Financiero y Tributario

Sexenio de transferencia del conocimiento: este sexenio no es para mí

ERNESTO ESEVERRI
Universidad de Granada

SUMARIO: 1. ACLARACIÓN. 2. UNOS MATICES PREVIOS. 3. LOS INDICADORES EN LOS DIFERENTES CAMPOS DE EVALUACIÓN DEL SEXENIO: EL OBJETIVO DIFÍCIL DE CUBRIR. 3.1. Transferencia en la formación de personas. 3.2. Transferencia de conocimiento a través de actividades con otras instituciones. 3.3. Transferencia de conocimiento generadora de valor económico. 3.4. Transferencia de conocimiento generando valor social. 4. CONCLUSIÓN.

1. ACLARACIÓN

El título que acompaña a esta intervención no pretende desalentar a los profesores de Derecho Financiero y Tributario en su legítimo interés por alcanzar un sexenio de estas características. Antes al contrario, lo que trato con la exposición es, además de mostrar las dificultades que vamos a encontrar en el logro de este sexenio, promover la inquietud de todos nosotros, y de modo particular, de nuestra Asociación, en la búsqueda de indicadores más racionales y cercanos a nuestro ámbito de conocimiento y de su transferencia, en el convencimiento de que si, con el rigor que se exige, se aplican los criterios que sirven de marco orientador a los diferentes comités para la evaluación de este sexenio, muy pocos de los solicitantes en el campo científico del Derecho Financiero y Tributario, conseguirán el objetivo deseado.

Por ello, con esta intervención solo pretendo estimular a los presentes para promover unos criterios de evaluación del sexenio de transferencia de conocimiento que, en buena lógica, se ajusten al modo y manera que los docentes del Derecho Financiero y Tributario transfieren sus conocimientos mediante la formación de personas, colaborando con otras instituciones diferentes a la Universidad, y generando valor económico, o valor social.

2. UNOS MATICES PREVIOS

Partiendo de su significado más elemental, la transferencia de conocimiento, no es sino la transmisión a terceros (empresas y al conjunto de la sociedad) de la difusión del conocimiento especializado adquirido como consecuencia de la labor docente e investigadora del universitario. Es decir, la labor docente e investigadora es la plataforma que permite transferir a la sociedad el conocimiento adquirido, y el conocimiento que se transmite es hacía fuera del edificio universitario, todo el conocimiento que quede dentro de ese edificio, no es conocimiento transferido.

Se trata de un sexenio que es complementario con el de investigación que, como éste, abarca un período de seis años pudiendo confeccionar el solicitante este tramo temporal a su libre albedrío.

La normativa reguladora del sexenio exige para solicitarlo que se tenga reconocido, al menos, un tramo de investigación —si no hay investigación, no puede existir transferencia del conocimiento investigado—, confeccionándose el tramo con cinco aportaciones —aunque en circunstancias excepcionales, pueden presentarse menos de ese número—

Además de ello, naturalmente, se exige la participación activa del solicitante en los trabajos de transferencia de conocimiento, concretando y justificando su aportación específica.

Para obtener una evaluación positiva del sexenio se deben presentar aportaciones, al menos, a dos de los cuatro apartados que permiten evaluar el conocimiento transferido, a saber:

– transferir conocimiento a través de la formación de personas
– transferir conocimiento a través de actividades con otras instituciones
– transferir conocimiento generando riqueza o valor económico
– transferir conocimiento generando valor social

Entiendo que los profesores de Derecho Financiero y Tributario, debemos congratularnos con la exigencia de que las aportaciones lo sean, al menos, referidas a dos de esos campos en que se materializa la transferencia de conocimiento, porque estoy convencido de que si se hubiera exigido presentar aportaciones en tres de ellos, difícilmente algunos de nosotros habríamos podido tener acceso a la solicitud del sexenio.

Es cierto que este requisito se establece a título «orientativo», pero en no pocas ocasiones lo orientativo marca una tendencia de trayectoria obligada.

Creo, que de todos es conocido que a la llamada del sexenio se han abocado 16.790 solicitantes, lo que ha supuesto el nombramiento de un conjunto de expertos (150) para asesorar al Comité asesor de la ANECA para el sexenio, es decir se han nombrado asesores de los asesores de la ANECA. Y asimismo, es conocido que a la vista de la envergadura de peticionarios del mismo, el plazo de resolución de los expedientes establecido con carácter general en seis meses, se ha tenido que suspender por Resolución de 20 de febrero de 2019 de la Secretaría de Estado de Universidades, ampliándolo tres meses más, es decir, hasta nueve meses.

Según información «privilegiada» a propósito de las solicitudes presentadas, a día de hoy, hay procesadas informáticamente para emprender su proceso de evaluación, un 40 por 100 de ellas y todas referidas al cuerpo de profesores universitarios funcionarios.

De modo que, la prórroga por un trimestre del plazo máximo de resolución de las solicitudes va a quedar insuficiente, sin duda, y he oído que se prevé su prórroga por otros seis meses más, con lo que llegaremos hasta abril de 2020 para conocer los primeros resultados de las evaluaciones.

Este es el panorama del sexenio al momento presente.

3. LOS INDICADORES EN LOS DIFERENTES CAMPOS DE EVALUACIÓN DEL SEXENIO: EL OBJETIVO DIFÍCIL DE CUBRIR

Las reflexiones que siguen, se hacen pensado únicamente en el profesorado de Derecho Financiero y Tributario solicitante del sexenio de transferencia de conocimiento para, por un lado, mostrar la dificultad que nos supone el acceso a su reconocimiento, y de otro, con la intención anunciada al comienzo de estas palabras escritas de que a través de la Red de Profesores, seamos capaces de proponer criterios más objetivos y próximos a nuestro ámbito de la ciencia jurídica que habiliten el reconocimiento de este sexenio, todo ello, sin necesidad de situarnos en un plano diferencial respecto del resto de las ciencias que transmiten conocimiento a la sociedad.

3.1. Transferencia en la formación de personas

Se trata de evaluar al solicitante del sexenio mediante actuaciones que hayan posibilitado la formación de personal, la generación de empresas para explotar una idea (start-up), o de empresas surgidas para explotar la investigación nacida en la Universidad (spin-off).

Los indicadores tenidos en cuenta para evaluar una aportación de tales características son tres: Contratos firmados para la formación de personal;

tesis industriales; y actividades de emprendimiento a través de la formación de empresas.

Revisemos los criterios para la puntuación de cada uno de estos grupos.

– *Contratos firmados para la formación de personas*: el baremo que se propone valora la actividad desarrollada considerando los meses de duración de los contratos generados:

  – 10 puntos para contratos de 36 meses a jornada completa (30 horas semanales)

  – 6 puntos para contratos de 18 meses a jornada completa

  – 1 punto para contratos de 3 meses a jornada completa

Los contratos a los que nos referimos, han de serlo con empresas calificables como art. 83 de la LOU, esto es contratos con personas y entidades públicas o privadas para la realización de trabajos científicos, técnicos o artísticos, o el desarrollo de enseñanzas especializados o de formación.

Aunque todos los proyectos de investigación desarrollados por los actuales grupos de investigadores pueden ser objeto de evaluación a efectos del sexenio, al no constituir actividad de transferencia de conocimiento en sentido auténtico, se propone a los comités evaluadores de apoyo su valoración a razón de una décima parte de los contratos puros de transferencia de conocimiento.

Comentario crítico: Pongo en duda las posibilidades de que los profesores de Derecho Financiero y Tributario puedan llevar a términos aportaciones en este apartado del módulo examinado, sobre todo, considerando la escasa puntuación que merecen aquellos que se hayan celebrado a través de grupos de investigación porque las tareas por ellos realizadas no se consideran como transferencia de conocimiento pura.

– *Tesis industriales*, entendiendo por tales las dirigidas a personal de empresas o de instituciones no docentes que sean de relevancia (art. 15 RD 195/2016), esto es, aquellas a las que se otorga la mención «Doctorado industrial» por concurrir estas dos circunstancias:

  a) La existencia de un contrato laboral o mercantil con el doctorando. El contrato se podrá celebrar por una empresa del sector privado o del sector público, así como por una Administración Pública.

  b) El doctorando deberá participar en un proyecto de investigación industrial o de desarrollo experimental que se desarrolle en la empresa o Administración Pública en la que se preste el servicio, que no podrá ser una Universidad.

La puntuación que se propone en estos casos, es la siguiente:

– Se valora cada tesis entre 6 y 10 puntos

– Cada tesis dirigida por el solicitante se valora como una aportación

Comentario crítico: En un principio la referencia a «tesis industriales» pudiera hacer suponer que se trata de las dirigidas en el ámbito de las ciencias técnicas, pero debemos desterrar este parecer tras la lectura del art. 15 del RD 195/2016. De modo que no es descartable que los profesores de Derecho Financiero y Tributario puedan llegar a dirigir tesis de tales características susceptibles de ser valoradas en función de su calidad.

– *Contratación de personas en actividades de emprendimiento*, entendiendo por tales, creación de empresas formando parte de ellas el solicitante, que aun no siendo socio la empresa creada lo haya sido aplicando los resultados de la investigación realizada por el solicitante, debiendo figurar como asesor de la empresa.

Este indicador trata de valorar el empleo directo y la formación de personas en la temática transferida:

– 10 puntos por 4 contratos de 48 meses a tiempo completo

– 6 puntos por 2 contratos de 24 meses a tiempo completo

– 1 punto por contratos de 4 meses a tiempo completo

Comentario crítico: No lo merece, sencillamente, dudo que muchos de nosotros podamos hacer aportaciones en este indicador por haber constituido una empresa de la que seamos socios o que una empresa haya empleado nuestras aportaciones científicas en su constitución y desarrollo, empleándonos al tiempo, como asesores de ella.

Comentario crítico a este primer bloque: De los tres módulos o ítems tomados en consideración para la evaluación de aportaciones correspondientes a este primer bloque en que se manifiesta la transferencia de conocimiento, para un profesor de Derecho Financiero y Tributario, sin duda, el más asequible —aunque no sencillo del todo de alcanzar— es el primero: contratación de personas para la formación.

Si bien, en caso de alcanzar este tipo de contratos, ha de repararse que a los efectos de su evaluación no interesa tanto el número de personas formadas o en formación, cuanto la duración de los contratos, y desde esta perspectiva, creo que para los profesores de Derecho Financiero y Tributario, las dificultades de alcanzar una valoración positiva de la aportación relativa a este módulo no parecen demasiado salvables, considerando además, como ya se ha indicado, que los contratos de similares caracteres conseguidos a través de los grupos de investigación, se valoran en una décima parte del que se otorgue a un contrato puro de transferencia de conocimiento.

3.2. *Transferencia de conocimiento a través de actividades con otras instituciones*

– Se pretende evaluar a través de este bloque, la movilidad de los investigadores y del profesorado universitario por medio de las figuras contempladas en la ley del empleado público (comisiones de servicios, servicios especiales, excedencias,…) por las que se transmite el conocimiento adquirido a entidades terceras, en particular, a empresas.

La evaluación se efectúa considerando estos dos módulos: La contratación con entidades externas; y la pertenencia a comités científicos de relevancia.

– *Los contratos temporales en entidades externas* son los señalados en los arts. 18 y 19 de la Ley de la Ciencia, la Tecnología y la Innovación

El art. 18 citado, autoriza a las Universidades para que su personal investigador preste servicios en empresas, mediante contrato laboral y a tiempo parcial.

El art. 19 por su parte, permite la adscripción de personal funcionario de carrera que sea investigador para colaborar en programas de investigación científica y técnica, a tiempo completo o parcial.

Es importante destacar que a los efectos de valorar aportaciones en este módulo, no se considerarán como tales las acciones realizadas en actividades que no estén relacionadas con la especialidad del solicitante. Dicho de otro modo, la contratación del solicitante del sexenio tiene que deberse a que va a desarrollar temas o áreas de trabajo relacionadas con su conocimiento científico especializado.

Quiere decir esto, que no serán objeto de valoración positiva aportaciones por relaciones contractuales de estas características que hayan tenido como finalidad el ejercicio de actividad en la política o en la gestión universitaria, por ejemplo. La primera, no será considerada por no ser relación contractual en la que se esté aplicando conocimiento especializado del contratado; la segunda, porque no hay transferencia de conocimiento en el sentido de dirigido ad extra de la Universidad, pues el así transmitido se queda ad intra de la institución.

Asimismo, ha de acreditarse la actividad realizada mediante carta de la entidad contratante, indicando el solicitante la vinculación de la actividad desarrollada con el avance científico, lo que debe persuadir de aportar excedencias, comisiones de servicios o prestación de servicios especiales en instituciones alejadas del ámbito científico, o en las que el solicitante no haya estado desempeñando su labor como consecuencia de su conocimiento especializado.

- La evaluación tiene en cuenta la duración, tipo de contrato y prestigio de la entidad contratante del siguiente modo:

  - 10 puntos, para 3 años de duración del contrato a tiempo completo, o 6 años a tiempo parcial

  - 6 puntos, para 1 año de duración del contrato a tiempo completo, o 2 años a tiempo parcial

  - 1 punto, para 2 meses de duración del contrato a tiempo completo, o 4 meses a tiempo parcial

Comentario crítico: Tengo mis dudas de que muchos de nosotros, en este momento, haya contratado con entidades privadas transferencia de conocimiento conforme a los criterios rectores de los arts. 18 y 19 de la Ley de la Ciencia, la Tecnología y la Innovación, cuestionándome por ejemplo, si los servicios que muchos de nosotros realizamos o hemos prestado en Tribunales de Justicia, o en Tribunales Económico-Administrativos de todo orden, pudieran presentarse como aportación en este bloque y módulo para acreditar transferencia de conocimiento, teniendo en cuenta que si aplicamos en su literalidad el mandato de esos preceptos, ninguno de los servicios prestados a las referidas instituciones podrían tener cabida como transferencia de conocimiento, siendo así, bajo mi modesto punto de vista, que reúnen las notas características de aquello que significan transferir conocimiento especializado.

- *Pertenencia a comités de alta relevancia.* Se valora la transferencia del conocimiento propio cuando el profesor o investigador universitario no abandona su institución, y activamente participa en los referidos comités.

  La evaluación se articula teniendo en cuenta la importancia del comité, relevancia que se mide:

  a) atendiendo a su carácter internacional, nacional, autonómico o local

  b) si es selectivo en su ámbito o único en su ámbito de actuación

Se excluyen comités de carácter docente que se correspondan con las dos primeras misiones de la universidad (la docencia superior y la iniciación a la investigación)

Y se evalúan con

- Hasta 10 puntos (internaciones y pertenencia en torno a dos años)
- Hasta 6 puntos (nacionales y pertenencia en torno a dos años)
- Cero puntos: Docencia, investigación, gestión política

Comentario crítico: En cuanto a la pertenencia a comités científicos de relevancia, seamos sensatos al presentar aportaciones en este campo, evitando acreditar como tales la pertenencia a consejos de redacción de revistas científicas y similares, porque no son éstos los comités científicos a los que se refiere ese módulo de evaluación.

Comentario crítico a este segundo bloque: Como puede verse, se trata de uno de los bloques más asequibles para investigadores de nuestras características, siempre que tengamos la cautela de presentar como aportación evaluable aquella que no merezca su consideración. En especial, llamo la atención en este sentido, sobre la pertenencia a comités científicos en un doble sentido. Debe tratarse de comités que tenga tal calificativo para no confundirnos con formar parte de otros, por ejemplo, de carácter docente o investigador. Además, el comité ha de serlo de «relevancia» científica y, dejando aparte, su implantación internacional o nacional, todos sabemos en nuestro fuero interno qué es un comité científico de relevancia.

3.3. Transferencia de conocimiento generadora de valor económico

- Se trata de valorar el conocimiento que se transfiere impulsando para que las empresas del entorno sean más competitivas, generando mayor riqueza económica.
- Los indicadores tenidos en cuenta para evaluar las aportaciones hechas en este bloque de transferencia de conocimiento son: Facturación por royalties, patentes, marcas, etc.; participación en contratos del art. 83 de la LOU; socios en entidades de emprendimiento entendiendo por tales, aquellas en que el investigador es socio de la empresa que se constituye, o de algún modo, la empresa se sirve de sus trabajos de investigación, a la que además asesora sin ser socio de ella.

- *Facturación anual por royalties, patentes, marcas:* Quizás sea mejor dejar de lado este módulo para la evaluación del conocimiento que se transfiere.

  Comentario crítico: Se trata de un módulo inalcanzable para el profesorado de Derecho Financiero y Tributario (salvo que patentemos la creación de una nueva figura tributaria, como de creación propia).

- *Participación en contratos y proyectos de investigación con empresas:* Se trata de contratos calificables conforme al art. 83 de la LOU, excluyendo los proyectos de investigación desarrollados por grupos de investigadores, al formar parte de la actividad investigadora y no constituir en sentido puro transferencia de conocimiento.

- Para la evaluación de las aportaciones presentadas en este módulo, se atiende a criterios objetivos y a criterios cualitativos

- Por medio de los criterios objetivos se mide la participación del solicitante; la duración del contrato que mide el esfuerzo empleado en su realización; y la cuantía de la facturación.

- A través de los criterios cualitativos se pretende medir, la calidad del trabajo; los resultados obtenidos (en particular, la innovación que produce en el mercado); el impacto sobre la empresa a través de los resultados producidos en ella.

- De modo que se establecen los siguientes baremos de puntuación:
  - Criterios objetivos: Máximo de 4 puntos, teniendo en cuenta:
    - Tipo de participación del solicitante: 2 puntos máximo
    - Duración del contrato: 1 punto máximo
    - Facturación: 2 puntos máximo
  - Criterios cualitativos: Máximo 6 puntos, teniendo en cuenta:
    - Calidad del trabajo: 2 puntos máximo
    - Resultados del trabajo: 2 puntos máximo
    - Impacto del trabajo: 3 puntos máximo

- Se debe conseguir en el conjunto de los criterios considerados seis puntos, independientemente de que en alguno de sus factores no se alcance el máximo permitido

- Debe recordarse que, actualmente, los servicios de las diferentes Universidades a la hora de aprobar los contratos de su profesorado, determinan si cumplen con todos los requisitos establecidos en la ley, lo que ha de servir de elemento que condicione el parece del Comité de evaluación, salvo concurrencia de circunstancias muy excepcionales que deberán quedar motivadas.

Comentario crítico: No procede.

— *Creación de empresas emprendedoras, sea como socio o como asesor de ellas:*

Se trata de evaluar los méritos por transferencia de conocimiento de aquellos investigadores que forman parte de empresas de nueva ceración como socios de las mismas, o bien en condición de asesores por desarrollar la empresa técnicas de mercado estudiadas por el investigador o profesor universitario. Es lo que se llama creación de una spin-off.

— Como criterios para evaluar se tiene en cuenta:

— Años de mantenimiento de la actividad: 2 años, 6 puntos

— Años de mantenimiento de la actividad: 3 años, 10 puntos

Comentario crítico: Evito cualquier pronunciamiento en relación con este bloque.

3.4. *Transferencia de conocimiento generando valor social*

— Es el bloque que presenta mayor complejidad en la evaluación de aportaciones, en parte, por la variedad de indicadores que permiten su consideración y su ambivalencia; y en parte también, por la diversidad de los ítems seleccionados para alcanzar la valoración del conjunto que se pretende.

— Se trata de valorar la transferencia de conocimiento que se genera en actividades que benefician a la sociedad civil a través de diferentes grupos de interés social y, al tiempo, consolidan la imagen pública de la Universidad (acceso al conocimiento de grupos desfavorecidos, actuaciones para la cooperación y el desarrollo en comunidades deficitarias, actuaciones en inclusión, igualdad, responsabilidad social, divulgación científica y profesional, publicaciones y actividades de divulgación del conocimiento científico).

— Los indicadores que sirven de patrón para la valoración de este bloque son, participación en convenios o contratos en actividades con especial valor social con entidades sin ánimo de lucro o Administraciones públicas; y publicaciones de difusión escrita, o realizada a través de medios de comunicación audiovisual, informes para agentes sociales; participación en elaboración de leyes y reglamentos, etc.

- *Participación en convenios o contratos con entidades de interés social*: Se trata de convenios o contratos suscritos vía art. 83 LOU para la resolución de problemas de interés social que, por lo general, se relacionan con actividades desarrolladas por entidades sin ánimo de lucro.

- Para su evaluación se atiende a criterios objetivos y cualitativos

- Criterios objetivos hasta un máximo de 3 puntos:
  - tipo de participación hasta 2 puntos
  - duración: hasta 1 punto
  - facturación: hasta 1 punto

- Criterios cualitativos hasta un máximo de 7 puntos:
  - Calidad del trabajo: hasta 2 puntos
  - Resultados: hasta 2 puntos
  - Impacto social: hasta 4 puntos

Comentario crítico: Las posibilidades de presentar aportaciones en este campo concreto, se limitan a la posibilidad que tengamos de contratar acciones a través de fundaciones y demás entidades sin ánimo de lucro.

- *Publicaciones divulgativas y actividades de difusión profesional*: En este apartado se valoran por ejemplo, libros, capítulos de libros y artículos que hayan ayudado a la divulgación científica en medios de comunicación audiovisual.

En ningún caso deben quedar incluidas como publicaciones divulgativas los productos destinados a la docencia y a la investigación.

En este apartado, por ejemplo, también pueden tomarse en consideración actividades de difusión profesional (dictámenes, informes periciales en juicio, informes puntuales sobre algún tema jurídico controvertidos, etc.)

No obstante, ha de tenerse en cuenta que no se pretende valorar por igual la participación recurrente en este tipo de actuaciones, que una participación puntual. Se incentiva a quien participa regularmente en tareas de divulgación científica, frente a quien lo haga de forma esporádica, casual o a petición de terceros para aclarar un extremo controvertido.

Asimismo, se ha de valorar preferentemente la calidad del trabajo de difusión que ha de ser de una importancia determinada, y en el caso de publicaciones, debe tenerse en cuenta la calidad del editor, del organizador de la conferencia, del curso, del seminario, etc.; número de ejemplares vendidos, número de descargas, de autores, traducciones y premios.

En relación con los artículos de divulgación, el solicitante debe haber participado en ellos ya como autor, ya como coautor. Como tales artículos no se consideran aquellos en que el autor es citado o entrevistado. Y por supuesto, no se valorarán en este bloque aquellos libros o artículos que conformen un sexenio de investigación.

La divulgación científica en los términos que viene señalada en este bloque para baremar la transferencia de conocimiento debe ser evaluada atendiendo a la ponderación con que han de realizarse este tipo de actividades por el profesor universitario, de modo que, si un profesor universitario debe enseñar e investigar, el espacio de su tiempo que dedique a la divulgación científica en medios audiovisuales ha de ser residual, no principal o primordial.

Asimismo, la divulgación científica puede quedar identificada en materiales creados como productos científicos (físicos, virtuales, videos, aplicaciones, etc.), y debe atenderse a la calidad del producto, la complejidad de su elaboración, y los premios o acreditaciones obtenidos por el producto realizado.

También se valorará su impacto en el público, medido en el número estimado de personas que utilizan el producto, su expansión nacional o internacional, el número de unidades fabricadas, reseñas, o menciones.

Los criterios de puntuación de este factor, quedan como siguen

– Hasta 10 puntos: libros de más de 100 páginas y artículos en editoriales internacionales

– Hasta 6 puntos: libros de más de 100 páginas y artículos en editoriales nacionales

– 1 punto: Libros que no están en venta, de poca cita y tirada y artículos en revistas de divulgación regionales o locales

– *TV, radio, blogs y otros medios de divulgación audiovisual:* Se excluyen intervenciones o declaraciones puntuales sobre un tema científico.

Se valora la calidad del trabajo (originalidad, complejidad, duración del programa, periodicidad, e índices de audiencia)

En relación con los blogs se atiende al tipo de webs en los que está alojado (medios de comunicación, universidades, revistas, centros de investigación, etc.), así como el número de visitas.

Valoración de este ítem:

- Hasta 10 puntos si se trata de autor de programas de máxima audiencia nacional o internacional

- Hasta 6 puntos si se trata de participación frecuente en programas de máxima audiencia

- Hasta 1 punto, los restantes

- *Divulgación en redes sociales*: Se valora la comunicación científica a través de foros y redes sociales procurando la información adecuada de la sociedad española.

Como indicios se calidad se mide que la red social esté alojada en webs de medios institucionales (centros de investigación, asociaciones científicas, revistas, medios de comunicación, etc.), y como impacto social se mide el número de seguidores, comentarios, producción de contenidos, etc.

Valoración de este ítem:

- Hasta 10 puntos si la asociación es de ámbito internacional y los seguidores de ámbito mundial

- Hasta 6 puntos si la asociación es de carácter nacional así como sus seguidores

- 1 punto en los restantes casos

Crítica a este bloque: Dos advertencias importantes, entiendo que en este cuarto bloque caben aportaciones realizadas como dictámenes e informes jurídicos, pero debiendo acreditar su procedencia e interés y el tiempo que puede haber llevado su elaboración. Por otro lado, desconocemos cómo se van a valorar este tipo de aportaciones, en el sentido de considerar como una aportación cada informe o dictamen, o bien, considerarlos en su conjunto, aspecto éste a la hora de su evaluación no exento de interés.

Más clarificadora para nosotros resulta nuestra la posible participación en la elaboración de leyes y reglamentos, si bien, la aportación debe ser entendida por cada una de las leyes o reglamentos en los que se ha precisado nuestra intervención

Sin duda, de los cuatro bloques considerados y siempre, en este último apartado comentado es donde podemos acompañar un mayor número de aportaciones.

4. CONCLUSIÓN

Tal como ha quedado diseñado el sexenio de transferencia y considerando los indicadores que se utilizan para baremar los cuatro bloques en que se descompone la transmisión del conocimiento especializado a terceros, debe concluirse que los profesores de Derecho Financiero y Tributario, no lo tenemos muy fácil para poder acceder a él obteniendo una valoración positiva.

Ha de partirse, en primer lugar, de la idea de que la transferencia del conocimiento especializado solo se alcanza en un determinado estadio de nuestra vida académica, en el sentido de que aquellos que se están iniciando en este campo de la investigación jurídica, van a tener más difícil confeccionar un sexenio de estas características. Y si tenemos en cuenta que para acceder a él hay que contar, al menos, con un sexenio de investigación, hablamos de profesores de Derecho Financiero y Tributario con más de ocho años de dedicación a la investigación jurídica.

Al mismo tiempo, no queda nada claro, dentro del tramo a seleccionar por el peticionario, como aglutinar las aportaciones seleccionadas en función del tiempo en que se ha transferido conocimiento. Me explico, supongamos que alguno de nosotros ha prestado servicios como vocal de un órgano económico-administrativo a lo largo de doce años. La pregunta es ¿hace dos aportaciones de seis años cada una, teniendo en cuenta este indicador, o debe seleccionar una sola aportación por los doce años de colaboración? Desde luego, lo que no parece de recibo es considerar como aportación individualizada cada uno de los doce años en que se hayan venido prestando tales servicios, pues en tal caso, imagino, que el Comité de evaluación valorará el conjunto como una sola aportación. No obstante, es esta una cuestión que queda sin determinar de modo claro.

Si tenemos en cuenta que para acceder al sexenio, deben acreditarse aportaciones, al menos, en dos de los cuatro bloques de indicadores que permiten su evaluación, los profesores de Derecho Financiero y Tributario debemos descartar la posibilidad de presentar aportaciones en el tercero de los bloques en lo que se entiende como «transferencia generadora de valor económico» porque no facturamos atendiendo a patentes y marcas, y resulta difícil pensar que podamos integrarnos en empresas, ya sea como socio, ya como asesor, que empleen nuestras líneas de investigación en sus constitución y desarrollo.

Otro tanto de dificultad lo encontramos en el bloque segundo de los analizados, pues las comisiones de servicios, servicios especiales y excedencias escogidas como modalidades contractuales temporales conforme a los arts. 18 y 19 de la Ley de la Ciencia, la Tecnología y la Innovación, exigen que lo sean para el desarrollo del conocimiento especializado, por lo que han de excluirse de este baremo esas formas contractuales cuando lo hayan sido para la gestión universitaria —no hay transferencia externa a la propia Universidad— o por razón de la dedicación política —no hay aplicación de conocimiento especializado—.

En este mismo bloque, debemos ser cautos con el indicador «pertenencia a comités científicos de relevancia», porque como tales no podemos entender formar parte de un consejo de redacción de una revista o similar.

El cuarto bloque a evaluar, «transferir conocimiento que genere valor económico en la sociedad» ha de ser analizado con detenimiento, pues es donde podemos reproducir con mayor intensidad transferencia de conocimiento a través de la elaboración de dictámenes, informes, asistencias periciales, etc. Si bien, sería conveniente especificar estos ítems de valoración dentro del bloque para evitar malos entendidos o interpretaciones del evaluador que fueran contrarias al interés de nuestro colectivo.

Y termino reafirmando el título de esta intervención *«Este sexenio no es para mí»*, salvo naturalmente, que hagamos los deseables esfuerzos para matizar algunos de los criterios escogidos como indicadores para la evaluación de los cuatro bloques a través de los que se considera que el conocimiento especializado de los profesores de Derecho Financiero y Tributario puede ser transmitido a la sociedad, al tiempo que proseguimos en el desarrollo de nuestra labor docente e investigadora.

Los Alcázares, a 1 de octubre de 2019, entre barro y desolación

Sexenio de transferencia del conocimiento: debería ser para todos

Juan Zornoza
Universidad Carlos III de Madrid

SUMARIO: 1. INTRODUCCIÓN. 2. ALGUNAS ACLARACIONES PREVIAS. 3. REQUISITOS Y ORIENTACIONES PARA UNA VALORACIÓN POSITIVA. 3.1. Transferencia a través de la formación de investigadores. 3.2. Transferencia del conocimiento propio a través de actividades con otras instituciones. 3.3. Transferencia generadora de valor económico. 3.4. Transferencia de conocimiento generando valor social. 4. CONCLUSIÓN.

1. INTRODUCCIÓN

El consenso entre los expertos en política científica sobre la superioridad de un sistema de ciencia y tecnología basado en la transferencia de conocimiento, que genere avances tecnológicos e innovaciones, preferentemente aplicables en el ámbito empresarial, ha determinado la aparición de nuevos modelos de evaluación de la producción científica que no necesariamente se adaptan bien a todos los ámbitos del conocimiento.

Ya no basta la ciencia académica, generada en las Universidades, transmitida a través de publicaciones en libros y revistas especializados y evaluada, al menos fundamentalmente, por la propia comunidad científica a la que pertenece el autor, aunque sea sobre la base de índices más o menos objetivos relacionados con el número de citas u otras variables para medir su impacto. La investigación básica seguirá siendo necesaria, porque es la que genera el conocimiento que resulta crucial para el progreso económico y social, pero se considera imprescindible —como muestra el Manual de Oslo de la OCDE (2005)— para fomentar la innovación, poner el énfasis en la transferencia de conocimiento entre investigadores y empresas, para generar un proceso interactivo en la creación del conocimiento y en su difusión y aplicación.

Por ello, entra dentro de la lógica que la evaluación de la investigación comprenda también la transferencia de conocimiento, pues las asignaciones presupuestarias a unas u otras clases de investigación funcionan como un sistema de evaluación superpuesto al habilitado por las propias comunidades científicas. Ahora bien, dado que la evaluación de la producción científica se realiza con diferentes matices para los distintos campos, a la vista de sus características propias, según es visible en la Resolución de 14 de noviembre de 2018, de la Comisión Nacional Evaluadora de la Actividad Investigadora (CNEAI en lo sucesivo), resulta sorprendente que al establecerse —inicialmente con carácter experimental— la evaluación de las actividades de transferencia del conocimiento e innovación, se haya efectuado una regulación general para todos los campos.

Seguramente es esa regulación unitaria para todos los campos, a la que luego habré de referirme, la que explica que —en la provocadora frase del Prof. Eseverri— algunos pudieran pensar que ese sexenio no era para ellos, pese a que el número de solicitantes parezca desmentirlo, si se considera que de las 16.790 solicitudes presentadas 1.242 fueron del campo de ciencias jurídicas, lo que representa casi un 7,40 por 100 del total.

Pues bien, el propósito de este trabajo es argumentar que el sexenio de transferencia debe ser para todos y, en particular, que la transferencia de conocimiento no es ajena al trabajo de quienes nos dedicamos a la docencia e investigación del Derecho Financiero y Tributario, por mucho que incluso los términos empleados en la citada Resolución de la CNEAI, de 14 de noviembre de 2018, nos resulten ajenos.

2. ALGUNAS ACLARACIONES PREVIAS

Por ello, para explicar por qué este sexenio debería ser para todos los profesores de Derecho y, desde luego, señaladamente para quienes nos dedicamos al Derecho Financiero y Tributario, conviene aclarar algunos de los términos empleados por los expertos en política científica, para privarles de su apariencia taumatúrgica.

Como es sabido, la transferencia de tecnología consiste en la transferencia del capital intelectual y del *know-how* entre organizaciones, con la finalidad de su utilización en la creación y el desarrollo de productos y servicios; una transferencia que puede producirse tanto entre diferentes empresas como, sobre todo, en lo que aquí interesa, entre los agentes generadores de conocimiento —universidades y organismos públicos de investigación— y las empresas.

Pues bien, antes de nada, conviene reconocer que no sólo se transfiere conocimiento científico o tecnológico, sino también conocimientos de otros tipos y, entre ellos, conocimiento jurídico que, además de tener valor intrínseco para la comunidad científica, tiene utilidad social. No es casual, en este sentido, que desde 2008 la innovación social haya ido escalando posiciones en la agenda de la política científica europea, como demuestran el Programa de Empleo e Innovación Social (EASI), el Programa Horizonte 2020 o la iniciativa *Social Innovation Europe*.

Sin embargo, ha de reconocerse que los juristas somos tradicionalmente ajenos a las estructuras e instrumentos para la transferencia de conocimientos, pues por razones variadas nos hemos mantenido al margen de las Oficinas de Transferencia de los Resultados de la Investigación (OTRIs), no hemos participado en la creación de investigación y no son muchos los Institutos universitarios dedicados a la investigación jurídica y su transferencia a la sociedad. Pese a que es cada vez más frecuente la creación de *Spin-Off*[1] en las universidades españolas, no conozco ninguna remotamente relacionada con el ámbito jurídico; ni tampoco que las áreas jurídicas participen en las nacientes Oficinas de Transferencia Tecnológica (OTTs) o en los denominados Parques tecnológicos.

Curiosamente, siendo como somos los juristas ajenos a dichas estructuras e instrumentos, son pocas las universidades españolas que han creado estructuras propias para la gestión de la transferencia de conocimientos en el campo del derecho, del estilo del Estudio Jurídico de la UC3M o de las oficinas de *Multi-Discipline Practice* y Clínicas Jurídicas de algunas universidades de los USA. Y lo cierto es que, a pesar de los problemas que dichas estructuras plantean, su existencia parece recomendable dadas las especialidades que plantea la transferencia de conocimientos jurídicos a los distintos agentes económicos, públicos y privados, dado que la duración de los proyectos no tiene por qué prolongarse en el tiempo, ni se traduce en los productos tradicionales en otros ámbitos, como *know-how,* licencias, patentes, etc. En este sentido, disponer de una estructura especializada en la transferencia de conocimiento en el ámbito jurídico facilita las cosas y, para empezar, conlleva el reconocimiento de que los trabajos que llevamos a cabo suponen precisamente una transferencia al sector público y a las empresas de los resultados de la investigación.

Porque, en mi opinión, uno de los problemas a que nos enfrentamos y que seguramente explica que la CNEAI haya sido incapaz de establecer criterios diferenciados para la evaluación de la transferencia de conocimiento en los distintos campos, como lo hace para los sexenios de investigación, es

---

[1]   Se conocen como *spin off* las iniciativas empresariales que promueven los miembros de la comunidad universitaria para explotar los procesos, productos o servicios que han sido desarrollados en los laboratorios de I+D de las universidades.

que no se comprende el modo continuado y en ocasiones inadvertido en que esa transferencia se realiza en el campo jurídico. Porque la mayor parte de la investigación jurídica es investigación aplicada o aplicable para la prestación de servicios jurídicos, lo que explica que muchas de las editoriales y revistas especializadas que publican los resultados de nuestras investigaciones sean revistas y editoriales enfocadas a los profesionales, en nuestro caso en el ámbito tributario. Lo ponía de manifiesto Alejandro Nieto, cuando señalaba con razón que «no es lícito distinguir la teoría de la práctica, puesto que toda teoría, si es acertada, debe ser práctica y toda práctica, si quiere ser eficaz, debe tener adecuados fundamentos teóricos. La distinción —por muy extendida que se encuentre— es el resultado de una táctica corrupta y encubridora, que es preciso desenmascarar. Los autores que no son prácticos, sino practicones, pretenden disfrazar su ignorancia renunciando expresamente a la fundación lógica y científica de sus trabajos, que califican despectivamente de "teoría". Mientras que los teóricos que renuncian a la práctica, como si fuera una actividad innoble o de arte menor, no se dan cuenta de que lo que ellos llaman teoría son simples especulaciones carentes por completo de valor científico. En Derecho no hay obras teóricas o prácticas, sino obras buenas o malas»[2].

Precisamente por ello, el resultado de nuestra investigación científica, cualquiera que sea el medio a través del que se difunda o publique, no es otro que el de ser transferido para su empleo por los agentes económicos —públicos o privados— que trabajan en nuestro campo. Otra cosa es que, al menos en ocasiones, dado que los resultados de nuestra investigación están accesibles para dichos agentes económicos, en la medida en que se suelen publicar y su implantación no requiere de asistencia técnica, la transferencia de conocimiento no sea explícita, sino que se realice de forma implícita o inadvertida, lo que imposibilita su consideración como tal. Pero en otros casos, esa transferencia se realizará de forma explícita, en virtud de contratos o proyectos debidamente formalizados, cuyos resultados serán observables y, en consecuencia, susceptibles de evaluación, como me propongo mostrar haciendo referencia ya a la regulación de este sexenio de transferencia del conocimiento e innovación.

---

[2]   Cfr. NIETO, A. en su «Estudio Preliminar» a *Treinta y cuatro artículos seleccionados de la Revista de Administración Pública*, INAP, Madrid 1983.

3. REQUISITOS Y ORIENTACIONES PARA UNA VALORACIÓN POSITIVA

Antes de nada, hay que felicitarse porque la transferencia de los resultados de la investigación se reconozca como un mérito que debe ser evaluado y recompensado, aunque sea solo sobre el papel y —al menos por ahora— como proyecto piloto sin consecuencias económicas. Como un mérito que, como reconoce expresamente la Resolución de la CENAI, tantas veces citada, de 14 de noviembre de 2018, «… se podrá aplicar a todas las áreas de conocimiento, puesto que en todas ellas se pueden llevar a cabo acciones de este tipo».

Acciones que se evaluarán con carácter complementario a las de investigación, por períodos de seis años, que se confeccionan libremente por los solicitantes, que deberán presentar —para merecer una evaluación positiva— cinco aportaciones, que excepcionalmente podrán ser menos «si los trabajos tienen una extraordinaria calidad y han tenido una alta repercusión». Aportaciones en las que, obvio es decirlo, «el solicitante deberá haber participado activamente», debiendo concretarse la aportación en casos de coautoría, lo que en nuestro caso puede suscitar dificultades cuando se trate de trabajos no solo elaborados en coautoría, sino en los que todos los autores asumen la responsabilidad sobre la totalidad del resultado.

Nada que decir hasta ahora respecto a una evaluación que, al encontrarse abierta a todas las áreas, renuncia a tasar la clase de aportaciones que se podrán presentar, aunque de algún modo lo hace, al señalar cuales «…, se valorarán preferentemente»; a saber:

1. Transferencia a través de la formación de investigadores.
2. Transferencia del conocimiento propio a través de actividades con otras instituciones.
3. Transferencia generadora de valor económico.
4. Transferencia generadora de valor social.

Lo primero que sorprende es que, aunque sea «con carácter orientador» se considere que para alcanzar una evaluación positiva se deban presentar aportaciones de calidad en, al menos, dos de esos campos, porque eso supone una limitación para determinados campos e incluso para concretos investigadores que realizando una transferencia de alta calidad lo hagan solo en uno de ellos. Siempre se podría decir que se trata de una mera orientación, pero no ha sido esa la interpretación de la CNEAI, que se ha dirigido a algunos solicitantes manifestándoles que su solicitud había sido excluida porque «..., se ha detectado que todas sus aportaciones pertenecen a un solo bloque de los cuatro señalados en la Resolución de 14 de noviembre de 2018»; advirtiendo que, «..., dado que en la misma se establece que se deberán presentar aportaciones de dos de los bloques, es necesario que proceda a modificar su solicitud».

Sea como fuere, a falta de conocer las primeras resoluciones, que según la Resolución de 8 de octubre de 2019 de la Presidencia de la CNEAI se empezarán a notificar en el mes de diciembre, lo que me parece de mayor interés es analizar cada uno de esos bloques, para aventurar mi opinión sobre el tipo de aportaciones que los profesores de Derecho Financiero y Tributario podríamos presentar si es que se materializa una nueva convocatoria tras finalizar la evaluación de la primera, de forma independiente a la convocatoria anual de sexenios de investigación.

3.1. Transferencia a través de la formación de investigadores

Pese a que, al menos en principio, no es este un bloque que debiera suscitar dificultades para quienes somos titulares de proyectos a los que se han asociado becas de formación de personal investigador, al menos si continúa habiendo —lo que es más que dudoso— candidatos para cubrirlas, lo cierto es que la Resolución de la CNEAI adolece de un sesgo evidente, al fijarse en el número de personas contratadas a cargo de proyectos y contratos, las tesis industriales y/o empresariales dirigidas y las personas formadas en la cultura emprendedora, entendidas como personas en *Startup* o *Spin-off* en el período.

Por ello, si se mantuviera la formulación actual de este bloque, parece complicado que los profesores de Derecho Financiero y Tributario podamos presentar aportaciones relativas al mismo, porque los becarios que se integran en los proyectos no se consideran a efectos de transferencia, en la medida en que al desarrollarse los criterios de puntuación de este bloque se hace referencia solo a contratos firmados para la formación en el marco del art. 83 de la LOU, esto es a contratos con personas y entidades públicas o privadas para la realización de trabajos científicos, técnicos o artísticos, o el desarrollo de enseñanzas especializados o de formación. De ese modo, parece que se prescinde de considerar la formación de investigadores asociada a proyectos de los Planes nacional o autonómicos y se valora en muy escasa medida los contratos que se hayan celebrado a través de grupos de investigación, sin que haya una justificación clara, salvo que no se considere que existe transferencia de conocimiento si no existe un contrato con empresas.

Tampoco parece sencillo que los profesores de Derecho Financiero y Tributario dirijamos las denominadas «Tesis industriales», dado que debe existir un contrato laboral o mercantil con el doctorando (lo que parece excluir el vínculo estatutario) que, además, debe participar en un proyecto de investigación que se desarrolle en la empresa o Administración pública. Quizás, aunque sea con dudas, por referirnos a lo que creo que constituye una excepción en nuestro ámbito, podrían acogerse a este bloque quienes participen en la dirección de tesis de personas que formen parte de proyectos de investigación en el Instituto de Estudios fiscales y otras instituciones semejantes.

En definitiva, teniendo en cuenta que tampoco parece propia de nuestra actividad la contratación de personas en actividades de emprendimiento, es este un bloque que nos resulta ajeno.

3.2. Transferencia del conocimiento propio a través de actividades con otras instituciones

Es este un bloque que pretende evaluar la movilidad de los investigadores y del profesorado universitario por medio de las fórmulas contractuales «… que correspondan y resulten validas en Derecho», como ocurre en el caso de comisiones de servicios, servicios especiales, excedencias, etc. las que se transmite el conocimiento adquirido a entidades terceras, en particular, a empresas.

No tengo duda de que aquellos profesores que han prestado servicios como letrados en lugares tales como el Tribunal Constitucional, el Tribunal Supremo, otros Tribunales de Justicia y otras instituciones, han realizado transferencias de conocimiento que deberán ser evaluadas, teniendo en cuenta la duración y prestigio de la entidad, siempre contando con una carta en que se indique la actividad realizada y los indicios de calidad del conocimiento transferido. Porque las acciones realizadas lo serán, por hipótesis, en actividades que estarán relacionadas con la especialidad del solicitante, que en su trabajo en dichas instituciones va a desarrollar —o transferir— los resultados de su conocimiento científico especializado, lo que —desde luego— limita las aportaciones relacionadas con estancias en lugares no directamente relacionados con nuestro área de especialización.

En todo caso, algunas dudas suscita que la persona solicitante haya de indicar «la vinculación de la actividad con el avance científico tecnológico», pues de realizarse una interpretación estricta de dicha condición, realizar aportaciones en este bloque sería igualmente complicado.

Por su parte, en lo que se refiere a los contratos temporales en entidades externas, que incluirán los señalados en los arts. 18 y 19 de la Ley de la Ciencia, la Tecnología y la Innovación, sin prever otros tipos de contrato y, en particular, los del art. 83 de la LOU, a través de los que algunos compañeros se incorporan como Consejeros a despachos profesionales a los que transfieren conocimiento en virtud de contratos de servicios que podrían ser considerados en este bloque sin dificultades por cuanto suponen un vínculo estable equivalente a uno de esos contratos de la Ley de la Ciencia.

Por fin, también se tiene en cuenta en este bloque la pertenencia a Comités de diversa naturaleza de instituciones nacionales e internacionales, un tipo de transferencia del conocimiento cuya evaluación tendrá en cuenta la importancia del comité, que se mide atendiendo a su carácter internacional, nacional, autonómico o local y a si es, o no, selectivo en su ámbito o único en su ámbito de actuación. Siempre que seamos prudentes en nuestras valoraciones, no tengo ninguna duda de que es esta una clase de aportación que encaja con nuestra actividad, siempre que seamos conscientes de que se excluyen los comités de carácter docente y de que no deberíamos acudir a la creación de comités fantasmas como los que hoy aparecen como pretendidos comités científicos para la organización de jornadas que difícilmente alcanzan más de un día y medio de duración.

3.3. Transferencia generadora de valor económico

Pese a que la redacción de la resolución de la CNEAI tiene un claro sesgo, que relaciona este bloque con las OTRIs y la actividad de las áreas a las que tradicionalmente atribuimos la transferencia de conocimiento, debería hoy ser evidente que es este un tipo de transferencia propio de todas las áreas jurídicas y, en particular, del Derecho Financiero y Tributario.

En particular, prescindiendo de la facturación por royalties, número de patentes y participación como socio en *Spin-Offs* activas, es hoy normal entre nosotros la participación en contratos y proyectos con empresas y otras instituciones, al igual que los contratos y convenios de investigación con empresas, entidades y administraciones públicas que revierten fondos en universidades, fundamentalmente a través del art. 83 de la LOU.

El problema en este bloque no es tanto la participación, como los difusos criterios de evaluación de las aportaciones presentadas, que atiende tanto a criterios objetivos —tipo de participación, duración del contrato y facturación— como a criterios más subjetivos y de difícil control, como la calidad de la transferencia realizada, los resultados del proyecto y el impacto económico.

No pretendo en modo alguno criticar el empleo de tantos y tan diversos criterios, en que ha de alcanzarse una puntuación mínima de seis puntos sobre diez, pero si que predominen los criterios subjetivos sobre los objetivos. Ello hace aconsejable, por otro lado, justificar de manera pormenorizada los indicios de calidad de la transferencia, haciendo referencia a los resultados obtenidos, sobre todo cuando resulten objetivables. Por ejemplo, un Informe redactado con motivo de una modificación normativa habrá tenido un resultado valioso en la medida que las propuestas realizadas se hayan incorporado al correspondiente texto normativo; o un dictamen para la defensa de una determinada posición habrá tenido un resultado valioso en la medida que la decisión administrativa o judicial haya acogido sus argumentos, incluso haciendo referencia al dictamen. Y, a esos efectos, es de particular importancia que los servicios de las Universidades estén en condiciones de llevar a cabo la correspondiente tarea de certificación, lo que ha suscitado no pocos problemas que, a su vez, han motivado exclusiones y necesidad de subsanación de solicitudes en que la documentación aportada no resultaba suficiente.

3.4. *Transferencia de conocimiento generando valor social*

Es este un bloque particularmente complejo, dada su inicial indeterminación, puesto que no es fácil concretar que actividades de transferencia de conocimiento —que es lo que se trata de valorar— «redundan en beneficio de la sociedad civil y en sus distintos grupos de interés». Por otro lado, tampoco es sencilla la valoración teniendo en cuenta que la Resolución de la CNEAI se refiere a «aspectos relacionados con la proyección externa y con la consolidación de la imagen pública universitaria».

Es cierto que se concreta un poco más al señalar cuáles son las posibles aportaciones, relacionadas con: a) la participación en convenios o contratos en actividades con especial valor social, con entidades sin ánimo de lucro o Administraciones públicas; y b) publicaciones de difusión escrita, o realizada a través de medios de comunicación audiovisual, informes para agentes sociales; participación en elaboración de leyes y reglamentos, etc.

De nuevo, para su evaluación se atenderá tanto a criterios objetivos —tipo de participación, duración y facturación— como a criterios subjetivos —calidad de la transferencia, resultados e impacto social— siendo estos los que ponderan en mayor medida.

No se trata de un bloque que suscite especiales dudas, sobre todo teniendo en cuenta que de forma expresa se alude a una de nuestras actividades, como es la participación en la elaboración de leyes y reglamentos. Sin embargo, en su formulación se pone de relieve el problema de fondo que subyace a la regulación del sexenio de transferencia de conocimiento y que, en el fondo, dificulta que sea para todos; a saber: la incomprensión con el trabajo que realizamos quienes nos dedicamos a las llamadas ciencias blandas o, para ser más preciso, a la docencia e investigación en áreas cuyo carácter científico es discutido por quienes practican ciencias experimentales. Porque no es de recibo que se incluya en ese apartado la «difusión profesional», haciendo referencia a la elaboración de informes para agentes sociales —se supone que *pro bono*, ya que en otro caso sería transferencia generadora de valor económico, o la participación en la elaboración de leyes o reglamentos— igualmente como miembro de Comisiones, etc. y no en virtud de contratos del art. 83 de la LOU. En definitiva, parece que no se considera que la transferencia de conocimiento sea propia del ámbito jurídico, por lo que la realización de dictámenes, informes periciales, etc. se considera «difusión profesional», como si no fuera una de las formas de transferencia del conocimiento adquirido en nuestras tareas de investigación.

Difusión profesional que, en el desarrollo de este bloque, comprende también la publicación de libros, siempre que no se trate de materiales docentes, artículos de divulgación y otros materiales creados como productos científicos (físicos, virtuales, videos, aplicaciones, etc.), además de programas para medios audiovisuales, *blogs* etc. que, dicho sea con todo respeto para *bloguers*, *youtubers* y demás amantes de los medios digitales, que también existen en nuestro gremio, no me parece que realicen el mismo tipo de transferencia de conocimiento que quienes presentan un dictamen o participan en una reforma legislativa.

4. CONCLUSIÓN

Pese a que el diseño del denominado «sexenio de transferencia» dista mucho de ser óptimo, entiendo que una vez superado el oscuro lenguaje de la Resolución de la CNEAI y aclarado, en la medida de lo posible, el contenido de cada uno de los bloques en que pueden realizarse aportaciones, los profesores de Derecho Financiero y Tributario no deberíamos tener especiales problemas para poder obtener una valoración positiva.

A diferencia de lo que ocurre en el ámbito de las ciencias experimentales, es cierto que en nuestro campo la transferencia del conocimiento especializado —con excepción de la que se desarrolla mediante actividades en otras instituciones— tiene lugar fundamentalmente a través de actividades relacionadas con el art. 83 de la LOU. Ello nos proporciona una ventaja relativa, pues esos trabajos podrán normalmente ser considerados transferencia generadora de valor económico o, cuando su contenido lo amerite, transferencia generadora de valor social, quedando en manos de cada solicitante elegir el bloque en que incardinar cada aportación.

Ahora bien, ello plantea problemas, sobre todo en las primeras fases de la vida universitaria, en que es habitual colaborar con los proyectos de profesores con mayor experiencia, porque en los trabajos que realizamos es difícil individualizar las contribuciones personales, lo que a su vez complica la evaluación de esos trabajos. Para empezar, desde la perspectiva de la certificación por parte de las OTRIs o estructuras dedicadas a la gestión de la transferencia de conocimiento, que requiere ir acompañada de una certificación complementaria por parte del investigador principal, que identifique el alcance del contrato trabajo realizado por el colaborador.

Esos y otros problemas que podríamos apuntar —como la difícil elección entre un trabajo con elevado presupuesto y sin resultados visibles y otro cuyo resultado es evidente, pero de menor retorno económico; o la duración de los proyectos y trabajos y su distribución en tramos— pueden producir la impresión de que este sexenio no es para nosotros, como de forma provocadora ha sugerido el Prof. Eseverri. Seguramente tiene razón en que el sexenio no ha sido diseñado pensando en quienes nos dedicamos a la investigación jurídica, desde el prejuicio de que quienes cultivamos las ciencias jurídicas no transferimos conocimiento, cuando lo cierto es exactamente lo contrario, que casi todas nuestras aportaciones científicas se transfieren de manera silenciosa a los agentes económicos que actúan en el ámbito financiero y tributario.

Pero que las cosas sean así no debe llevarnos al abandono, sino muy al contrario, hacernos reflexionar sobre la posible adecuación de las condiciones de la convocatoria realizada a nuestra actividad, de manera que estemos en condiciones de presentar propuestas para una próxima convocatoria que ya sea, de verdad, para todos.

PARTE I. Los retos del Derecho Financiero y Tributario ante la economía digital

Capítulo 1

GloBE - ¿Hacia un mínimo de tributación global?[*]

Félix Daniel Martínez Laguna[**]

SUMARIO: 1. INTRODUCCIÓN. 2. GLOBE - LAS MEDIDAS. 2.1. Medidas de residencia - Income Inclusion Rule. 2.1.1. La medida doméstica: Income Inclusion Rule. 2.1.2. Medida convencional - *Switch-over rule*. 2.2. Medidas de fuente - Tax on Base Eroding Payments. 2.2.1. La medida doméstica: *Undertaxed payment rule*. 2.2.2. Medida convencional: *Subject to tax rule*. 3. GLOBE - ALGUNAS DUDAS SOBRE LOS OBJETIVOS Y LAS MOTIVACIONES. 4. A MODO DE CONCLUSIÓN. Bibliografía.

1. INTRODUCCIÓN

La presente contribución tiene por objeto el análisis de una de las más recientes iniciativas de la OCDE en su pretendida lucha contra la indefinida erosión y desplazamiento de bases imponibles. La *Global Anti-Base Erosion Proposal* se presenta en la documentación en desarrollo como uno de los dos pilares destinados a abordar, y potencialmente solucionar, los retos de la digitalización de la economía en el ámbito tributario[1]. Sin embargo,

---

[*]   Esta contribución se basa en la ponencia *Retos y Desafíos derivados de un Mínimo de Tributación Global. Pilar 2 BEPS 2.0: GloBE,* integrada en la mesa *Retos actuales del Derecho Financiero y Tributario ante el desafío de la economía digital* de la VI Reunión de Profesores de Derecho Financiero y Tributario, 18 de octubre de 2019. Asimismo, esta contribución se enmarca en el proyecto de investigación «*Tax Planning and Avoidance after BEPS: Legal and Economic Analysis*» (PGC2018-099982-B-100), financiado por el Ministerio de Ciencia, Innovación y Universidades (MCIU)

[**]   Profesor Ayudante Doctor. Área de Derecho Financiero y tributario. Universidad Autónoma de Madrid. felixdaniel.martinez@uam.es.

[1]   Debe señalarse que esta iniciativa se desarrolla en el seno del Marco Inclusivo sobre BEPS de la OCDE y el G-20. *Vid.,* OECD, *Addressing the Tax Challenges of the Digitalisation of the Economy - Policy Note,* OECD, 2019 (en lo sucesivo, OCDE - Policy note); OECD, *Addressing the Tax Challenges of the Digitalisation of the Economy - Public Consultation Document,* OECD, 2019 (en lo sucesivo, OCDE - Consulta pública); y, OECD, *Programme of Work to Develop a Consensus Solution to the Tax Challenges Arising from the Digitalisation of the Economy,* OECD/G20 Inclusive Framework on BEPS, OECD, 2019 (en lo sucesivo, OCDE - Programa de trabajo); y OCDE, *Public Consultation Document on Global Anti-Base Erosion Proposal («GloBE») (Pillar Two),* OECD, 2019 (en lo sucesivo, OCDE - Consulta Pública Pilar 2).

mientras que el denominado Pilar 1 (*Pillar One*) en principio presentaba una mayor relación con cuestiones tributarias que afectan especialmente a sectores de actividad digitalizados[2], la *Global Anti-Base Erosion Proposal* (en lo sucesivo GloBE o Pilar 2) se encontraría desdibujada en ese marco digital al proponer medidas dirigidas a la consecución de un mínimo de tributación global independientemente de la naturaleza de la actividad empresarial transfronteriza[3].

GloBE se basaría en una pretendida modificación coordinada de la normativa doméstica y convencional que, limitando las posibilidades de competencia fiscal entre Estados, permitiera mitigar o eliminar determinados riesgos relacionados con la erosión de bases imponibles y el traslado de beneficios a jurisdicciones donde estos se someten a un bajo o nulo nivel de tributación[4]. En síntesis, esta iniciativa presentaría como objetivo principal el establecimiento de límites a la competencia fiscal entre Estados —y a la planificación fiscal— a través de la fijación de un tipo de gravamen efectivo mínimo para determinados grupos empresariales que operen en contextos transfronterizos[5]. Un objetivo que podría identificarse con la *ilusión* del

---

[2] En el marco del Pilar 1 se propone la revisión de determinadas reglas de atribución de beneficios y la creación de un nuevo nexo en ese contexto. *Vid.*, para un mayor detalle sobre el Pilar 1, y entre muchos otros, P. PISTONE, J. F. PINTO NOGUEIRA y B. ANDRADE, «The 2019 OECD Proposals for addressing the tax challenges of the digitalization of the economy: an assessment», *International Tax Studies* 2, 2019. En todo caso, debe señalarse que la preocupación por sectores digitalizados parecería haber trascendido hacía el más amplio concepto de *consumer-facing business*es, aquellos negocios que generan rentas por la entrega de bienes o prestaciones de servicios, bien sea de forma directa o indirecta, a consumidores. Una realidad que amplía el objeto de la iniciativa hacia sectores tradicionales de negocio con un menor grado de digitalización. *Vid.*, en este sentido, OECD, *Statement by the OECD/G20 Inclusive Framework on BEPS on the Two-Pillar Approach to Address the Tax Challenges Arising from the Digitalisation of the Economy - January 2020*, OECD/G20 Inclusive Framework on BEPS, OECD, 2020, p. 10 (para. 19) (en lo sucesivo, OCDE - Statement January 2020).

[3] *Vid.*, en este sentido, OCDE - Programa de Trabajo, p. 26 (para. 55), donde se reconoce expresamente que el alcance de GloBE no se limita a negocios altamente digitalizados. *Vid.*, igualmente, OCDE - Consulta Pública, p. 24 (para. 91).

[4] *Vid.*, OECD - Consulta pública, p. 7 (para. 9), donde se reconoce que la iniciativa se relaciona con dos juegos de medidas interrelacionadas que otorgan un remedio a los Estados en aquellos casos en los que existan rentas que se encuentren sometidas a un muy bajo o nulo nivel de tributación.

[5] *Vid.*, OCDE - Consulta Pública, p. 24 (para. 91), donde se considera que la medida propone una solución sistemática diseñada para asegurar que empresas que operen en contextos transfronterizos se sometan a un nivel mínimo de tributación. Englisch, en sus comentarios en respuesta a la consulta pública de la OCDE sobre el Pilar 2 (OCDE - Consulta Pública Pilar 2), considera que esta imposición mínima ha sido diseñada

reconocimiento internacional de un nivel *aceptable* de competencia fiscal entre Estados a través de un tipo *efectivo* de gravamen mínimo[6], realidad que afecta tanto al comportamiento de los Estados como de los obligados tributarios[7].

Esta iniciativa plantea importantes retos con respecto a su compatibilidad con normativa pre-existente —convenios para evitar la doble imposición (en lo sucesivo, CDI) y el derecho primario de la Unión Europea— y, paradójicamente, con respecto a su propia justificación atendiendo a la indeterminada *tradición* de la OCDE consagrada en su proyecto BEPS con respecto al gravamen de beneficios allí donde se hayan generado y se haya creado valor. Una *tradición* que parece amenazada por esta nueva iniciativa en la que no solo se desatiende por completo el objetivo recién mencionado, sino que puede provocar que efectivamente se graven los beneficios donde no se han generado y donde no se ha creado valor. Esta contribución se articula en tres únicos apartados donde se presentan las medidas domésticas y convencionales contenidas en la propuesta GloBE para continuar con un comentario crítico con respecto a los objetivos y la justificación de la iniciativa y cerrar con unas breves conclusiones.

---

para luchar por igual contra una *excesiva* competencia fiscal internacional y situaciones de erosión de bases imponibles y desplazamientos de beneficios. *Vid.*, J. ENGLISCH, *Comments on the OECD Public Consultation Document Global Anti-Base Erosion Proposal («GloBE») (Pillar Two)*, 2019, pp. 4-5. [Disponible en: https://www.oecd.org/tax/beps/public-comments-received-on-the-global-anti-base-erosion-globe-proposal-under-pillar-two.htm]. En este sentido, reconoce como primer objetivo de GloBE reducir los incentivos existentes que permiten a las empresas multinacionales trasladar beneficios a jurisdicciones de baja tributación y, como segundo objetivo de la medida, el establecimiento de un umbral de máximos (o mínimos, según la perspectiva añadimos nosotros) de competencia fiscal entre Estados. *Id,* p. 2.

[6] *Vid.*, en este mismo sentido, J. ENGLISCH y J. BECKER, «International Effective Minimum Taxation - The GLOBE Proposal», *World Tax Journal*, vol. 11, núm. 4, 2019, p. 496.

[7] *Vid.*, OCDE - Programa de Trabajo, paras. 54 y 58. *Vid.*, igualmente, J. ENGLISCH, *op. cit.*, p. 5. En todo caso, debe indicarse que la planificación fiscal es menos sensible a limitaciones de la competencia fiscal entre Estados que en sentido inverso. La competencia fiscal entre Estados requiere necesariamente de planificación fiscal, pero puede existir planificación fiscal sin competencia fiscal entre Estados.

2. GLOBE - LAS MEDIDAS

Aunque la iniciativa se encuentra todavía en fase de desarrollo y existen más dudas que certezas[8], parece posible confirmar que GloBE se erige sobre dos medidas principales de carácter doméstico y unilateral aparentemente interrelacionadas (i.e. *Income Inclusion Rule y Undertaxed Payments Rule*), así como sobre dos medidas de carácter convencional que, aun pudiendo considerarse secundarias, son un complemento necesario a las anteriores para asegurar la efectividad de la propuesta en su conjunto en determinados contextos (i.e. *Switch-over Rule y Subject to Tax Rule)*. Atendiendo a su objeto, naturaleza y consecuencias, estas medidas podrían agruparse en medidas de residencia (i.e. *Income Inclusion Rule y Switch Over-Rule*), consideradas conjuntamente en la iniciativa como *Income Inclusion Rule*, y medidas de fuente (i.e. *Undertaxed Payments Rule y Subject to Tax Rule)* consideradas conjuntamente como *Tax on Base Erosing Payments*.

Sin entrar en detalle en este momento, cabe destacar que las medidas domésticas descansan en mayor o menor medida sobre determinados elementos comunes entre los que destacan (i) un tipo efectivo de gravamen mínimo todavía por determinar, (ii) la irrelevancia de la sustancia económica de la inversión o actividad empresarial transfronteriza para la aplicación automática de las medidas en supuestos de baja o nula tributación, (iii) la existencia de un nivel mínimo de vinculación entre entidades igualmente por determinar y (iv) la interdependencia normativa de carácter unilateral entre jurisdicciones.

2.1. *Medidas de residencia - Income Inclusion Rule*

2.1.1. La medida doméstica: Income Inclusion Rule

La denominada *Income Inclusion Rule*, regla de inclusión o regla de imputación, se identifica con una medida doméstica que implica el gravamen por parte de una sociedad de aquellas rentas generadas por entidades controladas o sucursales localizadas en otra jurisdicción (o jurisdicciones) cuando se sometan a un tipo efectivo de gravamen inferior al que resulte acordado en el marco de la iniciativa[9]. En definitiva, la regla de inclusión

---

[8]   *Vid.*, entre otros, OCDE - Programa de trabajo y OCDE - Consulta Pública Pilar 2.

[9]   *Vid.*, con respecto al desarrollo de esta regla, OCDE - Consulta pública, pp. 25-26; OCDE - Programa de trabajo, pp. 27-30; y OCDE - Consulta Pública Pilar 2. Con respecto al nivel de vinculación, la documentación de desarrollo de la iniciativa parecía

implica una atracción de rentas hacía la jurisdicción donde resida la entidad dominante o casa central cuando no se haya producido un nivel de tributación equivalente al estándar mínimo *aceptable* en la jurisdicción (o jurisdicciones) donde radiquen las entidades controladas o sucursales.

Así, esta medida actuaría como una suerte de versión extendida[10], no necesariamente mejorada, de las reglas de transparencia fiscal internacional (en lo sucesivo, reglas CFC) reconocidas en multitud de ordenamientos[11], así como en las últimas iniciativas de la Unión Europea y la OCDE[12]. Sin embargo, existen diferencias notables sobre el nivel de tributación aplicable, la determinación de la base imponible en sede de la entidad dominante o casa central y, sobre todo, la irrelevancia de la sustancia económica para la aplicación de la regla de inclusión aun en supuestos donde no concurren elementos de abuso[13]. Asimismo, y pese a que la propia iniciativa reconoce que la regla de inclusión actuaría como complemento a las reglas CFC en aquellos Estados en los que estas últimas estuvieran implementadas en la

---

inclinarse en un primer momento por la aplicación de la regla a todo aquel accionista que tenga una participación directa o indirecta de *carácter significativo* en el capital de la entidad donde se generan las rentas. *Vid.*, en este sentido, OCDE - Consulta pública, p. 25 (para. 96).

10   *Vid.*, en este sentido, ENGLISCH y BECKER, p. 496. La propia iniciativa reconoce que esta regla de inclusión tiene como inspiración las recomendaciones reconocidas en la Acción 3 del Proyecto BEPS, relativa a Reglas CFC, así como determinados aspectos de la medida *Global Intangible Low Taxed Income* (GILTI) implementada en la normativa estadounidense. *Vid.*, OCDE - Consulta Pública, p. 26 (para. 98). *Vid.*, igualmente, OCDE, *Designing Effective Controlled Foreign Company Rules, Action 3-2015 Final Report*, OECD/G20 Base Erosion and Profit Shifting Project, OECD, 2015 (en lo sucesivo, OCDE - Acción 3 del Proyecto BEPS); y, con respecto a GILTI y entre otros, C. PÉREZ GAUTRIN, «US Tax Cuts and Jobs Act: Part 1 - Global Intangible Low-Taxed Income (GILTI)», *Bulletin for International Taxation*, vol. 73, núm. 1, 2018, pp. 36-48.

11   *Vid.*, para el caso español, artículo 100 de la Ley 27/2014, de 27 de noviembre, del Impuesto sobre Sociedades.

12   *Vid.*, con respecto a la OCDE, *supra* n. 10; y, en el ámbito de la Unión Europea, artículos 7 y 8 de la Directiva (UE) 2016/1164 del Consejo, de 12 de julio de 2016, por la que se establecen normas contra las prácticas de elusión fiscal que inciden directamente en el funcionamiento del mercado interior (en lo sucesivo, Directiva 2016/1164 - ATAD 1).

13   Esta última realidad tiene una especial incidencia en el análisis de (in)compatibilidad de esta regla de inclusión con el derecho primario de la Unión Europea, particularmente en relación con las libertades fundamentales. *Vid.*, para un análisis a este respecto, DEVEREUX et al, *The OECD Global Anti-Base Erosion Proposal*, Oxford University Centre for Business Taxation, 2020, pp. 47-54. *Vid.*, con respecto a la irrelevancia de la sustancia económica y el abuso en GloBE, *infra* sec. 3.

norma doméstica[14], existen dudas razonables sobre la interacción de ambas medidas, más si cabe cuando el ámbito de aplicación de la regla de inclusión parece en principio más amplio que el propio de las reglas CFC[15].

En este sentido, y más allá de la discusión con respecto al mejor sistema de determinación de la base imponible a los efectos de aplicación de la regla[16], una de las diferencias entre reglas CFC y la regla de inclusión del Pilar 2 se relacionaría con el tipo de rentas que se consideran imputables a la entidad dominante. El diseño de la regla de inclusión supone la imputación en sede de la entidad dominante o casa central de toda la renta generada por la entidad controlada o la sucursal a fin de lograr el mínimo efectivo de tributación acordado[17]. En este sentido, la regla de inclusión reconocida en GloBE se separaría de la dinámica tradicional —y no tan tradicional[18]— de las reglas CFC al no atraer exclusivamente las denominadas rentas pasivas generadas por la entidad controlada (o la sucursal)[19], sino todo tipo de

---

14   *Vid.*, en este sentido, OCDE - Consulta pública, p. 25 (para. 96); y OCDE - Programa de trabajo, p. 27 (para. 59).

15   Así, Pistone *et al.* reconocen la necesidad de evitar desajustes por la potencial aplicación concurrente de la regla de inclusión y reglas de transparencia fiscal internacional (CFC). *Vid.*, P. PISTONE, J. F. PINTO NOGUEIRA, B. ANDRADE y A. TURINA, «OECD - The OECD Public Consultation Document "Global Anti-Base Erosion (GloBE) Proposal - Pillar Two": An Assessment», *Bulletin for International taxation,* vol. 74, núm. 2, p. 72. Aun dependiendo del diseño definitivo de la regla de inclusión —y del propio diseño de la regla de transparencia fiscal internacional que resulte de aplicación en cada supuesto añadimos nosotros—, estos autores recuerdan que las reglas de CFC se aplican en términos generales en situaciones relacionadas con el abuso o riesgo de abuso. Asimismo, entenderían que la regla de inclusión se aplicaría de forma subsidiaria y solo en aquellos supuestos en los que las reglas de CFC no fueran efectivas. *Id.* Con respecto a esta última idea, entendemos que la relación entre las reglas de CFC y la regla de inclusión no debería entenderse en términos de subsidiariedad atendiendo al diferente ámbito de aplicación en relación con la sustancia económica. En este sentido, Pistone *et al.* reconocen que, desde la perspectiva europea y considerando la naturaleza anti-abuso de las reglas de CFC, la aplicación de estas deberá realizarse caso por caso mientras que la regla de inclusión parece entenderse aplicable casi automáticamente. *Id,* p. 75.

16   *Vid.*, con respecto a esta relevante cuestión, OCDE - Consulta Pública Pilar 2, pp. 9-16; y, entre otros, ENGLISCH y BECKER, *op. cit.,* pp. 503-505; y Pistone *et al., op. cit.,* pp. 65-70.

17   Como bien señalan ENGLISCH y BECKER, el ámbito de aplicación es potencialmente mucho más amplio dado que no se encuentra limitado a ciertas categorías de rentas pasivas. *Vid.*, J. ENGLISCH y J. BECKER, *op. cit.,* p. 498. *Vid.*, igualmente, *supra* n. 15.

18   *Vid.*, en este sentido, *supra* n. 12.

19   Como bien señala GIL GARCÍA, «no todas las rentas de una CFC deben ser atribuidas bajo las *CFC rules* [...] [puesto que] en determinados casos el establecimiento de entidades vinculadas no residentes puede basarse en razones empresariales (v.gr. dis-

rentas obtenidas por las mismas cuando no se haya producido un mínimo de tributación efectiva en los términos de la iniciativa, independientemente de la concurrencia de elementos de abuso con respecto a la actividad de la entidad controlada o la sucursal allí donde radique[20].

Ya con respecto al elemento nuclear de la iniciativa, el tipo efectivo de gravamen se presenta como un tipo fijo todavía por determinar y no variable entre jurisdicciones que actuaría como umbral mínimo y máximo en el contexto de la iniciativa[21]. Este carácter dual se relacionaría con la necesidad de establecer un mínimo efectivo de tributación global que, a su vez, se comportara como máximo a los efectos de aplicación de las medidas contenidas en la iniciativa a modo de *impuesto complementario*[22]. En otras palabras, y a diferencia de lo que ocurre en términos generales en la apli-

---

ponibilidad de trabajadores, de recursos naturales, etc.)». *Vid.* E. GIL GARCÍA, *Los incentivos fiscales a la I+D+i*, Tirant lo Blanch, 2017, p. 258. Sanz Gadea recuerda que «la transparencia fiscal internacional ha venido recayendo, en los países que la tienen establecida, sobre las rentas de carácter pasivo». *Vid.*, E. SANZ GADEA, «Imposición global mínima», en *Imposición sobre el beneficio empresarial: Evolución reciente, perspectivas de futuro*, Deloitte, 2019, p. 762.

[20]   Englisch y Becker recuerdan que esta medida afecta a la localización de inversión real. *Vid.*, J. ENGLISCH y BECKER, *op. cit.*, p. 498. *Vid.*, con respecto a esta realidad, *infra* sec. 3. En todo caso, debe destacarse que existen configuraciones normativas de reglas de transparencia fiscal internacional (reglas CFC) que reconocen la inclusión de todo tipo de rentas (rentas activas y rentas pasivas) bajo determinadas circunstancias relacionadas con la existencia o inexistencia de factores productivos y riesgos asociados a la actividad desarrollada por la entidad controlada en la jurisdicción donde radique; una realidad que se relaciona con la idea de sustancia económica y, en definitiva, con el concepto de abuso. *Vid.*, por ejemplo, artículo 100. 2 de la Ley 27/2014, de 27 de noviembre de 2014, del Impuesto sobre Sociedades, en referencia a la concurrencia de medios materiales y personales para la obtención de rentas por parte de la entidad controlada. *Vid.*, igualmente, artículo 7. 2 b) de la Directiva 1164/2016 - ATAD 1. Recuperando de nuevo a GIL GARCÍA, «la renta que procede de una actividad económica real debe excluirse del ámbito de aplicación del régimen de transparencia fiscal internacional». *Vid.*, GIL GARCÍA, *op. cit.*, p. 258. *Vid.*, igualmente, *supra* n. 19 y el texto relacionado.

[21]   *Vid.*, OECD - Consulta Pública (Pilar 2), p. 7 (para. 9); y OCDE - Statement January 2020 p. 28 (para. 9). Igualmente *vid.*, con respecto al tipo fijo, OCDE - Programa de Trabajo, pp. 27 y 28 (paras. 64 y 65); y, OCDE - Programa de Trabajo, p. 27 (paras. 61 y 62).

[22]   Ello sin perjuicio de que en el seno de la iniciativa se reconoce que los países tienen, como no podía ser de otro modo [*of course*, en los términos de la iniciativa], plena libertad para gravar la renta de la entidad controlada (o determinados elementos de renta) a un tipo superior al tipo mínimo como ya ocurre en relación con reglas CFC. *Vid.*, OCDE - Programa de Trabajo, p. 33 [nota al final 6], en relación con p. 27 (para. 62).

cación de reglas CFC donde las rentas objeto de imputación o inclusión se someten al tipo marginal de tributación en sede de la entidad dominante, la propuesta de regla de inclusión supliría el *defecto* de tributación en sede de las entidades controladas o sucursales hasta nivelarlo en sede de la entidad dominante o casa central con el tipo efectivo de gravamen mínimo acordado. En esencia, y en principio, el nivel de tributación de las rentas sometidas a la aplicación de la regla de inclusión sería idéntico con independencia del tipo de gravamen general que resulte de aplicación a las entidades dominantes o casas centrales en la jurisdicción (o jurisdicciones) donde radiquen.

En definitiva, y sin perjuicio de los comentarios que se realizarán en la sección 3, esta regla de inclusión supondría un traslado de rentas (o beneficios) hacía jurisdicciones de residencia cuando no se satisfaga el mínimo efectivo de tributación acordado, y ello sin que concurran elementos de abuso. Una realidad no exenta de crítica.

2.1.2. Medida convencional - *Switch-over rule*

A título meramente enunciativo, la (re)asignación unilateral de derechos de gravamen que supone la regla de inclusión requiere cambios en los convenios para evitar la doble imposición. Esta realidad se relacionaría con aquellas situaciones en las que el Estado donde radique la casa central tenga vedado, por motivo de exención reconocida en el convenio para evitar la doble imposición que resulte de aplicación, el gravamen de las ganancias atribuibles al establecimiento permanente localizado en otro Estado[23]. Para garantizar la efectividad de la regla de inclusión reconocida en norma interna, el Pilar 2 propone reconocer una regla de inversión (*switch-over rule*)

---

[23] La iniciativa considera igualmente la integración en esta regla de inversión de aquellas rentas derivadas de bienes inmuebles que no forman parte de un establecimiento permanente. *Vid.*, OCDE - Programa de trabajo, p. 30 (para. 72). Salvando las evidentes diferencias, la propuesta de Directiva 1164/2016 - ATAD 1 reconocía en su artículo 6 una regla de inversión (switch-over rule), en este caso de carácter doméstico. Sin embargo, esta regla fue excluida de la Directiva finalmente aprobada. *Vid.*, *Propuesta de Directiva del Consejo por la que se establecen normas contra las prácticas de elusión fiscal que afectan directamente al funcionamiento del mercado interior*, COM (2016) 26 final, artículo 6. *Vid.*, para un mayor detalle sobre esta regla, F. D. MARTÍNEZ LAGUNA y F. A. VEGA BORREGO, «The Switch-Over Clause in the 2016 Proposal for an Anti-tax Avoidance», en *Combating Tax Avoidance in the EU. Harmonization and Cooperation in Direct Taxation*, J. M. ALMUDÍ CID, J. A. FERRERAS GUTIÉRREZ, P. A. HERNÁNDEZ GONZÁLEZ-BARREDA (eds.), Kluwer Law International (EUCOTAX - Wolters Kluwers), 2019, pp. 227-244.

a nivel convencional. Esta regla de inversión implicaría la sustitución de la exención reconocida en el convenio para evitar la doble imposición aplicable por el método de crédito cuando las rentas atribuibles al establecimiento permanente (o rentas derivadas de bienes inmuebles) no superen el umbral mínimo de tributación efectiva (tipo efectivo de gravamen mínimo) en el Estado donde radique este último[24].

2.2. Medidas de fuente - Tax on Base Eroding Payments

2.2.1. La medida doméstica: Undertaxed payment rule

Aun destacándose la imprecisión de la denominación de esta regla[25], la *undertaxed payments rule* se relacionaría con una medida doméstica que en un principio implicaba la denegación de la deducibilidad de pagos a entidades relacionadas cuando estos pagos no se vieran sometidos a un tipo efectivo de gravamen mínimo[26]. Esta definición de la regla se matizó posteriormente incluyendo una alternativa a la deducibilidad de pagos basada en un gravamen de fuente (incluyendo retenciones) cuando los pagos no alcanzaran el mínimo de tributación acordado[27]. En definitiva, bien sea a través de la denegación parcial o total de la deducibilidad de determinados pagos[28], o bien sea a través de retenciones, esta regla pretendería resolver el aparente defecto de tributación que persigue el conjunto de la iniciativa a través del gravamen en la jurisdicción de la que se deriven los pagos que son objeto de la regla.

Esta regla presenta un menor grado de desarrollo en el conjunto de la iniciativa, un hecho que podría explicarse por su pretendido carácter complementario (o subsidiario) con respecto a la regla de inclusión[29]. Esta

---

24 *Ibid. Vid.*, igualmente, OCDE - Consulta Pública, p. 26.
25 Es cuestionable que pueda hablarse de una infraimposición cuando la deducibilidad y, en definitiva, el nivel de gravamen en sede de la entidad pagadora se deriva de la correcta aplicación de la norma para la determinación de la base imponible. *Vid.*, para un mayor detalle a este respecto, *infra* sec. 3.
26 *Vid.*, OCDE - Consulta pública, p. 27 (para. 101).
27 *Vid.*, OCDE - Programa de trabajo, p. 30 (para. 73).
28 *Vid.*, OCDE - Programa de trabajo, p. 30 (para. 74), donde se precisa que la regla no solo se relaciona con una denegación total de la deducibilidad de pagos no sometidos a un tipo efectivo de gravamen mínimo, sino con una posible denegación parcial de esa deducibilidad. *Ibid*, (para. 74).
29 *Vid.*, OCDE - Consulta pública, p. 27 (para. 101). De acuerdo con Englisch y Becker, la *undertax payments rule* operaría como una suerte de malla de protección cuando

realidad, de ser definitiva, no supondría más que una preferencia por el incremento de recaudación en Estados de residencia frente a Estados de fuente con la finalidad de mitigar que determinadas rentas (o beneficios) se encuentren sometidas a un tipo efectivo de gravamen por debajo del (ahora) considerado como *aceptable*[30].

Al margen de esta relevante cuestión, y a título meramente enunciativo ahora, la regla parece fundamentarse en los elementos comunes de la iniciativa tales como un tipo efectivo de gravamen mínimo[31], la necesidad de vinculación entre entidades[32], la irrelevancia de la concurrencia de elementos de abuso[33], así como una evidente interdependencia normativa entre jurisdicciones en relación con determinados pagos transfronterizos[34]. En este sentido, debe destacarse igualmente que una de las principales cuestiones a determinar en el seno de la iniciativa se relaciona con la tipología de pagos a la que va a resultar de aplicación esta regla. En este sentido, la iniciativa parece pretender incluir una gran variedad de pagos que, no haciéndose constar expresamente en el escueto desarrollo de la *undertaxed payments*

---

la regla de inclusión no resulte de aplicación o su aplicación sea insuficiente. *Vid.,* ENGLISCH y BECKER, *op. cit.,* p. 514.

[30]   *Vid.,* en apoyo de la preferencia desde un punto de vista práctico y teórico de la regla de inclusión sobre la *undertaxed payments rule,* y sin perjuicio de la crítica que ello mereciera, J. ENGLISCH y J. BECKER, *op. cit.,* p. 513-516.

[31]   Aun manteniéndose la intención de considerar un único tipo efectivo de gravamen mínimo que actuara como mínimo y máximo a los efectos de aplicación de la regla —*vid.,* a este respecto, *supra* nn. 21 y 22 y texto relacionado—, una de las cuestiones a considerar en el marco de la iniciativa se relaciona con la determinación de ese tipo de gravamen basándose en un análisis entidad por entidad o atendiendo a cada una de las operaciones (pagos). *Vid.,* OCDE - Consulta pública, p. 27 (para. 105).

[32]   El criterio de vinculación a los efectos de esta regla tendría por ejemplo aquel reconocido en la regla de inclusión y en la Acción 2 del Proyecto BEPS. *Vid.,* OCDE - Consulta Pública, p. 27 (para. 103). *Vid.,* con respecto a la Acción 2 del Proyecto BEPs en esta materia, OECD, *Neutralising the Effects of Hybrid Mismatch Arrangements, Action 2-2015 Final Report,* OECD/G20 Base Erosion and Profit Shifting Project, OECD, 2015, pp. 113-119 [Recommendation 11] (en lo sucesivo, OCDE - Acción 2 Proyecto BEPS); y, para un mayor detalle con respecto al ámbito subjetivo de aplicación de la Acción 2 de BEPS en materia de instrumentos híbridos, F. D. MARTÍNEZ LAGUNA, *Hybrid Financial Instruments, Double Non-taxation and Linking Rules,* Kluwer Law Internacional (Series on International Taxation 73), 2019, pp. 166-172.

[33]   *Vid.,* OCDE - Consulta pública, p. 27 (para. 105). *Vid.,* para un mayor detalle sobre esta realidad, *infra* sec. 3.

[34]   De alguna forma, y con las salvedades que esta afirmación merece, la *undertaxed payments rule* se asimilaría, al menos en esencia, a las reglas de coordinación reconocidas en la Acción 2 del Proyecto BEPS y, más concretamente, a la denominada regla primaria. *Vid.,* en este sentido, E. SANZ GADEA, *op. cit,* p. 762.

rule[35], puede intuirse a través de la enumeración de modificaciones necesarias a nivel de convenio bajo su regla complementaria denominada *subject-to-tax rule.*

2.2.2. Medida convencional: *Subject to tax rule*

Como ya se ha tenido oportunidad de anunciar, la iniciativa GloBE entiende necesaria la existencia de una medida convencional de carácter complementario que permita desplegar a la regla doméstica *undertaxed payments rule* todos sus efectos en determinados contextos. Sin perjuicio del mayor análisis que esta medida requiere, la denominada *subjet to tax rule* o regla de sujeción permitiría a un Estado incumplir los límites de tributación reconocidos en el convenio para evitar la doble imposición que resulte de aplicación con respecto a determinados pagos cuando los mismos no se sometan a un tipo efectivo de gravamen mínimo[36]. Una propuesta que, con muchos matices, podría encontrar similitudes con otras previas tales como la regla de sujeción reconocida en la *Recomendación de la Comisión Europea de 6 de diciembre de 2012*[37], así como la denominada cláusula de exclusión reconocida en el Modelo de Convenio de los Estados Unidos en su versión de 2016[38], entre otras.

---

[35]   *Vid.*, OCDE - Consulta pública, p. 27 (para. 104), donde se reconoce que la regla debe aplicarse a una amplia gama de pagos, considerándose la posibilidad de cubrir acuerdos importados (*imported arrangements*). *Vid.*, con respecto al concepto de acuerdos importados (*imported mismatches*) en el seno de la Acción 2 del Proyecto BEPS, *vid.*, OCDE - Acción 2 del Proyecto BEPS; y, para un análisis de la Acción 2 del Proyecto BEPS en relación con instrumentos financieros híbridos, F. D. MARTÍNEZ LAGUNA, *Hybrid Financial Instruments, Double Non-taxation and Linking Rules, op. cit.*, pp. 132-183.

[36]   *Vid.* OCDE - Consulta Pública, pp. 28-29 (paras. 106-108).

[37]   *Vid.*, *Recomendación de la Comisión de 6 de diciembre de 2012 sobre la planificación fiscal agresiva (2012/772/EU)*. La recomendación incluía una propuesta de redacción de la cláusula con el siguiente tenor literal: «[e]n caso de que el presente Convenio establezca que un elemento de la renta es imponible únicamente en uno de los Estados contratantes o que puede gravarse en uno de los Estados contratantes, el otro Estado contratante deberá abstenerse de gravar dicho elemento *únicamente si el elemento en cuestión está sujeto a imposición en el primer Estado contratante*» (énfasis nuestro). *Id.*, para. 3.2. *Vid.*, para un detalle completo de esta propuesta. *Vid.*, C. MARCHGRABER, «The avoidance of Doubel Non-taxation in Double Tax Treaty Law: A Critical Analysis of the Subject-To-Tax Clause Recommended by the European Commission», *Intertax*, vol. 23, núm. 5, pp. 293-302.

[38]   *Vid.*, para un completo detalle de esta cláusula de exclusión denominada *special tax regime clause*, F. A. VEGA BORREGO, *Limitation on Benefits Clauses in Double Tax Conventions*, 2ª ed., Kluwer Law International (EUCOTAX), 2017, pp. 204-225; y F. A.

En esencia, la *regla de sujeción* reconocida en GloBE pretende la reasignación de determinados derechos de imposición acordados a nivel de convenio con respecto a rentas tales como beneficios empresariales, dividendos, intereses, cánones y ganancias de capital, entre otros[39]. Un hecho que posibilitaría una tributación de esos tipos de renta en el Estado de la fuente para alcanzar el mínimo de tributación acordado en el seno de la iniciativa. Sin embargo, y al margen de la referencia a la modificación del artículo relacionado con empresas vinculadas a nivel de convenio[40], resultaría conveniente analizar la necesaria modificación de otras reglas convencionales no directamente relacionadas con el reparto de la potestad tributaria entre los Estados signatarios. En función del diseño final de la *undertaxed payments rule,* la denegación de la deducibilidad de determinados pagos en sede de la entidad pagadora (e.g. intereses, cánones, etc.) podría ser contraria a aquellos convenios para evitar la doble imposición que contengan una regla de no discriminación en términos similares a la reconocida en el artículo 24 (4) del MCOCDE o en el artículo 24 (4) del Modelo de Convenio para evitar la Doble Imposición de las Naciones Unidas (en lo sucesivo, MCONU). En todo caso, y como ya se ha anunciado, esta potencial incompatibilidad dependerá del diseño final de la regla y, muy particularmente, de su aplicación no solo a situaciones relacionadas con pagos transfronterizos sino igualmente a situaciones relacionadas con pagos domésticos a los efectos de mantener ese pretendido mínimo de tributación[41].

VEGA BORREGO, «The Special Tax Regimes Clause in the 2016 U.S. Model Income Tax Convention», *Intertax,* vol. 45, núm. 4, pp. 296-309. Vega Borrego entiende que el propósito principal de esa cláusula se relaciona con la denegación de determinados beneficios reconocidos a nivel de convenio en el Estado de la fuente cuando las rentas se beneficien de un régimen preferencial en el Estado de residencia, particularmente cuando estas rentas no estén sujetas a gravamen o se sometan a un nivel de imposición muy bajo en el Estado de residencia. Así, este autor reconoce en la cláusula un intento por parte de los Estados Unidos de introducir una cláusula general contra regímenes preferenciales. *Vid.,* F. A. VEGA BORREGO, *Limitation on Benefits Clauses in Double Tax Conventions, cit.,* p. 207.

[39] *Vid.,* OCDE - Consulta pública, p. 28 (para. 28).

[40] La regla de sujeción implicaría igualmente la modificación del artículo relacionado con empresas vinculadas en el marco de los convenios para evitar la doble imposición. En este sentido, la propuesta hace expresa referencia a provisiones que sigan el dictado del artículo 9 del Modelo de Convenio para evitar la Doble Imposición de la OCDE. *Ibid.*

[41] El análisis de esta cuestión lamentablemente excede el objeto de esta contribución. *Vid.,* a este respecto, J. ENGLISCH y J. BECKER, *op. cit.,* pp. 521-524. *Vid.,* para un análisis de la incompatibilidad de la denegación de deducibilidad de intereses derivados de instrumentos financieros híbridos con esta regla de no discriminación, F. D. MARTÍNEZ

Al margen de todas las cuestiones todavía objeto de discusión en el marco de la iniciativa tales como la posibilidad de ampliación del ámbito de aplicación de la regla de sujeción con respecto a determinados pagos entre empresas independientes (e.g. intereses y cánones) o el posible solapamiento entre la regla de sujeción y la *undetaxed payments rule*[42], entre muchas otras, esta regla de sujeción sería un complemento necesario para la aplicación de la *undertaxed payments rule* en determinados contextos tal y como se ha señalado.

3. GLOBE - ALGUNAS DUDAS SOBRE LOS OBJETIVOS Y LAS MOTIVACIONES

El objetivo primario de GloBE respondería al establecimiento de unos nuevos límites a la competencia fiscal a través del reconocimiento de un mínimo de tributación efectiva. Un objetivo que lleva consigo una pretendida limitación de la planificación fiscal en términos de evitar la deslocalización de la actividad empresarial e inversión hacia territorios de baja o nula tributación[43]. Sin embargo, la consecución de estos objetivos a través de las medidas contenidas en GloBE puede presentar problemas no solo atendiendo a su posible incompatibilidad con normativa pre-existente en determinados escenarios[44], sino que presenta ciertas inconsistencias con respecto a su propia justificación en el marco de la iniciativa y con respecto al proyecto BEPS[45].

LAGUNA, *Hybrid Financial Instruments, Double Non-taxation and Linking Rules, op. cit.*, pp. 185-196.

[42] *Vid.*, OCDE - Consulta pública, p. 28 (para. 107).

[43] En este sentido, Devereux *et al.* entienden que la propuesta GloBE pretendería incentivar a países de baja tributación para que incrementen sus tipos de gravamen hasta conseguir nivelar la tributación de rentas con el tipo efectivo mínimo de gravamen acordado en el seno de la iniciativa, un hecho que igualmente reduciría los incentivos para el traslado de rentas y actividad desde países considerados de alta tributación a países de baja tributación. *Vid.*, DEVEREUX *et al., op. cit.*, p. 5. Para Vilches de Santos, «[...] se aprecia como el punto de mira de este Pilar [2] se centra más en las jurisdicciones que en los negocios o contribuyentes como es el caso del Pilar 1». *Vid.*, D. VILCHES DE SANTOS, «Estado actual de los trabajos de la OCDE en relación con los desafíos de la economía digital», *Revista de Contabilidad y Tributación. CEF*, núm. 443, 2020, p. E18.

[44] *Vid.*, a nivel de convenios para evitar la doble imposición, *supra* n. 41; y, con respecto a la Unión Europea, *supra* n. 13.

[45] Cabe recordarse que en el seno del reciente (y todavía por testar) proyecto BEPS se reconocía que «[e]l trabajo sobre las prácticas fiscales perniciosas no pretende promover la armonización de los impuestos sobre la renta o de los sistemas tributarios dentro o fuera de la OCDE, *ni tampoco establecer cuál es el nivel apropiado de los tipos de gra-*

El Pilar 2 reconoce la necesidad de respetar el derecho soberano de los Estados con respecto al libre diseño de sus sistemas tributarios y al establecimiento de sus tipos de gravamen, ello sin perjuicio de que se refuerce a través de la propia iniciativa la soberanía fiscal de todos los países mediante la «recuperación» de derechos de gravamen cuando otros Estados no hayan ejercitado de forma suficiente sus derechos primarios de gravamen[46]. Sin embargo, se antoja complejo combinar esta intención relativa al mantenimiento de la libertad de los Estados para el diseño de sus sistemas tributarios y el establecimiento de tipos impositivos cuando las medidas reconocidas en la propia iniciativa tienen por objeto primario alterar el comportamiento doméstico de determinados Estados para así contrarrestar los efectos económico-tributarios de una debida aplicación de las normas reconocidas en sus sistemas tributarios por derivar en resultados de baja o nula tributación[47].

En este sentido, la justificación de las contramedidas domésticas (i.e. regla de inclusión y *undertaxed payments rule*) descansaría sobre un aparente refuerzo de la soberanía fiscal de determinados estados, o sobre una mal entendida *recuperación de derechos de gravamen*, cuya contrapartida es, irremediablemente, la potencial injerencia en la soberanía fiscal de otros Estados ante la consideración de que estos últimos no han ejercitado suficientemente sus derechos primarios de gravamen[48]. Sin perjuicio de que la premisa de la suficiencia en el ejercicio de derechos de imposición debería ser cuestionada, GloBE otorgaría un diferente valor a ejercicios de soberanía que, en esencia, son equivalentes. Así, debe recordarse que los sistemas tributarios no solo se erigen sobre elementos tendentes a un incremento de la recaudación (i.e. imposición) sino, igualmente, sobre configuraciones normativas que pretenden satisfacer otros intereses económicos y no económicos del Estado sin relacionarse necesariamente con incrementos directos

---

vamen de un determinado país» (énfasis nuestro). *Vid.*, OCDE - Acción 5 del Proyecto BEPS, para. 3.

[46]   *Vid.*, OCDE - Consulta pública, p. 24 (para. 90). Aún más, se reconoce que las propuestas en el marco del Pilar 2 no solo no cambian el hecho de que los estados son libres para establecer sus tipos de gravamen, sino que son igualmente libres para no tener impuesto sobre sociedades. *Vid.*, OCDE - Policy note, p. 2.

[47]   *Vid.*, de nuevo, *supra* n. 43.

[48]   Devereux *et al.*, entienden igualmente que ese incentivo a países de baja tributación podría suponer el menoscabo de su soberanía. *Vid.*, DEVEREUX *et al. op. cit.*, p. 5. Para Sanz Gadea «[t]ras estas propuestas [medidas del Pilar 2] aparece *una nueva razón de legitimidad rectora de las relaciones fiscales internacionales* que se expresa en una suerte de derecho a gravar secundariamente cuando no hubiere sido ejercitado suficientemente el derecho a gravar primariamente» (énfasis nuestro). *Vid.*, E. SANZ GADEA, *op. cit.*, p. 760. *Vid.* sobre este último extremo, *infra* n. 61.

—o indirectos— de recaudación (no imposición)[49]. Y aun con esta realidad, GloBE preponderaría unos intereses soberanos sobre otros desconsiderando incluso la concurrencia de elementos de abuso en la inversión o actividad empresarial en el Estado donde las rentas derivadas se sometan a esa aparente baja o nula tributación[50].

Debe indicarse asimismo que esta irrelevancia de la sustancia a los efectos de aplicación de las medidas contenidas en la iniciativa representaría un punto de inflexión en términos de competencia fiscal entre Estados. Tal y como recuerdan Devereux *et al.*, el Plan de Acción del Proyecto BEPS de 2013 reconocía que la baja o nula tributación no son en sí mismas motivo de preocupación, pero sí lo son cuando están asociadas a prácticas que segregan artificialmente la base imponible de las actividades que la generaron[51]. Sin embargo, continúan Devereux *et al.*, los Estados que ahora apoyan el establecimiento del Pilar 2 en el seno de la OCDE parecen entender que la baja o nula tributación son en sí mismas un motivo de preocupación incluso en aquellos supuestos en los que concurre actividad económica real en los estados que imponen esa baja o nula tributación[52]. En este sentido, las contramedidas domésticas en contextos de competencia fiscal ya no se adoptarían exclusivamente contra Estados cuyos sistemas tributarios permitieran una baja o nula tributación con respecto a operaciones o estructuras societarias carentes de sustancia. La iniciativa iría más allá de evitar supuestos de abuso institucionalizado[53]. Como se aprecia en la iniciativa,

---

[49] Los ejercicios de soberanía en términos de no-imposición (e.g. incentivos fiscales) deben entenderse equivalentes a aquellos ejercicios en términos de imposición o gravamen. *Vid.*, para un análisis de los conceptos de imposición y no imposición como ejercicios equivalentes de soberanía, F. D. MARTÍNEZ LAGUNA, «Abuse and Aggressive Tax Planning: Between OECD and EU Initiatives - The Dividing Line between Intended and Unintended Double Non-Taxation», *World Tax Journal*, vol. 9, núm. 2, 2017, pp. 192-199.

[50] *Vid.*, con respecto a la regla de inclusión, *supra* nn. 30-32 y texto relacionado.

[51] *Vid.*, DEVEREUX *et al.*, *op. cit.*, p. 4. *Vid.*, para el marco de esta afirmación, OCDE, *Action Plan on Base Erosion and Profit Shifting*, 2013, OECD, p. 10.

[52] *Id.* Debe señalarse que una de las cuestiones a valorar en el marco de la iniciativa versa precisamente sobre el reconocimiento de exclusiones en la aplicación de las reglas en ella contenidas por motivo actividad real y satisfacción de los estándares establecidos en la Acción 5 del Proyecto BEPS. *Vid.*, OCDE - Consulta Pública Pilar 2, pp. 23-24. *Vid.*, a estos efectos, *infra* n. 56.

[53] Este concepto hace referencia a aquellas situaciones en las que los beneficios fiscales o regímenes preferenciales reconocidos por determinados Estados se otorgan a obligados tributarios que no desarrollan una actividad real en el territorio. Recuperando una idea previa, la competencia fiscal implicaría un menoscabo de la soberanía de otros estados cuando no exista una actividad o razón económica y comercial y aun así se otorguen

las contramedidas se aplicarían contra todos aquellos Estados que por decisiones soberanas tendentes a resultados no solo de nula, sino también de baja tributación, con respecto a determinadas operaciones o actividades efectivamente desarrolladas en su propio territorio no permitieran alcanzar un —todavía indeterminado— tipo efectivo de gravamen mínimo[54].

Esta realidad basada exclusivamente en niveles efectivos de imposición no solo alejaría la iniciativa de su propia justificación[55], sino igualmente de la del proyecto BEPS[56]. Por un lado, GloBE parecería ignorar el difícilmente comprensible *mantra* sobre el que se fundamenta el proyecto BEPS relacionado con la tributación de las rentas (beneficios) allí donde se generen y se ha creado valor[57]. Por otro lado, y ahora en el contexto de la ya analizada regla de inclusión, el Pilar 2 iría más allá provocando verdaderos traslados

---

beneficios fiscales a través de norma o actuación administrativa. *Vid.,* para un mayor desarrollo de esta idea, F. D. MARTÍNEZ LAGUNA, «Abuse and Aggressive Tax Planning: Between OECD and EU Initiatives…», *op. cit.,* p. 208-209.

[54] *Vid.,* con respecto a la regla de inclusión y la *undertaxed payments rules, supra* sec. 2.1.1 y 2.2.1., respectivamente. Cabría plantearse, en todo caso, si al evitar situaciones particularmente de baja tributación las medidas contenidas en GloBE no estarían instituyendo e institucionalizando resultados de doble imposición (independientemente del nivel ahora). Y ello atendiendo a la concurrente aplicación de impuestos análogos a las mismas manifestaciones de renta para alcanzar el mínimo de tributación acordado. Lamentablemente esta cuestión excede del objeto de esta contribución.

[55] *Vid.,* OCDE - Consulta pública, p. 25 (para. 95), donde se reconoce la necesidad de analizar la relevancia de la sustancia a los efectos de aplicación de la propuesta ante la intención de la iniciativa de no afectar decisiones de estructura y localización de actividad basadas *en criterios económicos o empresariales* (énfasis nuestro). *Vid.,* con respecto a la regla de inclusión en concreto, *ibid.,* p. 26 (para. 99). Igualmente, *id.,* p. 24 (para. 91).

[56] En este sentido, «[l]a acción 5 requiere especialmente la existencia de una actividad sustancial para cualquier tipo de régimen preferencial. Visto en el contexto más amplio del trabajo sobre BEPS, este requisito contribuye al segundo de los pilares del proyecto BEPS, *que consiste en alinear la tributación con la sustancia,* asegurando que los beneficios gravables no pueden seguir siendo artificialmente trasladados fuera de los países donde se genera valor» (énfasis nuestro). *Vid.,* OECD, *Countering Harmful Tax Practices More Effectively, Taking into Account Transparency and Substance, Action 5-2015 Final Report,* OECD/G20 Base Erosion and Profit Shifting Project, OECD Publishing, 2015, p. 25 (para. 24) (en lo sucesivo, OECD - Action 5).

[57] «El plan de acción tiene como objetivo asegurar que los beneficios sean gravables allá *donde la actividad económica que genera tales beneficios tiene lugar y allá donde se genera valor*» (énfasis nuestro). *Vid.,* OCDE, *Nota explicativa,* Proyecto OCDE/G20 de Erosión de Bases Imponibles y Traslado de Beneficios, OCDE, 2014, p. 4. Esta misma idea se expresa en el prefacio de las acciones del proyecto BEPS. *Vid.,* por ejemplo, OCDE - Acción 5, p. 3. Una realidad que igualmente se reconoce en el ámbito de la Unión Europea. *Vid.,* en este sentido, Directiva 2016/1164 - ATAD 1, Considerando primero.

de rentas (beneficios) a determinadas jurisdicciones aun en supuestos en los que se esté desarrollando una actividad económica real provista de medios materiales y personales y exista una asunción de riesgos en sede de la entidad controlada o de la sucursal localizada en otra jurisdicción[58]. En este sentido, podría entenderse que en el contexto de esta norma se estaría produciendo un traslado de beneficios (*profit shifting*) y, en definitiva, de recaudación (*revenue shifting*) hacia una concreta jurisdicción (o jurisdicciones), la de residencia[59], no ajustándose perfectamente a las propuestas de las que trae causa la iniciativa[60]. Para este concreto supuesto, parece complejo identificar el resultado de esta medida como una recuperación de derechos de gravamen tal y como pretende la iniciativa puesto que las rentas que ahora son susceptibles de gravamen en sede de una entidad radicada en una determinada jurisdicción se han generado en sede de otra entidad que realiza una actividad económica real en otra jurisdicción. Más que recuperar derechos de gravamen, la iniciativa supondría una extensión —legítima o no— de los derechos de gravamen de determinados Estados[61].

En este mismo sentido, cabe destacar otra cuestión relativa a las aquí denominadas medidas de fuente[62]. Si la *undertaxed payments rule* finalmente se articula a través de la denegación de la deducibilidad de pagos en sede de

---

[58] *Vid.*, con respecto a la regla de inclusión, *supra* sec. 2.1.1.

[59] Pudiéndose conectar con el análisis y objeto último de esta regla de inclusión, parece conveniente recuperar una conclusión de Schoueri y Galendi con respecto al concepto de creación de valor (*value creation*). Estos autores entienden que ese concepto se relaciona con un intento de ampliar los derechos de imposición de estados de residencia. *Vid.*, L. E. SCHOUERI y R. A. GALENDI (Jr.), «Justification and Implementation of the International Allocation of Taxing Rights: Can We Take One Thing at a Time?», en *Tax Sovereignty in the BEPS Era*, Kluwer Law International (Series on International Taxation), p. 61.

[60] *Vid.*, OECD, *Addressing Base Erosion and Profit Shifting*, OECD publishing, 2013, p. 51, donde se reconoce que el objetivo principal del plan BEPS se relaciona con proveer de instrumentos a los diferentes estados para conseguir una mejor alineación de derechos de gravamen con actividad económica real. *Vid.*, igualmente, *supra* n. 57. Cabe indicar en todo caso que la propia naturaleza de determinados incentivos fiscales en un contexto de competencia entre estados (e.g. aquellos para atracción de inversión —real—) encuentra sentido exclusivamente ante la ausencia de contramedidas por parte de otros Estados que anulen o compensen el sacrificio recaudatorio del Estado de la fuente.

[61] En cierta medida, esta regla realmente supondría la recuperación de algo que nunca se ha tenido. Un hecho que permite igualmente cuestionar la premisa de un derecho de gravamen (de carácter secundario) ante la inexistencia de ejercicio de derechos primarios de gravamen. *Vid.*, *supra* n. 48.

[62] *Vid.*, con respecto a estas medidas, *supra* sec. 2.2.

la entidad pagadora, no se estaría permitiendo una recuperación de derechos de gravamen, sino que, muy al contrario, se estaría denegando la posibilidad de una correcta determinación de la base imponible de conformidad a principios tales como el de capacidad económica al no considerar un gasto efectivo de actividad (financiero o no) necesario para la obtención del beneficio[63]. Una realidad que puede relacionarse asimismo con la imprecisa —e incluso errónea— denominación del *Tax on Base Eroding Payments* donde se enmarca la *undertaxed payments rule* y la regla de sujeción[64]. El concepto de erosión de base imponible parece unirse a aquellos otros carentes de definición tales como la planificación fiscal agresiva que parecen ser empleados para explicar —y justificar— actuaciones que evitan resultados que, aun no teniendo relación con elementos de abuso, ya no resultan aceptables por parte de determinados estados. Tal y como se acaba de poner de manifiesto, un gasto efectivo y real en el que se incurre para la obtención de una renta futura no puede entenderse que erosione la base imponible de la entidad pagadora, sino que configura y determina esa base imponible.

En definitiva, las medidas contenidas en la iniciativa GloBE ,y siempre considerando su estado actual de desarrollo, permiten advertir una serie de inconsistencias e incompatibilidades no desde un punto de vista de política fiscal atendiendo a su propia justificación y en relación con el proyecto BEPS sino igualmente con determinadas normas pre-existentes.

4. A MODO DE CONCLUSIÓN

Los pilares presentados por la OCDE tienen por objeto la asignación y reasignación de derechos de gravamen en determinados contextos. Sin embargo, si el Pilar 1 se relaciona con la (re)localización de determinados derechos de gravamen y, en definitiva, la determinación del dónde deben gravarse determinados beneficios, el Pilar 2 tendría por objeto exclusivo el (mínimo) cuánto independientemente del dónde. Y pese a ser cierto lo anterior, la limitación de la competencia fiscal que persigue GloBE podría traducirse en una atracción de recaudación fundamentalmente hacia Estados de residencia cuando no se alcancen unos todavía indeterminados niveles de tributación. En este sentido, puede observarse una aparente transición con

---

[63]   Vid., para un mayor detalle, F. D. MARTÍNEZ LAGUNA, *Hybrid Financial Instruments, Double Non-taxation and Linking rules, op. cit.,* pp. 45-46 y 195-196, entre otras.

[64]   Vid., de nuevo, *supra* sec. 2.2.

respecto al *mantra* de la OCDE en tanto que GloBE motiva que haya rentas (o beneficios) que no se sometan a tributación allí donde se han generado y se ha creado valor —siempre y cuando fuera posible definir este extremo. Una realidad que marida perfectamente con la intencionada desconsideración de la sustancia en el conjunto de la iniciativa. Una irrelevancia de la sustancia económica en el conjunto de la iniciativa que parecería responder a un aparente cambio de paradigma en términos de competencia fiscal entre Estados.

Aun considerándose que la lucha contra situaciones de abuso institucionalizado es necesaria, GloBE supera esta tradición a través de un diseño de reglas y una preponderante consideración de niveles efectivos de gravamen que plantean numerosos retos de política fiscal y posibles incompatibilidades con normativa preexistente, así como inconsistencias en el seno de la iniciativa, tal y como se ha pretendido poner de manifiesto en esta contribución.

Bibliografía

DEVEREUX, M. et al., *The OECD Global Anti-Base Erosion Proposal,* Oxford University Centre for Business Taxation, 2020.

ENGLISCH, J. y BECKER, J., «International Effective Minimum Taxation - The GLOBE Proposal», *World Tax Journal,* vol. 11, núm. 4, 2019, pp. 483-529.

ENGLISCH, J., *Comments on the OECD Public Consultation Document Global Anti-Base Erosion Proposal («GloBE») (Pillar Two),* 2019.

GIL GARCÍA, E., *Los incentivos fiscales a la I+D+i,* Tirant lo Blanch, 2017.

MARCHGRABER, C., «The avoidance of Double Non-taxation in Double Tax Treaty Law: A Critical Analysis of the Subject-To-Tax Clause Recommended by the European Commission», *Intertax,* vol. 23, núm. 5, pp. 293-302.

MARTÍNEZ LAGUNA, F. D. y VEGA BORREGO, F. A., «The Switch-Over Clause in the 2016 Proposal for an Anti-tax Avoidance», en *Combating Tax Avoidance in the EU. Harmonization and Cooperation in Direct Taxation,* J. M. Almudí Cid, J. A. Ferreras Gutiérrez, P. A. Hernández González-Barreda (eds.), Kluwer Law International (EUCOTAX - Wolters Kluwers), 2019, pp. 227-244.

MARTÍNEZ LAGUNA, F. D., «Abuse and Aggressive Tax Planning: Between OECD and EU Initiatives - The Dividing Line between Intended and Unintended Double Non-Taxation», *World Tax Journal,* vol. 9, núm. 2, 2017, pp. 189-246.

MARTÍNEZ LAGUNA, F. D., *Hybrid Financial Instruments, Double Non-taxation and Linking Rules,* Kluwer Law Internacional (Series on International Taxation 73), 2019.

PÉREZ GAUTRIN, C., «US Tax Cuts and Jobs Act: Part 1 - Global Intangible Low-Taxed Income (GILTI)», *Bulletin for International Taxation,* vol. 73, núm. 1, 2018, pp. 36-48.

PISTONE, P., PINTO NOGUEIRA, J. F. y ANDRADE, B., «The 2019 OECD Proposals for addressing the tax challenges of the digitalization of the economy: an assessment», *International Tax Studies* 2, 2019.

PISTONE, P., PINTO NOGUEIRA, J. F., ANDRADE, B. y TURINA, A., «OECD - The OECD Public Consultation Document "Global Anti-Base Erosion (GloBE) Proposal - Pillar Two": An Assessment», *Bulletin for International taxation,* vol. 74, núm. 2, pp. 62-75.

OECD, *Neutralising the Effects of Hybrid Mismatch Arrangements, Action 2-2015 Final Report*, OECD/G20 Base Erosion and Profit Shifting Project, OECD, 2015.

OCDE, *Designing Effective Controlled Foreign Company Rules, Action 3-2015 Final Report*, OECD/G20 Base Erosion and Profit Shifting Project, OECD, 2015.

OECD, *Countering Harmful Tax Practices More Effectively, Taking into Account Transparency and Substance, Action 5-2015 Final Report*, OECD/G20 Base Erosion and Profit Shifting Project, OECD Publishing, 2015.

OECD, *Addressing the Tax Challenges of the Digitalisation of the Economy - Policy Note*, OECD, 2019.

OECD, *Addressing the Tax Challenges of the Digitalisation of the Economy - Public Consultation Document*, OECD, 2019.

OECD, *Programme of Work to Develop a Consensus Solution to the Tax Challenges Arising from the Digitalisation of the Economy*, OECD/G20 Inclusive Framework on BEPS, OECD, 2019.

OCDE, *Public Consultation Document on Global Anti-Base Erosion Proposal («GloBE») (Pillar Two)*, OECD, 2019.

OECD, *Statement by the OECD/G20 Inclusive Framework on BEPS on the Two-Pillar Approach to Address the Tax Challenges Arising from the Digitalisation of the Economy - January 2020*, OECD/G20 Inclusive Framework on BEPS, OECD, 2020.

SANZ GADEA, E., «Imposición global mínima», en *Imposición sobre el beneficio empresarial: Evolución reciente, perspectivas de futuro*, Deloitte, 2019, pp. 749-807.

SCHOUERI, L. E. y GALENDI, R. A. (Jr.), «Justification and Implementation of the International Allocation of Taxing Rights: Can We Take One Thing at a Time?», en *Tax Sovereignty in the BEPS Era*, Kluwer Law International (Series on International Taxation), pp. 47-72.

VEGA BORREGO, F. A., *Limitation on Benefits Clauses in Double Tax Conventions*, 2ª ed., Kluwer Law International (EUCOTAX), 2017.

VEGA BORREGO, F. A., «The Special Tax Regimes Clause in the 2016 U.S. Model Income Tax Convention», *Intertax,* vol. 45, núm. 4, pp. 296-309.

VILCHES DE SANTOS, D., «Estado actual de los trabajos de la OCDE en relación con los desafíos de la economía digital», *Revista de Contabilidad y Tributación. CEF,* núm. 443, 2020, pp. E1-E24.

Capítulo 2

Los Equalization Levies sobre Servicios Digitales y art. 2 del Modelo de Convenio OCDE: ¿un caso de Treaty override?[*]

José Manuel Macarro Osuna
Profesor Ayudante Doctor
Universidad Pablo de Olavide

SUMARIO: 1. INTRODUCCIÓN. 2. EL IMPUESTO SOBRE SERVICIOS DIGITALES. 3. EL ART. 2 MCOCDE Y EL ÁMBITO DE APLICACIÓN DE LOS CONVENIOS DE DOBLE IMPOSICIÓN. 4. ESTUDIO COMPARATIVO DE LOS ELEMENTOS CONSTITUTIVOS DEL IMPUESTO SOBRE SERVICIOS DIGITALES Y LOS IMPUESTOS SOBRE LA RENTA RECOGIDOS EN LOS CDIS. 4.1. Análisis contextual del impuesto: la finalidad del DST. 4.2. El sujeto pasivo y los umbrales de facturación. 4.3. El hecho imponible del DST y la vinculación de los ingresos al Estado del mercado. 5. CONCLUSIÓN. Bibliografía.

1. INTRODUCCIÓN

Las reglas tradicionales de fiscalidad internacional están siendo puestas en entredicho debido a las consecuencias que derivan de ellas cuando se aplican a determinados modelos de negocio digitales o digitalizados. Como destaca la OCDE, las empresas de la economía digital presentan tres rasgos distintivos que, a su vez, son los que producen los efectos distorsionadores para las reglas de fiscalidad internacional[1]. La principal característica es la posibilidad que tienen estas actividades de acceder a una masa crítica de

[*] Este trabajo ha sido realizado en el *Institute for Austrian and International Tax Law*, WU Universidad de Viena, gracias a la concesión de una beca de movilidad José Castillejo del Ministerio de Educación y ha sido desarrollado bajo el Proyecto de I+D de Generación de Conocimiento «Desafíos Tributarios en el nuevo contexto europeo e internacional: economía digital y mercado interior (DETREDMI)» del Ministerio de Ciencia, Innovación y Universidades, Convocatoria 2018, y el Proyecto de I+D+I UPO-1263899 «Retos actuales de la tributación indirecta en España y Europa» (Proyecto RATIEE), Programa Operativo FEDER Andalucía 2014-2020.

[1] OECD/G20 Base Erosion and Profit Shifting Project, *Tax Challenges Arising from Digitalisations - Interim Report 2018*, OCDE Publishing, París, 2018, p. 24 (en adelante OCDE Interim Report).

usuarios sin necesidad de contar con una presencia física en las jurisdicciones donde estos se encuentran[2]. Esta cuestión tiene un impacto directo en la atribución de potestad tributaria a la renta proveniente de beneficios empresariales. De acuerdo con el Modelo de Convenio de la OCDE (en adelante MCOCDE) —y todos los Convenios de Doble Imposición (en adelante CDIs) inspirados en él—, tales beneficios tributan en el Estado de residencia de la empresa salvo que esta cuente con un establecimiento permanente en el país donde obtenga la renta (art. 7 MCOCDE). Así, esta posibilidad de realizar la actividad de manera remota, claramente incentivada por la digitalización de la economía, conlleva la posibilidad de que estas empresas puedan evitar la tributación de su renta en los Estados donde la obtengan.

Las otras dos características apuntadas por el *Interim Report* de la OCDE agravan esta capacidad de desarrollar la actividad empresarial sin presencia física, así como determinadas conductas de erosión de bases imponibles o de planificación fiscal agresiva: la utilización extensiva de intangibles y el papel central de los datos de los usuarios y la potencial obtención de valor a partir de estos.

Hay que tener en cuenta que los principales resultados del Proyecto BEPS estaban fundamentalmente dirigidos a corregir determinadas estrategias de erosión de bases imponibles y de traslado de beneficios. Por el contrario, la Acción 1 del Plan BEPS, encargada de tratar los desafíos de la digitalización de la economía, no se tradujo en la adopción de medidas concretas[3]. Sin embargo, sí planteó la posibilidad de realizar modificaciones de calado de los principios y estructuras básicas que rigen la fiscalidad internacional[4]. Una de las alternativas que planteaba el Informe Final de esta acción para permitir a los países del mercado gravar la actividad de las empresas de la

---

[2] Hay que recordar que la propia OCDE, en su Conferencia de Ottawa de 1998, estableció los principios fundamentales que deberían guiar las futuras reformas tributarias de la economía digital, abogando por la neutralidad en el tratamiento de este sector, y no por la realización de marcos separados del resto de la economía —*ring fencing*—. OCDE, *Taxation and electronic commerce: Implementing the Ottawa taxation framework conditions*, OCDE Publishing, 2001, p. 10.

[3] OECD/G20 Base Erosion and Profit Shifting Project, *Addressing the Tax Challenges of the Digital Economy, Action 1 Final Report*, OECD Publishing, Paris, 2015 (en adelante Action 1 Final Report).

[4] Una crítica a la Acción 1 BEPS en NOCETE CORREA, F., «The Spanish Digital Services Tax: A Paradigm for the Base Enlargement & Profit Attraction (BEPA) Plan for the Digitalized Economy», *European Taxation*, vol. 59, nº 7, 2019, p. 341, donde afirma que no se afrontan verdaderos problemas de erosión sino que se pretenden ampliar las bases imponibles para atribuir más poder tributario a los Estados de la fuente.

economía digital era la creación de impuestos de igualación o *equalization levies*.

En este sentido, las discusiones en el seno de la OCDE y del Marco Inclusivo BEPS sobre la forma de distribuir el poder tributario siguen desarrollándose en la actualidad, habiéndose realizado una distribución de las soluciones aplicables en dos grupos o pilares[5]. A expensas de que las negociaciones en el seno del Marco Inclusivo BEPS y el G20 generen una solución consensuada sobre el mejor modo de afrontar la falta de potestad tributaria que experimentan los Estados del mercado en la economía digitalizada, muchos Estados han optado por soluciones unilaterales que les permitan incrementar la recaudación. Países como la India, Italia, Hungría, Francia, Reino Unido, República Dominicana, etc., han creado o han propuesto la introducción de impuestos específicos que graven determinadas actividades digitales.

El 21 de marzo de 2018, la Comisión Europea impulsó un paquete de medidas sobre fiscalidad de la economía digital[6]. La solución por la que abogó la Comisión a largo plazo fue la creación de un establecimiento permanente virtual que complementara al actualmente existente en los CDIs[7]. Dado que a nivel internacional esta medida requeriría un largo proceso de negociación, planteó también la introducción de un Impuesto sobre Servicios Digitales o *Digital Services Tax* (en adelante DST)[8]. Pese a que este tributo contaba con importantes apoyos en el seno del Consejo[9], y a que

---

[5]   El pilar 1, que ha sido desarrollado en el denominado *unified approach*, plantea la posibilidad de introducir nuevos nexos y reglas de atribución de beneficios que permitan la asignación de potestad tributaria y de recaudación a los Estados del mercado. Esta propuesta va más allá de las empresas de la economía digital, a las que no se va a considerar de manera separada del resto de la economía, sino que se refiere a todas las empresas que tengan un modelo de negocio fundamentalmente orientado a los clientes —*consumer facing*— . OCDE, *Public Consultation Document - Subsecretariat Proposal for a «Unified Approach» under Pillar One*, pp. 5 y 7 y ss.

[6]   Un análisis del paquete de fiscalidad digital de la Comisión Europea en CALDERÓN CARRERO, J. M., «El Paquete Europeo (2018) en materia de Fiscalidad de la Economía Digital», *Carta Tributaria Revista de Opinión*, n° 39, 2018.

[7]   COM(2018) 1471 final, de 21 de marzo de 2018, Propuesta de Directiva del Consejo por la que se establecen normas relativas a la fiscalidad de las empresas con una presencia digital significativa.

[8]   COM(2018) 148 final, de 21 de marzo de 2018, Propuesta de Directiva del consejo relativa al sistema común del impuesto sobre los servicios digitales que grava los ingresos procedentes de determinados servicios digitales.

[9]   Los ministros de Alemania, Francia, Italia, España solicitaron a la Comisión Europea que, ante la necesidad de conseguir una tributación justa de las empresas de la economía digital, explorara la posibilidad de introducir un *equalization levy* como el DST:

posteriormente fue reducido a una versión menos ambiciosa que gravaba solo las actividades de publicidad online, el DST armonizado no ha sido objeto de aprobación. El impuesto planteado por la Comisión, sin embargo, sí ha servido de modelo para las figuras unilaterales propuestas o aprobadas por países de la UE como Francia o España.

Si bien fue la propia OCDE la que aludió a la posibilidad de implementar este tipo de impuestos unilaterales, tanto en el Informe Final de la Acción 1 BEPS como en el *Interim Report* ha advertido de los problemas que pueden plantear este tipo de gravámenes. No solo se ha referido a la posibilidad de generar problemas de doble imposición o de perjudicar el progreso tecnológico de los Estados que lo introduzcan. Se ha referido, expresamente, a la posibilidad de que la formulación que se haga de estos tributos los haga incompatibles con las obligaciones internacionales asumidas por los países y, más concretamente, con los CDIs[10]. Por ello, vamos a tratar la naturaleza de los Impuestos sobre Servicios Digitales y, más concretamente, si pueden entrar en conflicto con los Tratados internacionales inspirados en el MCOCDE. Existen muy distintas formulaciones de DST en los diversos países. Centraremos nuestro análisis en el propuesto por la Comisión que, además, ha servido de fundamento del planteado por el Gobierno de España.

2. EL IMPUESTO SOBRE SERVICIOS DIGITALES

El Impuesto sobre Servicios Digitales planteado por la Comisión Europea parte de la premisa de que, en determinados modelos de negocio digitales, la participación de los usuarios genera un valor que las empresas son capaces de monetizar. El beneficio obtenido a partir de dicha creación de valor de los usuarios, sin embargo, no estaría siendo gravado por el Impuesto de Sociedades de los Estados donde estos se encuentran localizados. De acuerdo con la hipótesis de la Comisión, esta ausencia de gravamen se debe a dos factores. En primer lugar, al hecho de que las empresas pueden obtener dicha renta sin necesidad de tener una presencia física en la jurisdicción. En segundo, porque incluso teniendo un establecimiento permanente en tal territorio, el valor derivado de la actividad del usuario no supone un elemento a considerar en las reglas de atribución de beneficios[11].

---

http://www.mef.gov.it/inevidenza/banner/170907_joint_initiative_digital_taxation.pdf.
[10]   OCDE, *Interim Report 2018, op. cit.*, pp. 181 y ss.
[11]   COM(2018) 148 final, *op. cit.*, p. 3.

Esta idea es la base del hecho imponible del impuesto, que grava la prestación de aquellos servicios digitales que generan ingresos para el prestador a partir del valor aportado por los usuarios finales[12]. La propuesta de Directiva limita las prestaciones sujetas al impuesto a tres categorías de servicios[13]. La primera hace referencia a los servicios que consisten en la inclusión de publicidad dirigida a los usuarios en interfaces digitales, es decir, publicidad online dirigida. La segunda atiende a los servicios que prestan las interfaces multifacéticas que permiten a los usuarios localizarse e interactuar, y que pueden facilitar la realización de operaciones subyacentes directamente entre ellos, sean entregas de bienes o prestaciones de servicios[14]. El tercer bloque de prestaciones que quedan sujetas al DST son las transmisiones de datos recopilados de usuarios que hayan sido obtenidos a partir de actividades realizadas por estos en interfaces digitales[15]. El Proyecto de Ley español sobre el DST es más detallado en algunos aspectos de la configuración jurídica del impuesto. Concretamente afirma que se trata de un impuesto instantáneo que va a ser declarado y liquidado de manera periódica[16]. El hecho imponible del impuesto se devengará cada vez que se preste un servicio digital sujeto.

Los contribuyentes del impuesto son todas aquellas personas jurídicas y entidades que realicen las prestaciones de servicios sujetas al tributo[17]. Sin

[12] COM(2018) 148 final, *op. cit.*, p. 7.
[13] Art. 3.1 Propuesta de Directiva y apartados 5 a 8 del art. 4 del Proyecto de Ley español.
[14] Hay que tener en cuenta que el impuesto pretende gravar el beneficio que obtiene la plataforma de la interacción de los usuarios en la interfaz. Por ello, no se consideran sujetas al impuesto las operaciones subyacentes que se realicen en la web ni tampoco las posibles entregas de bienes o prestaciones de servicios que pueda hacer la propia plataforma. El objetivo es hacer recaer el tributo en el beneficio que se obtiene de los efectos de red que producen los usuarios interviniendo en la interfaz.
[15] Existe toda una serie de servicios digitales en los que la actuación de los usuarios podría ser considerada relevante pero que la Propuesta de Directiva excluye expresamente de quedar sujeta. Entre ellos, cabe destacar los servicios de comunicación, de pago o de servicios financieros regulados, así como las actividades de suministro de contenidos digitales. Respecto a la posibilidad de que se presten servicios sujetos al DST a otras entidades del grupo —que podrían, a su vez, prestar otros servicios también sujetos, dándose un caso de impuesto sobre impuesto—, la Propuesta de Directiva exime del tributo a las transacciones intra-grupo.
[16] Art. 9 Proyecto de Ley español sobre DST.
[17] El concepto de entidades, en el caso del Proyecto de Ley español, está referido a los sujetos recogidos en el art. 35.4 LGT. La propuesta de Directiva, por su parte, las define como «cualquier persona jurídica o instrumento jurídico que lleve a cabo actividades empresariales bien mediante una sociedad, bien mediante una estructura transparente a efectos fiscales» (art. 2.1).

embargo, uno de los rasgos más característicos del impuesto es el condicionamiento de la sujeción pasiva a la superación simultánea de dos umbrales de facturación específicos. Los datos sobre el volumen de negocio a efectos de estos límites vienen siempre referenciados al volumen de negocio del ejercicio anterior. Además, en el supuesto de que el prestador de servicios forme parte de un grupo de entidades, el art. 4.6 de la Propuesta de Directiva establece que tales límites mínimos de facturación deberán considerarse respecto del total de ingresos del grupo en su conjunto, y no de cada entidad por separado.

El primer umbral alude a los ingresos totales que haya obtenido el prestador de servicios —o su grupo— en todo el mundo, que deberán ser superiores a 750 millones de euros. Se trata de un índice que no se limita a los servicios digitales sujetos al tributo y que tampoco se encuentra enmarcado en la actividad desarrollada en un territorio en concreto, sino que tiene en cuenta todos los ingresos del contribuyente, sin importar tipología o lugar de obtención. Hay que mencionar que la cuantía fijada de 750 millones de euros no es casual, sino que sería coincidente con las barreras fijadas en otras normas. Por un lado, se trata del umbral que establece la Directiva (UE) 2016/881, referente a las obligaciones de documentación del Informe país por país (*Country-by-Country Report*, o CbC)[18]. Por otro lado, también sería coincidente con el límite de facturación pensado por la Comisión Europea en su propuesta de Base Imponible Común Consolidada del Impuesto de Sociedades[19].

El segundo límite sí hace referencia expresa a los servicios digitales atribuibles a un territorio. Para que una persona jurídica o entidad sea contribuyente del DST el nivel de ingresos imponibles sujetos al impuesto en el territorio de aplicación del mismo deberá superar la cantidad de 50 millones de euros en toda la UE. En el caso del Proyecto de Ley español la facturación de este segundo umbral se reduciría a una cuantía de 3 millones de euros en servicios digitales que se consideren sujetos en España. Hemos de destacar que este baremo se fija en referencia a ingresos imponibles en un territorio, no a ventas realizadas en el mismo. Lo relevante, a efectos de este umbral, no es el volumen de negocios que un prestador de servicios digitales sujetos obtenga en ventas realizadas con empresas de la UE o de

---

[18]   Directiva (UE) 2016/881 del Consejo de 25 de mayo de 2016 que modifica la Directiva 2011/16/UE en lo que respecta al intercambio automático obligatorio de información en el ámbito de la fiscalidad.

[19]   COM(2018) 148 final, *op. cit.*, p. 12.

España, sino los ingresos que se encuentren vinculados con tales territorios en función de las reglas que marca la norma del tributo.

La base imponible del impuesto se va a definir, por tanto, como «la proporción de ingresos imponibles [...] que se consideren obtenidos en ese Estado miembro» por parte de los sujetos pasivos que cumplan los requisitos comentados (art. 6 Propuesta Directiva). La clave del cálculo de la base imponible va a ser el conjunto de reglas que vinculan los servicios digitales sujetos con un territorio concreto, cuestión que también va a ser necesaria para conocer la cuantía referente al segundo umbral de sujeción. Estos criterios vienen definidos en la Propuesta de Directiva de manera individualizada para cada tipo de servicio imponible, si bien el denominador común de todos ellos es que se centran en la ubicación de los usuarios que estarían generando el valor que supondrá un beneficio para los prestadores de servicios, capaces de monetizar dicha aportación de valor.

En el caso de la publicidad online dirigida, se entenderá que un servicio queda sujeto al impuesto en el territorio de un EM si el anuncio en cuestión aparece en el dispositivo de un usuario que se encuentra en dicho territorio. Respecto a los servicios prestados por interfaces digitales multifacéticas se diferencia en función de si se facilitan operaciones subyacentes o no. En el primer caso, un servicio se entiende imponible en un país cuando los usuarios, sean vendedores o compradores en la transacción subyacente, se encuentren en un EM en el momento en que utilicen dispositivos electrónicos para acceder a la interfaz y concluir dicha operación[20]. En el segundo caso, en ausencia de entrega de bienes o prestación de servicios entre los usuarios, se considera que el servicio digital prestado por la interfaz queda sujeto al DST en el Estado en el que se haya usado el dispositivo desde el que se ha abierto la cuenta que permite acceder a dicha plataforma. Por último, el nexo de localización del impuesto respecto de los servicios de transmisión de datos será el lugar donde los usuarios hayan usado el dispositivo electrónico para acceder a la interfaz digital que permitió al prestador obtener tales datos. La determinación de la ubicación de un dispositivo en un EM, de acuerdo con el art. 5.5 de la Propuesta de Directiva, se realizará a partir de la dirección del Protocolo

---

[20] La Propuesta de Directiva afirma expresamente que se deben considerar todos los usuarios de un servicio «con independencia de que estos sean vendedores o compradores», pues «tanto los unos como los otros generan valor para la interfaz digital multifacética mediante su participación, habida cuenta que la función de la interfaz es adecuar la oferta a la demanda», COM(2018) 148 final, *op. cit.*, p. 13.

Internet (IP) del dispositivo o a través de otro método de geolocalización si este fuera más exacto.

Hay que tener en cuenta una cuestión adicional que resulta fundamental a la hora de entender el funcionamiento de este tributo: la sujeción de un servicio digital en un territorio no depende de que los usuarios «hayan realizado contribución pecuniaria» alguna «a la generación de dichos ingresos» (art. 5.1 Propuesta Directiva). Dependiendo del tipo de servicio digital habrá casos en los que los usuarios que generan el valor también realizan la contribución pecuniaria sujeta al tributo (por ej. los vendedores de productos en interfaces digitales multifacéticas que soportan la comisión de la plataforma) y supuestos en que los usuarios no acometen desembolso (por ej. los compradores en interfaces digitales multifacéticas donde la comisión solo se exija al vendedor o, sobre todo, los usuarios de webs que visualizan la publicidad dirigida, o que reciben un servicio digital gratuito a cambio de sus datos que, posteriormente, serán vendidos).

El cálculo de la base imponible del impuesto requerirá establecer la proporción de ingresos que corresponden a cada EM —o a España, en el caso del Proyecto de Ley—, del total de servicios digitales prestados. En el caso de la publicidad online, se atribuirá a cada territorio el porcentaje del ingreso que derive del número de visualizaciones de un anuncio en dispositivos ubicados en un territorio respecto del total de anuncios que hayan aparecido durante el periodo impositivo. Para las interfaces multifacéticas, se determinará la base imponible en proporción al número de usuarios localizados en un país respecto del total de intervinientes que hayan concluido las transacciones. Si no existen tales operaciones, se medirá el hecho imponible en función del número de usuarios de un EM que tengan una cuenta de la plataforma respecto del total. Para las transmisiones de datos, la base imponible se computará en proporción al número de usuarios que hayan generado los datos vendidos localizados en cada país de la Unión. La cuota tributaria se determinará aplicando un tipo proporcional fijo del 3% al volumen de ingresos que se hayan considerado imponibles en un Estado.

Por último, es necesario hacer referencia a la propuesta que realiza la Comisión Europea para evitar que este impuesto dé lugar a una doble imposición en el impuesto de sociedades. El considerando 27 de la Propuesta de Directiva sugiere a los EEMM que permitan que el DST pagado por las empresas que tributen por su beneficio en dicho territorio pueda ser considerado un gasto deducible «independientemente de que ambos impuestos se paguen en el mismo Estado miembro o en Estados miembros diferentes».

3. EL ART. 2 MCOCDE Y EL ÁMBITO DE APLICACIÓN DE LOS CONVENIOS DE DOBLE IMPOSICIÓN

El Modelo de Convenio de la OCDE establece en su artículo 2 el ámbito de aplicación que tienen los CDIs inspirados en su formulación. Este artículo, compuesto de cuatro apartados con implicaciones diversas, refiere el alcance de los Convenios a los tributos sobre la renta y el patrimonio de los Estados contratantes, con independencia de la forma en que se produzca su exacción (art. 2.1 MCOCDE)[21]. En este sentido, los Comentarios al propio Modelo de Convenio afirman que la intención del MCOCDE es ampliar «en todo lo posible, el ámbito de aplicación del Convenio al incluir, en la mayor medida posible, y en armonía con la normativa nacional de los Estados contratantes, los impuestos introducidos por sus subdivisiones políticas y autoridades locales, para evitar la necesidad de concluir un nuevo Convenio cada vez que la normativa de uno de los Estados sea modificada»[22].

Por su parte, el apartado segundo del art. 2 MCOCDE, una vez que el primero ha hecho referencia genérica a los impuestos sobre la renta y el patrimonio, establece supuestos específicos que deben entenderse abarcados por dichos conceptos[23]. Concretamente, afirma que se entienden incluidos

---

[21] Sobre el concepto de impuesto en el MCOCDE y su interpretación, véase MARTÍN JIMÉNEZ, A., «Defining the Objective Scope of Income Tax Treaties: The Impact of Other Treaties and EC Law on the Concept of Tax in the OECD Model», *Bulletin-Tax Treaty Monitor*, 2005, pp. 432-444.

[22] Sobre las diferentes interpretaciones dadas a este comentario, véase ISMER, R., «Article 2: Taxes Covered», en Klaus Vogel Double Tax Conventions, pp. 10-11 (versión web), LANG, M., «Taxes Covered - What is a Tax according to article 2 of the OECD Model?», *Bulleting - Tax Treaty Monitor*, 2005, p. 216, y HELMINEN, M., «General Report», en International Fiscal Association, *The notion of tax and the elimination of international double taxation or double non-taxation*, Cahiers de Droit Fiscal International, Vol. 101b, 2016, p. 29 y ss.

[23] Una cuestión fundamental a la hora de interpretar el alcance de los CDIs es la relativa a la interpretación que debe hacerse de los términos del Modelo de Convenio. De acuerdo con su art. 3.2 MCOCDE, cuando un término no venga expresamente definido en un CDI, se atenderá al significado que le atribuya la legislación de los Estados contratantes, «a menos que de su contexto se infiera una interpretación diferente o que las autoridades competentes reconozcan un significado distinto de conformidad con lo dispuesto en el Artículo 25». Existen diferentes opiniones acerca de si la interpretación que debe darse al art. 2 MCOCDE debe ser autónoma o, por el contrario, debe atender a la normativa doméstica. Debido a la redacción del art. 2.3 MCOCDE, que establece un listado de los impuestos que, «en particular», entiendan los Estados que deben quedar abarcados por el CDI, algunos autores han abogado por considerar que debe hacerse una interpretación autónoma de este artículo o, cuando menos, contextual. En este

en el ámbito de los CDIs los impuestos que recaigan sobre la «totalidad de la renta o del patrimonio o cualquier parte de los mismos, incluidos los impuestos sobre las ganancias derivadas de la enajenación de la propiedad mobiliaria o inmobiliaria, los impuestos sobre los importes totales de los sueldos o salarios pagados por las empresas, así como los impuestos sobre las plusvalías latentes».

Pese a que la doctrina ha profundizado en el concepto y caracteres de los impuestos sobre la renta, primando el hecho de que se centren sobre la capacidad económica que presenta el perceptor de la misma, el Modelo de Convenio de la OCDE no aporta una definición de este término[24]. El hecho de que no se haya acuñado una acepción específica de lo que debe caracterizar este tipo de impuestos es el motivo fundamental de la tendencia actual a la creación de figuras híbridas. Estos tributos presentan elementos propios de distintos tipos de impuestos, haciendo compleja la determinación de su auténtica naturaleza y, por tanto, de si deben quedar incluidos dentro de los dictados de los Convenios de Doble Imposición[25].

Con independencia de la conveniencia de que el Modelo de Convenio clarificara estos conceptos, es necesario analizar los elementos característicos de los impuestos que puedan reputarse híbridos, o de naturaleza incierta, para determinar si deben ser considerados tributos sobre la renta y, por

---

sentido, LANG, M., «Taxes Covered…», *op. cit.*, p. 216 y HELMINEN, M., «General Report»…, *op. cit.*, pp. 28-29, 34-35.

[24] En relación con el Impuesto sobre Servicios Digitales, Ismer y Jeschek enuncian tres rasgos que consideran fundamentales en los impuestos sobre la renta: atienden a una variable que se manifiesta en un flujo económico y no en una figura estática, es decir, se desarrolla en un periodo de tiempo; suponen una transferencia de riqueza realizada a cambio de una retribución, a diferencia de los impuestos sobre sucesiones y donaciones que no conllevan contraprestación; y se centran en la capacidad económica del perceptor de la renta y no en la del pagador. ISMER, R., JESCHECK, C., «The substantive scope of Tax Treaties in a Post-BEPS world: Article 2 OECD MC (Taxes Covered) and the rise of new taxes», *Intertax*, 2017, p. 3.

[25] La decisión de si debe caer dentro del alcance de un CDI una figura que no tiene una fácil clasificación como impuesto sobre la renta, sino que tiene características híbridas, entronca de nuevo con el tipo de interpretación que debe realizarse del art. 2 del MCOCDE. Como hemos comentado, entendemos que sería conveniente, como mínimo, realizar una interpretación del art. 2 MCOCDE basada en el contexto del mismo, y no exclusivamente hacerla recaer en la voluntad de los legisladores nacionales, pues esto podría vaciar o desvirtuar el propio concepto de impuesto sobre la renta. En contra de esta idea, Wei Cui considera que hacer interpretaciones expansivas del art. 2 MC podría ser contraria a la intención de los propios Estados contratantes, limitando de manera excesiva sus posibilidades de crear nuevos impuestos. WEI CUI, «Article 2 - Taxes Covered», en *Global Tax Treaty Commentaries*, IBFD, 2019, p. 9 (versión web).

tanto, quedar incluidos en el ámbito de aplicación de los CDIs[26]. El análisis de un impuesto deberá priorizar los elementos sustanciales del mismo respecto a las cuestiones o denominaciones formales[27]. Esta consideración de la sustancia del tributo será clave para determinar la capacidad económica que está siendo objeto de gravamen, constituyendo este el factor que deberá permitirnos concluir su auténtica naturaleza.

El artículo 2 del MCOCDE, no obstante, no se limita a la referencia a los impuestos sobre la renta y patrimonio y las figuras que deben entenderse como tales contenidas en los dos primeros apartados. Por el contrario, incluye otros dos que abordan la cuestión del ámbito de aplicación de los CDIs de manera muy distinta a los anteriores. El apartado tercero de dicho artículo contiene una lista de los impuestos que los Estados contratantes consideran abarcados por el Tratado. Es especialmente importante la interpretación que hacen los Comentarios del MCOCDE sobre la utilidad de este listado. Concretamente, se hace especial énfasis en el hecho de que se haga referencia a las figuras que, «en particular», quedan dentro del ámbito de aplicación de un CDI. Esta expresión da a entender que el listado tiene una función expositiva y no exhaustiva, no impidiendo que aquellos impuestos que cumplan las características de un impuesto sobre la renta, pero que no están incluidos en dicho apartado tercero, deban cumplir los dictados de los Convenios de Doble Imposición.

El art. 2.3 MCOCDE representa el listado que acordaron los Estados contratantes en el momento de la firma del Tratado. Sin embargo, los países firmantes pueden alterar sus ordenamientos tributarios, eliminando, añadiendo o modificando los impuestos que lo componen. La enumeración de dicho apartado, así, sería susceptible de quedar obsoleta a raíz de los cambios legislativos. Para evitar que su utilidad venga reducida con el paso del tiempo, el Modelo de Convenio propone la introducción de un cuarto apartado al art. 2, que permita ampliar el alcance temporal del listado del art. 2.3. Se pretende extender la aplicación de las disposiciones de los CDIs a todos los impuestos que se establezcan con posterioridad a la firma del

---

[26]   Con la redacción actual del Modelo de Convenio, se ha establecido un procedimiento de acuerdo mutuo en el art. 25.3, que sería el procedimiento utilizable para resolver una controversia entre los Estados contratantes acerca de la naturaleza de un impuesto y si queda dentro del ámbito de aplicación del Convenio.

[27]   MARTÍN JIMÉNEZ, A., «Controversial issues about the concept of tax in Income and Capital Tax Treaties in the post-BEPS world», en ARNOLD, J. (Ed.), *Tax Treaties after the BEPS Project, A tribute to Jacques Sasseville*, Canada Tax Foundation, 2018, pp. 180 y ss.

Tratado, sean una modificación de los ya enumerados o sean añadidos a estos. El requisito para que los CDIs se apliquen a estas figuras es que se consideren idénticas o «sustancialmente similares» a los impuestos incluidos en el listado del art. 2.3.

Pese a que el MCOCDE propone la introducción de los cuatro apartados, no todos los CDIs los incluyen. En muchas ocasiones, el art. 2 de los Tratados solo contienen los apartados tercero y cuarto, prescindiendo de las menciones generales a los impuestos sobre la renta y el patrimonio. En este supuesto, los Comentarios al MCOCDE sugieren que se altere la redacción del apartado tercero para eliminar la expresión «en particular». Esto se debe a que, en ausencia de la primera mitad del artículo, los CDIs se van a aplicar exclusivamente a las figuras que aparezcan en el listado del art. 2.3. Este, por tanto, dejaría de ser ejemplificativo, y pasaría a constituir el marco estricto de figuras abarcadas por el Convenio.

En el caso de la introducción de un nuevo tributo por parte de un país, o la modificación de uno de los impuestos fijados en el listado, el análisis que deberá hacerse para determinar si entra dentro del ámbito de aplicación del CDI va a variar respecto al comentado anteriormente. Esta vez no habrá que determinar si los elementos estructurales de la figura introducida se asimilan a los de un impuesto sobre la renta, sino que habrá que establecer si resultan idénticos o sustancialmente similares a los de los impuestos existentes y contenidos en el listado del art. 2.3 del Convenio concreto[28].

Una última cuestión que debemos tratar en este apartado es si la caracterización del DST como un impuesto directo o indirecto es susceptible de influir en el análisis que estamos comentando[29]. Tanto la Propuesta de Directiva como el Proyecto de Ley español sobre el DST inciden en afirmar

---

[28]   En el caso específico de España, el Convenio de Doble Imposición firmado con los Estados Unidos, de 22 de febrero de 1990, solo contiene los apartados tercero y cuarto del artículo 2. Esta redacción hace que el ámbito de aplicación del CDI con los EEUU sea más reducido que si hiciera una referencia general a los impuestos sobre la renta y el patrimonio. El análisis de compatibilidad de un potencia Impuesto sobre Servicios Digitales creado en España respecto de dicho Tratado no va a depender de si este tributo puede ser considerado como un impuesto sobre la renta o sobre una parte de esta. Por el contrario, habrá que analizar si el DST se asemeja sustancialmente a las figuras contenidas en la enumeración del art. 2 del CDI.

[29]   Sainz de Bujanda ha calificado la distinción de impuestos en directos e indirectos como «fundamentalmente positiva, es decir, realizada por el ordenamiento jurídico». SAINZ DE BUJANDA, F., *Lecciones de Derecho Financiero*, 6ª Edición, Universidad Complutense, Madrid, 1987, p. 158.

que se trata de un impuesto de naturaleza indirecta[30]. En este sentido, los Servicios Jurídicos del Consejo de la UE, en el Informe que hicieron acerca del DST, rechazaron que este impuesto pueda considerarse como indirecto[31]. Para los Servicios Jurídicos, las características que presentan los impuestos indirectos que no son asimilables al IVA ni a los impuestos especiales son tres: que no se refieren a la capacidad económica del contribuyente, sino a las transacciones; que suelen ser impuestos objetivos; y que su exacción se estructura a partir de una repercusión del impuesto por parte del sujeto pasivo al obligado que debe soportar el peso económico del impuesto. Debido a la inexistencia de repercusión y al hecho de que no parece que el tributo vaya destinado a gravar al adquirente, los Servicios Jurídicos del Consejo entienden que este impuesto es indirecto[32].

Su consideración como impuesto directo o indirecto, no obstante, no resulta trascendente a la hora de determinar su inclusión o no en el ámbito de aplicación de un CDI. Los Comentarios al art. 2 MCOCDE afirman expresamente que se quiere evitar el uso de los términos «impuestos directos» por ser «demasiado imprecisos». Por tanto, el examen que debe hacerse a efectos de determinar si un impuesto queda dentro del alcance de un CDI debe suponer un análisis sustancial de sus elementos esenciales respecto de los impuestos sobre la renta o, en ausencia de apartados 1 y 2, de la identidad con los impuestos que figuran en el listado del Convenio.

4. ESTUDIO COMPARATIVO DE LOS ELEMENTOS CONSTITUTIVOS DEL IMPUESTO SOBRE SERVICIOS DIGITALES Y LOS IMPUESTOS SOBRE LA RENTA RECOGIDOS EN LOS CDIS

El análisis de si un tributo queda dentro del ámbito de aplicación de un Convenio de Doble Imposición va a depender de su configuración y de sus elementos esenciales. Como ha recordado la OCDE en su *Interim*

---

[30]   Sobre los dos criterios clásicos que permiten estructurar esta clasificación véanse, por todos, MERINO JARA. I., (Dir.), *Derecho Financiero y Tributario: Parte General*, Tecnos, Madrid, 2019, pp. 173-174; MENÉNDEZ MORENO, A., (Dir.), *Derecho Financiero y Tributario: Parte General, Lecciones de Cátedra*, Thomson Reuters Lex Nova, Valladolid, 2013, p. 143; MARTÍN QUERALT, J., et al. *Curso de Derecho Financiero y Tributario*, Tecnos, Madrid, 2013, p. 75.
[31]   Council Legal Services, Documento Interinstitucional 2018/0073 (CNS), ap. 24.
[32]   Council Legal Services, Documento Interinstitucional 2018/0073 (CNS), aps. 26-27.

Report, los nuevos impuestos que se creen sobre los servicios digitales deberían cumplir unos estándares mínimos, siendo el más relevante de ellos el respeto a las obligaciones internacionales contraídas por los países: CDIs, Derecho de la UE y reglas de la Organización Mundial del Comercio[33]. En este sentido, no se puede hablar de una forma única de *equalization levy* o de impuesto de igualación para las empresas digitales a nivel mundial. Existen diferentes modalidades a nivel mundial, tanto en la definición del propio hecho imponible como en la estructuración del gravamen[34].

También en la UE se ha planteado la cuestión de la naturaleza de determinados impuestos sobre servicios digitales. Es el caso del impuesto húngaro sobre la publicidad digital, que ha sido analizado por la AG Kokkot en sus Conclusiones de 13 de junio de 2019, asunto C-75/18, a raíz del caso Vodafone. Este impuesto grava las ventas de los prestadores de servicios de publicidad digital con un tipo progresivo. La AG Kokkot destaca que el impuesto no contempla una repercusión jurídica de la carga tributaria al adquirente y que, en los impuestos especiales particulares sobre determinados bienes o servicios, si no se establece que el consumidor sea deudor del impuesto, debe articularse una repercusión hacia el mismo[35]. Esta, entre otras razones, le llevará a calificarlo como «un impuesto particular sobre la renta (directo) basado en el volumen de negocios, destinado a gravar la especial capacidad financiera de las empresas de telecomunicaciones»[36].

Deberemos analizar, por tanto, los elementos esenciales del DST propuesto por la Comisión y comprobar si coinciden con las características fundamentales de los impuestos sobre la renta o sobre elementos de esta o

---

[33] OCDE, *Interim Report 2018, op. cit.*, p. 181.

[34] Por ejemplo, el *Equalization levy* introducido por la India en 2016 solo se recauda cuando el prestador de publicidad online no tributa por IS en la India por ese servicio concreto. En tal caso, el adquirente de la publicidad tiene que retener un 6% del precio que debería pagar al vendedor no residente en concepto de este impuesto. Pese a la denominación formal que se le haya dado, este impuesto presenta un comportamiento y una estructura similar a las de las retenciones en la fuente de determinados tipos de renta. Así, se centra en la capacidad económica del perceptor de la renta, quedando dentro del ámbito de aplicación de los apartados primero y segundo del art. 2 MCOCDE. Sobre este impuesto, véase KUMAR SINGH, M., «Taxation of Digital Economy: An Indian Perspective», *Intertax,* vol. 45, Issue 6-7, 2017, pp. 467-481; ISMER, R., JESCHECK, C., «The substantive scope...», *op. cit.*, p. 4 (versión web), y MARTÍN JIMÉNEZ, A., «Controversial issues...», *op. cit.*, p. 179.

[35] Destaca la AG que ni siquiera se podría realizar la repercusión del mismo porque, debido al tipo progresivo, no se conocerá la cuota tributaria correspondiente hasta el final del periodo impositivo.

[36] Conclusiones AG Kokkot, caso Vodafone, *op. cit.*, ap. 37.

si, por el contrario, es un impuesto sobre el volumen de negocios como afirma la Comisión. El aspecto fundamental que debe centrar nuestro estudio es la naturaleza de la capacidad económica gravada por el tributo, si se centra en el perceptor del flujo de riqueza o, por el contrario, pone el foco en la situación del pagador y en la transacción en sí, suponiendo un incremento de su coste. Reiteramos que este razonamiento debe considerar la configuración sustancial del tributo, no la denominación o caracterización formal.

4.1. *Análisis contextual del impuesto: la finalidad del DST*

El hecho de que la aplicación de un Convenio de Doble Imposición dependa de conceptos artificiales como el de impuesto sobre la renta hace que el análisis teleológico de los tributos adquiera mayor relevancia, sobre todo en figuras que no tengan una naturaleza clara debido a que presentan características de distintos tipos de gravámenes. Para evitar que cuestiones formales puedan condicionar el carácter real de una figura, la finalidad que persiga el impuesto debe servir como criterio interpretativo del análisis sustancial de su configuración.

La Comisión Europea realiza una crítica del funcionamiento de las normas internacionales de impuesto de sociedades y de su aplicación a las empresas de la economía digital, afirmando que el DST ha sido concebido para solucionar el «desajuste entre el lugar donde tributan los beneficios y el lugar donde se crea valor» en determinados modelos de negocio digitales[37]. Así, entre los cuatro objetivos que, según la Propuesta de Directiva, persigue el DST, se afirma expresamente que debe servir para colmar dichas «lagunas [...] en las normas internacionales que permiten que algunas empresas digitales evadan impuestos en los países en los que operan y crean valor», así como «combatir la planificación fiscal agresiva»[38].

Esta idea de utilizar el DST como gravamen para compensar la menor recaudación en IS se puede observar en la explicación que se hace de varios de los elementos esenciales del hecho imponible del impuesto. Así, el Considerando 23 de la propuesta de Directiva afirma que la elección de umbrales de sujeción pasiva se debe al interés en gravar a aquellas empresas que tienen mayores posibilidades «de emprender prácticas de planificación fiscal

---

[37] COM(2018) 148 final, *op. cit.*, p. 2.
[38] Los otros tres objetivos serían garantizar el funcionamiento del mercado interior, incrementar la recaudación impidiendo que las bases imponibles se erosionen e incrementar la igualdad de condiciones para las empresas de la UE.

agresiva». Por su parte, el Considerando 17 justifica los servicios digitales a los que se restringe el gravamen con el argumento de que el impuesto se aplica «a la generación de ingresos a partir de la transmisión de los datos obtenidos de una actividad muy específica (actividades de los usuarios en interfaces digitales)», y que los servicios especificados son los que usan las interfaces digitales «como medio para crear contribuciones del usuarios que sean monetizables».

Como se puede observar, la idea de la Comisión es establecer un tributo que grave a los prestadores de servicios digitales por el beneficio que estos obtienen y por el que no estarían tributando por IS en el Estado de los usuarios, fuente de una parte de dicho beneficio. La capacidad económica que se persigue gravar no es la del adquirente del servicio ni la del usuario, que en ocasiones ni siquiera realiza un desembolso económico. Por el contrario, se pretende sujetar la capacidad económica del prestador de dichos servicios[39]. La ausencia de una obligación de repercusión del impuesto muestra el interés en que la incidencia jurídica del impuesto recaiga sobre los perceptores de renta.

La Comisión va más allá, y en el *Questions and Answers* que publicó junto con la Propuesta de Directiva, apeló a la responsabilidad de las empresas de la economía digital a que no incluyeran en el precio de sus servicios el impuesto, de manera que no recayera en los consumidores[40]. Así, la intención del impuesto es que la incidencia económica del mismo tampoco la soporten los adquirentes ni los usuarios, sino solo los vendedores. Las menciones a luchar contra la planificación fiscal agresiva o la erosión de bases imponibles de las multinacionales de la economía digital no hacen más que reforzar este razonamiento de que el DST se centra en la capacidad económica del prestador de servicios[41]. En todo caso, debemos realizar

---

[39]   Es interesante citar la afirmación que realizó la AG Kokkot sobre el DST en relación al impuesto húngaro de comercio al por menor: «la Comisión intenta incrementar la aportación de las empresas multinacionales (principalmente de determinados terceros países) a los costes de los servicios públicos cuando generan beneficios en la Unión pero no están sujetas en la Unión a la tributación sobre la renta». Conclusiones de la AG Kokkot de 4 de julio de 2019, Tesco-Global, asunto C-323/18, ap. 96.

[40]   https://europa.eu/rapid/press-release_MEMO-18-2141_en.htm (Consultado el 2 de diciembre de 2019)

[41]   Si el tributo se formulara como un impuesto sobre el volumen de negocios centrado en la capacidad económica del adquirente nos encontraríamos con un tributo similar a un impuesto especial. Hay que recordar, sin embargo, que este tipo de gravámenes pretenden compensar externalidades económicas negativas generadas por el consumo de determinados productos —como el alcohol o el tabaco—. Los servicios digitales no

el análisis sustancial de los elementos objetivos y subjetivos del impuesto para determinar si el objetivo que se persigue con el gravamen, claramente centrado en la obtención de renta, ha sido reflejado en la configuración del impuesto[42].

4.2. El sujeto pasivo y los umbrales de facturación

Pese a que ambos umbrales tienen el objetivo común de limitar la tributación por DST a los prestadores de servicios digitales de mayor dimensión, su utilidad, justificación e impacto son diferentes. Respecto al límite de la facturación global del grupo, está pensado para restringir la sujeción pasiva a aquellas empresas que cuentan con una presencia sólida mundial que les permita aprovechar los efectos de red entre los usuarios y monetizar su contribución. Dado que se trata de una barrera centrada en la posición del perceptor del flujo económico, la Comisión argumenta que esto no implica que se trate de un impuesto sobre la renta, ya que «la capacidad económica de las empresas» solo opera como «indicio de su capacidad para atraer a un elevado número de usuarios»[43]. Junto a este argumento, añade la Comisión que estas empresas son las que producen un mayor desajuste entre creación de valor y tributación por IS, y que tienen oportunidad «de emprender prácticas de planificación fiscal agresiva»[44].

La Comisión Europea estaría reconociendo expresamente que el primer umbral está formulado en función de la capacidad económica del prestador de servicios debido a la frecuente falta de tributación por IS en el Estado del mercado de estos modelos de negocio. Pese a que la OCDE ha afirmado que este tipo de umbrales no implica automáticamente que el impuesto se considere sobre la renta[45], entendemos claro que supone poner el foco en la posición del perceptor del ingreso.

Acudir a la cifra total de ventas, incluyendo las de productos distintos de los servicios digitales gravados, no nos parece un criterio propio de un

---

[ ] presentan este tipo de externalidades, sino más bien las contrarias, como ha dejado claro la propia Comisión o el Consejo en diferentes documentos.

[42] Hohenwarter, Kofler, Mayr y Sinnig afirman que la intención legislativa no puede ser determinante de la naturaleza de un tributo, sino que esta depende de los elementos del mismo. HOHENWARTER, D., KOFLER, G., MAYR, G., SINNIG, J., «Qualification of the Digital Services Tax under Tax Treaties», *Intertax*, Vol. 47, nº 2, 2019, p. 147.

[43] COM(2018) 148 final, *op. cit.*, pp. 11-12.

[44] Considerando 23 Propuesta Directiva, COM(2019) 148 final.

[45] OCDE, *Interim Report 2018, op. cit.*, ap. 420.

tributo que pretende sujetar transacciones específicas. Algunos autores han considerado este umbral análogo a las franquicias degresivas existentes en el IVA de algunos Estados miembros. Sin embargo, aparte del hecho de que dichas franquicias se aplican a sujetos establecidos en el territorio del país que las fija, la clave es que el IVA es un tributo sobre la generalidad de bienes y servicios. Este umbral habría que asimilarlo a uno que se estableciera para los impuestos especiales de un tipo concreto de bien o servicio, por ejemplo cerveza, y en el que su cuantificación incluyese todos los demás productos vendidos por la empresa no sujetos al tributo —siguiendo con el ejemplo, desde refrescos hasta servicios de financiación—. Del mismo modo, entendemos que el hecho de atender a los ingresos realizados en otros países también aleja este tributo de gravar la capacidad económica del comprador y sujetar la operación concreta[46]. Se desentiende de las transacciones efectivas vinculadas con un territorio específico, refiriéndose a la actividad económica global como manifestación de capacidad económica del prestador, sin nexo efectivo con las operaciones que, teóricamente, deberían constituir el hecho imponible.

El segundo límite, por el contrario, no presenta las fallas que encontramos en el primero, ya que alude a los ingresos obtenidos en un determinado territorio con la intención de excluir del tributo a las empresas de menor dimensión[47]. Su justificación, sin embargo, es propia de conceptos de impuesto sobre sociedades y de la propuesta de establecimiento permanente virtual, ya que se habla de sujetar a las empresas que tengan una «huella digital significativa» en un territorio[48].

---

[46]	En este sentido, se ha planteado la posibilidad de que este umbral haga que el DST recaiga fundamentalmente sobre empresas extranjeras y que esto podría ser discriminatorio. Sobre esta cuestión véanse las Conclusiones de la AG Kokkot caso Vodafone, *op. cit.*, ap. 84 y ss., y la declaración de la Oficina de Comercio de los Estados Unidos de 10 de julio de 2019, https://ustr.gov/about-us/policy-offices/press-office/press-releases/2019/july/ustr-announces-initiation-section-301.

[47]	Sobre esta cuestión, VAN HORZEN, F., VAN ESDONK, A., «Proposed 3% Digital Services Tax», *International Transfer Pricing Journal*, 2018, pp. 269-271.

[48]	Los propios Servicios Jurídicos del Consejo advierten de la similitud que existe entre el DST y las propuestas de EP virtual tanto en formulación como, sobre todo, en objetivos. Council Legal Services, Documento Interinstitucional 2018/0073 (CNS), ap. 29.

4.3. *El hecho imponible del DST y la vinculación de los ingresos al Estado del mercado*

El *Interim Report* de la OCDE apunta las características que debería presentar un *equalization levy*, a su parecer, para no quedar cubierto por los CDIs. En primer lugar, debe sujetar la prestación de determinados tipos de servicios digitales, recayendo sobre las partes de la transacción, pero sin estar referenciados a la situación económica o tributaria específica del proveedor. En segundo lugar, debe ser un tributo proporcional en relación al valor del servicio, sin referencias al rendimiento neto del prestador. En tercer lugar, no debe generar un crédito tributario o venir compensado por otras medidas de eliminación de la doble imposición[49]. Debemos analizar si estas tres cuestiones son suficientes para excluir que un gravamen pueda ser considerado como un impuesto sobre la renta y si la propuesta de DST se adapta a dichos requisitos.

El Proyecto de Ley español afirma que el DST es un impuesto centrado «en los servicios prestados, sin tener en cuenta las características del prestador de los mismos, entre ellas su capacidad económica». Un tributo sobre transacciones concretas debería basarse en las circunstancias de las partes intervinientes en esta, tanto para la configuración del hecho y la base imponible como para la localización territorial del ejercicio del poder tributario. Sin embargo, la característica singular que presenta el impuesto sobre servicios digitales es el nexo que establece para atribuir potestad impositiva a los Estados: la ubicación de los usuarios. Es la actividad de dichos usuarios, que pueden incluso no ser parte de la transacción específica, la que determina el nacimiento de la obligación tributaria principal del DST en un territorio específico. Es indiferente si realizan algún tipo de pago. Tampoco es relevante, en el caso de servicios digitales con operación subyacente, la localización de la venta intermediada por la plataforma.

De hecho, el vínculo del deber de contribuir con una tercera parte que pueda no estar presente en el flujo económico de la transacción tiene una implicación decisiva sobre la naturaleza del impuesto. El DST se define como un impuesto instantáneo, en el que el hecho imponible se produce cuando se realiza la provisión del servicio electrónico —o el pago adelantado al mismo—. No obstante, en casos como los servicios de publicidad online, es posible que en el momento de la contratación o del pago se desconozca si va a existir deuda tributaria en un país. No será hasta el momento en que

---

[49]   OCDE, *Interim Report 2018, op. cit.*, ap. 421.

un usuario visualice un anuncio cuando se devengue el impuesto. Así, estaríamos ante un tributo en el que el nacimiento de la obligación de contribuir podría depender de personas independientes de la transacción sobre la que recae, que son los que pueden soportar económicamente el peso del impuesto. Además, al fraccionar el devengo y el cálculo del impuesto en función de la actividad de los usuarios se está desvirtuando el hecho de que el DST atienda a una variable estática —la transacción—, pues en determinados casos la obligación tributaria se va conformando en función del territorio del que provenga la participación del usuario cuya monetización contribuye al flujo de renta que obtiene el prestador del servicio.

Pensemos en otro ejemplo: una empresa intermedia en una entrega de bienes subyacentes entre un vendedor español y un comprador holandés, cobrando el servicio digital correspondiente solo al vendedor. De acuerdo con la propuesta de Directiva, el DST debería devengarse tanto en España como en Países Bajos. El sujeto que está manifestando una capacidad económica en Holanda debido a la transacción del servicio electrónico no es el adquirente que paga el servicio, sino el prestador que consigue monetizar la actividad del usuario. Por ello, consideramos que el DST se proyecta sobre la capacidad económica que manifiestan los perceptores de renta de las transacciones sujetas en distintos territorios.

Respecto a la segunda cuestión, una de los argumentos más utilizados para rechazar que el DST esté dentro del ámbito de aplicación de los CDIs es que la base imponible se define a partir de las ventas, y no del beneficio neto. Esta cuestión no es un inconveniente para que las retenciones máximas permitidas por el MCOCDE en el Estado de la fuente para determinados tipos de renta —dividendos e intereses— se definan en función de la renta bruta[50]. En este sentido se pronuncia la OCDE en su *Interim Report*, donde afirma que el hecho de que el tributo recaiga sobre los ingresos sin que se permita deducción de gastos no resulta relevante para determinar la naturaleza del gravamen[51].

También la AG Kokkot se ha pronunciado en contra de este argumento. En el caso Vodafone, la Comisión argumentó que la tributación sobre el volumen de negocios solo es indicativa del tamaño de una empresa y de su

---

[50]   También autores que han defendido abiertamente la consideración del DST como impuesto sobre el volumen de negocios han reconocido que el hecho de que grava las ventas brutas no lo descalifica como impuesto sobre la renta. HOHENWARTER, D., KOFLER, G., MAYR, G., SINNIG, J., «Qualification of the Digital...», *op. cit.*, pp. 141-143.

[51]   OCDE, *Interim Report 2018, op. cit.*, ap. 418-419.

posición en el mercado, y que solo un gravamen del beneficio neto debe ser asociado con la imposición directa sobre la renta empresarial. La AG Kokkot, sin embargo, considera que las ventas brutas, pese a no ser un «indicador inequívoco» o «ideal» de la capacidad económica de los perceptores de renta, no resulta «inadecuado»[52]. Entiende que existe una conexión estrecha entre el volumen de negocios y la capacidad potencial de obtener beneficios[53]. Además, afirma que en determinados casos los ingresos brutos son un indicador más robusto ante conductas de erosión de bases imponibles.

Así, el hecho de que la base imponible no atienda al resultado empresarial sino a las ventas no es un elemento determinante para excluir que pueda tratarse de un tributo centrado en la capacidad económica del prestador[54]. Además, en este argumento habría que tener en cuenta que el tipo de gravamen proporcional utilizado, el 3%, ha sido fijado deliberadamente bajo debido a que se aplica a rendimientos íntegros[55], y además, se ha determinado expresamente para tener en cuenta los «distintos márgenes de beneficios» de las empresas del sector[56].

La última característica que debería presentar este impuesto para excluir la posibilidad de ser considerado un tributo sobre la renta es que no se articulen mecanismos para resolver la doble imposición. No obstante, la Comisión Europea incluye en su propuesta de DST una invitación a los EEMM para que permitan la consideración de este impuesto como gasto deducible en la base imponible. Como es lógico, no se plantea la introducción de una deducción directa en el Impuesto de Sociedades, ya que esto conllevaría automáticamente la asimilación del DST a un gravamen sobre la renta. Sin embargo, esto no significa que el hecho de no incluirlo como deducción automáticamente lo excluya del ámbito de aplicación de los CDIs. El impuesto sobre servicios digitales grava la capacidad económica que está manifestando el vendedor de los servicios en el territorio de los usuarios sin articular una repercusión jurídica que permita trasladar la carga del impuesto al adquirente de dichas prestaciones. Si el país que grava el IS del prestador permite la deducción del DST de la base imponible estaría permitiendo que el

---

52   Conclusiones AG Kokkot, caso Tesco Global, *op. cit.*, aps. 102.

53   Conclusiones AG Kokkot, caso Vodafone, *op. cit.*, ap. 121.

54   En contra, ISMER, R., JESCHECK, C., «Taxes on Digital Services and the Substantive Scope of Application of Tax Treaties: Pushing the Boundaries of Article 2 of the OECD Model?», *Intertax*, Vol. 46, Iss. 6/7, 2018, p. 577.

55   TURINA, A., «Which "Source Taxation" for the Digital Economy?», *Intertax*, vol. 46, nº 6-7, 2018, p. 516.

56   Considerando 35 Propuesta Directiva DST.

3% de las ventas realizadas por una empresa que reside o tiene un EP en su territorio tributen en otro Estado. Lo que se estaría dando, por tanto, es un traslado del poder tributario de gravar la renta —bruta— del contribuyente del Estado de residencia al país del mercado.

5. CONCLUSIÓN

El análisis sustancial que hemos hechos sobre el DST refleja su carácter híbrido, ya que presenta aspectos y elementos propios de distintas categorías impositivas. Formalmente recae sobre las ventas de determinadas prestaciones de servicios. La capacidad económica que pretende gravar, no obstante, no es la de los adquirentes de dichos servicios ni la de los usuarios finales, sino la de los prestadores de servicios que son capaces de obtener un rendimiento a partir de la monetización de la actividad digital de los usuarios.

El tributo no contiene un mecanismo de repercusión jurídica, lo que hace que, a expensas de que pueda ser trasladado económicamente en función de las elasticidades, el gravamen recaiga sobre el prestador de dichos servicios. La intención de que ni siquiera la incidencia económica del DST sea soportada por los adquirentes muestra que el objetivo del impuesto es gravar la capacidad manifestada por los prestadores de estos servicios. La forma en que están formulados los umbrales de sujeción también apuntan en esta dirección: se está configurando el impuesto en función de la capacidad económica demostrada por el perceptor de la renta y no por los pagadores.

El otro elemento clave de este impuesto es el conjunto de reglas que permiten atribuir potestad tributaria a los distintos países en función de la participación de dichos usuarios, con independencia de si contribuyen económicamente al pago del servicio o no. Esto permite a los países del mercado gravar parte del rendimiento íntegro de estas empresas, pudiendo ir esto en perjuicio de la recaudación por IS de los Estados de residencia si estos aceptaran aplicar como gasto deducible el DST pagado en tales países. Este objetivo es similar al que presenta la propuesta de la Comisión Europea a largo plazo: el establecimiento permanente virtual que atribuya potestad tributaria a los países del mercado a partir de la presencia digital significativa que tengan las empresas en su territorio.

En conclusión, consideramos que el DST es un impuesto directo que, dependiendo de la formulación del art. 2 del MCOCDE, podría quedar abarcado por los Convenios de Doble Imposición como un tributo que grava un tipo de renta. Su configuración formal busca expresamente evitar este resultado, alejándose del principio de buena fe en la aplicación de los Tratados Internacionales contenido en la Convención de Viena sobre Derecho de los Tratados. Por último, debemos comentar que esta conclusión dependerá de la redacción exacta que tenga el art. 2 del CDI en cuestión. La existencia de Convenios, como el de España y Estados Unidos, que únicamente contienen un listado de impuestos abarcados y la cláusula dinámica del cuarto apartado, sería susceptible de cambiar esta conclusión. El análisis a desarrollar, en tal caso, sería acerca de la similitud sustancial de los nuevos gravámenes y los presentes en tal enumeración, y no sobre las características generales de los impuestos sobre la renta.

Bibliografía

CALDERÓN CARRERO, J. M., «El Paquete Europeo (2018) en materia de Fiscalidad de la Economía Digital», *Carta Tributaria Revista de Opinión*, n° 39, 2018.

HELMINEN, M., «General Report», en International Fiscal Association, *The notion of tax and the elimination of international double taxation or double non-taxation*, Cahiers de Droit Fiscal International, Vol. 101b, 2016.

HOHENWARTER, D., KOFLER, G., MAYR, G., SINNIG, J., «Qualification of the Digital Services Tax under Tax Treaties», *Intertax*, Vol. 47, n° 2, 2019.

ISMER, R., JESCHECK, C., «Taxes on Digital Services and the Substantive Scope of Application of Tax Treaties: Pushing the Boundaries of Article 2 of the OECD Model?», *Intertax*, Vol. 46, Iss. 6/7, 2018.

ISMER, R., «Article 2: Taxes Covered», Reimer, E., Rust, A., *Klaus Vogel Double Tax Conventions*, Wolters Kluwer, 2015.

ISMER, R., JESCHECK, C., «The substantive scope of Tax Treaties in a Post-BEPS world: Article 2 OECD MC (Taxes Covered) and the rise of new taxes», *Intertax*, 2017.

KUMAR SINGH, M., «Taxation of Digital Economy: An Indian Perspective», *Intertax*, vol. 45, Issue 6-7, 2017.

LANG, M., «Taxes Covered - What is a Tax according to article 2 of the OECD Model?», *Bulleting - Tax Treaty Monitor*, 2005.

MARTÍN JIMÉNEZ, A., «Defining the Objective Scope of Income Tax Treaties: The Impact of Other Treaties and EC Law on the Concept of Tax in the OECD Model», *Bulletin-Tax Treaty Monitor*, 2005.

MARTÍN JIMÉNEZ, A., «Controversial issues about the concept of tax in Income and Capital Tax Treaties in the post-BEPS world», en Arnold, J. (Ed.), *Tax Treaties after the BEPS Project, A tribute to Jacques Sasseville*, Canada Tax Foundation, 2018.

MARTÍN QUERALT, J., et al., *Curso de Derecho Financiero y Tributario*, Tecnos, Madrid, 2013.

MENÉNDEZ MORENO, A., (Dir.), *Derecho Financiero y Tributario: Parte General, Lecciones de Cátedra*, Thomson Reuters Lex Nova, Valladolid, 2013.

MERINO JARA. I., (Dir.), *Derecho Financiero y Tributario: Parte General*, Tecnos, Madrid, 2019.

NOCETE CORREA, F., «The Spanish Digital Services Tax: A Paradigm for the Base Enlargement & Profit Attraction (BEPA) Plan for the Digitalized Economy», *European Taxation*, vol. 59, nº 7, 2019.

SAINZ DE BUJANDA, F., *Lecciones de Derecho Financiero*, 6ª Edición, Universidad Complutense, Madrid, 1987.

TURINA, A., «Which "Source Taxation" for the Digital Economy?», *Intertax*, vol. 46, nº 6-7, 2018.

VAN HORZEN, F., VAN ESDONK, A., «Proposed 3% Digital Services Tax», *International Transfer Pricing Journal*, 2018.

WEI CUI, «Article 2 - Taxes Covered», en *Global Tax Treaty Commentaries*, IBFD, 2019.

Capítulo 3

Impuestos sobre determinados Servicios Digitales y ayudas de estado: una reflexión provisional[*]

Saturnina Moreno González
Catedrática de Derecho Financiero y Tributario
Universidad de Castilla-La Mancha
Centro Internacional de Estudios Fiscales

SUMARIO: 1. INTRODUCCIÓN. 2. IMPUESTOS ESPECÍFICOS SOBRE EL VOLUMEN DE NEGOCIOS CON TARIFA PROGRESIVA DE GRAVAMEN: EL CASO *HUNGRÍA/COMISIÓN* (T-20/17) COMO EJEMPLO. 2.1. Hechos. 2.2. La decisión de la Comisión. 2.3. La argumentación del Tribunal General. 3. POSIBLE IMPACTO SOBRE LOS IMPUESTOS DIGITALES DE LOS ESTADOS MIEMBROS. Bibliografía.

1. INTRODUCCIÓN

El actual debate sobre la reconsideración de los principios y conceptos rectores de la fiscalidad internacional pivota sobre la búsqueda de fórmulas que permitan garantizar una tributación efectiva de los beneficios empresariales derivados de nuevos modelos de negocio altamente digitalizados —basados principalmente en activos intangibles, datos y conocimiento— en las jurisdicciones donde se realizan sus actividades económicas. Las nuevas tecnologías y la digitalización permiten desarrollar tales actividades de forma remota, sin necesidad de contar con un lugar fijo de negocios o con la

---

[*] Este trabajo forma parte del proyecto de investigación «Los derechos de los contribuyentes y la lucha contra el fraude fiscal en los diferentes niveles de Hacienda» (SB-PLY/17/180501/000166), Junta de Comunidades de Castilla-La Mancha, 2018-2020. El escrito fue entregado para su publicación el 14 de febrero de 2020. Tras ello, el 19 de febrero de 2020, se conoció la presentación por parte del Gobierno español de un nuevo Proyecto de Ley del Impuesto sobre Determinados Servicios Digitales; asimismo, el 3 de marzo de 2020, se publicaron las sentencias del Tribunal de Justicia de la UE en los asuntos *Vodafone* (C-75/18) y *Tesco-Global* (C-323/18). Estos hechos no afectan al contenido esencial del presente trabajo, sin perjuicio de lo cual se ha actualizado convenientemente su texto a fecha 12 de marzo de 2020.

mediación de un agente dependiente establecido en la jurisdicción donde se desarrollan tales actividades. De acuerdo con los principios y normas de asignación de rentas todavía imperantes en el orden fiscal internacional, la falta de nexo físico impide a los Estados donde se localizan los usuarios de este tipo de modelos de negocio digitales someter a tributación los beneficios empresariales generados en su territorio, circunstancia que alimenta el debate sobre la necesidad de revisar tales principios y normas y articular nuevas técnicas que permitan llevar a cabo una reasignación de los criterios de reparto de la potestad tributaria entre los países fuente y los países residencia que posibilite una tributación efectiva y más equitativa de este tipo de rentas.

El proceso de replanteamiento y revisión de los principios y conceptos nucleares de la fiscalidad internacional para dar respuesta a los retos fiscales de la economía digitalizada se ha materializado, por lo que a los trabajos de la OCDE/G20 se refiere, en una sucesión de documentos a través de los cuales se han ido perfilando dos grandes propuestas (o pilares) sobre las que se pretende alcanzar un consenso a nivel global para finales de 2020[1]. De un lado, la asignación de nuevos derechos de imposición a las jurisdicciones de mercado/usuarios a través de una revisión de las normas sobre los criterios de sujeción o «nexo» y de atribución de beneficios (primer pilar)[2]. De otro, el desarrollo de mecanismos de gravamen que aseguren una tributación mínima en aquellos casos en los que la potestad tributaria de una determinada jurisdicción no se ajuste a determinados es-

---

[1]　*Vid.* OCDE, *Abordar los desafíos fiscales de la economía digital*, Acción 1 - Informe final 2015, Proyecto de la OCDE y del G-20 sobre la erosión de las bases imponibles y el traslado de beneficios, OECD Publishing, París, 2015; También, OCDE, *Desafíos fiscales derivados de la digitalización - Informe provisional 2018*, Marco Inclusivo sobre BEPS, OECD Publishing, París, 2018; OCDE, *Abordar los desafíos fiscales derivados de la digitalización de la economía - Declaración política*, aprobada por el Marco Inclusivo sobre BEPS el 23 de enero de 2019; OCDE, *Abordar los desafíos fiscales derivados de la digitalización de la economía —Documento de consulta pública*, 13 de febrero— 6 de marzo de 2019; y OCDE, *Programa de trabajo para desarrollar una solución consensuada para los desafíos fiscales derivados de la digitalización de la economía*, Marco Inclusivo de la OCDE y el G20 sobre BEPS, 28 de mayo de 2019. Todos ellos disponibles en https://www.oecd.org/tax/beps/beps-actions/action1/

[2]　OCDE, *El Enfoque Unificado: La Propuesta del Secretariado relativa al Primer Pilar —Documento de consulta pública*, 9 de octubre— 12 de noviembre de 2019. Disponible en https://www.oecd.org/tax/beps/documento-para-consulta-publica-el-enfoque-unificado-la-propuesta-del-secretariado-relativa-al-primer-pilar.pdf.

tándares[3]. La Unión Europea también ha mostrado desde hace tiempo su preocupación por los retos fiscales de la economía digital[4] y ha apoyado los trabajos emprendidos por la OCDE para adaptar el actual marco fiscal internacional a esta nueva realidad.

Sin embargo, la dificultad para alcanzar acuerdos concretos en el seno de la OCDE y de la UE en un tema tan complejo y sensible ha propiciado que diversos países hayan adoptado o proyectado la adopción de distintas medidas unilaterales menos idóneas, pero *a priori* más sencillas de articular a corto plazo, que buscan proteger las bases imponibles de los Estados donde se localizan los usuarios de estos modelos de negocio. Entre esas medidas despunta la creación de impuestos destinados a gravar en el Estado de la fuente la prestación de determinados servicios digitales. En el ámbito de la UE, estos impuestos, creados o proyectados de forma unilateral por distintos Estados miembros, se inspiran en la propuesta de Directiva para la creación a nivel europeo de un impuesto común que grave los ingresos procedentes de la prestación de determinados servicios digitales (en adelante, IDSD)[5], presentada por la Comisión el 21 de marzo de 2018, dentro del paquete de medidas en materia de fiscalidad de la economía digital[6].

---

[3]   OCDE, *Public consultation document - Global Anti-Base Erosion Proposal («GloBE») - Pillar Two, 8 November - 2 December 2019*. Disponible en https://www.oecd.org/tax/beps/public-consultation-document-global-anti-base-erosion-proposal-pillar-two.pdf.pdf.

[4]   *Vid.* EUROPEAN COMMISSION, *Report of the Commission Expert Group on Taxation of the Digital Economy*, Taxation and Customs Union Publications, Bruselas, 2014. También el Informe elaborado por COLLIN, P./COLIN, N., *Tax Force on Taxation of the Digital Economy*, Ministère de l'Economie et des Finances, París, 2013.

[5]   COM (2018) 148 final.

[6]   Además de la propuesta de Directiva sobre el IDSD, el paquete de medidas de fiscalidad de la economía digital elaborado por la Comisión está integrado por otros tres elementos: la Comunicación de la Comisión al Parlamento UE y al Consejo «Es el momento de instaurar un marco fiscal moderno, justo y eficaz para la economía digital», COM (2018) 146 final; la propuesta de Directiva por la que se establecen normas relativas a la fiscalidad de las empresas con una presencia digital significativa, COM (2018) 147 final; y la Recomendación de la Comisión en la que se anima a los Estados miembros a adaptar los convenios tributarios celebrados con jurisdicciones no pertenecientes a la Unión, a fin de ampliar el concepto de EP para incluir una presencia digital significativa, COM (2018) 1650 final. Para un análisis crítico de las diferentes medidas incluidas en el paquete fiscal *vid.* CALDERÓN CARRERO, J. M., «El Paquete Europeo (2018) en materia de Fiscalidad de la Economía Digital», *Carta Tributaria, Revista de Opinión*, nº 39, 2018, pp. 1-12.

La propuesta del impuesto europeo armonizado prevé la aplicación de un tipo impositivo del 3% sobre los «ingresos brutos» totales derivados de la prestación de los siguientes tres tipos de servicios digitales, una vez deducido el IVA y otros gravámenes similares: a) servicios que permitan la inclusión de una interfaz digital de publicidad dirigida a sus usuarios (servicios de publicidad *online*); b) servicios de puesta a disposición de interfaces digitales multifacéticas que permiten a los usuarios localizar a otros usuarios e interactuar con ellos, y que pueden facilitar asimismo las entregas de bienes o las prestaciones de servicios subyacentes directamente entre los usuarios (servicios de intermediación); c) servicios de transmisión de los datos recopilados acerca de los usuarios que hayan sido generados por actividades desarrolladas por ellos mismos en las interfaces digitales (servicios de transmisión de datos). Se considera contribuyente del impuesto a la entidad que, prestando los servicios digitales sujetos, supere los dos umbrales siguientes: (i) el importe total de los ingresos mundiales declarados en el último ejercicio supera los 750 millones de euros; y (ii) el importe total de los ingresos imponibles obtenidos en el territorio de la UE durante ese mismo ejercicio supera los 50 millones de euros. El impuesto sería aplicable tanto a las prestaciones de servicios transfronterizas entre Estados miembros y entre países terceros y un Estado miembro de la UE, como a situaciones puramente internas, para evitar posibles problemas de compatibilidad con el Derecho de la UE y los tratados internacionales que prohíben este tipo de discriminaciones fiscales. Asimismo, a fin de evitar supuestos de doble imposición, la propuesta de Directiva sugiere a los Estados miembros que autoricen la minoración del IDSD de la base imponible de los impuestos societarios de las entidades obligadas a satisfacerlo[7].

El impuesto (pretendidamente indirecto) digital europeo —concebido como una medida interina o provisional aplicable hasta la aprobación de la propuesta de Directiva por la que se establecen normas relativas a la fiscalidad de las empresas con una presencia fiscal significativa— no ha sido aprobado hasta ahora, pese a presentarse hasta tres versiones distintas del

---

[7]   CUBILES SÁNCHEZ-POBRE, P., «La tributación de la Economía Digital a la espera de una solución global», *Quincena Fiscal*, n° 8, 2019 (BIB 2019\2585) subraya la falta de acuerdo sobre esta cuestión en el seno del Consejo y defiende, opinión que compartimos, que debería haberse establecido la obligatoriedad de los Estados de aceptar el IDSD como gasto deducible de la base imponible del Impuesto sobre Sociedades.

mismo, al no alcanzarse el consenso necesario[8], por lo que se ha preferido esperar a conocer cómo evolucionan los trabajos realizados en el seno de la OCDE[9].

Esta situación ha llevado a diversos Estados europeos a adoptar medidas unilaterales para compensar los perjuicios económicos derivados de la erosión de bases imponibles por parte de las empresas que prestan determinados servicios digitales a usuarios localizados en sus respectivos territorios.

Francia[10], Austria[11] e Italia[12] han publicado las leyes reguladoras del impuesto digital, aunque su aplicación efectiva se está viendo condicionada por las

---

[8]   Tras la presentación de la propuesta legislativa inicial, el 21 de marzo de 2018, el Consejo, bajo la presidencia búlgara, inició un proceso de debate entre los Estados miembros en torno a dos elementos fundamentales: el ámbito material de aplicación del impuesto (servicios imponibles) y la cláusula de extinción de la propuesta de Directiva. El 29 de noviembre de 2018, la presidencia austríaca del Consejo de la UE presentó un texto transaccional sobre la propuesta de Directiva (documento 14886/18), que no obtuvo el apoyo necesario en el Consejo ECOFIN de 4 de diciembre de 2018. A raíz de la declaración conjunta de Francia y Alemania sobre la fiscalidad de empresas digitales e imposición mínima, el Consejo ECOFIN de 12 de marzo de 2019 debatió un nuevo texto transaccional de la propuesta de Directiva (documento 6873/18) en el que se reducía el ámbito objetivo de aplicación de esta a la prestación de servicios de publicidad digital. Tampoco en esta ocasión fue posible alcanzar el acuerdo, debido a las objeciones planteadas por algunos Estados miembros (Irlanda, Finlandia, Dinamarca y Suecia).

[9]   No es posible predecir cómo evolucionará esta cuestión en el futuro. No obstante, en su discurso ante el Parlamento Europeo, de 16 de julio de 2019, la nueva presidenta de la Comisión, Úrsula von der Leyen, ha asumido el compromiso político de hacer «todo lo posible para garantizar que las propuestas que actualmente se encuentran sobre la mesa se conviertan en ley […] si a finales de 2020 todavía no existe una solución mundial para un impuesto digital justo, la UE debería actuar por sí sola». *Vid.* «Una Unión que se esfuerza por lograr más resultados. Mi agenda para Europa», orientaciones políticas para la próxima Comisión Europea 2019-2024, p. 13.

[10]   La Ley que aprueba *la taxe sur les services numériques* (Loi nº 2019-759, de 24 de julio) se publicó el 25 de julio de 2019 en la Gaceta Oficial de la República Francesa. En principio, el impuesto es aplicable a partir del 1 de enero de 2019. A grandes rasgos, se someten a tributación dos tipos de servicios digitales: las prestaciones de servicios de intermediación digital y la prestación de servicios de publicidad selectiva en un interfaz digital a partir de los datos recogidos de los usuarios. Quedan sometidas a gravamen, con independencia de su lugar de establecimiento, aquellas empresas que en el ejercicio fiscal precedente tengan unos ingresos brutos derivados de los servicios digitales sometidos a tributación que superen los dos umbrales siguientes: 750 millones de euros por los servicios prestados a nivel mundial; y 25 millones de euros derivados de la prestación de tales servicios en Francia. Ambos umbrales se calculan a nivel de grupo. El tipo de gravamen es del 3%. Para las sociedades residentes en Francia el impuesto es gasto deducible de los beneficios imponibles en el Impuesto sobre Sociedades. *Vid.* https://

www.legifrance.gouv.fr/affichTexte.do?cidTexte=JORFTEXT000038811588&categor
ieLien=id (acceso: 03/02/2020).

[11] La ley austríaca reguladora del impuesto sobre servicios digitales (*Digital Tax Act* 2020)
se publicó oficialmente el 22 de octubre de 2019 (*Federal Law Gazette*, nº 91, 2019). Se
desarrolla en una Orden del Ministerio de Hacienda (*Ordinance of the Federal Minister
of Finance*, Federal Law Gazette II, nº 378, 4 de diciembre de 2019). La Ley se aplica a
todos los servicios de publicidad en línea prestados en Austria por proveedores de publicidad a partir del 1 de enero de 2020. Se consideran como tales los servicios que son
recibidos por un usuario con una dirección IP austríaca y cuyo contenido y diseño están
(también) dirigidos a usuarios austríacos. Los servicios de publicidad en línea incluyen
los anuncios en una interfaz digital, en particular anuncios publicitarios, publicidad
en buscadores y servicios publicitarios similares. No se someten al nuevo impuesto los
servicios de publicidad sometidos al impuesto austríaco sobre la publicidad aprobado
en el año 2000. El *Digital Tax* se aplica a las empresas, residentes y no residentes, que
proporcionan o contribuyen a proporcionar servicios de publicidad en línea a cambio
de una remuneración, siempre que superen dos umbrales: un volumen de negocio a
nivel mundial por la totalidad de sus actividades económicas igual o superior a 750
millones de euros; y unos ingresos brutos anuales iguales o superiores a 25 millones
de euros derivados de la prestación de los servicios digitales sometidos a gravamen en
el territorio de aplicación del impuesto. La base imponible del impuesto es el importe
del pago recibido por la prestación de los servicios digitales, si bien se permite reducir
dicho importe en los gastos derivados de la prestación de servicios anteriores por otros
proveedores de servicios de publicidad en línea que no formen parte del mismo grupo
empresarial multinacional. El tipo impositivo aplicable es el 5%. El impuesto se devenga mensualmente y debe pagarse antes del día 15 del segundo mes siguiente al devengo.
Finalizado el ejercicio fiscal, el contribuyente debe presentar, en el plazo de tres meses,
una declaración anual correspondiente al año anterior. *Vid.* https://www.bmf.gv.at/en/
topics/taxation/digital-tax-act.html (acceso: 03/02/2020).

[12] En Italia, la *Legge di Bilancio di previsione dello Stato per l'anno finanziario 2019*, nº
145, de 30 de diciembre de 2018, crea *l'imposta sui servizi digitali*, condicionando su
aplicación efectiva a la previa aprobación de un Decreto del Ministro de Economía y
Finanzas. El proyecto de *Legge di Bilancio* para 2020 introduce modificaciones en la
regulación del impuesto, entre otros extremos, con la finalidad de que pueda aplicarse
a partir del 1 de enero de 2020 sin necesidad de la aprobación del referido Decreto. La
Legge di Bilancio para 2020 fue finalmente publicada en la *Gazzetta Ufficiale* (*Serie
Generale*, nº 304) el 30 de diciembre de 2019. El impuesto italiano somete a gravamen
las mismas prestaciones de servicios digitales que la propuesta de Directiva y aplica el
mismo tipo impositivo del 3%. Se aplica a aquellas empresas, residentes y no residentes
en Italia, que en el año civil anterior superen, de forma individual o a nivel de grupo,
conjuntamente, los siguientes umbrales: un volumen de negocio derivado de la totalidad de sus actividades económicas a nivel mundial igual o superior a 750 millones de
euros; y un volumen de negocio derivado de los servicios sometidos al gravamen prestados en Italia igual o superior a 5.5 millones de euros.

negociaciones políticas a nivel internacional y la amenaza de una posible guerra comercial[13].Otros Estados miembros también han puesto en marcha iniciativas tendentes a su creación (Bélgica[14], República Checa[15], Reino Unido[16]),

---

[13] En el caso del impuesto digital francés, la apertura por parte del Representante de Comercio de los Estados Unidos de una investigación contra el nuevo impuesto y la amenaza de imponer fuertes aranceles y otras medidas restrictivas a los productos franceses podría explicar la decisión del Gobierno galo de «diferir» el pago efectivo del tributo hasta diciembre de 2020, materializada tras la reunión del Foro Económico Mundial en Davos en enero de 2020. *Vid.* UNITED STATES TRADE REPRESENTATIVE, *Report on France's Digital Services Tax Prepared in the Investigation under Section 301 of the Trade Act of 1974*, 02.12.2019; y LE FIGARO, «"Taxe Gafa": Bruno Le Maire annonce qu'un "cadre global commun" à été trouvé avec les États-Unis», 22 enero 2020, https://www.lefigaro.fr/conjoncture/taxe-gafa-bruno-le-maire-annonce-qu-un-cadre-global-commun-a-ete-trouve-avec-les-etats-unis-20200122 (acceso: 03/02/2020).

[14] En enero de 2019 el Gobierno belga presentó un proyecto de ley para su aprobación en la Cámara de Representantes destinado a gravar la prestación de determinados servicios digitales por las grandes empresas multinacionales. El proyecto se inspira en la propuesta de Directiva europea. Sin embargo, el proyecto no consiguió ser aprobado antes de las elecciones del mes de mayo de 2019. https://www.bdo.be/en-gb/news/2019/belgium-jumps-on-the-bandwagon-to-tax-online-giants (03/02/2020).

[15] El Gobierno checo aprobó, el 18 de noviembre de 2019, un nuevo proyecto de ley sobre un impuesto digital, con la intención de que, en caso de ser aprobado por el Parlamento, entre en vigor a mediados de 2020 y se aplique hasta 2024. El nuevo proyecto de ley parte de la propuesta de la Comisión Europea, si bien el segundo umbral se sitúa en 2 millones de euros aproximadamente y el tipo impositivo aplicable es del 7%. *Vid.* https://home.kpmg/us/en/home/insights/2019/11/tnf-czech-republic-digital-services-tax-update.html (acceso: 03/02/2020).

[16] Como es sabido, Reino Unido salió oficialmente de la UE el pasado 31 de enero de 2020. A partir de esa fecha ha empezado un período de transición que finalizará el 31 de diciembre de 2020, tal y como se contempla en el Acuerdo de Salida. Durante este período transitorio, si bien Reino Unido está ya fuera de la UE, seguirá sometiéndose al Derecho de la UE. Dado que la iniciativa británica en relación con el impuesto digital se fraguó siendo este país Estado miembro de la UE, en el texto hemos optado por incluirlo entre los países miembros de la UE favorables a su introducción. En este sentido, tras un proceso de consulta sobre la conveniencia de implantar el impuesto (HM Revenue & Customs, *Digital Services Tax: Consultation*, noviembre 2018), el Gobierno británico ha anunciado la introducción de un impuesto que someta a tributación a un tipo impositivo del 2% los ingresos brutos de las grandes empresas derivados de la prestación de determinados servicios digitales (motores de búsqueda, plataformas de redes sociales y servicios de intermediación en mercados en línea, incluyendo la realización de cualquier actividad de publicidad online asociada) cuando tales ingresos están vinculados a la participación de los usuarios del Reino Unido. Solo los grupos empresariales con ingresos mundiales anuales procedentes de tales actividades digitales superiores a 500 millones de libras e ingresos generados en el Reino Unido procedentes de dichas actividades superiores a 25 millones de libras se verán afectados por el impuesto, estableciendo una exención a favor de los primeros 25 millones de ingresos generados en el territorio de aplicación del impuesto. El gravamen se calculará a nivel de grupo, aunque

bien han anunciado su intención de implantarlo (Polonia[17], Eslovenia[18]). En el caso de España, el Gobierno presentó el 18 de enero de 2019 ante el Congreso de los Diputados el Proyecto de Ley del Impuesto sobre Determinados Servicios Digitales[19], cuya tramitación parlamentaria no culminó como consecuencia de la convocatoria de elecciones generales[20]. Tras el inicio de la nueva legislatura, el Gobierno sigue incluyendo entre sus objetivos la implantación de un impuesto digital[21], pero sin perder de vista la propuesta que la OCDE defina en el ámbito internacional. En este sentido, el 19 de febrero de 2020, presentó ante el Congreso de los Diputados un nuevo Proyecto de Ley del Impuesto sobre Determinados Servicios Digitales[22], actualmente en fase de tramitación parlamentaria, cuyo texto coincide sustancialmente con el Proyecto presentado el 18 de enero de 2019.

---

el impuesto se exigirá a las entidades individuales del grupo que obtienen los ingresos sometidos a gravamen. Los grupos con bajos márgenes operativos pueden optar por una forma de cálculo alternativa. El impuesto pagado en el Reino Unido es gasto deducible a efectos del Impuesto sobre Sociedades. Se prevé aplicar el impuesto a partir del 1 de abril de 2020 y someterlo a revisión en 2025. *Vid.* HM Revenue & Customs, *Policy paper: Introduction of the new Digital Services Tax*, 11 de julio de 2019, https://www.gov.uk/government/publications/introduction-of-the-new-digital-services-tax/introduction-of-the-new-digital-services-tax (acceso: 03/02/2020).

[17] El Gobierno polaco anunció en abril de 2019 su intención de estudiar la introducción de un impuesto sobre determinados servicios digitales en Polonia. Sin embargo, los trabajos en esa línea están actualmente en suspenso. https://www.whitehouse.gov/briefings-statements/remarks-vice-president-pence-president-duda-poland-joint-press-conference-warsaw-poland/ (03/02/2020).

[18] El Ministro de Finanzas de Eslovenia anunció el pasado 20 de junio de 2019 la presentación de un proyecto de ley a la Asamblea Nacional para introducir el impuesto sobre determinados servicios digitales en Eslovenia antes del 1 de abril de 2020. El impuesto se inspiraría en la propuesta de Directiva sobre el IDSD y se aplicaría a partir del 1 de septiembre de 2020. Hasta donde conocemos, no hay más detalles sobre el contenido de la propuesta.

[19] Boletín Oficial de las Cortes Generales, Congreso de los Diputados, XII Legislatura, Serie A: Proyectos de Ley, nº 40-1, Proyecto de Ley del Impuesto sobre Determinados Servicios Digitales, p. 4.

[20] *Vid.* Real Decreto 129/2019, de 4 de marzo, de disolución del Congreso de los Diputados y del Senado y de convocatoria de elecciones, BOE nº 55, de 5 de marzo de 2019, p. 21025 y ss.

[21] *Vid.* PSOE/UNIDAS PODEMOS, *Coalición progresiva. Un nuevo acuerdo para España*, p. 45.

[22] Boletín Oficial de las Cortes Generales, Congreso de los Diputados, XIV Legislatura, Serie A: Proyectos de Ley, nº 1-1, 28 de febrero de 2020. En el nuevo Proyecto de Ley, si bien se mantiene la liquidación trimestral del impuesto, se prevé que en 2020 se retrase la primera liquidación hasta el 20 de diciembre. En esa liquidación, previsiblemente (dependiendo de la evolución parlamentaria del texto), se declararán el segundo y el tercer trimestre de 2020.

La proliferación de este tipo de figuras tributarias está generando no poca controversia política, económica y también jurídica. Desde esta última óptica, se duda tanto de su compatibilidad con los convenios de doble imposición y los compromisos internacionales en virtud de los acuerdos de libre comercio y las normas de la OMC/WTO, como con el propio Derecho de la UE, es especial con las libertades fundamentales y la prohibición general de ayudas de estado[23].

En las páginas que siguen centraremos nuestra atención en el análisis de esta figura impositiva desde la perspectiva de las normas sobre ayudas estatales. Como es sabido, el art. 107.1 del Tratado de Funcionamiento de la UE (TFUE) prohíbe las intervenciones públicas (cualquiera que sea su forma) que favorezcan a determinadas empresas o producciones distorsionando la competencia en el mercado interior. Atendiendo a sus efectos, los IDSD podrían dar lugar a cierta progresividad en la tributación de las empresas, que podría entenderse como una ventaja fiscal selectiva a favor de las empresas más pequeñas (no sometidas a gravamen al no alcanzar las magnitudes exigidas), situándolas en una mejor posición que sus competidoras más grandes obligadas a pagar el tributo (que, en algunos casos y dependiendo del sector, pueden ser de propiedad extranjera). Como veremos, la Comisión, en los asuntos *Hungría/Comisión* y *Polonia/Comisión*, ha considerado que determinados impuestos sectoriales que gravan de forma progresiva el volumen de negocio de determinadas empresas pueden constituir una ayuda estatal ilegal, posición no compartida por el Tribunal General (TGUE). Además, en los asuntos *Vodafone* y *Tesco-Global*, recientemente resueltos por el Tribunal de Justicia de la UE (TJUE), el órgano jurisdiccional remitente cuestionaba si la legislación de un Estado miembro por la que se crea un impuesto sobre el volumen de negocio calculado mediante una tarifa progresiva de gravamen es compatible con la prohibición general de ayudas de estado. Aunque el TJUE no ha entrado en el fondo de esta cuestión, en las conclusiones de la Abogada General Kokott sobre estos asuntos se realizan reflexiones interesantes sobre el particular que también van en la línea opuesta a la mantenida por la Comisión. Esta jurisprudencia comunitaria puede llegar a tener una importancia fundamental a la hora de determinar la adecuación de los IDSD con las normas europeas sobre ayudas de estado, razón que explica que este trabajo esté dedicado a su análisis y a reflexionar, de forma necesariamente provisional (a la espera de conocer el fallo

---

[23]   *Vid.*, con abundante cita bibliográfica, PINTO NOGUEIRA, J. F., «The Compatibility of the EU Digital Services Tax with EU and WTO Law: *Requiem Aeternam Donate Nascenti Tributo*», *Intl. Tax. Stud.*, 1, 2019, Journals IBFD (acceso 18/12/2020).

del TJUE en los asuntos *Hungría/Comisión* y *Polonia/Comisión*), sobre su posible incidencia.

No obstante, de forma previa al examen de esa jurisprudencia, conviene realizar algunas precisiones.

En primer lugar, la propuesta de Directiva sobre el IDSD no plantea *a priori* problemas desde la óptica de las normas sobre ayudas estatales. Si la propuesta se hubiera aprobado o llegara a aprobarse en el futuro, el impuesto europeo no podría considerarse una ayuda estatal pues, de acuerdo con el estado actual de la jurisprudencia comunitaria, sería una medida imputable a los Estados miembros[24]. Son, por tanto, los impuestos nacionales creados o proyectados por los diferentes países de la UE los que, en su caso, podrían interferir con la prohibición general de ayudas de estado, debido a sus efectos distorsionadores sobre la competencia, pues generan un diferente tratamiento fiscal en función del tamaño y tipo de servicio digital prestado por las empresas. En principio, la ventaja fiscal selectiva la obtendrían quienes no quedasen sometidos al impuesto digital, por no alcanzar los umbrales cuantitativos determinantes de la condición de contribuyente, pese a prestar los mismos servicios digitales que las empresas sometidas a gravamen; y, en su caso, las empresas que presten servicios análogos a los incluidos en el ámbito de aplicación del impuesto, pero que quedan excluidas del mismo. Aunque ambos elementos (tamaño y tipo de servicio digital prestado) son problemáticos desde la óptica del concepto de ayuda de estado, en este trabajo incidiremos esencialmente sobre el primero de esos elementos (tamaño de la empresa).

---

[24] La sentencia del TGUE de 5 de abril de 2006, *Deutsche Bahn*, T-351/02, ap. 102, estableció que una medida no es imputable a un Estado miembro si este está obligado a ejecutarla en virtud del Derecho de la Unión sin ninguna discrecionalidad, ya que, en tal caso, la medida deriva de un acto del legislador de la Unión. La posición del Tribunal General ha sido ratificada por las sentencias del TJUE de 23 de abril de 2009, *Puffer,* C-460/07, 2 de diciembre de 2009, *Comisión/Irlanda*, C-89/08 P, y 10 de diciembre de 2013, *Comisión/Irlanda et al.*, C-272/12 P. No obstante, ambos tribunales advierten en estos pronunciamientos que en situaciones en las que las normas del Derecho de la Unión dejen margen de discrecionalidad a los Estados miembros en el cumplimiento de las obligaciones impuestas por aquellas, las medidas pueden ser imputables a los Estados miembros y, por consiguiente, susceptibles de constituir ayudas estatales si concurren el resto de elementos necesarios para ello. *Vid.*, a este respecto, en la misma línea, TURINA, A., «Which "Source Taxation" for the Digital Economy», *Intertax*, Vol. 46, nº 6-7, 2018, p. 510; y KOFLER, G./SINNIG, J., «Equalization Taxes and the "EU's Digital Service Tax"», *Intertax*, Vol. 47, nº 2, 2019, p. 196.

En segundo término, los distintos modelos unilaterales de impuestos digitales aprobados o proyectados en los distintos Estados miembros establecen, siguiendo la propuesta de Directiva, dos umbrales cuantitativos cuya concurrencia fija la posición de contribuyente por tales impuestos. Es en la segunda magnitud, referida a los ingresos derivados de prestaciones digitales sujetas al impuesto en el Estado impositor, donde se aprecian las mayores diferencias con la propuesta europea, dada la menor cuantía determinante de la sujeción a un impuesto cuyo ámbito espacial de aplicación queda circunscrito al territorio de un determinado Estados miembro[25]. En el caso de España e Italia el umbral se sitúa en 3 y 5,5 millones de euros, respectivamente. Sin embargo, la magnitud alcanza los 25 millones de euros en el caso de Francia y Austria. Lógicamente, la aplicación de diferentes umbrales conlleva que el número y magnitud de empresas gravadas sea muy heterogéneo[26].

Finalmente, a efectos de este trabajo es importante analizar las razones que explican la introducción de los dos umbrales cuantitativos cuya concurrencia fija la posición de contribuyente por este impuesto. En el caso de España, la Exposición de Motivos del Proyecto de IDSD presentado en febrero de 2020, de forma análoga a la propuesta de Directiva, justificaba el primer umbral en el deseo de «limitar la aplicación del impuesto a las empresas de gran envergadura, que son aquellas capaces de prestar esos servicios digitales basados en los datos y la contribución de los usuarios, y que se apoyan en gran medida en la existencia de amplias redes de usuarios,

---

[25] No obstante, también es posible advertir particularidades significativas en algunos modelos unilaterales por lo que se refiere al primer umbral. Por ejemplo, en el modelo francés el primer umbral de 750 millones de euros se refiere a los ingresos brutos derivados de los servicios digitales sometidos a tributación y prestados a nivel mundial, mientras que la propuesta de Directiva se refiere a los ingresos brutos derivados del conjunto de las actividades empresariales realizadas a escala global. Ello, unido a un segundo umbral situado en 25 millones de euros de ingresos brutos derivados de la prestación de los servicios digitales sometidos a tributación en el territorio de aplicación del impuesto (Francia), determina que el ámbito material de aplicación del impuesto francés sea más reducido que el contemplado en la propuesta de Directiva. Por otra parte, en el caso del proyectado impuesto español, a diferencia de la propuesta europea, la referencia a la cifra de 750 millones de euros en concepto de ingresos anuales globales a nivel mundial por cualquier actividad no es bruta, sino que se alude al «importe neto de su cifra de negocios en el año natural anterior», lo que podría determinar, si el impuesto llegase a aprobarse en estos términos, que la cantidad exigible para la aplicación del impuesto español fuera mayor, reduciendo el número de empresas que cumplieran el primer umbral.

[26] *Vid.* QUINTANA FERRER, E., «Economía digital y fiscalidad: los impuestos sobre determinados servicios digitales», *Nueva Fiscalidad*, n° 3, 2019, p. 180.

en un gran tráfico de datos y en la explotación de una sólida posición en el mercado». Asimismo, se subraya la identidad de dicho umbral con el fijado por las normas internacionales y europeas sobre la obligación de presentar el informe país por país en el ámbito de la documentación sobre precios de transferencia y con otros proyectos normativos europeos, lo que aporta seguridad jurídica tanto a las empresas como a la Administración tributaria, permitiendo determinar de forma más sencilla si una entidad está sujeta al impuesto. Finalmente, permite excluir del nuevo impuesto a las pequeñas y medianas empresas y a las empresas emergentes, para las que los costes de cumplimiento vinculados al mismo podrían tener un efecto desproporcionado[27]. Respecto al segundo umbral, su fin es «limitar la aplicación del impuesto a los casos en que exista una huella digital significativa en el ámbito territorial de aplicación del impuesto en relación con los tipos de servicios digitales gravados»[28].

---

[27] De forma similar, en el Considerando nº 23 de la propuesta de Directiva del impuesto armonizado se afirma que con el primer umbral se buscan tres objetivos. En primer lugar, «limitar la aplicación del ISD a las empresas de cierta envergadura, que son aquellas capaces esencialmente de prestar esos servicios digitales en los que la contribución de los usuarios desempeña un papel fundamental, y que se apoyan en gran medida en la existencia de amplias redes de usuarios, en un gran tráfico de usuarios y en la explotación de una sólida posición en el mercado. Esos modelos de negocio que para la obtención de ingresos dependen de la creación de valor por parte de los usuarios solo son viables si los desarrollan empresas de cierta envergadura». Por otra parte, «las empresas más grandes tienen la oportunidad de emprender prácticas de planificación fiscal agresiva», razón que explica que en otras iniciativas de la Unión (BICCIS) se haya propuesto el mismo umbral. Por último, «con este umbral se pretende también aportar seguridad jurídica, dado que permitiría a las empresas y autoridades fiscales determinar de forma más fácil y menos onerosa si una entidad está sujeta al ISD. Este umbral también permite excluir del nuevo impuesto a las pequeñas empresas y las empresas emergentes, para las que las cargas de cumplimiento vinculadas al mismo podrían tener un efecto desproporcionado». *Vid.*, asimismo, la memoria de impacto de la propuesta de Directiva sobre el impuesto armonizado, SWD (2018) 81 final/2, p. 66.

[28] Del mismo modo, el Considerando nº 24 de la propuesta de Directiva explica que el objetivo del segundo umbral es limitar la aplicación del impuesto a los casos en que exista una huella digital significativa a escala de la UE en relación con los tipos de ingresos cubiertos con aquel. En concreto, se pretende proporcionar un entorno propicio para las actividades de I+D e innovación, especialmente para las empresas emergentes en el sector digital y para las empresas que operan en la economía tradicional que se están digitalizando, para las que se debe evitar el sometimiento al nuevo impuesto. *Vid.*, asimismo, la memoria de impacto de la propuesta de Directiva sobre el impuesto armonizado, SWD (2018) 81 final/2, p. 67.

2. IMPUESTOS ESPECÍFICOS SOBRE EL VOLUMEN DE NEGOCIOS CON TARIFA PROGRESIVA DE GRAVAMEN: EL CASO *HUNGRÍA/COMISIÓN* (T-20/17) COMO EJEMPLO

En el análisis de los distintos modelos unilaterales de impuesto digital desde la óptica de las normas sobre ayudas de estado debe tenerse en cuenta la posición de la Comisión europea y del TJUE respecto a los denominados *tributos asimétricos o específicos* (impuestos especiales, en la terminología habitualmente empleada por aquella) y su consideración como ayudas estatales[29]. Este tipo de figuras tributarias gravan únicamente determinados bienes o servicios, actividades o empresas (por ejemplo, tributos ecológicos, sobre actos o consumos específicos, o que recaen sobre actividades de determinados operadores económicos o categorías de empresas) y la definición y configuración de los elementos nucleares de su estructura determinan el no sometimiento a gravamen o un gravamen inferior para determinadas empresas que están en situación de competencia con aquellas obligadas a satisfacerlo en su integridad[30]. En estos casos, la ventaja fiscal selectiva la obtendrían las empresas no sometidas o eximidas, total o parcialmente, del tributo.

Dilucidar si este tipo de tributos constituyen medidas generales que quedan fuera del art. 107.1 TFUE o si, por el contrario, encierran ventajas fiscales selectivas —a través de supuestos de no sujeción o exenciones— está lejos de ser claro, en buena medida debido a las dificultades para trasladar al ámbito de la tributación asimétrica el método de las tres fases tradicionalmente seguido para identificar la existencia de selectividad (identificación del sistema de referencia, excepción a dicho sistema y justificación por la naturaleza o economía de este último). La jurisprudencia comunitaria ha admitido hasta ahora que en este tipo de tributos el sistema de referencia es el propio impuesto[31]. Y a la hora de evaluar la existencia de una excepción a ese sistema de referencia que ocasiona un trato diferenciado que favorece a determinadas empresas o producciones en comparación con otras que están en una situación fáctica y jurídica comparable habida cuenta del

---

[29]   *Vid.* SCHÖN, W., «Special Chargers - a gap in European Competition Law», *European State Aid Law Quaterly*, Vol. 5, nº 3, 2006, pp. 495-504; y CORDEWENER, A., «Asymmetrical Tax Burdens and EU State Aid Control», *EC Tax Review*, nº 6, 2012, pp. 288-292.

[30]   *Vid.* CALDERÓN CARRERO, J. M. y MARTÍN JIMÉNEZ, A., *Derecho tributario de la Unión Europea*, Wolters Kluwer, Madrid, 2019, p. 146.

[31]   *Vid.* STGUE de 7 de marzo de 2012, *British Aggregates Association/Comisión*, T-210/02 REENV, aps. 49 y 50.

objetivo de dicho sistema, se analizan las circunstancias concretas de cada caso, teniendo muy presente[32]: (i) la relación de competencia existente entre los operadores afectados y no afectados por el tributo; (ii) la finalidad u objetivo pretendidos con el gravamen; y (iii) los efectos producidos por este[33]. En última instancia, de la evolución de la jurisprudencia comunitaria en materia de tributación asimétrica se desprende la exigencia de que el objetivo o fin concreto perseguido con el tributo asimétrico encuentre reflejo en la configuración del gravamen, esto es, que exista coherencia entre el fin y la estructura del tributo[34]; de tal modo que existirá ayuda estatal si el no sometimiento al gravamen o la menor tributación a favor de determinadas empresas o producciones no es coherente con el objetivo pretendido por el legislador nacional a través del tributo.

---

[32]   *Vid*. Conclusiones del Abogado General Tizzano, de 8 de mayo de 2001, a la STJUE de 22 de noviembre de 2001, C-53/00, *Ferring*, ap. 39.

[33]   Por ejemplo, la STJUE de 29 de abril de 2004, *Gil Insurance Ltd et al/Commissioner of Customs & Excise*, C-308/01, admitió que el establecimiento de un tipo superior en el impuesto inglés sobre primas de seguro aplicable únicamente a las operaciones de seguro realizadas por agencias de viajes y vendedores de electrodomésticos y automóviles (coincidente con el tipo de gravamen en el IVA) implicaba una ventaja económica para los operadores que ofrecían contratos sujetos al tipo normal, pero estaba justificada por la naturaleza y estructura del sistema nacional de tributación, ya que pretendía prevenir el fraude fiscal en el IVA. La STJUE de 15 de enero de 2006, *Air Liquide*, C-393/04 y C-41/05, analizó un impuesto municipal belga sobre los motores empleados en la actividad económica del que quedaban exentos los motores utilizados en las estaciones de gas natural, con exclusión de los empleados para otros gases industriales. La STJUE de 7 de septiembre de 2006, C-526/04, *Laboratories Boiron*, declaró incompatible con las normas sobre ayudas de estado un tributo que afectaba exclusivamente a los laboratorios farmacéuticos que vendían directamente medicamentos en el mercado, excluyendo del gravamen a los mayoristas distribuidores en atención a las obligaciones de servicio público que recaían sobre estos últimos. El Tribunal consideró que la no sujeción al gravamen sobre las ventas directas daba lugar a un exceso de compensación en beneficio de los mayoristas distribuidores, en la medida en que la ventaja que estos últimos obtenían como consecuencia de la no sujeción al gravamen sobrepasaba los costes adicionales que tales mayoristas soportaban para el cumplimiento de las obligaciones de servicio público que se les imponían (*vid*., asimismo, STJUE de 22 de noviembre de 2001, *Ferring*, C-53/00). También la STJUE de 22 de diciembre de 2008, *British Aggregates Association y otros/Comisión*, C-487/06, que examinó un impuesto medioambiental sobre la extracción de áridos vírgenes en el Reino Unido, declarando que determinadas exenciones de dicho impuesto sobre extracciones de determinados tipos de áridos eran ayudas estatales.

[34]   A este respecto, las recientes sentencias del TJUE de 26 de abril de 2018 sobre los impuestos catalán, asturiano y aragonés sobre grandes establecimientos comerciales, asunto C-233/16, *ANGED contra Generalidad de Cataluña*; asunto C-234/16, *ANGED contra Consejería de Economía y Hacienda del Principado de Asturias*; y asunto C-236/16, *ANGED contra Diputación de Aragón*.

Sin embargo, a partir de los asuntos sobre la reforma fiscal de *Gibraltar*[35], el Tribunal de Justicia mantiene que el análisis en tres fases no es aplicable en todos los casos. En ciertos supuestos es insuficiente examinar si una medida determinada constituye una excepción de las normas del sistema de referencia definido por el Estado miembro afectado, siendo preciso analizar si los propios límites del sistema de referencia han sido concebidos de forma coherente o, por el contrario, de forma claramente arbitraria o sesgada para favorecer a determinadas empresas frente a otras en situación comparable, teniendo en cuenta la lógica subyacente del sistema en cuestión.

Pues bien, la Comisión europea se ha servido de la jurisprudencia *Gibraltar* en los procedimientos formales de investigación abiertos frente a dos Estados miembros (Polonia y Hungría) en relación a impuestos específicos que gravan ciertas actividades o sectores económicos, concluyendo que algunos elementos esenciales de tales impuestos (tipos impositivos progresivos aplicables a una base imponible basada en el volumen de negocios) han sido concebidos de forma claramente arbitraria o sesgada, para favorecer a determinadas producciones o actividades[36]. Sin embargo, el Tribunal General, en dos sentencias, de 16 de mayo y 27 de junio de 2019[37], ha anulado las decisiones de la Comisión al entender que aquella ha incurrido en un error de Derecho en el análisis del criterio de la selectividad. Paralelamente, se hicieron públicas las conclusiones de la Abogada General Kokott en dos cuestiones prejudiciales planteadas por un órgano jurisdiccional húngaro relativas a dos impuestos sectoriales basados en el volumen de negocios[38], en las que aquella se alinea con la posición del Tribunal General. Los asuntos *Vodafone* y *Tesco-Global* han sido finalmente resueltos por el TJUE por

---

[35]   STJUE de 15 de noviembre de 2011, C-106/09 P y C-107/09 P, *Comisión y España/ Government of Gibraltar y Reino Unido.*

[36]   Decisión (UE) 2017/329 de la Comisión, de 4 de noviembre de 2016, sobre la medida SA. 39235 aplicada por Hungría relativa a la fiscalidad de los anuncios publicitarios, DOUE L-49, 25.2.2017, p. 36; Decisión (UE) 2018/160, de 30 de junio de 2017, sobre la medida SA. 44351 relativa al impuesto polaco en el sector del comercio minorista, DOUE L-29, 2018, 01.02.2018, p. 38.

[37]   STGUE (Sala Novena ampliada) de 16 de mayo de 2019, *República de Polonia/Comisión*, T-836/16 y T-624/17; STGUE (Sala Novena) de 27 de junio de 2019, *Hungría/ Comisión*, T-20/17.

[38]   Conclusiones de la Abogada General Sra. Juliane Kokott presentadas el 13 de junio de 2019 en el asunto C-75/18, *Vodafone,* sobre una cuestión prejudicial relativa a un impuesto sobre las telecomunicaciones basado en el volumen de negocios; y conclusiones de la misma Abogada General presentadas el 4 de julio de 2019 en el asunto C-323/18, *Tesco-Global,* relativo a una petición prejudicial relacionada con el impuesto a las empresas de comercio al por menor basado en el volumen de negocios.

medio de dos sentencias de 3 de marzo de 2020, en las que se declara la inadmisibilidad de las cuestiones prejudiciales en lo que respecta al incumplimiento de la prohibición de ayudas estatales[39].

Sin perjuicio de las particularidades presentes en cada una de las figuras tributarias examinadas en esos asuntos, en todos ellos la cuestión de fondo a dilucidar es si la utilización de escalas progresivas de gravamen en impuestos sectoriales cuya base imponible está determinada por el volumen de negocio de las empresas sometidas al mismo da lugar a una diferencia de trato en función del tamaño de estas —favoreciendo a las empresas de menor dimensión o envergadura—, susceptible de ser considerada una ayuda estatal incompatible con el mercado interior. No es preciso subrayar la relevancia del tema a debate y su posible impacto sobre los impuestos nacionales sobre servicios digitales que se van abriendo paso en los Estados miembros de la UE, pues aunque tales impuestos cuentan con tipos impositivos fijos o proporcionales, la fijación de umbrales cuantitativos que atienden al volumen de negocio de las empresas produce un efecto exclusión del

---

[39] El TJUE, siguiendo las conclusiones de la Abogada General Kokott, recuerda que la posible ilegalidad de la exención de un impuesto con arreglo a las normas del Derecho de la UE en materia de ayudas de estado no puede afectar a la legalidad del impuesto en sí mismo, de modo que su deudor no puede invocar que la exención de que disfrutan otras personas constituye una ayuda estatal para eludir el pago de dicho impuesto. No obstante, reconoce que la situación es diferente cuando el litigio principal no versa sobre una solicitud de dispensa del impuesto impugnado, sino sobre la legalidad, desde el punto de vista del Derecho de la UE, de las normas relativas a dicho impuesto. Asimismo, el TJUE recuerda que los impuestos no entran dentro del ámbito de aplicación de las disposiciones del Tratado de Funcionamiento de la UE relativas a las ayudas estatales a menos que constituyan el modo de financiación de una medida de ayuda, formando parte integrante de ella. Esto sucederá cuando el destino del tributo esté obligatoriamente vinculado a la ayuda con arreglo a la normativa nacional pertinente, en el sentido de que la recaudación del tributo se destine obligatoriamente a la financiación de la ayuda y afecte directamente a la cuantía de esta. A falta de dicho vínculo obligatorio entre el tributo y la ayuda, la posible ilegalidad a la luz del Derecho de la UE de la medida de ayuda impugnada no puede afectar a la legalidad del tributo en sí mismo, de manera que las empresas obligadas a su pago no pueden invocar que la medida fiscal de que disfrutan otras personas constituya una ayuda estatal para eludir el pago de dicho tributo o para obtener su devolución. En los casos *Vodafone* y *Tesco-Global* el litigio principal se refiere a una solicitud de dispensa del impuesto específico presentada por tales empresas a la Administración tributaria húngara, donde la carga fiscal soportada se debe a un impuesto de alcance general cuya recaudación se ingresa en el presupuesto del Estado, sin que se destine específicamente a financiar una ventaja para una categoría particular de sujetos pasivos. Así pues, *Vodafone* y *Tesco-Global* no pueden invocar ante los órganos jurisdiccionales nacionales la ilegalidad de dicha exención para eludir el pago de dicho impuesto o para obtener su devolución.

gravamen a favor de las empresas de menor dimensión o envergadura que presten los mismos servicios digitales.

En las siguientes páginas examinaremos con más detalle los argumentos a favor y en contra de la consideración de esos impuestos sectoriales como ayudas estatales. Para ello, tomaremos como referencia la sentencia del Tribunal General (Sala Novena) de 27 de junio de 2019, T-20/17, *Hungría/Comisión*, relativa al impuesto húngaro sobre la publicidad, sin perjuicio de destacar, cuando sea oportuno, las particularidades presentes en la argumentación del Tribunal General en el asunto *Polonia/Comisión* o en las conclusiones de la Abogada General Kokott en los asuntos *Vodafone* y *Tesco-Global*[40].

2.1. Hechos

Los hechos que se encuentran en el origen del asunto *Hungría/Comisión* son los siguientes. El 11 de junio de 2014, Hungría aprobó la Ley del Impuesto sobre la Publicidad. Dicha Ley estableció un nuevo impuesto especial sobre los ingresos derivados de la difusión de publicidad en Hungría, percibido como complemento de la fiscalidad existente sobre las empresas, en particular del Impuesto sobre Sociedades. El impuesto se aplicaba sobre el volumen de negocios derivado de la publicación de anuncios en los medios especificados en la Ley (por ejemplo, en periódicos, en medios audiovisuales, en medios de publicidad exterior, en vehículos y bienes inmuebles, en materiales impresos, en internet, etc.). El sujeto pasivo del impuesto era, en principio, la empresa responsable de la publicación del anuncio, pero no los anunciantes (en cuyo interés se realiza la publicidad), ni las agencias de publicidad. La base imponible del impuesto era el volumen de negocios de la empresa derivado de los servicios publicitarios, sin deducción de costes. Para la determinación de la base imponible se agrega la base imponible de las empresas asociadas, por lo que el tipo impositivo aplicable se determina por el volumen de negocios derivado de la publicación de anuncios publicitarios en Hungría del grupo empresarial en su conjunto. La escala progresiva de gravamen, con un total de seis tramos, oscilaba entre el 0% para el tramo

---

[40]   Para un análisis detallado de los hechos, cuestiones planteadas y fallo del TGUE en el asunto *Polonia/Comisión vid.* MORENO GONZÁLEZ, S., «Impuestos sobre el volumen de negocios con tipos impositivos progresivos: ¿son conformes con las normas sobre ayudas de estado? La posición del Tribunal General en los asuntos *Polonia/Comisión* y *Hungría/Comisión*», *Revista de Fiscalidad Internacional y Negocios Transnacionales*, nº 12, 2019, BIB 2019\9543.

de base imponible no superior a quinientos millones de forintos húngaros (algo más de un millón y medio de euros) y el 40% para el tramo de base imponible a partir de veinte mil millones de forintos húngaros (noventa y cuatro millones de euros aproximadamente). Este último tipo se incrementó al 50% a partir del 1 de enero de 2015. Por otra parte, los sujetos pasivos cuyo beneficio antes de impuestos en el ejercicio 2013 fuera nulo o negativo podían deducir de la base imponible de 2014 el 50% de las pérdidas trasladadas de los ejercicios anteriores. Posteriormente, en junio de 2015, una vez incoado el procedimiento de investigación formal por la Comisión, Hungría modificó el impuesto controvertido por iniciativa propia, sin notificarlo a la institución europea, sustituyendo la escala anterior por una escala compuesta únicamente por dos tipos impositivos: 0% para el tramo de base imponible inferior a 100 millones de forintos húngaros (unos 312.000 euros) y 5,3% para el tramo de base imponible a partir de 100 millones de forintos húngaros. En dicha reforma también se introdujo la posibilidad de aplicar retroactivamente la nueva escala de gravamen desde la entrada en vigor de la Ley del impuesto en 2014.

2.2. La decisión de la Comisión

La Comisión incoó el procedimiento de investigación formal el 12 de marzo de 2015, que concluyó mediante decisión (UE) 2017/329, de 4 de noviembre de 2016. Ciñendo nuestra atención al criterio de la selectividad, la Comisión consideró que tanto la progresividad de los tipos impositivos, como las disposiciones sobre la deducción de la base imponible de pérdidas trasladadas de ejercicios anteriores constituían ventajas fiscales selectivas.

A la hora de determinar el sistema de referencia con respecto al cual juzgar la existencia de una ayuda, la Comisión acudió al propio impuesto especial sobre anuncios publicitarios, pero excluyendo de él la estructura de tipos progresivos y la posibilidad de deducir las pérdidas trasladadas de ejercicios anteriores. Valiéndose de la jurisprudencia *Gibraltar,* la Comisión entiende que los tipos impositivos progresivos han sido diseñados deliberadamente por Hungría para favorecer de forma arbitraria a determinadas empresas —aquellas que tienen un menor volumen de negocios— en detrimento de otras —las empresas de mayor tamaño— (aps. 49-53), sin que ese diseño selectivo del sistema de referencia esté justificado a la luz del objetivo del impuesto, que consiste en promover el principio de reparto de la carga pública y recaudar fondos para los presupuestos del Estado (ap. 54). Del mismo modo, la posibilidad de deducir las pérdidas trasladadas de ejercicios anteriores de la base imponible de 2014 no forma parte del sistema de referencia, porque el impuesto está basado en la tributación del volumen de negocios, lo que significa que en principio los costes no son deducibles de la base imponible; y porque la deducción solo se ofrece a las empresas que no obtuvieron beneficios en 2013. Así pues, no es una norma general de deducción, sino una posibilidad de deducción que «parece arbitraria o al menos no lo suficientemente consistente para ser parte de un sistema de referencia» (ap. 55). La Comisión llega incluso a sugerir las características que debería tener el sistema de referencia para cumplir con las normas sobre ayudas estatales: la sujeción a un único tipo impositivo y la inexistencia de cualquier otro elemento que pueda ofrecer una ventaja selectiva a determinadas empresas (ap. 56).

Ambos elementos (tipos progresivos de gravamen y deducción de pérdidas) constituyen, a juicio de la Comisión, una excepción al sistema de referencia en favor de determinadas empresas que se hallan en una situación fáctica y jurídica comparable a la luz del objetivo intrínseco de dicho sistema. De un lado, la progresividad de la estructura de tipos impositivos crea una distinción entre las empresas que publican anuncios en Hungría en función de la magnitud de su actividad publicitaria, reflejada en su volumen de negocios de anuncios publicitarios, que favorece a las empresas con bajo volumen de negocios al quedar sujetas a tipos impositivos (marginales y medios) considerablemente inferiores a los de las empresas con alto volumen de negocios. De otro lado, la deducción de pérdidas distingue entre las empresas que tuvieron pérdidas trasladadas y que no obtuvieron beneficios en 2013, y las empresas que obtuvieron beneficios en 2013 pero que podrían haber tenido pérdidas trasladadas de ejercicios fiscales anteriores, favoreciendo a las primeras.

Por último, la Comisión entiende que Hungría no ha conseguido acreditar que la selectividad de ambas medidas encuentra justificación por la naturaleza o el régimen general de dicho sistema. En su opinión, el nivel de volumen de negocios no puede considerarse automáticamente como un reflejo de la capacidad contributiva de la empresa. Las autoridades húngaras no han demostrado la existencia de la supuesta relación entre volumen de negocios y capacidad contributiva ni que dicha relación se refleje correctamente en el modelo de progresividad del impuesto[41]. A su juicio, los tipos

---

[41]   En la misma línea, en la decisión final de la Comisión sobre el impuesto polaco de ventas minoristas se afirma: «A diferencia de los impuestos basados en los beneficios, un impuesto basado en el volumen de negocios no tiene en cuenta los costes soportados en la generación de ventas. Así, los impuestos sobre el volumen de negocios gravan a las empresas en función de su dimensión y no de su rentabilidad o capacidad de pago, de

impositivos progresivos en impuestos sobre el volumen de negocios solo pueden justificarse de manera excepcional, si el objetivo específico perseguido con el impuesto así lo exige. Por ejemplo, tales tipos progresivos podrían justificarse si las externalidades creadas por una actividad que pretende abordar el impuesto también aumentan progresivamente con el volumen de negocios. Por otra parte, la deducción de pérdidas trasladadas de ejercicios anteriores introduce una distinción arbitraria que no puede justificarse como medida para evitar la elusión fiscal o la evasión de impuestos.

Por lo que respecta a la versión modificada de 2015 del impuesto controvertido, al basarse en los mismos principios y características que los utilizados para el impuesto sobre la publicidad de 2014, la Comisión alcanza idéntica conclusión. En particular, a pesar de que el número de tipos y tramos aplicables se redujo de seis a dos y que el tipo más alto se redujo sustancialmente del 50% al 5,3%, la Comisión entendió, sin apenas motivación, que la progresividad seguía estando injustificada.

En consecuencia, al apreciar la existencia de una ayuda estatal incompatible con el mercado interior y haberse introducido el impuesto de forma ilegal, la Comisión determinó la procedencia de la devolución de las ayudas de las que se hubieran beneficiado las empresas en aplicación de dicho régimen, sin perjuicio de la aplicación, respecto a determinadas ayudas individuales, del Reglamento *de minimis*[42].

---

obtener aumentos de eficiencia derivados de economías de escala, influir en los márgenes de los productores y proveedores en beneficio propio y explorar las estrategias de optimización fiscal alegadas por las autoridades polacas. Por consiguiente, ninguno de estos factores puede constituir una justificación para un impuesto progresivo aplicado sobre el volumen de negocios de una empresa» (ap. 58).

[42]   Reglamento (UE) nº 1407/2013 de la Comisión, de 18 de diciembre de 2013, relativo a la aplicación de los artículos 107 y 108 del TFUE a las ayudas *de minimis*, DOUE, L-352, 24.12.2013, p. 1-8. La Comisión precisó que debían recuperarse las ayudas obtenidas por las empresas que habían tenido ingresos publicitarios durante el período comprendido entre la entrada en vigor del impuesto sobre la publicidad en 2014 y, bien la supresión del impuesto, bien su sustitución por un régimen totalmente compatible con las normas sobre ayudas de estado. A efectos de cuantificar el importe de la ayuda a restituir, la Comisión proporcionó unas orientaciones llamativas. La cuantía de la ayuda a recuperar debía ser la diferencia entre (1) el importe del impuesto que deberían haber pagado con arreglo a un régimen de referencia compatible con las normas relativas a las ayudas de estado (régimen de referencia «ideal» que estaría conformado por un impuesto con un tipo impositivo único, fijado en el 5.3%, salvo elección de otro valor por las autoridades húngaras, sin deducción de las pérdidas trasladadas) y (2) el importe del impuesto ya abonado por las empresas o que estas debían abonar. Si la diferencia entre esos importes arroja un resultado positivo, el importe de la ayuda debe recuperarse, más los intereses calculados a partir de la fecha de vencimiento del

Hungría (apoyada en su pretensión por Polonia) interpuso recurso de anulación de la citada decisión ante el Tribunal General, invocando tres motivos: (i) error de calificación jurídica de las medidas controvertidas como ayudas de estado, al considerar que la Comisión estimó erróneamente que el impuesto sobre la publicidad incluía medidas selectivas en favor de determinadas empresas; (ii) incumplimiento de la obligación de motivación; y (iii) desviación de poder.

2.3. *La argumentación del Tribunal General*

El Tribunal General estima el primer motivo del recurso interpuesto por Hungría y entiende que la Comisión cometió un error de calificación jurídica de las medidas como ayudas de estado al no haber aplicado adecuadamente el criterio de la selectividad. En consecuencia, no entra en el examen de los motivos segundo y tercero del recurso.

El TGUE comienza recordando que la calificación de una medida fiscal como selectiva exige, en un primer momento, la identificación y examen previos del régimen fiscal común o normal respecto del cual concretar, en un segundo momento, la excepción a dicho régimen. En contra del parecer de la Comisión, el Tribunal General considera que la argumentación elaborada en el asunto *Gibraltar* no es trasladable a este caso. A diferencia de aquel asunto, donde los tres impuestos controvertidos constituían conjuntamente el régimen general de tributación de todas las sociedades radicadas en Gibraltar, en el presente caso la medida calificada de ayuda estatal por la Comisión se inscribe en el marco de un impuesto sectorial específico sobre la difusión de publicidad, por lo que el régimen fiscal «normal» no puede, en ningún caso, exceder dicho sector (ap. 79). Para el Tribunal General, los tipos impositivos no pueden ser excluidos del contenido de un régimen fiscal, como hizo la Comisión, ya que con independencia de que se trate de tributación a un tipo único o a un tipo progresivo, «el nivel de gravamen forma parte, como la base imponible, el hecho imponible y la definición de los sujetos pasivos, de las características fundamentales del régimen jurídico

---

impuesto. No obstante, la Comisión indicó que la recuperación no sería necesaria si Hungría suprimía el régimen fiscal controvertido con efectos retroactivos desde la fecha de su entrada en vigor en 2014. Ello no impedía que Hungría introdujera en el futuro un régimen fiscal no progresivo que no estableciera distinciones entre los operadores económicos sujetos al impuesto. El 16 de mayo de 2017, el Parlamento húngaro suprimió con efectos retroactivos el impuesto controvertido, desapareciendo la obligación de recuperar las ayudas identificadas.

de un gravamen fiscal». Recuerda, a este respecto, que la propia Comisión, en el punto 134 de su Comunicación sobre el concepto de ayuda estatal[43], indica que «en el caso de los impuestos el sistema de referencia se basa en elementos como la base imponible, el sujeto pasivo, el hecho imponible y los tipos impositivos».

A falta de ese nivel de gravamen que permite determinar cuál es la estructura del régimen «normal», es imposible examinar si existe una excepción ventajosa en favor de determinadas empresas. Por ello, si en el contexto del mismo impuesto a determinadas empresas se les aplica un tipo impositivo diferente a las demás, incluidas exenciones distintas, procede determinar cuál es la situación «normal» en la materia. Para la Comisión, ese régimen normal debería ser un sistema en el que el volumen de negocios de las empresas se gravara con un tipo único, con independencia de su importe. Sin embargo, el Tribunal General entiende que ese régimen normal de tipo único al que se refirió la Comisión en distintos pasajes de la decisión impugnada es un régimen hipotético que no podía adoptarse. El examen del carácter selectivo o no de una ventaja fiscal debe efectuarse a la luz de las características reales del régimen fiscal normal en que se inscribe, determinadas en la primera fase de ese método y no a la luz de hipótesis que no ha considerado la autoridad competente (ap. 81)[44]. Por consiguiente, el Tribunal General concluye que la Comisión cometió un error de Derecho al identificar en la decisión impugnada un régimen normal o bien incompleto, sin tipos impositivos, o bien hipotético, con un tipo impositivo único. Dado el carácter sectorial del impuesto controvertido y la ausencia de escalas de tipos diferenciadas para determinadas empresas, el único régimen normal que podía considerarse en el presente asunto era el propio impuesto sobre la publicidad, con una estructura que incluye su escala progresiva de tipos impositivos y sus tramos (ap. 83).

Pese a la apreciación del error mencionado al identificar el régimen fiscal normal relevante, el Tribunal General estima que procede comprobar si, no obstante, el resultado del análisis efectuado por la Comisión permitía identificar que el impuesto controvertido otorgaba una ventaja selectiva en favor de determinadas empresas al contener elementos discriminatorios con respecto al objetivo que perseguía. En primer lugar, el TGUE no aprecia que la lógica redistributiva del impuesto húngaro y su finalidad de allegar

---

43   DOUE C-262, 19.7.2016.
44   En la misma línea, conclusiones de la Abogada General Kokott en el asunto *Vodafone*, ap. 164.

nuevos ingresos a las arcas públicas sea incompatible con la naturaleza del impuesto sobre el volumen de ventas. Del mismo modo, considera que la estructura progresiva de los tipos impositivos es coherente con el objetivo redistributivo perseguido por el legislador nacional, pese a que el impuesto en cuestión sea un impuesto sobre el volumen de negocios. Para el Tribunal General, en contra de lo manifestado por la Comisión, es razonable presumir que la empresa que realiza un volumen de negocios elevado puede, gracias a distintas economías de escala, tener costes unitarios fijos y variables proporcionalmente inferiores a los de aquella con un volumen de negocios más reducido, y que puede por ello disfrutar de una renta disponible proporcionalmente más importante que la hace apta para pagar proporcionalmente más por un impuesto sobre el volumen de negocios (ap. 89)[45]. Por consiguiente, el Tribunal confirma, como sostiene el Gobierno húngaro, que el objetivo de dicho impuesto era instaurar una tributación sectorial sobre el volumen de negocios respetando una lógica redistributiva. En segundo lugar, el TGUE repasa un buen número de sentencias del TJUE (asuntos *Adria-Wien Pipeline*, C-143/99; *British Aggregates asociation y otros/Comisión*, C-487/06 P; *Gibraltar*, C-106/09 P y C-107/09 P; *Paint Graphos y otros*, C-78/08 y C-80/08; *3M Italia*, C-417/10; y *ANGED*, C-233/16) de las que se desprende que la existencia de ciertas ventajas en determinados impuestos no es necesariamente incompatible con los objetivos de aquellos. Para el TGUE, el aspecto decisivo para apreciar la selectividad es que la ventaja que pueda identificarse para ciertas empresas conduzca a diferencias de trato contrarias al objetivo del impuesto. Sin embargo, si el propio objetivo del impuesto demanda la modulación de la carga tributaria para repartir el esfuerzo fiscal o limitar su impacto, no existirá selectividad cuando el trato dispar esté vinculado directamente a ese objetivo (ap. 95).

Así pues, para el TGUE, las estructuras progresivas de gravamen, incluidas aquellas con reducciones en la base imponible, en impuestos distintos de los que gravan la renta no implican automáticamente la existencia de ayudas de estado. De la jurisprudencia del TJUE no se desprende, a juicio del TGUE, que en los impuestos sectoriales o específicos un Estado miembro no pueda utilizar criterios de modulación vinculados a objetivos de redistribución de la renta y deba solo emplear criterios de modulación tendentes a compensar o disuadir de determinados efectos negativos resultantes de la actividad. Lo relevante, para evitar la calificación como ventaja selectiva, es que ese criterio de modulación no sea arbitrario, se aplique de forma no

---

[45] En parecidos términos, *vid.* Conclusiones de la Abogada General Kokott en el asunto *Vodafone* (aps. 119-123) y en el asunto *Tesco-Global* (aps. 113-118).

discriminatoria y sea conforme con el objetivo del impuesto en cuestión (ap. 101). «Por ello, al tratarse de un impuesto sobre el volumen de negocios, un criterio de modulación que adopte la forma de una tributación progresiva a partir de un determinado umbral, incluso elevado, que puede corresponder al deseo de gravar la actividad de una empresa únicamente cuando tal actividad alcance cierta importancia, no implica, por sí mismo, la existencia de una ventaja selectiva» (ap. 104).

En otras palabras, el TGUE advierte a la Comisión que no podía deducir válidamente la existencia de una ventaja selectiva del simple hecho de que existiera una escala progresiva de gravamen, sino que debía demostrar que dicha escala es incompatible con el objetivo perseguido por el impuesto en cuestión, para lo cual debería haber probado que cierto grupo de empresas eran objeto de un trato discriminatorio fáctico o jurídico, aportando hechos concretos y concluyentes. En este sentido, la Comisión aportó datos relativos a los anticipos fiscales presentados por las autoridades húngaras que mostraban que en 2014 los dos tramos de tipos más altos, del 30% y el 40%, solo afectaron a una empresa que había abonado el 80% de los anticipos. Para la Comisión, esos datos mostraban un trato discriminatorio, así como la naturaleza selectiva de sus tipos progresivos. Sin embargo, el Tribunal General entiende que esa apreciación fáctica no se asocia a un razonamiento distinto del referido al propio principio de tributación progresiva y es, por tanto, insuficiente para constituir una motivación que pueda acreditar que la estructura progresiva adoptada en el impuesto controvertido no era compatible con su objetivo (ap. 109)[46]. Asimismo, la Comisión alegó que el tipo efectivo medio y el tipo marginal del impuesto variaba en función del volumen de negocios de las empresas afectadas, lo que ponía de manifiesto que la estructura impositiva progresiva de aquel llevaba a tratar de forma diferente a empresas que se encontraban en una situación fáctica y jurídica comparable. Para el Tribunal General, en cambio, esa variación en los tipos efectivo medio y marginal en función de la importancia de la base imponible es inherente a cualquier sistema impositivo de estructura progresiva y no genera, como tal y por ese mero hecho, ventajas selectivas. «Por

---

[46]   De forma similar, en su decisión final sobre el impuesto polaco sobre ventas minoristas, la Comisión aportó datos que acreditaban que en septiembre de 2016 solo 109 de un total de 200.000 empresas que operaban en el sector de la venta al por menor habían superado el umbral del volumen de negocios mensual a partir del cual quedaban sometidas al gravamen. El Tribunal General, con una motivación idéntica a la elaborada en el caso del impuesto húngaro sobre la publicidad, rechazó que esos datos acreditaran la existencia de un trato discriminatorio y de una ventaja selectiva.

lo demás, cuando la estructura de tributación progresiva de un impuesto refleja el objetivo perseguido por dicho impuesto, no puede considerarse que dos empresas con una base imponible diferente estén en una situación fáctica comparable habida cuenta de ese objetivo» (ap. 110).

Por último, respecto a la reducción de la base imponible como consecuencia de la deducibilidad en 2014 del 50% de las pérdidas trasladadas para las empresas que no obtuvieron beneficios en 2013, el TGUE afirma que, aunque no derive del objetivo del régimen tributario de referencia, determinadas modulaciones de un impuesto, que tengan en cuenta situaciones particulares, no deben considerarse constitutivas de una ventaja selectiva si esas disposiciones no contravienen el objetivo del impuesto en cuestión y no son discriminatorias. En este caso concreto, el Tribunal considera inexacto entender, como hace la Comisión, que la reducción de la base imponible podría, por principio, conferir una ventaja selectiva debido a que, al tratarse de un impuesto sobre el volumen de negocios, los costes no son deducibles de la base imponible. El Tribunal General acude a la sentencia *Gibraltar* (C-106/09 P y C-107/09 P) para apuntalar el carácter objetivo de la medida (el hecho de cumplir este criterio es aleatorio para las empresas afectadas) y su coherencia con la lógica redistributiva del impuesto. Respecto a esta última, el Tribunal afirma que «dicho criterio, que tiene por objeto garantizar que en el primer año de introducción del impuesto sobre la publicidad una presión moderada para los sujetos pasivos en situación desfavorable, establece una diferencia de trato entre empresas que no se encuentran en una situación similar: por una parte, las que obtuvieron beneficios en 2013 y, por otra, las que no los obtuvieron ese mismo año». El Tribunal reconoce que «el criterio de distinción adoptado por el legislador húngaro puede, respecto de determinadas situaciones concretas de empresas que tuvieron pérdidas de la misma importancia en 2013 y los años anteriores, dar lugar a que se produzcan efectos denominados "de umbral" si, además, tales empresas se han acercado a una situación de equilibrio en 2013, pero dichos efectos son inherentes a numerosos dispositivos de modulación que incluyen necesariamente límites, y no puede inferirse de este mero hecho que tales dispositivos confieran ventajas selectivas. Por último, la circunstancia de que la ventaja de que se trata solo se estableciera para el impuesto relativo al primer ejercicio fiscal de aplicación del impuesto controvertido y no para los ejercicios fiscales siguientes no permite considerar que las empresas que se acogieron a ella ese primer año recibieran una ayuda frente a las empresas que habrían podido acogerse a la misma ventaja si se hubiera mantenido en los años siguientes. El legislador no está obligado a mantener una ventaja fiscal y, a este respecto, no cabe comparar situaciones entre dos ejercicios fiscales diferentes. Por lo demás, la Comisión no defendió esta idea en la decisión impugnada, sino que únicamente la adujo en el escrito de súplica» (aps. 122-123).

Sobre la base de todo lo anterior, el Tribunal General procede a anular la decisión impugnada en su totalidad, sin que entienda necesario examinar los demás motivos y alegaciones del Gobierno húngaro. Como era de esperar, la sentencia ha sido recurrida por la Comisión, en casación, ante el Tribunal de Justicia de la UE[47].

3. POSIBLE IMPACTO SOBRE LOS IMPUESTOS DIGITALES DE LOS ESTADOS MIEMBROS

En principio puede parecer poco factible que la Comisión europea llegue a abrir procedimientos formales de investigación frente a los impuestos digitales establecidos o proyectados por los Estados miembros de la UE cuando ella misma ha propuesto la introducción de un impuesto análogo a nivel europeo[48]. Sin embargo, no cabe descartar que a nivel nacional se promuevan procesos judiciales sobre la constitucionalidad y adecuación al Derecho de la UE de tales impuestos, lo que podría derivar en el planteamiento de cuestiones prejudiciales por parte de los órganos jurisdiccionales nacionales ante el TJUE. De ahí la conveniencia de reflexionar sobre la incidencia de los pronunciamientos anteriores sobre tales impuestos digitales.

Las sentencias del TGUE en los asuntos *Hungría/Comisión* y *Polonia/Comisión*, así como las conclusiones de la Abogada General Kokott en los asuntos *Vodafone* y *Tesco-Global,* son un espaldarazo provisional a los impuestos digitales establecidos o proyectados por distintos Estados miembros[49]. Aunque los impuestos sobre determinados servicios digitales

---

[47]   Asunto C-596/19 P. La STGUE en el asunto *Polonia/Comisión* también ha sido objeto de recurso de casación ante el Tribunal de Justicia, asunto C-562/19 P.

[48]   De hecho, la Vicepresidenta ejecutiva de la Comisión europea, Margrete Vestager, ha declarado que la Comisión apoya firmemente las acciones llevadas a cabo por algunos Estados miembros, consistentes en establecer de manera unilateral un impuesto sobre los servicios digitales y que tales impuestos establecidos a nivel local no constituirían ayudas de estado. *Vid. CFE's Tax Top 5. Key Tax News of the Week*, Bruselas, 2 de marzo de 2020.

[49]   *Vid.* PARADA, L., «Ayudas de Estado e Impuestos Digitales en Europa. Sentencia de 16 de mayo de 2019 del Tribunal General de la Unión Europea, en los Asuntos Acumulados T-836/16 y T-624/17», *Unión Europea Aranzadi*, nº 7, 2019, versión digital.

aprobados o proyectados por los Estados miembros carecen de una escala progresiva de gravamen, haciendo tributar a un tipo proporcional fijo (generalmente del 3%) los ingresos íntegros derivados de la prestación de los servicios digitales sometidos a tributación, la introducción de un tipo proporcional junto a umbrales cuantitativos determinantes de la condición de sujeto pasivo produce cierto efecto de progresividad y se traduce en la sujeción o no sujeción al gravamen en atención al volumen de facturación de las empresas[50].

Ello no obstante, solo un análisis particularizado y detallado de los objetivos, estructura y efectos de cada uno de los impuestos digitales permitiría extraer conclusiones sólidas sobre su adecuación a las normas sobre ayudas de estado. Téngase en cuenta que, aunque estas figuras tributarias parten de un tronco común (la propuesta de un impuesto digital armonizado) y tienen elementos comunes, pueden presentar y presentan singularidades tanto en la definición de sus fines, como en la configuración de su alcance objetivo y subjetivo de aplicación, susceptibles de tener relevancia en un eventual análisis desde la óptica de la prohibición general de ayudas de estado.

Por otra parte, las sentencias del Tribunal General han sido recurridas en casación por la Comisión ante el Tribunal de Justicia, de modo que habrá que esperar a conocer si este confirma o rechaza la interpretación del Tribunal General. Esta cautela es obligada si se recuerda que el Tribunal General y el Tribunal de Justicia no han ido siempre de la mano en la exégesis del criterio de la selectividad material, como muestran los asuntos *British Aggregates*, *Gibraltar*, o *World Duty Free Group* (C-20/15 P), desencuentro que, más allá de lo que suceda en estos casos, pone de manifiesto la inexistencia de una metodología del todo clara y bien definida en relación con el criterio de la selectividad y la presencia de dos enfoques sobre esta cuestión (uno más restrictivo y otro más amplio o extensivo), que suponen limitar o reforzar, respectivamente, el poder de la Comisión en este ámbito. Lo que sí está fuera de toda duda es que las sentencias del TJUE que resuelvan los asuntos *Hungría/Comisión* y *Polonia/Comisión* no solo serán relevantes para extraer conclusiones sobre la adecuación de los impuestos digitales nacionales con el art. 107.1 TFUE al diferenciar entre empresas en función de su volumen de facturación, sino que tendrán una importancia capital en la interpretación (más o menos expansiva) del criterio de la selectividad.

---

[50]   *Vid.*, a este respecto, conclusiones de la Abogada General Kokott en asuntos *Vodafone* y *Tesco-Global*, nota nº 4.

El Tribunal de Justicia deberá afrontar si la Comisión puede utilizar un sistema de referencia ideal, hipotético o incompleto para determinar si existe una ventaja fiscal selectiva. Ello obligará a elucidar si la sentencia *Gibraltar*, en la que se analizó un proyecto de reforma general de la imposición societaria basado en tres tributos, puede extenderse al ámbito de la denominada tributación asimétrica. En aquel caso, el TJUE declaró, por primera vez, un sistema tributario en su conjunto como selectivo (discriminatorio), pues aunque formalmente dicho sistema era aplicable a todas las empresas, el diseño de los elementos esenciales de tales impuestos y la interrelación entre unos y otros excluía en la práctica de tributación a las entidades *off-shore*, las cuales se encontraban, sin embargo, en una situación comparable al resto de sociedades de Gibraltar a la luz del objetivo perseguido por el sistema fiscal propuesto (el establecimiento de un sistema impositivo general sobre sociedades). Así pues, la sentencia Gibraltar aclaró que no siempre es necesario identificar la ventaja selectiva como una derogación no justificada del sistema tributario general de referencia, pues si así fuera el análisis de selectividad se vería condicionado o limitado por la técnica formal empleada para diseñar la medida controvertida, siendo muy fácil para los Estados miembro «eludir» la aplicación del art. 107.1 TFUE a través de una simple variación de la técnica legislativa empleada para otorgar ventajas selectivas. Esta jurisprudencia ha sido interpretada por la Comisión en el sentido de que, en determinados casos, «no basta examinar si una medida dada es una excepción a un sistema general, sino que es necesario evaluar si los límites del sistema de referencia han sido concebidos de forma coherente o, por el contrario, de forma arbitraria o sesgada para favorecer a determinadas empresas»[51], produciendo un efecto discriminatorio. El problema que genera este entendimiento del criterio de la selectividad, como ha expuesto el Abogado General Henrik Saugmandsgaard Øe[52], es que se traduce en un análisis de legitimidad de todo criterio de diferenciación en materia tributaria efectuado por los Estados miembros por referencia a un objetivo concreto y, a menudo incierto, de la norma fiscal. Dicho análisis se basa en un juicio de comparabilidad que toma como punto de referencia el objetivo u objetivos concretos de la norma y que exige realizar un juicio de valor por parte del intérprete, no exento de ciertas dosis de subjetividad, para concluir si el objetivo se cumple o no, generando no poca incertidumbre sobre su resultado.

No obstante, en la jurisprudencia más reciente sobre tributos específicos y ayudas estatales (asuntos *ANGED* y *UNESA*), el Tribunal de Justicia ha

---

[51]   Comunicación sobre el concepto de ayudas de estado, ap. 129.
[52]   Conclusiones de 19 de septiembre de 2018, asunto *A-Brauerei*, C-374/17, aps. 61-87.

aceptado los objetivos definidos por los Estados miembros distintos a los meramente recaudatorios. En los asuntos *ANGED* admitió que los impuestos autonómicos sobre establecimientos comerciales tenían como objetivo contribuir a la protección del medio ambiente y a la ordenación del territorio y entendió que el criterio de tributación relativo a la superficie de venta (que tenía como efecto la exclusión de los establecimientos comerciales cuya superficie de venta no superase determinados umbrales) era coherente con esos objetivos. Del mismo modo, en el asunto *UNESA*, el Tribunal de Justicia dio por bueno, pese a los argumentos en contra esgrimidos por el Tribunal Supremo, que el objetivo del canon hidroeléctrico era la protección y mejora del dominio público hidráulico y consideró coherente con tal objetivo establecer un criterio de imposición que atiende a la fuente de producción de la energía. Además, recordó que «en ausencia de normativa de la Unión en la materia, pertenece a la esfera de la competencia fiscal de los Estados miembros la determinación de las bases imponibles y el reparto de la carga fiscal entre los diferentes factores de producción y los diferentes sectores económicos»[53]. Al examinar la concurrencia del criterio de la selectividad teniendo en cuenta la coherencia entre los objetivos de carácter no recaudatorios del tributo específico y la estructura de este se resta importancia a la justificación vinculada a la naturaleza y economía del sistema, ya que el propio objetivo no estrictamente recaudatorio del tributo puede permitir ciertas modulaciones en la estructura del impuesto, siempre que estén vinculadas a su objetivo y no ocasionen discriminaciones carentes de justificación[54].

Si nos atenemos a esta última jurisprudencia (más sensible a los intereses de los Estados miembros), en el análisis de adecuación de los impuestos nacionales sobre servicios digitales a las normas sobre ayudas de estado la cuestión nuclear es determinar si los criterios determinantes de la sujeción o no sujeción a tales impuestos (relativos al volumen de ingresos global de la empresa y al volumen de ingresos derivados de la prestación de servicios digitales en el territorio de aplicación del impuesto) son coherentes con el objetivo u objetivos pretendidos con ellos, ya que, si así fuera, las empresas sometidas y no sometidas al impuesto no estarían en una situación comparable; en cambio, la falta de coherencia entre los objetivos del impuesto y los criterios de sujeción al gravamen esconderían una discriminación en contra de las empresas de mayor volumen de negocio, frente a las pequeñas y medianas empresas, o a las sociedades no residentes frente a las residentes.

---

53   STJUE de 26 de abril de 2018, C-233/16, *ANGED*, ap. 50.
54   *Vid.* MARTÍN JIMÉNEZ, A., «Jurisprudencia del Tribunal de Justicia de la Unión Europea», *Revista Española de Derecho Financiero*, n° 183, 2019, p. 274.

Por tanto, la definición del objetivo u objetivos pretendidos a través del establecimiento de estos impuestos —tanto los mencionados explícitamente en la ley, como los que resulten de la interpretación de esta— adquiere gran relevancia. A modo de ejemplo, en el caso español, del tenor literal de la Exposición de Motivos del Proyecto de Ley presentado ante las Cortes en febrero de 2020 se desprende, en línea con la propuesta de Directiva sobre el impuesto digital armonizado, que entre los objetivos generales del impuesto se encuentra la lucha contra la planificación fiscal agresiva por parte de determinados modelos de negocio digitales, la prevención de la erosión de la base imponible en la imposición societaria y, en general, ofrecer una respuesta a la insuficiencia de las actuales normas internacionales «relativas al impuesto sobre sociedades para gravar los beneficios generados por la digitalización de la economía, cuando estos están íntimamente ligados al valor creado por datos y usuarios». Se apela, igualmente, a razones de «presión social, justicia tributaria y sostenibilidad del sistema tributario»[55]. No obstante, el impuesto tendría como fin específico ejercer derechos de imposición sobre una determinada serie de servicios digitales «en relación con los cuales existe una participación de los usuarios que constituye una contribución esencial al proceso de creación de valor de la empresa que presta los servicios», sin la cual aquellos no podrían existir en su forma actual, pues es en relación a tales servicios digitales donde la fractura entre el lugar donde se crea el valor y la capacidad de los Estados para someterlo a imposición es mayor.

Ciertamente, la aplicación de los umbrales cuantitativos mencionados determinantes de la sujeción a los impuestos digitales produce un efecto diferenciador entre empresas en función de su tamaño o volumen de facturación, lo que puede determinar que, aunque este tipo de impuestos sean en principio aplicables tanto a empresas residentes como no residentes, la mayor parte de las sociedades sujetas sean grandes empresas internaciona-

---

[55]   De forma similar, la Exposición de Motivos de la propuesta de Directiva de 21 de marzo de 2018 identificada cuatro objetivos perseguidos con el impuesto digital armonizado: (i) proteger la integridad del mercado único y garantizar su correcto funcionamiento; (ii) garantizar que las finanzas públicas sean sostenibles en la Unión y que las bases imponibles nacionales no se erosionen; (iii) garantizar la preservación de la justicia social y que todas las empresas que operan en la Unión disfruten de condiciones equitativas; y combatir la planificación fiscal agresiva y colmar las lagunas existentes actualmente en las normas internacionales que permiten que algunas empresas digitales evadan impuestos en los países en los que operan y crean valor. COM (2018) 148 final, p. 4.

les no residentes (en su mayoría empresas estadounidenses)[56]. La cuestión, desde la óptica de la jurisprudencia comunitaria sobre ayudas de estado,

---

[56] En el caso español, este efecto se reconoció expresamente en la memoria de análisis de impacto normativo que acompañó al anteproyecto de ley del impuesto presentado en 2018. Si bien en ella no se realizó un análisis empírico de las empresas que podían verse afectadas por el tributo, el Gobierno español admitió explícitamente que el gravamen se creaba «porque hay ingresos obtenidos en España por grandes *empresas internacionales* a partir de ciertas actividades digitales que escapan al actual marco fiscal», y confirma la intención de proteger a las pequeñas empresas, gracias al establecimiento de unos umbrales cuantitativos que «ayudan a garantizar que sólo se grave a las grandes empresas y que las pymes no estén afectadas por el impuesto» [memoria de análisis de impacto normativo, p. 21. Nota de Prensa, Consejo de Ministros, «El Gobierno presenta el anteproyecto de Ley contra el fraude fiscal para combatir las nuevas formas de evasión», 19 de octubre de 2018, p. 7]. Desde la óptica de las libertades fundamentales, la cuestión es si a través de la aplicación de estos umbrales se produce una discriminación indirecta o encubierta de las empresas multinacionales no residentes (v. gr. filiales irlandesas, holandesas o luxemburguesas de sociedades estadounidenses) frente a las empresas residentes, contraria a dichas libertades, en especial a la libre prestación de servicios. En la doctrina, a favor de una respuesta positiva a este interrogante, MASON, R./PARADA, L., «The Illegality of Digital Services Taxes Under EU Law: Size Matters», *Virginia Law and Economics Research Paper*, nº 16, 2018; de los mismos autores «Company Size Matters», *British Tax Review*, nº 5, 2019, pp. 610-650. Hasta el momento, la jurisprudencia existente no ofrecía una respuesta clara ni uniforme respecto a qué requisitos (cuantitativos y cualitativos) debe cumplir la correlación entre el criterio de diferenciación elegido y el domicilio de las empresas, determinante de una discriminación encubierta. A modo de ejemplo, la STJUE de 5 de febrero de 2014, *Hervis Sport*, C-385/12, en respuesta a una cuestión prejudicial, consideró que un impuesto específico húngaro marcadamente progresivo, basado en el volumen de negocios y aplicable al comercio minorista, combinado con una regla de consolidación para grupos de empresas que determinaba su inclusión en el tramo superior del impuesto, podía dar lugar a una discriminación indirecta basada en el domicilio social [*vid.* las conclusiones de la Abogada General Kokott a este asunto, de 5 de septiembre de 2013 (aps. 37 a 40)]. En cambio, la STJUE de 26 de abril de 2018, C-233/16, *ANGED*, rechaza que la información aportada al Tribunal (según la cual las empresas de otros Estados miembros sujetas al impuesto catalán sobre grandes superficies comerciales representan el 61.5 % de la superficie ocupada por empresas de más de 2.500 m2 sujetas a aquel, y el 52% de la carga fiscal del impuesto recae sobre los grandes establecimientos comerciales de los demás Estados miembros) demuestre que se perjudique en la mayor parte de los casos a los nacionales de otros Estados miembros o a las sociedades que tienen su domicilio social en otros Estados miembros, atendiendo, sobre todo, al nivel de esos porcentajes (aps. 33 y 34). Sobre esta cuestión, la Abogada General Kokott, en sus conclusiones a los asuntos *Vodafone* y *Tesco-Global*, considera más importante el criterio cualitativo que el cuantitativo a la hora de valorar la existencia de una discriminación indirecta, y propone analizar si la característica o criterio de distinción elegido afecta «típicamente o por su propia naturaleza, a sociedades extranjeras», por lo que «una conexión meramente aleatoria, por muy notable que sea en términos cuantitativos, no puede ser suficiente, en principio, para fundamentar una discriminación indirecta» (ap. 74).

estriba en aclarar si ese elemento de la estructura del impuesto es coherente con los objetivos antes apuntados, pues, si así fuera, las empresas sujetas y no sujetas a tributación no estarían en una situación fáctica y jurídica comparable.

A *priori*, puede ser discutible que el criterio del tamaño de la empresa (plasmado en los referidos umbrales cuantitativos) sea coherente con el objetivo específico del impuesto consistente en gravar exclusivamente los servicios digitales donde la participación del usuario tiene una importancia esencial para la creación de valor. Una empresa que preste los servicios digitales sometidos al impuesto, pero no supere los umbrales cuantitativos mencionados y, por tanto, no quede sometida a tributación, puede igualmente basar su modelo de negocio en monetizar la participación activa de los usuarios de la plataforma. Cabe preguntarse, no obstante, por la coherencia de dichas magnitudes con otros de los objetivos generales perseguidos con estos impuestos. A este respecto, volviendo al ejemplo español, la Exposición de Motivos del Proyecto de Ley sobre el impuesto digital de febrero de 2020 señala que la introducción del criterio del tamaño de la empresa (en especial, el primer umbral) obedecería, entre otros fines, a la finalidad de limitar la aplicación del impuesto a las empresas de gran envergadura, puesto que son capaces de prestar los servicios digitales basados en los da-

---

Respecto a la relevancia de la voluntad discriminatoria subjetiva del Estado miembro a estos efectos, entiende que debe ser objeto de examen, pero «deben constar elementos inequívocos de que el trato desfavorable a las sociedades extranjeras [es] el objetivo principal de la medida, que ha sido percibida y apoyada como tal por el Estado miembro (y no solo por algunas personas implicadas), y no ha de poder apreciarse ninguna otra razón objetiva para el régimen adoptado» (ap. 92). Para un examen crítico de estas conclusiones, *vid.* PARADA, L., «How the *Vodafone Magyarország* Opinion Affects EU Debate On Turnover-Based Digital Taxes», *Tax Notes International*, July 29, 2019, pp. 399-407. Finalmente, el TJUE, en sus sentencias de 3 de marzo de 2020 por las que se resuelven los asuntos *Vodafone* (C-75/18, aps. 49-56) y *Tesco-Global* (C-323/18, aps. 69-76), siguiendo las conclusiones de la Abogada General Kokott, aclara que no existe discriminación indirecta contraria a las libertades de circulación (en ese caso, la libertad de establecimiento) cuando un impuesto de carácter progresivo sobre el volumen de negocios recae de forma efectiva y principalmente sobre empresas controladas directa o indirectamente por nacionales de otros Estados miembros o por sociedades que tienen su domicilio social en otro Estado miembro debido a que estas empresas realizan los mayores volúmenes de negocio en el mercado de que se trate. «Por lo tanto, se trata de un *indicador contingente, o incluso aleatorio*, que puede darse, *también en el marco de un sistema impositivo proporcional*, cuando el mercado en cuestión está *dominado por empresas de otros Estados miembros o de terceros países* o por empresas nacionales propiedad de personas físicas o jurídicas de otros Estados miembros o de terceros países» (énfasis añadido).

tos y en la contribución de los usuarios apoyándose «en gran medida en la existencia de amplias redes de usuarios, en un gran tráfico de datos y en la explotación de una sólida posición en el mercado», al tiempo que se excluye a las pequeñas y medianas empresas y empresas emergentes, «para las que los costes de cumplimiento vinculados al gravamen podrían tener un efecto desproporcionado»[57].

Pues bien, aunque la Comisión europea en los asuntos objeto de este comentario aduce que el volumen de negocios solo es indicativo del tamaño y de la posición de mercado de una empresa, pero no de su fuerza económica o capacidad financiera, en el caso de la propuesta del impuesto digital armonizado parece llegar a la conclusión opuesta, pues es la férrea posición en el mercado de las grandes empresas digitales, lo que les permite beneficiarse en mayor medida que las empresas más pequeñas de las características de esos modelos de negocio, demostrando una mayor fuerza económica o capacidad financiera que las haría particularmente merecedoras de pagar el impuesto[58]. Esta contradicción es puesta de manifiesto por la Abogada General Kokott en sus conclusiones a los asuntos *Vodafone* y *Tesco-Global*, subrayando que el criterio del tamaño o envergadura de la empresa no parece claramente erróneo o carente de toda lógica con una finalidad redistributiva del gravamen, por lo que sería posible concluir que las empresas grandes y las más pequeñas no están en una situación fáctica y jurídica comparable atendiendo a los objetivos perseguidos con el impuesto[59]. Igualmente, la Abogada General Kokott no considera manifiestamente

---

[57] Exposición de Motivos del Proyecto de Ley del Impuesto sobre Determinados Servicios Digitales, apartado V, segundo párrafo.

[58] En la Exposición de Motivos de la propuesta de Directiva de 21 de marzo de 2018 (pp. 11 y 12) se afirma que «[l]a capacidad económica de las empresas que cumplen los requisitos para ser consideradas sujetos pasivos debería verse como un indicio de su capacidad para atraer a un elevado volumen de usuarios, condición esta necesaria para que tales modelos de negocio sean viables». Vid., asimismo, considerando nº 23 de la propuesta de Directiva (reproducido en nota nº 27).

[59] Por su parte, el TJUE, en las sentencias de 3 de marzo de 2020, asuntos *Vodafone* (aps. 49 a 51) y *Tesco-Global* (69 a 71), cuando analiza la conformidad con la libertad de establecimiento de los impuestos progresivos sobre el volumen de negocios controvertidos, afirma que «en el estado actual de armonización del Derecho tributario de la Unión, los Estados miembros tienen libertad para establecer el sistema de imposición que consideren más adecuado, de manera que la aplicación de una imposición progresiva se encuadra en la facultad de apreciación de cada Estado miembro». Dicha tributación progresiva, en contra de lo que sostiene la Comisión, «puede basarse en el volumen de negocios, ya que, por un lado, el importe de este último constituye un criterio de distinción neutro y, por otro, es un indicador pertinente de la capacidad contributiva de los sujetos pasivos». Además, la aplicación de un baremo progresivo basado en el

desacertado que la posibilidad de las empresas de minimizar a través de medidas de creatividad fiscal la tributación de la renta basada en el beneficio aumente con el tamaño de la empresa, por lo que desde esta óptica (oportunidades de planificación fiscal) las grandes y pequeñas empresas tampoco estarían en una situación comparable.

No obstante, si se entendiera que la situación de las empresas de mayor volumen de negocio es comparable a las de menor volumen a la luz los objetivos perseguidos con el IDSD, cabría plantearse la posible existencia de alguna justificación a esa diferencia de trato entre operadores económicos en situaciones análogas, derivada de la naturaleza o la economía general del sistema, si bien la carga de la prueba recaería, en este caso, sobre el Estado miembro afectado. En este sentido, podría aducirse como causa de justificación de la diferencia de trato la finalidad antielusiva del gravamen, que parecería desprenderse de los objetivos generales de este tipo de impuestos. Sin embargo, la admisión de esta causa de justificación presenta la dificultad de que no encuentra reflejo en la estructura de los distintos modelos de IDSD, puesto que en general gravan la totalidad de los ingresos íntegros procedentes de cada una de las prestaciones de servicios digitales sujetas al mismo, sin incluir mención alguna a la circunstancia de que se constate el nulo o bajo sometimiento a gravamen de las rentas obtenidas por la empresa multinacional en ningún otro Estado[60]. Aunque el Tribunal de Justicia admite que la prevención de los abusos en la legislación fiscal puede constituir una causa de justificación en el marco de la normativa sobre ayudas estatales, exige igualmente que la medida supere el test de proporcionalidad y no vaya más allá de lo necesario en la consecución de ese fin[61].

En cuanto a la justificación de la diferencia de trato fiscal atendiendo a la mayor capacidad económica puesta de manifiesto por las empresas sometidas al gravamen, la Comisión europea, en sus decisiones sobre los asuntos *Polonia/Comisión* y *Hungría/Comisión*, sostiene que, a diferencia de los impuestos basados en los beneficios, un impuesto basado en el volumen de negocios no tiene en cuenta los costes soportados en la generación de ventas y grava a las empresas en función de su dimensión y no de su rentabilidad,

---

volumen de negocios es coherente con el objetivo de la Ley que crea tales tributos que, según se desprende de su Exposición de Motivos, es gravar a los sujetos pasivos con una capacidad contributiva superior a la obligación tributaria general.

[60]   En este sentido, respecto a la propuesta de Directiva del impuesto digital armonizado, NOCETE CORREA, F. J., *La tributación de la economía digital en el contexto internacional, europeo y español*, Tirant lo Blanch, Valencia, 2020, p. 109 y ss.

[61]   SSTJUE de 29 de abril de 2004, *GIL Insurance y otros*, C-308/01, aps. 73 y ss.

capacidad de pago, aumento de eficiencia derivado de economías de escala, mayor influencia en los márgenes de los productores y proveedores en beneficio propio o explotación de estrategias de optimización fiscal. Sin perjuicio de subrayar nuevamente la distancia que se aprecia entre esa afirmación y la realizada en la propuesta de Directiva para justificar la limitación del impuesto digital armonizado a las grandes empresas, nos parece excesivo rechazar de forma automática y sin matices que el volumen de facturación o negocio de una empresa no pueda aceptarse como indicador —menos afinado o más imperfecto que el beneficio neto— de capacidad económica, tal y como advierten el Tribunal General y la Abogada General[62]. En la misma línea, como hemos señalado más arriba, el TJUE, en las sentencias *Vodafone* (ap. 50) y *Tesco-Global* (ap. 70), ha admitido que el volumen de negocios «es un indicador pertinente de la capacidad contributiva de los sujetos pasivos». Los legisladores de los Estados miembros que tienen intención de establecer impuestos nacionales sobre los servicios digitales deberían estar atentos a esta evolución de la jurisprudencia comunitaria a la hora de explicar la introducción del gravamen. La naturaleza jurídica atípica o híbrida del impuesto digital, formalmente considerado impuesto indirecto (para eludir potenciales problemas desde la óptica de los convenios para evitar la doble imposición), pero cuya razón de ser y buena parte de características recuerdan a un impuesto directo, puede generar inconsistencias como las que se aprecian en la Exposición de Motivos del Proyecto de Ley del impuesto digital español de febrero de 2020, en la que se afirma, para apuntalar su naturaleza indirecta, que el impuesto se centra «en los servicios prestados, sin tener en cuenta las características del prestador de los mismos, entre ellas su capacidad económica»[63], pero simultáneamente limita su aplicación a las empresas de gran envergadura con el argumento de que su solidez en el mercado les permite prestar los servicios digitales sometidos al gravamen con una fuerza económica superior.

Finalmente, podría alegarse como causa de justificación razones de practicidad administrativa, al permitir determinar de forma más segura y sen-

---

[62]   La Abogado General Kokott defiende que también se persigue cierta «función redistributiva» cuando se grava en mayor medida a los operadores más fuertes económicamente que a los operadores más débiles, lo cual es consecuencia del principio del Estado social (ap. 180, conclusiones asunto *Vodafone*). A su juicio, la idea del principio de Estado social, que la Unión Europea reconoce en el art. 3 del Tratado de la Unión Europea, «justifica un tipo impositivo progresivo que, también en términos relativos, grave más a los contribuyentes con mayor capacidad financiera que a los que tienen menor capacidad financiera» (ap. 187, conclusiones asunto *Vodafone*).

[63]   Apartado III, párrafo segundo.

cilla y menos onerosa las empresas sujetas al impuesto y reducir los costes de cumplimiento vinculados al mismo, tanto para las propias empresas (en especial, pymes y empresas emergentes excluidas del gravamen), como para la Administración tributaria, al reducir el número de empresas objeto de control. Nuevamente, en virtud del principio de proporcionalidad, debería acreditarse que la medida es idónea, necesaria y se ajusta a lo estrictamente necesario para la consecución de ese objetivo.

Llegados a este punto, la falta de una metodología del todo clara respecto al criterio de la selectividad material, la especificidad de cada impuesto nacional sobre servicios digitales y, sobre todo, la pendencia de los asuntos *Hungría/Comisión* y *Polonia/Comisión* ante el Tribunal de Justicia impide extraer conclusiones más acabadas que las reflexiones provisionales realizadas en los párrafos anteriores, sin perjuicio de lo cual, a partir de las sentencias *Vodafone* y *Tesco-Global* pueden extraerse argumentos a favor de la no comparabilidad fáctica y jurídica de la situación de las empresas sujetas y no sujetas a los impuestos nacionales sobre servicios digitales a la luz de los objetivos perseguidos con tales gravámenes, pues el importe del volumen de negocios sería un indicador pertinente de la férrea posición en el mercado de las grandes empresas digitales, lo que les permite beneficiarse en mayor medida que las empresas más pequeñas de las características de esos modelos de negocio, demostrando una capacidad contributiva superior. Por lo pronto, es obligado reconocer que nos encontramos ante un nuevo hito en la evolución de la jurisprudencia comunitaria sobre el concepto de ayuda estatal de naturaleza tributaria y otra muestra de la intersección que se produce entre los problemas del actual contexto fiscal internacional y las normas europeas sobre ayudas de estado.

Por otra parte, la línea jurisprudencial analizada, al tomar en consideración el objetivo u objetivos no estrictamente recaudatorios perseguidos por los impuestos específicos controvertidos y su coherencia con los elementos esenciales de tales impuestos, matiza en buena medida la jurisprudencia asentada del propio Tribunal de Justicia en materia de ayudas de estado, según la cual las causas y los objetivos de la intervención pública son en principio irrelevantes para determinar si una medida constituye o no una ayuda, debiendo prestarse atención a los efectos que dicha medida produce sobre la competencia. Al focalizar la atención sobre los mencionados objetivos, la prohibición de ayudas estatales se convierte en un control de coherencia del diferente tratamiento fiscal, característico del principio de no discriminación, soslayando que la finalidad del régimen de control de las ayudas de estado es evitar que, por medio de ayudas públicas concedidas bajo formas diversas por los Estados miembros, se produzca un falseamiento de la competencia a favor de una o varias empresas, en detrimento de sus competidoras.

A la espera de conocer si el horizonte judicial de los impuestos nacionales sobre determinados servicios digitales se despeja completamente por lo que a las normas europeas sobre ayudas de estado se refiere, la reciente propuesta de la Comisión europea de reforzar el marco normativo existente relativo a la cooperación administrativa en el ámbito de la fiscalidad (Directiva 2011/16, de 15 de febrero —DAC—), para posibilitar el intercambio de información sobre contribuyentes que obtienen rentas a través de plataformas online (DAC 7)[64], podría llegar a ser —en caso de que este proceso culmine en una nueva reforma de la Directiva— un instrumento útil de control para aquellos Estados miembros que adopten el impuesto sobre servicios digitales.

Bibliografía

CALDERÓN CARRERO, J. M., «El Paquete Europeo (2018) en materia de Fiscalidad de la Economía Digital», *Carta Tributaria, Revista de Opinión*, n° 39, 2018.

CALDERÓN CARRERO, J. M. y MARTÍN JIMÉNEZ, A., *Derecho tributario de la Unión Europea*, Wolters Kluwer, Madrid, 2019.

CORDEWENER, A., «Asymmetrical Tax Burdens and EU State Aid Control», *EC Tax Review*, n° 6, 2012.

CUBILES SÁNCHEZ-POBRE, P., «La tributación de la Economía Digital a la espera de una solución global», *Quincena Fiscal*, n° 8, 2019.

KOFLER, G./SINNIG, J., «Equalization Taxes and the "EU's Digital Service Tax"», *Intertax*, Vol. 47, n° 2, 2019.

MARTÍN JIMÉNEZ, A., «Jurisprudencia del Tribunal de Justicia de la Unión Europea», *Revista Española de Derecho Financiero*, n° 183, 2019.

MASON, R./PARADA, L., «The Illegality of Digital Services Taxes Under EU Law: Size Matters», *Virginia Law and Economics Research Paper*, n° 16, 2018.

MASON, R./PARADA, L., «Company Size Matters», *British Tax Review*, n° 5, 2019.

MORENO GONZÁLEZ, S., «Impuestos sobre el volumen de negocios con tipos impositivos progresivos: ¿son conformes con las normas sobre ayudas de estado? La posición del Tribunal General en los asuntos *Polonia/Comisión* y *Hungría/Comisión*», *Revista de Fiscalidad Internacional y Negocios Transnacionales*, n° 12, 2019.

---

[64]   La Comisión abrió el plazo de consulta pública el 10 de febrero de 2020, finalizando el 6 de abril. A partir de los comentarios presentados valorará la necesidad de modificar la DAC o si es preferible optar por otras opciones, como emitir una recomendación en forma de *soft law*. Vid. POZA, R./ASÍN PÉREZ, I., «Intercambio de información sobre plataformas online o la DAC 7», https://periscopiofiscalylegal.pwc.es/intercambio-de-informacion-sobre-plataformas-online-o-la-dac7/ (acceso: 12/03/2020).

NOCETE CORREA, F. J., *La tributación de la economía digital en el contexto internacional, europeo y español*, Tirant lo Blanch, Valencia, 2020.

PARADA, L., «Ayudas de Estado e Impuestos Digitales en Europa. Sentencia de 16 de mayo de 2019 del Tribunal General de la Unión Europea, en los Asuntos Acumulados T-836/16 y T-624/17», *Unión Europea Aranzadi*, n° 7, 2019.

PARADA, L., «How the *Vodafone Magyarország* Opinion Affects EU Debate On Turnover-Based Digital Taxes», *Tax Notes International*, July 29, 2019.

PINTO NOGUEIRA, J. F., «The Compatibility of the EU Digital Services Tax with EU and WTO Law: *Requiem Aeternam Donate Nascenti Tributo*», *Intl. Tax. Stud.*, 1, 2019, Journals IBFD.

POZA, R./ASÍN PÉREZ, I., «Intercambio de información sobre plataformas online o la DAC 7», https://periscopiofiscalylegal.pwc.es/intercambio-de-informacion-sobre-plataformas-online-o-la-dac7/

QUINTANA FERRER, E., «Economía digital y fiscalidad: los impuestos sobre determinados servicios digitales», *Nueva Fiscalidad*, n° 3, 2019.

SCHÖN, W., «Special Chargers - a gap in European Competition Law», *European State Aid Law Quaterly*, Vol. 5, n° 3, 2006.

TURINA, A., «Which "Source Taxation" for the Digital Economy», *Intertax*, Vol. 46, n° 6-7, 2018.

Capítulo 4

El Impuesto sobre los Servicios Digitales y las medidas fiscales favorables en la economía colaborativa a la luz del régimen de ayudas de Estado

Juan Ignacio Gorospe Oviedo
Catedrático de Derecho Financiero y Tributario
USP-CEU
gorovi@ceu.es

1. PLANTEAMIENTO: ECONOMÍA COLABORATIVA Y ECONOMÍA DIGITALIZADA

La economía colaborativa presenta un amplio abanico de iniciativas de intercambio de bienes y prestación de servicios desarrollados en paralelo a los modelos tradicionales: finanzas participativas, conocimiento abierto, intercambio de herramientas de fabricación digital, y consumo colaborativo. Este último es el más conocido hoy en día y permite aprovechar las redes para compartir, alquilar, intercambiar o comerciar bienes y servicios[1]. El desarrollo tecnológico de la última década (internet, teléfonos inteligentes, geolocalización…), la crisis iniciada en 2008 y la intermediación de las pla-

---

[1] Ver ALFONSO SÁNCHEZ, R., y VALERO TORRIJOS, J. (Dir.), *Retos jurídicos de la economía colaborativa en el contexto digital*, Aranzadi, 2017, p. 523. CAÑIGUERAL BAGÓ, A, Vivir mejor con menos: Descubre las ventajas de la nueva economía colaborativa, Conecta, 2014, pp. 33 y ss. (https://www.slideshare.net/acanyi/1er-cap-vivir-mejor-con-menos/1).

taformas colaborativas, han generado un incremento y una dinamización de las transacciones económicas a nivel mundial que hace unos pocos años habría resultado impensable.

Este modelo de negocio se caracteriza por la utilización de plataformas digitales a través de internet con contratación a tiempo real y reducción de costes, una innovación disruptiva tecnológica y social con un crecimiento superior a los negocios tradicionales, mercados multilaterales transaccionales donde los usuarios interaccionan gracias a la labor de la plataforma, servicios entre iguales —*peer to peer*— en los que los consumidores pueden prestar bienes y servicios —los denominados «*prosumers*»—, recursos ociosos (vivienda, vehículo, plaza de aparcamiento…), y el empleo de sistemas de reputación para generar confianza en el usuario[2]. En ocasiones se añade su carácter altruista, excluyendo de la economía colaborativa las plataformas que amparan servicios con ánimo de lucro, como Uber (que, además, propiamente es una empresa de transporte) o Airbnb, frente a otras en las que no hay retribución o, al menos, ánimo de lucro, como Blablacar o Coachsurfing. La utilización de las plataformas digitales, que escapan al concepto de establecimiento permanente como lugar de fijo de negocios, es determinante de su dificultad de tributación con los cánones normales del Estado de la fuente.

Lo cierto es que del consumo colaborativo inicial en el que los particulares compartían, prestaban, regalaban o intercambiaban bienes o servicios se ha pasado a un concepto más amplio de economía colaborativa en el que están presentes las plataformas digitales y donde habitualmente hay ánimo de lucro[3]. Tal diferenciación es relevante en orden a su tributación, establecimiento de incentivos fiscales y aplicación del régimen de ayudas de Estado. En el consumo colaborativo *stricto sensu* —entre particulares y sin ánimo de lucro— no debería haber tributación de acuerdo con el principio de capacidad económica o, en todo caso, tendría una clara justificación establecer un incentivo fiscal, al tiempo que al no constituir una actividad

---

[2]　Ver CNMC, Estudio sobre los nuevos modelos de prestación de servicios y la economía colaborativa, E/CNMC/004/15, marzo 2016, pp. 29 y ss. El prosumidor es el particular que a la vez produce y consume bienes y servicios. Disponible en https://docs.google.com/document/d/1n65MjUaTmRLuZCqTIlqyWvobVqreR-iAzsz1mhxy2y0/edit.

[3]　Observan ANTÓN ANTÓN y BILBAO ESTRADA que se trata de un nuevo sector de la economía que engloba tanto la perspectiva del consumo colaborativo por parte de los particulares como la de las plataformas digitales que han permitido su multiplicación. Cfr. «El consumo colaborativo en la era digital: un nuevo reto para la fiscalidad», Documento nº 26, IEF, 2016, p. 7.

económica propiamente dicha no sería aplicable la prohibición de ayudas de Estado.

Esta inervación de la digitalización en la economía colaborativa tiene consecuencias a nivel fiscal por la falta de adaptación de los mecanismos tradicionales a esas nuevas formas de negocio. Como recuerda el Secretariado de la OCDE en su «enfoque unificado» de 9 de octubre de 2019: «las normas actuales, que se remontan a la década de 1920, ya no son suficientes para garantizar una atribución justa de los derechos de imposición en un mundo cada vez más globalizado»[4]. En efecto, a los factores de producción de la sociedad industrial —tierra, capital y trabajo—, se añaden los datos como fuente de creación de valor, junto a la digitalización entendida como adopción masiva de servicios digitales que permiten conectar a consumidores, empresas y gobiernos. La digitalización abarca todas las actividades económicas (producción, distribución y consumo de bienes y servicios), y es el motor fundamental de crecimiento económico en mercados desarrollados y emergentes[5]. Ello permite escapar al criterio de residencia, planteando problemas en cuanto a la jurisdicción competente y la determinación de las ganancias sometidas a gravamen, al no coincidir el lugar de tributación de los beneficios con el de generación de valor.

Para fijar un marco en la tributación de la economía digitalizada[6], en septiembre de 2013 se creó el Grupo de Expertos sobre la Fiscalidad de la Economía Digital (GEFED), órgano auxiliar del Comité de Asuntos Fiscales (CAF) en el que participaron los países del G-20 no pertenecientes a la OCDE en su condición de asociados en igualdad de condiciones con los países de la OCDE, con objeto de elaborar un informe para septiembre de 2014 en el que se determinasen los problemas planteados por la economía digital. El Informe final de la Acción 1 (octubre 2015), Retos de la economía digital para la imposición, sigue en gran medida lo establecido en dicho informe de septiembre de 2014. Concretamente (a) la introducción de un nuevo nexo (o criterio de sujeción) en base a una presencia económica

---

4   https://www.oecd.org/tax/beps/public-consultation-document-secretariat-proposal-unified-approach-pillar-one.pdf.

5   LI, J., «Protecting the Tax Base in the Digital Economy», *United Nations Department of Economic and Social Affairs*, June 2014, n. 9, p. 9.

6   Utilizamos esta expresión, siguiendo a MARTÍN JIMÉNEZ para destacar que la economía digital no es un sector específico sino que la digitalización afecta a toda la economía en su conjunto, siendo la que utiliza el Informe preliminar de la OCDE de 2018 («*digitalising economy*» junto a la de «*digital economy*»). Cfr. MARTÍN JIMÉNEZ, A., «BEPS, la economía digital (izada) y la tributación de servicios y royalties», *REDF*, n. 179, 2018 (base de datos Aranzadi digital).

significativa, (b) el sometimiento de ciertas transacciones digitales a una retención en la fuente, y (c) un impuesto progresivo[7].

Esta acción fue analizada en el estudio del Parlamento europeo *Tax Challenges in the Digital Economy*. El informe señala que las normas especiales diseñadas para la economía digital podrían resultar inviables, ante la dificultad de delimitar sus fronteras, y la posibilidad de que todos los negocios tiendan, de una u otra forma, a digitalizarse, optando por introducir cambios en las Acciones 6 y 7, limitando esta última las excepciones al concepto de establecimiento permanente (actividades auxiliares y/o preparatorias). Califica los modelos de negocio de Uber y Airbnb como los más controvertidos dentro de la economía colaborativa, con estructuras radicadas en Irlanda y Jersey u Holanda y Bermudas, respectivamente. Aprecia que a largo plazo deberán considerarse la modificación de la fuente y la residencia y el concepto de establecimiento permanente, e incluso posibles medidas como el reparto fraccionado (*fractional apportionment*), la retención en la fuente (*withholding tax*) o el impuesto de igualación introducido en la India (*equalisation levy*)[8].

Lo cierto es que el Informe final de la Acción 1 ha sido uno de los mayores fracasos del Plan BEPS y no ha conseguido atacar lo que SOLER ROCH denomina «inmunidad fiscal» de la economía digital, frente a los otros dos escenarios de impunidad fiscal, que debe combatirse con el intercambio de información[9], y de erosión de bases imponibles y deslocalización de beneficios objeto de BEPS[10].

---

[7] Acción 1-Informe final 2015, Abordar los retos de la economía digital en la imposición, OCDE, 2015, p. 14. Ciertamente ha resultado más en un diagnóstico general que en recomendaciones precisas, como aprecia HERNÁNDEZ GONZÁLEZ-BARREDA, P. A., «El alcance material y formal del Plan BEPS: viejos conocidos, nuevos amigos y la necesidad de un nuevo enfoque», en ALMUDÍ CID et. al., *El Plan de Acción sobre Erosión de Bases Imponibles y Traslado de Beneficios (BEPS): G-20, OCDE y Unión Europea*, Aranzadi, 2017, p. 49.

[8] Concluye que la OCDE es una organización de *soft law* que establece estándares mínimos en forma de recomendaciones y directrices, como ocurrió con el informe BEPS, mientras que la UE opera en un contexto diferente, con leyes y bajo las restricciones de las libertades fundamentales y las prioridades fiscales. *Tax Challenges in the Digital Economy, Directorate General for Internal Policies*, 2016, pp. 36, 72 y 76 (disponible en http://www.europarl.europa.eu/studies).

[9] Una vía importante, siguiendo el Informe provisional de la OCDE de 2018, sería intensificar la cooperación internacional entre administraciones tributarias, principalmente en lo concerniente a la información sobre los usuarios de plataformas en línea en su condición de parte integrante de iniciativas como la *economía colaborativa* (*sharing*

Ello ha llevado a algunos países a crear figuras que graven la renta derivada de negocios digitales que escapan a la tributación en la fuente conforme a los actuales criterios de los CDI, como el *Diverted Profit Tax* de Reino Unido y Australia, entre otros.

Paralelamente a los debates internacionales, el 21 de septiembre de 2017 la Comisión Europea presentó la Comunicación Un sistema impositivo justo y eficaz en la Unión Europea para el Mercado Único Digital[11]. También las conclusiones adoptadas el 19 de octubre de 2017 por el Consejo Europeo subrayaron «la necesidad de un sistema fiscal justo y eficaz adaptado a la era digital»[12]. Finalmente, el 21 de marzo de 2018, la Comisión presentó su paquete legislativo para reformar de forma armonizada las normas de la UE relativas al impuesto sobre sociedades para las actividades digitales. El paquete se compone de dos Directivas del Consejo (una estructural sobre la fiscalidad de las empresas con una presencia digital significativa, y otra provisional referente al sistema común del impuesto sobre los servicios digitales), acompañadas de una Comunicación y una Recomendación no vinculante relativas a la fiscalidad de las empresas con una presencia digital significativa.

Por su parte, la OCDE publicó el 16 de marzo de 2018 su Informe preliminar sobre «Desafíos tributarios derivados de la digitalización» (*Tax Challenges Arising from Digitalisation*[13]), tomando como base el Informe de 2015 sobre la Acción 1 de BEPS. En él se puso de manifiesto la falta de consenso suficiente entre los 113 países integrantes del marco inclusivo BEPS a la hora de alcanzar acuerdos básicos sobre el desarrollo coordinado a nivel internacional para adecuar la fiscalidad internacional a la nueva economía digitalizada. Tampoco hubo acuerdo sobre la adopción de eventuales «medidas provisionales», aunque sí se consensuaron ciertos aspectos de las mismas: carácter temporal y no discriminatorio, necesidad de que fueran compatibles con CDIs, y focalizadas en servicios de publicidad y de intermediación a través de plataformas digitales, minimizando el riesgo de

---

economy) y *economía por encargo* (*gig economy*), con el fin de garantizar el pago de los impuestos devengados por los ingresos percibidos.

[10] SOLER ROCH, M. T., «Los retos tributarios del siglo XXI», *REDF*, n. 183, 2019 (base datos Aranzadi).

[11] COM(2017) 547 final.

[12] Reunión del Consejo Europeo (19 de octubre de 2017) - Conclusiones (doc. EUCO 14/17).

[13] OECD (2018), Tax Challenges Arising from Digitalisation - Interim Report 2018: Inclusive Framework on BEPS, OECD/G20 Base Erosion and Profit Shifting Project, OECD Publishing, Paris. http://dx.doi.org/10.1787/9789264293083-en.

sobreimposición y limitando los costes de cumplimiento evitando obstaculizar la innovación. Del informe OCDE parece extraerse igualmente un consenso de mínimos en lo que se refiere al establecimiento de medidas estructurales que supongan una revisión de los estándares internacionales en materia de «nexo» (establecimiento permanente) y «asignación de beneficios» (*Transfer Pricing/Attribution of Profits to PEs*)[14]. Su objeto es asignar los derechos fiscales entre las distintas jurisdicciones y determinar la parte de los beneficios de las empresas multinacionales sujeta a imposición en cada jurisdicción, fijando el beneficio de acuerdo con las actividades económicas subyacentes y con la creación de valor.

El 23 de enero de 2019 el marco inclusivo BEPS publicó el documento «Abordando los desafíos fiscales de la digitalización de la economía» («*Addressing the Tax Challenges of the Digitalisation of the Economy - Policy Note*»), examinando las distintas propuestas agrupadas en dos pilares como base para llegar a un consenso: pilar uno, enfocado a revisar el nexo (jurisdicción competente para gravar una empresa no residente) y las reglas de atribución de beneficios (parte relevante de las ganancias sometidas a imposición); pilar dos, a resolver los problemas restantes de BEPS y desarrollar reglas para la devolución de impuestos allí donde otras jurisdicciones no ejercieron sus derechos fiscales o fijaron niveles muy bajos de tributación[15]. Así, de un lado, se protege la base de la jurisdicción de mercado reconociendo la potestad de gravar la actividad económica que se realiza y crea valor en su territorio; y de otro, se salvaguarda a la jurisdicción de la sociedad matriz recuperando los beneficios no gravados en el exterior. Los miembros del marco inclusivo también acordaron buscar un equilibrio entre precisión y simplicidad o practicabilidad administrativa, y que las nuevas reglas que se desarrollen no generen impuestos cuando no haya ganancias económicas, ni provoquen tampoco doble imposición.

El programa de trabajo adoptado por el Marco Inclusivo en su reunión del 28 y 29 de mayo de 2019, y aprobado por los Ministros de Economía y Finanzas y los Jefes de Estado y de Gobierno del G20 en sus respectivas reuniones celebradas en Japón en junio de 2019, prevé el desarrollo, con carácter no vinculante, del trabajo en torno a los dos pilares referidos con

---

[14]   CALDERÓN CARRERO, J. M., «Nota sobre el Paquete Europeo (2018) en materia de fiscalidad de la economía digital: *A Fair and Efficient Tax System in the European Union for the Sigle Market*», AEDAF, abril 2018, p. 1.

[15]   Puede verse en https://www.oecd.org/tax/beps/policy-note-beps-inclusive-framework-addressing-tax-challenges-digitalisation.pdf.

el fin de alcanzar una solución consensuada a finales del año 2020[16]. Con base en ello el Secretariado de la OCDE ha sometido a consulta pública su documento El Enfoque Unificado: La Propuesta del Secretariado relativa al Primer Pilar, del 9 de octubre de 2019[17]. Se prevé una solución coordinada multilateral en el año 2020 (Informe Final, *Digital Economy Taxation*).

2. EL IMPUESTO SOBRE LOS SERVICIOS DIGITALES EN LA UNIÓN EUROPEA Y EN ESPAÑA

Dada la dificultad de alcanzar un consenso, el 21 de marzo de 2018 la Comisión formuló una Propuesta de Directiva al Consejo relativa al sistema común del impuesto sobre los servicios digitales que grava los ingresos procedentes de la prestación de determinados servicios digitales, como medida provisional hasta que se acordase una solución global a nivel internacional[18].

La enmienda 32 del Parlamento Europeo a la Propuesta de Directiva señala como objetivo «proteger la integridad del mercado único, garantizar su *justo y* buen funcionamiento y evitar el falseamiento de la competencia»[19]. El principio de justicia es fundamental no solo en nuestra constitución sino en el ordenamiento comunitario como señalan las propuestas de la Unión Europea frente a la digitalización de la economía persiguiendo una contribución justa de las multinacionales (*fair share*)[20],

---

[16]   Se trata de un programa de trabajo para desarrollar una solución de consenso a los desafíos tributarios derivados de la digitalización de la economía. Véase OECD (2019), *Programme of Work to Develop a Consensus Solution to the Tax Challenges Arising from the Digitalisation of the Economy*, OECD/G20 Inclusive Framework on BEPS, OECD, Paris, www.oecd.org/tax/beps/programme-of-work-to-develop-aconsensus-solution-to-the-tax-challenges-arising-from-the-digitalisation-of-the-economy.htm. https://www.oecd.org/tax/beps/public-consultation-document-secretariat-proposal-unified-approach-pillar-one.pdf.

[17]   https://www.oecd.org/tax/beps/public-consultation-document-secretariat-proposal-unified-approach-pillar-one.pdf.

[18]   COM(2018) 148 final. Puede consultarse en https://eur-lex.europa.eu/legal-content/ES/TXT/PDF/?uri=CONSIL:ST_14886_2018_INIT&from=EN.

[19]   INFORME 5-12-2018 sobre la propuesta de Directiva del Consejo relativa al sistema común del impuesto sobre los servicios digitales que grava los ingresos procedentes de la prestación de determinados servicios digitales (COM(2018)0148).

[20]   Directorate-General for Taxation and Customs Union (European Commission), Taxation in the EU for the 21st century, 15-6-2018.

equivalente en palabras de Soler Roch a «tributar de acuerdo a la capacidad económica»[21].

Se configura como impuesto europeo indirecto sobre los servicios digitales por el procedimiento del art. 113 TFUE de armonización de impuestos indirectos, aunque realmente es un impuesto directo sobre los ingresos brutos o beneficios íntegros y lo que se pretende es evitar su configuración como impuesto sobre la renta para excluirlo del art. 2 MC OCDE[22]. Se aplica a la generación de ingresos a partir de la transmisión de los datos obtenidos a través de las actividades de los usuarios en interfaces digitales (considerando 17). Se propone gravar al 3% los ingresos derivados de ciertos servicios digitales: los generados por la venta de espacios publicitarios en línea (Google, Facebook); los generados a partir de las actividades de intermediarios digitales que permitan a los usuarios interactuar con otros usuarios (Facebook, Instagram) y que puedan facilitar la venta de bienes y servicios entre ellos (AirBnb, Uber…) y los generados a partir de la venta de datos obtenidos de información aportada por el usuario. Señala textualmente que «El ISD se aplica a la transmisión, a título oneroso, de los datos obtenidos de una actividad muy concreta (actividades de los usuarios en interfaces digitales)»[23]. Ello es contradictorio con su objetivo de monetizar la contribución del usuario pues los datos obtenidos por cualquier vía nunca son gratuitos en su empleo. Debería incluirse cualquier actividad económica

---

[21]   SOLER ROCH, M. T., «Los retos tributarios…», o.c. Como postula esta autora, el reto de BEPS es cómo cuadrar en el mismo círculo dos exigencias de justicia tributaria: la imposición proporcionada y efectiva de las empresas y el reparto adecuado de esa contribución entre los Estados.

[22]   En tal sentido se ha calificado como «falso híbrido» o «impuesto directo disfrazado de indirecto» evitando problemas de *Treaty override* y el obstáculo que implica el establecimiento permanente para gravar las rentas empresariales en la jurisdicción de mercado (Estado de la fuente). Cfr. SOLER ROCH, M. T., «Los retos tributarios…», o.c.
      Para evitarlo afirma esta autora que se podría ampliar el ámbito del art. 2 MC OCDE a «cualquier impuesto, ordinario o extraordinario, que, de forma directa, indirecta o estimativa, grave los ingresos generados en un Estado contratante por una persona residente en otro Estado contratante». Ver SOLER ROCH, M. T., «Principales retos de la fiscalidad ante la economía digital», en BILBAO ESTRADA (dir.) y ANTÓN ANTÓN (coord.), *Retos y oportunidades de la Administración tributaria en la era digital*, Aranzadi, 2019, p. 30. Tal vez se podría añadir una cláusula de cierre en el apartado cuatro relativa a tributos que graven índices directos de capacidad económica como los impuestos sobre el volumen de negocios o ingresos brutos.

[23]   Exposición de motivos, ap. 17.

con soporte digital que implique una creación de valor para una empresa por la participación de sus usuarios[24].

Se aplicaría a las empresas multinacionales con más de 750 millones de euros en ingresos globales anuales, de los que al menos 50 millones provengan de la UE. Los cálculos de la Comisión elevaban la recaudación prevista para los 28 Estados Miembros a 4.800 millones de euros. Su importe sería deducible del Impuesto sobre Sociedades. Los ingresos imponibles de una entidad (ingresos brutos totales, una vez deducido el impuesto sobre el valor añadido y otros gravámenes similares, art. 1.2) deben considerarse obtenidos en un Estado miembro durante un período impositivo si los usuarios de un servicio imponible prestado por dicha entidad están situados en ese Estado miembro. Procede considerar a un usuario situado en un Estado miembro durante un período impositivo sobre la base de ciertas normas específicas, determinadas para cada uno de los servicios imponibles y basadas en el lugar en el que se ha utilizado el dispositivo del usuario. Su objeto es compensar la tributación de los grandes operadores de Internet en la economía digital frente a los operadores locales, que sí están sometidos a tributación directa por la renta que obtienen en el mismo territorio quedando en desventaja competitiva. En promedio, las empresas digitales son gravadas con un tipo impositivo efectivo de solo el 9,5 %, en comparación con el 23,2 % de los modelos de negocio tradicionales[25].

Sin embargo, el nuevo impuesto también se aplicaría a estos si obtienen rentas objeto de gravamen por encima de los umbrales expuestos, sumándose a la imposición directa[26]. El Dictamen del Comité Económico y Social Europeo de 10-10-2018 sobre la propuesta de Directiva señaló que gravar el volumen de negocios en lugar de los beneficios y aplicar impuestos don-

---

[24]   ROSEMBUJ afirma que la mercancía informacional nunca es gratuita en su empleo. «El objeto del ISD es la acumulación sistemática y el monitoraje habitual de datos personales, derivados de la digitalización, si bien concentrada en la publicidad de precisión y en las empresas de elevado significado digital. Una versión más amplia debería tender a la inclusión de cualquier clase de actividad económica, con soporte digital, porque es lo mismo usar el dato para la compra de un vehículo, de una película o de un texto, ya que los procedimientos de vigilancia y control son exactamente los mismos. La clave es la captura, almacenamiento, *profiling* y elaboración de productos predictivos». ROSEMBUJ, T., «La fiscalidad digital. El pilar uno y pilar dos de la OCDE», *El Fisco*, 2019 (http://elfisco.com/articulos/la-fiscalidad-digital-el-pilar-uno-y-pilar-dos-de-la-ocde).

[25]   Cálculos a partir de la evaluación de impacto de la Comisión Europea, basados en el ZEW (2016, 2017) y ZEW et al. (2017)

[26]   En tal sentido GASTALVER, R., «El impuesto sobre los servicios digitales: una mayor distorsión en el mercado», Expansión, 22/1/2019 (https://www.expansion.com/juridico/opinion/2019/01/22/5c475733468aeb810c8b45fc.html).

de se realice la venta, en lugar de donde se crea valor, constituye un cambio fundamental respecto de los principios fiscales aplicados actualmente, y le preocupa que ese traslado de la imposición redunde en beneficio de las mayores economías que cuentan con muchos consumidores a costa de las economías exportadoras más pequeñas[27]. Aunque no sea lo habitual es cierto que se pueden producir estas circunstancias, provocando excesos de imposición. También es criticable la posible vulneración del principio de neutralidad[28].

Se presentó también una Propuesta de Directiva de la Comisión al Consejo, estableciendo las reglas relacionadas con la *imposición corporativa de una presencia digital significativa,* como medida estructural con un nuevo concepto de establecimiento permanente virtual[29].

Frente al imperativo de actuar con rapidez mediante medidas provisionales, algunos países se opusieron por el riesgo de doble imposición. En la reunión del ECOFIN del 6 de noviembre de 2018 no se llegó a un acuerdo y varios países mostraron su clara oposición a aprobar el impuesto sobre servicios digitales (Irlanda, Suecia, Dinamarca y Finlandia). Alemania, inicialmente en el grupo de países que solicitó su introducción, ha cambiado de posición por el rechazo en el sector del automóvil que se puede ver seriamente impactado por el gravamen relativo a la transmisión de datos, postulando su eliminación como supuesto gravado y la posposición de su

---

[27]   2018/C 367/14, ap. 3.15.

[28]   ÁLAMO CERRILLO, R., «Economía digital: una oportunidad para adaptar los sistemas tributarios y evitar pérdidas de recaudación», en BILBAO ESTRADA (dir.) y ANTÓN ANTÓN (coord.), *Retos y oportunidades de la Administración tributaria en la era digital*, Aranzadi, 2019, p. 49. Advierte que también es cuestionable la eficiencia, pues las bases imponibles seguirán siendo erosionadas por las entidades con recursos para localizarse en jurisdicciones con fiscalidad más ventajosa. Siendo ello cierto, al menos en los países de la UE y en las actividades gravadas la Directiva por no se produciría esa circunstancia si finalmente se aprobase.

[29]   COM(2018) 147 final. Esta medida definitiva se plantea a largo plazo pues requiere modificar los CDI para integrar ese supuesto adicional generador de establecimiento permanente. La propuesta fija el punto de conexión en la presencia digital significativa, cuando se dé alguno de estos factores: ingresos en un Estado miembro superiores a 7 millones de euros al año, el número de usuarios en línea superior a 100.000, o el número de contratos empresariales de servicios digitales superior a 3.000. El Dictamen del Comité Económico y Social Europeo sobre esta propuesta de Directiva, de 10-10-2018 (2018/C 367/14), considera que debería aumentarse el umbral de 7 millones EUR para crear un establecimiento permanente a partir del cual se aplicaría el nuevo régimen.

entrada en vigor, si finalmente se aprueba, hasta 2020, año en que la OCDE debería acordar una solución global[30].

Ello determinó su modificación limitando su ámbito de aplicación a los servicios de publicidad digital, tras la reunión de 12 de marzo de 2019 sobre la Propuesta de Directiva del Consejo relativa al sistema común del impuesto sobre la publicidad digital que grava los ingresos procedentes de la prestación de servicios de publicidad digital, de 8 de marzo de 2019[31]. Su aplicación se ciñe «a los ingresos procedentes de la prestación de servicios de publicidad digital puesto que estos servicios dependen en gran medida de la creación de valor por parte de los usuarios» (considerando 9), y el art. 3 circunscribe los ingresos imponibles a «la inclusión en una interfaz digital por una entidad de publicidad dirigida a los usuarios». Con ello se excluye la economía colaborativa que quedaba encuadrada en las actividades de intermediarios digitales que permitan a los usuarios interactuar con otros usuarios y que puedan facilitar la venta de bienes y servicios entre ellos. Se está a la espera de alcanzar un acuerdo político en el Consejo sobre este texto transaccional.

Debido al bloqueo de la Propuesta de Directiva, han aparecido iniciativas particulares en diferentes Estados. En Francia con el Impuesto sobre ciertos servicios suministrados por grandes empresas del sector digital (*Taxe sur certains services fournis par des grandes entreprises du secteur numérique*), que opera sobre los servicios de intermediación y de publicidad online[32]. En el Reino Unido con el Impuesto sobre los servicios digitales (*Digital Services Tax*) que grava a redes sociales, máquinas de búsqueda, plataformas de intermediación y proveedores de contenido online). En Italia el Impuesto sobre servicios digitales que previsto para 2021 por la Ley 145/2018 de Presupuestos 2019 (*Imposta sui servizi digitali*) por servicios

---

[30] El coche autónomo generará cantidades masivas de datos conforme se vaya introduciendo en nuestras carreteras. Ver BOX, J. I., «El impuesto sobre servicios digitales», *Actualidad Jurídica Aranzadi*, núm. 946 (https://www2.deloitte.com/es/es/pages/legal/articles/impuesto-servicios-digitales.html).

[31] Puede consultarse en https://data.consilium.europa.eu/doc/document/ST-6873-2019-INIT/es/pdf.

[32] Se llevó a cabo una investigación de la Oficina del Representante Comercial de EEUU sobre si el impuesto digital francés del 3% (Ley de 24/2019, con efecto retroactivo de 01/01/2019) restringe arbitrariamente el comercio de empresas de EEUU. Ante la amenaza de aranceles por parte de EEUU, en la Cumbre G7 Biarritz (24-26 agosto 2019) se llegó a al acuerdo EEUU-Francia sobre el ISD francés de devolver lo que exceda del mecanismo que se acuerde en OCDE para la tributación de las empresas digitales.

de intermediación digital, de publicidad online y por la transmisión de datos obtenidos por una interfaz digital.

En España el 25 de enero de 2019 se aprobó por el Consejo de Ministros el texto del Proyecto de Ley del Impuesto sobre Determinados Servicios Digitales («IDSD»), concebido como una medida de carácter transitorio hasta la entrada en vigor de la Directiva (UE) del Consejo por la que establezcan normas relativas a la fiscalidad de las empresas con presencial digital significativa.

El hecho imponible son las prestaciones de servicios digitales realizadas en el territorio efectuadas por los contribuyentes. Los tres supuestos de la normativa española eran esencialmente los mismos que se contemplaban en el borrador de Directiva presentada por la Comisión Europea el 21 de marzo de 2018: servicios de publicidad en línea, servicios de intermediación en línea y servicios de transmisión de datos generados digitalmente. El devengo del impuesto se produce cuando se presten, ejecuten o efectúen las operaciones gravadas. El elemento espacial del hecho imponible requiere que las prestaciones de servicios digitales se realicen a usuarios situados en España, para lo que se tiene en cuenta el lugar en que se han utilizado los dispositivos de esos usuarios con base, normalmente, de las direcciones de protocolo de Internet (IP) de los mismos salvo que se utilicen otros instrumentos de geolocalización.

Son contribuyentes las personas jurídicas y entidades que superen los dos umbrales el primer día del período de liquidación: importe neto de cifra de negocios en el año anterior superior a 750 millones de euros y que el importe de sus servicios digitales prestados sea superior a los 3 millones de euros. La Exposición de Motivos afirma que no es un impuesto sobre la renta o el patrimonio, porque se centra «en los servicios prestados, sin tener en cuenta las características del prestador de los mismos», configurándose como un impuesto indirecto no comprendido en los convenios de doble imposición, compatible con el IVA. Sin embargo, dicho aserto se ve desmentido por la existencia de umbrales de tributación, aunque se funden en los ingresos brutos del contribuyente.

La base imponible se determinará por el método de estimación directa, sin más excepciones que las establecidas en las normas reguladoras del método de estimación indirecta de las bases imponibles. El impuesto se exigirá al tipo del 3 por ciento.

El Proyecto introdujo una nueva obligación formal para los contribuyentes de establecer los sistemas, mecanismos o acuerdos que permitan determinar la localización de los dispositivos de los usuarios en el territorio de aplicación del impuesto (artículo 13.1.i)). El incumplimiento de esta obligación, de indudable complejidad técnica, se califica como infracción tributaria grave en el artículo 15 y conlleva elevadas sanciones[33].

El Proyecto de Ley decayó con el fin anticipado de la legislatura, y está por ver qué hará el nuevo Gobierno si se constituye.

3. REGÍMENES FISCALES BENEFICIOSOS EN LA ECONOMÍA COLABORATIVA Y AYUDAS DE ESTADO

Algunos países de la Unión han utilizado aspectos cuantitativos de los tributos para diferenciar el tratamiento fiscal de los servicios prestados a través de la economía colaborativa a modo de incentivos fiscales. En Bélgica se ha fijado un umbral de 5.100 euros por debajo del cual se aplica un tipo fijo del 10 por ciento en el IRPF, exento de IVA y sin contribuciones a la Seguridad Social, cuando el servicio se preste a través de una plataforma entre personas físicas que actúen como particulares. Además, se requiere que se pague a través de la plataforma y que esta practique una retención por dicho importe ingresándola a las autoridades fiscales. Si excede de esa cifra tributará como renta empresarial. En Finlandia el transporte de pasajeros y de mercancías está exento de los requisitos de licencia por debajo de 10.000 euros de facturación anual. En Italia hay un Proyecto de Ley que establece una exención del IVA para actividades de economía colaborativa en plataformas digitales[34].

Otros países han establecido umbrales de tributación en el sector del alquiler colaborativo En Francia se ha cifrado en 23.000 euros para el alquiler de viviendas en plataformas P2P en el Impuesto sobre la Renta. En Dinamarca hay una exención por alquiler de 24.000 coronas danesas. En el Reino Unido se exonera de tributación hasta 1.000 libras en el alojamiento colaborativo y venta de bienes de segunda mano entre particulares. Ade-

---

[33]   Multa pecuniaria del 0,5 por ciento del importe neto de la cifra de negocios del año natural anterior, tal y como se establece en el artículo 8 de la presente Ley, con un mínimo de 15.000 euros y un máximo de 400.000 euros. Sobre ello puede verse Deloitte, «Proyecto de Ley del Impuesto sobre Determinados Servicios Digitales», Tax Alert (https://www2.deloitte.com/es/es/pages/legal/articles/proyecto-de-ley-determinados-servicios-digitales.html).

[34]   Véase EPRS, *The collaborative economy and taxation (Taxing the value created in the collaborative economy)*, European Parliamentary Research Service, 2018 (PE 614.718), pp. 19 y 20.

más, se fija una exención de 7.500 libras para los arrendamientos de una parte de la vivienda habitual con el llamado *Rent a Room relief*[35].

El establecimiento y la aplicación de incentivos fiscales a este sector de la economía plantea su compatibilidad con el régimen de ayudas de Estado de la Unión Europea contemplado en los arts. 107 a 109 del Tratado de Funcionamiento de la Unión Europea (TFUE). Con la finalidad de salvaguardar la libre competencia y el correcto funcionamiento del mercado interior, el art. 107 TFUE dispone la incompatibilidad con el mismo de «las ayudas otorgadas por los Estados o mediante fondos estatales, bajo cualquier forma, que falseen o amenacen falsear la competencia, favoreciendo a determinadas empresas o producciones», salvo que los Tratados dispongan otra cosa. Cabe plantear si los tipos reducidos o los beneficios fiscales a la economía colaborativa podrían suponer una ayuda de Estado prohibida por constituir una excepción al régimen general de imposición directa que afecta al comercio entre Estados miembros, distorsionando la competencia.

Dado que el TFUE no da un concepto de ayuda, sino que tan solo establece los requisitos que determinan su incompatibilidad con el mercado interior, habrá que comprobar caso a caso si se cumplen estos y si son aplicables las excepciones legales o las reconocidas por la jurisprudencia[36].

Para ello resulta de utilidad la Comunicación de la Comisión relativa al concepto de ayuda estatal de 2016[37]. La Comunicación aclara los distintos elementos constitutivos del concepto de ayuda estatal: la existencia de una empresa, la imputabilidad de la medida al Estado, su financiación mediante fondos estatales, la concesión de una ventaja, la selectividad de la medida y su efecto sobre la competencia y los intercambios comerciales entre Estados miembros.

En la economía colaborativa las plataformas realizan una actividad empresarial, bien de intermediación, bien de prestación del servicio subyacente. Sin embargo, en principio no cabe calificar como tal la de los usuarios

---

[35]   *Commission Staff Working Document*, SWD(2016) 184 final, 02/06/2016.

[36]   La dificultad de definir un concepto dinámico que variaría por las continuas medidas de fomento en el seno de la UE parece justificar su ausencia, provocando un aumento de la litigiosidad. Cfr. PÉREZ BERNABEU, B., *Ayudas de Estado en la jurisprudencia comunitaria. Concepto y tratamiento*, Tirant lo Blanch, Valencia, 2008, p. 36. Ver también MANZANO SILVA, E., *Ayudas de Estado de carácter fiscal: régimen jurídico*, Aranzadi, 2009, p. 17.

[37]   Comunicación de la Comisión relativa al concepto de ayuda estatal conforme a lo dispuesto en el artículo 107, apartado 1, del Tratado de Funcionamiento de la Unión Europea (2016/C 262/01).

cuando actúen como particulares sin ánimo de lucro. No obstante, en tal caso puede existir una ventaja económica indirecta para las plataformas que serían beneficiarias últimas de las desgravaciones que afectan a los usuarios de las mismas. Según la Comunicación de la Comisión relativa al concepto de ayuda estatal ello se produce si la medida está diseñada de forma tal que canaliza sus efectos secundarios hacia empresas o grupos de empresas identificables, siendo beneficiario directo una empresa o una entidad (persona física o jurídica) que no realiza ninguna actividad económica. Por ejemplo, si la ayuda directa, de hecho o de Derecho, se condiciona a la adquisición de bienes o servicios producidos únicamente por determinadas empresas[38]. Fundadamente MORENO FERNÁNDEZ advierte que se puede llegar a considerar que, pese a beneficiar a personas físicas que no ejercen una actividad económica, realmente conceden una ventaja selectiva indirecta a favor de las plataformas digitales frente a sus competidoras (sectores tradicionales que prestan los mismos servicios subyacentes), siendo más evidente cuando los beneficios fiscales se condicionen a que las plataformas hayan alcanzado acuerdos de colaboración con la Administración tributaria nacional, como es el caso de Bélgica[39]. En tal caso, la aplicación del beneficio a los usuarios de las plataformas debería requerir que éstas faciliten la oportuna información a la Administración.

En el término procedencia estatal, se incluyen las otras Administraciones territoriales e institucionales en los países descentralizados, como el nuestro. La concesión de una ventaja económica se produce, con carácter general, en

---

[38] La ventaja puede conferirse a empresas distintas de aquellas a las que se transfieren directamente los fondos estatales (ventaja indirecta). Ap. 115 y 116. En tal orientación STJUE de 19 de septiembre de 2000, Alemania/Comisión, C-156/98, paras. 26-27; STJUE de 13 de junio de 2002, Países Bajos/Comisión, C-382/99; STJUE de 28 de julio de 2011, Mediaset SpA/Comisión, C-403/10 P, para. 81.

[39] MORENO FERNÁNDEZ, S., «El tratamiento tributario de la economía colaborativa y las normas sobre ayudas de estado», en BILBAO ESTRADA (dir.) y ANTÓN ANTÓN (coord.), *Retos y oportunidades de la Administración tributaria en la era digital*, Aranzadi, 2019, p. 416. Podría, no obstante, buscarse una justificación en la prevención y lucha contra el fraude fiscal.
La STJUE de 25 de julio de 2018 sobre el denominado «sistema español de arrendamiento fiscal» (asunto C 128/16 P) recalca que la calificación de una medida como ayuda de Estado no puede depender del estatuto jurídico de las empresas afectadas ni de las técnicas utilizadas. El Tribunal General —cuya resolución anuló— había concluido que las agrupaciones de interés económico no podían ser las beneficiarias de una ayuda de Estado por el único motivo de que, debido su transparencia fiscal, eran los inversores, y no las AIE, quienes se habían beneficiado de las ventajas fiscales y económicas derivadas de las medidas fiscales en cuestión.

el caso de beneficios e incentivos fiscales (exenciones, reducciones, deducciones, aplazamientos, créditos fiscales, etc.). La selectividad de la medida puede apreciarse en dos situaciones: si se dirige a favorecer a determinadas empresas o producciones (selectividad material), o a entidades concretas situadas en un lugar determinado (selectividad regional o territorial, salvo que tengan autonomía institucional, procedimental y económica). Por último, para que se falsee la competencia e incida en el comercio a nivel comunitario, basta una posibilidad concreta y probable sobre potenciales competidores o que permita una posición más favorable, aunque no haya un efecto directo e inmediato.

El Tribunal de Luxemburgo ha hecho una interpretación muy amplia del falseamiento de la competencia y la afectación del comercio comunitario. Partiendo de esta jurisprudencia, la Comunicación de la Comisión relativa al concepto de ayuda estatal, incluye también las ventajas indirectas, conferidas a empresas distintas de aquellas a las que se transfieren directamente los fondos estatales, pudiendo ser beneficiario directo una empresa o una persona física o jurídica que no realice ninguna actividad económica, como se ha dicho. En suma, no es descabellado pensar que una exención aplicable a los usuarios que presten servicios a través de las plataformas colaborativas podría constituir una ventaja económica estatal, favoreciendo a determinadas empresas y provocando un falseamiento mediato de la competencia. Dicho sea con toda cautela, pues la abundancia de conceptos jurídicos indeterminados en materia de ayudas de Estado y el amplio margen de discrecionalidad de la Comisión Europa en la apreciación de las circunstancias generan una gran inseguridad jurídica[40].

En caso de cumplirse los requisitos, habría que analizar si estos incentivos pueden incardinarse en el art. 107.3.c TFUE, que permite considerar «compatibles con el mercado interior… las ayudas destinadas a facilitar el desarrollo de determinadas actividades (…), siempre que no alteren las condiciones de los intercambios en forma contraria al interés común». La Comunicación de La Comisión que recoge las Directrices sobre ayudas estatales en materia de protección del medio ambiente y energía 2014-2020 (2014/C 200/01), recoge en el apartado 1.2.a) como medidas en materia de protección del medio ambiente y energía para las cuales las ayudas estatales podrán, en determinadas condiciones, ser compatibles con el artículo 107,

---

[40]   En tal sentido ver VILLAR EZCURRA, M., «Avances en la relación de Tributos ambientales y ayudas de estado al hilo de la sentencia del Tribunal General de la Unión Europea, de 11 de diciembre de 2014», *Quincena Fiscal*, núm. 14, 2015 (base de datos Aranzadi digital).

apartado 3, letra c), del Tratado, las «ayudas que vayan más allá de las normas de la Unión o que incrementen el nivel de protección medioambiental a falta de normas de la Unión (incluida la ayuda para la adquisición de nuevos vehículos de transporte)». Y el Reglamento de exención por categorías (Reglamento (UE) 651/2014) dispone en su art. 36 que quedarán exentas de la obligación de notificación del art. 108.3 TFUE las ayudas a la inversión que permitan a las empresas ir más allá de las normas de la Unión en materia de protección medioambiental, cumpliéndose las condiciones de dicho precepto[41].

En todo caso serían compatibles con este régimen —no aplicándose el art. 107.1 TFUE— las ayudas *de minimis* contenidas en el Reglamento (UE) 1407/2013. El apartado segundo del art. 3 de dicho Reglamento dispone que el importe total de las ayudas *de minimis* concedidas por un Estado miembro a una única empresa no deberá exceder de 200.000 euros durante cualquier período de tres ejercicios fiscales o de 100.000 euros tratándose de una empresa que realice por cuenta ajena operaciones de transporte de mercancías por carretera. Ello sería aplicable a las empresas de economía colaborativa *stricto sensu* que por el carácter no lucrativo de las operaciones queden por debajo de esa cifra.

4. EL IMPUESTO SOBRE DETERMINADOS SERVICIOS DIGITALES EN LA ECONOMÍA COLABORATIVA A LA LUZ DEL RÉGIMEN DE AYUDAS DE ESTADO

El malogrado Proyecto de Ley del Impuesto sobre Determinados Servicios Digitales incluía como servicios digitales objeto de gravamen los de intermediación en línea: «los de puesta a disposición de los usuarios de una interfaz digital multifacética (que permita interactuar con distintos usuarios de forma concurrente) que facilite la realización de entregas de bienes o prestaciones de servicios subyacentes directamente entre los usuarios, o que les permita localizar a otros usuarios e interactuar con ellos» (art. 4.7).

---

[41] Deberán permitir al beneficiario incrementar el nivel de protección medioambiental derivado de sus actividades superando las normas de la Unión aplicables o bien aumentar el nivel de protección medioambiental derivado de sus actividades en ausencia de normas de la Unión.

Ello afecta de lleno a la economía colaborativa, incluyéndose plataformas de intercambio de bienes y servicios (Uber, Cabify, Airbnb) como redes sociales (Facebook, Twitter).

De otro lado, establece diversos supuestos de no sujeción (art. 6): ventas en línea de bienes y servicios, ventas o servicios subyacentes, servicios de comunicación o de pago, servicios financieros regulados y de transmisión de datos por entidades financieras reguladas y servicios intra-grupo con una participación del 100 por 100.

Y el art. 8 califica como contribuyentes a las personas jurídicas y entidades del artículo 35.4 de la Ley General Tributaria, que el primer día del periodo de liquidación superasen los dos umbrales siguientes referidos al año natural anterior: 750 millones de euros como importe neto de su cifra de negocios; y 3 millones de euros como ingresos derivados de prestaciones de servicios digitales sujetas al impuesto.

La existencia de estos límites y supuestos de no sujeción plantea su posible configuración como ayudas de estado prohibidas. Estas circunstancias también se contienen en la propuesta de Directiva de la Comisión tomada como base por el Gobierno español para configurar el impuesto, siendo cuestionable si la aplicación del impuesto a nivel de la UE se podría calificar como ayuda de Estado. Partiendo de la base de que las ayudas deben otorgarse «por los Estados o con fondos estatales» conforme al art. 107.1 TFUE y que ello ha sido interpretado por la jurisprudencia comunitaria en el sentido, no solo de que se otorguen directa o indirectamente mediante fondos estatales, sino de que sean imputables al Estado, no existiría una ayuda prohibida si dicha ventaja selectiva se da en el marco de una directiva europea[42]. No obstante, ello no obsta que se pueda falsear la competencia incumpliendo el propósito de las normas sobre ayudas de Estado en el seno de la Unión Europea[43].

---

[42]   STGUE 10-5-2016 (ap. 36): según la jurisprudencia, se trata de requisitos distintos y acumulativos. Véanse las sentencias de 15 de julio de 2004, Pearle y otros, C-345/02, apartado 35, y de 5 de abril de 2006, Deutsche Bahn/Comisión, T-351/02, apartado 103 y jurisprudencia citada en ambos casos.

[43]   En tal sentido BÁEZ MORENO, A., «El requisito de la imputabilidad de las ayudas de Estado y su aplicación a los impuestos armonizados: a propósito de la exención del combustible utilizado como carburante en la navegación aérea recogido en la Directiva de la Energía», *Noticias de la Unión Europea*, n. 324, 2012, pp. 99-107. En el mismo sentido PARADA, L., «Impuestos digitales en Europa: discriminación indirecta y ayudas de estado a la luz del derecho comunitario», en BILBAO ESTRADA (dir.) y ANTÓN ANTÓN (coord.), *Retos y oportunidades* ..., o.c., p. 106.

Por el contrario, en los impuestos adoptados unilateralmente por los Estados miembros sí concurren, en principio, los requisitos para calificar los supuestos de no sujeción o los umbrales de tributación como ayuda ilegal.

En primer término, la no sujeción de servicios similares podría constituir una ayuda estatal salvo que se acredite que es coherente con el objeto del impuesto —gravar la prestación de servicios digitales en los que la participación de los usuarios constituye una contribución esencial al proceso de creación de valor de la empresa— o que no hay una relación de competencia entre los operadores sujetos y los no sujetos, como destaca Moreno Fernández[44]. Partiendo de esta base y conforme a la propuesta diseñada por el Consejo, cabe postular que también supone una contribución esencial a la creación de valor la utilización de plataformas que conectan a usuarios mediante redes sociales o para la venta de bienes o prestación de servicios, por lo que su desaparición como objeto de gravamen podría constituir una ayuda de Estado prohibida.

En segundo lugar, la fijación de un umbral podría constituir una ayuda prohibida como en su momento dictaminó la Comisión en otros impuestos sobre volumen de negocios en diversos países de la UE.

Así, Polonia aprobó en 2016 un Impuesto en el sector del comercio minorista de carácter progresivo, cuyo objetivo era establecer un impuesto sectorial respetando el principio de redistribución fiscal. La base imponible estaba constituida por el volumen de negocios mensual con un primer tramo exento hasta 4 millones de euros, y otros dos al 0,8% y al 1,4%.

La Comisión inició el procedimiento del art. 108 TFUE mediante una Decisión de incoación y dictaminó en su Decisión final que era una ayuda de Estado incompatible con el mercado interior y que había sido ejecutada ilegalmente. El razonamiento fue: implica una transferencia de fondos estatales a las empresas con bajo volumen de negocios, al renunciar el Estado a aplicar el mismo tipo efectivo medio a todas; constituye una ventaja el establecer un tipo impositivo medio nulo o inferior a esas empresas; supone una excepción al sistema de referencia que es un impuesto sobre el volumen de negocios con un tipo impositivo único, por tener una estructura progresiva de tributación que implica tipos marginales y medios diferentes entre empresas (criterio de selectividad); dicha excepción no se justifica por el objetivo de redistribución dado que se trata de un impuesto sobre el volumen de negocios que solo tiene en cuenta el volumen de actividad pero

---

[44]   MORENO FERNÁNDEZ, S., *ob. cit.*, p. 439.

no los costes (su rentabilidad, su capacidad contributiva)[45]; las empresas beneficiarias de tipos más bajos disfrutan de una ayuda de funcionamiento que falsea o amenaza con falsear la competencia (apartados 10 a 16). Añade que las empresas de comercio minorista de capital polaco forman parte, en general, de los beneficiarios del sistema, mientras que, por el contrario, las de capital extranjero quedan gravadas con un tipo medio más elevado. Además, según la Comisión, una cadena de distribución organizada mediante franquicias estaba poco o nada gravada, mientras que una cadena de distribución integrada con el mismo volumen de negocios estaba mucho más gravada (ap. 47).

La Sentencia del Tribunal General de la Unión Europea de 16 de mayo de 2019[46] anuló ambas decisiones, dictaminando los errores de la Comisión sobre tres aspectos: la determinación del régimen fiscal «normal», el objetivo de este y la existencia de ventajas selectivas en el contexto de una estructura de tributación progresiva sobre el volumen de negocios.

En cuanto al régimen fiscal «normal» o sistema de referencia, advierte que el nivel de gravamen, ya sea a tipo único o progresivo, forma parte, como la base imponible, el hecho imponible y la definición de los sujetos pasivos, de las características fundamentales del régimen jurídico de un gravamen fiscal. La propia Comisión indica, en el punto 134 de la Comunicación relativa al concepto de ayuda estatal, que, «en el caso de los impuestos, el sistema de referencia se basa en elementos como la base imponible, el sujeto pasivo, el hecho imponible y los tipos impositivos». La escala progresiva de tipos impositivos forma parte *de facto* de la estructura de tributación y la actividad correspondiente, incluido el tramo exento, está comprendida en su ámbito de aplicación sectorial (ap. 68).

La estructura de imposición progresiva del impuesto es coherente con su objetivo de redistribución fiscal, pues es razonable presumir que la empresa que realiza un volumen de negocios elevado puede, gracias a distintas economías de escala, tener costes proporcionalmente inferiores a los de aquella con un volumen de negocios más reducido, disfrutando de una renta disponible proporcionalmente más importante que la hace apta para pagar proporcionalmente más por un impuesto sobre el volumen de negocios (ap. 75). El propio objetivo de un impuesto puede incluir una modulación con el fin de repartir el esfuerzo fiscal o de limitar su impacto (83).

---

[45]   Tampoco hay objetivos de política regional, medioambiental o industrial, ni externalidades negativas que aumenten con el volumen de negocios.

[46]   Asuntos acumulados T-836/16 y T-624/17.

Respecto del carácter selectivo, no existirá si las diferencias de tributación y las ventajas que puedan derivarse proceden de la aplicación, sin excepciones, del régimen «normal», si las situaciones comparables son tratadas de manera comparable y si tales dispositivos de modulación no menoscaban el objetivo del impuesto en cuestión (ap. 89)[47]. Advierte el posible carácter progresivo de impuestos que gravan la actividad de las empresas, y no sus ingresos netos o sus beneficios, pues la Comunicación de la Comisión relativa al concepto de ayuda estatal, indica en el punto 139 que el carácter progresivo de un impuesto sobre la renta puede estar justificado por la lógica redistributiva que va aparejada a dicho impuesto, sin limitarla a los impuestos sobre la renta. Y añade que, para evitar la calificación como ventaja selectiva de una medida de modulación de un tributo, basta con que la modulación deseada no sea arbitraria, que se aplique de forma no discriminatoria y que sea conforme con el objetivo del impuesto (ap. 91). Por ello, al tratarse de un impuesto sobre el volumen de negocios, un criterio de modulación que adopte la forma de una tributación progresiva a partir de un determinado umbral, incluso elevado, que puede corresponder al deseo de gravar la actividad de una empresa únicamente cuando tal actividad alcance cierta importancia, no implica, por sí mismo, la existencia de una ventaja selectiva (ap. 92).

En cuanto al mayor gravamen de las empresas de origen extranjero frente a las empresas de origen polaco y de las redes de distribución organizadas de forma integrada frente a las franquiciadas, afirma el Tribunal que de ser ciertas no serían más que la consecuencia de la aplicación de una estructura de tributación progresiva que corresponde al objetivo y a la estructura del impuesto en cuestión, siendo las empresas libres de adoptar su modo de organización (ap. 101).

---

[47] En la sentencia de 26 de abril de 2018, ANGED (C-233/16, EU:C:2018:280), citada en el apartado 82 anterior, el Tribunal de Justicia declaró que, en el contexto de un impuesto sobre los establecimientos comerciales, cuya base imponible estaba constituida esencialmente por la superficie de venta y que pretendía corregir y compensar externalidades negativas en materia de medio ambiente y de ordenación del territorio, la reducción del 60 % o la exención total de la que disfrutaban los establecimientos que ejercían determinadas actividades así como aquellos cuya superficie de venta era inferior a un determinado umbral no constituían ayudas de Estado si se comprobaba que estos diversos establecimientos se encontraban efectivamente en una situación diferente a la de los demás establecimientos sujetos, habida cuenta de los impactos que el impuesto en cuestión tenía por objeto corregir y compensar, es decir, a la luz de los objetivos de ese impuesto.

En junio de 2014 Hungría estableció un impuesto especial sobre los ingresos derivados de la difusión de publicidad fijando una escala de dos tipos: un tipo del 0 % para el tramo de base imponible inferior a 100 millones de HUF (aproximadamente 312.000 euros) y otro del 5,3 % para el tramo superior a esta cantidad. Mediante Decisión de 4 de noviembre de 2016, la Comisión consideró que los tipos impositivos progresivos establecían una diferencia entre las empresas con elevados ingresos por publicidad (es decir, las empresas más grandes) y las empresas con bajos ingresos publicitarios (es decir, las empresas de menor tamaño), y que, de ese modo, se concedía una ventaja selectiva a estas últimas en razón de su tamaño, constituyendo una ayuda de Estado incompatible con el mercado interior. Según la Sentencia del Tribunal General de la Unión Europea de 27 de junio de 2019[48], como señaló en relación al impuesto polaco, la Comisión no pudo deducir fundadamente la existencia de ventajas selectivas constitutivas de ayudas de Estado únicamente del hecho de que el impuesto sobre la publicidad tuviera una estructura progresiva, anulando la Decisión en su totalidad.

El caducado impuesto español sobre determinados servicios digitales tenía unas características similares. De un lado, configura la base imponible sobre el importe de los ingresos obtenidos por el contribuyente, excluidos, en su caso, el Impuesto sobre el Valor Añadido u otros impuestos equivalentes. De otro, pese a fijar un tipo proporcional del 3 por 100, tiene una cierta progresividad al establecer umbrales de tributación para la calificación del contribuyente con objeto de gravar a las grandes multinacionales (más de 750 millones de euros de importe neto de cifra de negocios) con huella digital significativa en España (más de 3 millones de ingresos por prestaciones de servicios sujetas en España). Podría apreciarse una contradicción en que la propia propuesta de Directiva establece umbrales de tributación, pero como se dijo no es lo mismo aprobarlo a nivel de toda la UE que hacerlo individualmente, aunque este podría ser también un argumento a favor de su legalidad.

En mi opinión el volumen de negocios sí constituye un índice adecuado para medir la capacidad económica y no solo por las economías de escala, que suponen unos gastos fijos y una mayor rentabilidad neta, sino porque tratándose del mismo tipo de actividad normalmente un elevando volumen de ingresos supondrá una mayor capacidad contributiva[49]. También porque

---

[48]   Asunto T-20/17, Hungría/Comisión.

[49]   La Comunicación de la Comisión de 1998 sobre ayudas de Estado decía que la progresividad de un baremo sobre los ingresos o los beneficios se justificaba por la lógica

la Comunicación de la Comisión sobre ayudas estatales de 2016 no lo limita. Y el principio de redistribución de la renta mediante exenciones o una progresividad moderada puede constituir el objetivo de este tipo de impuestos dentro del contexto de la justicia tributaria. Podría entenderse discriminatorio si se establecen tipos de gravamen o umbrales desproporcionados, pero el mero hecho de fijar una tarifa progresiva o un umbral de tributación exento no debe implicar la selectividad de la medida, pues no son situaciones comparables las de las empresas con distinto volumen de negocio.

Abundando en la coherencia del sistema, la relación entre el objetivo perseguido y la estructura impositiva, son de interés las conclusiones de la Abogado General Kokott presentadas el 4 de julio de 2019 en el caso *Tesco-Global Áruházak Zrt. contra Nemzeti Adó- és Vámhivatal Fellebbviteli Igazgatósága* (asunto C-323/18), en torno a un Impuesto sobre los servicios de telecomunicaciones[50]. Sostiene que es coherente en un impuesto específico sobre la renta para las empresas de comercio al por menor, de carácter progresivo y basado en el volumen de negocios, recaudar más impuestos (tanto en términos absolutos como relativos) de una empresa de comercio al por menor con un elevado volumen de negocios que de una con bajo volumen de negocios. Concluye que una tarifa que se aplica a todos los operadores económicos es la definición de una medida general y, por tanto, «el menor gravamen medio (en este caso, de las empresas con un menor volumen de negocios) que necesariamente implica una tarifa impositiva progresiva no constituye una ventaja selectiva para estas empresas» (ap. 173).

Compartimos por ello la formulación de las sentencias del TGUE que sería aplicable a un hipotético impuesto sobre los servicios digitales en España.

5. CONCLUSIONES

La crisis económica y la innovación tecnológica están en la base del crecimiento de la economía colaborativa y de la aparición de los nuevos impuestos sobre los servicios digitales.

---

redistributiva de los impuestos, mientras que la Comunicación de 2016 que la sustituye solo se refiere a la progresividad en el impuesto sobre la renta.

[50] Sobre la relevancia de estas conclusiones se pronunció SANZ GÓMEZ en el encuentro organizado por la Asociación Española de Derecho Financiero «Los recientes pronunciamientos y decisiones en materia de ayudas de Estado», el 27 de junio de 2019.

La inervación de la digitalización en la economía colaborativa tiene consecuencias a nivel fiscal por la falta de adaptación de los mecanismos tradicionales a esas nuevas formas de negocio generando una suerte de «inmunidad fiscal». Ello plantea problemas en cuanto a la jurisdicción competente y la determinación de las ganancias sometidas a gravamen, al no coincidir el lugar de tributación de los beneficios con el de generación de valor.

Ante el desafío de la economía digitalizada y el actual desfase en el criterio de reparto de las soberanías fiscales debe mantenerse la tributación de las empresas con arreglo a su capacidad económica fijando un reparto adecuado de esa contribución entre los Estados.

Puesto que la economía es cada vez más digital, la solución que se encuentre debe ser consensuada a nivel internacional y no afectar solamente a empresas digitales sino a toda la nueva economía digitalizada. El texto transaccional de la Propuesta de Directiva del Consejo relativa al sistema común del impuesto sobre la publicidad digital va en sentido inverso al excluir, entre otros, determinados ingresos de la economía colaborativa, como los generados a partir de las actividades de intermediarios digitales que permitan a los usuarios interactuar con otros usuarios (Facebook, Instagram) y que puedan facilitar la venta de bienes y servicios entre ellos (Uber, AirBnb, Ebay, Wallapop), frente a la Propuesta inicial de la Comisión.

A nivel internacional, tras el fracaso de la Acción 1 se han agrupado las distintas propuestas en dos pilares como base para llegar a un consenso en el marco inclusivo BEPS con una doble finalidad: proteger la base de la jurisdicción de mercado reconociendo la potestad de gravar la actividad económica que se realiza y crea valor en su territorio, y salvaguardar la jurisdicción de la sociedad matriz recuperando los beneficios no gravados en el exterior. Se busca también el equilibrio entre precisión y practicabilidad administrativa, evitando la doble imposición y el gravamen cuando no haya ganancias económicas.

La propuesta de Directiva puede plantear problemas de calificación como impuesto indirecto, excesos de imposición y falta de neutralidad. Debería incluirse, además, cualquier actividad económica con soporte digital que implique una creación de valor para una empresa por la participación de sus usuarios.

Lo mismo sucede con los que se han aprobado por algunos Estados miembros o con el proyectado Impuesto español sobre determinados servicios digitales, pero tales casos podrían contravenir, también, la prohibición de ayudas de Estado por la exclusión de determinados supuestos y el establecimiento de umbrales de tributación. Para evitarlo habrá que acreditar la coherencia de los supuestos de no sujeción con el objeto del impuesto —gravar la prestación de servicios digitales en los que la participación de los usuarios constituye una contribución esencial al proceso de creación de valor de la empresa—, y la coherencia de un impuesto basado en el volumen de negocios que pretende recaudar más impuestos de las empresas con un elevado volumen de negocios, pues ello no es sino la manifestación del principio de capacidad económica.

Por último, al analizar el establecimiento de regímenes fiscales beneficiosos en la economía colaborativa debe diferenciarse el consumo colaborativo *stricto sensu,* entre particulares y sin ánimo de lucro. En este supuesto no debería haber tributación de acuerdo con el principio de capacidad económica o, en todo caso, tendría una clara justificación establecer un incentivo fiscal, al tiempo que al no constituir una actividad económica propiamente dicha no sería aplicable la prohibición de ayudas de Estado, salvo que el Tribunal de Luxemburgo lo calificase como ventaja indirecta conferida a la persona física con efecto secundario en la plataforma digital.

En todos los supuestos de ayudas de Estado, habrá que verificar si pueden excluirse por destinarse a facilitar el desarrollo de las actividades comprendidas en el art. 107.3.c TFUE, o se incardinan en las ayudas *de minimis* contenidas en el Reglamento (UE) 1407/2013.

Bibliografía

ALFONSO SÁNCHEZ, R., y VALERO TORRIJOS, J. (Dir.), *Retos jurídicos de la economía colaborativa en el contexto digital*, Aranzadi, 2017.

ANTÓN ANTÓN, A., y BILBAO ESTRADA, I., «El consumo colaborativo en la era digital: un nuevo reto para la fiscalidad», Documento nº 26, IEF, 2016.

BÁEZ MORENO, A., «El requisito de la imputabilidad de las ayudas de Estado y su aplicación a los impuestos armonizados: a propósito de la exención del combustible utilizado como carburante en la navegación aérea recogido en la Directiva de la Energía», *Noticias de la Unión Europea*, n. 324, 2012.

BILBAO ESTRADA (dir.) y ANTÓN ANTÓN (coord.), *Retos y oportunidades de la Administración tributaria en la era digital*, Aranzadi, 2019.

CALDERÓN CARRERO, J. M., «Nota sobre el Paquete Europeo (2018) en materia de fiscalidad de la economía digital: *A Fair and Efficient Tax System in the European Union for the Sigle Market*», AEDAF, abril 2018.

CAÑIGUERAL BAGÓ, A, *Vivir mejor con menos: Descubre las ventajas de la nueva economía colaborativa*, Conecta, 2014.

HERNÁNDEZ GONZÁLEZ-BARREDA, P. A., «El alcance material y formal del Plan BEPS: viejos conocidos, nuevos amigos y la necesidad de un nuevo enfoque», en ALMUDÍ CID et. al., *El Plan de Acción sobre Erosión de Bases Imponibles y Traslado de Beneficios (BEPS): G-20, OCDE y Unión Europea*, Aranzadi, 2017.

LI, J., «Protecting the Tax Base in the Digital Economy», *United Nations Department of Economic and Social Affairs*, June 2014, paper n. 9.

MANZANO SILVA, E., *Ayudas de Estado de carácter fiscal: régimen jurídico*, Aranzadi, 2009.

PÉREZ BERNABEU, B., *Ayudas de Estado en la jurisprudencia comunitaria. Concepto y tratamiento*, Tirant lo Blanch, Valencia, 2008.

ROSEMBUJ, T., «La fiscalidad digital. El pilar uno y pilar dos de la OCDE», *El Fisco*, 2019.

SOLER ROCH, M., «Los desafíos tributarios del siglo XXI», *REDF*, n. 183, 2019.

VILLAR EZCURRA, M., «Avances en la relación de Tributos ambientales y ayudas de estado al hilo de la sentencia del Tribunal General de la Unión Europea, de 11 de diciembre de 2014», *Quincena Fiscal*, núm. 14, 2015.

Capítulo 5

La introducción en España del Impuesto sobre determinados Servicios Digitales

ESTEBAN QUINTANA FERRER
Profesor Titular de Derecho Financiero y Tributario
Universidad de Girona

SUMARIO: 1. INTRODUCCIÓN. 2. EL IMPUESTO SOBRE DETERMINADOS SERVICIOS DIGITALES EN ESPAÑA. 3. CRISIS DEL SISTEMA TRIBUTARIO.

1. INTRODUCCIÓN

Las consecuencias del actual marco de distribución internacional de la potestad tributaria entre los Estados de residencia y fuente en el ámbito de la economía digital son bien conocidas: la ausencia de tributación en el territorio donde se genera la riqueza gravable, que en el caso de los servicios digitales, en especial de aquellos prestados a través de interfaces que permiten la intermediación entre los usuarios y la generación de distintos modelos de explotación comercial de los datos aportados por estos sujetos (publicidad personalizada, transmisión onerosa de los datos a otras empresas), se identifica con el Estado fuente donde se genera el valor; la ruptura del principio del beneficio, de acuerdo con el cual los sujetos que obtienen rentas deben contribuir al sostenimiento de los gastos públicos en aquellos Estados en los que se benefician de dicho gasto público e infraestructuras; y la aparición de estrategias por parte de las empresas tecnológicas y digitales para esquivar incluso el gravamen de sus rentas en el Estado de residencia, a quien los CDI atribuyen la potestad tributaria en exclusividad, mediante el desvío de los beneficios a territorios de baja o nula tributación.

La relación entre fiscalidad y digitalización de la economía origina una situación injusta e ineficiente, si tenemos en cuenta las consecuencias que se derivan de las anteriores realidades: la inmunidad fiscal de las empresas digitales, a las que no se somete a ninguna norma de tributación efectiva mínima en ningún territorio, y la ausencia de equidad interestatal en el reparto entre las jurisdicciones fiscales implicadas (residencia y fuente), con el fin de determinar la parte que les corresponde a cada una de las rentas o beneficios generados[1]; y el incremento de la carga tributaria a los ciudadanos del Estado de la fuente y también del propio Estado de residencia de la empresa, que se hallan constreñidos a incrementar el gravamen de rentas más rígidas o estáticas, como las derivadas del trabajo, para poder seguir ofreciendo la misma cantidad y calidad de bienes y servicios públicos[2].

La fiscalidad de la economía digital viene constituyendo, por los motivos señalados, un asunto prioritario en la agenda de la fiscalidad internacional en los últimos años, especialmente en el ámbito de la OCDE, que ha centrado sus esfuerzos en alcanzar acuerdos multilaterales en este sector, sobre la base de las conclusiones alcanzadas en tres informes publicados entre 2015 y 2019. Este proceso debe culminar, en principio, con un informe final sobre la Acción 1 del Plan BEPS, que en principio debe ver la luz en 2020. Siguiendo la estela marcada por la OCDE, la UE ha prestado también atención a esta problemática, y sus logros hasta el momento han culminado con la formulación de dos propuestas de Directivas fechadas el 21 de marzo de 2018, carentes de aprobación por falta de unanimidad, pero que constituyen un primer intento de regulación completa del denominado Establecimiento Permanente virtual y del Impuesto sobre Determinados Servicios Digitales (ISD).

2. EL IMPUESTO SOBRE DETERMINADOS SERVICIOS DIGITALES EN ESPAÑA

La ausencia de acuerdos en el seno de la OCDE y la UE ha propiciado la aparición de propuestas de ISD unilaterales destinados a gravar en el Estado de la fuente la prestación de algunos servicios digitales, siguiendo las indicaciones de ambas organizaciones, y a la espera de llegar a acuerdos generales en el año 2020[3]. En el caso de España, el Boletín Oficial de las

---

[1]   SOLER ROCH, M. T. (2018), «La imposición sobre sociedades en la encrucijada: ¿hacia un escenario de inmunidad fiscal?», en García-Herrera Blanco, C. (dir.), *IV Encuentro de Derecho Financiero y Tributario «Tendencias y retos del Derecho Financiero y Tributario» (1ª parte)*, Documentos de Trabajo 10/2018, Madrid, Instituto de Estudios Fiscales, pp. 13 y 14.

[2]   ÁLAMO CERRILLO, R. (2018), «Economía digital, responsabilidad social tributaria y erosión de las bases imponibles», *Quincena Fiscal, nº 13, Aranzadi Westlaw*.

[3]   Sobre este tema, vid. LASARTE LÓPEZ, R. (2018), «Los desafíos fiscales de la economía digital: el impuesto provisional de la UE. ¿Nuevas medidas para que todas las empresas tributen de forma equitativa?», *Estudios Financieros, Revista de Contabilidad y Tributación, nº 428*, pp. 87 a 114; MENÉNDEZ MORENO, A. (2019), «El nue-

Cortes Generales de 25 de enero de 2019 publicó un proyecto de ley sobre el ISD, cuya tramitación parlamentaria se halla interrumpida en el momento de escribir estas líneas. Teniendo en cuenta que la propuesta de Directiva de la UE constituye hoy en día el modelo más desarrollado en la regulación del ISD, en las líneas que siguen se analizan críticamente los elementos tributarios dispuestos en las propuestas contenidas en la directiva europea pendiente de aprobación y en el proyecto de ley español[4].

---

vo Impuesto sobre determinados servicios digitales», *Quincena Fiscal*, nº 6, Aranzadi Westlaw; GARCÍA-HERRERA BLANCO, C. (2019), «El impuesto sobre determinados servicios digitales como adopción para gravar la nueva economía digitalizada», en García Novoa, C. (dir.), *4ª revolución industrial: la fiscalidad de la sociedad digital y tecnológica en España y Latinoamérica*, Cizur Menor (Navarra), Thomson Reuters Aranzadi, pp. 107 a 130; RODRÍGUEZ LOSADA, S. (2019), «Soluciones unilaterales para la fiscalidad de la economía digital: especial referencia al "equalization tax"», en García Novoa, C. (dir.), *4ª revolución industrial: la fiscalidad de la sociedad digital y tecnológica en España y Latinoamérica*, Cizur Menor (Navarra), Thomson Reuters Aranzadi, pp. 131 a 154; SÁNCHEZ-ARCHIDONA HIDALGO, G. (2019), «El impuesto sobre los servicios digitales en la Unión Europea: un nuevo (y fallido) intento frente a la planificación fiscal agresiva», en Cruz Padial, I., Hinojosa Torralvo, J. J. (dirs.), *Cuestiones actuales de planificación fiscal internacional*, Barcelona, Atelier, pp. 191 a 208; HERRERO DE LA ESCOSURA, P. (2019), «¿El nuevo impuesto sobre determinados servicios digitales? (Análisis del Proyecto de Ley de 22 de enero de 2019)», en Álvarez García, S., García Sánchez, J., Herrero de la Escosura, P. (coords.), *Amici, amico: estudios en homenaje al profesor Antonio Aparicio Pérez*, Oviedo, Ediciones de la Universidad de Oviedo, pp. 157 a 177; GARCÍA DE PABLOS, J. F. (2019), «El impuesto sobre determinados servicios digitales: la "Tasa Google"», *Quincena Fiscal*, nº 11, *Aranzadi Westlaw*.

4   Otros Estados europeos están siguiendo caminos paralelos, con la intención de empezar a aplicar el ISD a corto plazo. Francia es el primero que ha aprobado, en julio de 2019, la ley de la denominada *taxe GAFA* (abreviatura que alude a las iniciales de las empresas Google, Apple, Facebook y Amazon), con una vigencia temporal prevista entre 2019 y 2021, ambos incluidos. Con el fin de acallar las numerosas críticas que ha generado la adopción unilateral del ISD francés, especialmente por parte del gobierno de los Estados Unidos, en cuyo territorio se ubican la mayoría de empresas digitales afectadas por la medida, y de evitar en lo posible la más que previsible repercusión de las cuotas a los consumidores franceses por parte de dichas empresas, prohibida expresamente en la ley a efectos fiscales pero implementable fácilmente mediante un incremento en el precio de los servicios prestados, en la normativa del ISD francés se dispone que, una vez implantado a partir de 2020 el nuevo ISD nacido del acuerdo en la OCDE, se procederá a devolver a los sujetos pasivos la diferencia positiva que se produzca, en su caso, entre las cuotas efectivamente pagadas por el actual impuesto y las cuotas que correspondería haber liquidado en aplicación del nuevo impuesto armonizado internacionalmente. El ISD francés actua entonces, *de facto*, como un pago a cuenta y un cobro anticipado del futuro ISD que Francia, al igual que el resto de los Estados miembros, podrá aplicar siguiendo las disposiciones de la OCDE.

La determinación del hecho imponible y los supuestos de no sujeción es el primer elemento cualitativo del ISD que es preciso examinar. En los proyectos normativos europeo y español, son únicamente tres los servicios digitales sometidos a gravamen: la inclusión en una interfaz digital de publicidad dirigida a los usuarios de la misma y que se nutre de los datos obtenidos de estos sujetos (Facebook, Google Adwords, Twitter, Instagram, Spotify gratuito y, en general, toda publicidad individualizada por usuario); la puesta a disposición de interfaces digitales multifacéticas que permita a los usuarios localizar a otros usuarios e interactuar con ellos, facilitando la venta de bienes y o la prestación de servicios subyacentes entre estos sujetos (Airbnb, Uber, Wallapop, E-Bay, Amazon...); y la transmisión de datos sobre los usuarios obtenidos a partir de la información aportada por la participación de estos sujetos en interfaces digitales (por ejemplo, Google o Facebook).

Las críticas que generan los ISD europeo y español surgen ya en relación con la propia definición de su hecho imponible, y ello es así no solo porque este se limita únicamente a incluir tres servicios digitales (uno solo, incluso, la publicidad en línea, en la propuesta reducida presentada en la reunión del ECOFIN de 4 de diciembre de 2018, aun así insuficiente para asegurar la aprobación por unanimidad de los Estados miembros), dejando sin gravamen al resto de servicios de esta naturaleza[5], sino porque ni siquiera está claro el fundamento que legitima esta elección. La memoria justificativa de la propuesta de Directiva de la UE sostiene que los modelos de negocio contemplados por el ISD europeo en su redacción original (publicidad en línea, interfaces multifacéticas de intermediación digital y transmisión de datos aportados por los usuarios) son aquellos que no podrían existir en su forma actual sin la implicación de los usuarios y que pueden prestarse a distancia, sin necesidad de que su proveedor esté establecido físicamente en la jurisdicción donde se encuentran los usuarios y se crea el valor, siendo responsables del mayor desajuste entre el lugar donde se gravan los beneficios y el lugar en que se crea valor. Pero nada se dice sobre la posibilidad de que puedan existir otros servicios digitales con las mismas características. Bajo el amparo del principio de proporcionalidad, la exposición de motivos del

---

[5]   La acotación de lo gravado plantea, según MENÉNDEZ MORENO, A. (2019), «El nuevo Impuesto sobre determinados servicios digitales», *op. cit.*, Aranzadi Westlaw, la necesidad de contrastar esa acotación con el principio de generalidad, porque no es «todo lo digital» lo que se grava, sino *determinados servicios digitales*, sin que la selección de los servicios gravados esté suficientemente fundamentada como para salvaguardar las dudas respecto de la vulneración del citado principio.

proyecto de ley del ISD español parece ser consciente de esta circunstancia, cuando reconoce que ha considerado como hechos imponibles aquellos que están previstos como tales en la propuesta de Directiva de la UE, que son los relativos a aquellos modelos de negocio en los cuales se entiende que los problemas detectados se presentan de forma más exacerbada, sin que se hayan incluido en esa relación de hechos imponibles los relativos a otros supuestos también potencialmente perjudiciales.

La especificación, en segundo lugar, de los supuestos de no sujeción, también suscita debate, en especial por las dificultades en la delimitación de algunos servicios excluidos del hecho imponible de los ISD. Es en la segunda modalidad de hecho imponible, los servicios prestados mediante interfaces multifacéticas de intermediación, donde aparecen las mayores dificultades, desde el momento en que el ISD pretende excluir de su ámbito de aplicación las actividades en las que la participación de los usuarios no desempeña un papel principal en la creación de valor para la empresa. Siendo esta última una expresión muy genérica, que la propia normativa intenta precisar, para evitar problemas de interpretación, se considera que la participación de los usuarios no es relevante en la creación de valor cuando la entidad que pone a disposición una interfaz digital tiene como principal finalidad suministrar contenidos digitales directamente o prestar servicios de comunicación o de pago, sin actuar como intermediario. Entrarían en este ámbito la provisión de bienes y servicios suministrados electrónicamente (libros, software, películas, música), así como otros servicios telemáticos, como juegos en línea, computación en la nube, mensajería instantánea, financiación participativa o pago digital. Tampoco intervienen los usuarios en la creación de valor de las empresas proveedoras de las interfaces digitales, según se desprende de la normativa analizada, y no se sujetan por tanto al impuesto, las entregas de bienes tangibles o prestaciones materiales de servicios entre los usuarios de estas plataformas, que tiene lugar de forma subyacente a los servicios de intermediación gravados (comercio electrónico *offline*), ni cuando se trata de prestaciones de servicios financieros regulados (créditos en línea, por ejemplo).

Las dificultades para determinar si en los servicios prestados por las plataformas de intermediación existe o no aportación relevante o simplemente accesoria o nula del usuario en la creación de valor no son pocas, tal como se desprende de las propias palabras de la memoria justificativa de la propuesta de Directiva de la UE, cuando afirma que a fin de determinar si un proveedor vende bienes o servicios en línea por cuenta propia o presta servicios de intermediación, será preciso tener en cuenta la sustancia jurídica y económica de la operación, tal como se haya plasmado en los acuerdos entre las partes en cuestión. Adoptando esta perspectiva, la propia memoria concluye que podría considerarse que un proveedor de una interfaz digital en la que se ponen a disposición bienes de terceros presta un servicio de intermediación, es decir, pone a disposición una interfaz digital multifacética sujeta al ISD, cuando no asume riesgos de inventario, o cuando es un tercero quien fija de forma efectiva el precio de dichos bienes.

Los problemas se presentan cuando en muchos de estos casos la participación del usuario no es irrelevante, pero no resulta fácil concluir tampoco que tenga un carácter principal. Así ocurre, por ejemplo, en la prestación de servicios de juegos en línea, en aquellos supuestos en lo que los juegos mejoran sus especificaciones gracias a las aportaciones de los jugadores, atrayendo con ello a más usuarios. Este caso en concreto se incluye expresamente en la enumeración de los supuestos no sujetos al ISD, al considerarse, sin mayor especificación, que la participación del usuario no es esencial para la creación de valor, pero otros similares no incluidos en la lista habrán de ser interpretados de forma restrictiva, si tenemos en cuenta la forma en que se ha regulado esta cuestión, de manera parece que habrá que demostrarse en esos casos la esencialidad de la aportación del usuario en la creación de valor para declarar sujeta la prestación.

Los ejemplos dudosos se multiplican, y de ello es consciente el propio legislador comunitario, cuando se siente compelido a tener que razonar en la memoria justificativa de la propuesta de Directiva la sujeción al ISD de los servicios prestados por plataformas de financiación participativa distintos de la inversión y el crédito y la no sujeción al mismo de los servicios electrónicos de mensajería, pago o comunicaciones y de los servicios financieros regulados. El elemento clave para determinar la sujeción o no al ISD consiste en graduar la importancia de la participación del usuario para considerar que los servicios prestados por la plataforma constituyen o no una intermediación. Pero la aplicación de esta regla no es sencilla y puede crear inseguridad jurídica, tal como se demuestra con los tres supuestos que se citan, respecto de los cuales el legislador comunitario toma una posición explícita, con escasa o nula argumentación, para evitar una disparidad en la interpretación: así, en los servicios prestados por plataformas de financiación participativa distintos de la inversión y el crédito y que actúan con el modelo de donación y de recompensa, se considera que se produce intermediación, reputándose esencial en ellos la participación del usuario, mientras que, en cambio, en los servicios electrónicos de mensajería, pago o comunicaciones en general, a pesar de que algunos de ellos pueden también facilitar la interacción entre usuarios, se prioriza la circunstancia de que en estos servicios los sujetos no pueden entrar en contacto entre ellos a menos que ya hayan establecido tal contacto previamente por otros medios, para concluir que no se produce una intermediación sujeta. Del mismo modo, se considera que el usuario de los servicios financieros regulados no desempeña un papel central en la creación de valor para la entidad que pone a disposición la interfaz digital, siendo lo relevante en este caso para el legislador comunitario la capacidad de esta entidad para reunir a compradores y vendedores de productos financieros bajo unas condiciones específicas y distintivas que de otro modo no se producirían, en comparación, por ejemplo, con las operaciones concluidas directamente entre las contrapartes al margen de dichas interfaces, condiciones que se limitan a proporcionar un entorno seguro para las operaciones financieras con el fin de garantizar elementos esenciales como la calidad de ejecución de las operaciones, el nivel de transparencia en el mercado y un trato equitativo de los inversiones.

Por último, y en referencia a los tres servicios digitales que conforman el hecho imponible, se incluyen normas para no sujetar a las operaciones en el seno de los grupos de empresas. En la propuesta de Directiva de la UE se declaran no sujetos los ingresos procedentes de la prestación de un servicio por una entidad perteneciente a un grupo consolidado a efectos de contabilidad financiera a otra entidad de ese mismo grupo. Esta norma se endurece, sin razón aparente, en el caso del impuesto español, que solo reconoce la no sujeción de las prestaciones de servicios digitales cuando sean realizadas entre entidades que formen parte de un grupo con una participación, directa o indirecta, del cien por cien.

La aplicación correcta de los ISD exige no solo la configuración rigurosa del hecho imponible y los supuestos de no sujeción, sino también la fijación de normas claras de localización territorial de las operaciones gravadas.

En la propuesta de la UE se contienen distintos parámetros para determinar en qué supuestos los servicios gravados se entienden realizados en cada Estado miembro, partiendo de la ubicación del usuario, reglas que reproduce también España en su proyecto de ley: para los servicios de publicidad en línea, cuando, en el momento en que la publicidad aparezca en el dispositivo utilizado por el usuario, este dispositivo se encuentre en el territorio del Estado impositor; en el caso de los servicios de intermediación en línea que facilite las entregas de bienes o las prestaciones de servicios subyacentes directamente entre los usuarios, cuando la conclusión de la operación subyacente por un usuario se lleve a cabo a través de la interfaz digital de un dispositivo que en el momento de la conclusión se encuentre en el territorio del Estado impositor; en los demás servicios de intermediación en línea, cuando la cuenta que permita al usuario acceder a la interfaz digital se haya abierto utilizando un dispositivo que en el momento de la apertura se encuentre en el Estado impositor; y para el caso de los servicios de transmisión de datos, cuando los datos transmitidos hayan sido generados por un usuario a través de una interfaz digital a la que se haya accedido mediante un dispositivo que en el momento de la generación de los datos se encuentre en el Estado impositor.

El gravamen de los servicios de publicidad en línea, el primero de los hechos imponible de la propuesta de Directiva de la UE y del proyecto de ley español, es el previsto también en la *Equalization Levy* de India, vigente desde 2016 y articulado en forma de retención o *witholding*, aunque la sujeción al impuesto indio se ciñe exclusivamente, tal como hemos señalado más arriba, a las transacciones B2B, esto es, entre empresas, para aprovechar la logística de la empresa usuaria con residencia o EP en India que contrata el servicio y que está por ello obligada a practicar la retención sobre la cantidad que paga a la empresa proveedora no residente. El ISD europeo y español, en cambio, sujetan a gravamen servicios de publicidad en línea mucho más numerosos, en los que las empresas contratantes que pagan la prestación del servicio pueden ser o no residentes o pueden tener o no EP en territorio de la UE o España, exigiendo, como hemos visto, únicamente que los aparatos de los usuarios de las interfaces donde aparece la publicidad, y a los que va dirigida la misma, estén localizados en territorio comunitario o español. Ello explica también, ya no solo en relación con la publicidad en línea, sino también a los servicios de interfaces multifacéticas de intermediación y de transmisión de datos de los usuarios, que a los efectos de localizar las operaciones del ISD europeo y español sea indiferente que el usuario sea o no el pagador del servicio digital gravado y no tenga ninguna relevancia el lugar desde el que se realiza el pago de dicho servicio.

Se añade también en la propuesta de Directiva de la UE y el proyecto de ley español, por último, que el tratamiento de datos personales por las empresas contribuyentes debe respetar la normativa de protección de datos y que la ubicación de los usuarios se determina preferencialmente por el Protocolo Internet (IP) del dispositivo. No se especifica en relación con esta medida quien va a proporcionar la información del protocolo IP, ni se señalan mecanismos para disipar las dudas sobre la certeza de la misma, que intentan resolverse añadiendo el inciso «o a cualquier otro método de geolocalización, en caso de que sea más exacto». Esta última precisión, incluida en la redacción original de la propuesta de Directiva de la UE, fue eliminada en el documento presentado en la reunión de ECOFIN de 4 de noviembre de 2018, eludiendo de este modo los problemas de control que pudiera suscitar la aplicación discrecional por parte de las empresas de una medida expresada en términos tan ambiguos como la indicada, pero se mantiene aún en el proyecto de ley español.

No habiéndose previsto supuestos exentos en ninguna de las propuestas analizadas, el tercer elemento tributario del ISD a tener en cuenta es ya la determinación del sujeto pasivo. La propuesta de Directiva de la UE fija la posición subjetiva del impuesto haciendo sujetar al mismo a las empresas y grupos de empresas considerados como unidad que cumplan dos requisitos cuantitativos acumulativos: ingresos anuales globales a nivel mundial por cualquier actividad, no solo por la prestación de servicios digitales gravados en el ISD, superiores a 750 millones de euros, e ingresos anuales derivados exclusivamente de la prestación de servicios digitales gravados por el impuesto y localizados dentro de la UE superiores a 50 millones de euros. Con la confluencia de estas dos magnitudes se quiere evitar el gravamen a pequeñas y medianas empresas, *start-ups* y entidades que inician su actividad, con el fin de no obstaculizar la innovación y la creación de empresas en el sector digital. Es importante señalar que en la regulación del sujeto pasivo del ISD se elimina cualquier referencia a la residencia y que resultan por ello afectadas por el impuesto todas las empresas y grupos de empresas a nivel mundial que realicen operaciones gravadas y cumplan con los requisitos cuantitativos señalados.

Los umbrales de ingresos exigidos para la fijación del sujeto pasivo decrecen, obviamente, en el régimen de los impuestos unilaterales de los Estados que imitan la regulación comunitaria. La cifra discordante que tiene mayor relevancia es la que afecta a los ingresos derivados de prestaciones digitales sujetas al impuesto en el Estado impositor, que en el caso español e italiano es reducido, 3 y 5,5 millones de euros, respectivamente, y muy superior al modelo francés ya en vigor, 25 millones de euros. Los resultados en términos de número y magnitud de empresas gravadas pueden ser, en consecuencia, muy diversos.

En el caso español, además, la referencia a la cifra de 750 millones de euros en concepto de ingresos anuales globales a nivel mundial por cualquier actividad no es bruta, como sucede en la propuesta europea, que utiliza la expresión «importe total de los ingresos mundiales». El proyecto de ley español hace referencia, en cambio, al «importe neto de su cifra de negocios en el año natural anterior», y esta circunstancia va a provocar que la cantidad exigible para la aplicación del impuesto español pueda sea mayor, compensando de esta manera la exigua cifra de ingresos exigidos por servicios digitales gravados prestados en España (3 millones de euros). Además, en el ISD europeo los dos requisitos acumulativos de ingresos se computan en relación con el año natural anterior, mientras que el impuesto español lo hace vinculando las cifras exigibles al ejercicio financiero cubierto por los últimos estados financieros disponibles publicados por la entidad antes de que finalice el período impositivo en cuestión, pudiendo no coincidir, por tanto, el lapso temporal a tener en cuenta para el cómputo de las cifras y, por tanto, para la aplicación del impuesto.

Finalmente, también difieren las propuestas europea y española en dos cuestiones relevantes: en ambos casos se acoge el principio de devengo o exigibilidad para el cómputo de los ingresos a considerar a los efectos de los dos requisitos de ingresos exigidos, que se efectuará en el momento de realización de las operaciones con independencia de los pagos, aunque únicamente en el ISD español se contempla el devengo por pagos anticipados anteriores a la realización del hecho imponible, que se sitúa en el momento del cobro total o parcial del precio por los importes efectivamente percibidos; y por lo que respecta al régimen que afecta a los grupos de empresas, el impuesto europeo incluye una medida antifraude, que consiste en imputar la condición de sujeto pasivo del impuesto a la entidad del grupo que presta un servicio en el supuesto de que los ingresos derivados de la operación se consideren obtenidos por otra entidad del grupo, mientras que el ISD español no incluye esta medida y sí en cambio una distinta, según la cual el umbral de 3 millones de euros por ingresos en España derivados de operaciones gravadas por el impuesto se determina sin eliminar las prestaciones de los servicios digitales sujetas a este impuesto realizadas entre las entidades de un grupo y asignando la condición de contribuyente, en caso de superar el grupo dicho umbral, a todas y cada una de las entidades que formen parte del mismo, en la medida en que realicen el hecho imponible, con independencia del importe de los ingresos que les correspondan. Todas estas divergencias, en fin, provocan graves distorsiones del principio de proporcionalidad y no discriminación, y dificultan la correcta aplicación de los ISD.

Entrando ya en el estudio de los elementos de cuantificación de los ISD, la base imponible del impuesto en la propuesta de Directiva de la UE se calcula a partir de los ingresos brutos agregados anuales por facturación de los servicios digitales prestados y localizados en la UE, sin deducción de costes y sin incluir el IVA e impuestos similares, y a los cuales debe aplicarse un criterio proporcional para fijar la base imponible correspondiente a cada Estado miembro, en función de los puntos de conexión indicados más arriba. En el caso de los servicios de publicidad en línea, se atiende al número de veces que un anuncio aparece durante el período impositivo anual en un aparato utilizado por un usuario localizado en cada Estado miembro; para las interfaces digitales de intermediación con formato «*marketplaces*», que facilitan las entregas de bienes o las prestaciones de servicios subyacentes directamente entre los usuarios, se utiliza el número de transacciones de este tipo realizadas por usuarios localizados en cada Estado miembro, y ello con independencia de que estos usuarios sean vendedores o compradores y de cual sea el lugar donde se lleve a cabo la transmisión; para la interfaces digitales de intermediación con formato de red social, sin transacciones subyacentes, computa el número de usuarios en cada Estado miembro que sean titulares de una cuenta en la misma, con independencia de los ingresos asociados y del ejercicio fiscal en que haya tenido lugar la apertura de la cuenta; y, finalmente, para las actividades consistentes en la monetización de datos de usuarios, se atiende al criterio del número de usuarios en cada Estado miembro cuyos datos hayan sido monetizados como consecuencia de que tales usuarios hayan usado un aparato para acceder al interfaz digital de la empresa contribuyente. A un nivel estrictamente formal, de la regulación de la base imponible del ISD europeo se pueden adivinar graves problemas de aplicación práctica, en el sentido de que la distribución de bases entre los Estados miembros como resultado de la aplicación de los puntos de conexión señalados en la propia propuesta de Directiva va a depender en gran parte de la voluntad de las empresas gravadas, la mayoría extracomunitarias, no existiendo al respecto mecanismos explícitos que aseguren el registro por separado de los ingresos procedentes de las actividades y la facturación en cada Estado miembro, ni siquiera la entrega de esta información a los Estados impositores[6].

Esta misma técnica para el cálculo de la base imponible es la utilizada también por el ISD español, aunque, a diferencia del impuesto europeo, aquí la proporción se realiza en relación con los ingresos brutos agregados anuales por facturación de los servicios digitales prestados y localizados en todo el mundo. La base imponible en el proyecto de ley español se define como el importe de los ingresos, excluidos el IVA u otros impuestos, obtenidos por el contribuyente por cada una de las prestaciones de servicios digitales realizadas en España, aplicando para ello un porcentaje a los in-

---

[6]   El ISD europeo plantea, en palabras de LASARTE LÓPEZ, R. (2018), «Los desafíos fiscales de la economía digital: el impuesto provisional de la UE. ¿Nuevas medidas para que todas las empresas tributen de forma equitativa?», *op. cit.*, p. 101, problemas técnicos para el cálculo de su base imponible, no solo porque se tienen en cuenta nuevas fórmulas para crear valor que entran dentro del concepto de intangibles no siempre fáciles de valorar, sino porque hay también dificultades para definir la facturación en cada país de los gigantes digitales, que podrían no registrar por separado los ingresos procedentes de las actividades incluidas en el ámbito de aplicación del impuesto, separación que además debe ser por producto, no por intangible.

gresos brutos agregados mundiales, que resulta de dividir los usuarios o los dispositivos situados en España entre el total de los usuarios o dispositivos registrados en todo el mundo, multiplicado por cien. Si cabe aún más que en el caso europeo, las dificultades de control para la aplicación correcta de estas reglas de atribución proporcional de ingresos se agravan en el ISD español, porque ello exige conocer los ingresos mundiales de las empresas que se quiere gravar y el número total de usuarios mundiales y españoles a los que prestan los servicios digitales gravados. Como aspectos adicionales no previstos en la propuesta europea, por último, en el ISD español se dispone una norma de fijación provisional de la base imponible cuando su importe no resulte conocido en el período de liquidación, sin perjuicio de su regularización cuando dicho importe fuera conocido en el plazo de los 4 años siguientes, e incluye una disposición antifraude destacable, que consiste en fijar la base imponible en el valor normal de mercado para las prestaciones de servicios digitales entre entidades de un mismo grupo.

La base imponible de los impuestos europeo y español se grava a un tipo de gravamen del 3%, que en el primero de los supuestos no puede ser alterado por los Estados miembros, y la cuota resultante se concibe como gasto deducible en la base imponible del IS del Estado de residencia de la empresa suministradora de los servicios. Esta última medida, sin embargo, solo resulta aplicable a las empresas residentes en UE, dado el carácter limitado de las competencias territoriales de la UE, y ello va a provocar un problema de doble imposición para el resto de empresas no residentes en UE, cuyos Estados de residencia no están obligados a reconocer la deducibilidad del impuesto europeo para el cálculo de la base imponible de sus respectivos IS. Lo relevante, además, para el caso en que sí sea aplicable la deducibilidad señalada, por ser la empresa residente en la UE, es que la misma no se articula ni siquiera mediante una deducción en la cuota del IS, dada la naturaleza indirecta del ISD, de modo que la simple deducibilidad en la base imponible como gasto deducible no va a ser suficiente para eliminar totalmente la doble imposición.

El último de los elementos tributarios del ISD al que debemos prestar atención es el referente a las normas de gestión, una cuestión que, dadas las características de este impuesto, adquiere una relevancia especial. La propuesta de Directiva de la UE opta por introducir un modelo de autoliquidación anual que tendrían que presentar los sujetos pasivos en cada uno de los Estados miembros y que resulta exigible el día laborable siguiente al del final de ese período impositivo. A esta obligación principal se acompaña una serie de obligaciones que deben cumplir los sujetos pasivos obligados al pago del ISD, entre las que destaca la obligación de declarar los ingresos imponibles en cada Estado miembro, así como el ISD total adeudado en todos los Estados miembros.

Con el fin de evitar costes excesivos de cumplimiento del impuesto para las empresas gravadas, en la redacción original de la propuesta de Directiva de marzo de 2018 se introdujo un sistema en línea de ventanilla única similar al previsto en el IVA para los servicios prestados por vía electrónica, previa identificación del sujeto pasivo en uno solo de los Estados miembros, que sería el Estado de residencia, en caso de tratarse de una empresa ubicada en la UE, o cualquier Estado miembro, a elección de la empresa extracomunitaria, para permitir así que todas las cuotas por operaciones localizadas en los diferentes Estados miembros se pudieran ingresar mediante una sola declaración-liquidación en el Estado de identificación. En la redacción posterior presentada en la reunión del ECOFIN de noviembre 2018, sin embargo, se sustituyó este sistema de ventanilla única por un modelo de gestión sustentado en la obligación de identificación y de presentación de autoliquidaciones en cada Estado miembro donde el sujeto pasivo esté obligado al pago, asegurando así el control del impuesto por parte de las administraciones tributarias de cada Estado, y multiplicando también, debido a esta fragmentación en el pago del impuesto, los costes para el cumplimiento de las obligaciones tributarias por parte de las empresas sujetas y los problemas para determinar de forma coordinada donde se generan los ingresos y cómo distribuir las cuotas entre los Estados miembros, y más teniendo en cuenta que este tipo de impuestos dependen esencialmente de la información aportada por los propios contribuyentes, la mayoría de ellos no residentes en la UE[7]. Resulta evidente que los mayores peligros que presenta la aplicación efectiva del impuesto proceden de la inexistencia de instrumentos para asegurar la cooperación precisamente de las empresas no residentes en la UE obligadas al pago del tributo y, especialmente, de los Estados extracomunitarios donde residen estas entidades, ya sea porque lleguen a considerar el ISD europeo un impuesto directo sometido a los CDI, y por tanto prohibido por estos, al vulnerar la regla de tributación exclusiva en el Estado de residencia, o ya sea porque al constituir un impuesto

---

[7]   MENÉNDEZ MORENO, A. (2019), «El nuevo Impuesto sobre determinados servicios digitales», *op. cit.*, Aranzadi Westlaw, expresa sus dudas sobre las posibilidades de localización y exigencia del ISD a las empresas contribuyentes por la Hacienda española, dado que no tendrán otra vinculación con el territorio español que la de prestar unos servicios a quienes sí están situados en dicho territorio, pero a los que ni siquiera tienen el deber de repercutir (ni, por lo tanto, de facturar) el impuesto.

indirecto no todos los países proporcionan asistencia en la recaudación en los CDI[8].

Por su parte, el ISD español se configura como un impuesto con un período impositivo trimestral y se sustenta en la obligación de identificación e inscripción fiscal de los sujetos pasivos y en el nombramiento de un representante en España por las entidades sujetas no residentes. Consciente de las dificultades de control del impuesto, especialmente en el caso de contribuyentes no residentes en la UE, el proyecto de ley impone la obligación a los sujetos pasivos de establecer los sistemas, mecanismos o acuerdos que permitan determinar la localización de los dispositivos de los usuarios en el territorio de aplicación del impuesto, y sanciona el incumplimiento de esta obligación con una sanción por infracción tributaria grave, consistente en una multa pecuniaria del 0,5 por ciento del importe neto de la cifra de negocios del año natural anterior, con un mínimo de 15.000 euros y un máximo de 400.000 euros, por cada año natural en el que se haya producido el incumplimiento.

3. CRISIS DEL SISTEMA TRIBUTARIO

La aparición en los últimos años en el ámbito de la fiscalidad internacional de nuevos impuestos unilaterales como los ISD constituye una realidad que pone de relieve la crisis de los sistemas tributarios en tres ámbitos: la suficiencia o insuficiencia de los impuestos tradicionales del sistema tributario para someter a gravamen los negocios de la economía digital, la idoneidad del mantenimiento del reparto de la potestad tributaria entre los Estados en función de nexos como la residencia o la fuente o destino, y la fusión y confusión que se produce en la tradicional distinción entre impuestos directos e indirectos[9].

---

[8]   MARTÍN JIMÉNEZ, A. J. (2018), «BEPS, la economía digital(izada) y la tributación de servicios y royalties», *Civitas. Revista Española de Derecho Financiero, n° 179, Aranzadi Westlaw.*

[9]   En el terreno conceptual, subraya SOLER ROCH, M. T. (2018), «La imposición sobre sociedades en la encrucijada: ¿hacia un escenario de inmunidad fiscal?», *op. cit.*, p. 21, determinadas categorías dogmáticas pueden resultar insuficientes o inadecuadas para la economía digital, como, por ejemplo, el aspecto espacial del elemento objetivo del hecho imponible, en relación con los criterios tradicionales de conexión (residencia y territorialidad), o la distinción entre impuestos directos e indirectos y la generalización de sistemas indiciarios.

El establecimiento de los ISD reabre el debate, en primer lugar, de si resulta necesario o conveniente añadir nuevas figuras a los impuestos tradicionales del sistema. La cuestión implica adentrarse en una discusión más amplia: la economía digital, ¿exige una adaptación, una modificación o una ruptura del actual modelo de tributación? La respuesta a esta pregunta debería ser negativa, en una primera aproximación al problema, si partimos de la evidencia de que la economía digital no genera ninguna capacidad económica distinta o adicional a la riqueza gravada por los actuales impuestos directos e indirectos, y de que los nuevos ISD surgen en realidad, com hemos señalado a lo largo de este trabajo, para cubrir una falta de tributación efectiva de las rentas o beneficios de las grandes empresas tecnológicas y digitales, como consecuencia de las lagunas que se derivan de la aplicación de las reglas tradicionales de fiscalidad internacional. Los ISD constituyen, en realidad, un modo de sortear de forma unilateral y transitoria el cumplimiento de las reglas de distribución de la potestad tributaria dispuestas en los CDI, que en el caso de los beneficios empresariales asigna la competencia exclusivamente al Estado de residencia en ausencia de EP en el Estado de la fuente. De modo que solventando estos defectos, con la introducción, por ejemplo, del concepto de EP virtual o digital que permitiera atribuir la potestad tributaria al Estado de la fuente, no haría falta introducir nuevos impuestos específicos y podría asegurarse la tributación de estas empresas mediante el sistema tradicional de gravamen en el IS del Estado de residencia y el Impuesto sobre la renta de no residentes (IRNR) con EP digital en el Estado de la fuente. Y todo ello sin perjuicio de que, además, en el ámbito de la fiscalidad indirecta, la prestación de los servicios digitales se halla ya gravada, al igual que el resto de servicios, en el IVA, que aplica el punto de conexión de gravamen de destino para los servicios prestados por vía electrónica, sin que esté justificada, por tanto, la introducción de un nuevo impuesto adicional indirecto sobre estos servicios digitales como el ISD.

Con el fin de evitar la proliferación de medidas unilaterales descoordinadas de los Estados, es incuestionable que sería preferible la articulación de un nuevo marco global de imposición societaria sostenible en el contexto de una economía digitalizada y globalizada que instrumente un nuevo reparto del poder tributario entre los Estados[10]. Pero al constituir esta preferencia en la actualidad una simple aspiración y no una realidad, el establecimiento por algunos Estados de los ISD, a falta de acuerdo internacional, plantea

---

[10] CALDERÓN CARRERO, J. M. (2018), «Notas sobre el Paquete Europeo (2018) en materia de Fiscalidad de la Economía Digital», *Asociación Española de Asesores Fiscales, Sección de Fiscalidad Internacional y Precios de Transferencia, abril de 2018*, p. 22.

entonces graves interrogantes que afectan al conjunto de los sistemas tributarios: ¿cómo se justifica un tratamiento específico para los servicios digitales respecto del tratamiento general dispensado a los servicios tradicionales, incluidos aquellos que han integrado las nuevas tecnologías, como el comercio electrónico *offline* de bienes tangibles?; si la ausencia de tributación efectiva de las grandes empresas no deriva tanto de la naturaleza digital o no de la transacción, como de su carácter transnacional[11], y esto es un problema general de toda la economía y no únicamente de la economía digital, ¿por qué el producto estrictamente digital requiere un enfoque distinto al resto? Si a pesar de los anteriores interrogantes seguimos admitiendo la legitimidad de los ISD, otras cuestiones adicionales se pueden plantear en relación con el objeto de gravamen: si el nuevo impuesto grava todos los servicios digitales, ¿se vulnera el principio de neutralidad fiscal externa en relación con los servicios no digitalizables?; y si estas nuevas figuras solo gravan determinados servicios digitales y declara discrecionalmente la no sujeción de otros, ¿se vulnera con ello el principio de neutralidad fiscal interna entre todos los servicios digitales?[12]. Incluso desde una óptica más específica, el nexo que legitima la potestad para establecer este tipo de ISD puede hallarse cuestionada, desde el momento en que no está claro que la presencia de consumidores o la aportación de datos sea un nexo suficiente para justiciar la potestad tributaria del Estado de fuente o destino, ni que los puntos de conexión nuevos y específicos adoptados para justificar estas figuras, como la ubicación de los usuarios de los servicios o el lugar donde se crea valor por la aportación de datos de los mismos, se produzcan solo en la economía digital[13]. Podríamos añadir, incluso, un cuarto grupo de interrogantes, aquellos que ponen de relieve las dificultades de integración

11   NOCETE CORREA, F. J. (2017), «Comercio electrónico e imposición directa: un análisis post-BEPS», en Moreno González, S. (dir.), *Tendencias y desafíos fiscales de la economía digital*, Cizur Menor (Navarra), Thomson Reuters Aranzadi, p. 153.
12   Como advierte RAMOS PRIETO, J. (2016), «Acción 1. La crisis de la noción de establecimiento permanente: un paradigma de los desafíos que afronta la tributación de los beneficios de las empresas multinacionales en el contexto de la economía digital», en Ramos Prieto, J. (coord.), *Erosión de la base imponible y traslado de beneficios: estudios sobre el Plan BEPS de la OCDE: comentarios a las acciones 1, 2, 5, 6, 8, 13 y 15*, Cizur Menor (Navarra), Thomson Reuters Aranzadi, p. 36, la dificultad extrema que entraña deliminar con criterios objetivos qué negocios se enmarcan en la economía digital, cuáles quedan al margen de la misma y cuáles, por último, presentan un carácter mixto, podría generar disfunciones importantes, apreciables en forma de discriminaciones que resultarían contrarias al principio de neutralidad.
13   NOCETE CORREA, F. J. (2018), «"Ilusión fiscal" y economía digital: ¿hacia una planificación normativa agresiva?», *Carta Tributaria, nº 43*, p. 58.

sistemática de estos nuevos ISD en el seno de los sistemas tributarios tradicionales, y que derivan del debate sobre la necesidad o no de adecuación de las categorías tributarias vigentes para someter a gravamen las manifestaciones de capacidad económica derivadas de la economía digital o de adaptación del sistema tributario para asegurar un tratamiento equivalente a la riqueza generada por la economía digital y por la economía tradicional, entre otras cuestiones.

Al dilema impuestos tradicionales *versus* nuevos impuestos que aflora con la aparición de los ISD se suma, en segundo lugar, la crisis de los criterios tradicionales de localización territorial que legitiman la potestad tributaria, esto es, los puntos de conexión de la residencia y de la territorialidad (fuente) dispuestos en los CDI. Si partimos de la idea de que la digitalización no presenta nuevos fenómenos, sino que simplemente hace más visibles y agudiza los problemas existentes[14], la ausencia de tributación efectiva de grandes empresas tecnológicas que prestan servicios digitales pone en tela de juicio la efectividad y justicia tributaria del tradicional sistema de reparto basado en el binomio residencia/fuente. La residencia ha sido y sigue siendo el punto de conexión adoptado para gravar los rendimientos empresariales, por la influencia que ejercieron en el modelo de CDI de la OCDE los Estados más prósperos, prohibiéndose el gravamen en el territorio de origen o fuente de la renta. Esta situación ha provocado que, en la actualidad, muchos de los Estados, entre ellos los europeos, que han perdido su posición privilegiada en el mercado, especialmente en el ámbito de la economía digital, hayan pasado a convertirse en importadores de servicios digitales, y pretendan transformar este modelo con el fin de avanzar hacia un predominio de los criterios de la fuente.

La obsoleta y desnaturalizada dualidad entre residencia y fuente en la economía digital, en definitiva, ha precipitado la crisis de este modelo, propiciando la aparición incluso de propuestas de cambio radical en el régimen tributario internacional hacia un sistema basado en el reparto formulario, como el previsto en las propuestas de Directivas sobre la base imponible común y la base imponible consolidada común del IS (BICIS y BICCIS), que incorpora elementos menos volátiles, como el lugar donde se localicen los trabajadores o de la ventas, con el fin de asegurar la sujeción tributaria de las rentas empresariales. Entre las propuestas más rupturistas se halla incluso la que defiende la introducción de un modelo de imposición societaria

---

[14]   MARTÍN JIMÉNEZ, A. J. (2018), «BEPS, la economía digital(izada) y la tributación de servicios y royalties», *op. cit., Aranzadi Westlaw.*

que, renunciado al actual gravamen en residencia de la renta mundial, se articule en fuente o destino, dando lugar a una figura tributaria que fusiona las características propias de los impuestos sobre la renta y los impuestos sobre el volumen de negocios[15].

Los problemas para la fijación del lugar de realización de las operaciones que provoca la digitalización de la economía, que afectan a los impuestos directos que aplican la dualidad residencia/fuente, se reproduce de la misma forma en la imposición indirecta, que utiliza el binomio origen/destino. Ello ha provocado incluso la aparición de propuestas que sostienen la necesidad de fundir las categorías de fuente y destino, por ser conceptos que se aproximan y que pueden adoptar los mismos criterios de forma unificada, fruto de la cada vez más difícil distinción entre los impuestos directos e indirectos.

Finalmente, la naturaleza jurídica híbrida de los ISD revela el tercer paradigma de crisis del sistema tributario, que afecta a la tradicional distinción entre impuestos directos e indirectos. Muchas de las características de los ISD refuerzan el carácter indirecto que expresamente todos los textos normativos le atribuyen, esto es, tratarse de impuestos reales, objetivos, instantáneos y de liquidación periódica. Al igual que sucede con los impuestos de indudable naturaleza indirecta como el IVA, el ISD es un tributo real porque, al gravar operaciones concretas de prestación de determinados servicios digitales, su hecho imponible se determina con independencia del elemento personal de la relación tributaria, puede ser definido sin referencia a ningún sujeto determinado y grava una manifestación de riqueza no relacionada con un determinado sujeto. Los ISD son, además, impuestos objetivos, desde el momento en que las circunstancias personales del sujeto pasivo no se tienen en cuenta en la valoración del hecho imponible, o la aplicación del tipo de gravamen o las deducciones o bonificaciones, esto es, los elementos que determinan la cuantificación de la deuda tributaria, que dependen exclusivamente en el impuesto que nos ocupa de una base imponible que se corresponde con los ingresos por la prestación de los servicios mencionados, sin deducción de gastos y sin introducir discriminaciones en función de las características de los sujetos pasivos, a los que se aplica un tipo único y proporcional. Y finalmente, los ISD adoptan la naturaleza de

---

15   Esta figura mixta directa e indirecta, a juicio de ISMER, R. y JESCHECK, C. (2018), «Taxes on Digital Services and the Substantive Scope of Aplication of Tax Treaties: Pushing the Boundaries of Article 2 of the OECD Model?», *Intertax, nº 6-7*, pp. 575 y 576, se basaría en el gravamen en destino, permitiría la deducibilidad de los gastos, constituiría un impuesto sobre beneficios empresariales que se traslada al destinatario de los pagos, y debería incluirse en el art. 2 del modelo de CDI de la OCDE.

los impuestos instantáneos en su hecho imponible, produciéndose el devengo en el momento en que se realiza cada una de las operaciones gravadas, aunque de liquidación periódica anual o trimestral.

La naturaleza jurídica directa o indirecta del ISD, sin embargo, no es una cuestión pacífica, a pesar de las características que se acaban de señalar, propias de los impuestos indirectos, porque este impuesto presenta características mixtas, con el indisimulado objetivo de quedar al margen de las reglas de reparto de la potestad tributaria establecidas en los CDI para los impuestos directos y sortear su incompatibilidad, como impuesto indirecto, con el IVA en la UE[16]. Por un lado, el ISD es un impuesto indirecto que grava en el Estado de destino de algunos servicios digitales el consumo derivado de la prestación de los mismos, siendo el objeto material o riqueza efectivamente gravada los ingresos obtenidos con la prestación de esos servicios. A pesar de que no se contempla la repercusión legal de la cuota, el destinatario, usuario o consumidor del servicio digital es el sujeto que probablemente acabe soportando la carga económica del impuesto, vía repercusión de la cuota no jurídica pero sí en el precio, de modo que puede afirmarse que el objeto del tributo, la materia imponible o forma de riqueza o capacidad económica que se quiere gravar, es en realidad el gasto o consumo. Pero por otro lado, en los textos normativos que pretenden establecer esta figura tributaria, se justifica la existencia de la misma en la ausencia de tributación efectiva directa de la renta o beneficio de las empresas que prestan los servicios digitales gravados, situando el punto de conexión en el Estado de la fuente donde se obtiene el beneficio empresarial y fijando la posición subjetiva gravada en la entidad que presta los servicios y no en el consumidor o usuario de los mismos[17]. El objeto del tributo, la materia imponible o forma de riqueza o capacidad económica que se quiere gravar sería, desde esta perspectiva, la renta, siendo el objeto material, la riqueza efectivamente gravada, los beneficios obtenidos con la prestación de esos servicios.

En su formulación actual, en fin, los ISD no responden con claridad a ninguna de las dos posibilidades de configuración, directa o indirecta,

---

16 NOCETE CORREA, F. J. (2018), «"Ilusión fiscal" y economía digital: ¿hacia una planificación normativa agresiva?», *op. cit.*, p. 69.

17 A juicio de MENÉNDEZ MORENO, A. (2019), «El nuevo Impuesto sobre determinados servicios digitales», *op. cit.*, Aranzadi Westlaw, no parece que un impuesto indirecto como el ISD resulte idóneo para paliar o compensar las deficiencias recaudatorias de uno directo como el de sociedades, ya que, como es obvio, si el ISD es un impuesto indirecto sus destinatarios deberían serlo los consumidores de los servicios digitales, mientras que los del IS lo son quienes se benefician de la explotación de esos mismos servicios.

constituyendo una inédita categoría de impuestos formalmente indirectos que paradójicamente no gravan el consumo o gasto de los usuarios, sino la capacidad económica de las empresas prestadoras de los servicios digitales sujetos. Una modalidad mixta en la que conviven conceptos contradictorios, una materia imponible que se quiere gravar, la renta de las empresas digitales, propia de los impuestos directos, con un objeto material o riqueza efectivamente gravada que se corresponde con los impuestos indirectos, los ingresos generados por la prestación de algunos servicios a los usuarios consumidores, a quienes incomprensiblemente no se repercute la cuota.

Los desajustes del actual modelo de fiscalidad internacional, en especial la situación de inmunidad fiscal de las empresas digitales por la ausencia de tributación en fuente de sus rentas y la articulación de estrategias de planificación fiscal para deslocalizar las mismas incluso en residencia, legitiman, desde luego, las aspiraciones de justicia tributaria que se persiguen con los ISD, y más teniendo en cuenta que la única alternativa posible a la que empuja el modelo actual para solventar este problema, esto es, la introducción de políticas fiscales agresivas para atraer al propio territorio a estas empresas, aunque sea a costa de reducir la recaudación, no resulta, desde luego, la más recomendable. Pero esta justificación material no puede hacernos olvidar las consecuencias negativas que, en términos de vulneración de principios como la igualdad, la neutralidad, la libre circulación de bienes y servicios, la no discriminación por nacionalidad y la prohibición de ayudas de Estado comporta la introducción de los ISD, ni olvidar tampoco los graves desajustes que estas figuras provocan en el sistema fiscal internacional que se articula sobre la base de conceptos como el reparto de la potestad tributaria entre el Estado de residencia y el Estado de la fuente, los mecanismos para evitar la doble imposición, o la necesaria coordinación y compatibilidad entre los impuestos del sistema, que siguen conservando las características propias de los impuestos directos o indirectos.

Los modelos de ISD propuestos hasta el momento plantean, como hemos tenido ocasión de analizar en este trabajo, múltiples interrogantes jurídicos, en cuestiones tan relevantes como la selección de los servicios gravados, la delimitación de los supuestos de no sujeción, la compleja aplicación de los puntos de conexión, las diferencias en las magnitudes exigibles a los sujetos pasivos o computables en la base imponible, las dificultades para evitar la doble imposición, o los problemas de suministro de información para la correcta gestión del impuesto, ámbito este último que genera elevados costes de cumplimiento, tanto para la empresas digitales como para las administraciones tributarias. En cualquier caso, el carácter provisional o transitorio de las propuestas de ISD constituye una invitación para afrontar el debate de la fiscalidad sobre la economía digital en un contexto más amplio y definitivo, en el que estas figuras tributarias no serían ya necesarias, y que debería centrarse en la fijación dentro de la fiscalidad directa del concepto de EP virtual o digital o de medidas que permitan avanzar en el predominio de los criterios de la fuente, así como también, en el ámbito de los tributos indirectos, en la implantación de medidas para asegurar el gravamen efectivo en destino de los servicios digitales.

Capítulo 6

La pretendida creación en nuestro sistema de un Impuesto sobre determinados Servicios Digitales: situación actual y perspectiva de futuro

Juan Calvo Vérgez
Catedrático de Derecho Financiero y Tributario
Universidad de Extremadura

SUMARIO: 1. CONSIDERACIONES PREVIAS. 2. ANÁLISIS DE LOS PRINCIPALES ELEMENTOS CONFIGURADORES DEL GRAVAMEN RECOGIDOS EN EL ANTEPROYECTO Y EN EL PROYECTO DE LEY DEL IMPUESTO EN SUS DISTINTAS VERSIONES. 3. REFLEXIONES CRÍTICAS. Bibliografía.

1. CONSIDERACIONES PREVIAS

Como seguramente se recordará a principios del mes de marzo de 2018 el Grupo Parlamentario Ciudadanos registró en el Congreso de los Diputados una proposición no de ley destinada a crear un Impuesto «de compensación» al Impuesto sobre Sociedades (IS) para las grandes multinacionales tecnológicas con empresas o consumidores en España que se aplicaría sobre el volumen de negocio, así como un segundo Impuesto sobre los ingresos de publicidad prestados por estas empresas. El principal objetivo de esta regulación propuesta era lograr que las multinacionales tecnológicas tengan una tributación mínima efectiva en España mientras no se llega a un acuerdo multilateral en el ámbito de la fiscalidad, exigiendo a las grandes empresas tecnológicas que paguen sus impuestos allí donde obtienen sus beneficios. Se abogaba así a través de esta proposición no de ley por la creación de un tributo sobre el volumen de negocio de las grandes multinacionales tecnológicas que operan en España y con consumidores españoles destinado a gravar también las operaciones realizadas por empresas vinculadas a dichas multinacionales en otros Estados, siempre que se realicen con empresas o consumidores con sede en España[1].

---

[1] De acuerdo con lo recogido en la citada proposición no de ley en ningún caso la tributación de este Impuesto y del IS aplicable a las filiales en nuestro país sobrepasaría el 25% de los beneficios generados en España.

Con posterioridad, a finales del mes de abril de 2018 se conoció la pretensión del Ejecutivo español recogida en su Plan de Estabilidad 2018-2021 remitido a la Comisión Europea relativa a la creación de un nuevo Impuesto sobre Determinados Servicios Digitales con el que poder sufragar el incremento de las pensiones previsto en el Proyecto de Ley de Presupuestos de 2018[2], y a través del cual se preveía recaudar un total de 600 millones de euros en 2018 y 1.500 millones adicionales en 2019, lo que haría un total de 2.100 millones de euros.

El citado gravamen se aplicaría únicamente a empresas con un elevado importe de ingresos anuales, de forma que no recayese sobre las pymes. A resultas de su aplicación se tributaría únicamente por los ingresos derivados de la prestación de determinados servicios digitales, que son los más difíciles de capturar por los sistemas tributarios vigentes. En efecto, el nuevo gravamen se aplicaría a los ingresos generados por actividades en las que los usuarios desempeñan un papel importante en la creación de valor, los cuales son más difíciles de gravar con la normativa fiscal actual, identificándose con los ingresos generados por la venta de espacios publicitarios *on line*, así como con los generados a partir de las actividades de intermediación digital que permitan a los usuarios interactuar con otros usuarios y que puedan facilitar la venta de bienes y servicios entre ellos y con los ingresos generados a partir de la venta de datos obtenidos de información aportada por el usuario. El objetivo último derivado de su aplicación no sería otro que superar las deficiencias actuales de los sistemas fiscales actuales y lograr que las grandes empresas de la economía digital tributen allí donde se crea el valor añadido.

La pretensión inicial del Ministerio de Hacienda era diseñar un tributo destinado a gravar a través de la aplicación de un tipo del 5% los servicios de intermediación, la publicidad y la venta de datos digitales de empresas extranjeras y españolas en España, siendo de aplicación a todas aquellas empresas que ofreciesen estos servicios en nuestro país, aunque no estén

---

[2]   Con carácter general a través del citado Proyecto de Ley se preveía revalorizar durante los años 2018 y 2019 las pensiones un 1,6% y un 1,5%, respectivamente, con aumentos del 3% para las pensiones mínimas y aumentos de la base reguladora de las pensiones de viudedad del 52% al 56% en 2018 y del 56% al 60% en 2019, retrasándose además la aplicación del llamado Factor de Sostenibilidad de las pensiones (instrumento que vincula la pensión a la esperanza de vida y que posibilita conjugar la sostenibilidad y suficiencia del sistema de pensiones en un contexto de envejecimiento de la población) al año 2023.

físicamente en territorio nacional, siempre y cuando contasen con unos niveles de facturación determinados.

Por su parte el nuevo Ejecutivo que tomó posesión a principios del mes de junio de 2018 anunció a mediados de julio del citado año que continuaba adelante con la pretensión de aprobar la regulación del Impuesto sobre determinados servicios digitales, a través del cual se sometería a gravamen la publicidad *online*, las actividades intermediarias de plataformas digitales que facilitan la venta de bienes y servicios y la venta de datos que se generan con la información proporcionada por los usuarios, con la finalidad en este último caso de dar respuesta a desafíos relacionados con la digitalización o la economía colaborativa. La pretensión del nuevo Gobierno se concretaba en la aplicación de un tipo de gravamen del 3% sobre dichas operaciones en España (venta de datos de clientes, ingresos por publicidad y transacciones comerciales entre estas empresas y los particulares) efectuadas por las grandes plataformas tecnológicas que facturen más de 750 millones de euros en el mundo y que, además, facturasen tres millones de euros al menos en España.

Ahora bien, en la medida en que el citado gravamen se aplicaría sobre los ingresos declarados, teniendo presente los datos de facturación declarados por las citadas entidades en nuestro país y el hecho de que el gravamen se aplicaría sobre el volumen de negocio, los resultados recaudatorios podrían terminar siendo exiguos. Téngase presente que buena parte de estas empresas declaran el negocio real que facturan en España en sociedades radicadas en Irlanda, Luxemburgo o Holanda, países con una tributación mucho más reducida. Con carácter adicional detrás de las sociedades *holding* existen en numerosas ocasiones estructuras en paraísos fiscales, territorios de escasa o nula tributación donde acaban desviándose los ingresos, de manera que las filiales ubicadas en territorio español tan solo registran así ingresos por la prestación de servicios de gestión o *marketing* a sus respectivas filiales[3].

---

[3]   La Memoria del impacto normativo del Anteproyecto de Ley regulador del gravamen señalaba que la recaudación potencial podría ascender a los 800 millones, unos 200 millones más que en una propuesta anterior al haberse rebajado en nuestro país el umbral de actividad de seis millones a tres millones de facturación para que el tributo alcanzase también a las nuevas plataformas de transporte o alojamiento. No obstante las cifras relativas a la aplicación de esta figura tributaria que incluyó el Gobierno en el Borrador de Plan presupuestario remitido a la Comisión arrojaban una cifra de 1.200 millones de euros que equivaldrían al 25% de todo lo que la Comisión Europea esperaba que un impuesto de este tipo recaudase en toda la UE, cuando el PIB español representa solo el 7,5% del total. De acuerdo con el análisis de impacto que elaboró en su día el Ejecutivo comunitario cuando presentó su propuesta para la Unión Europea

De cualquier manera el principal objetivo del nuevo Impuesto no era otro que someter a gravamen aquellos servicios digitales en los que exista una participación esencial de los usuarios al proceso de creación de valor de la empresa y a través de la cual la empresa monetiza esas contribuciones de los usuarios. Tal y como se ha indicado el nuevo tributo, de carácter indirecto, recaería sobre aquellas empresas con unos ingresos mundiales de, al menos, 750 millones de euros y una facturación en España superior a tres millones de euros, concretándose el tipo de gravamen en el 3% por cada operación de publicidad, intermediación o venta de datos que realizase la empresa.

2. ANÁLISIS DE LOS PRINCIPALES ELEMENTOS CONFIGURADORES DEL GRAVAMEN RECOGIDOS EN EL ANTEPROYECTO Y EN EL PROYECTO DE LEY DEL IMPUESTO EN SUS DISTINTAS VERSIONES

Inicialmente el Anteproyecto de Ley diseñado al efecto por el Ejecutivo se situó en línea con la Directiva comunitaria propuesta en marzo de 2018 con la finalidad de gravar esos servicios digitales[4], de forma que España

---

los 28 Estados miembros recaudarían 4.800 millones de euros al año si aplicasen el Impuesto. De acuerdo con dicho baremo la cifra de recaudación en España se quedaría en 360 millones de euros al año, 3,3 veces menos de lo que estimaba el Gobierno. Por otra parte el análisis de impacto que acompañaba a la propuesta de impuesto del Ejecutivo comunitario afirmaba que dicha cifra se corresponde con la recaudación bruta. A ella habría que restar eventuales deducciones que se podrían aplicar las multinacionales. Según la aproximación realizada en su día por la Comisión la cifra bruta de 4.800 millones de euros para los 28 países quedaría, al pasarla a neto, en 3.600 millones. Con esta última cifra de recaudación a España le corresponderían 270 millones de euros, lo que representaba 4,4 veces menos que las previsiones de Hacienda recogidas en el Borrador de Plan presupuestario para 2019.

[4] Nos referimos concretamente al Paquete europeo de medidas relativas a la fiscalidad de la economía digital («A Fair and Efficient Tax System in the European Union for the Single Market») presentado por la Comisión el 21 de marzo de 2018. EU Commission, Time to establish a modern, fair and efficient taxation standard for the digital economy (COM(2018) 146 final, Brussels, 21.3.2018; y EU Commission-Fact Sheet, Questions & Answers on a Fair and Efficient Tax System in the EU for the Digital Single Market, Brussels, 21 March 2018. El citado Paquete en materia de fiscalidad de la economía digital elaborado por la Comisión quedaba integrado por los siguientes instrumentos normativos: una Comunicación de la Comisión al Parlamento UE y al Consejo denominada «Time to establish a modern, fair and efficient taxation standard for the digital economy» [COM(2018) 146 final, Brussels, 21.3.2018]; una Propuesta

sería el primer país de la Unión Europea que se adaptase a la estructura prevista por dicha Propuesta de Directiva. El objetivo de este gravamen de carácter indirecto es propiciar que las empresas tributen allí donde generan beneficios. Y ello teniendo presente que las actuales normas fiscales internacionales se basan sobre todo en la presencia física y no fueron concebidas para hacer frente a modelos de negocio basados principalmente en activos intangibles, datos y conocimientos, no tomando en consideración los modelos de negocio en los que las empresas pueden prestar servicios digitales en un país sin estar físicamente presentes en él y teniendo dificultades para impedir la deslocalización de activos intangibles a jurisdicciones de escasa o nula tributación. A mayor abundamiento tampoco reconocen el papel que desempeñan los usuarios en la generación de valor para las empresas más digitalizada mediante el suministro de datos o la generación de contenidos o como componentes de las redes en que se basan muchos modelos de negocio digitales. Todo ello provoca una desconexión entre el lugar donde se genera el valor y el lugar donde las empresas tributan.

Con carácter general los servicios contemplados por este Impuesto serían aquellos que no podrían existir en su forma actual sin la implicación de los usuarios. El papel que desempeñan los usuarios de estos servicios digitales es único y más complejo que el que adoptaba tradicionalmente un cliente de un servicio *offline*. Ello pone de manifiesto que las actuales normas relativas al IS no resultan ya apropiadas para gravar los beneficios generados por la digitalización de la economía, cuando estos están íntimamente ligados a valor creado por datos y usuarios, y requieren una revisión.

El Impuesto diseñado, de carácter indirecto, contemplaba gravar servicios digitales en los que hay una contribución esencial de los usuarios en el proceso de creación de valor de la empresa que presta esos servicios y a tra-

---

de Directiva de la Comisión al Consejo, estableciendo las reglas relacionadas con la imposición corporativa de una presencia digital significativa [COM(2018) 147 final, 2018/0072 (CNS), SWD(2018) 81 & 82 final]; una Recomendación en relación con la Propuesta de Directiva referida a la imposición corporativa de una presencia digital [C(2018) 1650 final, Brussels, 21.3.2018]; y una Propuesta de Directiva de la Comisión al Consejo sobre el establecimiento de un sistema común de impuesto sobre servicios digitales sobre ingresos resultantes de la prestación de servicios digitales [COM(2018) 148 final, 2018/0073 (CNS), SWD(2018) 81 & 82]. Ya con carácter previo, durante el Consejo ECOFIN de 26 de febrero de 2018, la Comisión Europea emitió un primer borrador de documento en el que se analizaban las posibles vías de tributación para la economía digital [Comisión Europea (2018), «Taxation of digital activities in the single market», Draft 26/02/2018, https://g8fip1kplyr33r3krz5b97d1-wpengine.netdna-ssl. com/wp-content/uploads/2018/02/taxation-of-digital-economy-2.pdf].

vés de los cuales la empresa monetiza esas contribuciones de los usuarios. Se trataba por tanto de un gravamen pretendidamente indirecto y que recaería sobre el consumo de servicios digitales en los que hay una contribución esencial de los usuarios en el proceso de creación de valor de las empresas. Y ello a pesar de que parece que su fin último sería gravar el beneficio y no el consumo.

El tipo impositivo que se aplicará sería del 3%, en línea con la propuesta de la Comisión Europea. Para poder aplicar el Impuesto el usuario de dichos servicios debería estar situado en territorio español. El Impuesto no gravaría los beneficios, sino el valor incorporado a los servicios que se prestasen, siendo su recaudación estimada de 1.200 millones de euros y teniendo su liquidación una periodicidad trimestral.

La base imponible del gravamen estaría constituida por el importe de los ingresos, excluidos, en su caso, el Impuesto sobre el Valor Añadido (IVA) u otros impuestos equivalentes, obtenidos por el contribuyente por cada una de las prestaciones de servicios digitales sujetas al Impuesto, realizadas en el territorio de aplicación del mismo[5]. A efectos de cálculo de la base se establecían unas reglas para poder gravar exclusivamente la parte de los ingresos que se corresponde con usuarios situados en el territorio aplicación del impuesto en relación con el total de usuarios.

Como es sabido el proceso para la revisión de esas normas se inició hace ya algunos años a nivel internacional. Así, en el seno de la Organización para la Cooperación y el Desarrollo Económico (OCDE) y del G-20 han sido especialmente relevantes en los últimos años el Plan de Acción BEPS («Base Erosion Profit Shifting»[6]) y, en particular, su Informe de 5 de octubre de 2015 sobre la Acción 1, dedicada a los retos fiscales de la economía digital, así como el Informe intermedio sobre los retos fiscales derivados de la digitalización de 16 de marzo de 2018. El hecho de que el Impuesto se centre en los servicios prestados sin tener en cuenta las características del prestador de los mismos (entre ellas su capacidad económica) implica que aquel no deba ser considerado como un impuesto sobre la renta o el patrimonio y, por tanto, no quede comprendido en los Convenios de doble imposición, según establece el mencionado Informe intermedio del G20 y

---

[5]   Adviértase que ello exigiría conocer el volumen de los ingresos mundiales de las empresas que se quiere gravar así como el número total de usuarios mundiales y españoles a los que prestan los servicios digitales gravados.

[6]   Acerca del alcance del conjunto de Acciones que integran el citado Plan nos remitimos a nuestro trabajo *Pasado, presente y futuro de BEPS*, ThomsonReuters-Aranzadi, Pamplona, 2018.

la OCDE sobre los retos fiscales derivados de la digitalización. Como es sabido dicho Informe fue adoptado por consenso por el llamado Marco Inclusivo para BEPS, del que forman parte en la actualidad más de 110 países. Este es el elemento fundamental por el que el Impuesto se configura como de naturaleza indirecta.

No obstante ya en la Exposición de Motivos del Anteproyecto se aclaraba que, a pesar de esta naturaleza indirecta, no por ello el nuevo gravamen entraría en conflicto con el IVA, con el que es perfectamente compatible. Tal y como ya se ha apuntado en el ámbito de la UE se han de tener presentes la Comunicación de la Comisión Europea «Un sistema para el Mercado Único Digital» así como las Propuestas de Directivas y Recomendaciones presentadas el 21 de marzo de 2018 para tratar de alcanzar una imposición más justa y eficaz de la economía digital.

Serían contribuyentes del Impuesto estatal las personas y entidades que ya estuviesen establecidas en España, en otro Estado miembro de la Unión Europea (UE) o en cualquier otro Estado o jurisdicción no perteneciente a la UE y que, al inicio del periodo de liquidación, superasen dos umbrales distintos. De una parte, que el importe neto de su cifra de negocios en el año natural anterior superase los 750 millones de euros[7]. Y, de otra, que el importe total de sus ingresos derivados de prestaciones de servicios digitales sujetas al impuesto, una vez aplicadas las reglas previstas para la determinación de la base imponible del gravamen (para así determinar la parte de dichos ingresos que se corresponde con usuarios situados en territorio español) para el año natural anterior fuese superior a los tres millones de euros. Estos umbrales buscan garantizar que sólo se grave a las grandes empresas y que las pymes no estén afectadas por este Impuesto.

De cara a diseñar el devengo del gravamen se optó por seguir en este punto una regla de devengo instantáneo, idéntica a la del IVA, dada la similitud existente entre ambos impuestos, si no en su estructura global, sí al

---

[7]   Se ha de precisar a este respecto que, por el contrario, la propuesta europea utiliza la expresión «importe total de los ingresos mundiales». Con carácter adicional, mientras que en la propuesta comunitaria los requisitos acumulativos relativos a los ingresos se computan en relación con el año natural anterior, en el tributo diseñado en nuestro ordenamiento interno se vinculan las cifras exigibles al ejercicio financiero cubierto por los últimos estados financieros disponibles publicados por la entidad antes de que finalice el período impositivo en cuestión. Ello determina, tal y como ha precisado QUINTANA FERRER, E., «Economía digital y fiscalidad: los impuestos sobre determinados servicios digitales», *Nueva Fiscalidad*, núm. 3, 2019, pág. 180, que puedan no coincidir el lapso temporal a tener en cuenta para el cómputo de las cifras y para la propia aplicación del Impuesto.

menos en lo concerniente al gravamen de las operaciones que entran dentro del ámbito material de cada figura tributaria. El gravamen se calcularía operación a operación y no de forma agregada para el conjunto de las operaciones de un determinado periodo, sin perjuicio de que luego su liquidación se efectúe por periodos de liquidación para todas las operaciones realizadas en ese periodo. En cada una de esas operaciones la base imponible del Impuesto vendría determinada por el importe de los ingresos obtenidos por el contribuyente, lo que implica que no existiría gravamen si las operaciones no generan ingresos, como podría suceder con la publicidad de productos de la propia empresa y otros supuestos de gratuidad. De cara a la determinación de tales ingresos como regla general (y con una excepción para los servicios de acceso a redes sociales) se fijaba la base imponible como una proporción aplicada a los ingresos totales obtenidos por el servicio en cuestión, debiendo estarse a aquella que resulte de dividir los usuarios o accesos españoles entre el total de los registrados[8]. Del importe de los ingresos se han de excluir todo tipo de impuestos, como el IVA u otros equivalentes, que puedan recaer sobre los servicios gravados Y se hacía una referencia al territorio de aplicación del Impuesto.

El Impuesto sobre Determinados Servicios Digitales se limitaría a gravar la prestación de servicios de publicidad en línea, servicios de intermediación en línea, así como la venta de datos generados a partir de información proporcionada por el usuario. Quedaban excluidas la venta de bienes o servicios entre los usuarios en el marco de un servicio de intermediación en línea y las ventas de bienes o servicios contratados en línea a través de la *web* del proveedor de esos bienes o servicios en la que el proveedor no actúa como intermediario. Con carácter adicional se excluían del Impuesto determinados servicios financieros. Solo se sujetarían a gravamen aquellas prestaciones de servicios digitales que pudieran considerarse vinculadas de algún modo con el territorio de aplicación del Impuesto, lo que se entendería que sucede cuando haya usuarios de dichos servicios situados en ese territorio, que es lo que constituye precisamente el nexo que justifica la existencia del gravamen.

---

[8]   Como es lógico ello requerirá conocer los ingresos mundiales de las empresas por cada uno de los servicios sujetos así como el número total de usuarios o accesos mundiales y españoles a fin de obtener la citada proporción, lo que se presenta como una labor extraordinariamente compleja, tal y como han precisado MARTÍN FERNÁNDEZ, J. y RODRÍGUEZ MÁRQUEZ, J., «Las debilidades de la futura "tasa Google"», *Diario Cinco Días*, www.cincodias.com (consultada el 21 de noviembre de 2018).

A efectos de considerar a los usuarios como situados en el territorio de aplicación del Impuesto se establecían normas específicas para cada uno de los servicios digitales, basadas en el lugar en que se han utilizado los dispositivos de esos usuarios, localizados a su vez, en general, a partir de las direcciones de protocolo de Internet (IP) de los mismos, salvo que se utilicen otros medios de prueba y, en particular, otros instrumentos de geolocalización de los dispositivos. En efecto, el punto de conexión del gravamen con el territorio español presentaba distintas reglas según el tipo de servicio de que se trate. Así, tratándose de publicidad ésta se entendería realizada en España cuando el dispositivo del usuario se encontrase en nuestro territorio en el momento en que aparezca aquella. En el caso de intermediación la norma es diferente para cada una de sus dos modalidades. Existiendo un intercambio subyacente, cuando la conclusión de la operación se realice desde un dispositivo situado en España. En caso contrario lo determinante sería que la cuenta de la red social en cuestión haya sido abierta en nuestro país. Y, por lo que respecta a la transmisión de datos, la localización en nuestro país se produciría siempre que hubiese sido generado por un usuario cuyo dispositivo, en el momento de la generación, estuviera en nuestro territorio. Dicha localización de los dispositivos se realizará a través de las direcciones IP.

A priori el hecho de fijar como punto de conexión la ubicación en territorio español de los dispositivos en los que aparece la publicidad o a través de los cuales se acuerda la contratación de un servicio por un usuario o a través del cual se han generado los datos que se transmiten conllevaría la imposición de un conjunto de obligaciones formales tales como obligaciones censales, de inscripción en el registro especial de entidades, de llevanza de registro de operaciones o de nombramiento de representante a los efectos del cumplimiento de lo dispuesto en la norma. Las plataformas digitales habrían de contar así con una trazabilidad precisa sobre el conjunto de las conexiones[9].

El Impuesto se aplicaría en todo el territorio español, lo que habría de entenderse sin perjuicio de los regímenes tributarios forales de Concierto y Convenio económico en vigor, respectivamente, en los Territorios Históricos del País Vasco y en la Comunidad Foral de Navarra. Con carácter adicional lo establecido en la regulación diseñada se entendería sin perjuicio de lo dispuesto en los Tratados y Convenios internacionales que hayan pasado

---

[9]   Véase a este respecto GAUDIER, J. L. y PERELLÓ, J., «Impuesto sobre Servicios Digitales: ¿se quedará la recaudación en la nube?», www.legaltoday.com (consultada el 15 de enero de 2019).

a formar parte del ordenamiento interno. Se trata de la fórmula general habitual por la cual se establece la prevalencia, en caso de conflicto, de lo dispuesto en los Tratados y Convenios internacionales que hayan pasado a formar parte del ordenamiento interno frente a lo establecido en la propia Ley reguladora del Impuesto.

Como consecuencia del carácter indirecto del impuesto no era previsible que existiese conflicto alguno entre aquél y lo dispuesto en los Convenios internacionales en materia tributaria suscritos por España, que tratan habitualmente de evitar la doble imposición en relación con los impuestos sobre la renta (y a veces sobre el patrimonio) ya que, como se ha indicado, no se trata de un impuesto sobre la renta de los previstos en el art. 2 del Modelo de Convenio de la OCDE. Por tanto se estima que el gravamen no quedaría comprendido dentro de los Convenios para evitar la doble imposición, sin perjuicio de la aplicabilidad en relación con el mismo de ciertos artículos de los convenios como los concernientes al intercambio de información, la asistencia en la recaudación o la no discriminación, que recogen acuerdos entre las partes que no están limitados a los impuestos comprendidos en el Convenio. Ahora bien cuestión distinta es la relativa a la doble imposición que podrían terminar soportando aquellas empresas que prestan estos servicios a través de su sede española, las cuales ya pagan un impuesto sobre la totalidad de sus beneficios, pudiendo llegar a verse afectadas por la aplicación del nuevo gravamen. Y ello con independencia de que el mismo resulte deducible de la base imponible del IS o del Impuesto sobre la Renta de No Residentes (IRNR).

Por otra parte se recogían en el Anteproyecto de Ley una serie de conceptos y definiciones necesarias para la aplicación del Impuesto. Se trata de los conceptos relativos a centro de negociación, contenidos digitales, dirección de Protocolo de Internet (IP), grupo, interfaz digital, internalizador sistemático, proveedor de un servicio de financiación participativa regulado, servicios digitales, servicios de publicidad en línea[10], servicios de intermediación en línea o servicios de transmisión de datos y usuario. Los conceptos de centro de negociación o internalizador sistemático o de proveedor de servicios de financiación participativa se definen por referencia a la normativa

---

[10]   Respecto de este concreto concepto (el relativo a los servicios de publicidad *online*) la regulación inicialmente proyectada aludía a «*aquellos consistentes en la inclusión en una interfaz digital, propia o de terceros de publicidad dirigida a los usuarios de dicha interfaz*», lo que podría posibilitar que terminaran quedando sometidas a gravamen aquellas empresas que utilizan la publicidad en sus plataformas y que ya pagan todos sus impuestos en España.

europea que los regula y servirían para establecer determinados supuestos de no sujeción. Por su parte el concepto de contenidos digitales (datos suministrados en formato digital, como programas de ordenador, aplicaciones, música, vídeos, textos, juegos y cualquier otro programa informático, distintos de los datos representativos de la propia interfaz digital) no coincide estrictamente, a pesar de su similitud, con el que se utiliza en el ámbito de la normativa comunitaria del IVA reguladora de los servicios electrónicos, a pesar de lo cual se buscó respetar en la medida de lo posible el concepto previsto en la Propuesta de Directiva de la Comisión Europea de 21 marzo de 2018.

En todo caso al amparo de lo establecido en el art. 6 del Anteproyecto de Ley constituían operaciones excluidas de gravamen las entregas de bienes o prestación de servicios entre usuarios en el marco de un servicio de intermediación en línea. De este modo quedaban fuera del ámbito de aplicación del gravamen las plataformas de compraventas de segunda mano, al igual que las ventas de bienes o servicios contratados a través del portal *web* del proveedor (las operaciones minoristas de comercio electrónico), ya que para el minorista la creación de valor reside en los bienes y servicios suministrados y la interfaz digital se utiliza únicamente como medio de comunicación. La aplicación del citado criterio excluía a las empresas que solo utilizan sus *webs* para vender sus productos a través de comercio electrónico y que no venden espacios de publicidad, es decir, a aquellas entidades que sólo usan sus plataformas digitales para vender sus propios *stocks*. No obstante dichas empresas habrían de tributar en el supuesto de que vendiesen datos de sus clientes o alojasen publicidad ajena en sus plataformas digitales.

Asimismo el citado art. 6 del Anteproyecto de Ley establecía como otros supuestos de no sujeción los relativos a las prestaciones de servicios de intermediación *online* cuando la única finalidad de dichos servicios prestados por la entidad que lleve a cabo la puesta a disposición de una interfaz digital sea suministrar contenidos digitales a los usuarios o prestarles servicios de comunicación o pago. De este modo quedaban exoneradas de gravamen aquellas plataformas que se limitan a ofrecer películas, series, deportes o música, no comercializando con los datos de sus usuarios. No obstante dichos sujetos sí que quedarían sometidos a gravamen por la labor de comercialización de publicidad que pudieran llevar a cabo.

De cualquier manera el nuevo gravamen sí que se aplicaría a aquellas empresas cuyo negocio se basa en una interfaz digital, de publicidad dirigida a usuarios (servicios de publicidad *online*), acometiendo la puesta a disposición de interfaces digitales multifacéticas que permitan a sus usuarios localizar a otros usuarios o interactuar con ellos o incluso facilitar la entrega de bienes o prestaciones de servicios subyacentes directamente entre los usuarios (servicios de intermediación *online*) y la transmisión de los datos recopilados acerca de los usuarios que hayan sido generados por actividades desarrolladas por estos últimos en las interfaces digitales o venta de metadatos (servicios de transmisión de datos)[11]. Ello comprendía a aquellas plataformas digitales que emplean el llamado *market place* o negocio ofrecido para que otros comercios ofrezcan sus productos y usen su web a modo de «escaparate».

El nuevo gravamen sería pues de aplicación a los operadores locales que superen los umbrales propuestos y que obtengan las rentas sujetas a gravamen, quedando aquellos sometidos tanto a la tributación directa ordinaria de sus respectivos países de residencia como al presente gravamen de pretendida naturaleza «indirecta», a diferencia de lo que sucedería con los no residentes[12].

En resumen, el Impuesto sometería a gravamen las siguientes prestaciones de servicios identificadas como «servicios digitales»: la inclusión, en una interfaz digital, de publicidad dirigida a los usuarios de dicha interfaz[13];

---

[11]   No obstante quedarían excluidas la puesta a disposición de una interfaz digital cuando la única o principal finalidad de la entidad que la lleve a cabo sea suministrar contenidos digitales a los usuarios o prestarles servicios de comunicación o servicios de pago; la prestación por un centro de negociación o un internalizador sistemático de cualquiera de los servicios contemplados en el Anexo I, Sección A, puntos 1) a 9), de la Directiva 2014/65/UE del Parlamento Europeo y del Consejo de 15 de mayo de 2014, relativa a los mercados de instrumentos financieros, y la prestación por un proveedor de un servicio de financiación participativa regulado de cualquiera de los servicios contemplados en el Anexo I, Sección A, puntos 1) a 9), de la Directiva 2014/65/UE o de un servicio consistente en facilitar la concesión de préstamos.

[12]   Véase a este respecto GASTALVER, R., «El impuesto sobre los servicios digitales: una mayor distorsión en el mercado», http://www.expansion.com/juridico/opinion/2019/01/22/5c475733468aeb810c8b45fc.html (consultada el 23 de enero de 2019), quien precisa que *«Esta distorsión sobrevenida no se repetirá en la solución definitiva de tributación por presencia digital significativa, ya que, en ese caso, ambos operadores, locales y no residentes estarán sometidos a tributación directa en el Estado de generación de la renta en los mismos términos, al considerarse ambos establecidos en dicho Estado».*

[13]   Ahora bien, en aquellos supuestos en los que la entidad que incluyese la publicidad no fuese propietaria de la interfaz digital, se consideraría proveedora del servicio de publicidad a dicha entidad, y no a la entidad propietaria de la interfaz. Y ello, tal y como ha puesto de manifiesto HERNÁNDEZ MONEO, I., «Análisis del Proyecto de Ley del Impuesto sobre Determinados Servicios Digitales», *Revista de Contabilidad y Tributación*, núm. 445, 2020 (consultado en HYPERLINK «http://www.ceflegal.com» www.ceflegal.com), al objeto de hacer frente a los eventuales efectos en cadena o a la doble imposición de los mismos ingresos que pudiera llegar a producirse, en la medida en que una parte de los ingresos obtenidos por la entidad que incluye la publicidad de

la puesta a disposición de interfaces digitales multifacéticas que permitan a sus usuarios localizar a otros usuarios e interactuar con ellos o incluso facilitar entregas de bienes o prestaciones de servicios subyacentes directamente entre esos usuarios; y la transmisión de los datos recopilados acerca de los usuarios que hayan sido generados por actividades desarrolladas por estos últimos en las interfaces digitales. En cambio quedarían excluidas de su ámbito las entregas de bienes o prestaciones de servicios subyacentes que tengan lugar entre los usuarios en el marco de un servicio de intermediación en línea y las ventas de bienes o servicios contratados en línea a través del sitio *web* del proveedor de esos bienes o servicios (las denominadas actividades minoristas de comercio electrónico) en las que el proveedor no actúa en calidad de intermediario.

Sería objeto de gravamen, además de la venta de datos, la actividad de intermediación que ponga en conexión comercio con una persona en particular y no aquella otra actividad que se limite a poner en contacto ciudadanos con ciudadanos. Y, en todo caso, de cara a determinar si un proveedor vende bienes o servicios en línea por cuenta propia o bien presta servicios de intermediación habrá que tomar en consideración la sustancia jurídica y económica de la operación.

Por último la regulación contenida en el Anteproyecto de Ley incluía un régimen sancionador diseñado con la finalidad de evitar el falseamiento u ocultación de la dirección de IP u otros instrumentos de geolocalización o prueba del lugar de las prestaciones de servicios digitales, dada su condición de instrumentos fehacientes de que los usuarios han consumido el servicio online de la app o plataforma dentro de un país determinado. Concretamente el Anteproyecto diseñado preveía sancionar la realización de cualquier acción u omisión que implique el falseamiento u ocultación de la dirección de Protocolo de Internet (IP) u otros instrumentos de geolocalización o prueba determinantes del lugar de realización de las prestaciones de servicios digitales. Se multaría cada caso con 150 euros con un límite de 15.000 euros anuales para entidades no económicas y del 0,5% del importe neto de negocio del año anterior para las empresas (15.000 euros para las de tres millones y de ahí en adelante).

El Proyecto de Ley regulador del nuevo gravamen sería aprobado en la sesión del Consejo de Ministros del 18 de enero de 2019. Como novedad frente a la regulación inicial del Anteproyecto se disponía que quedarían

---

un cliente se abonaría al propietario de la interfaz digital en la que fuese a aparecer el anuncio publicitario, a cambio del alquiler de espacio digital en dicha interfaz.

exoneradas de gravamen las prestaciones digitales que fuesen realizadas entre empresas del mismo grupo, con una participación, directa o indirecta del 100%. Asimismo se permitiría que las empresas que finalmente tuviesen que pagar el Impuesto sobre Determinados Servicios Digitales pudieran deducírselo en la base imponible de su IS como otro gasto de la actividad, tratando con ello de compensar a las empresas locales más pequeñas que tuvieran que soportar la aplicación del nuevo gravamen.

Otra de las novedades incluidas en el Proyecto de Ley era la relativa al régimen de infracciones y sanciones aplicable, en relación con el cual se había optado por endurecer las multas previstas para quien tratase de eludir el pago del nuevo tributo, si bien en paralelo también se limitaba su impacto a un máximo de 400.000 euros al año. Así las cosas se eliminaba en el Proyecto de Ley la referencia explícita a la dirección IP y se sustituía el supuesto de infracción por uno más amplio, pasando a ser considerado grave incumplir la obligación de establecer los sistemas, mecanismos o acuerdos que permitan determinar la localización de los dispositivos de los usuarios en el territorio de aplicación del Impuesto.

Asimismo se eliminaba la multa de 150 euros con un límite de 15.000 euros establecida para quien no ejerciese actividades económicas. Y, en su lugar, se optaba por una única sanción posible, la cual tomaba como importe el 0,5% de la cifra neta de negocios del año natural anterior a la penalización por cada ejercicio en el que se hubiesen detectado incumplimientos de la nueva regulación, estableciéndose a tal efecto una horquilla por la cual la multa no podría ser inferior a 15.000 euros pero tampoco mayor a 400.00 euros[14]. Ello implicaba un incremento de las multas más bajas, en las que los 15.000 euros dejaban de ser el límite máximo para convertirse en el mínimo. El umbral superior, sin embargo, beneficiaba especialmente a las grandes empresas que, por muy elevada que sea su cifra de negocio, nunca abonarían más de 400.000 euros. Concretamente la multa máxima estaba prevista para las compañías con una facturación anual de 80 millones de euros en España. Cualquier firma que lograse una cifra de negocio superior obtendría la misma multa.

---

14 En efecto, el art. 15 del Proyecto calificaba como infracción tributaria grave el incumplimiento de la obligación establecida al efecto, imponiendo una sanción consistente en multa pecuniaria del 0,5% del importe neto de la cifra de negocios del año natural anterior con un mínimo de 15.000 euros y un máximo de 400.000 euros por cada año natural en el que se haya producido el incumplimiento.

Por otra parte de acuerdo con la redacción del Proyecto de Ley serían contribuyentes aquellas empresas que alcanzasen un volumen de ingresos de tres millones de euros de negocio en España por las prestaciones de servicios digitales en el año natural anterior, incluyéndose una Disposición Transitoria Única en el articulado del Proyecto por la que se matizaba que en el año 2019 dicho cálculo se realizaría haciendo una extrapolación del resultado anual a partir de los ingresos logrados por estas actividades desde el momento de entrada en vigor de la norma hasta final del ejercicio. Y se eximían expresamente del Impuesto las prestaciones de servicios financieros regulados por entidades financieras reguladas o el traspaso de datos que hiciesen éstas. Igualmente quedarían exoneradas, como ya se ha indicado, las prestaciones de servicios digitales entre entidades de un mismo grupo cuando la participación, directa o indirecta, fuese del 100%, facilitando así el traspaso de datos de usuarios entre compañías de un mismo conglomerado. Con carácter adicional quedarían exonerados de gravamen los servicios de venta directa, los servicios de contenidos o la intermediación entre usuarios.

El nuevo Proyecto de Ley regulador del Impuesto aprobado en Consejo de Ministros a mediados del mes de febrero de 2020 contempla un gravamen prácticamente idéntico al del anterior Proyecto, de carácter indirecto, y con un tipo del 3% aplicable a los ingresos generados por servicios de publicidad dirigida en línea, servicios de intermediación en línea y la venta de datos obtenidos a partir de información proporcionada por el usuario. El objetivo último del Impuesto, cuyo devengo se produciría por cada prestación de servicios sujeta al mismo, no sería otro que someter a gravamen aquellos servicios digitales en los que exista una contribución esencial de los usuarios en el proceso de creación de valor de la empresa que prestase dichos servicios, a través de los cuales la empresa monetiza dichas contribuciones de los usuarios.

El gravamen afectaría a empresas con ingresos anuales mundiales de, al menos, 750 millones de euros e ingresos en España superiores a 3 millones de euros. El hecho imponible del gravamen lo integran nuevamente las siguientes prestaciones de servicios: la inclusión, en una interfaz digital (programa, sitio web o aplicación que permita la comunicación *online*), de publicidad dirigida a los usuarios de la interfaz; la puesta a disposición de interfaces digitales multifacéticas que permitan a sus usuarios localizar a otros usuarios e interactuar con ellos o facilitar entregas de bienes o prestaciones de servicios subyacentes directamente entre los usuarios; y la transmisión, incluida la venta o cesión, de los datos recopilados acerca de los usuarios que hayan sido generados por actividades desarrolladas por estos últimos en las interfaces digitales.

En cambio quedan excluidas del gravamen la venta de bienes o servicios entre los usuarios en el marco de un servicio de intermediación en línea, así como las ventas de bienes o servicios contratados en línea a través de la web del proveedor de esos bienes o servicios en la que el proveedor no actúa como intermediario (en definitiva, el comercio electrónico que implica la venta de bienes o servicios contratados directamente al proveedor, sin intermediario) y determinados servicios financieros regulados por entidades financieras reguladas a través de los cuales se persigue únicamente proporcionar un entorno seguro para las operaciones financieras, determinando las condiciones específicas en las que pueden llevarse a cabo tales operaciones para garantizar la calidad de ejecución de las operaciones, el nivel de transparencia en el mercado y el otorgamiento de un trato equitativo de los inversores.

Con carácter adicional se exonera de gravamen a aquellas prestaciones digitales que sean realizadas entre entidades que formen parte de un grupo con una participación, directa o indirecta, del 100%. Este supuesto de no sujeción, procedente de la Propuesta de Directiva de la Comisión de 2018, no quedó inicialmente recogido en el Anteproyecto de Ley presentado por el Gobierno a finales de 2018. Sin embargo, atendiendo las observaciones realizadas por los interesados durante el trámite de audiencia, fue finalmente incorporado en el Proyecto de Ley de enero de 2019 así como, tal y como se ha indicado, en el posterior Proyecto de Ley aprobado en Consejo de Ministros a mediados del mes de febrero de 2020. En todo caso se trata de un supuesto de no sujeción que solo afecta a aquellas transacciones realizadas entre entidades que formen parte de un grupo con una participación, directa o indirecta, del 100% de manera que, en aquellos supuestos en los que intervenga en la cadena alguna entidad del grupo que no cumpla dicho porcentaje, el supuesto de no sujeción no resultará de aplicación.

Por otro lado, solo quedan sujetas al Impuesto aquellas prestaciones de servicios digitales que se puedan considerar vinculadas con España, lo que se entenderá que sucede cuando haya usuarios de dichos servicios situados en nuestro territorio, al margen de que haya podido contribuir o no a la generación de los ingresos de la empresa. Y, al objeto de considerar a los usuarios como situados en el territorio de aplicación del impuesto, se establecen una serie de normas específicas para cada uno de los servicios digitales gravados fundamentadas en el lugar en que se han utilizado los dispositivos de esos usuarios, localizados a su vez, en general, a partir de las direcciones de protocolo de internet (IP) de los mismos salvo que se utilicen otros medios de prueba y, en particular, otros instrumentos de geolocalización de los dispositivos.

Teniendo lugar la puesta a disposición de interfaces digitales multifacéticas que permiten la facilitación de entregas de bienes o prestaciones de servicios subyacentes, la atribución a España de los ingresos imponibles atenderá al número de usuarios que concluyan tal operación durante el periodo impositivo utilizando un dispositivo en nuestro país. En cambio si el servicio de intermediación no conlleva la facilitación de operaciones subyacentes, a efectos de la atribución a nuestro país de los ingresos imponibles habrá que tener presente el número de usuarios que durante el periodo impositivo sean titulares de una cuenta que permita acceder a la interfaz que se haya abierto utilizando un dispositivo en nuestro país, independientemente de que dicha apertura haya tenido lugar durante ese ejercicio fiscal o en otro anterior. Y, produciéndose la transmisión de los datos recopilados acerca de los usuarios, la atribución de los ingresos imponibles a España habrá de tener en cuenta el número de usuarios que hayan generado los datos transmitidos en el periodo impositivo como consecuencia de la utilización de un dispositivo en nuestro país.

La base imponible del Impuesto estaría constituida por el importe de los ingresos, excluidos, en su caso, el Impuesto sobre el Valor Añadido u otros impuestos equivalentes, obtenidos por el contribuyente por cada una de las prestaciones de servicios digitales sujetas realizadas en el territorio de aplicación del impuesto durante el periodo de liquidación. A efectos del cálculo de la citada base imponible se establecen unas reglas destinadas a poder someter a gravamen exclusivamente la parte de los ingresos que se corresponda con usuarios situados en el territorio aplicación del impuesto en relación con el total de usuarios, de acuerdo con las reglas de localización de cada uno de los hechos imponibles que conforman el gravamen.

El Impuesto se liquidaría trimestralmente y el devengo se producirá por cada prestación de servicios sujeta al impuesto. Ahora bien como novedad frente a lo dispuesto en el anterior Anteproyecto de Ley aprobado en su día por el Ejecutivo, si bien la liquidación del gravamen sería trimestral en 2020, de forma excepcional, no se efectuaría hasta el 20 de diciembre, al objeto de atender a las negociaciones desarrolladas a nivel internacional. De este modo durante 2020 se practicaría una única liquidación extraordinaria en el mes de diciembre.

Se preveía finalmente la imposición de sanciones de hasta el 0,5 % del importe neto de la cifra de negocios del año natural anterior para aquellas empresas que tratasen de ocultar la ubicación del usuario de esos servicios mediante el falseamiento u ocultación de la dirección de Protocolo de Internet (IP) u otras pruebas. Concretamente resultaría de aplicación una multa pecuniaria del 0,5% del importe neto de la cifra de negocios del año natural anterior, con un mínimo de 15.000 euros y un máximo de 400.000 euros, por cada año natural en el que se hubiese producido el incumplimiento. No obstante el importe de la sanción que hubiera de ingresarse por la comisión de la infracción podría ser objeto de reducción en un 25% en el supuesto de que su ingreso se realizase dentro del plazo otorgado al efecto y siempre y cuando no se interpusiera recurso o reclamación contra la sanción, de acuerdo con lo dispuesto en el art. 188.3 de la Ley 58/2003, de 17 de diciembre, General Tributaria.

3. REFLEXIONES CRÍTICAS

Con carácter general la imposición vigente en la UE presenta lagunas que son utilizadas por las grandes multinacionales digitales para reducir su tipo efectivo a unos niveles de hasta el 9%, cuando el resto de empresas con presencia física en un Estado miembro de la UE presenta un tipo efectivo medio del 23,2%.

El modelo de tributación diseñado en el seno de la Comisión Europea con la finalidad de hacer frente a la citada situación habría de articularse a través de dos etapas. A largo plazo se propugna acometer una reforma de las normas fiscales comunitarias sobre actividades digitales, permitiendo a los Estados miembros gravar con impuestos los beneficios que se generan en su territorio, incluso si una empresa no tiene presencia física allí. La Propuesta de Directiva presentada en su día requeriría de una modificación profunda en las reglas de asignación de beneficios entre Estados así como la previsible reforma de los Convenios de Doble Imposición, debiendo entrarse además a redefinir el concepto de Establecimiento Permanente para evitar que las denominadas empresas digitales puedan escaparse de la tributación por el IS al tener localizados la mayor parte de sus activos en territorios de baja tributación. Dicha redefinición pasaría a nuestro juicio por abandonar la idea relativa al lugar donde las empresas localizan sus activos, sus intangibles o sus riesgos, tomando en cambio en consideración, en el marco de la economía digital, el lugar donde se produce la conexión con los usuarios finales, tratando de acercar la tributación a los países de consumo.

Mientras tanto en el corto plazo se defiende someter a gravamen a un tipo del 3% a los ingresos procedentes de ciertas transacciones digitales, fijando a tal efecto unos umbrales mínimos de facturación. A tal efecto se establecieron unos umbrales de facturación global de 750 millones de euros o que se tengan ventas en un Estado miembro por encima de 50 millones de euros, gravando sólo los ingresos procedentes de unos determinados servicios digitales tales como la publicidad en línea, las suscripciones de pago o la venta de datos personales.

En efecto, al amparo de una primera propuesta se acometería una reforma común de las normas de la UE relativas al Impuesto sobre Sociedades para las actividades digitales. Esta propuesta permitiría a los Estados miembros gravar los beneficios que se generen en su territorio, aunque una empresa no tenga presencia física en dicho país. Las nuevas normas garantizarían que las empresas en línea contribuyan a las finanzas públicas en la misma medida que las empresas físicas tradicionales. Se consideraría que una plataforma digital tiene una «presencia digital» gravable o un Establecimiento Permanente (EP) virtual en un Estado miembro si cumple uno de los siguientes criterios: superar el umbral de 7 millones de euros de ingresos anuales en un Estado miembro; tener más de 100.000 usuarios en un Estado miembro durante un ejercicio fiscal; y generar en un ejercicio fiscal más de 3.000 contratos de servicios digitales entre la sociedad y los usuarios. Las nuevas normas también cambiarían la manera en que se asignan los beneficios a los Estados miembros de modo que se refleje mejor la manera en que las empresas pueden crear valor en línea, por ejemplo en función de la ubicación del usuario en el momento del uso[15]. En definitiva, el nuevo sistema garantizaría un vínculo real entre el lugar donde se obtienen los beneficios digitales y el lugar en el que se gravan, pudiendo dicha medida integrarse en el ámbito de aplicación de la Base Imponible Común Consolidada (BICCIS).

Por su parte la segunda propuesta planteada se concretaba en la aplicación de un impuesto provisional sobre determinados ingresos procedentes de actividades digitales. Este impuesto provisional garantizaría que aquellas actividades que actualmente no están efectivamente sujetas a tributación empiecen a generar ingresos para los Estados miembros de forma inmediata. Asimismo ayudaría a evitar las medidas unilaterales de imposición de

---

[15] Por lo que respecta al marco comunitario el nuevo Impuesto se aplicaría a prestaciones de servicios transfronterizas entre Estados miembros (una empresa establecida en un Estado miembro que presta servicios digitales en otro Estado miembro) y entre países terceros y un Estado miembro UE (caso de una empresa establecida en un país tercero que presta servicios digitales en un Estado miembro de la UE). Asimismo el gravamen se proyectaría sobre situaciones puramente internas tales como prestaciones de servicios digitales dentro de un mismo Estado miembro, evitándose con ello el surgimiento de problemas de compatibilidad con el Derecho Comunitario. Se gravaría por tanto a entidades residentes en un Estado miembro que obtienen ingresos en otro Estado miembro o en su Estado de residencia, así como a entidades no residentes en la UE que obtienen ingresos derivados de servicios digitales en un Estado miembro de la UE.

las actividades digitales en determinados Estados miembros, que podrían dar lugar a una multiplicidad de respuestas nacionales perjudicial para el mercado único. A diferencia de lo que sucede respecto de la reforma común de la UE en materia de normativa fiscal subyacente este impuesto indirecto se aplicaría a los ingresos generados a partir de determinadas actividades digitales que quedan completamente fuera del actual marco fiscal, siendo de aplicación únicamente como medida provisional hasta que se haya aplicado la reforma integral, conteniendo mecanismos destinados a paliar la posible doble imposición[16].

Con carácter general una de las principales controversias suscitadas en el ámbito de la UE por el diseño de nuestro gravamen interno es la relativa a la eventual existencia de situaciones de doble imposición respecto de las rentas generadas en el propio país y de aquellas otras obtenidas en el resto de la Unión Europea. A tal efecto desde la Comisión se proponía que el gravamen en cuestión se considerase como gasto en el que incurren las tecnológicas, minorando su resultado contable por lo que respecta a aquellos ingresos sometidos a gravamen por los dos impuestos (IS e Impuesto sobre los Servicios Digitales). En consecuencia el nuevo gravamen tendría la consideración de gasto que tienen que realizar las empresas dentro del ámbito de su actividad, resultando a tal efecto deducible de la base imponible en el IS.

Así se recogía incluso en la Propuesta de Directiva elaborada por la Comisión Europea relativa a la creación del gravamen comunitario, disponiéndose en su punto 27 que «*Con el fin de reducir los posibles casos de doble imposición cuando los mismos ingresos estén sujetos al impuesto so-*

---

16   El texto presentado preveía su aprobación a corto plazo, de manera que su implementación doméstica por los Estados miembros tuviese lugar antes de 31 de diciembre de 2019 a efectos de que sus disposiciones fuesen eficaces y se aplicasen en los periodos impositivos que se iniciaran a partir de 1 de enero de 2020. El citado impuesto provisional se aplicaría a los ingresos generados por actividades en las que los usuarios desempeñan un papel importante en la creación de valor y que son más difíciles de gravar con la normativa fiscal actual, tales como los ingresos generados por la venta de espacios publicitarios en línea, los generados a partir de las actividades de intermediarios digitales que permitan a los usuarios interactuar con otros usuarios y que puedan facilitar la venta de bienes y servicios entre ellos y los generados a partir de la venta de datos obtenidos de información aportada por el usuario. Los ingresos fiscales serían recaudados por los Estados miembros en los que se encontrasen los usuarios, y el impuesto solamente se aplicaría a las empresas con un total anual de ingresos de 750 millones de euros a nivel mundial y de 50 millones de euros en la UE. Ello contribuiría a garantizar que las pequeñas empresas emergentes y en expansión queden exentas de esta carga.

bre sociedades y al ISD, se espera que los estados miembros autoricen a las empresas a deducir el ISD, pagado como coste, de la base imponible del impuesto sobre sociedades en su territorio, independientemente de que ambos impuestos se paguen en el mismo Estado miembro o en estados miembros diferentes». Tal y como se ha analizado la citada Propuesta de Directiva abogaba por la modificación del concepto de EP admitiendo que existe Establecimiento Permanente cuando haya una presencia digital significativa siempre que se superen los 7,5 millones de euros en relación a una determinada jurisdicción, se superen los 100.000 usuarios en esa determinada jurisdicción o se supere en el ámbito de los contratos digitales los 3.000.

Por otra parte la Propuesta de Directiva de la Comisión Europea incluía a las jurisdicciones de la UE y a las de terceros países con los que no existan Convenios de Doble Imposición. Y ello en la medida en que resultaría necesario que el CDI de que se trate incorpore la Propuesta de Directiva, garantizándose así que se incluye el nuevo concepto de EP que posibilite la aplicación del gravamen. En base a ello desde la Comisión Europea se ha venido recomendando a los distintos países que modifiquen los CDIs que los Estados miembros tienen con las jurisdicciones terceras para incluir esta propuesta y que sea posible cobrar el gravamen. En todo caso la Propuesta de Directiva calificaba por tanto al ISD como un tributo indirecto (el tributo no grava directamente al usuario, que es el que aporta el valor, sino a la empresa que posteriormente monetiza ese valor), adquiriendo el carácter de deducible en el IS de cualquier país. Ello plantea el problema de que, al tratarse de operaciones «cross-border» o transfronterizas sería necesario entrar a determinar dónde se ha realizado el hecho imponible.

A priori la posibilidad de proceder a establecer, mediante el mecanismo de cooperación reforzada, un impuesto sobre las ventas de las multinacionales digitales resulta, a nuestro juicio, razonable. Dicho gravamen habría de incluir, no ya sólo las ventas de las filiales establecidas en el territorio, sino también las ventas que se realizan desde las filiales en otros lugares para evitar la triangulación y el ulterior desvío de los beneficios hacia paraísos fiscales. De este modo se lograría someter a gravamen a estas filiales radicadas fuera del territorio, ya sea a través de la aplicación de una retención o de un pago a cuenta por los servicios, royalties, asistencia técnica, etc., pagados al exterior, o bien mediante la aplicación de un gravamen sobre aquellas prestaciones digitales objeto de deslocalización. Todo ello sin perjuicio de la conveniencia de fijar un límite que evite que a través de estos pagos estas empresas no terminen sufriendo un exceso de imposición. No obstante sería necesario entrar a delimitar tanto los criterios para distribuir los beneficios de cada multinacional en cada país miembro como la horquilla en la que se permitiría establecer el recargo en el Impuesto sobre Sociedades nacional.

Desde nuestro punto de vista se hace necesario que la Comisión Europea no opere en este ámbito de manera unilateral, sino actuando de forma conjunta con la OCDE, al tratarse de un mercado global que va más allá de la economía puramente digital. Piénsese que la digitalización se proyecta sobre numerosos negocios, pudiendo las compañías operar de forma efectiva en un país sin tener una base fija sometida a tributación bajo las reglas actuales. Por otra parte en el supuesto de que finalmente se optase por aplicar una retención final sobre determinados pagos hechos a proveedores no residentes en relación a bienes y servicios ordenados *online* habrá que tratar de evitar el surgimiento de situaciones de doble imposición.

A nuestro juicio las Propuestas formuladas en el seno de la UE han de servir para inspirar y crear impulso para el trabajo internacional en curso dirigido por el G-20 y la OCDE, la cual se comprometió a presentar un informe sobre los próximos pasos a nivel internacional para 2020. Una correcta fiscalización de los ingresos digitales requiere siempre de la adopción de medidas globales homogéneas y coordinadas en el seno de la OCDE para minimizar las ineficiencias y los efectos distorsionadores no deseados sobre el mercado.

En todo caso cualquiera que sea el criterio que se adopte éste no debe contribuir a distorsionar las decisiones comerciales operando como un freno en la propagación de las tecnologías facilitadoras, sino que debe proporcionar certeza y simplicidad, posibilitando desarrollos futuros. Se ha de tratar de evitar que el mercado europeo termine viéndose afectado al reducirse la cantidad de ganancias disponibles para inversión, con efectos negativos adicionales sobre su empleo y crecimiento. Piénsese a este respecto que una eventual ralentización del proceso de digitalización de las empresas derivada de la aplicación del gravamen en nuestro país podría terminar restando productividad a la economía española, haciéndola menos innovadora, menos emprendedora y, en definitiva, menos competitiva a nivel global[17].

---

[17] Con carácter general un incremento del coste de venta y de publicidad *online* podría conducir a una reducción de las ventas ya que, al traspasarse el coste al precio, se perdería productividad y competitividad. Véase en este sentido GÓMEZ CONDADO, Mª. T., «Tasa digital: pioneros en nada bueno», *Diario El Economista*, www.eleconomista. es (consultada el 14 de enero de 2019), para quien el consumidor final *vería reducido su bienestar debido al incremento en el coste de los productos por este impuesto, por lo que con bastante probabilidad, el consumidor optará por acudir a productos y servicios no sujetos al impuesto. Esto dificultará el crecimiento de las pymes y start-ups 100%*

Con carácter adicional existe el riesgo de que puedan llegar a generarse distorsiones económicas, situaciones de doble imposición, un aumento de la incertidumbre y complejidad, costes asociados al cumplimiento para las empresas internacionales (así como para las pequeñas y medianas empresas que usan las plataformas digitales) e incluso conflictos con determinados acuerdos bilaterales sobre fiscalidad. Y ello en la medida en que la tributación aplicable podría terminar desplazándose a los mercados más grandes con la mayor cantidad de ventas, dado que el Impuesto indirecto que se pretende crear por parte de la Comisión, al recaer sobre las ventas, parece asemejarse a un impuesto indirecto que grava el consumo como el IVA, con las dificultades que ello conlleva además en lo que a su recaudación se refiere[18]. Podría originarse así un ensanchamiento de la tributación en los Estados de la fuente (al ampliarse el poder tributario de los Estados donde están localizados los usuarios de servicios digitales) que menoscabaría el poder tributario de los Estados de residencia, limitando así el derecho de imposición residual actualmente existente.

En suma, en la actualidad los ordenamientos jurídicos del conjunto de los países miembros de la UE no prevén un sistema de tributación basado en los ingresos obtenidos. En este sentido proceder a crear un gravamen cuya cuantía se calcule sobre los ingresos en lugar de los beneficios podría condu-

---

digitales que ofrecen productos y servicios»; tal y como advierte la citada autora «*La propuesta española para un Impuesto sobre Determinados Servicios Digitales distorsiona fuertemente el mercado, señalando un nicho muy estrecho de empresas a las que se aplica. Con ello, provocaría efectos regresivos y terminaría gravando a empresas con pérdidas. Este efecto distorsionador se vuelve difícil de entender, además, porque penaliza modelos de negocio innovadores, uno de los pilares estratégicos sobre los que debe fundamentarse el crecimiento de la economía*».

[18] El propio Servicio Legal del Consejo de la UE procedió a emitir un informe en octubre de 2018 a través del cual concluyó que el gravamen recogido en la Propuesta de Directiva no constituye un verdadero impuesto indirecto, en la medida en que no se prevé en su regulación ningún mecanismo para que lo soporte el consumidor, no siendo en consecuencia de aplicación para su desarrollo el art. 113 del Tratado Fundacional de la Unión Europea (relativo a los impuestos indirectos y en virtud del cual se atribuye la competencia reguladora de tributos sobre volúmenes de negocio y tributación indirecta únicamente cuando se pretende tomar medidas que protejan el mercado único y otra que eviten la distorsión de la competencia) sino el art. 115 del citado Tratado, el cual se proyecta sobre los gravámenes de naturaleza directa posibilitando aproximar las legislaciones de los Estados Miembros que afecten directamente el funcionamiento del mercado interno (i.e. impuestos directos). Y, si bien el citado Servicio Legal subrayó que al amparo de la anterior consideración no podría fundamentarse que nos hallemos en presencia de un impuesto directo cubierto por los CDIs concluidos por los Estados miembros tampoco se rechazaba de plano esta última posibilidad.

cir a situaciones de inequidad derivadas de la coexistencia de dos modelos de exacción fiscal distintos en función del tipo de negocio que se desarrolle, amén de obligar a cada Estado miembro a adaptar su sistema tributario consecuentemente. Y sin perjuicio de reconocer además que el hecho de que se sometan a gravamen las ventas de una entidad y no su beneficio no determina que la figura tributaria en cuestión no pueda tener la naturaleza de un impuesto directo[19].

Al margen de lo anterior, el conjunto de las empresas digitales sometidas a gravamen podrían optar por modificar sus modelos de negocio en España e incluso repercutir los nuevos costes legales, fiscales y de conformidad que representa el nuevo Impuesto sobre los servicios digitales en los usuarios. En efecto, cabría la posibilidad de que el coste del Impuesto terminara siendo transferido a las compañías usuarias de los servicios gravados, que trasladarían a su vez una parte al precio final que paga el consumidor. En función de la variación de la cantidad demandada de productos y servicios ante una variación en el precio una parte del coste lo asumirían los consumidores a través del precio y el resto el propio vendedor, como un incremento del coste.

Aquellas empresas con bajos niveles de rentabilidad se verían obligadas a repercutir en sus clientes el coste de este impuesto propuesto. Y podrían terminar congelándose las inversiones de dichas empresas en el mercado digital español. Concretamente el gravamen perjudicaría especialmente a aquellas compañías más digitalizadas que utilicen plataformas de terceros para vender o anunciar sus productos (principalmente pymes), por el menor coste. Nos estamos refiriendo a las plataformas *online* de intercambios de productos y servicios (*market places*), bien entre empresas (B2B) o de empresas a consumidores finales (B2C). Dichas plataformas acuden a los servicios digitales con la finalidad de que las empresas de menor tamaño, de reciente creación o *startups* realicen la venta online de sus productos sin necesidad de desarrollar una plataforma propia. Por su parte los *market places* facilitan la internacionalización de las pymes, permitiendo expandir su mercado fuera del territorio nacional. Pues bien dichas entidades sufrirían un perjuicio en sus exportaciones, ya que soportarían parte del gravamen,

---

[19]   Véase a este respecto VIÑUALES, L. M., «"Google tax": ¿una solución temporal?», *Diario Expansión*, www.expansion.com (consultada el 27 de noviembre de 2018), quien afirma que *«en el caso del DST, las ventas podrían ser un buen indicador de la capacidad de generar renta, y ello con independencia de que, en la práctica, tales rentas puedan quedar anuladas por la existencia de costes significativos por un importe igual o superior al importe de las ventas»*.

que operaría así como un arancel a la exportación. Y, sin lugar a dudas, en el ámbito de sus operaciones interiores quedarían en franca desventaja competitiva respecto a los importadores extranjeros, incentivando así la importación.

Por lo que interesa al objeto de nuestro análisis (la regulación diseñada por el Ejecutivo español), como hemos tenido ocasión de analizar se prevé aplicar un impuesto de carácter indirecto que someta a gravamen los servicios digitales en los que hay una contribución esencial de los usuarios en el proceso de creación de valor de la empresa que presta esos servicios y a través de los cuales la empresa monetiza esas contribuciones de los usuarios. De este modo no se someterían a gravamen los beneficios, sino el valor incorporado a los servicios prestados. En definitiva, se gravarían los ingresos y no los beneficios, lo que podría dar lugar a situaciones de doble imposición.

Las empresas objeto de este Impuesto serían aquellas con un importe neto de su cifra de negocios superior a los 750 millones de euros a nivel mundial y cuyos ingresos derivados de los servicios digitales afectados por el gravamen superasen los tres millones de euros en España, pretendiéndose con ello que sólo se grave a las grandes empresas, esto es, a aquellos grupos multinacionales de mayor envergadura que prestan servicios a un elevado número de usuarios y con un ámbito de operaciones digitales significativo, requiriéndose a tal efecto que, atendiendo a la dirección de IP, los usuarios de los servicios prestados se hallen situados en el territorio de aplicación del gravamen[20].

La figura tributaria diseñada al efecto en el Proyecto de Ley del Impuesto sobre Determinados Servicios Digitales se limitaría a gravar la prestación de servicios de publicidad en línea, servicios de intermediación en línea y la venta de datos generados a partir de información proporcionada por el usuario. Por tanto se gravaría la publicidad *on line*, las plataformas e intermediarias digitales que permitan a los usuarios localizar a otros usuarios e interactuar para prestar un servicio o entrega de bienes y los ingresos por transmisión de datos recopilados acerca de los usuarios generados por la información ofrecida durante su actividad en la plataforma o la venta de metadatos. En cambio quedarían excluidas de gravamen la venta de bienes

---

[20]   Ahora bien se ha de tener presente a este respecto que, con carácter general, son las empresas que operan en el sector de las telecomunicaciones quienes fijan esa IP, motivo por el cual sería necesario entrar a clarificar cuál será su papel en el control tributario o cómo se conjugará dicha función respecto de la protección de datos.

o servicios entre los usuarios en el marco de un servicio de intermediación en línea y las ventas de bienes o servicios contratados en línea a través de la *web* del proveedor de esos bienes o servicios en la que el proveedor no actúa como intermediario[21], al margen de determinados servicios financieros. El tipo impositivo que se aplicaría sería del 3%, en línea con la propuesta de la Comisión Europea, disponiéndose además que para poder aplicar el gravamen el usuario de dichos servicios esté situado en territorio español.

Tal y como se ha señalado a lo largo del presente trabajo, si bien aparentemente nos hallamos en presencia de un tributo indirecto (justificándose dicha naturaleza en la Exposición de Motivos del Anteproyecto de Ley sobre la base que el Impuesto se centra en los servicios prestados sin tener en cuenta las características del prestador de los mismos, entre ellas su capacidad económica) factores tales como el hecho de que no se contemple su repercusión a los consumidores viene a poner en tela de juicio dicha naturaleza.

En la práctica será complicado garantizar que el nuevo gravamen se aplique sólo a aquellos negocios digitales que supuestamente no están pagando impuestos localmente sin contravenir los Convenios de Doble Imposición o acuerdos internacionales en materia de comercio, garantizándose así que no perjudica y genera doble imposición en aquellas empresas que ya están establecidas (empresas que prestan estos servicios a través de su sede española) y que pagan sus impuestos. Téngase presente que, si se reconociese la naturaleza directa del gravamen, habría de incluirse en el ámbito de los Convenios para evitar la Doble Imposición internacional suscritos por España, siendo necesario de cara al sometimiento a gravamen de tales rentas la existencia de un EP en nuestro país en línea con lo dispuesto en el art. 7 del Modelo de Convenio de la OCDE. En efecto, se requeriría la modificación de los Convenios al objeto de que éstos contemplen la presencia digital significativa como un supuesto adicional generador de un EP, ya que en caso contrario la renta obtenida por estos operadores no quedaría sometida a tributación en el Estado de generación de la misma al no contar con un EP conforme al Convenio. Y carecería de toda razón de ser la aprobación de un Impuesto que no sometiese a gravamen a las empresas de países con los que exista un Convenio.

---

[21]   En efecto, se ha de entender que en dichos supuestos el uso de la interfaz se consideraría más una mera herramienta de comunicación, no ostentando la cualidad de creadora de negocio.

Asimismo resultará difícil establecer mecanismos de control respecto de los ingresos mundiales de las empresas por cada uno de los servicios sujetos y del número total de usuarios o accesos mundiales y españoles.

Tal y como se ha señalado desde determinados sectores de la doctrina la regulación propuesta en el Proyecto de Ley aprobado a mediados de febrero de 2020 (y que, a fecha de redactar estas líneas, ha sido ya aprobado por el Senado) no aclara si los servicios de publicidad dirigida gravados por el gravamen requieren o no que el usuario facilite información de forma activa. En este sentido la delimitación del hecho imponible realizada podría terminar por someter a gravamen determinados servicios digitales que pueden llegar a existir actualmente en los que la participación del usuario no es esencial en el proceso de creación del valor del negocio o, incluso, como consecuencia de determinadas estructuras de negocio u operativas de los grupos empresariales.

La aplicación del nuevo gravamen, debido al verdadero carácter directo de su naturaleza jurídica (a pesar de concebirse como un tributo indirecto), podría dar lugar al surgimiento de situaciones de doble imposición a efectos del IS o del IRNR. Piénsese en el caso de aquella sociedad que opera en España sin Establecimiento Permanente y que, en virtud de la aplicación de un Convenio de Doble Imposición, tributa ya por el IS en su Estado de residencia. También se verían afectadas por situaciones de doble imposición aquellas empresas residentes en nuestro país que paguen un 25% por el IS y que, además, sufran el gravamen de un 3% adicional por la prestación de determinados servicios de publicidad e intermediación en línea y transmisión de datos.

A mayor abundamiento su aprobación de forma unilateral podría reducir la capacidad de atracción de inversión extranjera a nuestro país, hasta el punto de que las grandes multinacionales digitales decidiesen dejar de prestar servicio en España si su cuota de negocio no compensara la carga tributaria impuesta, al margen de que el gravamen termine, en base a su naturaleza indirecta, siendo repercutido parcialmente a los usuarios y a las pymes.

Cabe recordar además a este respecto que el anterior Proyecto de Ley aprobado en enero de 2019 no incluía dentro de su regulación referencias a los mecanismos de control para establecer el número de usuarios que han generado los datos objeto del impuesto o que intervienen en la prestación de un servicio de intermediación, o bien para calcular el número de veces que aparece una determinada publicidad en los dispositivos ubicados en España.

Por otra parte se consideraba que una prestación de servicios digitales se ha producido en España cuando el usuario está físicamente en España, precisando el art. 7 del Proyecto de Ley que los únicos datos que pueden recopilarse de los usuarios con el fin de aplicar esta Ley se limitarían a aquellos que permitan la localización de los dispositivos. Y, al objeto de poder conocer si un usuario está en territorio español, habría de acudirse a la localización de las direcciones IP. Ahora bien conviene tener presente que la dirección IP está considerada un dato de carácter personal, siendo necesario especificar quién y cómo tiene que entregar esa información a los prestadores de servicios digitales, máxime teniendo presente que el tratamiento de los datos personales recabados ha de efectuarse de acuerdo con lo establecido en el Reglamento General de Protección de Datos.

Con carácter adicional, y tal y como disponía su art. 13, los contribuyentes habrían de establecer los sistemas o mecanismos necesarios para determinar la localización de los usuarios finales.

Bibliografía

CALVO VÉRGEZ, J., *Pasado, presente y futuro de BEPS*, ThomsonReuters-Aranzadi, Pamplona, 2018.

GASTALVER, R., «El impuesto sobre los servicios digitales: una mayor distorsión en el mercado», http://www.expansion.com/juridico/opinion/2019/01/22/5c475733468a eb810c8b45fc.html (consultada el 23 de enero de 2019).

GAUDIER, J. L. y PERELLÓ, J., «Impuesto sobre Servicios Digitales: ¿se quedará la recaudación en la nube?», www.legaltoday.com (consultada el 15 de enero de 2019).

GÓMEZ CONDADO, Mª. T., «Tasa digital: pioneros en nada bueno», *Diario El Economista,* www.eleconomista.es (consultada el 14 de enero de 2019).

HERNÁNDEZ MONEO, I., «Análisis del Proyecto de Ley del Impuesto sobre Determinados Servicios Digitales», *Revista de Contabilidad y Tributación*, núm. 445, 2020.

MARTÍN FERNÁNDEZ, J. y RODRÍGUEZ MÁRQUEZ, J., «Las debilidades de la futura "tasa Google"», *Diario Cinco Días,* www.cincodias.com (consultada el 21 de noviembre de 2018).

QUINTANA FERRER, E., «Economía digital y fiscalidad: los impuestos sobre determinados servicios digitales», *Nueva Fiscalidad*, núm. 3, 2019.

VIÑUALES, L. M., «"Google tax": ¿una solución temporal?», *Diario Expansión,* www. expansion.com (consultada el 27 de noviembre de 2018).

Capítulo 7

El Impuesto sobre Servicios Digitales: reflexiones críticas a propósito del modelo italiano

Mónica Siota Álvarez
*Profesora contratada Doctora de Derecho Financiero
y Tributario de la Universidad de Vigo*

1. INTRODUCCIÓN

Los retos a los que se enfrenta la fiscalidad internacional como consecuencia de la generalización de la economía digital han sido objeto de atención, en los últimos años, por los Estados y por distintas organizaciones internacionales[1].

Concretamente, y ante la falta de acuerdo en el seno de la OCDE a la hora de aprobar las medidas de la Acción 1 del Plan BEPS[2], en 2018, la Comisión Europea presentó un paquete de medidas sobre la fiscalidad de la economía digital, que está compuesto por cuatro elementos[3]: una Comunicación de la Comisión al Parlamento Europeo y al Consejo «Es el momen-

---

[1] Véase, al respecto URICCHIO, A., «La corsa ad ostacoli della *web taxation*», en *Rassegna Tributaria*, núm. 3, 2018.

[2] OCDE, «Abordar los desafíos fiscales de la economía digital, Acción 1 - Informe final 2015», Ediciones OCDE, París, disponible en http://dx.doi.org/10.1787/9789264241046-en (última consulta 1/09/2019).

[3] Un amplio comentario sobre las medidas propuestas véase en: CALDERÓN CARRERO, J. M., «El paquete europeo (2018) en materia de fiscalidad de la economía digital», en *Carta tributaria*, núm. 39, 2018; MULEIRO PARADA, L. M., «El futuro de la tributación de la economía digital en la Unión Europea», en *Crónica tributaria*, núm. 170, 2019.

to de instaurar un marco fiscal moderno, justo y eficaz para la economía digital»[4]; una Propuesta de Directiva del Consejo por la que se establecen normas relativas a la fiscalidad de las empresas con una presencia digital significativa[5]; una Recomendación de la Comisión relativa a la fiscalidad de las empresas con una presencia digital significativa[6]; y, por último, una propuesta de Directiva de la Comisión al Consejo sobre el establecimiento de un sistema común de impuesto sobre servicios digitales sobre ingresos resultantes de la prestación de servicios digitales (en adelante PDISD)[7].

Del mencionado paquete de medidas, sin lugar a dudas, son dos las propuestas más relevantes y ambiciosas; y con las que «la Unión Europea podría estar intentando liderar la dirección de los cambios en el sistema de fiscalidad internacional a través de medidas que representan unilateralismo fiscal y en cierta medida erosionan el consenso de mínimos y coordinación fiscal global derivada del proyecto BEPS»[8]. Nos referimos a las dos propuestas de Directivas con las que se pretende, por un lado, modificar, a largo plazo y de modo estructural, la normativa del Impuesto sobre Sociedades para que se declaren y graven los beneficios allí donde las empresas lleven a cabo una interacción significativa con los usuarios mediante canales digitales; y, por otro lado, y como medida provisional[9], introducir un Impuesto sobre servicios digitales. Sin embargo, y hasta el momento, ninguna de las dos propuestas de Directiva ha podido aprobarse por la firme oposición de algunos Estados.

Ante la falta de consenso sobre la adopción de un enfoque único acordado multilateralmente, ciertos países de todo el mundo —y, en especial, algunos de la Unión Europea— han implementado medidas unilaterales para hacer frente a los retos que, desde el punto de vista fiscal, plantea la digitalización de la economía; y, en particular, la de gravar las ganancias derivadas de las actividades digitalizadas de empresas que tengan una importante presencia económica en su territorio.

---

4   COM (2018) 146 final.

5   COM (2018) 147 final, 2018/0072 (CNS), SWD (2018) 81 final - SWD (2018) 82 final.

6   C (2018) 1650 final.

7   COM (2018) 148 final, 2018/0073 (CNS), SWD (2018) 81 final - SWD (2018) 82 final.

8   CALDERÓN CARRERO, J. M., «El paquete europeo (2018)...», *op. cit.*, p. 2.

9   Aunque se ha apuntado que si los resultados conseguidos con esta medida transitoria fuesen buenos, podría transformarse en una medida permanente; SÁNCHEZ-ARCHIDONA HIDALGO, G., «El Impuesto sobre los servicios digitales en la Unión Europea: un nuevo (y fallido) intento frente a la planificación fiscal agresiva», en CRUZ PADIAL, I., HINOJOSA TORRALVO, J. J., (Dirs.) *Cuestiones actuales de planificación fiscal internacional*, Atelier, Barcelona, 2019, p. 193.

En las líneas que siguen examinaremos los intentos que, en los últimos años, el legislador italiano ha realizado por establecer su propio modelo de imposición sobre la economía digital. A continuación, reflexionaremos sobre alguno de los problemas que genera la técnica legislativa empleada en las medidas unilaterales aprobadas.

2. UN PRIMER INTENTO: EL FALLIDO IMPUESTO ITALIANO SOBRE TRANSACCIONES DIGITALES

La Ley italiana de Presupuestos Generales del Estado para 2018[10] creó un «Impuesto sobre transacciones digitales», coloquialmente conocido como «Web tax», que debía de haber entrado en vigor a partir del 1 de enero de 2019[11], una vez se hubiese completado con un Decreto ministerial de desarrollo, cuya aprobación estaba prevista para el mes de abril de 2018.

La «Web tax» italiana[12] se concibió como un impuesto indirecto que debía gravar «prestaciones de servicios efectuadas mediante medios electrónicos»[13] que se llevasen a cabo únicamente entre empresarios (B2B), y siempre que el demandante del servicio residiese en Italia. Sobre el valor

---

[10] *Bilancio di previsione dello Stato per l'anno finanziario 2018 e bilancio pluriennale per il triennio 2018-2020*, Ley de 27 de diciembre de 2017, núm. 205, apartados 1011 a 1019 del art. 1.

[11] En realidad, debía de entrar en vigor, el 1 de enero del año siguiente al de la publicación en la Gaceta Oficial italiana del Decreto de desarrollo del Ministro de Economía y Finanzas.

[12] Para referirnos a los elementos esenciales de este tributo seguiremos a: DELLA VALLE, E., «La web tax italiana e la proposta di Direttiva sull'Imposta sui servizi digitali: norte di un nascituro appena concepito?», en *Il Fisco*, núm. 16, 2018; LEO, M., «La tassazione dell'economia digitale sulle due sponde dell'Atlantico: spunto di riflessione dalla Circolare Assonime», en *Il Fisco*, núm. 37, 2018.

[13] De acuerdo con el apartado 1012 del art. 1 de la Ley de 27 de diciembre de 2017, núm. 205: «Los servicios prestados por medios electrónicos son los proporcionados a través de Internet o de una red electrónica que, por su naturaleza, estén básicamente automatizados y requieran una intervención humana mínima, y que no tengan viabilidad al margen de la tecnología de la información». Definición que, como destaca DELLA VALLE, enlaza directamente con el concepto de servicios electrónicos recogido en el apartado 1 del art. 7 del Reglamento de Ejecución del IVA; DELLA VALLE, E., «La web tax italiana…», *op. cit.*, p. 2.
No obstante, los servicios digitales gravados debían de concretarse en un Decreto de desarrollo, circunstancia que planteó dudas de constitucionalidad por considerarse que se estaba vulnerando el principio de reserva de ley; BISIOLI, A., ZULLO, A., «Web tax: una lettura in chiave comunitaria», en *Corriere Tributario*, núm. 13, 2018, p. 3. Y en el

de cada transacción individual, excluido el IVA, se aplicaría una alícuota del 3%.

Además, se establecía que, como regla general, todas las empresas residentes y no residentes se convertían en sujetos pasivos contribuyentes siempre que hubieran superado el umbral de 3.000 transacciones digitales prestadas durante el año natural.

Los demandantes de los servicios gravados, siempre que fueran empresas residentes en Italia, se configuraban como sujetos pasivos sustitutos; ya que, en el momento en que pagasen la contraprestación por los servicios digitales prestados, tendrían que retener la cuota del impuesto —salvo que los prestadores de los servicios gravados indicasen en la factura, o en otro documento justificativo, que no hubiesen superado las 3.000 transacciones digitales—, estando obligados a repercutir dicha cantidad sobre los prestadores de servicios. Asimismo, los demandantes de los servicios gravados tendrían la obligación de ingresar la cuota ante la Hacienda pública italiana hasta el día 16 del mes siguiente al del pago de la contraprestación.

La regulación de este tributo se completaba con una remisión expresa por parte del legislador a la normativa del IVA por lo que se refería a la liquidación, recaudación, sanciones y recursos. Dicha circunstancia pone de manifiesto lo incompleta y poco detallada normativa que pretendía implantar el legislador italiano[14].

Son evidentes, por tanto, las grandes diferencias —tanto estructurales como relativas a los fines perseguidos— entre este tributo[15] y la PDISD[16].

Por otra parte, cabe mencionar que la Ley de Presupuestos Generales del Estado para 2018 también introdujo en el ordenamiento italiano la noción de «presencia económica significativa», al añadir la letra f-bis) al art. 162, párrafo 2, del TUIR (*Testo Unico delle Imposte sui redditi*). De acuerdo con dicho precepto, habrá establecimiento permanente cuando se produzca «una significativa y continua presencia económica en el territorio del Estado construida de tal manera que no tenga apariencia física en dicho terri-

---

mismo sentido TOMASSINI, A., «L'incerta corsa alla tassazione dell'economia digitale», en *Corriere Tributario*, núm. 3, 2018, p. 2.

14   LEO, M., «La tassazione dell'economia...», *op. cit.*, p. 4.

15   Para una lectura crítica del mismo véase, DELLA VALLE, E., «La web tax italiana..., *op. cit.*, p. 3 y ss.

16   Al respecto: TOMASSINI, S., SANDALO A., «L'iniziativa della comimissione UE sulla tassazione dell'economia digitale», en *Corriere Tributario*, núm. 18, 2018, p. 4; LEO, M., «La tassazione dell'economia...», *op. cit.*, p. 4.

torio»; pero sin que la normativa italiana se pronuncie sobre los criterios que tendrían que verificarse para que se pueda entender que la presencia económica es significativa y continua.

3. UN SEGUNDO INTENTO: EL IMPUESTO ITALIANO SOBRE SERVICIOS DIGITALES

La Ley italiana de Presupuestos Generales del Estado para 2019[17] derogó —sin que nunca llegasen a entrar en vigor— las disposiciones contenidas en la Ley de Presupuestos del año anterior por las que se creaba el Impuesto sobre transacciones digitales, reformulando claramente la imposición sobre los servicios digitales para alinearse con la PDISD[18], y configurar su propio Impuesto sobre servicios digitales.

En todo caso, y aunque este nuevo impuesto está mejor estructurado y definido en sus elementos constitutivos que el Impuesto sobre transacciones digitales, no ha estado exento de críticas[19]. Así, se ha afirmado que se trata de una medida doméstica, preparada con prisa, más por exigencias de caja que por un razonado diseño reformador de la fiscalidad digital[20]. Por otra parte, se ha censurado que se produzca una remisión a una norma reglamentaria para regular ciertos aspectos esenciales del tributo que deberían estar previstos en una norma con rango legal —como por ejemplo, la definición concreta de los servicios cuyos ingresos son objeto de gravamen—[21]. También se ha criticado la singularidad que supone su efectiva entrada en vigor —ésta se produciría a los sesenta días de la publicación en la Gaceta Oficial italiana del Decreto ministerial que debe desarrollarla—[22].

---

[17] *Bilancio di previsione dello Stato per l'anno finanziario 2019 e bilancio pluriennale per il triennio 2019-2021*2019, Ley de 30 de diciembre de 2018, núm. 145.

[18] DI TANNO, T., «L'Imposta sui servizi digitali si allinea alla proposta di Direttiva UE», en *Il Fisco*, múm. 4, 2019.
Sin embargo, también se han identificado algunas diferencias entre ambas normativas. Al respecto véase: GATTO, A., ROSSETTI, M., «Web tax: disciplina italiana ed europea a confronto», en *Ipsoa quotidiano*, enero 2019, p. 1.

[19] LUDOVICI, P., «Taxing the digital economy: The Italian Digital Services Tax», en P. PISTONE, P., WEBER, D. (eds.), *Taxing the Digital Economy: The EU. Proposals and Other Insights*, IBFD, 2019.

[20] DAMIANI, M., «La web tax in salsa italiana sarà digeribile?», en *Ipsoa quotidiano*, diciembre 2018, p. 1.

[21] IBIDEM, p. 1.

[22] IBIDEM, p. 1.

En efecto, la Ley italiana de Presupuestos Generales del Estado para 2019 establecía la necesidad de que se aprobase un Decreto de desarrollo de las disposiciones legales por parte del Ministro de Economía y Finanzas antes del 30 de abril de 2019[23]. Sin embargo, a finales de septiembre de 2019, el mencionado Decreto todavía no ha sido aprobado; hipótesis que, intuimos, ya barajaba el propio Gobierno italiano. Llegamos a esta conclusión porque la recaudación estimada por el nuevo tributo para el año 2020 era de 600 millones de euros, mientras que las estimaciones para el año 2019 sólo alcanzaban los 150 millones de euros[24], cantidad que representa la cuarta parte del importe que se esperaba obtener al año siguiente, y que se correspondería con la recaudación estimada del último trimestre del año 2019.

A continuación, analizaremos brevemente las principales características del régimen jurídico del Impuesto italiano sobre servicios digitales, a partir de lo dispuesto en los apartados 35 a 50 del art. 1 de la Ley italiana de Presupuestos Generales del Estado para 2019; advirtiendo, una vez más, que se trata de un impuesto que, a finales de septiembre de 2019, todavía no está vigente al no haberse aprobado la correspondiente normativa de desarrollo.

3.1. Hecho imponible

Este tributo, a semejanza de las previsiones contenidas en la PDISD[25], grava los ingresos brutos —excluido el IVA y otros impuestos indirectos— derivados de la prestación de tres categorías de servicios digitales[26].

---

[23]   Concretamente, el apartado 45 del art. 1 de la Ley de 30 de diciembre de 2018, disponía que el mencionado Decreto debía aprobarse en un plazo de cuatro meses desde la entrada en vigor de dicha Ley.

[24]   Así se recoge en el Informe explicativo de la Ley de Presupuestos, que puede consultarse en: http://www.upbilancio.it/wp-content/uploads/2019/01/Rapporto-politica-di-bilancio-2019-_per-sito.pdf, p. 61.

[25]   Cabe indicar que, de todos modos, ante la falta del acuerdo necesario para la aprobación de la Propuesta de Directiva, el presidente del Consejo ECOFIN presentó un texto transaccional a la propuesta inicial en el que, entre otros aspectos, su ámbito de aplicación quedaba reducido únicamente a los servicios de publicidad digital. Puede consultarse el mencionado texto transaccional en: https://data.consilium.europa.eu/doc/document/ST-6873-2019-INIT/es/pdf (última consulta 22/09/2019). Si bien dicho texto tampoco se aprobó en la reunión del ECOFIN de 12 de marzo de 2019.

[26]   De todos modos, DI TANNO ha insistido en que, así como la PDISD se esfuerza en subrayar el papel del usuario para delimitar el ámbito aplicativo en función de aquellas prestaciones de servicios digitales caracterizadas por la creación de valor por parte de éste, la norma italiana parece prescindir de esta última circunstancia, limitándose a

Se ha criticado que la norma italiana se limite a enumerar de forma genérica tres grandes tipologías de servicios, sin detallar las características que éstos deben presentar; lo cual, dada la velocidad con la que acontecen los cambios en el mundo digital, puede incidir directamente sobre el propio ámbito de aplicación del impuesto[27]. Algunos han confiado en que la concreta delimitación de los servicios digitales, cuyos ingresos son gravados, se produciría a través del Decreto ministerial de desarrollo[28]; pero, desde nuestro punto de vista, ello determinaría una clara vulneración del principio de reserva de ley en materia tributaria.

Los servicios digitales cuyos ingresos son gravados son los siguientes:

a) servicios que permitan la inclusión de una interfaz digital de publicidad dirigida a usuarios de la misma interfaz.

Se trataría, básicamente, de servicios de publicidad *on line*. Por tanto, se gravarían las contraprestaciones que obtiene una entidad por hacer que aparezca un mensaje publicitario en un dispositivo (ordenador, teléfono móvil, tablet) que un usuario, a sabiendas o no, activa[29].

Cabe señalar que, si bien la PDISD especifica que, en caso de que el titular de la interfaz y el gestor de la misma sean entidades jurídicas diferentes, sólo este último estaría sujeto al impuesto; la norma italiana no contiene dicha previsión. De modo que, en estos supuestos, podría producirse una doble imposición[30].

Además, y con el objetivo de evitar otras situaciones de doble imposición, debería indicarse que, en caso de que los servicios de publicidad diesen lugar a suministros de datos por parte de los usuarios que, adecuadamente recopilados y ordenados, pudiesen ser objeto de venta, dichas cantidades serían gravadas de acuerdo con la letra c) del apartado 37 del art. 1 de Ley italiana de Presupuestos Generales del Estado para 2019 —servicios digitales de transmisión de datos—[31].

---

enumerar aquellos servicios que considera susceptibles de crear riqueza imponible; DI TANNO, T., «L'Imposta…», *op. cit.*, p. 4.

[27] TOMASSINI, S., DI DIO, A., «Web tax sui servizi digitali: soluzione transitoria in attesa delle decisione dell'OCSE», en *Corriere Tributario*, núm. 4, 2019, p. 2.

[28] IBIDEM, p. 3.

[29] DI TANNO, T., «L'Imposta…», *op. cit.*, p. 5.

[30] GATTO, A., ROSSETTI, M., «Web tax…», *op. cit.*, p. 2.

[31] TOMASSINI, S., DI DIO, A., «Web tax…», *op. cit.*, p. 2.

b) servicios de puesta a disposición de interfaces digitales multifacéticas que permitan a los usuarios localizar a otros usuarios e interactuar con ellos, incluso con el fin de facilitar el suministro de bienes y servicios.

En este caso se gravarían únicamente las cantidades que los usuarios abonan a determinadas interfaces digitales por la prestación de servicios de intermediación. No se incluirían, por tanto, los importes que, en su caso, cobrase dicha interfaz por suministrar bienes o servicios subyacentes —como por ejemplo, alquilar una vivienda o un vehículo—.

Se ha señalado que, a diferencia de la PDISD[32], la norma italiana se aplica sin contemplar ningún tipo de excepción sobre los servicios digitales de intermediación que están sujetos a gravamen por lo que, respecto a la propuesta europea, se ampliaría el ámbito objetivo de aplicación del tributo[33].

c) servicios de transmisión de datos sobre usuarios, que hayan sido recopilados y generados por actividades desarrolladas por ellos mismos en interfaces digitales.

El tercer tipo de servicios digitales contemplados por la norma italiana, en opinión de Di Tanno, debería de ser reformulado; ya que, en realidad, se trataría de gravar las cantidades que perciben ciertas entidades por la venta o cesión de uso de datos que, previamente, recopilan y ordenan de los usuarios de interfaces digitales, y no la mera transmisión, entendida como modalidad de acceso dichos datos[34].

---

[32]   Concretamente, el apartado 4 del art. 3 de la PDISD excluye expresamente de los servicios digitales de intermediación, los siguientes:
a) la puesta a disposición de una interfaz digital cuando la única o principal finalidad de la entidad que la lleve a cabo sea suministrar contenidos digitales a los usuarios o prestarles servicios de comunicación o servicios de pago;
b) la prestación por un centro de negociación o un internalizador sistemático de cualquiera de los servicios contemplados en el anexo I, sección A, puntos 1) a 9), de la Directiva 2014/65/UE;
c) la prestación por un proveedor de un servicio de financiación participativa regulado de cualquiera de los servicios contemplados en el anexo I, sección A, puntos 1) a 9), de la Directiva 2014/65/UE, o de un servicio consistente en facilitar la concesión de préstamos.

[33]   CUBILES SÁNCHEZ-POBRE, P., «La tributación de la economía digital a la espera de una solución global», en *Quincena fiscal*, núm. 8, 2019.

[34]   DI TANNO, T., «L'Imposta…», *op. cit.*, p. 6.

Una vez más, y a diferencia de la PDISD[35], el Impuesto italiano sobre servicios digitales no prevé ninguna excepción sobre los servicios de transmisión de datos que se encontrarían sujetos a gravamen.

3.2. Sujetos pasivos

Tendrán la condición de sujetos pasivos del Impuesto italiano sobre servicios digitales las empresas, residentes y no residentes que, prestando los servicios digitales que se acaban de describir, alcancen de forma acumulativa en un periodo impositivo dos umbrales cuantitativos: a) que el importe total de los ingresos mundiales declarados supere los 750 millones de euros; y b) que el importe total de los ingresos derivados de los servicios digitales sujetos a gravamen, y obtenidos en Italia, supere los 5 millones y medio de euros.

De esta manera, el legislador italiano asume, en esencia, los criterios cuantitativos previstos en la PDISD. Ambas normativas coinciden en el umbral mínimo de ingresos, a nivel mundial, que tendrían que superar las entidades sujetas a gravamen; mientras que el importe de ingresos que la entidad debe obtener en territorio italiano, en un periodo impositivo, representa un mero porcentaje del que, de acuerdo con la PDISD, tendría que obtener la entidad en todo el territorio de la Unión Europea[36].

No obstante, la normativa italiana, a la hora de configurar a los sujetos gravados por este impuesto, presenta ciertas incertezas, que deberían ser subsanadas[37].

En primer lugar, la superación de ambos umbrales puede producirse individualmente o a nivel de grupo, sin que se especifique —a diferencia de lo previsto en la PDISD, en la que hace mención a grupos consolidados a efec-

---

[35]   El apartado 5 del art. 3 de la PDISD excluye expresamente de los servicios digitales de transmisión de datos los llevados a cabo por un centro de negociación, un internalizador sistemático o un proveedor de un servicio de financiación participativa regulado.

[36]   Concretamente, señala DI TANNO, que al constituir la contribución italiana al PIB europeo un 11% del mismo, y puesto que la PDISD prevé la necesidad de superar un umbral de 50 millones de euros por ingresos derivados de determinadas transacciones digitales en todo el territorio de la Unión Europea, el 11% de dicho importe se corresponde justamente con los 5 millones y medio de euros, que exige como segundo umbral la normativa doméstica; DI TANNO, T., «L'Imposta...», *op. cit.*, p. 3.

[37]   IBIDEM, p. 3.

tos de contabilidad financiera— a qué tipo de grupo empresarial se estaría haciendo referencia[38].

Por otra parte, la normativa doméstica italiana contempla una especie de responsabilidad solidaria en el pago del Impuesto sobre servicios digitales entre sujetos del mismo grupo siempre que éste lo conformen empresas residentes y no residentes en Italia, y éstas últimas no dispongan de establecimiento permanente en territorio italiano ni de número identificativo a efectos del IVA. Se justifica que se configure un supuesto de responsabilidad solidaria respecto de las empresas residentes en Italia para que se garantice el pago del tributo de las no residentes.

También es necesario preguntarse sobre el elemento temporal que se emplea como referencia para determinar si se han superado o no los umbrales de beneficios obtenidos. En principio, la normativa italiana parece exigir una coincidencia temporal entre la superación de los umbrales y la sujeción a gravamen; lo cual, en opinión de Di Tanno, no causaría problemas aplicativos si el devengo se produjese al final del periodo impositivo. Sin embargo, y junto con la obligación de presentar una declaración anual en un plazo de cuatro meses a contar desde la finalización del periodo impositivo; se establece que el tributo se pagará en el mes siguiente al término de cada trimestre, lo que obligará a las entidades a hacer previsiones sobre los posibles ingresos que percibirán a lo largo del periodo impositivo por los servicios digitales sujetos a gravamen, así como a pagar el impuesto cuando todavía no esté asegurado que, al final del periodo impositivo, se conviertan en sujetos pasivos[39]. Por ello, se considera más apropiado que la referencia al cumplimiento de los umbrales debería hacerse en relación al año anterior al que se produce la exigencia del tributo[40].

Por último, y a la hora de verificar si se cumplen o no los umbrales señalados, es más que probable que la Administración tributaria italiana se enfrente a problemas para obtener información que pueda no estar disponible

---

[38]   No obstante, se prevé un supuesto de exención para los ingresos procedentes de servicios digitales sujetos que se presten entre entidades que formen parte del mismo grupo empresarial —entendido éste de acuerdo con el art. 2.359 del Código Civil italiano— al no estar sujetos a gravamen. Aunque, en opinión de DI TANNO, dicha exención sólo afectaría a la determinación de la base imponible; pero no a la hora de computar los ingresos obtenidos por el grupo para verificar si se ha superado o no el umbral cuantitativo que lo sometería a sujeción; IBIDEM, p. 7.

[39]   DI TANNO, T., «L'Imposta…», *op. cit.*, p. 4.

[40]   TOMASSINI, S., DI DIO, A., «Web tax…», *op. cit.*, p. 2.

—o, al menos, no tan rápidamente disponible—, complicando así sus tareas de comprobación e inspección[41].

3.3. *Lugar de localización de los servicios*

Otro aspecto relevante y complejo de la regulación del Impuesto italiano sobre servicios digitales tiene que ver con las reglas de localización de dichos servicios[42]. En principio, se aplican las mismas reglas previstas en la PDISD, que reconducen al lugar donde el usuario esté ubicado. Ello se debe a que la propuesta normativa europea pretende gravar aquellos servicios en los que la participación de un usuario, en una actividad digital, constituye una contribución esencial para la empresa que realiza dicha actividad, y gracias a la cual puede obtener ingresos.

La ubicación del usuario, que es problemática, se determina presuntamente y con referencia específica a cada uno de los tres tipos de servicios digitales[43]. Pero, en todo caso, exigiría que éste haya activado, durante el periodo impositivo, el dispositivo utilizado para que le presten los servicios digitales sujetos en el territorio italiano.

Sin embargo, la normativa italiana no aclara cuándo un dispositivo se considera activado en Italia. La PDISD establece que, para este propósito, debe utilizarse la dirección de protocolo de internet del dispositivo —la «IP»— o, cualquier otro método de geolocalización que sea más exacto. Y, en caso de que ésta fuese la opción escogida en el Decreto de desarrollo, la doctrina ya ha advertido de los problemas que dicha elección generaría[44].

---

[41]   Al respecto, DI TANNO se pregunta: ¿Bajo qué título la Administración puede requerir a un operador no residente y sin establecimiento permanente en Italia información sobre el grupo al que pertenece? ¿Qué poder coercitivo puede ejercitar para obligar a dicho sujeto a que preste una mínima colaboración?; DI TANNO, T., «L'Imposta...», *op. cit.*, p. 4.

[42]   DI TANNO considera que éste es un aspecto con múltiples aristas en el contexto de la Unión Europea motivo por el cual se ha regulado con bastante detalle en la PDISD; pero sin que, en la opinión de este autor, el resultado sea satisfactorio; IBIDEM, p. 5.

[43]   Para un comentario crítico sobre la regulación italiana de las reglas de localización véase: IBIDEM, pp. 7-9; TOMASSINI, S., DI DIO, A., «Web tax...», *op. cit.*, p. 4.

[44]   Entre otros: DI TANNO, T., «L'Imposta...», *op. cit.*, p. 7.

3.4. Cuota y aspectos aplicativos

La base imponible del Impuesto italiano sobre servicios digitales la conformarán los ingresos brutos exigibles (excluido el IVA y otros impuestos indirectos) derivados del suministro de servicios digitales que estén «localizados» en Italia.

Sobre la base imponible se aplicará una alícuota del 3% de forma trimestral, debiéndose ingresar el impuesto en el mes siguiente a cada cuatrimestre.

Llama la atención que la norma italiana fije como periodo impositivo el año natural para, posteriormente, exigir pagos trimestrales de la cuota a pagar a lo largo del periodo impositivo. De esta manera se estaría disociando el momento del devengo de la exigibilidad del tributo, para anticipar éste último.

Concretamente el pago del impuesto se debe realizar por el sujeto pasivo en el mes siguiente a cada uno de los trimestres del año, y asimismo éste debe presentar una declaración anual con el importe de los servicios prestados gravados en los cuatro meses siguientes a la conclusión del período impositivo. Aunque la regulación italiana no especifica nada más en torno a esa declaración, entendemos que serviría para iniciar, en su caso, un procedimiento de devolución de ingresos indebidos. Téngase en cuenta que, al adelantar la exigibilidad del tributo al momento del devengo, puede suceder que una entidad haga frente al pago del impuesto y, finalmente, cuando concluya el periodo impositivo no haya alcanzado los umbrales cuantitativos exigidos para que pueda considerarse sujeta a gravamen.

La norma italiana no se pronuncia sobre la posible deducibilidad del Impuesto sobre servicios digitales de la base imponible de los impuestos que gravan la renta de las entidades sujetas al mismo. La PDISD, en cambio, aconseja a los Estados a que permitan dicha deducción con la finalidad de reducir los posibles casos de doble imposición[45]. Además, se ha indicado que, en caso de no permitirse la deducción, se correría el riesgo de que el impuesto afectase indirectamente a los consumidores finales, a quienes se

---

45   En su considerando 27 se indica que: «Con el fin de reducir los posibles casos de doble imposición cuando los mismos ingresos estén sujetos al impuesto sobre sociedades y al Impuesto sobre servicios digitales, se espera que los Estados miembros autoricen a las empresas a deducir el Impuesto sobre servicios digitales, pagado como coste, de la base imponible del impuesto sobre sociedades en su territorio, independientemente de que ambos impuestos se paguen en el mismo Estado miembro o en Estados miembros diferentes».

podría transferir económicamente «el coste adicional» asumido por los sujetos pasivos del impuesto[46].

4. ASPECTOS CRÍTICOS SOBRE LA TÉCNICA LEGISLATIVA EMPLEADA EN LOS IMPUESTOS NACIONALES SOBRE SERVICIOS DIGITALES

Son múltiples las críticas que se hacen al establecimiento de soluciones unilaterales para hacer frente a los retos que, desde el punto de vista fiscal, plantea la digitalización de la economía. Así, por ejemplo, se ha afirmado que dichas soluciones generarían indeseables efectos de doble imposición internacional, potencialmente distorsionadores del mercado global[47]. E incluso se ha puesto en duda su compatibilidad con el Derecho de la Unión Europea[48].

De las distintas críticas o problemas que se han identificado en relación a la creación de impuestos nacionales sobre servicios digitales, nos vamos a centrar, a partir del impuesto italiano, en dos aspectos concretos que están directamente relacionados con la técnica legislativa empleada: la naturaleza directa o indirecta del impuesto y su posible consideración como ayuda de Estado prohibida[49].

---

[46]   TOMASSINI, S., DI DIO, A., «Web tax…», *op. cit.*, pp. 4 y 5.

[47]   LEO, M., «La tassazione dell'economia…», *op. cit.*, p. 5; DAMIANI, M., «La web tax…», *op. cit.*, p. 1.

[48]   En opinión de PARADA, el uso de umbrales sobre la base del volumen de negocio para determinar si una empresa se sujeta o no a un Impuesto sobre servicios digitales constituiría una discriminación indirecta o encubierta sobre la base de la nacionalidad; PARADA, L., «Impuestos digitales en Europa: discriminación indirecta y ayudas de Estado a la luz del Derecho comunitario», en BILBAO ESTRADA, I., ANTÓN ANTÓN, A. (Dirs.), *Retos y oportunidades de la Administración tributaria de la era digital*, Thomson Reuters-Aranzadi, Cizur Menor, 2019, p. 93.

[49]   Sobre los problemas o críticas que genera el Proyecto de Ley español de Impuesto sobre determinados servicios digitales véase: GARCÍA-HERRERA BLANCO, C., «El impuesto sobre determinados servicios digitales como opción para gravar la nueva economía digitalizada», en GARCÍA NOVOA, C. (Dir.), *4ª Revolución Industrial: la fiscalidad de la sociedad digital y tecnológica en España y Latinoamérica*, Thomson Reuters-Aranzadi, Cizur Menor, 2019, p. 115 y ss.

4.1. ¿Impuesto directo o indirecto?

Se ha indicado que el gravamen de los beneficios empresariales por la prestación de servicios digitales se ha encomendado a la imposición directa; sin embargo, tanto la PDISD como los modelos impositivos elegidos por algunos tributos nacionales han abierto el debate sobre el método que resulta más adecuado —directo o indirecto— para someter a gravamen los beneficios derivados de la prestación de servicios digitales[50].

Las disposiciones normativas del Impuesto italiano sobre servicios digitales guardan silencio sobre su naturaleza directa o indirecta[51]; pero la doctrina se ha atrevido a calificar este tributo como indirecto[52], quizás, porque, en sus líneas maestras, se ajusta a las previsiones de la PDISD[53]. A su vez, se ha considerado que la PDISD configura el Impuesto sobre servicios digitales como indirecto[54] para evitar fricciones con los convenios de doble imposición[55]. En este sentido, se ha afirmado que «la ventaja de configurar este impuesto como indirecto se encuentra en evitar que el mismo se halle

---

[50] SÁNCHEZ-ARCHIDONA HIDALGO, G., «El Impuesto…», *op. cit.*, p. 191.

[51] En ello se diferencia del Proyecto de Ley español de Impuesto sobre determinados servicios digitales, aprobado el 25 de enero de 2019, en cuyo art. 1 se indica que se trata de tributo de naturaleza indirecta.

[52] MASSINI, S., DI DIO, A., «Web tax…», *op. cit.*, p. 2.

[53] De hecho, la mencionada propuesta se fundamenta en el art. 113 del TFUE, que es la base jurídica para aprobar medidas de fiscalidad indirecta necesarias para evitar distorsiones en el buen funcionamiento del mercado interior. Aunque, según pone de manifiesto CALDERÓN CARRERO, algunos autores han criticado la utilización de este precepto, argumentando que la fragmentación en sí misma es una consecuencia del ejercicio de la soberanía fiscal de los Estados miembros; y, por tanto, no se justificaría una acción legislativa con arreglo al mencionado artículo; CALDERÓN CARRERO, J. M., «El paquete europeo (2018)…», *op. cit.*, p. 2.

[54] Así, en la Evaluación de Impacto de la PDISD, la Comisión Europea indica que: «Dadas sus características (preferidas), el impuesto tendría más elementos de impuesto indirecto, por lo que debería tratarse como un impuesto indirecto distinto de los impuestos sobre el volumen de negocios y de los impuestos especiales»; COM (2018) 147 final - COM (2018) 148 final - SWD (2018) 82 final, p. 20.

[55] MORENO GONZÁLEZ, S., «El tratamiento tributario de la "economía colaborativa" y las normas sobre ayudas de Estado», en BILBAO ESTRADA, I., ANTÓN ANTÓN, A. (Dirs.), *Retos y oportunidades de la Administración tributaria de la era digital*, Thomson Reuters-Aranzadi, Cizur Menor, 2019, p. 433; FALCÓN Y TELLA, R., «El "nexus" en la doctrina del Tribunal Supremo de estados Unidos: el asunto Dakota del Sur v. Wayfair», en *Quincena fiscal*, núm. 18, 2018. Aquí citado según base de datos Westlaw BIB 2018\12478, p. 2.

dentro del ámbito de aplicación de los convenios de doble imposición, impidiendo en consecuencia la aplicación de los convenios»[56].

Sin embargo, se han planteado dudas sobre su naturaleza indirecta, porque con este tipo de impuestos sobre servicios digitales se ha tratado de solventar la falta de gravamen sobre los beneficios de empresas que prestan ciertos servicios digitales en impuestos directos que gravan la renta[57]. De ahí que se haya afirmado que nos encontraríamos ante un tributo «formalmente indirecto»[58], o «paradójicamente indirecto»[59], e incluso se haya llegado a considerar como «forma mixta de imposición»[60].

Por ello, y más allá de la calificación que realice el legislador sobre la naturaleza de este tipo de tributos, habrá que verificar si sus caracteres se adecuan a los propios de los impuestos indirectos; o, por el contrario, se aproximan a los típicos de los impuestos directos.

La doctrina ha utilizado distintos criterios para explicar la clásica distinción entre impuestos directos e indirectos.

Así, por ejemplo, Ferreiro Lapatza[61], se refiere al objeto o riqueza gravada en cada uno de los impuestos, para diferenciar entre impuestos directos e indirectos. Los primeros gravan la riqueza en sí misma, directa e inmediatamente considerada, como por ejemplo, los que recaen sobre la renta o el patrimonio. En cambio, los segundos tienen por objeto manifestaciones indirectas de capacidad económica como son la circulación o consumo de riqueza.

---

[56]   GARCÍA-HERRERA BLANCO, C., «El impuesto…», *op. cit.*, p. 116.
Sin embargo, CALDERÓN CARRERO sostiene que este es un tema controvertido; ya que no cabría excluir que la renta obtenida por la prestación de servicios digitales comprendidos en el ámbito de aplicación de este impuesto pueda resultar gravada igualmente en el Estado de la fuente a través de un *withholding tax*, de acuerdo con la normativa interna o en aplicación de un CDI que permita el gravamen de servicios técnicos, o incluso a partir de una interpretación amplia de la cláusula de cánones; CALDERÓN CARRERO, J. M., «El paquete europeo (2018)…», *op. cit.*, p. 7. También LAMENSCH considera que no es suficiente calificar un impuesto como indirecto para excluirlo del ámbito de aplicación de los CDI; LAMENSCH, M., «Digital Services Tax: A Critical Analysis and Comparison with the VAT System in Taxing the Digital Economy: The EU Proposals and Other Insights», en P. PISTONE, P., WEBER, D. (eds.), *Taxing the Digital Economy: The EU. Proposals and Other Insights*, IBFD, 2019.
[57]   GARCÍA-HERRERA BLANCO, C., «El impuesto…», *op. cit.*, p. 115 y ss.
[58]   MORENO GONZÁLEZ, S., «El tratamiento tributario…», *op. cit.*, p. 433.
[59]   MULEIRO PARADA, L. M., «El futuro de la tributación…», *op. cit.*, p. 131.
[60]   TOMASSINI, S., DI DIO, A., «Web tax…», *op. cit.*, p. 1.
[61]   FERREIRO LAPATZA, J. J., *Curso de Derecho financiero español*, 17ª edición, Marcial Pons, Madrid, 1995, p. 178.

En cambio, otros autores han atendido a la existencia o no de traslación jurídica del impuesto[62]. Así, serían indirectos aquellos impuestos en los que la ley concede el derecho al contribuyente, realizador del hecho imponible, a repercutir la cuota tributaria hacia terceras personas. En los impuestos directos no existiría esa facultad legal: es el contribuyente quien está llamado a soportar el impuesto, sin que pueda resarcirse de terceros.

Lo cierto es que el Impuesto sobre servicios digitales gravaría una manifestación indirecta de capacidad económica[63]; sin embargo, no se prevé la traslación jurídica de su cuota a terceros —los consumidores de los servicios digitales—[64].

Al respecto, Falcón y Tella ha sostenido que para asegurar la naturaleza indirecta de este impuesto «bastaría con establecer la repercusión obligatoria (…) sobre cada venta. De esta forma no sería un impuesto directo, sobre la renta del vendedor, sino un impuesto indirecto sobre cada comprador, aunque en la práctica jugaría un papel similar en cuanto permitiría a los Estados incidir sobre el beneficio obtenido sin la mediación de un establecimiento permanente tradicional. No a través de un impuesto directo sobre el beneficio obtenido sin mediación de establecimiento permanente, que sería incompatible con los tratados, sino a través de un impuesto indirecto repercutido sobre cada comprador»[65].

---

[62]   Por todos: SAINZ DE BUJANDA, F., *Hacienda y Derecho. Estudios de Derecho financiero*, Vol. II; Instituto de Estudios Políticos, Madrid, 1962, p. 429 y ss.

[63]   Sobre esta cuestión tampoco parece haber consenso.
Así, la Exposición de Motivos del Proyecto de Ley del Impuesto español sobre determinados servicios digitales señala que: «Al centrarse en los servicios prestados, sin tener en cuenta las características del prestador de los mismos, entre ellas su capacidad económica, el Impuesto sobre Determinados Servicios Digitales no es un impuesto sobre la renta o el patrimonio (…) Se configura, por tanto, como un tributo de carácter indirecto, que es por lo demás compatible con el Impuesto sobre el Valor Añadido». Y GARCÍA NOVOA reconoce que «dado que se grava el importe bruto (y, por tanto, el precio), los impuestos a los beneficios de las empresas digitales terminan por materializarse como impuestos al consumo»; GARCÍA NOVOA, C., «Los grandes retos fiscales de la economía digital desde la perspectiva europea», en GARCÍA NOVOA, C. (Dir.), *4ª Revolución Industrial: la fiscalidad de la sociedad digital y tecnológica en España y Latinoamérica*, Thomson Reuters-Aranzadi, Cizur Menor, 2019, p. 41. En el mismo sentido, GARCÍA-HERRERA BLANCO, C., «El impuesto…», *op. cit.*, p. 116.

[64]   En cambio, FALCÓN Y TELLA lo considera como un impuesto directo sobre la renta del vendedor, FALCÓN Y TELLA, R., «El "nexus"…», *op. cit.* p. 2.
GARCÍA-HERRERA BLANCO, C., «El impuesto…», *op. cit.*, p. 116. Si bien esta misma autora reconoce que el hecho de que la traslación jurídica del impuesto no esté prevista jurídicamente, no significa que ésta no vaya a producirse de hecho.

[65]   FALCÓN Y TELLA, R., «El "nexus"…», *op. cit.* p. 2.

En definitiva, coincidimos con García-Herrera Blanco en que la catalogación de este tipo de impuestos no resulta sencilla, al desdibujarse la línea divisoria clásica entre impuestos directos e indirectos[66].

4.2. ¿Constituye una ayuda de Estado prohibida?

La creación unilateral de impuestos específicos que graven las rentas derivadas de la prestación de determinados servicios digitales también ha de analizarse desde la óptica de la prohibición general de las ayudas de Estado[67], al tratarse de tributos que pueden llegar a distorsionar la competencia introduciendo un diferente tratamiento fiscal en función del tamaño y tipo de servicio prestado por las empresas[68].

Concretamente, el tratamiento fiscal ventajoso, constitutivo de una posible ayuda de Estado prohibida por el art. 107 del TFUE, lo obtendrían: o bien quienes no quedasen sometidos a este tipo de tributos nacionales por no alcanzar los umbrales cuantitativos determinantes de la condición de contribuyente, aun prestando los mismos servicios digitales que las empresas sometidas a gravamen; o bien las empresas que prestasen servicios análogos a los incluidos en el ámbito de aplicación del impuesto, pero quedasen excluidas del mismo[69].

---

[66]   Aunque, en su opinión, este tipo de impuestos se parecerían más a los indirectos y no podrían incluirse dentro de los directos; GARCÍA-HERRERA BLANCO, C., «El impuesto…», *op. cit.*, p. 117.

[67]   Al respecto cabe señalar que, en opinión de MORENO GONZÁLEZ, y de acuerdo con cierta jurisprudencia del TJUE, si la Propuesta de Directiva sobre el establecimiento de un sistema común de Impuesto sobre servicios digitales llegase a aprobarse, en principio, no podría considerarse que existe ayuda de Estado, al no poder considerar que el impuesto europeo fuese una medida imputable a los Estados miembros; MORENO GONZÁLEZ, S., «El tratamiento tributario…», *op. cit.*, p. 433.
En cambio, PARADA sostiene que «la inmunidad de las Directivas europeas con respecto a las ayudas de Estado no se aplicaría por analogía a derechos fundamentales, al menos no en términos absolutos»; PARADA, L., «Impuestos digitales…», *op. cit.*, p. 109.

[68]   Ibidem, p. 94.

[69]   GARCÍA NOVOA reconoce que al gravarse a entidades residentes y no residentes se trata de evitar situaciones discriminatorias por razón de residencia o establecimiento, que pudieran acarrear el riesgo de que la medida pudiese ser calificada como selectiva. En cambio persiste la singularidad de la medida fiscal en razón del tipo de actividad o del tamaño de la empresa; GARCÍA NOVOA, C., «Los grandes retos…», *op. cit.*, p. 52.
Sin embargo, en opinión de PARADA, también se produciría una discriminación por razón de nacionalidad dado que estos impuestos sólo gravan a empresas que superan unos determinados umbrales y ello va a provocar que, en la mayoría de ocasiones, sean

Como señala Moreno González, el problema de fondo en este tipo de supuestos es determinar si los «tributos asimétricos» —esto es, cuando un determinado tributo se exige únicamente a determinados operadores económicos o categorías de empresas y no a otros que están en situación de competencia con los primeros— constituyen o no ayudas de Estado[70]. De acuerdo con esta autora, en principio, no podría admitirse, ni excluirse, que la no sujeción a gravamen por parte de determinados sujetos implique conferirles una ventaja selectiva, por lo que habrá que atender a las circunstancias concretas de cada caso, y, en especial: a la relación de competencia existente entre los operadores afectados y no afectados por el tributo; a la finalidad u objetivo pretendido por el gravamen; y a los efectos producidos por éste[71].

Pues bien, a la hora de valorar si el Impuesto italiano sobre servicios digitales otorga una ventaja fiscal selectiva a las empresas de pequeño y mediano tamaño que prestan dichos servicios —al gravar únicamente a las que superan determinados umbrales cuantitativos— habría que averiguar si este tipo de empresas se encuentran en una situación comparable a las que están sujetas al mismo, de acuerdo con el objetivo que persigue el impuesto. En dicho análisis, según cierta doctrina, no sería suficiente con examinar si se produce una excepción a las normas de referencia del sistema, tendría que comprobarse también si la estructura o los límites del sistema de referencia ha sido definidos de manera coherente o, por el contrario, de forma claramente arbitraria o sesgada con el objetivo de favorecer a ciertas empresas —por ejemplo, permitiendo deliberadamente que la carga impositiva recaiga principalmente sobre sujetos pasivos residentes en el extranjero—[72].

Por otra parte, habría que plantearse, en su caso, la posible existencia de alguna justificación a esa diferencia de trato entre operadores económicos que se encuentran en situaciones análogas, derivada de la naturaleza o estructura general del sistema[73].

---

entidades no residentes en el Estado miembro que impone el impuesto; PARADA, L., «Impuestos digitales…», *op. cit.*, p. 99.

[70] MORENO GONZÁLEZ, S., «El tratamiento tributario…», *op. cit.*, p. 433.

[71] Ibidem, p. 433.

[72] PARADA, L., «Ayudas de Estado e Impuestos digitales en Europa. Sentencia de 16 de mayo de 2019 del Tribunal General de la Unión Europea, en los asuntos acumulados T-836/16 y T-624/17», en *Aranzadi Unión Europea*, núm. 7, 2019.

[73] Al respecto véase: MORENO GONZÁLEZ, S., «El tratamiento tributario…», *op. cit.*, pp. 437 y 438.

De todas formas, como señala Parada, es altamente improbable que la Comisión Europea decida iniciar una investigación por una posible ayuda de Estado prohibida ante un impuesto digital instaurado por un Estado miembro, siempre que el mismo siga el diseño impositivo de la PDISD[74], situación en la que se encontraría el tributo italiano analizado.

Bibliografía

AVOLIO, D., PEZZELLA, D., «La web tax italiana e la tassazione dei servizi digitali», en *Il Fisco*, núm. 16, 2018.

BISIOLI, A., ZULLO, A., «Web tax: una lettura in chiave comunitaria», en *Corriere Tributario*, núm. 13, 2018.

CALDERÓN CARRERO, J. M., «El paquete europeo (2018) en materia de fiscalidad de la economía digital», en *Carta tributaria*, núm. 39, 2018. Aquí citado según base de datos Smarteca.

CUBILES SÁNCHEZ-POBRE, P., «La tributación de la economía digital a la espera de una solución global», en *Quincena fiscal*, núm. 8, 2019. Aquí citado según base de datos Westlaw BIB 2019\2585.

DAMIANI, M., «La web tax in salsa italiana sarà digeribile?», en *Ipsoa quotidiano*, diciembre 2018. Aquí citado según base de datos Ipsoa.

DELLA VALLE, E., «La web tax italiana e la proposta di Direttiva sull'Imposta sui servizi digitali: norte di un nascituro appena concepito?», en *Il Fisco*, núm. 16, 2018.

DI TANNO, T., «L'Imposta sui servizi digitali si allinea alla proposta di Direttiva UE», en *Il Fisco*, núm. 4, 2019.

FALCÓN Y TELLA, R., «El "nexus" en la doctrina del Tribunal Supremo de estados Unidos: el asunto Dakota del Sur v. Wayfair», en *Quincena fiscal*, núm. 18, 2018. Aquí citado según base de datos Westlaw BIB 2018\12478.

FERREIRO LAPATZA, J. J., *Curso de Derecho financiero español*, 17ª edición, Marcial Pons, Madrid, 1995.

GARCÍA-HERRERA BLANCO, C., «El impuesto sobre determinados servicios digitales como opción para gravar la nueva economía digitalizada», en GARCÍA NOVOA, C. (Dir.), *4ª Revolución Industrial: la fiscalidad de la sociedad digital y tecnológica en España y Latinoamérica*, Thomson Reuters-Aranzadi, Cizur Menor, 2019, p. 107 y ss.

GARCÍA NOVOA, C., «Los grandes retos fiscales de la economía digital desde la perspectiva europea», en GARCÍA NOVOA, C. (Dir.), *4ª Revolución Industrial: la fiscalidad de la sociedad digital y tecnológica en España y Latinoamérica*, Thomson Reuters-Aranzadi, Cizur Menor, 2019, p. 25 y ss.

GATTO, A., ROSSETTI, M., «Web tax: disciplina italiana ed europea a confronto», en *Ipsoa quotidiano*, enero 2019. Aquí citado según base de datos Ipsoa.

---

[74]   PARADA, L., «Impuestos digitales…», *op. cit.*, p. 107.

LAMENSCH, M., «Digital Services Tax: A Critical Analysis and Comparison with the VAT System in Taxing the Digital Economy: The EU Proposals and Other Insights», en P. PISTONE, P., WEBER, D. (eds.), *Taxing the Digital Economy: The EU. Proposals and Other Insights*, IBFD, 2019.

LEO, M., «La tassazione dell'economia digitale sulle due sponde dell'Atlantico: spunto di riflessione dalla Circolare Assonime», en *Il Fisco*, núm. 37, 2018. Aquí citado según base de datos Ipsoa.

LUDOVICI, P., «Taxing the digital economy: The Italian Digital Services Tax», en P. PISTONE, P., WEBER, D. (eds.), *Taxing the Digital Economy: The EU. Proposals and Other Insights*, IBFD, 2019.

MORENO GONZÁLEZ, S., «El tratamiento tributario de la "economía colaborativa" y las normas sobre ayudas de Estado», en BILBAO ESTRADA, I., ANTÓN ANTÓN, A. (Dirs.), *Retos y oportunidades de la Administración tributaria de la era digital*, Thomson Reuters-Aranzadi, Cizur Menor, 2019, p. 399 y ss.

MULEIRO PARADA, L. M., «El futuro de la tributación de la economía digital en la Unión Europea», en *Crónica tributaria*, núm. 170, 2019, pp. 109 y ss.

PARADA, L., «Ayudas de Estado e Impuestos digitales en Europa. Sentencia de 16 de mayo de 2019 del Tribunal General de la Unión Europea, en los asuntos acumulados T-836/16 y T-624/17», en *Aranzadi Unión Europea*, núm. 7, 2019. Aquí citado según base de datos Proview.

PARADA, L., «Impuestos digitales en Europa: discriminación indirecta y ayudas de Estado a la luz del Derecho comunitario», en BILBAO ESTRADA, I., ANTÓN ANTÓN, A. (Dirs.), *Retos y oportunidades de la Administración tributaria de la era digital*, Thomson Reuters-Aranzadi, Cizur Menor, 2019, p. 91 y ss.

SAINZ DE BUJANDA, F., *Hacienda y Derecho. Estudios de Derecho financiero*, Vol. II, Instituto de Estudios Políticos, Madrid, 1962.

SÁNCHEZ-ARCHIDONA HIDALGO, G., «El Impuesto sobre los servicios digitales en la Unión Europea: un nuevo (y fallido) intento frente a la planificación fiscal agresiva», en CRUZ PADIAL, I., HINOJOSA TORRALVO, J. J., (Dirs.) *Cuestiones actuales de planificación fiscal internacional*, Atelier, Barcelona, 2019, p. 191 y ss.

TOMASSINI, A., «L'incerta corsa alla tassazione dell'economia digitale», en *Corriere Tributario*, núm. 3, 2018. Aquí citado según base de datos Ipsoa.

TOMASSINI, S., DI DIO, A., «Web tax sui servizi digitali: soluzione transitoria in attesa delle decisione dell'OCSE», en *Corriere Tributario*, núm. 4, 2019. Aquí citado según base de datos Ipsoa.

TOMASSINI, S., SANDALO A., «L'iniziativa della comimissione UE sulla tassazione dell'economia digitale», en *Corriere Tributario*, núm. 18, 2018. Aquí citado según base de datos Ipsoa.

URICCHIO, A., «La corsa ad ostacoli della web taxation», en *Rassegna Tributaria*, núm. 3, 2018. Aquí citado según base de datos Big suite.

Capítulo 8

El escenario BEPS 2.0: de la economía digital a la digitalización de la economía

Jaime García Puente
Investigador predoctoral
Universidad de Oviedo

SUMARIO: 1. LA GESTACIÓN DEL PROYECTO BEPS. 2. EL PAULATINO PROCESO DE DISE-ÑO E IMPLEMENTACIÓN. 3. LA LABOR ARMONIZADORA E INCLUSIVA DE LA OCDE. 4. EL PAPEL DE LA UNIÓN EUROPEA. 5. LOS RETOS FUTUROS DE LA FISCALIDAD INTERNA-CIONAL.

1. LA GESTACIÓN DEL PROYECTO BEPS

La crisis económica sufrida, a nivel global, desde el año 2007 provocó una importante merma de la recaudación pública en las principales econo-mías mundiales. En este contexto —y ante la creciente preocupación, por parte de los Estados, de obtener nuevos recursos— pudo constatarse como compañías multinacionales, haciendo un uso abusivo de las descoordinadas y —muchas veces— obsoletas legislaciones nacionales, lograban erosionar artificialmente sus bases imponibles (*base erosion)* o trasladar sus beneficios (*profit shifting*) hacia territorios de escasa o nula tributación.

Existiendo un amplio consenso internacional en torno a la necesidad de evitar dichas prácticas, la OCDE adoptó en 2013, por encargo expreso del G-20, el denominado *Action Plan on Base Erosion and Profit Shifting* (BEPS). Dicho documento contenía 15 acciones específicas a implementar coordinadamente por los Estados en un plazo de entre 18 y 24 meses.

2. EL PAULATINO PROCESO DE DISEÑO E IMPLEMENTACIÓN

Tras más de dos años de deliberaciones, los *2015 BEPS Final Reports*, publicados por la OCDE, mostraban un nivel de compromiso sin precedentes en este ámbito, con más de 60 países involucrados y con la participación en el proceso de organizaciones especializadas y de la propia sociedad civil, a través de los trámites de consulta pública.

En determinados aspectos, tales como las acciones 5, 6, 13 y 14, llegaron a adoptarse estándares mínimos (*minimum standards*). Éstos surgieron para abordar determinados problemas respecto de los cuales la inacción de algunos Estados podría provocar efectos colaterales negativos.

Concretamente, la acción 5 de *BEPS*, bajo la rúbrica «Combatir las prácticas tributarias perniciosas, teniendo en cuenta la transparencia y la sustancia», gira en torno a los regímenes fiscales preferenciales y los acuerdos con las administraciones tributarias (*tax rulings*) como instrumentos que tienden a incentivar la competencia entre países y las prácticas fiscales abusivas.

Por su parte, la acción 6 de *BEPS* insta a desarrollar normas que impidan la utilización abusiva de los convenios. El principal objetivo de éstas debe ser impedir que el acceso a los beneficios de un convenio se produzca en circunstancias inapropiadas, particularmente cuando se generan situaciones de doble «no imposición».

La acción 13 de *BEPS* se refiere al denominado Informe país por país (*Country by country report*), conforme al cual los grandes grupos multinacionales deben identificar las jurisdicciones en las que operan, las entidades que los conforman y las actividades económicas que realizan, así como proporcionar información relativa a aspectos tales como impuestos devengados y pagados o políticas en materia de precios de transferencia.

Finalmente, la acción 14 de *BEPS* busca hacer más efectivos los mecanismos de resolución de controversias, entre las diversas administraciones tributarias, en un clima marcado por la creciente competencia fiscal internacional.

Frente a ello, en las restantes materias, se fijaron o bien meras recomendaciones, o bien lo que vino en denominarse «estrategias comunes» (*common approaches*). Éstas suponían un consenso interestatal sobre las líneas generales a seguir para poder converger, como estándar mínimo, en un futuro no muy lejano.

Especial mención merecen, en relación con estas últimas, las denominadas «asimetrías híbridas» (*hybrid mismatches*), situaciones producidas como consecuencia de una diferente calificación jurídica —generalmente de pagos o entidades— por parte de los ordenamientos jurídicos de dos jurisdicciones que dan lugar a una doble deducción o a una deducción en un Estado sin la inclusión en la base imponible del otro. Así, el informe sobre la acción 2 de *BEPS* —que aborda esta materia— no alcanzó el consenso para revestir uno de esos estándares mínimos. Sin embargo, el alto *quorum* existente aconsejaba tratar la cuestión de forma más cualificada que si de una mera recomendación se tratase.

3. LA LABOR ARMONIZADORA E INCLUSIVA DE LA OCDE

Tras la publicación de los *2015 BEPS Final Reports*, los países miembros de la OCDE acordaron seguir trabajando conjuntamente de cara a la aplicación del paquete de medidas resultante. Consideraron, además, que dicho proceso de implementación debía tener carácter inclusivo, creando así el *Inclusive Framework on BEPS*. A través de este último, se permite a aquellas jurisdicciones interesadas colaborar con los miembros de la OCDE en la elaboración de nuevas normas y en la evaluación y seguimiento del proceso de implementación del entero paquete de medidas.

Si bien dichas necesidades de evaluación y seguimiento recaen fundamentalmente sobre las acciones 2 a 10, relativas a la presencia física, el *2015 BEPS Action 1 Report* identificó una serie de retos, generados por la digitalización, que traspasan la propia magnitud del Proyecto BEPS.

En efecto, durante la última década, el inmenso progreso de la técnica ha provocado un avance desde algo sectorial como la economía digital —caracterizada por la entrega de bienes o prestación de servicios de forma telemática— hacia la digitalización de la economía en su conjunto. La realidad actual trasciende ese fenómeno de «ventas a distancia» y permite a las empresas relacionarse con sus filiales internacionales de formas antes inimaginables, generando grandes interrogantes en lo que a la cadena de valor se refiere.

En el *Tax Challenges Arising from Digitalisation - 2018 Interim Report*[1] de la OCDE se hace constar como algunos Estados, en tanto se alcanza una solución largoplacista referente al nexo, los datos y la calificación (*nexus, data and characterization),* han decidido adoptar soluciones provisionales a corto plazo tales como la introducción de alguna suerte de impuesto indirecto sobre ventas (*scale without mass or user constribution).*

---

[1]   OECD (2018), Tax Challenges Arising from Digitalisation - Interim Report 2018: Inclusive Framework on BEPS, OECD/G20 Base Erosion and Profit Shifting Project, OECD Publishing, Paris. http://dx.doi.org/10.1787/9789264293083-en.

En el caso concreto de España, se ha propuesto la adopción de un impuesto sobre determinados servicios digitales que, alineado con la propuesta de directiva en la materia, sometería a gravamen la publicidad en línea, las plataformas de intermediación en línea y la transmisión de datos[2].

Por otra parte, a la espera del *2020 Final Report*, la OCDE ha publicado *Addressing the Tax Challenges of the Digitalisation of the Economy-2019 Policy Note*. En ella se fijan los dos pilares esenciales llamados a definir la imposición sobre beneficios en la era digital. El primero de ellos retoma la problemática —antes señalada— del nexo y la atribución de beneficios, mientras que el segundo apunta hacia el establecimiento de una tributación mínima global basada en el llamado derecho de *tax back*.

4. EL PAPEL DE LA UNIÓN EUROPEA

En el campo de la imposición directa, las prioridades políticas actuales de la UE vienen a identificarse, principalmente, con el Proyecto de Base Imponible Consolidada Común del Impuesto sobre Sociedades (*BICCIS*); la lista de países y territorios no cooperadores, y el denominado Paquete de lucha contra la elusión fiscal.

Este último, basado en esas recomendaciones de 2015 de la OCDE, reviste una especial importancia —especialmente para siete Estados miembros que no pertenecen a la OCDE— en tanto garantiza la transposición coordinada de tales medidas.

Una de las iniciativas que comprende el paquete es la adopción de las Directivas de lucha contra la elusión fiscal, más conocidas por su acrónimo *ATAD (Anti Tax Avoidance Directive)*. En *ATAD* I[3], la primera de ellas, se establecen cinco medidas que versan sobre la limitación a la deducibilidad de intereses, la imposición de salida, el régimen de transparencia fiscal internacional, el diseño de una cláusula general anti abuso y las asimetrías híbridas. En relación con estas últimas, *ATAD* II[4] amplía el catálogo existente al

---

[2] A este respecto *vid.* GARCÍA DE PABLOS, J. F. «El impuesto sobre determinados servicios digitales: La "Tasa Google"». *Revista Quincena Fiscal*. N° 11, 2019.

[3] Directiva (UE) 2016/1164 del Consejo, de 12 de julio de 2016, por la que se establecen normas contra las prácticas de elusión fiscal que inciden directamente en el funcionamiento del mercado interior.

[4] Directiva (UE) 2017/952 del Consejo de 29 de mayo de 2017 por la que se modifica la Directiva (UE) 2016/1164 en lo que se refiere a las asimetrías híbridas con terceros países.

poner el énfasis en la problemática que entrañan dichas asimetrías híbridas con terceros países.

También se incluye en el paquete la revisión de la Directiva sobre cooperación administrativa o *DAC (Directive on Administrative Cooperation)*, habida cuenta de la gran importancia que la transparencia tiene en la búsqueda de una fiscalidad más equitativa, ya que los Estados miembros necesitan tener acceso a la información sobre impuestos pagados en otras jurisdicciones para poder así hacer frente a las estrategias de planificación fiscal agresiva. Así, desde 2015, se han aprobado la DAC 4 —por la que se establecen nuevas obligaciones en relación con el Informe país por país, en consonancia con la acción 13 de BEPS—, la DAC 5 —en relación con la identificación de titulares reales y la lucha contra el blanqueo de capitales— y la DAC 6 —referente a la planificación fiscal agresiva y las nuevas obligaciones de comunicación de los intermediarios fiscales—.

Pese a todo ello, uno de los mayores inconvenientes con los que se encuentra la UE en materia fiscal es la necesidad de adoptar decisiones por unanimidad, de conformidad con los arts. 113 y 115 TFUE. Ello ha supuesto, en múltiples ocasiones, el recurso por parte de un grupo de Estados miembros al procedimiento de cooperación reforzada, conforme al cual sus integrantes pueden seguir avanzando —conjuntamente— sobre una iniciativa en la que no se ha obtenido el acuerdo unánime del Consejo. Buen ejemplo de ello es la propuesta de directiva por la que se establece una cooperación reforzada en el ámbito del impuesto sobre las transacciones financieras[5].

5. LOS RETOS FUTUROS DE LA FISCALIDAD INTERNACIONAL

Sin perjuicio del gran avance que ha supuesto el Proyecto *BEPS*, tal y como se menciona en el *BEPS Explanatory Statement* de 2015[6], la fase de implantación precisa de seguimiento y trabajos adicionales. Además, habida cuenta de que la Acción 1 de *BEPS* no logró definir unas medidas coordinadas para hacer frente a los retos de la digitalización, se espera un nuevo

---

[5] A este respecto *vid.* HERNÁNDEZ, P. «El establecimiento del Impuesto sobre Transacciones Financieras en la Unión Europea bajo cooperación reforzada». *Actualidad Jurídica Aranzadi*. Nº 856, 2013.

[6] OCDE (2015), Nota explicativa, Proyecto OCDE/G20 de Erosión de Bases Imponibles y Traslado de Beneficios, OCDE*www.oecd.org/ctp/beps-2015-nota-explicativa.pdf*.

informe, para mediados de 2020, que consiga abordar la cuestión con el suficiente consenso.

Digitalización y globalización son dos fenómenos complementarios y estrechamente relacionados. En efecto, como ya se ha señalado anteriormente, el desarrollo tecnológico permite nuevas formas de negocio, a nivel internacional, que eran inimaginables en épocas anteriores. Ello conlleva —necesariamente— un aumento de las relaciones entre los distintos ordenamientos tributarios, poniéndose de manifiesto la necesidad y conveniencia de implementar medidas multilaterales. No en vano, la acción 15 de *BEPS* busca precisamente desarrollar un instrumento multilateral que modifique los existentes convenios fiscales bilaterales.

Sin perjuicio de todo ello, las vías de avance hacia el futuro de la fiscalidad internacional no se encuentran vacías de obstáculos. La regla de la unanimidad, anteriormente aludida, frena gran parte de los impulsos armonizadores de la UE. Análogamente, los trabajos en sede de la OCDE avanzan con excesiva lentitud, la cual se debe —en parte— a las presiones y la oposición ejercidas por determinados miembros como EE.UU, que acaba de acometer una profunda reforma fiscal de manera unilateral[7].

Finalmente, no debe olvidarse que todo el escenario anterior se desenvuelve en un clima de creciente competencia fiscal internacional, circunstancia que vuelve a poner de manifiesto la importancia de un eficaz método de resolución de controversias.

---

[7]   A propósito de las medidas unilaterales en el escenario post-*BEPS vid.* SÁNCHEZ-ARCHIDONA HIDALGO, G. «Unilateralismo fiscal en el siglo XXI» *Revista Quincena Fiscal* Nº 1, 2019.

Capítulo 9

Nuevas reglas sobre el nexo y distribución de beneficios vertebradas en el principio de creación de valor

JOSÉ ÁNGEL GÓMEZ REQUENA
Profesor Ayudante Doctor de Derecho Financiero y Tributario
Centro Internacional de Estudios Fiscales
Universidad de Castilla-La Mancha

1. INTRODUCCIÓN

Existe un problema que todavía no ha sido solucionado por el paquete de medidas del Plan BEPS debido a la rápida y reciente evolución de las nuevas tecnologías y la irrupción de modelos altamente digitalizados. Ese problema es el de la ausencia de tributación en aquellos territorios en los que se genera valor gracias a la participación remota de las empresas digitales que recopilan datos y preferencias de los usuarios al interactuar con sus redes. Esto requiere que las reglas tributarias sean actualizadas y creen nuevos nexos y normas de reparto de los beneficios para hacer frente a la nueva realidad y empoderar a los Estados de mercado/fuente que es donde se está generando valor. Son dos aspectos distintos el que la digitalización permita evolucionar a modelos tradicionales —aspecto abordado por la Acción 1 de BEPS— y otro que de la digitalización surjan modelos de negocio altamente digitalizados, como por ejemplo *cloud-based services*, Facebook, Instagram, Google, etc, —que no ha sido suficientemente abordado en el Plan BEPS.

La distribución de la potestad tributaria entre los Estados fuente/mercado, aquellos en los que operan sin presencia física, y los de residencia, aquellos donde residen las empresas que explotan un modelo de negocio puramente digital, es un desafío que requiere nuevas soluciones. Esas soluciones pasan por reglas que contengan nuevos nexos impositivos y reglas de distribución de beneficios más justas que alineen el lugar de tributación con aquellos territorios donde se genera el valor.

La economía global se ha tornado digital. Como señaló el Fondo Monetario Internacional, «*all activities that use digitised data are part of the digital economy: in modern economies, the entire economy*»[1]. Nuevas tecnologías de la información y comunicación, como el cloud computing, la era del Big Data y el análisis masivo de datos como herramienta de creación de valor, la expansión de las tecnologías aditivas, como la impresión en 3D, o la Inteligencia Artificial, entre otros nuevos elementos han ocasionado un intenso debate sobre los sistemas tributarios.

La incesante evolución de la economía digital continúa dejando en evidencia al sistema tributario internacional, lo cual repercute directamente en los sistemas tributarios nacionales. La presión sobre los gobiernos obligó a emprender el Proyecto BEPS en febrero de 2013 en el seno de la OCDE. Por todos son conocidos los posteriores resultados de la Acción 1 llamada a encontrar una solución para actualizar las normas fiscales en la economía digital con el fin de contrarrestar los escenarios BEPS. Tras seis años de debate en la comunidad internacional, todavía no se ha alcanzado un consenso político sobre qué medidas implantar a nivel internacional. Esto multiplica la presión sobre los gobiernos que, ante la inoperatividad de las soluciones multilaterales, están comenzando a optar por medidas unilaterales, como por ejemplo los *equalization levies*.

El *OECD Interim Report about Tax Challenges Arising from Digitalisation*, de marzo de 2018, ha sistematizado en cuatro tipos los modelos de

---

[1]   IMF, *Measuring the Digital Economy*, Policy Papers IMF, 2018, p. 7, disponible en https://www.imf.org/en/Publications/Policy-Papers/Issues/2018/04/03/022818-measuring-the-digital-economy (último acceso: 14.09.2019). A lo largo de este trabajo nos referiremos indistintamente como «economía digital» o «digitalización» de la economía para hacer referencia a un mismo fenómeno: la irrupción de nuevas tecnologías de la información y comunicación que han creado nuevos modelos de negocio y transformado tradicionales.

negocio que operan actualmente en los mercados digitales[2]. Están caracterizados por una extensa y global cadena de valor, la importancia de los activos intangibles y la explotación del fenómeno Big Data. Asimismo, es posible la combinación entre los siguientes modelos de negocio, como sucede con Amazon. El primer grupo lo conforman las *multi-sided platforms*, como Uber, Facebook, Airbnb, Amazon Marketplace o BlaBlacar, en las que las empresas que explotan la plataforma permiten a los usuarios intercambiar bienes y servicios e interactuar recíprocamente consiguiendo poderosos efectos de red. En segundo lugar están los *resellers*. Se trata de modelos de negocio en los que la empresa adquiere productos de terceros proveedores y los ofrece como reventa a sus clientes. Ejemplos típicos de estos modelos son Netflix, Spotify o Amazon en su vertiente de comercio electrónico. En tercer lugar, están las *vertically integrated firms*, en las cuales desde la fase de producción hasta la de venta a clientes de bienes o servicios se haya monopolizada por la empresa. Se trata por ejemplo del modelo de negocio de Netflix en su vertiente de productora de películas y series, o Huawei que ofrece junto a su hardware los servicios de *cloud computing*. Por último, se encuentran los *input suppliers*. Se trata de suministradores de bienes o servicios en la producción de bienes u otros servicios que presta otra empresa, como por ejemplo los componentes de la empresa Intel. La interacción de los *input suppliers* únicamente se produce con la empresa a la que provisionan sus servicios, nunca con los consumidores finales.

2. PRINCIPALES CARACTERÍSTICAS DE LOS MODELOS DE NEGOCIO ALTAMENTE DIGITALIZADOS CON IMPACTO EN EL SISTEMA TRIBUTARIO INTERNACIONAL

Con una notable precisión, el *OECD Interim Report* de marzo de 2018 ha detectado tres características que se observan con frecuencia en los modelos de negocio altamente digitalizados, los cuales no dejan de ser, a nuestro juicio, una proyección *ad hoc* de los tres amplios desafíos que se identificaron por la Acción 1 del Plan BEPS en octubre de 2015.

La primera característica o fenómeno observado es la llamada *scale without mass*. Los modelos de negocio altamente digitalizados no necesitan tener una presencia física en el Estado de mercado donde operan con

---

[2] OECD, *Tax Challenges Arising from Digitalisation - Interim Report*, OCDE Publishing, Paris, 2018, pp. 30-31.

sus clientes. Directamente, la relación económica con sus clientes se realiza de forma telemática y de un modo transfronterizo. En consecuencia, se produce una pérdida de poder tributario del Estado de mercado sobre los beneficios que la empresa digital está produciendo en su territorio. Pese a que cuenta con una notable presencia económica en el Estado de mercado, las actuales reglas sobre el nexo no son capaces de someter a tributación esa presencia económica.

El segundo fenómeno es la presencia de activos intangibles en estos modelos de negocio, como por ejemplo marcas, algoritmos, software. Gran parte del valor de las empresas tecnológicas descansa en ellos. Dada la fácil movilidad intragrupo de estos activos, es habitual que la segregación entre la propiedad jurídica y la propiedad económica produzca desafíos a la hora de distribuir los beneficios entre las sociedades del grupo conforme al principio *at arm's length*. En gran medida, este segundo desafío se espera que sea contrarrestado progresivamente gracias al Capítulo VI de las Directrices de la OCDE sobre Precios de Transferencia que recogen los resultados de las Acciones 8-10 del Plan BEPS.

En último lugar, se encuentra el fenómeno más particular y exclusivo de los modelos de negocio altamente digitalizados. Se trata de los datos y la participación de los usuarios en estos modelos de negocio. En muchas ocasiones, de manera indirecta los usuarios contribuyen a la generación de valor en la fuente para la empresa. Fruto de esa relación interactiva, las empresas generan valor. Sin embargo, las reglas actuales sobre el nexo no ofrecen respuesta a este desafío y ese valor generado no se ve sometido a tributación en el Estado de mercado. Tampoco las reglas sobre distribución de beneficios dan una solución a este problema y a la hora de repartir los beneficios entre las empresas del grupo implicadas, no se tienen en cuenta estos elementos creadores de auténtico valor[3].

---

[3]   Como señalan Petruzzi y Buriak, los usuarios son «*unconscious contributors to the business value of a highly digitalized company*». Cfr. Petruzzi, R & Buriak, S, «Addressing the tax challenges of the digitalization of the economy - a possible answer in the proper application of the transfer pricing rules?», *Bulletin for International Taxation*, vol. 72, nº 4a, 2018.

3. FOCALIZANDO EL PROBLEMA: NEXO Y DISTRIBUCIÓN DE BENEFICIOS

Como se ha señalado, la participación remota en la economía doméstica de una jurisdicción por parte de empresas tecnológicas sin que el Estado de mercado o de la fuente tengan potestad tributaria sobre las rentas que se generan es, a modo general, el problema.

Específicamente, este problema está conformado por dos desafíos más específicos. Se trata del desafío sobre las reglas sobre el nexo y la distribución de beneficios. Los poderes tributarios entre los diversos Estados en los que interaccionan las cadenas de valor de los modelos de negocio altamente digitalizados han de repartirse de una manera justa, pero a la par neutral para no desincentivar la expansión de esta nueva forma de generación de valor en la economía mundial. Estos dos grandes «pilares»[4] son sobre los que se centra actualmente el trabajo de los 129 países del Marco Inclusivo en BEPS de la OECD y el G20 con el fin de conseguir una solución consensuada en torno a nuevos nexos y reglas de reparto del beneficio que satisfagan el principio de tributación de las rentas en aquellos territorios en los que se genera valor.

El problema se focaliza sobre dos aspectos muy concretos. Desde nuestro punto de vista, la solución a estos problemas ha de seguir necesariamente el siguiente orden. En primer lugar, confeccionar nuevos nexos que consigan «capturar» la presencia económica y digital en el Estado de mercado o de la fuente que genera valor. Aquí, será necesario adaptar las reglas actuales del concepto de establecimiento permanente, o bien la introducción de nuevos impuestos que tengan como puntos de conexión factores no ligados a la presencia física en una jurisdicción, sino nexos proclives con la desmaterialización de las actividades económicas transfronterizas. En segundo lugar, una vez que ya exista una solución consensuada en torno a qué nexos se van a utilizar, se podría determinar las nuevas reglas de reparto de beneficios entre los Estados. Desde nuestro punto de vista, esto es una forma de repartir tácitamente los poderes tributarios entre los Estados involucrados en la creación de valor de los modelos de negocio altamente digitalizados. Si previamente no hay un consenso acerca de nuevos nexos para la digitaliza-

---

[4]   Vid. OECD, *Programme of work to develop a consensus solution to the tax challenges arising from the digitalisation of the economy*, OECD Publishing, París, 2019, pp. 11 y ss., disponible en http://www.oecd.org/tax/beps/programme-of-work-to-develop-a-consensus-solution-to-the-tax-challenges-arising-from-the-digitalisation-of-the-economy.htm (último acceso 17.09.2019).

ción de la economía, no se puede abordar el problema de cómo cuantificar y repartir el valor generado entre todos los Estados participantes. Si no hay un nexo, no nace poder tributario por parte de un Estado para someter a tributación la renta que corresponda proporcionalmente al valor generado por la empresa tecnológica en su territorio.

El paquete de reglas sobre el nexo y reparto de beneficios actuales descansan sobre principios tradicionales de la primera mitad del siglo XX. Fueron construidos para responder al reparto de la soberanía tributaria entre los Estados con la finalidad de eliminar escenarios de doble imposición. Además, pivotan sobre factores de producción inmóviles, como la tierra, el trabajo y el capital. Actualmente, sin ignorar la presencia de estos factores, el valor de muchas empresas se está generando a partir de elementos inmateriales.

El Derecho tributario ha de actualizarse para ofrecer respuestas a los desafíos actuales. Existen múltiples propuestas para los dos problemas que señalamos, como por ejemplo los *equalization taxes*[5], *withholding taxes* sobre pagos que erosionan la base imponible[6], conceptos de establecimiento permanente sustentados en la presencia económica significativa[7], entre otras. La tributación de los nuevos modelos de negocio altamente digitalizados es injusta conforme a las actuales reglas de la fiscalidad internacional. No es un problema particular de un grupo muy concreto de Estados. Afecta prácticamente por igual a todos los Estados dado el alto nivel de expansión que estos modelos ofrecen. Por ello, las soluciones sobre los problemas del nexo y la distribución de beneficios han de ser coordinadas y multilaterales para evitar distorsiones y escenarios de competencia fiscal perjudicial entre los Estados[8].

---

[5]   *Vid.* Proposal for a Council Directive on the common system of a digital services tax on revenues resulting from the provision of certain digital services, COM (2018) 148 final, 21.03.2018.

[6]   *Vid.* Báez Moreno, A & Brauner, Y., *Withholding taxes in the Service of BEPS Action 1: address the tax challenges of the digital economy,* IBFD White Paper, 2015, disponible en https://www.ibfd.org/sites/ibfd.org/files/content/WithholdingTaxesintheServiceofBEPSAction1-whitepaper.pdf (último acceso: 17.09.2019).

[7]   *Vid.* Hongler, P. & Pistone, P., *Blueprints for a new PE nexus to tax business income in the era of the digital economy,* IBFD White Paper, 2015, disponible en https://www.ibfd.org/sites/ibfd.org/files/content/pdf/Redefining_the_PE_concept-whitepaper.pdf (ultimo acceso: 17.09.2019).

[8]   Cfr. Moreno González, S., «Alternativas para la tributación de la economía digital. El establecimiento permanente virtual», en García Novoa, C. (Ed.), *4ª Revolución Industrial: impacto de la automatización de la Inteligencia Artificial en la sociedad y la economía digital,* Thomson-Reuters Aranzadi, Madrid, 2019, p. 73.

Encontrar una solución consensuada para toda la comunidad internacional no será tarea fácil. Existen en la actualidad tres grandes grupos entre los 129 países del Marco Inclusivo que está analizando nuevas reglas sobre el nexo y distribución de beneficios[9].

El primer grupo, en el que se encuentra la propia Unión Europea, acepta que existen una serie de características en los modelos de negocio altamente digitalizados, especialmente la relativa a los datos y la participación de los usuarios, que produce un desajuste entre el lugar de tributación efectiva y el lugar de creación de valor. Ese desajuste no es fruto de ninguna estrategia de planificación fiscal agresiva. Simplemente la ausencia de tributación en el territorio de mercado o fuente se produce porque el marco fiscal internacional no tiene reglas que capturen estas nuevas formas de creación de valor a través de la participación de los usuarios. Por ello, para estos países es necesaria una reformulación de las reglas relativas al nexo y a la distribución de beneficios.

El segundo grupo de países, encabezado por Estados Unidos, reconoce el contexto actual y el problema de ausencia de tributación en fuente de los modelos de negocio altamente digitalizados. Sin embargo, no cree que los desafíos sean exclusivos de estos modelos de negocio disruptivos, sino más bien son generalizados y ponen en entredicho la efectividad del sistema fiscal internacional. Sin embargo, rechazan la idea de que los datos y la participación del usuario sean una forma de creación de valor que deba ser capturada por el territorio donde se localice el usuario. Por lo tanto, podemos observar que este grupo coincide con el primer grupo en el diagnóstico, pero diverge en la solución.

Por último, un tercer grupo de países están de acuerdo con el actual sistema fiscal internacional no ven necesario cambio alguno. Sostienen que el paquete de medidas anti-BEPS que se están implementando en la comunidad internacional son suficientes para mitigar los posibles desafíos de los modelos de negocio altamente digitalizados.

El objetivo principal para solventar el problema señalado para la participación remota de ciertos modelos de negocio digitales en la economía nacional de un país pasa por generar, en primer lugar, nuevos nexos impositivos que justifiquen la presencia impositiva en un territorio como si de un establecimiento permanente se tratara. En segundo lugar, una vez determi-

---

[9] OECD, *Tax Challenges Arising from Digitalisation - Interim Report, op. cit.*, pp. 171-172.

nada la existencia de un nexo impositivo, han de establecerse nuevas reglas de reparto de los beneficios imponibles.

Como reflexión final, observamos que los dos problemas están identificados claramente. Sin embargo, las posturas en torno a la forma de articular soluciones están bastante alejadas en tanto que el objeto de debate en la OCDE se centra directamente sobre el papel y valor que se le va a dar a los datos y al contenido generado por los usuarios. Por ello, es necesario un acercamiento de posturas en los próximos meses a fin de conseguir en 2020 una solución consensuada que evite la unilateralidad.

4. LA EVOLUCIÓN DEL PRINCIPIO DEL BENEFICIO —*BENEFIT PRINCIPLE*— Y LA TEORÍA DE IMPOSICIÓN EN FUENTE —*SOURCING THEORY*— EN EL NUEVO PRINCIPIO DE CREACIÓN DE VALOR

La irrupción del principio de creación de valor tras el Plan BEPS está llamado a ser el principio guía para una distribución justa y eficaz de la potestad tributaria para gravar los beneficios empresariales allí donde se ha generado verdaderamente el valor[10]. A priori, no se trata de un concepto clásico de la fiscalidad internacional[11], sin embargo, su esencia filosófica es similar a la de teorías clásicas de la imposición internacional corporativa, como la teoría de la imposición en el país de la fuente (*sourcing theory*) o el principio del beneficio (*benefit principle*).

La *sourcing theory* tiene una gran conexión con la tributación conforme a criterios de territorialidad. Esta teoría habilita a los Estados a ejercer la potestad tributaria sobre todas aquellas rentas que se producen con ocasión de actividades económicas realizas en sus límites territoriales. Con la expansión en el espectro internacional del criterio combinado de tributación personalista —residencia o, en algunas jurisdicciones muy minoritarias, la nacionalidad— y real, la *sourcing theory* fue perdiendo importancia desde el punto de vista práctico. Sin embargo, en el plano teórico su contenido resucita en la era post-BEPS para hacer frente a los desafíos de la economía

---

[10] Por ejemplo, las OECD Transfer Pricing Guidelines for Multinational Enterprises and Tax Administrations, actualizadas en 2017, ya contienen un enfoque alineador entre los resultados de precios de transferencia y el lugar en el que se genera el valor.

[11] Cfr. Becker, J. & Englisch, J., «Taxing where value is created: what's "user involvement" got to do with it?», *Intertax*, vol. 47, n° 2, 2019, p. 161.

digital, de tal forma que el Estado en el que se está generando valor tenga capacidad para someter a gravamen las rentas que allí se están generando[12].

Por su parte, el *benefit principle* ha sido desde 1920 el eje de reparto de la soberanía tributaria entre los Estados. Su contenido está ligado a la idea de *economic allegiance*. Prescribe que la tributación de las empresas debe producirse en aquella jurisdicción en la que reciban un beneficio en forma de utilización de la infraestructura del Estado y otros bienes y servicios públicos a la hora de realizar la actividad económica en una determinada jurisdicción[13]. Este principio descansa sobre la idea filosófica de Thomas Hobbes que defiende el pago de impuestos al Estado como una contraprestación por la seguridad, en proporción al grado de aprovechamiento de la infraestructura y servicios del Estado que realiza la empresa[14].

El principio de creación de valor no tiene una definición propia. Pese a que ha irrumpido con fuerza desde 2013 en la esfera de la fiscalidad internacional, como principio guía para abordar los retos de la digitalización de la economía, no existe un concepto uniforme de qué entender por tributación en aquel lugar en el que se genera el valor. Las interrogantes que suscita este principio son ¿qué es generación de valor?, ¿cómo se genera el valor?, ¿dónde se entiende generado el valor? y, ¿cómo cuantificar el valor generado? Su vaguedad e imprecisión le dotan de un contenido flexible que permite a los Estados, organizaciones internacionales y supranacionales, así como a los académicos exponer diferentes propuestas para hacer frente al desafío de alinear tributación con el lugar de generación de valor en una economía ampliamente digitalizada.

En términos económicos, una empresa crea valor cuando sus ingresos exceden de los costes invertidos para la producción del bien o la prestación del servicio, pudiendo existir creación de valor a lo largo de la cadena de

---

[12]   Como señalan Hongler y Pistone, «the sourcing theory provides the theoretical background for drawing a nexus with the taxing jurisdiction that moves away from the association with physical presence and more closely reflects value creation in respect of business income in the era of the digital economy». Cfr. Hongler, P. & Pistone, P., *Blueprints for a new PE nexus to tax business income in the era of the digital economy*, *op. cit.*, p. 18.

[13]   Estos beneficios pueden ser el aprovechamiento de un marco legal estable, el mantenimiento de una estructura digital y tecnológica que permite a la empresa operar en el Estado, redes de comunicación o los suministros energéticos, subvenciones públicas, entre otros.

[14]   Cfr. Develba, F. «Fairness and international taxation: star-crossed lovers?», *World Tax Journal*, vol. 10, n° 4, 2018.

valor, tal y como expone la teoría de Porter al respecto[15]. En lo que atañe a una empresa que explote un modelo de negocio digital, dicho valor se creará a la largo de su cadena cuando a través de la explotación de los datos y del contenido generado por los usuarios obtenga beneficios a la hora de ofrecer sus servicios o bienes en el mercado. Obsérvese que funciones como la recogida de datos ha sido vista tradicionalmente como una función complementaria más en la cadena de valor. Sin embargo, con la irrupción del Big Data ha dejado de ser una función rutinaria para alcanzar autonomía propia y ser un factor productivo más a la hora de crear riqueza para la empresa.

Desde nuestro punto de vista, el principio de creación de valor no es un principio revolucionario. Las reglas actuales de la fiscalidad internacional declaran que las rentas activas —beneficios empresariales— se gravarán el Estado de la fuente, mientras que las rentas pasivas —dividendos, intereses y royalties— tributarán en el Estado de residencia. Las rentas siempre han tributado en aquella jurisdicción en la que se ha entendido originado el valor. Evidentemente, cuando el Estado fuente ha ejercido su potestad tributaria ha sido porque se ha cumplido el umbral de establecimiento permanente, sustentado en la presencia territorial física. Sin embargo, como señala la profesora Dourado[16] en los demás casos el Estado de residencia actúa como un «qualified source state» al entenderse que la residencia es un punto de conexión económico con el territorio. En definitiva, una forma de unir tributación con aquel territorio en el que se gozan de los beneficios e infraestructuras y donde se generan rentas de la actividad económica, tal y como establecen la sourcing theory y el benefit principle.

Actualmente, la forma de crear valor ha mutado gracias a las nuevas tecnologías. La irrupción del principio de creación de valor continua la línea de estas teorías clásicas de la fiscalidad internacional. Es decir, en la era digital habría que asegurar un reparto de la potestad tributaria para aquellos Estados en los que el modelo de negocio manifiesta una conexión territorial suficiente y genera valor, como por ejemplo los datos que recopila de sus clientes, el lugar donde se gestionan esos datos o el territorio en el que se almacenan. La idea subyacente en el principio de creación de valor es la misma; esto es, conectar tributación con el Estado que mayor conexión presenta con la renta generada. Sin embargo, la evolución que existe es que

---

[15]   Cfr. Olbert, M. & Spengel, C., «International taxation in the digital economy: challenge accepted?», *World Tax Journal*, vol. 9, nº 1, 2017, p. 22.

[16]   Dourado, A. P., «Digital taxation opens Pandora Box», *Intertax*, vol. 46, nº 6 & 7, 2018, pp. 566-567.

la forma en la que se genera el valor y su atribución cambian. Por ello, es correlativo al escenario actual de consolidación del principio de creación de valor el hecho de buscar nuevos nexos y reglas de atribución de beneficios. En resumen, en nuestra opinión el principio de creación de valor es una versión contemporánea de la *sourcing theory* y del *benefit principle*[17].

Entre esas propuestas que buscan reflejar reglas sobre nexos y atribución de beneficios acordes con la creación de valor, destaca la línea de trabajo que sigue la OCDE actualmente iniciada en el *Public Consultation Document «Addressing the Tax Challenges of the Digitalisation of the Economy»*, de febrero de 2019. En ella se propone el estudio de tres propuestas para otorgar poderes tributarios a los Estados de mercado/fuente. En primer lugar, la *user participation proposal*, que defiende la generación de valor por la participación activa de los usuarios en modelos de negocio digitales como redes sociales, motores de búsqueda y mercados online. En segundo lugar, el *marketing intangible proposal*, la cual aboga por la generación de valor a través de la red de usuarios/clientes que una marca genera remotamente gracias a sus activos intangibles —marcas, listas de clientes— en un determinado Estado. Y, finalmente, la *significant economic presence proposal*, que aboga por la generación de valor cuando existe una presencia a distancia, pero económicamente significativa, en una determinada jurisdicción en la que se realiza una actividad económica. Estas propuestas toman en consideración la existencia de factores de oferta y demanda en la generación de valor. Si no existieran los usuarios, estos modelos de negocio digital no funcionarían y no habría generación de valor[18].

Por lo tanto, es deseable que el propio principio de creación de valor evolucione en sí mismo y sea la guía para el reparto de la potestad tributaria tomando en consideración no solo un enfoque desde la oferta (*supply-side preferences*), sino también desde la demanda (*demand-side preferences*).

---

[17]   Existen opiniones contrarias que rechazan la alineación del benefit principle y el principio de creación de valor, como por ejemplo Deveraux, M. & Vella, J., «Value creation as the fundamental principle of the international corporate tax system», *European Tax Policy Forum, Policy Paper*, 2018, p. 6.

[18]   Cfr. Schön, W., «Ten questions about why and how to tax the digitalized economy», *Bulletin for International Taxation*, vol. 72, n° 4-5, 2018 (consultado a través de IBFD Tax Research Platform).

5. TRES ACTORES INTERESADOS EN GRAVAR LAS RENTAS: ESTADO DE RESIDENCIA, ESTADO DE LA FUENTE Y ESTADO DE MERCADO

Es innegable el valor que generan los datos en el actual panorama económico digital. Sin la existencia de los datos que los usuarios vierten sobre ciertos modelos de negocio digitales sencillamente no sería posible la puesta en funcionamiento de la actividad. Tampoco sería factible la obtención de grandes beneficios si no se produjesen los llamados efectos de red. Los efectos de red son un fenómeno que se produce cuando la utilización de una determinada red por parte de los usuarios produce una especie de efecto llamada sobre otros usuarios, como por ejemplo el caso de Facebook[19]. Como consecuencia, a más número de usuarios registrados, mayores son los datos de los que dispone la empresa y, por lo tanto, puede ofrecer espacios publicitarios a otras empresas o ceder los datos generando un mayor beneficio para su modelo de negocio digital. Los usuarios pasan a convertirse en figuras híbridas en la cadena de suministro de las empresas digitales, los llamados «prosumers». Por un lado, siguen siendo consumidores de los servicios que se les ofrecen, pero, por otro lado, actúan tácitamente como productores del valor de la empresa gracias a la interacción que realizan con las plataformas digitales.

La clásica distinción entre tributación en el país de residencia y el país de la fuente adquiere un nuevo actor con la irrupción de modelos de negocio altamente digitalizados. Se trata del Estado de mercado y es el territorio en el que se prestan los servicios a los usuarios/clientes de la red y donde se recolectan los datos. Desde nuestro punto de vista, el Estado de mercado nace como consecuencia de la bifurcación del término teórico «Estado de la fuente». Por una parte, estaría el país de la fuente como origen de la renta, es decir el territorio en el que se origina el flujo monetario con destino hacia el país de residencia de la empresa digital. Y, por otra parte, se entendería por «Estado de la fuente» aquella jurisdicción en la que se produce el consumo de los servicios y la consiguiente generación de valor. Se trataría de aquel territorio desde el que el usuario/cliente accede con su dispositivo a la red (país fuente como lugar de consumo y producción de valor), volcando directa o indirectamente una serie de datos que contribuyen a la empresa digital (país de residencia) a mejorar sus servicios y ofrecer espacios publi-

---

[19]   Cfr. Becker, J. & Englisch, J., «Taxing where value is created: what's "user involvement" got to do with it?», *op. cit.*, p. 167.

citarios para las empresas localizadas en otros territorios (país fuente como origen de la renta). El esquema descrito responde al modelo de negocio de una red social, siendo este modelo en el que con mayor relieve se pone manifiesto el triángulo en cuyos vértices están el país de residencia, el país de mercado y el país de la fuente en sentido estricto.

En virtud de lo anterior, existen tres Estados entre los que hay que repartir la potestad tributaria. Tomando factores del lado de la oferta como riesgos, activos o trabajadores las actuales reglas de la fiscalidad internacional no distribuyen ingresos imponibles a los Estados de mercado. Por ello, es necesario abrir la puerta a nuevos factores del lado de la demanda como las ventas, número de usuarios o volumen de los datos, para así conseguir un reparto más justo de la potestad tributaria entre los Estados.

No obstante, existen críticas a la consideración del país de mercado como un actor más a tomar en consideración en las fórmulas de reparto de beneficios. El profesor Schön[20] señala que el mercado ya se toma en consideración para la tributación indirecta, la cual recae exclusivamente en el Estado de consumo. Por ello propone la creación de un nexo vinculado a la inversión digital tangible o intangible en un Estado. Allí donde existe una inversión de una empresa, es esperable la obtención de un rendimiento, por lo tanto las empresas digitales tributarían en ese territorio siempre y cuando haya una previa inversión. Si bien es cierto que el país de consumo ya participa de parte del beneficio a través de impuestos sobre el volumen de negocios, en nuestra opinión ello no colisiona con atribuir a la fiscalidad directa nuevos nexos imponibles sustentados en factores de la demanda, ya que la fiscalidad indirecta tampoco somete a tributación el gran desafío planteado: el valor que generan los datos y la participación del usuario. Por ello, entendemos que son compatibles mecanismos que otorguen potestad tributaria a los Estados donde se localizan los consumidores y se produce una parte de la creación de valor de la empresa multinacional digital con las reglas de la fiscalidad indirecta.

Por último, pueden existir dificultades técnicas a la hora de determinar la localización de un usuario en una jurisdicción. La utilización de redes VPN puede camuflar el verdadero Estado de mercado. Soluciones alternativas podrían ser recurrir a la localización GPS de los dispositivos de los usuarios. Sin embargo, el impacto que puede tener sobre los derechos fundamentales exige una solución más respetuosa para este tipo de desafíos.

---

[20]   Schön, W. «Ten questions about why and how to tax the digitalized economy», *op. cit.*

6. EL PAPEL DE LOS DATOS: CREACIÓN DE VALOR BASADA EN LA PARTICIPACIÓN DE LOS USUARIOS

La recolección de datos puede verse desde múltiples perspectivas en el proceso de creación de valor. Los datos en bruto que recopilan las empresas de sus clientes gracias a potentes algoritmos o técnicas de Big Data necesitan ser procesados y estudiados para poder focalizar una correcta estrategia de explotación que rentabilice al máximo posible su explotación. Lo que queremos apuntar con esta afirmación es que los datos *per se* carecen de relevancia y no crean valor por el mero hecho de ser lo que son. Es el posterior tratamiento, clasificación, estudio y uso que de los mismos se hace lo que contribuye a generar valor dentro de la cadena de suministro de la empresa. Como señala Moreno González[21] existen zonas grises entre este elenco de actividades y su condición de creadoras de valor, ya que la mera recogida podría entenderse como una función rutinaria que no implica generación de valor. También, como señalan Becker y Englisch[22] existen dudas sobre el propio lugar de recopilación de estos, pudiendo ser bien el lugar donde se localiza el usuario o bien el lugar donde queda reflejada su huella digital en Internet.

Desde nuestro punto de vista, estas dudas arrecian fruto de la presente configuración de las reglas sobre precios de transferencia, que pivotan sobre un análisis funcional que da preponderancia a los factores de la oferta[23]. Las Directrices sobre Precios de Transferencia de la OCDE de 2017 (DPT, en lo sucesivo) establecen en su capítulo VI una distribución intragrupo de beneficios en operaciones que involucran activos intangibles que beneficia a aquellos territorios en los que existe personal que realiza una serie de funciones significativas, atribuyéndoseles los activos y riesgos inherentes a dichas funciones y, en consecuencia, acumulando gran parte del beneficio. Este nuevo enfoque que continúa los resultados de la Acción 8-10 no ofrece una respuesta al problema del papel que juegan los datos de los usuarios en la creación de valor y consiguiente reparto de la potestad tributaria porque las actividades de recolección, tratamiento, análisis y posterior utilización

21 Moreno González, S., «Alternativas para la tributación de la economía digital. El establecimiento permanente virtual», *op. cit.*, p. 86.
22 Becker, J. & Englisch, J., «Taxing where value is created: what's "user involvement" got to do with it?», *op. cit.*, p. 168.
23 Cfr. Martín Jiménez, A., «BEPS, the digital(ized) economy and the taxation of services and royalties», *UCA Tax Law Department Working Papers*, nº 1, 2018, p. 17.

de los datos están totalmente desmaterializadas. Son funciones que se realizan por equipos informáticos y no por personal humano.

Es cierto que el valor creado por las contribuciones de los usuarios en modelos de negocio como motores de búsqueda o redes sociales no es creado directamente por la empresa, sino que es valor creado por una parte exógena al negocio como son los usuarios. Sin embargo, esa creación de valor responde a una previa contraprestación hacia esos usuarios. Si bien no es monetaria en casi todos los casos, lo es en forma de servicios gratuitos con los que se «retribuye» al cliente a cambio de la obtención del permiso para la cesión de sus datos a la empresa. Esto es lo que sucede en redes que utilizan el mecanismo de «*freemium*». Ofrecen a sus usuarios unos servicios estándares y gratuitos que sirven para recolectar sus datos. Con posterioridad, para ampliar esos servicios se ofrece la posibilidad a los clientes de la plataforma suscribir nuevos paquetes de servicios a cambio de un precio, como por ejemplo sucede en *cloud-based services* con la ampliación de la capacidad de almacenamiento de archivos del cliente en los servidores de la empresa.

En nuestra opinión, la forma de creación de valor por parte de las empresas ha cambiado, por lo tanto la perspectiva desde la que analizar este fenómeno ha de actualizarse de la misma manera. La recopilación de los datos que derivan de la participación del usuario tiene un valor económico incrustado para la empresa. Es indiferente que esos datos pasen por diversas fases para hipotetizar un aumento de su valor. Nuestra postura no ignora el hecho de que el papel de la empresa ante estos datos es también importante para la creación de valor. Efectivamente, tecnologías como los potentes algoritmos que permiten agregar los datos de los usuarios e identificar sus patrones de consumo para así ofrecerles publicidad específica contribuyen a la generación de valor[24]. Sin embargo, sin la existencia de esos datos no tendría sentido argumentar que existe generación de valor porque los datos son el «petróleo» del siglo XXI[25].

Desde el momento de la captura de los datos gracias a la participación activa o pasiva de los consumidores nace su propia producción y, por lo tanto, emerge la generación de valor. Gracias a los datos que se recopilan

---

[24]   Congressional Research Service, *Digital Service Taxes (DTS): Policy and Economics Analysis*, 2019, pp. 13-14, disponible en https://fas.org/sgp/crs/misc/R45532.pdf (ultimo acceso: 28.09.2019).

[25]   https://www.economist.com/leaders/2017/05/06/the-worlds-most-valuable-resource-is-no-longer-oil-but-data (último acceso: 28.092019).

desde una determinada jurisdicción, la empresa genera nuevo valor. Los usuarios son una parte del proceso de creación de valor, por lo tanto es lógico defender unas normas tributarias que tengan presente esta realidad a la hora de repartir la potestad tributaria entre Estados. Por ello, es necesario un nexo y un reparto de los beneficios entre los Estados fuente/mercado que tome en consideración esta forma de creación de valor contemporánea, como por ejemplo considerando un activo intangible para la empresa el mantenimiento de una relación sustantiva y continuada en el tiempo con los clientes de una determinada jurisdicción[26].

7. PROPUESTAS QUE BUSCAN ASEGURAR LA JUSTICIA Y LA NEUTRALIDAD EN EL PANORAMA FISCAL INTERNACIONAL

La realidad muestra un desajuste en las reglas sobre el nexo y de distribución de beneficios para someter a tributación esa generación de rentas allí donde efectivamente se está ocasionando. Por ello, es necesario actualizar elementos del Derecho tributario para conseguir una tributación más justa en la sociedad. Sin embargo, esa solución ha de ser a la par neutral de tal manera que no llegue a cercar a la propia economía digital ni distorsione la toma de decisiones de los agentes económicos que explotan en sus modelos de negocio las tecnologías de la información.

1. Equilibrio entre el régimen tributario que se aplique a los llamados modelos de negocio tradicionales y los modelos de negocio altamente digitalizados. Dicho en otras palabras, que las soluciones tengan una visión holística sobre la economía. Esto no debería ser, en nuestra opinión, incompatible con adoptar nuevas reglas como consecuencia de los desajustes que la economía digital ha puesto de manifiesto. El motivo de adoptar esas pretendidas soluciones holísticas que afectarían tanto a modelos de negocio altamente digitalizados y a los modelos como una menor digitalización es la injusticia aflorada en el régimen tributario internacional; sin embargo, las soluciones no han de caer en el error de ser *ad hoc* para esos modelos de negocio puesto que se corre el riesgo de desincentivar su desarrollo.

2. Multilateralismo. Los problemas globales, como los referentes al nexo y la distribución de beneficios que afectan a todos los Estados, han de ser

---

26   Cfr. Becker, J. & Englisch, J., «Taxing where value is created: what's "user involvement" got to do with it?», *op. cit.*, pp. 170-171 and HM Treasury, *Corporate Tax and the Digital Economy: position paper update*, 2018, p. 8.

abordados con soluciones multilaterales que ofrezcan un tratamiento homogéneo. Las soluciones unilaterales pueden ser factibles en el corto plazo, pero solo en la medida en que vayan a ser parches provisionales en tanto que en la comunidad internacional se logra una posición lo más consensuada posible y que acabe plasmándose en instrumentos jurídicos de *hard law*[27].

A continuación, se procede a exponer tres posibles soluciones que cumplen con los requisitos enumerados y que resultan justas y neutrales: la inclusión de un nuevo tipo de renta en los Convenios tributarios para la prestación de servicios publicitarios, la interpretación expansiva del concepto «royalty» para incluir a las rentas por la prestación de servicios basados en la nube y la inclusión de factores de demanda en el análisis de precios de transferencia. Con estas propuestas intentamos que los Estados fuente o de mercados ganen mayor potestad tributaria en tanto que la generación de valor se produce dentro de sus fronteras.

7.1. *Renta por la prestación de servicios publicitarios*

Los convenios de doble imposición contienen una serie de rentas cuya potestad tributaria se reparte entre el Estado de residencia y el Estado de la fuente. Establecen reglas de distribución en las que puede darse un protagonismo a los Estados fuentes si así se desea desde el punto de vista de la política tributaria.

La difusión de anuncios publicitarios en los dispositivos e interfaces de los usuarios es la manifestación exógena de la creación de valor. Esa publicidad es fruto de la gestión y procesamiento de los datos de los usuarios que son recopilados en el Estado de mercado por las empresas que explotan modelos de negocio digitales. En función de dichos datos alquilan espacios publicitarios dentro de sus plataformas a terceras empresas anunciantes a cambio de una renta. Por ello, la propuesta consiste en crear un tipo de renta especial dentro de los Convenios fiscales con el fin de crear reglas de distribución de la potestad tributaria que primen la tributación en el Estado

---

[27]   Ya hemos manifestado en otros trabajos que la solución idónea es la de crear un concepto de establecimiento permanente virtual basado en la presencia económica y digital significativas. *Vid.* Gómez Requena, J. A. & Moreno González, S., «Adapting the concept of permanent establishment to the context of the digital commerce; from fixity to significant digital economic presence», *Intertax*, vol. 45, nº 3, 2017. En el presente trabajo vamos a proponer otras soluciones complementarias.

donde se proyecta dicha publicidad y/o la empresa anunciante realiza el pago.

Como regla general, este tipo de pagos transfronterizos por la prestación de un servicio de difusión publicitaria online —como por ejemplo los anuncios que aparecen en redes sociales o los motores de búsqueda— se calificarían como beneficios empresariales (art. 7 MC OCDE) otorgando la potestad tributaria exclusiva al Estado de residencia de la empresa prestataria del servicio de alquiler —es decir, la empresa tecnológica—, a menos que contase con un establecimiento permanente en el Estado fuente —lo cual es un aspecto problemático conforme a la actual definición de este concepto en el escenario internacional.

Por ello, creemos que una nueva tipología de renta por la prestación de servicios publicitarios que proponga la tributación compartida en el Estado fuente y el Estado de residencia puede ayudar a alinear tributación con territorio de generación de valor. Las rentas que pagan empresas que desean publicitarse derivan de un modo indirecto de la creación de valor por parte de los datos y contenidos generados por los usuarios en el Estado fuente/mercado. Proponemos que cuando se supere un umbral cuantitativo, se conceda al Estado de la fuente de manera limitada, siguiendo el modelo de los dividendos (art. 10 MC OCDE) o cánones (art. 11 MC OCDE), la potestad de gravar esa renta que es pagada a una empresa no residente. Al establecer una cifra por debajo de la cual la tributación sigue concediéndose al Estado de residencia se evitan costes administrativos a modelos de negocio digital menos importantes que los habituales y se focalizaría en aquellos modelos de negocio que manifiestan una mayor capacidad económica y creación de valor —Google, Facebook, Instagram, etc. Además, esta propuesta no diferencia entre el alquiler de espacios publicitarios online, en medios de comunicación o en espacios físicos. Se aplicaría por igual a todos y resultaría más respetuoso con la neutralidad fiscal y no cercar la economía digital.

7.2. Expansión del concepto «royalties» para incluir los servicios basados en la nube

El *cloud comupting* es un modelo de negocio que ofrece variados servicios dentro de una red de trabajo a los usuarios que los demandan. Esos servicios pueden ser aplicaciones, almacenaje de datos, alquiler de servidores, suministro de una infraestructura virtual para el desarrollo de un programa, venta de productos digitales, entre otros. Las empresas prestadoras de *cloud-based services* suministran esos servicios online sin presencia física en el territorio del cliente. Por lo tanto, el problema que se ha mencionado a lo largo de este trabajo vuelve a repetirse: las reglas tributarias sobre el nexo y distribución de beneficios no otorgan potestad tributaria al Estado fuente o de mercado.

Existen multitud de Convenios fiscales que establecen un reparto de la potestad tributaria sobre los royalties que permite al Estado fuente gravar una parte de la renta a través de un *withholding tax*. Opinamos que es una oportunidad para ayudar a solventar los problemas que proyecta la digitalización sobre la fiscalidad que bajo el concepto internacional de royalties, consagrado en el art. 12 MC OCDE, se incluyan rentas procedentes de servicios de computación en la nube. Sobre todo si tenemos en cuenta que todavía están en vigor Convenios fiscales que incluyen en el concepto de cánones las rentas por el alquiler de equipos comerciales, industriales o científicos. La utilización de *withholding taxes* en los royalties es un mecanismo que se ha utilizado en sus orígenes para paliar la ausencia de nexos impositivos para los países importadores de equipamiento tecnológico. Bajo esta filosofía de empoderamiento de los Estados fuente, el MC ONU plantea soluciones a los desafíos BEPS incluyendo un art. 12A que establece un *withholding tax* para las rentas por la prestación de servicios técnicos, el cual incluye tanto los servicios suministrados físicamente en el Estado fuente como aquellos servicios prestados online[28].

Es necesaria una actualización de los comentarios al art. 12 MC OCDE con el fin de conseguir una postura común e internacional para el tratamiento de las rentas derivadas del *cloud computing*. Si bien es cierto que las reglas sobre tributación del software pueden ser ampliamente trasladables a este fenómeno, las características del *Software as a Service*, el *Infrastructure as a Service* y el *Platform as a Service* obligan a un ejercicio de clarificación. El nivel del control del usuario en cada uno de estos tres tipos de modelos de *cloud computing* varía y ello tendrá repercusiones a la hora de calificar la renta como royalties o beneficios empresariales. En este sentido, proponemos que el concepto de royalty se expanda en los Convenios fiscales e incluya los pagos por el uso del software que se suministra en los servicios basados en la nube. Esta solución será neutral porque el concepto royalties seguirá afectando tanto a las rentas transfronterizas que se originan por cesiones de derechos de propiedad intelectual o industrial, así como el alquiler de equipos, además de a las rentas que derivan del *cloud computing*. De

---

[28]   Cfr. Martín Jiménez, A., «BEPS, the digital(ized) economy and the taxation of services and royalties», *op cit.*, pp. 33-35.

esta manera, se equipararía el tratamiento fiscal de dos formas de realizar negocio —una tradicional y otra digital— y conseguiríamos un régimen tributario más justo.

7.3. *Residual Profit Split Method y supply-side and demand-side factors*

Una vez que las reglas sobre el nexo hayan sido actualizadas para hacer frente a los desafíos de la economía digital podrá cerrarse el problema del reparto de las bases imponibles entre los Estados que legítimamente tienen potestad tributaria sobre las rentas de estos modelos de negocio altamente digitalizados. Esos nexos conectarían a un territorio rentas derivadas de las actividades económicas desmaterializadas, como por el ejemplo la generación de datos, el número de usuarios o el volumen de facturación. Como se ha planteado en la Unión Europea con la propuesta de Directiva del llamado «EP virtual»[29], esos nexos originarían la existencia de un establecimiento permanente en uno o más Estados diferentes. Por lo tanto, el siguiente paso es establecer normas sobre precios de transferencia que repartan esos beneficios de una manera más justa de lo que sucede actualmente.

El reparto de beneficios entre empresas del mismo grupo o la atribución de beneficios a un establecimiento permanente se realiza conforme al principio *at arm's length*. Este principio exige un estudio de las funciones realizadas y controladas, los activos usados y los riesgos asumidos por las empresas asociadas. Este análisis busca la creación de valor y el consiguiente reparto de los beneficios en aquellas empresas del grupo que manifiestan una actividad económica real a través de la realización de funciones. A dichas funciones le corresponderán una serie de activos y de riesgos que les otorgará parte del beneficio.

Sin embargo, esta forma de aplicar el principio at arm's length auspiciada por las Acciones 8-10 del Plan BEPS asigna valor al lado de la oferta y no tiene en cuenta la creación de valor que existe en el lado de la demanda[30]. Factores productivos como el trabajo, los activos o el capital humano, entre

---

[29] Propuesta de Directiva del Consejo por la que se establecen normas relativas a la fiscalidad de las empresas con una presencia digital significativa, COM(2018) 147 final, 21 de marzo de 2018.

[30] De la misma opinión, Martín Jiménez, A., «BEPS, the digital(ized) economy and the taxation of services and royalties», *op. cit.*, p. 17; Becker, J. & Englisch, J., «Taxing where value is created: what's "user involvement" got to do with it?», *op. cit.*, p. 168; Committee of Experts on International Cooperation in Tax Matters ONU, *Tax Issues related to the digitalization of the economy: report*, Nueva York, April, 2019, p. 9.

otros, son los determinantes en el reparto de beneficios. Los factores de la demanda como son los usuarios o las ventas no tomados en consideración en este reparto. Este es el foco del problema porque como hemos señalado en este trabajo, los nuevos modelos de negocio altamente digitalizados crean valor gracias a la participación de los usuarios y a la calidad de sus datos. Sin el enfoque de la demanda, la oferta por sí sola no crearía valor y estos modelos de negocio serían inviables. Por ello, el sistema de reparto ha de actualizarse para dar entrada a un enfoque del lado de la demanda, así como que desde el lado de la oferta también se actualice y de entrada a nuevos factores de creación de valor. En nuestra opinión esto pasa por un *Residual Profit Split Method* (RPSM).

El RPSM es una variante del *Profit Split Method* y su objetivo es determinar los beneficios globales para posteriormente distribuirlos entre las empresas del grupo en función de una serie de factores idénticos a los que empresas independientes hubiesen acordado. Se trata de un método que va a jugar un gran papel en el escenario post-BEPS, ya que es un punto de equilibrio entre aquellas posturas que defienden el principio at arm's length y las que defienden un reparto formulario de los beneficios. Es un método adecuado para aquellos casos en los que no existen operaciones comparables y se produce una de las siguientes situaciones: 1. Las partes realizan contribuciones únicas y valiosas o, 2. Existe un alto grado de integración en el modelo de negocio[31].

La distribución del resultado con el RPSM propuesto contendría unos factores de reparto del beneficio residual nuevos. Junto a los tradicionales factores de capital humano, riesgos, ventas o gastos, entre otros, proponemos añadir en el lado de la oferta un nuevo tipo de activo como son los datos y en el lado de la demanda el número de usuarios de la plataforma. En primer lugar, se determinarían los beneficios globales a repartir, distinguiendo entre aquellos rutinarios de los no rutinarios o residuales. Los beneficios procedentes de actividades rutinarias se distribuirían siguiendo los factores de reparto actuales que marcan las Directrices sobre Precios de Transferencia de la OCDE. Sin embargo, el beneficio residual procedente de funciones

---

[31]   Cfr. European Union Transfer Pricing Forum, *The application of the Profit Split Method within the EU*, March, 2019 available at https://ec.europa.eu/taxation_customs/sites/taxation/files/report_on_the_application_of_the_profit_split_method_within_the_eu_en.pdf (last access: 30.09.2019). Siguiendo este informe, por contribuciones únicas y valiosas se entiende que existen cuando: 1. No existen contribuciones comparables entre empresas independientes en situaciones comparables. 2. Representan una fuente principal real o potencial de generación de beneficios.

no rutinarias que absorbe buena parte de las rentas que genera la explotación de modelos de negocio digitalizados como redes sociales o motores de búsqueda, se repartirían aplicando una fórmula que contenga factores como el volumen de los datos recopilados de los usuarios y el número de usuarios en una determinada jurisdicción.

La inclusión de un nuevo factor de reparto basado en los datos puede generar controversias en función de la calidad de estos y su predisposición a ser verdaderos creadores de valor. Existirán datos con mayor o menor importancia. En este sentido, los *Advanced Pricing Agreement* pueden ser instrumentos que mitiguen esta conflictividad y previamente se acuerde con el contribuyente una selección del volumen de datos que serán tomados en consideración en la fórmula de reparto del beneficio. Esta propuesta es más justa que el régimen actual y permitirá a los Estados de mercado conseguir una distribución mayor del beneficio residual que actualmente escapa de su potestad tributaria en los modelos de negocio altamente digitalizados.

8. CONCLUSIONES

Los problemas sobre el nexo y la distribución de beneficios en modelos de negocio altamente digitalizados, requiere una solución multilateral. En nuestra opinión, la solución ha de ser respetuosa con los principios de neutralidad y justicia. Estos principios actúan como contrapesos y si se respetaran se evitarían medidas unilaterales o que buscan cercar la economía digital como los *equalization levies*.

El principio de creación de valor es una evolución de las teorías del beneficio y de la imposición en el Estado de la fuente. Siguiendo su mandato, los datos y los contenidos generados por los usuarios han ser elementos que considerar en la confección de nuevos nexos y reglas de distribución de beneficios. El enfoque de la demanda no es tomado en consideración por el sistema tributario internacional; sin embargo, ha quedado demostrado que los modelos de negocio digitales crean valor gracias a que junto a factores de la oferta convergen factores de la demanda.

Este trabajo ha propuesto tres posibles soluciones que, a juicio del autor, son neutrales y justas que buscan otorgar mayor poder tributario a los Estado de mercado/fuente. En primer lugar, propone una nueva renta a incluir en los Convenios fiscales. En segundo lugar, una expansión del concepto «*royalties*» en el seno de los Convenios fiscales. Y, finalmente, una apuesta por un RPSM que combine factores de reparto basados en la oferta (datos como activos) y en la demanda (número de usuarios).

Bibliografía

BÁEZ MORENO, A & BRAUNER, Y., *Withholding taxes in the Service of BEPS Action 1: address the tax challenges of the digital economy,* IBFD White Paper, 2015.

BECKER, J. & ENGLISCH, J., «Taxing where value is created: what's "user involvement" got to do with it?», *Intertax,* vol. 47, nº 2, 2019.

Committee of Experts on International Cooperation in Tax Matters ONU, *Tax Issues related to the digitalization of the economy: report,* Nueva York, April, 2019.

DEVELBA, F., «Fairness and international taxation: star-crossed lovers?», *World Tax Journal,* vol. 10, nº 4, 2018.

DEVERAUX, M. & VELLA, J., «Value creation as the fundamental principle of the international corporate tax system», *European Tax Policy Forum, Policy Paper,* 2018.

DOURADO, A. P., «Digital taxation opens Pandora Box», *Intertax,* vol. 46, nº 6 & 7, 2018.

GÓMEZ REQUENA, J. A. & MORENO GONZÁLEZ, S., «Adapting the concept of permanent establishment to the context of the digital commerce; from fixity to significant digital economic presence», *Intertax,* vol. 45, nº 3, 2017.

HM Treasury, *Corporate Tax and the Digital Economy: position paper update,* 2018.

HONGLER, P. & PISTONE, P., *Blueprints for a new PE nexus to tax business income in the era of the digital economy,* IBFD White Paper, 2015.

MARTÍN JIMÉNEZ, A., «BEPS, the digital (ized) economy and the taxation of services and royalties», *UCA Tax Law Department Working Papers,* nº 1, 2018.

MORENO GONZÁLEZ, S., «Alternativas para la tributación de la economía digital. El establecimiento permanente virtual», en García Novoa, C. (Ed.), *4ª Revolución Industrial: impacto de la automatización de la Inteligencia Artificial en la sociedad y la economía digital,* Thomson-Reuters Aranzadi, Madrid, 2019.

OECD, *Programme of work to develop a consensus solution to the tax challenges arising from the digitalisation of the economy,* OECD Publishing, París, 2019.

OECD, *Tax Challenges Arising from Digitalisation - Interim Report,* OCDE Publishing, Paris, 2018.

OLBERT, M. & SPENGEL, C., «International taxation in the digital economy: challenge accepted?», *World Tax Journal,* vol. 9, nº 1, 2017.

PETRUZZI, R. & BURIAK, S., «Addressing the tax challenges of the digitalization of the economy - a possible answer in the proper application of the transfer pricing rules?», *Bulletin for International Taxation,* vol. 72, nº 4a, 2018.

SCHÖN, W., «Ten questions about why and how to tax the digitalized economy», *Bulletin for International Taxation,* vol. 72, nº 4-5, 2018.

Capítulo 10

Las plataformas de economía colaborativa frente al ordenamiento tributario: ¿un nuevo foco de economía sumergida o una nueva herramienta para combatirla?[*]

Álvaro Antón Antón

Profesor Adjunto Universidad CEU Cardenal Herrera

SUMARIO: 1. INTRODUCCIÓN. 2. LA ECONOMÍA COLABORATIVA FRENTE AL ORDENA-MIENTO TRIBUTARIO: ¿UN NUEVO FOCO DE ECONOMÍA SUMERGIDA?. 3. EL ORDENA-MIENTO TRIBUTARIO ANTE EL INCUMPLIMIENTO DE LAS OBLIGACIONES FISCALES. 4. LA NECESIDAD DE DAR UNA RESPUESTA PROPORCIONAL Y NEUTRA. 5. APROXIMACIÓN A LA ECONOMÍA COLABORATIVA DESDE EL DERECHO TRIBUTARIO. 6. EL ORDENAMIENTO TRIBUTARIO FRENTE A LA TRIBUTACIÓN DE LAS RENTAS OBTENIDAS POR LOS USUARIOS DE LAS PLATAFORMAS DE ECONOMÍA COLABORATIVA. 7. CONCLUSIONES. Bibliografía.

1. INTRODUCCIÓN

En un sentido estricto el consumo colaborativo podríamos entenderlo como pautas de consumo consistentes en el aprovechamiento por parte de un sujeto de los recursos infrautilizados por parte de otro (mediante préstamo, regalo, intercambio, alquiler etc…) Este fenómeno, en principio nada novedoso, ha vivido un crecimiento exponencial en los últimos años a los avances en el ámbito de las tecnologías de la información y comunicación (en adelante, TIC), hasta el punto, de redefinir algunos de los modelos de producción, consumo y prestación de servicios tradicionales. Más concretamente, asistimos a un fenómeno en el que particulares han sustituido o eliminado a los prestadores tradicionales de determinados servicios (empresas, profesionales o empresarios autónomos). Es decir, que las TIC han

---

[*] Este trabajo es el resultado del proyecto de investigación financiados por el Ministerio de Economía, Industria y Competitividad, «El ordenamiento tributario ante la economía colaborativa: de la clarificación a nuevas formas de cooperación público-privada», con referencia DER2017-87450-R.

contribuido a facilitar nuevas formas de consumo que, a su vez, han derivado en modelos disruptivos de negocio y pautas de consumo novedosas que van más allá de lo que se entendía tradicionalmente como «consumo colaborativo»

En el corazón de estos cambios se encuentran distintas empresas de base tecnológica —Airbnb, Blablacar, Uber, Zipcar o Wallapop, etc.— que proporcionan a los consumidores acceso a una amplia gama de bienes o servicios a través de una plataforma tecnológica, actuando, en muchos casos, como intermediarios para facilitar las transacciones. Precisamente, es la aparición de estas plataformas lo que nos lleva a pensar que, la esencia de consumo colaborativo (por particulares y para particulares, compartir gastos así como acceso más económico a un bien o servicio) se ha difuminado para cobrar importancia tanto un modelo alternativo de consumo respecto a los hábitos de consumo tradicional en relación con un determinado servicio y su forma de prestación como una posible fuente de ingresos adicional o, incluso, principal: Hablamos, por tanto, de un fenómeno que va más allá del consumo colaborativo y que se ha venido a etiquetar como «economía colaborativa»

La propia Comisión Europea prefieren utilizar el concepto de «economía colaborativa» de manera inclusiva, centrándose, fundamentalmente, en el papel que las TIC han tenido en su desarrollo. Concretamente, la Comisión ha definido el concepto de economía colaborativa como aquel que se refiere a «modelos de negocio en los que se facilitan actividades mediante plataformas colaborativas que crean un mercado abierto para el uso temporal de mercancías o servicios ofrecidos a menudo por particulares. La economía colaborativa implica a tres categorías de agentes i) prestadores de servicios que comparten activos, recursos, tiempo y/o competencias —pueden ser particulares que ofrecen servicios de manera ocasional ("pares") o prestadores de servicios que actúen a título profesional ("prestadores de servicios profesionales"); ii) usuarios de dichos servicios; y iii) intermediarios que —a través de una plataforma en línea— conectan a los prestadores con los usuarios y facilitan las transacciones entre ellos ("plataformas colaborativas"). Por lo general, las transacciones de la economía colaborativa no implican un cambio de propiedad y pueden realizarse con o sin ánimo de lucro». La aparición de estos nuevos modelos empresariales disruptivos amparados bajo el paraguas de denominada economía colaborativa tiene un claro impacto en los mercados existentes, creando tensiones con los proveedores de bienes y los prestadores de servicios tradicionales. En este sentido hay que tener en cuenta que muchos de los sistemas de economía colaborativa incorporan elementos novedosos y, por tanto, cierta incertidumbre en cuanto a la normativa que resulta aplicable Así, nos enfrentamos con una realidad que conlleva relevantes novedades con respecto a las formas tradicionales de producción y consumo de bienes y servicios y, frente a la cual, el legislador va reaccionando a posteriori. Por este motivo, no siempre está claro cuál será su régimen jurídico, lo que, desde el punto de vista de la seguridad jurídica, origina problemas en la aplicación de la normativa vigente en materia de protección de los consumidores, concesión de licencias, salud y seguridad, seguridad social, protección del empleo y, por supuesto, fiscalidad.

2. LA ECONOMÍA COLABORATIVA FRENTE AL ORDENAMIENTO TRIBUTARIO: ¿UN NUEVO FOCO DE ECONOMÍA SUMERGIDA?

Organismos como la Comisión Europea o la OCDE, sobre todo en un primer momento, han alertado de que la economía colaborativa puede dar lugar a nuevos modelos de negocio (B2B o B2C) y transacciones entre pares (C2C) que, con independencia de sus efectos positivos en términos económicos y de empleo, pueden tener un impacto negativo en la recaudación de los Estados. Concretamente, han advertido que estos nuevos modelos de negocio pueden, por un lado, dar lugar a transacciones que escapen del control y vigilancia de la administración y, por el otro, aumentar el incumplimiento de las obligaciones tributarias por parte de los usuarios que obtienen rentas a través de estas plataformas, ya sea de forma voluntario o ya sea por desconocimiento al estar en una peor situación que los actores de los sectores tradicionales para conocer y comprender sus obligaciones tributarias. Ante esta situación, y en aquellos casos en los que no se garantice una tributación efectiva, estas instituciones previenen que podría producirse un crecimiento sustancial de la economía informal a lo largo del tiempo dado el rápido crecimiento y la proliferación de estos nuevos sectores, lo que se traduciría, a su vez, en impactos negativos tanto sobre la competencia como sobre los ingresos públicos.

Frente a esta problemática baste señalar, en primer lugar, que someter a gravamen a dichas rentas es un imperativo constitucional si tenemos en cuenta tanto el tenor literal del art. 31.1 de la CE como la interpretación que realiza del mismo el TC Por tanto, el no sometimiento a gravamen de estas rentas sólo podría justificarse desde el punto de vista de la función extrafiscal del tributo y, consecuentemente, y de acuerdo con el tenor literal de segundo párrafo del artículo 2.1 de la LGT, sobre la base de su papel como instrumento para alcanzar objetivos de política económica general y la realización de los principios y fines contenidos en la Constitución. En este sentido, por ejemplo, el art. 40.1 de la CE dispone que «Los poderes públicos promoverán las condiciones favorables para el progreso social y económico y para una distribución de la renta regional y personal más equitativa, en el marco de una política de estabilidad económica. De manera especial realizarán una política orientada al pleno empleo», por su parte el art. 103 de la CE manifiesta que «Los poderes públicos atenderán a la modernización y desarrollo de todos los sectores económicos y, en particular, de la agricultura, de la ganadería, de la pesca y de la artesanía, a fin de equiparar el nivel de vida de todos los españoles».

No obstante lo anterior, hay que poner de manifiesto que la utilización extrafiscal del tributo para promover el desarrollo de nuevos modelos de negocio surgido en el ámbito de la economía colaborativa con el objetivo de alcanzar alguno de los fines citados podrían encontrar un límite derivado del art. 107 del TFUE, el cual prohíbe la concesión de ayudas de Estado, incluidas las que adopten la forma de medidas fiscales, que concedan una ventaja selectiva a determinadas empresas u operadores económicos.

En definitiva, los problemas asociados al cumplimiento de las obligaciones tributarias por parte de estos nuevos actores no justificaría, per se, la vulneración de los principios de justicia material —igualdad, generalidad, y capacidad económica— ante una exigencia constitucional —el deber de contribuir— que implica una exigencia directa al legislador, obligado a buscar la riqueza allá donde se encuentre y que también debe extenderse a la Administración tributaria en la aplicación de los tributos.

Ahora bien, en el caso concreto de los modelos surgidos en el ámbito de la economía colaborativa, a la reacción obligada del legislador y de la administración a la que acabamos de hacer referencia hay que sumar la presión ejercida por parte de determinados sectores tradicionales ante lo que consideraban supuestos de competencia desleal. Concretamente, por la ventaja competitiva de la que consideran que se benefician los participantes de la economía colaborativa derivada tanto de la no contribución al sostenimiento de los gastos públicos como de la falta de control tributario por parte de las Administraciones tributarias de las rentas derivadas de las transacciones realizadas a través de plataformas (por ejemplo, las derivadas de determinados servicios de hospedaje turístico o de determinados servicios de transporte).

En este sentido no puede obviarse el hecho de que la aparición de modelos empresariales disruptivos, como el alojamiento o el transporte colaborativo, tienen un claro impacto en los mercados existentes, creando tensiones con los proveedores de bienes y los prestadores de servicios tradicionales. No obstante lo anterior, también es cierto que, como señaló la CNMC, determinados modelos disruptivos, como los surgidos en el ámbito del alojamiento o el transporte colaborativo, son propensos a generar presiones regulatorias en el marco normativo vigente, normalmente, debido a que la regulación existente en el mercado en el que se ha producido la innovación no ha sido diseñada para su aplicación al nuevo contexto económico representado, en este caso, por la economía colaborativa. Esta situación puede dar como resultado un escenario en el que estos nuevos modelos no tengan que hacer frente a la normativa sectorial tradicional o, incluso, que la propia normativa tributaria no prevea determinados supuestos y, por tanto, que desde los sectores tradicionales se defienda que estamos ante supuestos de competencia desleal.

Teniendo en cuenta lo anterior es cierto que, por ejemplo, el sector del alojamiento colaborativo alcanzó en un principio un mayor desarrollo en distintos Estados que el llamado el sector del transporte colaborativo, el cual tuvo que hacer frente a mayores barreras regulatorias y reveses administrativos y/o judiciales. En un primer momento el alojamiento colaborativo se benefició de lagunas legales que facilitaron su pujanza. La propia CNMC señaló que parte de la ventaja competitiva de alguno de los nuevos modelos podrían ser consecuencia de los menores costes a los que tienen que hacer frente debido al aprovechamiento de lagunas legislativas o en la asimetría en el cumplimiento de la regulación sectorial y trasversal aplicable a los agentes que operan en los mercados tradicionales.

No obstante lo anterior, lo cierto es que este nuevo sector ha ido creciendo en paralelo al interés y atención de la administración por lo que, como señaló De la Encarnación Valcárcel «(…) una vez que la pesada maquinaria jurídica se ha puesto en marcha esta situación de limbo jurídico ha comenzado a desaparecer» Es más, hemos pasado de un escenario como el descrito en el párrafo anterior a otro como el actual en el que, tras los cambios regulatorios introducidos por parte de las administraciones públicas competentes de distintos Estados, podemos encontrarnos tanto con ordenamientos que han tratado de flexibilizar y eliminar determinadas restricciones existentes en el marco regulatorio vigente para dar cabida a estos nuevos modelos de negocio en el mercado; pero también ante jurisdicciones que han optado por introducir barreras y restricciones en forma de legislación específica. Dentro de este segundo grupo se encontraría España debido, fundamentalmente, a la normativa introducida por determinadas CCAA y entes locales que, por ejemplo, en el caso del llamado transporte colaborativo han introducido restricciones, especialmente, en el modelo de ridesharing que representa, entre otras, Cabify o Uber y, en el caso del alojamiento colaborativo, han llegado desde prohibir o restringir el alquiler de parte de una vivienda hasta, incluso, prohibir este tipo de alojamientos. No obstante, también hay que apuntar que este tipo de restricciones han encontrado en muchos casos el rechazo tanto de la CNMC como de los tribunales.

En este contexto desde ciertos sectores se ha tratado de justificar este tipo de restricciones no solo sobre la base de una supuesta competencia desleal, sino también por su impacto negativo en términos sociales o medioambientales, por ejemplo, asociado una sobredimensión de la oferta turística. Ahora bien, recuperando lo que apuntábamos anteriormente, determinados sectores también han tratado de justificar la introducción de restricciones al acceso al mercado de estos nuevos modelos sobre la base de su supuesta responsabilidad en la aparición de nuevos focos de economía sumergida.

A nuestro juicio, esta afirmación es algo simplista si tenemos en cuenta, por ejemplo, que el arrendamiento de bienes inmuebles entre particulares ha sido siempre un nicho importante de economía sumergida que ha estado en el foco de Hacienda desde hace años por su potencial incidencia recaudatoria. Precisamente, la propia Comisión Europea y la OCDE, justo tras alertar de los riesgos que apuntábamos al inicio de este epígrafe, también afirman que las características de estas plataformas pueden hacer visibles rentas y transacciones que se realizaban hasta ahora en el marco de la economía informal, principalmente, mediante pagos en efectivo. A este respecto basta apuntar que, a diferencia de las transacciones en efectivo, los pagos que se realizan a través de las plataformas quedan registrado electrónicamente (pudiendo quedar registrado, incluso la identidad de las partes). El mero hecho de que las transacciones queden registradas ya supone una oportunidad para incorporar mecanismos que automaticen el cumplimiento de las obligaciones tributarias o ayuden a alcanzar un mayor nivel de cumplimiento voluntario. Pero, además, si a lo anterior le sumamos el hecho de que la información puede ser accesible para las administraciones tributarias, entonces, frente a los sectores que argumentan la aparición de nuevos focos de economía sumergida, bastaría con responder que la tecnología inherente a las plataformas aumentan la trazabilidad de determinadas operaciones y, por tanto, que proporcionan nuevas oportunidades para: fomentar el cumplimiento voluntario y prevenir el fraude a través de mecanismos de información y asistencia; facilitar la investigación y las actuaciones de comprobación del fraude tributario; o controlar el fraude en fase de recaudación.

3. EL ORDENAMIENTO TRIBUTARIO ANTE EL INCUMPLIMIENTO DE LAS OBLIGACIONES FISCALES

Aun pudiendo ser cierta la idea de asociar la economía colaborativa con el surgimiento de nuevos nichos de economía sumergida, consideramos que, en todo caso, y como señala la CNMC, el presunto incumplimiento de las obligaciones fiscales no es razón suficiente para limitar la entrada en el mercado a nuevos operadores ni introducir restricciones a su actividad; y ello porque, ante un posible incumplimiento de obligaciones fiscales, el ordenamiento tributario cuenta con mecanismos de intervención específicos para su detección, investigación y, en su caso, sanción.

Sin ir más lejos, en el caso, por ejemplo, del alojamiento colaborativo desde la campaña de Renta de 2015, la AEAT viene realizando campañas específicas de control de alquileres no declarados persiguiendo los anuncios de alquiler de inmuebles en diferentes medios, incluido los ofertados en páginas web y plataformas de economía colaborativa (AirBnB, HomeAway, etc.). Una vez detectado el anuncio la AEAT, a través de Renta Web, recuerda a los contribuyentes titulares de los inmuebles ofertados su obligación de tributar por las rentas obtenidas mediante el siguiente mensaje: «De acuerdo con los datos de los que dispone la Agencia Tributaria, usted ha realizado anuncios de alquiler de inmuebles en diferentes medios publicitarios, incluido Internet. Le recordamos que, en caso de haber percibido rentas por alquiler, deben incluirse en la declaración, así como cualquier tipo de renta por la que deba tributar y no conste en los datos fiscales». Según datos de la agencia tributaria para la campaña de renta de 2017 unos 136.600 contribuyentes recibieron un aviso de este tipo frente a los 21.500 avisos que se emitieron en 2016 y, desde 2014, la recaudación procedente de alquileres aumentó en un 40,5%, alcanzado los 522 millones de euros. A esta campaña hay que sumar medidas legislativas específicas como la obligación de información sobre el arrendamiento de viviendas con fines turísticos introducida por el art. 54 ter del RGAT.

A mayor abundamiento, con respecto a esta cuestión baste recordar que en las directrices generales del Plan Anual de Control Tributario de 2018 se reconoció que la investigación en Internet y la obtención de información relacionada con los nuevos modelos de actividad económica sigue constituyendo una prioridad para la Agencia Tributaria. En este sentido se afirma que la tecnología utilizada en las distintas manifestaciones de la economía digital está impulsando cambios profundos no solamente en las formas de comercio o prestación de determinados servicios sino, también, en las formas de trabajo y en las costumbres cotidianas así «de forma similar a como se han desarrollado modos de economía digital en los sectores de alquiler o en el transporte, progresan en la actualidad nuevos modos de prestación de servicios profesionales que configuran un sector de la economía que ha sido denominado como "gig economy". Con ésta expresión se describe la actividad por la que el trabajador establece una relación con quien requiere de sus servicios a través de una página web y desarrolla un proyecto durante un tiempo, en principio indeterminado. Ha proliferado en ocupaciones técnicas y cada vez con mayor intensidad en trabajos no rutinarios. Es necesario disponer de las herramientas y la información que permitan evitar prácticas discriminatorias contra las formas de trabajo estables, en las que el trabajador goza de la debida protección, y asegurar una tributación equitativa». Por esta razón, se reconoce que «(…) El sistema tributario debe aplicarse con equidad, con independencia de la forma de trabajo elegida por los contribuyentes en un mundo en el que la tecnología cambia con rapidez»

4. LA NECESIDAD DE DAR UNA RESPUESTA PROPORCIONAL Y NEUTRA

Sin perjuicio de lo que acabamos de señalar, desde el punto de vista de la competencia, como señala REMEUR, los Estados deben asegurar que los modelos de economía colaborativa y los modelos tradicionales compitan en «igualdad de condiciones», entendida esta expresión como igualdad de oportunidades una situación de condiciones justas para todos. Esto significa, en línea con los conceptos de igualdad y justicia, que ninguna parte competidora debería tener una ventaja desde el principio en una actividad competitiva. De acuerdo con el citado autor, defender la «igualdad de condiciones» no significa defender que todos los competidores tengan las mismas oportunidades, sino que todo jueguen con el mismo conjunto de reglas. En este sentido, sería preciso, en primer lugar, comprobar que los distintos aspectos de una situación inicial son iguales, que comparten una (o varias) cualidades o normas que los hacen similares, y por lo tanto son comparables.

Partiendo de este planteamiento los servicios de la Comisión Europea ya han puesto de manifiesto que, por un lado, la fiscalidad no debería suponer un obstáculo para la entrada en el mercado de este tipo de actividad innovadora; ya que estos nuevos modelos pueden, por ejemplo, traducirse en un aumento de la eficiencia de los recursos; facilitar la circulación de información ayudando así a la creación de nuevos mercados; crear nuevas oportunidades de empleo y facilitar el acceso al mercado laboral de trabajadores poco cualificados. Ahora bien, al mismo tiempo también señalan que, en la medida que los modelos de economía colaborativa no estén sometidos a imposición, se producirá una erosión de las bases imponibles conforme aumente su presencia en el mercado, lo que implicará, a su vez, una desventaja competitiva para los operadores de los sectores tradicionales. Consecuentemente, tanto la OCDE o la propia Comisión Europea han defendido que, en el caso de los nuevos modelos de negocio surgidos en el ámbito de la Economía Colaborativa, deben imponerse obligaciones tributarias funcionalmente similares a los sujetos que llevan a cabo actividades comparables tanto en la economía tradicional pero también en la esfera de la economía colaborativa, y, por tanto, defiende el tratamiento neutro desde el punto de vista fiscal de ambos modelos.

Así, la citada institución manifiesta que las obligaciones introducidas por los Estados miembros deben ser proporcionadas y, al mismo tiempo, asegurar condiciones de competencia equitativas. Esto debe traducirse, entre otros extremos, en evitar que la reacción del derecho tributario ante este nuevo fenómeno pase por la creación de figuras impositivas específicas para nuevos modelos de consumo o prestación de servicios, sino que, como ya hemos defendido en otras ocasiones, el estudio de estas cuestiones debe partir, en principio, del examen de los conceptos y elementos tributarios ya vigentes con el objetivo, solo si es preciso, de adaptarlos a las peculiaridades de los nuevos modelos de consumo y economía colaborativa. Asimismo, la exigencia de proporcionalidad también debe ser tenida en cuenta desde el punto de vista del cumplimiento de las obligaciones tributarias por parte de rentas derivadas de las actividades colaborativas de forma que no se traduzcan en un aumento de la carga administrativa para las actividades colaborativas con respecto a la tradicionales.

En definitiva, y como señalan entre otras instituciones la OCDE, desde la perspectiva de las administraciones tributarias, los nuevos modelos de negocio surgidos al amparo de la denominada economía colaborativa plantean una serie de desafíos, pero, también, oportunidades. Así, por un lado, existe el riego de que las rentas obtenidas en el marco de estas actividades no sean detectadas por hacienda ni autoliquidadas por los contribuyentes. Sin embargo, por otro lado, los avances tecnológico inherentes a estas actividades pueden, al mismo tiempo, conducir a una mayor transparencia y simplificación del cumplimiento de las obligaciones tributarias reduciendo de esta forma los costes de cumplimiento tanto para los contribuyentes como para la propia administración.

5. APROXIMACIÓN A LA ECONOMÍA COLABORATIVA DESDE EL DERECHO TRIBUTARIO

Exponíamos anteriormente que asociar la economía colaborativa con nuevos focos de economía sumergida es simplista si tenemos en cuenta, simplemente, la rápida reacción de las distintas administraciones tributarias de los Estados miembros de la UE ante este fenómeno, precisamente, al constatar el potencial riego que pueden acarrear desde el punto de vista recaudatorio estos nuevos modelos de prestación de servicios e intercambio de bienes y servicios. Máxime cuando se ha constatado la consolidación de alguno de estos modelos de negocio y, por tanto, al confirmarse que la sustitución de los prestadores tradicionales de los servicios afectados supone un cambio en el origen y destino de las rentas derivadas de determinadas transacciones.

De hecho, actualmente, no hay discusión en la postura de que, al igual que el resto de los operadores económicos, los actores de la economía colaborativa están sujetos a la normativa fiscal vigente (renta de las personas físicas, impuesto de sociedades, impuesto sobre el valor añadido, impuesto sobre trasmisiones patrimoniales y actos jurídicos documentados etc.). No obstante, al igual que otras áreas del derecho, el auge de estos modelos disruptivos implica un nuevo reto con múltiples cuestiones jurídicas que continúan necesitando una respuesta, entre las que se incluyen las de naturaleza tributaria. Concretamente, el tratamiento de las rentas generadas por estos nuevos modelos de negocio y forma de prestación de servicios siguen generando ciertas dudas en materia tributaria a las que consideramos que no siempre puede darse una respuesta uniforme; pues entendemos que deben ser estudiadas caso por caso en función del ámbito de la economía colaborativa que se trate (transporte, alojamiento, etc.) o de las interacciones y la naturaleza de las mismas entre los diversos actores intervinientes: plataforma, usuario/prestador del servicio y cliente final. Pero, junto a la problemática del tratamiento fiscal de las propias rentas, la Comisión Europea confirma que, con carácter general, los nuevos modelos de economía colaborativa plantean, fundamentalmente, cuestiones relacionadas con el cumplimiento y la ejecución de las obligaciones fiscales: dificultades para identificar a los contribuyentes y los ingresos imponibles, falta de información sobre los prestadores de servicios, exacerbación de la planificación fiscal agresiva en el sector digital, diferencias de las prácticas fiscales en la UE e intercambio insuficiente de información.

Ahora bien, en estos casos no podemos obviar el hecho de que los problemas van a variar en función de si hablamos del tratamiento fiscal de las rentas obtenidas por las propias plataformas como contraprestación a sus servicios de intermediación, concretamente cuando no son residentes, o si nos referimos al tratamiento de aquellas otras obtenidas por los usuarios de las mismas. Precisamente, por esta razón, el ordenamiento tributario debe enfrentar la problemática surgida como consecuencia de este nuevo fenómeno desde estos dos planos distintos ya que, aunque puedan presentar alguna área gris común, lo cierto es que presentan desafíos distintos que exigen soluciones específicas

Así, por ejemplo, en el primer caso el problema fundamental que se presenta es el relacionado con la sujeción a gravamen de las comisiones obtenidas por el servicio de intermediación que prestan las plataformas cuando estas no tienen presencia física suficiente en el territorio donde se presta el servicio subyacente. Como ha reconocido la OCDE y la Comisión Europea, las empresas digitales, entre las que estas instituciones incluyen a las plataformas de economía colaborativa, están creciendo más deprisa que la economía en general y en determinados Estados esta transformación está teniendo un impacto desde el punto de vista de pérdida de recaudación. Se trata de un problema a nivel mundial ya que la aplicación de las normas internacionales vigentes ha dado lugar a un desajuste entre el lugar donde tributan los beneficios y el lugar donde se genera el valor que, en el caso de las plataformas, podría argumentarse que es el territorio dónde se encuentran sus usuarios. En particular, las normas actuales no encajan en un contexto en el que, por ejemplo, el valor generado por el usuario y la recogida de datos se han convertido en actividades básicas para la creación de valor de las empresas digitales. No se trata, por tanto, de una cuestión que pueda achacarse sin más a este tipo de empresas, pues eso sería tanto como culparlas, simplemente, por ser como son y por su modelo de negocio. Es una cuestión achacable a la legislación actual, concretamente, al hecho de que la mayoría de las normas internacionales vigentes para distribuir el poder tributario entre los Estados, y evitar situaciones de doble imposición, manejan conceptos pensados para un tipo de negocios en los que el factor físico era el factor determinante. Por tanto, el principal reto es conseguir un consenso a nivel internacional que permita actualizar las normas vigentes al contexto actual.

Consecuentemente, en este caso no hablamos de una cuestión de planificación fiscal agresiva strictu sensu, sino de una problemática relacionada con el nexo (divergencia entre el lugar donde se grava el beneficio y donde el valor es creado) que debería resolverse en un contexto internacional, por ejemplo, modificando el concepto tradicional de establecimiento permanente que, actualmente, sigue estando pensado para un tipo de actividades en las que el factor físico es el factor determinante. Sin embargo, ante la dificultad de llegar a acuerdos en este ámbito muchos Estados de la UE han adoptado o pretenden introducir, como parece ser el caso de España, medidas unilaterales en forma de impuestos indirectos siguiendo la línea de la propuesta de la Comisión sobre el establecimiento de un impuesto sobre servicios digitales. Este impuesto gravaría los ingresos brutos de modelos de negocios, como las plataformas de economía colaborativa, basados en la explotación de actividades digitales que se caracterizan por la creación de valor por los usuarios.

Por otro lado, y desde el punto de vista de las transacciones concluidas entre particulares, se ha constado que, con carácter general, la economía colaborativa no supone la aparición de negocios jurídicos nuevos, sino que, más bien, se limita a sustituir o eliminar a los agentes o intermediarios tradicionales como consecuencia de la aparición de las citadas plataformas que, en muchos casos, actúan como intermediarias. Por tanto, en la mayoría de casos estamos, simplemente, ante un problema de calificación de las rentas. Ahora bien, la aparición de estos nuevos modelos también ha puesto de manifiesto la voluntad de los particulares (propietarios o prestadores de los servicios), bien de compartir los gastos derivados de la necesidad de realizarlo (desplazamiento, alojamiento, etc.), bien de obtener unos ingresos adicionales por un bien infrautilizado o por un servicio que puede prestar fácilmente por contar con los medios necesarios (transporte). Por esta razón, y sin perjuicio de las cuestiones relacionadas con el IVA, uno de los debates que abre esta nueva realidad es si es preciso, por ejemplo, diferenciar entre las rentas obtenidas en el ámbito de una actividad económica con el objetivo de obtener una fuente estable de renta (como podría ser el caso de Uber) de aquellas otras obtenidas en el ámbito del consumo colaborativo más «puro» donde la finalidad de los usuarios es compartir gastos y que, por tanto, no tiene como fin convertirse en una fuente adicional de ingresos (por ejemplo, Blablacar).

No obstante, lo anterior, donde se aprecia una problemática de carácter realmente novedoso es el campo del cumplimiento de las obligaciones fiscales. Precisamente, desde este punto de vista los principales desafíos que la economía colaborativa plantea al sistema impositivo son: i) la necesidad de clasificar los ingresos e identificar las normas fiscales aplicables y ii) la fragmentación de las fuentes de ingresos. Ahora bien, más que un nuevo foco de economía sumergida como se argumenta desde determinados sectores, consideramos que, precisamente, la tecnología inherente a las plataformas puede suponer un avance en el control de determinadas rentas (por ejemplo, para luchar contra el fraude fiscal de los alquileres no declarados en el ámbito de los pisos turísticos). Así, como ya hemos avanzado y recalcó la Comisión Europea, las plataformas de economía colaborativa han creado nuevas oportunidades para ayudar a las autoridades fiscales y los contribuyentes a cumplir sus obligaciones fiscales, en particular, gracias a la mayor rastreabilidad permitida por la intermediación de las plataformas en línea. Es decir, que entendemos que estos nuevos intermediarios, aunque han contribuido a que este tipo de rentas se multipliquen, pueden constituir, desde el punto de vista estrictamente tributario, una parte de la solución a problemas preexistentes a su irrupción. Consecuentemente, estos modelos de negocio exigen estudiar soluciones que mejoren el cumplimiento de las obligaciones fiscales y su aplicación al tiempo que no introducen barreras a su desarrollo. Concretamente, desde el punto de vista del usuario de las plataformas es preciso introducir medidas dirigidas a aumentar la sensibilidad sobre sus obligaciones fiscales; publicar orientaciones y aumentar la transparencia a través de información que clarifique el tratamiento fiscal de las rentas obtenidas o, incluso, estudiar la introducción de umbrales exentos/no sujetos para delimitar entre las rentas obtenidas de manera ocasional o para compartir gastos de las obtenidas de manera habitual. A mayor abundamiento, y como hemos adelantado, a la hora de mejorar el cumplimiento de las obligaciones tributarias también hay que tener en cuenta la mayor trazabilidad que posibilita la existencia de los nuevos agentes intermediarios. En este sentido, sería interesante buscar nuevas formas de colaboración entre las autoridades competentes y las plataformas colaborativas en el cumplimiento de las obligaciones fiscales y la recaudación que vayan más allá de los tradicionales deberes de información.

6. EL ORDENAMIENTO TRIBUTARIO FRENTE A LA TRIBUTACIÓN DE LAS RENTAS OBTENIDAS POR LOS USUARIOS DE LAS PLATAFORMAS DE ECONOMÍA COLABORATIVA

Como hemos adelantado, estudios recientes destacan que, desde el punto de vista de las rentas obtenidas por los usuarios de plataformas de economía colaborativa, los principales desafíos que este nuevo modelo plantea al sistema impositivo son: i) la necesidad de clasificar los ingresos e identificar las normas fiscales aplicables, lo que crea incertidumbre para los proveedores de servicios; y ii) la fragmentación de las fuentes de ingresos. De acuerdo con estos estudios, esta incertidumbre, unida a una actividad económica más desagregada, conduce a mayores costes de cumplimiento para los proveedores de servicios en el ámbito de la economía colaborativa y mayores costes administrativos para la administración pública. A su vez, el aumento de costes relacionados con el cumplimiento y la recaudación pueden tener efectos disuasorios con respecto a la participación en la economía colaborativa, sin embargo, también pueden tener como resultado la aparición de nichos de economía sumergida y, por tanto, derivar en un aumento de las rentas no declaradas.

Precisamente, para abordar la cuestión de los costes de cumplimiento y recaudación se han presentado diversas recomendaciones tanto para el caso de la digitalización de la economía en general como también para el caso concreto de la economía colaborativa. Con respecto al primer grupo, la OCDE ha recomendado adoptar un enfoque proactivo para abarcar la digitalización de la economía mediante:

- Un aumento de los esfuerzos para digitalizar la administración tributaria de forma que se facilite el cumplimiento de las obligaciones tributarias y se equipare el sistema a nuevas realidades, por ejemplo, al hacer que la administración tributaria se centre más en el contribuyente, expandiendo el uso de servicios digitales como puede ser la obtención de información de terceros para la auto cumplimentación de las liquidaciones y su presentación electrónica o reduciendo la burocracia para todos los contribuyentes

- Estabilidad en las normas tributarias, gestionando proactivamente los cambios. Y, en caso de que el cambio se imprescindible, involucrar a los contribuyentes con anticipación para ayudarlos a adaptarse y brindarles información actualizada y personalizada utilizando una variedad de canales.

- Simplificar y clarificar la aplicación de las normas tributarias en casos coma la economía colaborativa; mejorando la recaudación tributaria utilizando las posibilidades que brindan estas plataformas, a quienes se debe alentar a cooperar con las autoridades nacionales

En este sentido, y de acuerdo con su Plan de Control Tributario y Aduanero de 2019, la Agencia Tributaria española tiene establecido como objetivo estratégico, además de la lucha contra el fraude fiscal, la prevención del mismo a través de la prevención del incumplimiento. Para ello, la citada administración ha diseñado una estrategia dirigida a la utilización de nuevas herramientas y sistemas preventivos con el objetivo de proporcionar una asistencia integral que consiga reducir las cargas administrativas soportadas por los contribuyentes y favorecer el cumplimiento voluntario de las obligaciones tributarias en período voluntario, promoviendo un ensanchamiento de las bases imponibles declaradas. En este contexto pretende, fundamentalmente, potenciar tanto la diversidad como la calidad de los servicios de información y asistencia prestados a los contribuyentes, priorizando el uso de las nuevas tecnologías frente a los medios tradicionales de asistencia presencial, para permitir una asignación más eficiente de los recursos materiales y humanos disponibles

Por su parte, otros estudios identifican tres tipos de acciones específicas que se han implementado en los Estados miembros para abordar los costes de cumplimiento y recaudación en el caso concreto de la economía colaborativa:

- Campañas de orientación e información para aclarar las normas aplicables y el ajuste de las normas existentes para garantizar que las obligaciones tributarias que se aplican en el sector tradicional también se apliquen a la economía colaborativa (por ejemplo, tasas turísticas).

- La introducción de un régimen específico/simplificado para los ingresos generados en el ámbito de la economía colaborativa hasta un umbral (ya sea un umbral general o uno específico para cada sector concreto de la economía colaborativa).

- La participación voluntaria de las plataformas, ya sea para intercambiar datos fiscales con los contribuyentes y/o la administración pública o para actuar directamente como agentes retenedores de la administración tributaria.

Pese a la problemática señalada, a día de hoy, no existe ninguna iniciativa integral de la UE que recoja estas medidas de forma que pueda hacerse frente de una forma armonizada y coordinada a los desafíos que la economía colaborativa plantea para las haciendas de los Estados miembros desde el punto de vista de las rentas generadas por los usuarios de las mismas, sino que sus propuestas se han centrado exclusivamente en hacer frente a los desafíos que plantea la tributación de las rentas obtenidas por las propias plataformas. En parte, la falta de una iniciativa integral en este ámbito se puede entender si tenemos en cuenta que, a diferencia de lo que sucede con el caso de las rentas obtenidas por las propias plataformas, cuando hablamos de fiscalidad de la economía colaborativa desde el punto de los usuarios nos enfrentamos antes rentas procedentes de distintos sectores (transporte, alojamiento, transmisión de bienes de segunda mano, «gig economy», crowfunding, etc.) que presentas sus propias peculiaridades, matices y, además, que pueden estar sometidas a distintas figuras tributarias que varían en función de la transacción concluida.

Precisamente, y ante la falta de iniciativas integrales por parte de la UE, han sido algunos Estados miembros los que han optado por realizar propuestas legislativas específicas con el fin de abordar esta nueva realidad (Concretamente, destacan los casos de Italia Bélgica o Francia, pese al desigual éxito experimentado en su tramitación parlamentaria); legislación o propuestas que, en algunos casos, consideramos que van en contra de la idea de neutralidad en el sistema al prever un tratamiento específico para este tipo de rentas. Ahora bien, también por las dificultades para tramitar iniciativas normativas integrales, la mayoría de Estados miembros han optado en la mayoría de los ámbitos de la economía colaborativa, por un lado, por la clarificación, reconduciendo a las categorías ya existentes las rentas obtenidas por los particulares, y, por otro, por la colaboración social con las plataformas de economía colaborativa y la introducción de deberes de información.

7. CONCLUSIONES

Primera: Desde la perspectiva de las administraciones tributarias los nuevos modelos de negocio surgidos al amparo de la llamada economía colaborativa plantean una serie de desafíos, pero, también, oportunidades. Así, por un lado, existe el riego de que las rentas obtenidas en el marco de estas actividades no sean detectadas por hacienda ni autoliquidadas por los contribuyentes. Sin embargo, por otro lado, los avances tecnológico inherentes a estas actividades pueden, al mismo tiempo, conducir a una mayor transparencia y simplificación del cumplimiento de las obligaciones tributarias reduciendo de esta forma los costes de cumplimiento tanto para los contribuyentes como para la propia administración.

Segunda: El fenómeno de la economía colaborativa da lugar a una variedad de situaciones complejas, lo que hace difícil su sistematización a los efectos del análisis conjunto de su tratamiento tributario. Lo anterior significa que, en la mayoría de supuestos, será preciso, por un lado, llevar a cabo un análisis caso por caso —teniendo en cuenta, entre otros extremos, el ámbito del consumo colaborativo (transporte, alojamiento, financiación/filantropía, etc.) así como los condicionantes y estructura introducidos por la plataforma. Y, por el otro, abordar la problemática fiscal en función de cada uno de los actores intervinientes (usuarios de la plataforma/plataforma digital/prestados del servicio) así como de las interacciones entre los mismos.

Tercera: Desde el punto de vista del usuario que obtiene rentas a través de las plataformas es necesario estudiar soluciones efectivas e innovadoras que mejoren el cumplimiento de las obligaciones fiscales y su aplicación al tiempo que no introducen barreras adicionales al desarrollo de este nuevo sector. Concretamente, es preciso analizar, por un lado, la introducción de medidas dirigidas aumentar la sensibilidad sobre sus obligaciones fiscales y la transparencia a través de la publicación de orientaciones que clarifiquen el tratamiento fiscal de las rentas obtenidas y, por otro lado, nuevas formas de colaboración social entre autoridades y plataformas cuyo objetivo sea simplificar el proceso de declaración fiscal para los usuarios/prestadores de servicios.

Cuarto: En el caso concreto de las plataformas, la problemática tributaria presenta muchas similitudes con las planteadas en modelos de negocio incluido en el concepto de economía digital, especialmente, en el ámbito de la fiscalidad internacional. A este respecto, la clave del análisis radica en la localización de la plataforma o la existencia de EP en el Estado en que se produce el consumo colaborativo. A estos efectos, es relevante la revisión a nivel internacional del concepto de EP para comprobar si es posible un mejor encaje con la nueva realidad de la economía colaborativa.

Bibliografía

AA.VV. *Report of the Commission Expert Group on Taxation of the Digital Economy*, Comisión Europea, Bruselas, 2014.

ANTÓN ANTÓN, A. y BILBAO ESTRADA, I., «El consumo colaborativo en la era digital: un nuevo reto para la fiscalidad», *Documentos-Instituto de Estudios Fiscales*, núm. 26, 2016.

ANTÓN ANTÓN, Á. y BILBAO ESTRADA, I., «Nuevos modelos de negocio: los alquileres turísticos y su impacto fiscal», en *Aspectos financiero y tributarios del patrimonio inmobiliario*, Wolters Kluwer, Madrid, 2018, pp. 621-661.

ANTÓN ANTÓN, A., «Implicaciones fiscales de la economía colaborativa en la era digital», en *Tendencias y desafíos fiscales de la economía digital*, Thomson Reuters Aranzadi, Madrid, 2017, pp. 561-588.

BILBAO ESTRADA, I., «Imposición sobre la renta y alojamiento colaborativo: especial referencia al ordenamiento español», en *La regulación del alojamiento colaborativo. Viviendas de uso turístico y alquiler de corta estancia en el Derecho español*, Thompson-Reuters Aranzadi, Madrid, 2018.

BOWER, J. L. y CHRISTENSEN, C., «Disruptive Technologies: Catching the wave», *Harvard Business Review*, núm. 43, 1995, pp. 43-53.

CNMC, *Conclusiones preliminares sobre los nuevos modelos de prestación de servicios y la economía colaborativa, antes de su aprobación por el consejo*, E/CN-MC/004/15, 2016.

COMISIÓN EUROPEA, *A fair and efficient tax system in the European Union for the Digital Single Market*, COM, 2017, 547 final.

COMISIÓN EUROPEA, *Propuesta de Directiva al Consejo relativa al sistema común del impuesto sobre los servicios digitales que grava los ingresos procedentes de la prestación de determinados servicios digitales*, 2018/0073 (CNS)

COMISIÓN EUROPEA, *Propuesta de Directiva del Consejo por la que se establecen normas relativas a la fiscalidad de las empresas con una presencia digital significativa*, COM, 2018, 147 final.

COMISIÓN EUROPEA, *Recomendación de la Comisión relativa a la fiscalidad de las empresas con una presencia digital significativa* [C 2018, 1650 final]

COMISIÓN EUROPEA, *Tax Policies in the European Union-2017 Survey*, Publications Office of the European Union, Luxemburgo, 2017.

COMISIÓN EUROPEA, *Towards a more efficient and democratic decision making in EU tax policy*, COM, 2019, 8 final.

COMISIÓN EUROPEA, *Una Agenda Europea para la economía colaborativa*, COM, 2016, 356 final.

COMITÉ DE LAS REGIONES EUROPEO, *Dictamen del Comité de las Regiones Europeo. La dimensión local y regional de la economía colaborativa*, ECON-VI/005.

DE LA ENCARNACIÓN VALCÁRCEL, A. M., «El alojamiento colaborativo: viviendas de uso turístico y plataformas virtuales», *Revista de Estudios de la Administración Local y Autonómica*: Nueva Época, núm. 5, 2016, pp. 30-56.

DOMÉNECH PASCUAL, G., «La regulación de la economía colaborativa (el caso "Uber contra el taxi")», *Revista CEF Legal*, núm. 175-176, 2015, pp. 61-104.

DONDENA & CASE & IEB & PWC, *Literature review on taxation, entrepreneurship and collaborative economy*, Taxation Papers 70, Directorate General Taxation and Customs Union, European Commission, Bruselas, 2017.

GÓRRIZ LÓPEZ, C., «Taxi vs Uber: de la competencia desleal al arrendamiento de vehículos con conductor», *Revista de Derecho Mercantil*, núm. 311, 2019, p. 6.

HEMMELRATH, A., y WILCOS, E., «AOA, BEPS, E-Comerce - "Permanent Establishment in Flux"», en (JOCHUM, H., et. al. eds.) *Practical Problems in European and International Tax Law*, IBFD, Amsterdam, 2016.

HONGLER, P., y PISTONE, P., «Blueprints for a New PE Nexus to Tax Business Income in the Era of the Digital Economy», *IBFD White papers*, IBFD, 2015.

MARTÍN JIMÉNEZ, A. J., «The Spanish Position on the Concept of a Permanent Establishment: Anticipating BEPS, beyond BEPS or Simply a Wrong Interpretation of Article 5 of the OECD Model?», *Bulletin for International Taxation*, Vol. 70, núm. 8, 2016, pp. 458-473.

MASON, R. y PARADA, L., «Digital Battlefront in the Tax Wars», *Tax Notes International*, núm. 92, 2018, pp. 1183-1197.

OCDE, *Cómo abordar los desafíos fiscales de la Economía Digital*, OCDE, París, 2014.

OCDE, *Lucha contra la erosión de la base imponible y el traslado de beneficios*, OCDE, París, 2013.

OCDE, *Shining light on the shadow economy: opportunities and threats*, OECD, París, 2017.

OCDE, *Tax Challenges Arising from Digitalisation- Interim Report 2018, Inclusive Framework on BEPS*, OECD/G20 Base Erosion and Profit Shifting Project, OECD Publishing, París, 2018.

OCDE, *The Sharing and Gig Economy: Effective Taxation of Platform Sellers: Forum on Tax Administration*, OCDE Publishing, París, 2019.

OECD, *Hearing on Disruptive Innovation, Issues paper by the Secretariat*, DAF/COMP (2015) 3, OCDE, París, 2015.

OLBERT, M. y SPENGEL, C., «International Taxation in the Digital Economy Challenge Accepted?», *World Tax Journal*, Vol. 9, núm. 1, 2017, pp. 3-46.

PALACÍN SOTILLO, R., «Acción 1: los desafíos de la economía digital para la tributación de las empresas multinacionales», en *Plan de acción BEPS: una reflexión obligada*, Fundación Impuestos y Competitividad, Madrid, 2017, pp. 19-41.

REMEUR, C., *The collaborative economy and taxation. Taking the value created in the collaborative economy*, European Parliamentary Research Service, European Union, 2018.

SPARK LEGAL NETWORK y VALDIANI VICARI AND ASSOCIATI, *Study on the Assessment of the Regulatory Aspects Affecting the Collaborative Economy in the Tourism Accommodation Sector in 28 Member States*, European Commission, 2018.

TARRÉS VIVES, M., «Economía colaborativa e innovación tecnológica en el transporte urbano de viajeros en automóviles de turismo», *IDP (Revista de Internet, Derecho y Política)*, núm. 28, 2019, pp. 17-28.

VÁZQUEZ RUANO, T., «Economía colaborativa y el transporte de personas», *CIRIEC-España Revista Jurídica*, núm. 31, 2017.

VON BREVERN, D. y GRAFUNDER, R., «No Clarity Provided-European Courts Review the Concept of Indirect State Aid», *European State Aid Law Quarterly*, Vol. 11, 2012, pp. 201-207.

Capítulo 11

Plataformas digitales: reflexiones en torno a su tributación y análisis de su intervención en el control tributario

Patricia Font Gorgorió

Profesora contratada Doctora en Derecho Financiero y Tributario
Facultad de Derecho de ESADE
Universidad Ramon LLull

SUMARIO: 1. BREVE ANÁLISIS DE LA IMPLICACIÓN DE LAS PLATAFORMAS DIGITALES EN LOS MODELOS DE ECONOMÍA DIGITAL. 2. LA RELEVANCIA DEL ROL DE LAS PLATAFORMAS DIGITALES EN EL ÁMBITO DEL CONTROL TRIBUTARIO. 3. LOCALIZACIÓN Y TRIBUTACIÓN DE LOS SERVICIOS PRESTADOS POR LAS PLATAFORMAS DIGITALES. 3.1. Servicios prestados por vía electrónica, de telecomunicaciones y de radiodifusión. 3.2. Servicios de mediación. 3.3. Servicios de publicidad. 4. CONCLUSIONES. Bibliografía.

1. BREVE ANÁLISIS DE LA IMPLICACIÓN DE LAS PLATAFORMAS DIGITALES EN LOS MODELOS DE ECONOMÍA DIGITAL

Es evidente que las nuevas tecnologías han supuesto un cambio radical en la forma de hacer negocios, rompiendo los esquemas tradicionales y creando nuevos modelos en los que la presencia física es sustituida por el acceso y uso de plataformas digitales. En estos nuevos modelos de negocio nos encontramos con varios tipos de agentes distintos:

- Prestadores de servicios, que comparten activos, recursos, tiempo y/o competencias, y que pueden ser particulares que ofrecen servicios de manera ocasional o prestadores de servicios que actúen a título profesional;

- Usuarios de dichos servicios; e,

- Intermediarios, que conectan a los prestadores con los usuarios y facilitan el intercambio de bienes y servicios entre ellos a través de una plataforma on-line.

La relevancia que adquiere la plataforma en este tipo de modelos de negocio propios de la economía digital resulta obvia por cuanto que no sólo
se trata de un operador clave en el desarrollo de la misma, sino que su uso
constituye precisamente un elemento configurador y caracterizador de este
tipo de economía, siendo la casuística infinita. A través de las plataformas
digitales pueden prestarse todo tipo de servicios, desde servicios por vía
electrónica, hasta servicios de mediación, y también de publicidad, puesto
que, al acceder al uso de la plataforma, el usuario efectúa una cesión de datos que se emplean para ofrecer publicidad ajustada a su perfil. En cualquier
caso, tanto si la plataforma presta directamente servicios a sus usuarios,
como si simplemente media en la prestación de dichos servicios, la actividad
desarrollada por la plataforma estará sujeta a tributación, ya que la explotación de la plataforma y la obtención de ingresos a través de la misma en
cualquiera de sus modalidades (cobro de cuotas a usuarios; remuneración
por prestación directa de servicios; e incluso prestación de servicios de publicidad a terceras personas no usuarias de la misma —a través de banners
publicitarios insertados—) comportaría la existencia de una actividad económica realizada a través de la plataforma, al suponer, por mínima que sea,
una cierta ordenación de medios materiales y personales[1].

Por otra parte, es de destacar la información con trascendencia tributaria que obra en poder de las plataformas digitales en lo que respecta a las
transacciones llevadas a cabo a través de las mismas, y a los prestadores de
servicios y usuarios que acceden a ellas, como consecuencia de su implicación en estos nuevos modelos de negocio que se enmarcan en la economía
digital.

---

[1]   De hecho, al respecto se ha pronunciado la Comisión Europea en su Comunicación
al Parlamento Europeo, al Consejo y al Comité Económico y Social Europeo y al Comité de las Regiones: «Una Agenda Europea para la economía colaborativa», de 2 de
junio de 2016, (COM (2016) 356 final), en la que concluye que: «*Los suministros de
mercancías y servicios prestados por las plataformas colaborativas y a través de estas por sus usuarios son, en principio, transacciones sujetas al IVA. Pueden plantearse
problemas con respecto a la calificación de los participantes como sujetos pasivos, en
particular por lo que se refiere a la evaluación de las actividades económicas realizadas
o la existencia de un vínculo directo entre los suministros y la remuneración en especie
(por ejemplo, en el caso de los acuerdos de tipo "banco" en los que los participantes
contribuyen con mercancías o servicios a un fondo común a cambio del derecho a
beneficiarse de este fondo)*». Asimismo, en idéntico sentido, véase MONTESINOS OL-
TRA, S., «Los actores de la economía colaborativa desde el punto de vista del derecho
tributario», *Economía industrial*, Nº 402, 2016 (Ejemplar dedicado a: Economía colaborativa), pp. 47-54.

Ante este escenario, dos son las cuestiones que se pretenden abordar en el presente trabajo: el papel que deben jugar las plataformas digitales en el ámbito de la lucha contra el fraude fiscal a través del suministro de información a la Administración Tributaria; y, la problemática que presenta la localización de los múltiples servicios que pueden prestarse a través de las plataformas digitales y que, obviamente deviene un elemento relevante en cuanto al análisis de su posible tributación.

2. LA RELEVANCIA DEL ROL DE LAS PLATAFORMAS DIGITALES EN EL ÁMBITO DEL CONTROL TRIBUTARIO

Es bien sabido que la economía digital supone un importante reto para el legislador tributario. El tipo de modelo de negocio que la caracteriza basado en el desarrollo de actividades desmaterializadas a través del uso de plataformas digitales facilita no sólo la opacidad en cuanto a las transacciones llevadas a cabo, sino también la deslocalización de beneficios a territorios de baja tributación, contribuyendo así al incremento del fraude fiscal.

Precisamente en relación a esta problemática viene pronunciándose en los últimos años la Administración Tributaria. Al respecto, cabe destacar que en el Plan de Control Tributario de 2017[2], en el apartado I, denominado «Prevención, investigación y control del fraude tributario y aduanero» se incluyó el punto 4 dedicado expresamente a la economía digital y a los nuevos modelos de negocio que ésta supone. Concretamente, señalaba dicho apartado que «(...) *las posibilidades tecnológicas están dando lugar al desarrollo de nuevos modelos de negocio que suponen nuevos desafíos desde el punto de vista del control tributario, tanto en lo que se refiere a su detección, como en lo relativo a la obtención de información relativa a las actividades desarrolladas y la comprobación de la correcta tributación de dichas actividades*». Esta preocupación por parte de la Administración Tributaria siguió patente en el Plan de Control Tributario de 2018[3], en cuyo apartado II denominado «Investigación y actuaciones de comprobación del fraude tributario y aduanero», se incluyó el punto 2 dedicado al control de

---

[2]   Resolución de 19 de enero de 2017, de la Dirección General de la Agencia Estatal de Administración Tributaria, por la que se aprueban las directrices generales del Plan Anual de Control Tributario y Aduanero de 2017.

[3]   Resolución de 8 de enero de 2018, de la Dirección General de la Agencia Estatal de Administración Tributaria, por la que se aprueban las directrices generales del Plan Anual de Control Tributario y Aduanero de 2018.

tributos internos, que, a su vez, incorporó en su letra D, el análisis de nuevos modelos de negocio a la luz de los cambios profundos que ha comportado la tecnología empleada en la economía digital. A estos efectos, se señalaba en el citado apartado que «*La investigación en Internet y la obtención de información relacionada con los nuevos modelos de actividad económica, especialmente en comercio electrónico, sigue constituyendo una prioridad para la Agencia Tributaria*».

En esta línea, el último Plan de Control Tributario aprobado en el momento en que se redactan estas líneas[4] incluye en el apartado II («La investigación y las actuaciones de comprobación del fraude tributario y aduanero. El fomento del cumplimiento voluntario y prevención del fraude»), punto 2 («Control de tributos internos»), la letra D que alude al necesario análisis de nuevos modelos de negocio, y que concretamente señala que: «*La investigación en Internet y la obtención de información relacionada con los nuevos modelos de actividad económica, especialmente en comercio electrónico, siguen constituyendo una prioridad para la Agencia Tributaria*».

Y es que, si bien el fenómeno de la economía digital es una realidad innegable, también lo es el hecho de que ésta puede favorecer prácticas elusivas dada la dificultad que presenta la identificación de los sujetos intervinientes, así como de las operaciones llevadas a cabo y las rentas generadas por las mismas. De ahí que la plataforma digital puede desempeñar un papel esencial en la lucha contra el fraude, convirtiéndose en fuente de información de trascendencia tributaria en relación con las transacciones llevadas a cabo a través del uso de esta[5]. A estos efectos, cabe plantearse si los deberes de información de los obligados tributarios contenidos en los artículos 93 a 95 de la Ley 58/2013, de 17 de diciembre, General Tributaria (en adelante, LGT) y en el artículo 30 del Real Decreto 1065/2007, de 27 de julio, por el que se aprueba el Reglamento General de las actuaciones y los procedimientos de gestión e inspección tributaria y de desarrollo de las normas comunes de los procedimientos de aplicación de los tributos (en adelante, RGGI), son o no suficientemente amplios como para justificar la obtención de informa-

---

[4]   Resolución de 11 de enero de 2019, de la Dirección General de la Agencia Estatal de la Administración tributaria, por la que se aprueban las directrices generales del Plan Anual de Control Tributario y Aduanero de 2019.

[5]   De hecho, dada la relevancia del papel que juega la plataforma digital, incluso son varios los autores que apuntan la posibilidad de que se la involucre de forma activa en la recaudación tributaria, otorgándoles la condición de sustitutos del contribuyente o de retenedores. Entre otros, véase, CORRECHER MATO, C. J., «Economía colaborativa y recaudación tributaria: especial consideración al papel de la plataforma», *Revista Quincena Fiscal*, núm. 22/2018.

ción relevante por parte de la Administración Tributaria que obre en poder de las plataformas digitales.

Sin duda, los deberes de información detallados en los citados preceptos responden a la necesidad de obtención de información por parte de la Administración Tributaria a efectos de velar por la correcta aplicación de las normas tributarias, así como de los principios constitucionales tributarios. Sin embargo, estos no son garantía de un suministro constante y fluido de información tributaria, siendo necesario acudir al requerimiento de información, lo que resulta, a todas luces, menos ágil y más costo para la Administración Tributaria. Por otra parte, se refieren a datos, informes, antecedentes y justificantes con trascendencia tributaria de los obligados tributarios relacionados con el cumplimiento de sus propias obligaciones tributarias o deducidos de sus relaciones económicas, profesionales o financieras con otras personas; y no, relativos a operaciones llevadas a cabo entre terceras personas, pero de las que se disponga de información. Es por ello, que se plantea la necesidad de crear nuevas obligaciones de suministro de información, expresamente pensadas para aquellos sujetos que intervengan en las actividades propias de la economía digital y que permitan superar las actuales limitaciones de los artículos 93 a 95 de la LGT.

Un buen ejemplo de ello, lo hallamos en la obligación de suministro de información por parte de las plataformas digitales sobre la cesión de uso de viviendas con fines turísticos en las que intermedien, incorporada mediante la modificación del Real Decreto 1065/2007, de 27 de julio, que regula el Reglamento General de las actuaciones y los procedimientos de gestión e inspección tributaria y de desarrollo de las normas comunes de los procedimientos de aplicación de los tributos (en adelante, RGGI), en virtud del Real Decreto 1070/2017, de 29 de diciembre[6], que introdujo un nuevo artículo 54.ter en el RGGI.

La obligación de información específica regulada en el artículo 54.ter del RGGI está prevista para las personas y entidades que intermedien entre los cedentes y cesionarios del uso de viviendas con fines turísticos situadas en territorio español. A estos efectos, cabe destacar que el propio precepto contiene dos definiciones trascendentes de cara a su aplicación. En primer lugar,

---

[6]   Véase, apartado once del artículo primero del Real Decreto 1070/2017, de 29 de diciembre, por el que se modifican el Reglamento General de las actuaciones y los procedimientos de gestión e inspección tributaria y de desarrollo de las normas comunes de los procedimientos de aplicación de los tributos, aprobado por el Real Decreto 1065/2007, de 27 de julio, y el Real Decreto 1676/2009, de 13 de noviembre, por el que se regula el Consejo para la Defensa del Contribuyente.

en su apartado segundo delimita qué debe entenderse por cesión de uso de viviendas con fines turísticos, excluyendo de dicho concepto los arrendamientos o subarrendamientos parciales de viviendas, los alojamientos turísticos regulados por su normativa específica (tales como, establecimientos hoteleros, alojamientos en el medio rural, o albergue, entre otros) y los derechos de aprovechamiento por turno de bienes inmuebles.

En segundo lugar, el artículo 54.ter en su apartado tercero precisa quienes son las personas que deben considerarse intermediarios en este tipo de cesiones y que, por tanto, están sujetos a la obligación de información regulada en el precepto. En este sentido, el precepto citado claramente señala que tendrán la consideración de intermediarios todas las personas o entidades que presten el servicio de intermediación entre cedente y cesionario del uso, ya sea a título oneroso o gratuito, y que en particular, tendrán dicha consideración las plataformas digitales que tengan la consideración de prestador de servicios de la sociedad de la información, con independencia de que presten o no el servicio subyacente objeto de intermediación o de que se impongan condiciones a los cedentes o cesionarios tales como precio, seguros, plazos u otras condiciones contractuales. Por tanto, se trata de una obligación de información que, de forma expresa, se prevé para las plataformas digitales, y ello con el claro fin de prevenir el fraude fiscal, tal como se apunta en la Exposición de Motivos del Real Decreto 1070/2017, de 29 de diciembre.

Así pues, a raíz de esta nueva obligación de suministro de información, las plataformas digitales se ven obligadas a presentar una declaración informativa periódica que debe recoger los siguientes datos en relación con las cesiones de uso de viviendas con fines turísticos en las que intermedien:

a) Identificación del titular de la vivienda cedida con fines turísticos, o, en su caso, del titular del derecho en virtud del cual se cede la vivienda con fines turísticos, si fueren distintos (nombre y apellidos o razón social o denominación completa, y número de identificación fiscal).

b) Identificación del inmueble con especificación del número de referencia catastral.

c) Identificación de las personas o entidades cesionarias (nombre y apellidos o razón social o denominación completa, y número de identificación fiscal).

d) Número de días de disfrute de la vivienda con fines turísticos.

e) Importe percibido por el titular cedente del uso de la vivienda con fines turísticos.

Pese a la clara finalidad de lucha contra el fraude que persigue esta particular obligación de suministro de información, la misma no está exenta de crítica por parte de la doctrina.

Sin duda, supone una ampliación de los deberes de información contenidos en la LGT puesto que la plataforma digital que intermedia en la cesión del uso de la vivienda no debe necesariamente disponer de toda la información que se exige que facilite. Ello se traduce en que la plataforma digital pueda verse obligada a tener que efectuar labores de investigación o requerimientos de información que excederían claramente de lo necesario para el desarrollo de su actividad, y ello, únicamente con la finalidad de cumplir con lo estipulado en el precepto[7]. Siendo ello así, y al tratarse de una obligación de indagación y obtención de información ajena, más que de una mera obligación de suministro de información, cabe cuestionar si no hubiera sido más conveniente regularla en una norma con rango de ley y no en una norma reglamentaria, en aras a respetar el principio de reserva de ley tributaria[8].

Por otra parte, el artículo 54.ter del RGGI supone que el intermediario obligado a informar deba calificar el derecho del cedente de la vivienda, al exigirle la identificación de la titularidad de éste último. Sin duda, esta calificación jurídica que debe realizar la plataforma digital excede de la obligación de facilitar una mera información de carácter fáctico relativa a su actividad habitual. Así pues, y con independencia de la necesidad de que las plataformas digitales contribuyan a favorecer la transparencia en las transacciones llevadas a cabo en el marco de la economía colaborativa, cabe cuestionarse la proporcionalidad y alcance del contenido de la obligación de información específica regulada en el artículo 54.ter, máxime si consideramos que se trata de una obligación de información adicional a las ya existentes en nuestro sistema tributario, no sólo en la LGT sino también en las normativas propias de los distintos tributos[9].

---

[7]   De hecho, en cuanto al alcance del contenido de la citada declaración, el redactado del artículo 54.ter se remite con frecuencia a la expresión «(...) *los términos de la Orden Ministerial por la que se apruebe el modelo de declaración correspondiente*». Esta remisión podría suponer una ampliación *de facto* de la información a facilitar, relativa a datos que no deriven directamente de la actividad desarrollada por la plataforma colaborativa y que, por tanto, le sean ajenos.

[8]   Al respecto se pronuncia SÁNCHEZ HUETE, M., en «¿Existe un deber tributario a obtener datos ajenos? La información en la cesión de uso de viviendas con fines turísticos», *Quincena Fiscal*, Nº 14, 2018.

[9]   Véase, SÁNCHEZ HUETE, M. A., en «Las nuevas obligaciones informativas en la cesión del uso de viviendas con fines turísticos», en VVAA, *Fiscalidad de la Colaboración*

Así pues, cabe reflexionar acerca del grado de colaboración de las plataformas digitales en la lucha contra el fraude fiscal: si bien es obvio que su papel es fundamental y que constituyen un instrumento esencial para evitar la opacidad, no es menos cierto que las obligaciones de suministro de información a que se sometan las plataformas digitales, deben tener contenidos regulados por ley, cuya extensión debe ser proporcional, y ello con el fin de no sobrecargarlas con funciones de investigación que corresponden a la AT y que les pueden suponen costes de gestión adicionales a los propios de su actividad habitual.

3. LOCALIZACIÓN Y TRIBUTACIÓN DE LOS SERVICIOS PRESTADOS POR LAS PLATAFORMAS DIGITALES

3.1. *Servicios prestados por vía electrónica, de telecomunicaciones y de radiodifusión*

Uno de los elementos clave en la determinación de la tributación de los servicios prestados a través de plataformas digitales es el de su localización territorial. Evidentemente, y como apuntábamos en anteriores epígrafes, de entre los grandes retos que presenta la economía digital para el legislador tributario destaca el evitar la deslocalización de beneficios a territorios de baja tributación.

A estos efectos, y desde la perspectiva de la tributación indirecta, cabe precisar que en relación a los servicios prestados por vía electrónica[10], de telecomunicaciones y de radiodifusión y televisión, el artículo 70.Uno.8º de la Ley 37/1992, de 28 de diciembre del Impuesto sobre el Valor Añadido

---

Social, Capítulo XVI, José Pedreira Menéndez (dir.), Editorial Aranzadi, Pamplona, 2018.

[10]   Señalar al respecto que la LIVA, en su artículo 69.Tres.4º, define como servicios prestados por vía electrónica aquellos servicios que consistan en la transmisión enviada inicialmente y recibida en destino por medio de equipos de procesamiento, incluida la compresión numérica y el almacenamiento de datos, y enteramente transmitida, transportada y recibida por cable, radio, sistema óptico u otros medios electrónicos. Dicha definición incluye, entre otros: suministro y alojamiento de sitios informáticos; mantenimiento a distancia de programas y de equipos; suministro de programas y su actualización; suministro de imágenes, texto, información y la puesta a disposición de bases de datos; suministro de música, películas, juegos, incluidos los de azar o de dinero, y de emisiones y manifestaciones políticas, culturales, artísticas, deportivas, científicas o de ocio; y, suministro de enseñanza a distancia.

(LIVA)[11], establece que se localizarán en el territorio de aplicación del impuesto aquellos servicios en los que concurran los siguientes requisitos de carácter subjetivo (en cuanto al destinatario y al prestador de los mismos) y de carácter cuantitativo:

a) Que el destinatario no sea un empresario o profesional actuando como tal, siempre que se encuentre establecido o tenga su residencia o domicilio habitual en otro Estado miembro.

b) Que los servicios sean realizados por un empresario o profesional que actúe como tal establecido únicamente en el territorio de aplicación del impuesto por tener en el mismo la sede de su actividad económica, o su único establecimiento permanente en el territorio de la Comunidad, o, en su defecto, el lugar de su domicilio permanente o residencia habitual.

c) Que el importe total, excluido el impuesto, de dichas prestaciones de servicios, a los destinatarios anteriormente mencionados no haya excedido durante el año natural precedente la cantidad de 10.000 euros o su equivalente en su moneda nacional.

Este límite cuantitativo de 10.000 euros aplica también a efectos de localizar las prestaciones de servicios efectuadas durante el año en curso en el territorio de aplicación del impuesto, de modo que en el momento en que se supere el citado importe, no aplicaría la regla de localización prevista en el artículo 70.Uno.8º de la LIVA[12].

Esta regla de localización prevista para los servicios prestados por vía electrónica, de telecomunicaciones y de radiodifusión y televisión, cuya redacción ha sido revisada con efectos 1 de enero 2019, halla su razón de ser en la necesidad de reducir la cargas administrativas y tributarias en aquellos casos en que de forma ocasional se prestan servicios a consumidores finales residentes en otros Estados miembro. Frente a los costes indirectos que comporta para el prestador del servicio el haber de tributar en Estados en los que no está establecido, se mantiene para servicios de poco importe

---

[11] Redactado con efectos desde el 1 de enero de 2019 y vigencia indefinida, por el número uno del artículo 79 de la Ley 6/2018, de 3 de julio, de Presupuestos Generales del Estado para el año 2018 («BOE» 4 de julio).

[12] Al respecto cabe señalar que los empresarios o profesionales podrán optar por no aplicar lo dispuesto en el precepto aunque no hayan superado el límite de 10.000 euros, siendo dicha opción vinculante para dos años naturales como mínimo.

la regla de localización en el Estado de establecimiento del prestador del servicio[13].

3.2. *Servicios de mediación*

Con independencia de la prestación de servicios por vía electrónica a los que nos referíamos en el apartado anterior, cabe señalar que las plataformas digitales a menudo prestan servicios de mediación. Ello es especialmente habitual en el marco de la economía colaborativa, que se configura como un tipo de economía digital específica caracterizada por el uso de plataformas digitales, a través de las cuales los particulares intercambian bienes y servicios. Así se desprende de la definición que del término da la Comisión al Parlamento Europeo, al Consejo y al Comité Económico y Social Europeo y al Comité de las Regiones en su Comunicación «Una Agenda Europea para la economía colaborativa», de 2 de junio de 2016, (COM (2016) 356 final), al referirse a la economía colaborativa como «*(…) modelos de negocio en los que se facilitan actividades mediante plataformas colaborativas que crean un mercado abierto para el uso temporal de mercancías o servicios ofrecidos a menudo por particulares*»[14].

---

[13] En este sentido se pronuncia el Preámbulo de la Ley 6/2018, de 3 de julio, de Presupuestos Generales del Estado para el año 2018, en su apartado VII al señalar que «*La aprobación de la Directiva (UE) 2017/2455 del Consejo, de 5 de diciembre de 2017, por la que se modifican la Directiva 2006/112/CE y la Directiva 2009/132/CE en lo referente a determinadas obligaciones respecto del impuesto sobre el valor añadido para las prestaciones de servicios y las ventas a distancia de bienes, ha modificado la Directiva armonizada del IVA en lo referente a las reglas de tributación de los servicios prestados por vía electrónica, de telecomunicaciones y de radiodifusión y televisión, cuando el destinatario no sea un empresario o profesional actuando como tal. De esta forma, con efectos desde el 1 de enero de 2019, para reducir las cargas administrativas y tributarias que supone para las microempresas establecidas en un único Estado miembro que prestan estos servicios de forma ocasional a consumidores finales de otros Estados miembros tributar por estas prestaciones en el Estado miembro donde esté establecido el consumidor destinatario del servicio, se establece un umbral común a escala comunitaria de hasta 10.000 euros anuales que de no ser rebasado implicará que estas prestaciones de servicios sigan estando sujetas al Impuesto sobre el Valor Añadido en su Estado miembro de establecimiento*».

[14] A estos efectos, nótese que la actividad que lleva a cabo la plataforma no sería en sí misma economía colaborativa, sino que dicha actividad contribuiría a que se desarrollase la economía colaborativa que sería la que tiene lugar entre los particulares prestadores de servicios y los particulares usuarios de dichos servicios. En este sentido, se pronuncian RAMOS HERRERA, A. J., y CALVO VÉRGEZ, J., «La aplicación del impuesto sobre el valor añadido en la economía colaborativa: una aproximación a sus aspectos

Sin duda, la localización de los servicios de mediación deviene relevante por cuanto están sujetos a tributación, al constituir actividades económicas en la medida en que sean onerosos[15]. Así se pronunció al respecto la Comisión Europea en el documento de trabajo, de 22 de septiembre de 2015, «Pregunta al Comité del Impuesto sobre el Valor Añadido relativa al tratamiento del Impuesto sobre el Valor Añadido en la economía colaborativa»[16]. En este sentido, cabe recalcar un matiz importante que no debe llevar a equívocos a la hora de aplicar las normas de localización de servicios contenidas en los artículos 69 y 70 de la LIVA, y es que, pese a que los servicios de mediación se presten a través de plataformas digitales y páginas web, ello no determina que los servicios prestados deban calificarse necesariamente como servicios prestados por vía electrónica, lo que excluye la aplicación automática de las normas de localización previstas para ese tipo de servicios contenidas en el artículo 70 de la LIVA. Así se ha pronunciado no sólo la doctrina[17], sino también la propia Administración Tributaria[18].

Siendo ello así, en el caso de plataformas que únicamente prestan servicios de mediación, se devengaría IVA español si el servicio de intermediación se localiza en España en virtud de los artículos 69 y 70 de la LIVA.

---

conflictivos», *Documentos - Instituto de Estudios Fiscales*, Nº. 15, 2017 (Ejemplar dedicado a: Fiscalidad de la economía colaborativa: especial mención a los sectores de alojamiento y transportes) que al respecto señalan que *«(l)a economía colaborativa no supone la aparición de nuevos negocios jurídicos, debido a que solamente se produce una alteración en el sujeto, empresa o profesional, que tradicionalmente participaba del suministro de determinados bienes o en la prestación de determinados servicios en favor de una persona particular que se ve favorecida por la intermediación de las plataformas colaborativas digitales»*. En este sentido, véase también RAMOS HERRERA, A. J., «Análisis de la fiscalidad indirecta aplicable a los operadores y clientes de las plataformas tecnológicas de colaboración social», en VVAA, *Fiscalidad de la Colaboración Social*, Capítulo XII, José Pedreira Menéndez (dir.), Editorial Aranzadi, Pamplona, 2018.

[15] En aquellos supuestos de plataformas gratuitas (como podría ser el caso de BlaBlaCar, plataforma para compartir gastos de transporte y vehículo en viajes largos) no cabría entender que existe una actividad económica.

[16] COMISIÓN EUROPEA, «Pregunta al Comité del Impuesto sobre el Valor Añadido relativa al tratamiento del Impuesto sobre el Valor Añadido en la economía colaborativa», Documento de trabajo nº 878, de 22 de septiembre de 2015.

[17] Véase, entre otros, LUCAS DURÁN, M., «Problemática jurídica de la economía colaborativa: especial referencia a la fiscalidad de las plataformas», *Anuario de la Facultad de Derecho - Universidad de Alcalá*, Nº. 10, 2017, pp. 131-172; y, ANEIROS PEREIRA, J., «IVA y economía colaborativa: cuestiones fiscales del arrendamiento de inmuebles a través de plataformas digitales (caso Airbnb)», *Quincena Fiscal*, Nº 5, 2018.

[18] Véase, entre otras, la Consulta Vinculante de la Dirección General de Tributos núm. V0183-15, de 20 de enero del 2015.

Concretamente, en el caso de la economía colaborativa, en la que mayoritariamente el servicio de intermediación se prestaría a destinatarios particulares no empresarios, procedería aplicar el artículo 70.Uno.6° de la LIVA que señala que se localizan en territorio español, y por tanto están sujetos a IVA español, los servicios de mediación en nombre y por cuenta ajena cuyo destinatario no sea un empresario o profesional actuando como tal, siempre que las operaciones respecto de las que se intermedie se entiendan realizadas en el territorio de aplicación del impuesto. En otras palabras, a efectos de determinar la tributación indirecta en territorio español del servicio de mediación, es necesario previamente localizar en dicho territorio la prestación del servicio principal respecto del que se media. Para ello, procedería de nuevo la aplicación de los artículos 69 y 70 de la LIVA que, a su vez, contienen algunas normas específicas para sectores en los que se desarrolla habitualmente la economía colaborativa, tales como el del arrendamiento de viviendas[19] y el del servicio de transporte[20].

Con todo, también puede suceder que la prestación de servicios de intermediación llevada a cabo por la plataforma digital difícilmente pueda desligarse de prestación de servicios que constituiría la operación principal llevada a cabo en el marco de la economía colaborativa[21].

---

[19]   Especialmente interesante en materia de arrendamiento de viviendas, resulta la Consulta Vinculante de la Dirección General de Tributos núm. V0644-18, de 12 de marzo de 2018, en la que se plantea la cuestión relativa a la tributación indirecta del servicio de mediación prestado por una plataforma no establecida en España en el arrendamiento de viviendas sitas en España entre particulares. Concluye la Dirección General de Tributos que la mediación deviene un servicio estrechamente vinculado con el inmueble que se arrienda, y por tanto, localizado en territorio español en virtud del artículo 70.Uno.1° de la LIVA, procediendo la inversión del sujeto pasivo al no estar establecida en territorio español la plataforma que presta dicho servicio de mediación.

[20]   Al respecto, véase el artículo 70. Uno. 2° de la LIVA.

[21]   A modo de ejemplo, piénsese en el caso de Uber, en que el cliente final es quien interactúa con la plataforma (no con el conductor particular), siendo ésta quien efectúa el cobro y quien busca y envía el vehículo al cliente final, pagando posteriormente un porcentaje del importe del viaje al conductor particular y reservándose un porcentaje en concepto de comisión. En este caso, como ya apuntó FALCÓN Y TELLA, R., en «La tributación de Uber: (Plataforma de servicios de transporte de vehículos particulares)», *Quincena fiscal*, N° 13, 2014, pp. 11-16, parece difícil sostener que la plataforma actúa como mero intermediador para sus clientes conductores particulares.

Asimismo, y concretamente en el ámbito de los arrendamientos turísticos, se ha pronunciado la Dirección General de Tributos, en diversas consultas, entre las que destaca la Consulta Vinculante núm. V0367-18, de fecha 12 de febrero de 2018, en la que se indica que **podrá considerarse que la mediadora titular de la plataforma realiza una simple mediación de pago y, en consecuencia, no satisface las rentas, cuando** los usuarios finales de los inmuebles, es decir, **las personas que se alojan** en los mismos, iden-

De hecho, esta posibilidad se contempla en la Comunicación «Una Agenda Europea para la economía colaborativa», de 2 de junio de 2016, (COM (2016) 356 final), en la que se prevé expresamente que la plataforma digital, en determinadas circunstancias, pueda considerarse proveedora del servicio subyacente al servicio de intermediación. En este sentido, a efectos de determinar si la plataforma colaborativa digital presta también de forma efectiva el servicio subyacente, será necesario efectuar un análisis caso a caso, adquiriendo especial importancia los siguientes indicios, en aras a establecer el grado de control que la plataforma colaborativa ejerce respecto del prestador del servicio subyacente:

a) Fijación del precio final a pagar por el usuario del servicio subyacente. En caso de que sea la plataforma colaborativa la que establezca el precio final, ello podría indicar que ésta es la verdadera prestadora del servicio subyacente. Por el contrario, si únicamente efectúa una recomendación o establece un mínimo modificable por el prestador del servicio, ello indicaría que actúa únicamente como intermediaria.

b) Fijación de condiciones contractuales distintas del precio pero relevantes de cara al servicio prestado. De nuevo, el que la plataforma colaborativa tenga potestad para determinar condiciones contractuales clave que afecten a la relación comercial entre el prestador del servicio subyacente y el usuario, incitaría a pensar que es la plataforma la que ejerce el control respecto del servicio subyacente a prestar.

c) Propiedad por parte de la plataforma colaborativa de activos clave para la prestación del servicio subyacente.

La confluencia de estos indicios llevaría a considerar a la plataforma colaborativa digital como la verdadera prestadora del servicio subyacente, con independencia del servicio de intermediación prestado, al ejercer un importante nivel de control e influencia sobre el prestador del servicio subyacente. Asimismo, y en atención a cada caso concreto, también podrían considerarse otros elementos, tales como el que la plataforma digital asuma los gastos y riesgos derivados de la prestación del servicio subyacente; o el que exista una relación laboral entre la plataforma colaborativa y el personal

---

tifiquen precisa y claramente al propietario del inmueble, cuantifiquen el rendimiento y lo pongan a disposición de la plataforma para su pago al propietario; de no ser así, habrá que considerar que la titular de la plataforma no se limita a realizar una simple mediación de pago y, en consecuencia, satisface rentas, por lo que le sería exigible el cumplimiento de las obligaciones materiales y formales que le incumben como sujeto obligado a practicar retención o ingreso a cuenta.

que presta el servicio subyacente. Por el contrario, si la plataforma colaborativa únicamente lleva a cabo servicios auxiliares respecto del servicio de intermediación que presta, tales como coberturas de seguro o servicios postventa, ello únicamente sería indicativo de la asistencia que la plataforma ofrece al prestador del servicio subyacente, sin que pudiera presuponerse la existencia de influencia o control sobre el mismo.

Así pues, determinar de forma previa si las plataformas digitales actúan como meras intermediadoras o si, en realidad, prestan efectivamente un servicio más allá del de mera intermediación, devendrá un punto de partida esencial a efectos jurídicos[22], que obviamente condicionará el análisis de la localización y tributación de los servicios prestados.

3.3. Servicios de publicidad

Es relevante tener en consideración que, adicionalmente a la prestación de servicios por vía electrónica y de servicios de intermediación, las plataformas digitales pueden también prestar servicios de publicidad al contener ofertas que se publiciten a través de la página web. A este respecto, la Administración Tributaria entiende que los servicios de publicidad deben ser calificados como tales independientemente del medio a través del cual se materialice dicha publicidad, ya sea un medio electrónico o no[23].

Así pues, y con relación a este tipo de servicios, se hace necesario analizar si constituyen servicios independientes respecto de otro tipo de servicios prestados por la plataforma digital o bien si resultan servicios accesorios al servicio principal, puesto que en función de dicha circunstancia procederá la aplicación de uno u otro precepto de la LIVA en aras a localizar y sujetar a tributación el servicio de publicidad[24]. En este sentido, de considerarse servicios accesorios a la prestación del servicio principal, su tributación seguiría la de dicho servicio, tanto a efectos de localización como a efectos de cuantificación de la cuota a ingresar.

---

[22] A modo de ejemplo y en materia de responsabilidad contractual de las plataformas digitales, véase DÍAZ GÓMEZ, M. A., «Reflexiones en torno a la responsabilidad de las plataformas electrónicas de economía colaborativa», *Revista de estudios europeos*, Nº. 70, 2017 (Ejemplar dedicado a: Economía colaborativa), pp. 27-68.

[23] Entre otras, véanse las Consultas Vinculantes de la Dirección General de Tributos núm. V1557-15, de 25 de mayo de 2015; y, núm. V1456-17, de 7 de junio de 2017.

[24] Así lo considera ANEIROS PEREIRA, J., en «IVA y economía colaborativa: cuestiones fiscales del arrendamiento de inmuebles a través de plataformas digitales (caso Airbnb)», *Quincena Fiscal*, Nº 5, 2018.

Si, por el contrario, los servicios de publicidad se consideran servicios independientes, y, por tanto, no accesorios, procedería analizar su localización de forma independiente a la del resto de servicios prestados, aplicando la normativa establecida en los artículos 69 y 70 de la LIVA. En este caso, partiendo de la premisa de que los servicios publicitarios se prestarían a un destinatario empresario o profesional, siendo ello lo habitual, estos se localizarían en España cuando el destinatario tuviese en dicho territorio la sede de actividad económica o contase en el mismo con un EP o, en su defecto, un domicilio o residencia habitual que fueran destinatarios del servicio de publicidad, de conformidad con lo señalado en el artículo 69.Uno.1º de la LIVA. En caso de que el destinatario de los servicios de publicidad estuviese establecido en un país o territorio tercero, dichos servicios estarían no sujetos al impuesto.

Asimismo, no se debe olvidar que el artículo 70.Dos de la LIVA, sujeta a tributación determinados servicios que, entendiéndose realizados fuera de la Comunidad de acuerdo con las reglas de localización aplicables, se utilicen o exploten efectivamente en el territorio de aplicación del impuesto. Entre dichos servicios contemplados en el artículo 70.Dos se encuentran los servicios de publicidad cuyo destinatario sea un empresario o profesional (al estar incluidos en el listado de servicios del artículo 69.Dos de la LIVA al que, a su vez, se refiere el citado artículo 70.Dos de la LIVA).

4. CONCLUSIONES

El auge de la economía digital ha comportado la necesidad de tomar nuevas medidas de acción contra el fraude fiscal, que se ve favorecido por el uso de medios digitales que permiten una mayor opacidad a los sujetos intervinientes, facilitando así, la ocultación a la Administración Tributaria de las operaciones efectuadas y las rentas obtenidas en las mismas. Ante este escenario, juegan un papel determinante las plataformas digitales que disponen de información clave para la labor de la Administración Tributaria. La preocupación del legislador por estas cuestiones se ha puesto de manifiesto precisamente con la reciente creación en la normativa española de una obligación de información *ad hoc* prevista para las plataformas digitales en el ámbito concreto de la cesión de viviendas con fines turísticos, y que, a futuro, podría extenderse a otras actividades y operaciones llevadas a cabo en el marco de la economía digital. En esta materia, será determinante ver el alcance y aplicación práctica de estas obligaciones de información para poder valorar su efectividad en la lucha contra el fraude fiscal.

Asimismo, en esta lucha contra el fraude fiscal deviene necesario determinar la localización de los servicios prestados por las plataformas digitales, con el fin de evitar precisamente la deslocalización de rentas a territorios de baja tributación. La amplia variedad de tipología de servicios y funcionamiento de las plataformas digitales obliga a efectuar un análisis caso a caso de los distintos servicios prestados, puesto que en atención a cada supuesto concreto las normas aplicables en sede de tributación indirecta, y concretamente, en cuanto a localización de los servicios, serán unas u otras. En este análisis deviene esencial la distinción entre aquellas plataformas digitales que únicamente prestan servicios de pura intermediación y aquellas que, adicionalmente, prestan de facto el servicio subyacente. Esta distinción, a menudo difícil de valorar, dada la difusa frontera que separa uno y otro supuesto, debe sustentarse en indicios cuya interpretación subjetiva puede conducir a escenarios de inseguridad jurídica.

Ante esta realidad, que se impone a nuestro actual sistema tributario, resulta innegable el importante rol que juegan las plataformas digitales, a las que tanto el legislador como la Administración Tributaria deben prestar la atención necesaria, no únicamente en cuanto a la aplicación de la normativa tributaria, sino también en cuanto a la forma de legislar, en aras a tratar de anticipar posibles problemáticas derivadas de su uso que, sin duda, irá *in crescendo* en los próximos años.

Bibliografía

ANEIROS PEREIRA, J., «IVA y economía colaborativa: cuestiones fiscales del arrendamiento de inmuebles a través de plataformas digitales (caso Airbnb)», *Quincena Fiscal*, Nº 5, 2018.

COMISIÓN EUROPEA, Comunicación de la Comisión al Parlamento Europeo, al Consejo y al Comité Económico y Social Europeo y al Comité de las Regiones: «Una Agenda Europea para la economía colaborativa», de 2 de junio de 2016, (COM (2016) 356 final)

COMISIÓN EUROPEA, «Pregunta al Comité del Impuesto sobre el Valor Añadido relativa al tratamiento del Impuesto sobre el Valor Añadido en la economía colaborativa», *Documento de trabajo* nº 878, de 22 de septiembre de 2015.

CORRECHER MATO, C. J., «Economía colaborativa y recaudación tributaria: especial consideración al papel de la plataforma», *Revista Quincena Fiscal*, núm. 22/2018.

DÍAZ GÓMEZ, M. A., «Reflexiones en torno a la responsabilidad de las plataformas electrónicas de economía colaborativa», *Revista de estudios europeos*, Nº. 70, 2017 (Ejemplar dedicado a: Economía colaborativa)

FALCÓN Y TELLA, R., «La tributación de Uber: (Plataforma de servicios de transporte de vehículos particulares)», *Quincena fiscal*, Nº 13, 2014.

LUCAS DURÁN, M., «Problemática jurídica de la economía colaborativa: especial referencia a la fiscalidad de las plataformas», *Anuario de la Facultad de Derecho - Universidad de Alcalá*, N°. 10, 2017.

MONTESINOS OLTRA, S., «Los actores de la economía colaborativa desde el punto de vista del derecho tributario», *Economía industrial*, N° 402, 2016 (Ejemplar dedicado a: Economía colaborativa)

RAMOS HERRERA, A. J., y CALVO VÉRGEZ, J., «La aplicación del impuesto sobre el valor añadido en la economía colaborativa: una aproximación a sus aspectos conflictivos», *Documentos - Instituto de Estudios Fiscales*, N°. 15, 2017 (Ejemplar dedicado a: Fiscalidad de la economía colaborativa: especial mención a los sectores de alojamiento y transportes)

RAMOS HERRERA, A. J., «Análisis de la fiscalidad indirecta aplicable a los operadores y clientes de las plataformas tecnológicas de colaboración social», en VV.AA., *Fiscalidad de la Colaboración Social*, Capítulo XII, José Pedreira Menéndez (dir.), Editorial Aranzadi, Pamplona, 2018.

SÁNCHEZ HUETE, M. A., «Las nuevas obligaciones informativas en la cesión del uso de viviendas con fines turísticos», en VV.AA., *Fiscalidad de la Colaboración Social*, Capítulo XVI, José Pedreira Menéndez (dir.), Editorial Aranzadi, Pamplona, 2018.

SÁNCHEZ HUETE, M., en «¿Existe un deber tributario a obtener datos ajenos? La información en la cesión de uso de viviendas con fines turísticos», *Quincena Fiscal*, N° 14, 2018.

Capítulo 12

El alojamiento colaborativo: la tributación directa de las rentas obtenidas por los usuarios de las plataformas digitales

Diana Ferrer Vidal

Esade Law School (Universitat Ramon Llull)
Profesora contratada doctora

SUMARIO: 1. LA REGULACIÓN DE LA ECONOMÍA COLABORATIVA: UNO DE LOS GRANDES RETOS NORMATIVOS DEL S. XXI. 2. TRIBUTACIÓN EN EL IRPF: CALIFICACIÓN DE LAS RENTAS OBTENIDAS POR EL «ANFITRIÓN». 2.1. «Profesionalizando» la economía colaborativa. Concepto de empresario. ¿Cuándo el arrendador se convierte en «profesional o empresario»?. 2.2. Alquiler total vs alquiler parcial (de la vivienda habitual). 2.3. Alquiler tradicional vs Alquiler turístico. 3. CONSECUENCIAS TRIBUTARIAS DEL CONCEPTO DE VIVIENDA HABITUAL EN EL ALQUILER DE VIVIENDAS TURÍSTICAS. 4. CONCLUSIONES Y REFLEXIONES FINALES. Bibliografía.

1. LA REGULACIÓN DE LA ECONOMÍA COLABORATIVA: UNO DE LOS GRANDES RETOS NORMATIVOS DEL S. XXI

Varios son los estudios sobre el origen de la economía colaborativa, cuya finalidad última se basa en la confianza mutua, en compartir gastos y en el uso de bienes infrautilizados u ociosos que ayudan a sufragar su coste.

Ahora bien, la aparición en escena de las plataformas online que intermedian en todo tipo de operaciones efectuadas entre dos particulares, ya sea en el transporte terrestre (Uber) o en el arrendamiento de viviendas de uso turístico (AirBnb), entre otras, han basado su crecimiento exponencial en la seguridad que otorga la interacción a través de un tercero independiente que participa en la transacción obteniendo comisiones por ello.

¿Sigue siendo eso economía colaborativa? ¿O la entrada en el terreno de juego de las plataformas tecnológicas diluye en concepto?[1]. Pero aún

---

[1] La profesora DE ENCARNACIÓN considera que la filosofía que inspira la economía colaborativa se ve «completamente diluida» cuando entran en escena las plataformas tecnológicas y razón no le falta («El alojamiento colaborativo: viviendas de uso turísti-

así, ¿puede combinarse una verdadera economía colaborativa con el uso de las plataformas tecnológicas? Personalmente creo que sí, pero no puede equiparse el arrendamiento de una parte de la vivienda habitual, aunque sea a través de los servicios que ofrece una plataforma online, con el alquiler de la totalidad de varios inmuebles que no son la residencia habitual del arrendador.

Sea como fuere, y aún existiendo realidades distintas, la Administración Tributaria tiene una tarea tan importante como difícil; por un lado debe favorecer un trato fiscal igualitario, y por el otro, no imponer tantas obligaciones fiscales que supongan un freno a la propia dinámica de la economía colaborativa, luchando así contra la economía sumergida[2]. Se plantea uno de los grandes retos normativos del siglo XXI. Es importante saber identificar las distintas situaciones que se esconden bajo el paraguas de la economía colaborativa, puesto que en determinados supuestos, un usuario puede estar muy cerca de actuar como un profesional, cuyo objetivo final es la obtención de lucro. Nada que ver con otras situaciones en las que los usuarios efectivamente comparten parte de algo tan íntimo, como puede ser la propia vivienda habitual.

El análisis de la fiscalidad de la economía colaborativa puede poner el foco en varios aspectos, pero fundamentalmente se resume en el estudio de la fiscalidad que rodea a los dos actores principales: las plataformas tecnológicas y los usuarios, tanto desde la perspectiva de tributación directa como indirecta. Existen estudios muy interesantes acerca de la revisión internacional del concepto de establecimiento permanente a efectos de adaptarlo a la realidad actual del uso de las plataformas online[3]. Sin embargo, nuestro foco de atención lo acaparan los usuarios que son particulares, y prestan o

---

co y plataformas virtuales», *Revista de Estudios de la Administración Local y Autonómica*, Nueva Época, núm. 5, enero-junio 2016, p. 51.

2   Tal y como señala la profesora ÁLAMO CERRILLO «en el sector de los alojamientos vacacionales podemos encontrar una bolsa importante de fraude fiscal». «Fiscalidad de los apartamentos turísticos», *Quincena Fiscal*, núm. 11, junio 2017, p. 93.

3   Entre otros, ANTÓN ANTÓN, A. y BILBAO ESTRADA, I., «El consumo colaborativo en la era digital: un nuevo reto para la fiscalidad», *Documentos de Trabajo del Instituto de Estudios Fiscales*, núm. 26, 2016, pp. 3-39. También FALCÓN Y TELLA apuesta por ampliar el concepto actual de establecimiento permanente. (La tributación de UBER (plataforma de servicios de transporte en vehículos particulares), *Quincena Fiscal*, núm. 13, 2014, p. 16. Se cita también a VAQUER FERRER, F. A., «Establecimiento permanente y economía digital: Especial referencia a las empresas intermediadoras en el ámbito del turismo colaborativo», *Millennium Derecho Internacional Privado* (Tirant lo Blanch), núm 3, 2016, pp. 1-17.

reciben servicios. En concreto, el presente estudio se referirá a los particulares que usan este tipo de plataformas, como la ya anteriormente citada AirBnb, por ser sin lugar a dudas, a fecha de hoy, la plataforma no únicamente con el mayor número de inmuebles y usuarios, sino también por ser la que permite distintos tipos de contratos en cuanto a la tipología del inmueble en alquiler aunque siempre con vocación lucrativa. Me refiero a que AirBnb permite alquilar tanto una habitación de un apartamento como el apartamento en su totalidad, ya sea éste o no la vivienda habitual del arrendador. Eso sí, siempre a cambio de una contraprestación. Es precisamente estos dos factores lo que plantean mayor reto desde el ámbito tributario.

Procede ahora analizar los distintos elementos que configuran la tributación directa de los usuarios de las plataformas tecnológicas dedicadas exclusivamente a poner en contacto a arrendadores («anfitrión) y arrendatarios, los cuales suelen ser turistas que optan por hospedarse en una casa frente a las alternativas tradicionales, como los hoteles o hostales[4].

2. TRIBUTACIÓN EN EL IRPF: CALIFICACIÓN DE LAS RENTAS OBTENIDAS POR EL «ANFITRIÓN»

Antes de abordar en profundidad la cuestión que da título al presente estudio, es menester aclarar un aspecto tan básico como esencial: es en exclusiva el «anfitrión» quien tributará por IRPF, tanto si es el titular directo del inmueble como si quien lo alquila es a su vez arrendatario, en cuyo caso estaría subarrendando la vivienda. En cuanto el arrendatario (huésped), deberá también asumir tributación, como podrían ser determinadas tasas turísticas o el Impuesto sobre Transmisiones Patrimoniales, pero en todo caso, se trata de tributación indirecta, y se escapa del objeto del presente estudio.

Varios son los elementos que pueden entrar en juego en la tributación directa, los cuales serán analizados a continuación, nunca sin perder de vista las distintas tipologías de arrendamiento existentes, esto es, el alquiler

---

[4] Por el contrario, no serán objeto de análisis las transacciones cerradas a través de otras plataformas online realizadas por profesionales del sector, como puede suceder en *Homeaway*, puesto que en estos supuestos estaremos ante operaciones tradicionales de prestación de servicios entre un empresario y un consumidor particular, alejados del concepto de economía colaborativa. En el otro extremo existen plataformas online de intercambio de casa sin contraprestación alguna (como *HomeforHome* o *LoveSwapHome*), lo que nos llevaría a una situación de trueque puro y simple, que debería quedar alejada de cualquier obligación tributaria.

parcial de la propia vivienda habitual, el alquiler total de la propia vivienda habitual (cuando por ejemplo el propietario está de vacaciones) o bien el alquiler de apartamentos que no son la residencia habitual del arrendador.

2.1. «Profesionalizando» la economía colaborativa. Concepto de empresario. ¿Cuándo el arrendador se convierte en «profesional o empresario»?

Tal y como se ha dicho en el expositivo anterior, existen distintos escenarios que nos permitirán determinar la tributación del anfitrión, empezando por la situación más comuna, que es el alquiler del inmueble por parte del titular del mismo. El objetivo de este arrendamiento no es otro que el de rentabilizar su vivienda, aunque no debería asimilarse el alquiler de una parte de la vivienda habitual, expresión genuina de la economía colaborativa, con el alquiler en su totalidad, inclusive de un apartamento adquirido precisamente para este fin.

En todo caso, las dos únicas posibilidades pasan por calificar la renta obtenida como rendimiento del capital inmobiliario o como rendimiento por actividades económicas. Parece evidente que el origen y el sentido de la economía colaborativa no pasa por crear pequeños empresarios que profesionalizan el servicio de arrendamiento pero en el caso que eso ocurra, existe un rendimiento que ya figura en la normativa, el de actividades económicas. La cuestión reside ahora en saber cuándo un particular que arrienda un apartamento, sea o no su vivienda habitual, sea total o parcial, se considera que actúa como un profesional, en cuyo caso obtendrá rendimientos por actividades económicas.

Si analizamos la normativa actualmente vigente, para saber cuándo la actividad de arrendamiento de bienes inmuebles responde a un rendimiento del capital inmobiliario o bien de actividades económicas, únicamente podemos remitirnos al apartado 2 del artículo 27 de la Ley 35/2006 del IRPF, el cual señala que «se entenderá que el arrendamiento de inmuebles se realiza como actividad económica, únicamente cuando para la ordenación de esta se utilice, al menos, una persona empleada con contrato laboral y a jornada completa».

A su vez, el apartado 1 del mismo artículo define en términos generales, no únicamente delimitado al ámbito del arrendamiento de bienes inmuebles, cuándo se entenderá que el contribuyente desarrolla una actividad económica; en concreto: «Se considerarán rendimientos íntegros de actividades económicas aquellos que, procediendo del trabajo personal y del capital conjuntamente, o de uno solo de estos factores, supongan por parte del contribuyente la ordenación por cuenta propia de medios de producción y de recursos humanos o de uno de ambos, con la finalidad de intervenir en la producción o distribución de bienes o servicios».

De la lectura de precepto pare claro que la existencia de una persona contratada a jornada completa supone la calificación del rendimiento como de actividades económicas[5]. Ahora bien, ¿puede un contribuyente que arrienda uno o varios apartamentos turísticos pero que no dispone de un empleado a jornada completa ser considerado como un empresario a efectos del IRPF y por tanto calificar las rentas obtenidas como rendimiento de actividades económicas? La respuesta es afirmativa, y según la interpretación de la DGT todo queda circunscrito a los servicios que el arrendador puede ofrecer. En concreto, el elemento básico y esencial que diferencia la calificación de las rentas obtenidas por el arrendamiento vacacional es el acompañamiento del servicio del alquiler junto con servicios propios de la industria hotelera, tales como de restaurante, limpieza, lavado de ropa, etc.

La DGT[6] se ha pronunciado de manera inequívoca en diversas ocasiones y curiosamente, se ha valido de las definiciones contenidas en la Ley 37/1992 del IVA para determinar qué son servicios complementarios propios de la industria hotelera, elemento fundamental para la calificación de la renta obtenida como rendimiento de actividad económica[7].

---

[5] A este respecto conviene recordar que el TEAC, en Resolución de 28 de mayo de 2013, a la vista de recientes y reiteradas sentencias del Tribunal Supremo, entiende, sobre los requisitos actualmente exigidos para que el arrendamiento inmobiliario sea considerado como actividad económica, que la exigencia del doble requisito de «persona y local» debe interpretarse en el sentido de que, de no cumplirse, se reputará que no hay actividad económica. Pero entiende asimismo que se trata de un requisito necesario pero no suficiente, por lo que, aún cumpliéndose, puede entenderse que no hay actividad económica si, por ejemplo, se acredita que la carga de trabajo no justifica tener empleado y local. Como se sabe desde enero del 2015 se suprime la exigencia de un local pero los argumentos de «necesidad y coherencia» de la contratación de un empleado a jornada completa siguen siendo igualmente válidos.

[6] Entre otras, DGT 1651-18 de 12 de junio de 2018, DGT V0898-17 de 11 de abril de 2017, DGT V-1765 de 7 de julio de 2017 y DGT V-1985-17 de 24 de julio de 2017, que se pronuncian explícitamente sobre los servicios de hostelería, haciendo hincapié en el de limpieza. También merece la pena citar a la consulta DGT V0575-15 de 13 de febrero de 2015 en la que la DGT dando respuesta a la consultante, señala que «la mera puesta a disposición del arrendatario de equipamientos para el apartamento, como vajilla, enseres y aparatos de cocina y otros equipamientos para el hogar, no tiene carácter de servicios complementarios propios de la industria hotelera».

[7] Dada pues la importancia que la descripción de estos servicios suponen, merece la pena la transcripción del expositivo tercero de la consulta emitida por la DGT V0731-17 de

Siendo más precisos, y transcribiendo el literal del último párrafo de la consulta emitida por la DGT V0898-17 de 11 de abril de 2017, «si el alquiler de la vivienda se limita a la mera puesta a disposición de la misma de forma temporal, sin complementarse con la prestación de servicios propios de la industria hotelera, tales como restaurante, limpieza, lavado de ropa y otros análogos, y siempre que no concurran las circunstancias previstas en el art. 27.3 de la Ley del IRPF, las rentas derivadas del arrendamiento tendrá la calificación de rendimientos del capital inmobiliario». A mayor abundamiento, la misma consulta especifica que se trata de dos actividades distintas, con epígrafes de IAE bien diferenciados; a saber, el 86.1.1 por «alquiler de viviendas» y el 685 por el «alojamientos turísticos extrahoteleros»[8].

Obsérvese, tal y como alerta Zapatero Gascó que «la prestación de estos servicios complementarios al alojamiento a través de la plataforma tiene importantes consecuencias desde el punto de vista tributario, que van más

---

22 de marzo de 2017, en el que señala que: «*En cuanto al concepto "servicios complementarios propios de la industria hotelera", la Ley 37/1992 pone como ejemplos los de restaurante, limpieza, lavado de ropa u otros análogos. Se trata de servicios que constituyen un complemento normal del servicios de hospedaje prestado a los clientes, por lo que no pierden su carácter de servicios de hostelería, pues se presta a los clientes un servicio que va más allá de la mera puesta a disposición de un inmueble o parte del mismo.*
En particular, se consideran servicios complementarios propios de la industria hotelera los siguientes:
– Servicio de limpieza del interior del apartamento prestado con periodicidad semanal.
– Servicio de cambio de ropa en el apartamento prestado con periodicidad semanal.
Por el contrario, no se consideran servicios complementarios propios de la industria hotelera los que a continuación se citan:
– Servicios de limpieza del apartamento prestado a la entrada y a la salida del periodo contratado por cada arrendatario.
– Servicio de limpieza de las zonas comunes del edificio (portal, escaleras y ascensores) así como de la urbanización en que está situado (zonas verdes, puertas de acceso, aceras y calles).
– Servicios de asistencia técnica y mantenimiento para eventuales reparaciones de fontanería, electricidad, cristalería, persianas, cerrajería y electrodomésticos».

[8] La DGT en respuesta a la consulta V0898-17 de 11 de abril de 2017 señala que «*la consultante deberá darse de alta, según la actividad efectivamente realizada, en una de las siguientes rúbricas de la sección primera de las Tarifas:*
– Si la vivienda se arrendara sin prestación de servicios adicionales, en el epígrafe 861.1 "Alquiler de viviendas"
– Si dicho alquiler se arrendara con la prestación de hospedaje, los cuales se caracterizan por extender la atención a los clientes más allá de la mera puesta a disposición de un inmueble o parte del mismo, como lo son la prestación de servicios de limpieza, cambios de ajuar, etc. En el grupo 685 "Alojamientos turísticos extrahoteleros"».

allá incluso de la calificación de la renta a efectos del gravamen del IRPF. Esta prestación de servicios complementarios hace desaparecer la exención de Impuesto sobre el Valor Añadido prevista en el art. 20.23° de la Ley 37/1992, y puede desencadenar la obligación del prestador de darse de alta como autónomo»[9].

De hecho, la incoherencia entre la regulación del arrendamiento turístico que ofrece la Ley del IVA respecto la Ley del IRPF sigue sin resolverse, pues parece claro que discurren en la misma línea cuando el arrendador presta lo que la ley denomina «servicios complementarios de hostelería» pero ¿qué sucede cuando dichos servicios no se prestan? La respuesta es de una clara y manifiesta incongruencia, hasta el punto de considerar exentas de IVA el alquiler de viviendas turísticas mientras que en el IRPF, a pesar de considerarse rendimiento de capital inmobiliario, no se aplica la reducción del 60% por entender que no se está arrendando un inmueble cuyo destino final sea el de satisfacer la necesidad de vivienda habitual[10].

---

[9]   ZAPATERO GASCÓ, A., «La tributación en el IRPF de los rendimientos percibidos a través de la plataforma Airbnb: aspectos controvertidos», *Documentos de Trabajo del Instituto de Estudios Fiscales*, núm. 15, 2017, p. 91.
    A estos efectos, quisiera señalar que no critico precisamente la aparente coordinación entre normas de tributación directa e indirecta, de hecho no tendría sentido que los servicios complementarios de hostelería fueran distintos en el ámbito del IVA y del IRPF. Sin embargo, e insisto, sin ánimo de despreciar cualquier intento de coordinación, no parece razonable que en cuestiones tan básicas como la definición de empresario a efectos de IVA y de IRPF siga existiendo un auténtico abismo en relación al arrendamiento de inmuebles. Me sumo así a la crítica efectuada por otros autores, como recientemente lo ha hecho la profesora RUIZ GARIJO («La economía colaborativa en el ámbito de la vivienda: cuestiones fiscales pendientes», *Lex Social. Revista jurídica de los Derechos Sociales*, vol. 7, núm. 2, 2017, p. 66.), quien acertadamente pone encima la mesa una realidad por todos conocida, y es que «una misma persona puede ser considerada en el IVA como empresario o profesional por ser arrendador de un bien inmueble mientras que en el IRPF solamente lo será si para la ordenación de la actividad utiliza al menos una persona empleada con contrato laboral y a jornada completa. Imaginemos una persona que, cumpliendo la normativa autonómica sobre viviendas turísticas, procede al alquiler mediante una plataforma online, de una casa de su propiedad durante ciertos meses del año. A efectos de tributación de las rentas, no será considerado como un empresario o profesional a falta del elemento indicado (no tendrá que darse de alta). Sin embargo, en el IVA, por ser arrendador de un bien, será considerado como empresario o profesional». Faltaría completar las palabras de la profesora RUIZ GARIJO con la interpretación de la DGT, según la cual el propietario de una vivienda turística que la alquila, debe tributar como actividad económica aún no habiendo contratado a ningún empleado pero sí por el hecho de prestar un servicio complementario de hostelería.

[10]   *Vid.* SANZ GÓMEZ, R., «Cuestiones tributarias sobre los arrendamientos online de viviendas para uso turístico», *Revista Española de Derecho Financiero*, núm. 178,

Si nos centramos en la habitualidad de alquileres de viviendas turísticas en la plataforma AirBnb, se apreciará que el servicio de limpieza suele darse en la entrada y la salida del inquilino, en cuyo caso, no estaremos en supuestos de prestación de servicios de hostelería, luego la renta obtenida por dicho arrendamiento sería considerada como rendimiento del capital inmobiliario. Ahora bien, ¿qué sucede si efectivamente el arrendador presta estos servicios pero de forma natural al tratarse del alquiler de una parte de su vivienda habitual? La normativa y a su vez, la interpretación de la misma no parece que haya diferenciado respecto la tipología de vivienda turística, lo que desde nuestro punto de vista es fundamental a la hora de calificar la renta obtenida.

2.2. *Alquiler total vs alquiler parcial (de la vivienda habitual)*

En supuestos en los que el titular de la vivienda la comparte para sufragar gastos estamos ante un claro ejemplo de economía colaborativa en su más fiel esencia. Es también común arrendar la propia vivienda habitual de forma temporal, por ejemplo cuando el titular está de vacaciones en otra parte y de esta forma, optimiza la propiedad obteniendo una rentabilidad que le ayuda en la compensación de gastos.

En estos supuestos ni el legislador ni los órganos administrativos y jurisdiccionales encargados de la interpretación normativa, han profesado un trato diferencial en cuanto a la calificación de rentas. Ello puede suponer que las rentas recibidas por un alquiler parcial de la vivienda habitual en el que el arrendador realizara las tareas típicas de cualquier anfitrión, entre las que podemos considerar la limpieza del apartamento o el cambio de ropa de cama y toallas, deberían ser consideradas como rendimiento de actividades económicas.

Parece del todo incongruente con el propio sentido de la economía colaborativa, que no es otro que el intercambiar bienes (que están ociosos o infrautilizados) y servicios entre particulares a cambio de una compensación entre las partes, que se eleve a la categoría de «profesional» o «empresario»

---

abril-junio 2018, p. 142 y el mismo autor en «Airbnb, ¿economía colaborativa o economía sumergida? Reflexiones sobre el papel de las plataformas de intermediación en la aplicación de los tributos», *Documentos de Trabajo del Instituto de Estudios Fiscales*, núm. 15, 2017, p. 73. Es muy interesante ver cómo el autor llega a la conclusión de formular una propuesta a la que también me sumo en relación a la necesidad que abandonar la exención en IVA sobre el arrendamiento de viviendas de uso turístico, salvo que se trata de un alquiler parcial de la vivienda habitual.

aquél arrendador que efectúa las tareas propias de cualquier anfitrión, en el sentido literal de la palabra, pues como dice Zapatero Gascó, se trata de «tareas domésticas habituales»[11].

Pero aún tratándose del arrendamiento total y temporal de la vivienda habitual, tampoco considero que debería plantearse una consideración automática del contribuyente como profesional o empresario, pues no olvidemos que está arrendando su vivienda habitual y de forma temporal, lo que a mi juicio no lo puede convertir en alguien que «se dedica al negocio del alquiler». Quizás en el arrendamiento total de la vivienda habitual debería tomarse en consideración la temporalidad del alquiler, lo cual va íntimamente ligado al concepto de vivienda habitual, aspecto éste que se analizará a continuación.

Por tanto, en los arrendamientos de viviendas habituales, nuestra propuesta es que el rendimiento se limite a ser de capital inmobiliario, y no de actividades económicas, lo que supondría un coste adicional en cuanto a cumplimiento de obligaciones formales.

No obstante, y a pesar de la asunción de mayores obligaciones, no podemos obviar que la ventaja de calificar la renta como rendimiento del capital inmobiliario pierde en parte su razón de ser, puesto que al tratarse de alquiler de viviendas vacacionales no habrá lugar a la aplicación de la reducción del 60%. En cambio, en la estimación directa simplificada por la que debería tributar un profesional dedicado al arrendamiento de inmuebles, cabe una reducción de 5% sobre el rendimiento neto previo, aunque esté limitada a 2.000 euros, lo que diluye enormemente su atractivo[12].

Por último, en relación a los gastos deducibles del rendimiento del capital inmobiliario, no debería conllevar mayor complejidad, pues en ambos

---

[11] ZAPATERO GASCÓ, A., «La tributación en el IRPF de los rendimientos percibidos a través de la plataforma Airbnb: aspectos controvertidos», *Documentos de Trabajo del Instituto de Estudios Fiscales*, núm. 15, 2017, p. 93.

[12] Así pues, ante rendimientos poco cuantiosos, la asunción de nuevas y farragosas obligaciones formales, como el alta censal o la llevanza de un control de gastos e ingresos, quizás no compensa la reducción del 5% sobre el rendimiento neto previo que ciertamente está tan limitada que pierde todo su encanto.
Merece la pena señalar que la DGT ha emitido respuestas (V1832-18 de 22 de junio de 2018, entre otras) a consultantes no residentes que disponiendo de un bien inmueble en territorio español, han optado por el alquiler de uso turístico a través de plataformas digitales. La respuesta del centro directivo no puede ser más clara. Según el art. 6 Modelo Convenio y las letras g) y h) del art. 13.1 Ley IRNR, tanto las rentas obtenidas por arrendamiento como las generadas por imputación de rentas, son sometidas a tributación en el Estado en el que radica el bien inmueble.

casos los gastos deberán ser prorrateados, ya sea en función de los días y la superficie alquilada (arrendamiento parcial de la vivienda habitual) o bien únicamente de los días (arrendamiento total de la vivienda habitual), pudiendo ser deducible en su totalidad las comisiones pagadas a la plataforma online[13].

2.3. *Alquiler tradicional vs Alquiler turístico*

Este es precisamente el supuesto más alejado de la economía colaborativa puesto que se pueden dar situaciones en las que un contribuyente, consciente de la rentabilidad que podrá obtener alquilando apartamentos turísticos, proceda a su adquisición, apalancada o no financieramente. En todo caso, y sea cual sea la fuente de adquisición de dichos inmuebles (adquisición inter vivos o mortis causa), dos son las opciones de alquiler que existen a fecha de hoy y que quizás hace unos años, antes de la irrupción de las plataformas online no eran ni planteables:

Alquiler tradicional en el que el inquilino hace de este inmueble su vivienda habitual.

Alquiler turístico en el que el inquilino suele ser un turista que opta por el arrendamiento ocasional de un apartamento durante su estancia en la ciudad, frente a la oferta hotelera.

Habiendo estas opciones como potencialmente posibles, es importante no perder de vista los postulados de la Comisión Europa que, conscientes de la dificultad de la regulación de la economía colaborativa, advierten a los Estados de la necesidad de aplicar un trato justo, equilibrado y equitativo respecto las empresas que prestan servicios comparables. En palabras de la propia Comisión, «deben aplicar obligaciones fiscales similares desde el punto de vista funcional a las empresas que prestan servicios comparables»[14].

Partiendo de esta base y siendo conocedores de la regulación e interpretación de la misma en cuanto a la conversión del arrendador en «empresario o profesional», cuando eso sucede, ya no estaremos en un marco de economía colaborativa, sino más bien en el mercado convencional compi-

---

[13] Se remite al lector a los artículos 23.1 Ley IRPF y los artículos 13 y 14 del Reglamento IRPF, los cuales detallan la lista de gastos permitidos, aunque por fortuna no es una lista «númerus clausus».

[14] *Vid.* RUIZ GARIJO, M., «La economía colaborativa en el ámbito de la vivienda: cuestiones fiscales pendientes», *Lex Social. Revista jurídica de los Derechos Sociales*, vol. 7, núm. 2, 2017, p. 57.

tiendo con otras empresas que pueden ofrecer el mismo servicio, ya sean hoteles, hostales o un concepto mixto como lo es el Aparthotel. Así, tal y como sucede en cualquier otra actividad, las empresas que prestan el mismo servicio que un particular que actúa como empresario, tributarán por Impuesto sobre Sociedades, mientras que la persona física lo hará en IRPF en concepto de actividad económica.

Ahora bien, si son particulares no empresarios quienes prestan el servicio de arrendamiento de pisos o apartamentos amueblados y equipados en condiciones de uso inmediato sin prestar ningún servicio complementario de hostelería (ni contar tampoco con ningún empleado a jornada completa) deben tratarse exactamente igual que si el arrendador opta por el alquiler tradicional. Y afortunadamente así es. No tendría sentido que en función del volumen de ingresos de alquiler de pisos turísticos se elevara el arrendador a la categoría de profesional o empresario, mientras el alquiler de pisos no turísticos no conllevara aparejada la misma norma. De hecho, creo que bien pudiera ser objeto de debate el contenido del artículo 27.2 Ley IRPF y replantearse si un determinado de volumen de ingresos en concepto de arrendamiento puede ser ajeno a la calificación de la renta obtenida como rendimiento de actividades económicas. Ahora no lo es, y no es este un trabajo dedicado al análisis de esta cuestión pero en todo caso, si existe cualquier modificación legal en este sentido, debe tenerse siempre presente la igualdad de trato fiscal entre el alquiler tradicional y el alquiler turístico. A mayor abundamiento, los arrendadores que han optado por el alquiler turístico es sin lugar a dudas porqué les ofrece una mayor rentabilidad y por ende, sufren una mayor tributación, como no puede ser de otro modo debido a la progresividad de impuesto. Eso sí, una mayor rentabilidad puede conllevar una mayor carga de asunción de trabajo, pues no es lo mismo sostener un inquilino por tres años que no ir alternando cada semana. Ello puede suponer un mayor coste, deducible por supuesto (como lo sería el pago a un «coanfitrión» que gestionase las entradas y salidas de los huéspedes) pero en todo caso, este incremento de gasto debe compensarse con la expectativa de un mayor ingreso

Por último recordar que la tributación por rendimiento de actividades económicas no siempre debe ser concebida como una «peor calificación», puesto que si bien es cierto que acarrea más obligaciones formales y tributarias, no es menos cierto que puede suponer una extraordinaria ventaja en forma de exención en el Impuesto sobre el Patrimonio y de reducción en un 95% en el Impuesto sobre Sucesiones y Donaciones, siempre que lo obtenido constituya la principal fuente de renta[15]. Es más, no será el primer caso de contratación «fraudulenta» de empleado por parte de un contribuyente que tiene arrendado más de un inmueble con la única intención de convertir este arrendamiento en actividad económica y así poder disfrutar de los beneficios en los citados impuestos. Una razón más para no hacer diferencias entre el arrendamiento tradicional de viviendas y locales y el alquiler de pisos turísticos.

En resumen, se aboga por una fiscalidad equitativa e igual no únicamente entre empresas, que tributan por el Impuesto sobre Sociedades y particulares que realizan una actividad económica, en cuyo caso en el IRPF ya tienen la calificación del «empresarios o profesionales», sino también en aquellos casos en los que dos particulares que no son empresarios obtienen rendimientos del capital inmobiliario, ya sea porqué arriendan una vivienda por los canales tradicionales o bien porqué optan por alquilar apartamentos turísticos a través de plataformas online. Eso sí, en caso de alquiler de la propia vivienda habitual, y a pesar de que el arrendador pueda prestar determinados servicios de limpieza, no debería proceder la calificación de este rendimiento como profesional, simplemente por una cuestión de coherencia con los fundamentos originales de la economía colaborativa, que no son otros que el «compartir» y optimizar bienes infrautilizados u ociosos. Por el contrario, se insiste; aunque la consideración del arrendamiento de viviendas turísticas como actividad económica sea excepcional, cuando eso sucede entiendo que ya no se estará en escenarios de economía colaborativa.

Es más, una tributación equitativa pasaría muy posiblemente por un aumento de las medidas de control, como bien pudiera ser la necesidad de obligar a las plataformas intermediadoras a practicar una retención a cuenta del IRPF del propietario del inmueble alquilado. Eso sí, adaptando evidentemente los supuestos de retención a la existencia de tramos exentos de tributación, si los hubiera. Por cuestiones de limitación de espacio no podemos dedicarnos a explorar la necesidad de practicar una retención como herramienta de control ni tampoco proponer unos tramos de exención en función de la tipología de vivienda arrendada pero obviamente estas cuestiones son de vital importancia a la hora de abordar el estudio integral del arrendamiento on line de viviendas turísticas.

Sin embargo, no podemos dejar de señalar que actualmente nuestra regulación ha dado un paso importante en cuanto a obligaciones de información pero creo que todavía debe avanzar más en cuanto a recaudación.

---

[15]   DGT V2297-18 de 7 de agosto de 2018.

Podría decirse que se ha quedado a medio camino. Recientemente se ha aprobado la Orden HFP/544/2018 de 24 de mayo que es responsable de la aparición de un nuevo modelo, el 179[16], el cual obliga a las plataformas colaborativas que intermedien entre cedentes y cesionarios de viviendas de uso turístico a declarar trimestralmente[17] la identidad de los usuarios, de los inmuebles alquilados así como el precio satisfecho. Coincido plenamente con el profesor Lucas Durán[18], quien apunta que hubiese sido más eficiente optar por la introducción de la obligación de retención a cuenta del tributo final, lo cual además de proporcionar una recaudación continuada en el tiempo, remite información directa a la Administración Tributaria. Esperemos que sea solo cuestión de tiempo.

3. CONSECUENCIAS TRIBUTARIAS DEL CONCEPTO DE VIVIENDA HABITUAL EN EL ALQUILER DE VIVIENDAS TURÍSTICAS

Como ya hemos visto, con carácter general el arrendamiento de viviendas para su uso turístico tienen la consideración de rendimientos del capital inmobiliario. Siendo ello así, según establece el artículo 85 de la Ley del IRPF, los períodos de tiempo en los que el inmueble urbano no ha sido cedido en arrendamiento, se genera la imputación por renta inmobiliaria, cuyo cálculo será el resultado de aplicar sobre el valor catastral un porcentaje del 1,1% o 2% siempre prorrateado sobre los días en los que la vivienda no haya sido arrendada.

Ahora bien, cuando el arrendamiento de viviendas de uso turístico es calificado como un rendimiento de actividades económicas, ya sea por disponer de una persona con contrato laboral a jornada completa o bien por

---

[16]   Esta obligación tributaria tiene su causa directa en el artículo 54.ter del Reglamento General de las actuaciones y los procedimientos de gestión e inspección tributaria y de desarrollo de las normas comunes de los procedimientos de aplicación de los tributos, aprobado por el Real Decreto 1065/2007, de 27 de julio, que nace con la pretensión de regular la obligación de informar sobre la cesión de uso de viviendas con fines turísticos y de esta forma luchar contra la economía sumergida que se sabe que existe.

[17]   **Para el ejercicio 2018,** la presentación de la declaración informativa de la cesión de uso de viviendas con fines turísticos tendrá excepcionalmente carácter anual, y su plazo de presentación será el comprendido entre el 1 y el 31 de enero de 2019.

[18]   LUCAS DURÁN («Problemática jurídica de la economía colaborativa: especial referencia a la fiscalidad de las plataformas», *Anuario Facultad de Derecho* - Universidad de Alcalá, núm. 10, 2017, p. 168.

ofrecer durante la estancia servicios complementarios de hostelería, no existirá imputación de renta inmobiliaria, la cual está reservada en exclusiva a bienes no afectos a ninguna actividad.

Este análisis sería incompleto si no detalla la imputación de rentas diferenciando el arrendamiento total o parcial de la vivienda y el impacto que ello puede tener en la calificación de la vivienda como habitual.

La DGT ha diferenciado claramente cuándo el arrendamiento de la vivienda habitual para uso turístico afecta al concepto de vivienda habitual, lo que incide de lleno en la imputación de rentas inmobiliarias.

En concreto, cuando la vivienda habitual se alquila parcialmente, la DGT (V3860-15) considera que tal circunstancia no invalida la naturaleza de vivienda habitual, eso sí, todas las bonificaciones vinculadas a la vivienda habitual serán en proporción al espacio no alquilado. En la consulta citada el contribuyente arrienda una habitación y se cuestiona si puede seguir practicándose la deducción por inversión en vivienda habitual que venía aplicándose en virtud del régimen transitorio. La respuesta del centro directivo no da lugar a dudas; «de arrendar parte de la que constituye la vivienda habitual del contribuyente, este podrá continuar practicando la deducción por inversión en vivienda habitual con respecto de la parte de la vivienda que utilice de forma privada así como por las zonas comunes. Es decir, no podrá deducirse respecto de aquellas zonas que se establezcan de uso reservado para el arrendatario que compartiera en la vivienda[19]».

Así, si la deducción por inversión en la vivienda habitual puede ser proporcional, se entiende que la imputación por rentas inmobiliarias también deberá serlo. Y no únicamente en términos de imputación de renta inmobiliaria, sino que esta proporcionalidad impactará en cualquier otro beneficio fiscal asociado en la vivienda habitual, ya sea en IRPF (como la deducción por inversión) o en cualquier otro impuesto (la reducción por adquisición de vivienda habitual del causante en el Impuesto sobre Sucesiones y Donaciones o la exención en el Impuesto sobre el Patrimonio), tal y como muy bien nos recuerda el profesor Sanz Gómez[20].

---

[19] Interesante es la reflexión del profesor SANZ GÓMEZ, R. quien se plantea que podría ser conflictivo la consideración de las zonas comunes en su totalidad como vivienda habitual, sin imputar la parte proporcional a la superficie alquilada. («Cuestiones tributarias sobre los arrendamientos online de viviendas para uso turístico», *Revista Española de Derecho Financiero*, núm. 178, abril-junio 2018, p. 144.

[20] SANZ GÓMEZ, R., «Cuestiones tributarias sobre los arrendamientos online de viviendas para uso turístico», *Revista Española de Derecho Financiero*, núm. 178, abril-junio 2018, p. 145.

Ahora bien, imagínese una situación en la que el arrendatario alquila la habitación pero obviamente no la alquila durante todo el año, pues pueden existir lapsos de tiempo en los que la habitación no está ocupada. ¿Procedería la imputación de la habitación únicamente en la proporción de días que no ha estado ocupada? O por el contrario, ¿no procedería la imputación respecto esta habitación por cuanto está a disposición de cualquier inquilino que opte por arrendarla? El análisis de este aspecto podría dar lugar a un nuevo estudio sobre la esencia de la imputación de rentas inmobiliarias. Si se trata de gravar la posibilidad de utilización, debería replantearse si el hecho de publicitar el alquiler inhabilita el uso por parte del propietario.

Por el contrario, si el propietario ha arrendado la totalidad de su vivienda habitual pero obviamente con carácter temporal (por estar de vacaciones o por verse en la obligación de permanecer un breve período de tiempo trabajando en el extranjero) según la DGT se pierde la condición de vivienda habitual. Así lo ha manifestado recientemente el centro directivo en respuesta a la consulta V0122-17 de 23 de enero de 2017, en la que el consultante pretendía alquilar su vivienda habitual durante el período vacacional (uno o dos meses) y de nuevo se consultaba si podría seguir aplicando la deducción por inversión en vivienda habitual. La respuesta ha sido, también en esta ocasión, clara e inequívoca: «En el presente caso, al ser arrendada la vivienda perderá el carácter de vivienda habitual y, con ello, el derecho a aplicar, a partir de entonces, la deducción por adquisición de vivienda habitual».

Tal y como nos señala Zapatero Gascó[21], esta resolución supone la necesidad de practicar la imputación de renta inmobiliaria, puesto que la vivienda ya ha perdido su condición de habitual y en consecuencia entra de lleno en los supuestos previstos en el art. 85.1 Ley IRPF. Hacer depender la pérdida o mantenimiento de la condición de vivienda habitual en función de si el alquiler de la vivienda, ha sido total o parcial en términos de superficie, equivale a no entender el concepto de economía colaborativa, por lo que en ambos casos el tratamiento tributario debería ser el mismo[22].

---

[21] Comparto totalmente la opinión del profesor ZAPATERO GASCÓ, A., «La tributación en el IRPF de los rendimientos percibidos a través de la plataforma Airbnb: aspectos controvertidos», *Documentos de Trabajo del Instituto de Estudios Fiscales*, núm. 15, 2017, p. 99.

[22] Me remito a la anterior cita a pie de página.

4. CONCLUSIONES Y REFLEXIONES FINALES

Varias son las conclusiones que se alcanzan tras este análisis.

En primer lugar y en relación a la calificación de empresario o profesional, negro sobre blanco, tanto la normativa como la interpretación realizada por la DGT parece que lo tienen claro, de modo que cuando el contribuyente alcanza esta categoría, las rentas obtenidas por su actividad de alquiler de viviendas de uso turístico, serán calificadas como rendimiento de actividad económica. En caso contrario, será un rendimiento de capital inmobiliario.

El elemento determinante, más allá de la contratación de un empleado a jornada completa (art. 27.2 Ley IRPF), es la prestación de servicios de hostelería, los cuales se definen en varias consultas. Nuestra propuesta pasaría por flexibilizar dicho requisito en función de la tipología de la vivienda arrendada, de manera que si es la vivienda habitual la que se alquila, inclusive, compartiendo el espacio, entendemos que no debería considerarse «profesional» al arrendador por el simple hecho de realizar las tareas domésticas de lavado de ropa o limpieza, aunque sea diariamente. Precisamente en estos supuestos se estará ante el verdadero sentido de la economía colaborativa, que no es otro, al menos originariamente, que el de compensar los gastos que generan determinados bienes ociosos o infrautilizados, inclusive compartiendo esos bienes.

En segundo lugar y en cuanto a la imputación de rentas inmobiliarias en caso de arrendamiento de viviendas de uso turístico hay que prestar atención a los últimos pronunciamientos de la DGT sobre esta cuestión. En puridad, la DGT se ha referido al concepto de vivienda habitual, lo cual está íntimamente vinculado a la generación de rentas por imputación inmobiliaria.

Obviamente si el arrendamiento está calificado como una actividad económica, los inmuebles alquilados serán bienes afectos, lo que es incompatible con la imputación de rentas inmobiliarias. Ahora bien, en el caso de obtención de rendimiento de capital inmobiliario, según la DGT debe diferenciarse si el alquiler de vivienda habitual según sea total o parcial. Así, si el arrendamiento es parcial, será también parcial su consideración de vivienda habitual, luego la imputación de rentas inmobiliarias deberá ser proporcional a la superficie alquilada, así como el plazo de tiempo. Sin embargo, y contra todo pronóstico, si al arrendamiento es total, aunque sea sobre la vivienda habitual y únicamente por un lapso corto de tiempo, pierde la condición de vivienda habitual, lo que equivale a tributar por su totalidad en concepto de imputación por rentas inmobiliarias. Nos parece un tanto desproporcionada la interpretación del centro directivo, más si tenemos en cuenta que el arrendamiento de la propia vivienda habitual encaja a la perfección con el concepto original de economía colaborativa. A mayor abundamiento, el concepto de vivienda habitual tiene una incidencia directa en la aplicación de determinados beneficios fiscales en otros impuestos, tales como el Impuesto sobre el Patrimonio o el Impuesto sobre Sucesiones y Donaciones.

Entendemos que debería fomentarse la continuidad de la economía colaborativa así como la flexibilización de las obligaciones tributarias. No parece que eliminar la condición de vivienda habitual por el simple arrendamiento de unos pocos días, vaya en esta dirección.

En resumen, la normativa actual dispone de todas las categorías necesarias, no es pertinente, bajo nuestra visión, generar nuevos tipos de rendimientos. Ello no impide la necesidad de realizar determinadas modificaciones al texto legal, con un doble objetivo: por un lado, estos cambios supondrán un estímulo a la economía colaborativa, haciendo compatible su afloramiento y por ende, su contribución a las arcas del Estado y por otro, flexibilizar las obligaciones tributarias, ayudando a los usuarios a su efectivo cumplimiento. Creo que se está avanzando en este sentido pero queda todavía un largo camino por recorrer; y no siempre porqué los cambios normativos sean extremadamente complejos sino quizás por falta de voluntad política.

Bibliografía

ANTÓN ANTÓN, A. y BILBAO ESTRADA, I., «El consumo colaborativo en la era digital: un nuevo reto para la fiscalidad», *Documentos de Trabajo del Instituto de Estudios Fiscales*, núm. 26, 2016, pp. 3-39.

ÁLAMO CERRILLO, R., «Fiscalidad de los apartamentos turísticos», *Quincena Fiscal*, núm. 11, junio 2017, pp. 83-94.

DE LA ENCARNACIÓN, A. M., «El alojamiento colaborativo: viviendas de uso turístico y plataformas virtuales», *Revista de Estudios de la Administración Local y Autonómica*, Nueva Época, núm. 5, enero-junio 2016, pp. 30-55.

FALCÓN Y TELLA, R., «La tributación de UBER (plataforma de servicios de transporte en vehículos particulares)», *Quincena Fiscal*, núm. 13, 2014, pp. 11-16.

LUCAS DURÁN, M., «Problemática jurídica de la economía colaborativa: especial referencia a la fiscalidad de las plataformas», *Anuario Facultad de Derecho - Universidad de Alcalá*, núm. 10, 2017, pp. 131-172.

RUIZ GARIJO, M., «La economía colaborativa en el ámbito de la vivienda: cuestiones fiscales pendientes», *Lex Social. Revista jurídica de los Derechos Sociales*, vol. 7, núm. 2, 2017, pp. 53-76.

SANZ GÓMEZ, R., «Cuestiones tributarias sobre los arrendamientos online de viviendas para uso turístico», *Revista Española de Derecho Financiero*, núm. 178, abril-junio 2018, pp. 121-153.

SANZ GÓMEZ, R., «Airbnb, ¿economía colaborativa o economía sumergida? Reflexiones sobre el papel de las plataformas de intermediación en la aplicación de los tributos», *Documentos de Trabajo del Instituto de Estudios Fiscales*, núm. 15, 2017, pp. 64-83.

VAQUER FERRER, F. A., «Establecimiento permanente y economía digital: Especial referencia a las empresas intermediadoras en el ámbito del turismo colaborativo», *Millennium Derecho Internacional Privado* (Tirant lo Blanch), núm 3, 2016, pp. 1-17.

ZAPATERO GASCÓ, A., «La tributación en el IRPF de los rendimientos percibidos a través de la plataforma Airbnb: aspectos controvertidos», *Documentos de Trabajo del Instituto de Estudios Fiscales*, núm. 15, 2017, pp. 84-107.

Capítulo 13

Economía colaborativa y tributos autonómicos vinculados al turismo[*]

ALBERT NAVARRO GARCÍA
Profesor Lector de Derecho Financiero y Tributario
Departamento de Derecho Público
Universitat de Girona

SUMARIO: 1. CUESTIONES PREVIAS. 2. CUESTIONES GENERALES SOBRE LA FISCALIDAD DE LOS ARRENDAMIENTOS TURÍSTICOS A TRAVÉS DE PLATAFORMAS ELECTRÓNICAS. 3. TRIBUTOS AUTONÓMICOS VINCULADOS AL TURISMO. 3.1. El Impuesto catalán sobre las Estancias en Establecimientos Turísticos. 3.2. El Impuesto balear sobre las Estancias Turísticas. 3.3. La asistencia en la recaudación de las plataformas electrónicas. Bibliografía.

1. CUESTIONES PREVIAS

El auge de la economía colaborativa en el ámbito del alquiler turístico, debido, entre otros factores, al espectacular crecimiento del uso de nuevas tecnologías, a la crisis económica o a la falta de empleo, es más que evidente. Es obligado, por ello, que el derecho, evidentemente también el financiero y tributario, se adapte al gran incremento de uso de este tipo de plataformas. En este ámbito, es ineludible determinar, identificar y clarificar las obligaciones tributarias materiales y formales de los diferentes intervinientes en una operación de alquiler de una vivienda turística: plataformas electrónicas que se dedican a intermediar en el alquiler de viviendas a título oneroso; propietarios o arrendadores de viviendas que las ponen a disposición de otros mediante su anuncio en plataformas electrónicas; y arrendatarios turistas, denominados también como huéspedes por algunas plataformas, que alquilen la vivienda para un determinado período de tiempo.

---

[*] Este trabajo ha sido realizado en el marco del Proyecto sobre «Servicios públicos en las áreas urbanas: la necesaria revisión de las categorías tributarias y financieras» (PGC2018-095104-B-C21) financiado por el Ministerio de Ciencia, Innovación y Universidad y dirigido por la Dra. Mª Luisa Esteve Pardo.

El objeto de este trabajo se centra en la tributación de estos últimos, es decir, en la de los huéspedes, y específicamente, en examinar aquellos impuestos que tienen que abonar estos obligados tributarios cuando la vivienda radique en alguna de las Comunidades Autónomas en donde existen, hasta la fecha, tributos vinculados al turismo (Cataluña e Islas Baleares)[1]. Al no existir obligación legal alguna para que las plataformas de intermediación sean las encargadas de recaudar el tributo en cuestión, es habitual que bastantes huéspedes no abonen el impuesto correspondiente. Además, los mecanismos que poseen las administraciones tributarias autonómicas para perseguir a dichos arrendatarios son francamente limitados.

Ahora bien, como a continuación se estudiará, en la legislación catalana, por ejemplo, se contempla que, entre otros agentes, los operadores de plataformas tecnológicas que comercializan servicios turísticos de alojamiento y facilitan la relación entre el titular del bien inmueble y las personas físicas que efectúan las estancias, como *Airbnb* o *Homeaway*, pueden ser asistentes en la recaudación del impuesto, siempre y cuando exista una habilitación expresa ante la Agencia Tributaria de Cataluña.

---

[1]   No está de más recordar que el Informe de la Comisión de Expertos, designados equitativamente por el Gobierno del Estado español y por la Federación Española de Municipios y Provincias, para la revisión del sistema de financiación local, de 26 de julio de 2017, propone, entre otras muchas cuestiones, la creación de un impuesto sobre las estancias turísticas. La Comisión señala que: «*este nuevo tributo local se justifica en que las estancias en hoteles o establecimientos análogos es un inequívoco signo de capacidad económica y, en la razonabilidad de que los turistas contribuyan, en la medida de su uso, a la financiación de unos servicios públicos. El nuevo impuesto potestativo local que se propone debería presentar un hecho imponible suficientemente amplio como para englobar todas las modalidades de estancias turísticas. El contribuyente habría de ser la persona que realiza la estancia, si bien, a efectos de facilitar la gestión del impuesto, podría determinarse que el titular del establecimiento turístico fuera el sustituto del contribuyente. La base imponible habría de tener en cuenta el número de estancias y en la fijación de la cuota se podría distinguir, otorgando cierto margen a la autonomía local, entre establecimientos de distintas categorías*». Sobre esta cuestión ya me pronuncié hace algún tiempo abogando también por implementar este tributo en todo el territorio nacional en NAVARRO GARCÍA, A. (2017): «La financiación de los municipios turísticos» en ESTEVE PARDO, M. L. (dir.) *Impulso a la actividad económica en los municipios*, Ed. Huygens. Barcelona, pp. 67-85. Para un análisis más pormenorizado, consúltese PATÓN GARCÍA, G. (2019): «Fundamento y aportes a la propuesta de municipalizar el Impuesto sobre Estancias Turísticas» en CHICO DE LA CÁMARA, P. (dir.) *Aspectos de interés para una futura reforma de las haciendas locales*, Ed. Tirant lo Blanch. Valencia, pp. 515-533 y URBANO SÁNCHEZ, L. (2018): ¿Es factible la implantación de un impuesto sobre estancias turísticas en el ámbito local?, *International journal of scientific management and tourism*, Vol. 4, N°. 2, pp. 539-561.

2. CUESTIONES GENERALES SOBRE LA FISCALIDAD DE LOS ARRENDAMIENTOS TURÍSTICOS A TRAVÉS DE PLATAFORMAS ELECTRÓNICAS

Como es sabido, en el alquiler de viviendas destinadas al uso turístico a través de plataformas electrónicas intervienen varias partes. Por un lado, la plataforma, cuyos ingresos deben tributar o bien por el Impuesto sobre Sociedades (IS) o bien por el Impuesto sobre la Renta de los No Residentes (IRNR) y también deberá, con ciertos matices, pagar el Impuesto sobre el Valor Añadido (IVA) por la comisión de intermediación. Por otro lado, el propietario o sujeto que ponga a disposición su vivienda o parte de esta para el alquiler turístico temporal a un tercero también debe abonar los tributos correspondientes por los ingresos obtenidos. En este último caso, si el propietario de la vivienda se trata de una empresa y reviste la forma de sociedad, los ingresos obtenidos tributarán por IS; si el propietario (tanto si es persona física o jurídica) es contribuyente en otro país diferente a España, estos ingresos se gravarán por el IRNR; y si el propietario es contribuyente en nuestro país y se trata de una persona física, todos los rendimientos obtenidos del alquiler estarán sometidos al pago del IRPF y si concurren determinadas circunstancias también al ingreso del IVA. Y, por último, el usuario-turista que alquila la vivienda o parte de ella, deberá pagar, si fuera el caso, el impuesto turístico y el Impuesto sobre Transmisiones Patrimoniales y Actos Jurídicos Documentados (ITPAJD), en su modalidad de Transmisiones Patrimoniales Onerosas (TPO).

A los efectos del presente trabajo, el usuario/turista deberá abonar el IVA correspondiente si en el alojamiento turístico se prestan servicios complementarios propios de la industria hotelera (10%)[2] o bien el ITPAJD, en su modalidad TPO, si el arrendamiento se encuentra sujeto a IVA, pero exento al no prestarse dichos servicios típicos hoteleros. En

---

[2]   La Dirección General de Tributos (DGT) ha considerado que no se consideran servicios complementarios propios de la industria hotelera los servicios de limpieza del apartamento prestado a la entrada y a la salida del período contratado por cada arrendatario; los servicios de cambio de ropa en el apartamento prestado a la entrada y a la salida del período contratado por cada arrendatario; los servicios de limpieza de las zonas comunes del edificio (portal, escaleras y ascensores), así como de la urbanización en que está situado (zonas verdes, puertas de acceso, aceras y calles); y los servicios de asistencia técnica y mantenimiento para eventuales reparaciones de fontanería, electricidad, cristalería, persianas, cerrajería y electrodomésticos. Entre otras, *vid.* Consultas de la DGT V3095-14, de 14 de noviembre de 2014, V2887-16, de 22 de junio de 2016, V0489-17, de 23 de febrero de 2017 o V0898-17, de 11 de abril de 2017.

esta línea, el artículo 7 del Real Decreto Legislativo 1/1993, de 24 de septiembre, por el que se aprueba el Texto refundido de la Ley del Impuesto sobre Transmisiones Patrimoniales y Actos Jurídicos Documentados, sujeta a dicho tributo a los arrendamientos, aunque como señala su apartado quinto: «*no estarán sujetas al concepto de "transmisiones patrimoniales onerosas" (...), las operaciones enumeradas anteriormente cuando sean realizadas por empresarios o profesionales en el ejercicio de su actividad empresarial o profesional y, en cualquier caso, cuando constituyan entregas de bienes o prestaciones de servicios sujetas al Impuesto sobre el Valor Añadido. No obstante, quedarán sujetas a dicho concepto impositivo las entregas o arrendamientos de bienes inmuebles, así como la constitución y transmisión de derechos reales de uso y disfrute que recaigan sobre los mismos, cuando gocen de exención en el Impuesto sobre el Valor Añadido*».

Es preciso indicar también que recientemente el Gobierno del Estado, mediante la promulgación del Real Decreto-ley 7/2019, de 1 de marzo, de medidas urgentes en materia de vivienda y alquiler, ha añadido una exención en el ITPAJD para aquellos arrendamientos de viviendas para uso estable y permanente, según los requisitos contemplados en la Ley 29/1994, de 24 de noviembre, de Arrendamientos Urbano, pero no ha incluido en el ámbito de aplicación del beneficio fiscal a los alquileres de viviendas para usos turísticos. En este último caso, la cuota tributaria se obtendrá aplicando sobre la base liquidable el tipo de gravamen que fije la Comunidad Autónoma, o el Estado, si fuera el caso. No obstante, en la práctica al tratarse de cantidades bastante irrisorias son pocos los sujetos que ingresan este tributo y todavía hoy las agencias tributarias autonómicas no han dedicado demasiados esfuerzos a recaudar por vía ejecutiva el impuesto. En mi opinión, el ámbito de la exención antes apuntada se debería ampliar también para los alquileres para usos turísticos, dada la dificultad de gestión del tributo (piénsese que una gran parte de turistas no son residentes en nuestro país) unida a la escasa recaudación que se obtiene por este concepto.

Por otro lado, como ya se ha indicado, en el caso que el bien inmueble radique en Cataluña o en las Islas Baleares, el turista, de igual manera que sucede en numerosas ciudades europeas, deberá también abonar la cuota correspondiente al impuesto turístico establecido en alguna de estas dos Comunidades Autónomas.

3. TRIBUTOS AUTONÓMICOS VINCULADOS AL TURISMO

Como se acaba de señalar, en nuestro país existen dos Comunidades Autónomas que han implementado un tributo propio en su territorio sobre pernoctaciones en estancias turísticas, a semejanza de otros países, regiones o ciudades europeas. En concreto, se gravan las estancias que se realizan en hoteles, apartamentos, viviendas turísticas de vacaciones, viviendas objeto de comercialización de estancias turísticas, viviendas objeto de comercialización turística, hoteles rurales, hostales, pensiones, campamentos de turismo, campings, albergues o incluso en embarcaciones de crucero turístico[3].

Así, por ejemplo, en Francia se creó, hace ya algunos años, la denominada *taxe de séjour* como un impuesto local de carácter optativo que se exige a todos aquellos sujetos que pernoctan en algún tipo de alojamiento. Dicho tributo lo pueden establecer aquellos municipios franceses que tengan la consideración de turísticos según lo dispuesto en el Código francés de Turismo, los municipios costeros en el sentido definido por el Código francés de Medio Ambiente y los municipios de montaña. La cantidad que se debe pagar puede variar desde los 0,20 euros a los 4 euros dependiendo del tipo de alojamiento. No obstante, se establecen toda una serie de exenciones: para las personas menores de 18 años; para las personas titulares de un contrato de trabajo de temporada empleados en el municipio; para las personas que reciben un alojamiento de emergencia o una reubicación temporal; y para aquellos que ocupan viviendas administradas por asociaciones cuyo alquiler es inferior a un importe que el municipio determine.

Por su parte, en Italia, existe el *imposta di soggiorno*, que fue creado por Decreto Legislativo de 14 de marzo de 2011, n. 23. Este impuesto es de carácter potestativo y, por tanto, cada municipio decide si lo establece o no. El impuesto se aplica gradualmente por cada noche de estancia en proporción al precio del establecimiento, por ejemplo, los turistas que se alojan en Roma pueden llegar a pagar siete euros por noche. Los ingresos se destinan a financiar acciones relacionadas con el turismo, al mantenimiento, uso y recuperación del patrimonio cultural y del medio ambiente local y para sufragar los costes de los servicios públicos locales.

---

[3]   En este último caso, ambas regulaciones autonómicas entienden por embarcación de crucero turístico, la que realiza transporte por mar o por vías navegables con la única finalidad de placer o recreo, complementado con otros servicios y con estancia a bordo superior a dos noches, según lo definido por la normativa de la Unión Europea.

Albert Navarro García

También, desde el 1 de mayo de 2016, en Lisboa se exige un tributo similar a los descritos conocido como *taxa municipal turística de dormida*[4]. El impuesto se paga por noche y por huésped, con una edad superior a 13 años, que se aloja en algún complejo turístico, con un máximo de siete noches. No obstante, se establece que quedan exentos del pago del tributo de pernoctación, los huéspedes cuya estancia se deba a la obtención de servicios médicos, ampliándose dicha exención a un acompañante del paciente. Los ingresos que se obtengan se destinaran a proyectos, estudios, equipos o infraestructuras que produzcan un impacto directo o indirecto en la promoción y la calidad del turismo de Lisboa.

Por otro lado, en Bélgica también se ha establecido un tributo sobre los establecimientos hoteleros[5] similar a los descritos, pero con una cuota tributaria mayor ya que puede llegar a ascender a los 8,75 euros por noche y habitación —por tanto, no se paga por huésped— si se trata de un establecimiento de cinco estrellas. En el caso de los establecimientos de cuatro estrellas, el importe es de 7,15 euros, para los de tres estrellas el montante es de 4,50 euros, para los de dos se pagan 2,90 euros y para los de una estrella, 2,15 euros.

Una medida similar se aplica en prácticamente todos los países europeos, aunque a diferencia de España, estos tributos son de carácter local y, por tanto, la recaudación íntegra se destina al presupuesto municipal. En Europa tienen establecida una tasa turística municipal, además de los ya enumerados, Alemania, Austria, Países Bajos, República Checa, Hungría, Suiza, Croacia, Eslovaquia, Eslovenia, Serbia y Montenegro entre otros. Otros países como Estados Unidos, Marruecos o Túnez, también la aplican.

3.1. *El Impuesto catalán sobre las Estancias en Establecimientos Turísticos*

La Generalitat de Cataluña, mediante la Ley 5/2012, de 20 de marzo, creó, entre otros tributos, el impuesto sobre las estancias en establecimientos turísticos con la finalidad de gravar la capacidad económica de las personas físicas que se pone de manifiesto con la estancia o disfrute de un servi-

---

[4] Este impuesto municipal fue aprobado el 16 de diciembre de 2014 por la Asamblea Municipal de Lisboa y está previsto en los arts. 68 a 77 del Reglamento General de Impuestos, Precios y Otros Ingresos Municipales nº 569-A/2014, modificado por el Aviso 10263/2015 en el Diario de la República 2ª serie, de 8 de septiembre de 2015.

[5] Reglamento Fiscal 004/01.12.2014/A/0049 del Ayuntamiento de Bélgica. Nª PV: 49.

cio de alojamiento. Actualmente, la configuración de dicho impuesto viene dada por la Ley 5/2017, de 28 de marzo, que contiene una nueva regulación íntegra del tributo con la vocación principal de ampliar el hecho imponible para adaptarlo a la realidad, en este caso, turística, que se completa por el Decreto Ley 2/2017, de 4 de abril, por el que se establece una regla de determinación de la tarifa aplicable al impuesto y por el Decreto 141/2017, de 19 de septiembre, por el que se aprueba el Reglamento de dicho tributo.

La base imponible del impuesto se establece a partir del número de unidades de estancia en el mismo establecimiento o equipamiento turístico durante un período continuado. En cualquier caso, se computa un máximo de siete unidades de estancia por persona. No obstante, cabe señalar que las estancias subvencionadas por programas sociales de una administración pública de cualquier estado miembro de la Unión Europea, las estancias efectuadas por personas de edad igual o inferior a 16 años, las estancias que se efectúen por causas de fuerza mayor y las estancias que efectúe cualquier persona por motivos de salud, así como las de las personas que la acompañen, se encuentras exentas del pago del tributo en cuestión.

En Cataluña la cuota del tributo, por lo que a nosotros nos interesa, asciende a 2,25 euros/noche cuando la vivienda turística radica en Barcelona ciudad y a 0,90 euros/noche en viviendas situadas en el resto de las ciudades.

También, cabe señalar que los ingresos obtenidos en relación con dicho impuesto quedan afectados a la dotación de un Fondo para el fomento del turismo que se destina a financiar políticas turísticas para la mejora de la competitividad de Cataluña como destino turístico (por ejemplo, para su promoción turística, para impulsar el turismo sostenible o para el desarrollo de infraestructuras relacionadas con el turismo).

Asimismo, la Ley establece que como mínimo el 50% de la recaudación debe ser destinado a las administraciones locales. Dicho porcentaje se calcula en función de los ingresos recaudados en el municipio con las condiciones establecidas en el Decreto 129/2012, de 9 de octubre, por el que se aprueba el Reglamento del impuesto sobre las estancias en establecimientos turísticos. Cabe señalar, que la ciudad de Barcelona participa del porcentaje del 50% del fondo establecido y del 50% del importe resultante de aplicar el incremento de tarifa de los establecimientos de la ciudad de Barcelona en relación con la aplicada al resto de establecimientos del territorio de Cataluña. Así, por ejemplo, según cifras de la Dirección General de Turismo de la Generalitat de Cataluña durante el periodo 2017-2018 (de 1 de octubre de 2017 al 30 de septiembre de 2018) la recaudación del impuesto turístico alcanzó los 56,5 millones de euros[6].

No obstante, los recursos del Fondo gestionados por las administraciones locales deben destinarse a la financiación de las actuaciones y políticas turísticas antes indicadas, en su conjunto o por alguno de sus conceptos, atendiendo prioritariamente a las necesidades de promoción turística. Pese a esta disposición, organizaciones empresariales o federaciones de hostelería han mostrado en varias ocasiones su malestar en relación con la gestión del impuesto y acusan a algunos municipios de destinar el dinero recaudado en este concepto a otras cuestiones que no tienen que ver con actividades de promoción turística.

3.2. El Impuesto balear sobre las Estancias Turísticas

A semejanza de Cataluña, en las Islas Baleares, mediante su Ley 2/2016, de 30 de marzo, se creó el impuesto sobre estancias turísticas[7] y que se desarrolla por el Decreto 35/2016, con el objetivo declarado de obtener ingresos para preservar el medio ambiente, para recuperar y rehabilitar el patrimonio histórico y para desarrollar infraestructuras que fomenten el turismo sostenible. Así pues, como se señala en la Exposición de motivos de la Ley, este impuesto está destinado, por una parte, a compensar a la sociedad balear por el coste medioambiental y social que supone el ejercicio de ciertas actividades que deterioran el medio ambiente, y, por otra, a mejorar la competitividad del sector turístico por medio un turismo sostenible. Para

---

[6]   Para más información, véase el Balance del impuesto sobre estancias en establecimientos turísticos publicado por la Generalitat de Cataluña disponible en http://empresa.gencat.cat/web/.content/20_-_turisme/coneixement_i_planificacio/documents/arxius/Informe-IEET-2017-2018.pdf (Último acceso: 27/09/2019).

[7]   Cabe señalar que las Islas Baleares fue la primera Comunidad Autónoma que creó hace ya bastantes años un impuesto autonómico vinculado a las estancias en establecimientos turísticos. La Ley 7/2001, de 23 de abril, introdujo en las Islas Baleares un tributo similar al que ahora se describirá, conocido popularmente como «ecotasa», cuyo hecho imponible se constituía por las estancias, contadas en días, que hubiese hecho el contribuyente en los establecimientos de las empresas turísticas de alojamiento situadas en las Islas. La cuota tributaria se calculaba a partir de una tarifa que atendía a la categoría del establecimiento turístico y oscilaba entre los 0,25 euros la noche a los dos euros. Este impuesto estuvo poco tiempo en vigor ya que fue derogado como consecuencia de un cambio de gobierno en el año 2003. Para una mayor información sobre este tributo *vid.* ADAME MARTÍNEZ, F. (2013): «Turismo y financiación municipal: estudio sobre posibles nuevos Tributos Locales vinculados al turismo» en *Tributos locales*, N°. 112, pp. 33-37.

ello, se prevé la creación de un fondo para favorecer dicho tipo de turismo y una Comisión de Impulso al Turismo Sostenible, órgano en el que participarán las administraciones públicas y los agentes económicos y sociales.

El hecho imponible de este tributo consiste en las estancias, por días o fracciones, con o sin pernoctación, que los contribuyentes realicen en hoteles, apartamentos turísticos, alojamientos de turismo rural, albergues, refugios, hospederías, hostales, pensiones, campings, embarcaciones de crucero turístico cuando realicen escala en un puerto balear, etc. La cuota será de 2 euros por noche cuando se trate de viviendas turísticas de vacaciones, viviendas objeto de comercialización de estancias turísticas y viviendas objeto de comercialización turística.

No obstante, se contemplan dos bonificaciones del 75% y del 50% para las estancias que se realicen en temporada baja (entre el 1 de noviembre de cada año y el 30 de abril del año siguiente) o para las que exceden de los 9 días, respectivamente. Sobre esto, como señala Menéndez Moreno, resulta curioso que aunque el fin de este tributo es de protección al medioambiente, se establezcan estas bonificaciones que parece que animen a los turistas a venir y que contaminan menos los que están más tiempo[8]. Por su parte, la normativa balear justifica esta bonificaciones, por un lado, para desestacionalizar el turismo, ya que introduce un elemento de extrafiscalidad que es coherente con la estructura y las finalidades del impuesto y con el resto de medidas de impulso del turismo sostenible que lo acompañan, y por el otro, a fin de fomentar estancias turísticas de una duración más larga, con una utilización menos intensa de los grandes medios de transporte y, por tanto, con menos impacto medioambiental. En definitiva, a mi juicio, estas dos bonificaciones son incoherentes con la finalidad declarada del tributo, lo que me induce a reflexionar sobre la verdadera intención del legislador balear al introducir esta figura, que, en mi opinión, no es otra que conseguir más ingresos para la Comunidad Autónoma.

Además, se establecen toda una serie de exenciones, muy similares a las existentes en la normativa catalana: para las estancias de menores de 16 años, para las subvencionadas por programas sociales de las administraciones públicas, para aquellas estancias que se realicen por causas de fuerza mayor y para las estancias que realice cualquier persona por motivos de salud.

---

[8]   MENÉNDEZ MORENO, A. (2015): «Los tributos y las prestaciones patrimoniales de carácter, en la jurisprudencia más reciente del Tribunal Constitucional» en *Quincena Fiscal*, núm. 14, p. 14.

Por último, cabe señalar en relación con el impuesto turístico balear, a diferencia de la regulación contenida en la normativa catalana, que no se prevé destinar directamente parte de su recaudación a los municipios baleares, sino que dichos ingresos servirán para nutrir, como se ha dicho, un Fondo para favorecer el turismo sostenible como instrumento de financiación de diversos proyectos y actuaciones[9,] y a fin de impulsar un turismo sostenible, responsable y de calidad en las Islas Baleares. Además, como se ha dicho, se ha creado la Comisión del Impulso del Turismo Sostenible, formada por representantes de todas las administraciones públicas implicadas y por agentes sociales y económicos, particularmente de carácter medioambiental, con el objetivo de proponer los proyectos que tengan que ejecutarse con cargo al Fondo. En concreto, según datos de la Agencia Tributaria de las Islas Baleares durante el año 2018 se han recaudado un total de 122,78 millones de euros.

3.3. La asistencia en la recaudación de las plataformas electrónicas

En Cataluña y en las Islas Baleares es contribuyente del impuesto la persona física que efectúa una estancia en cualquiera de los establecimientos y equipamientos sujetos al impuesto (también lo será la persona jurídica a cuyo nombre se entrega la correspondiente factura por la estancia de personas físicas en dichos establecimientos y equipamientos).

No obstante, se contempla que serán sujetos pasivos sustituto del contribuyente aquellas personas físicas o jurídicas titulares de dichos establecimientos y equipamientos, quedando obligadas a cumplir con las obligaciones materiales y formales derivadas del tributo en cuestión.

---

[9]   El art. 19.3 de la Ley 2/2016 de las Islas Baleares establece que los recursos del fondo se destinaran a las siguientes actuaciones:
a) Protección, preservación, modernización y recuperación del medio natural, rural, agrario y marino.
b) Fomento de la desestacionalización, creación y activación de productos turísticos practicables en temporada baja, y promoción del turismo sostenible y de temporada baja.
c) Recuperación y rehabilitación del patrimonio histórico y cultural.
d) Impulso de proyectos de investigación científica, desarrollo e innovación tecnológica (I+D+i) que contribuyan a la diversificación económica, la lucha contra el cambio climático o relacionados con el ámbito turístico.
e) Mejora de la formación y la calidad del empleo. Fomento de la ocupación en temporada baja.

Así, en Cataluña, es sustituto del contribuyente quien queda obligado a presentar la autoliquidación del impuesto y a efectuar el correspondiente ingreso en los dos períodos semestrales de liquidación contemplados en el Decreto 141/2017, de 19 de septiembre: del 1 de abril al 30 de septiembre del mismo año y del 1 de octubre al 31 de marzo del año siguiente. La autoliquidación debe incluir las cuotas devengadas y exigibles dentro de cada semestre para cada establecimiento o equipamiento turístico. La presentación de la autoliquidación, que se tiene que hacer por vía telemática, y el ingreso del impuesto, se tiene que efectuar entre los días 1 y 20 de octubre (primer período) y entre los días 1 y 20 de abril (segundo período). Ahora bien, el art. 36 de la Ley catalana prevé que de la cuota tributaria del impuesto se deduzcan, si fuera el caso, las cantidades que hayan sido ingresadas o que deban ser ingresadas por los obligados tributarios asistentes en la recaudación, que a continuación analizamos, a efectos de determinar el importe total a ingresar en la correspondiente autoliquidación del impuesto. No es necesario presentar la autoliquidación si el ingreso del impuesto, en su totalidad, es efectuado por los obligados tributarios asistentes en la recaudación. En este caso, el sustituto del contribuyente únicamente debe presentar un formulario digital con la información y en las condiciones que se establezcan por reglamento.

Por su parte, en las Islas Baleares el Decreto 35/2016, de 23 de junio, por el que se desarrolla la Ley del impuesto sobre estancias turísticas y de medidas de impulso del turismo sostenible prevé que el sustituto del contribuyente efectúe la liquidación del impuesto trimestralmente. En concreto, para las cuotas devengadas en el primer trimestre, es decir, entre el 1 de enero y el 31 de marzo, el plazo es desde el 1 de abril hasta el 20 de abril, para las cuotas devengadas en el segundo trimestre, es decir, entre el 1 de abril y el 30 de junio, el plazo es desde el 1 de julio hasta el 20 de julio y para las cuotas devengadas en el tercer trimestre, es decir, entre el 1 de julio y el 30 de septiembre, el plazo es desde el 1 de octubre hasta el 20 de octubre.

Por otro lado, ambas normativas prevén que responderán solidariamente de las cuotas devengadas todas las personas físicas o jurídicas que contratan directamente en nombre del contribuyente y hacen de intermediarias entre estos y los establecimientos turísticos, por ejemplo, las agencias de viaje.

Sin embargo, la legislación catalana, a diferencia de la regulación balear, contempla que, entre otros agentes, los operadores de plataformas tecnológicas que comercializan servicios turísticos de alojamiento en los establecimientos sujetos al pago del impuesto o que facilitan la relación entre el titular del bien inmueble y las personas físicas que efectúan las estancias y acuerdan con estas un anticipo del precio a cuenta de la estancia y la sa-

324 Albert Navarro García

tisfacción anticipada del impuesto al realizar la reserva, como es el caso de plataformas como *Airbnb* o *Homeaway*, pueden ser asistentes en la recaudación del impuesto, siempre y cuando exista una habilitación expresa ante la Agencia Tributaria de Cataluña y la firma del correspondiente convenio con una duración mínima de 4 años, prorrogables hasta un máximo de 4 años adicionales[10].

En concreto, el art. 6 del antes mencionado Decreto 141/2017, de 19 de septiembre, de la Generalitat de Cataluña señala que as personas o entidades interesadas en actuar como asistentes en la recaudación tienen que presentar una solicitud dirigida al director o directora de la Agencia Tributaria de Cataluña, como mínimo con dos meses de antelación a la fecha en qué se propone iniciar las actuaciones de asistencia en la recaudación. Dicha solicitud tiene que ir acompañada de la documentación técnica explicativa de los procesos operativos y de los sistemas de información que se propone utilizar en el proceso de asistencia. Por su parte, el apartado segundo del mismo precepto añade que: «*en el caso de las empresas prestadoras de servicios de la sociedad de la información y las plataformas tecnológicas a las que hace mención el apartado 3 del artículo 32 de la Ley 5/2017, del 28 de marzo, una vez recibida la solicitud junto con la documentación mencionada en el apartado anterior, el director o directora de la Agencia Tributaria de Cataluña tiene que promover la práctica de la auditoría previa a la que se refiere el citado artículo. En caso que de la práctica de esta auditoría se detecten deficiencias o debilidades que impidan la actuación como asistente en la recaudación, el director o directora de la Agencia Tributaria de Cataluña debe poner esta circunstancia en conocimiento de la persona o entidad interesada, para que proceda a su enmienda. En el requerimiento a que se refiere el párrafo anterior se determinará el plazo máximo para la prácti-*

---

10   BORJA SANCHÍS, A. (2017): «Los impuestos sobre las estancias turísticas en España», *Quincena fiscal* (Aranzadi Westlaw), núm. 18, afirma que «*el objeto de dicha colaboración es facilitar el cumplimiento de las obligaciones tributarias derivadas de la aplicación de dicho impuesto, entre otras, la presentación y el pago de las autoliquidaciones del impuesto, en nombre de los titulares de los establecimientos turísticos, previo consentimiento de los mismos. Y, nuevamente, realizado las obligaciones propias del sustituto, más que las propias de un colaborador. En este sentido, se prevé que el agente colaborador pueda realizar el pago agregado y en una sola autoliquidación de las cuotas del impuesto devengadas, respecto de un colectivo de sustitutos, titulares de los establecimientos turísticos, y con relación a sus establecimientos turísticos*». La autora considera loable «*(...) el establecimiento del asistente en la recaudación del impuesto, ya que es un intento de controlar jurídicamente las nuevas modalidades de contratación de servicios de estancia turística, que, gracias a las plataformas digitales, ha adquirido significativa importancia*».

ca de las enmiendas, el cual dependerá del tipo de deficiencia o debilidad detectada en la auditoría. En caso que no se realicen las enmiendas en el plazo fijado, se entiende que la persona o entidad interesada desiste de su solicitud». En el caso de superarse dicha auditoría, el director o directora de la Agencia catalana debe emitir una resolución motivada habilitando a la entidad a actuar como asistente en la recaudación con el objetivo de poder firmar el Convenio antes señalado.

En este caso, es decir, cuando exista un asistente en la recaudación, el art. 36.2 de la Ley catalana 5/2017, de 28 de marzo, señala que: *«el agente colaborador al que se refiere el artículo 41 puede efectuar, en los términos que se establezcan por reglamento, el pago agregado y en una sola autoliquidación de las cuotas del impuesto devengadas respecto de un colectivo de sustitutos de los contribuyentes y los establecimientos o equipamientos que exploten».*

Pese a este interesante avance, en mi opinión, la normativa catalana poco facilita el procedimiento para que las plataformas obtengan la habilitación necesaria para ser asistente en la recaudación, a diferencia de otros países y ciudades donde Airbnb ha firmado acuerdos con las administraciones para recaudar los impuestos turísticos, normalmente por obligación legal, mediante la suscripción del correspondiente convenio, convirtiéndose así la plataforma en sustituto del contribuyente. En Europa, se han suscrito convenios en Alemania, Francia, Italia, Países Bajos o Portugal[11]. Así, por ejemplo, desde el 1 de julio de 2018, Airbnb cobrará el impuesto turístico en casi 23.000 municipios franceses. También, en Italia, el artículo 4 del Decreto Lege núm. 50/2017, de 24 de abril, regula el *«Regimen fiscale delle locazioni brevi»* que, entre otras consecuencias, establece que las plataformas electrónicas no residentes deben informar periódicamente a las administraciones tributarias de las operaciones realizadas y que deben actuar como retenedores con relación al cobro de la tasa turística y erigiéndose como responsables del pago del impuesto ante la administración pública

---

[11]   En el siguiente enlace se pueden consultar todos los países con los que Airbnb ha firmado estos acuerdos de recaudación y liquidación: https://www.airbnb.es/help/article/653/in-what-areas-is-occupancy-tax-collection-and-remittance-by-airbnb-available (Último acceso: 25/09/2019). Según algunas informaciones, solo la plataforma *Airbnb* ha recaudado casi 900 millones de enero en concepto de impuesto turístico en el marco de los acuerdos y convenios que tiene suscritos con numerosos países. *Vid.* https://www.lavanguardia.com/economia/20181212/453523880434/airbnb-impuestos-tasa-turistica-global.html (Último acceso: 25/09/2019).

326 Albert Navarro García

correspondiente[12]. Además, en el caso de estos alquileres de corta duración, inferiores a 30 días, realizados al margen de una actividad empresarial, se impone la obligación a las plataformas electrónicas de practicar una retención del 21% sobre el importe del alquiler en relación con el IRPF italiano[13].

A mi juicio, a semejanza de otras regulaciones de nuestro entorno, creo necesario que tanto la normativa catalana como balear contenga también la obligación para que sean las plataformas electrónicas las encargadas de recaudar el tributo turístico con el objetivo de facilitar su gestión y evidentemente para controlar su cobro efectivo y que dicha asistencia no quede a voluntad de la plataforma[14].

---

[12] Para ello, como señala MACHANCOSES GARCÍA, E. (2017): *«Economía de plataforma en los servicios de transporte terrestre de pasajeros: Retos tributarios de la imposición directa sobre el usuario y la plataforma»*, Quincena Fiscal (Aranzadi Westlaw), núm. 15, *«cuando la plataforma no es residente en el territorio está obligada a establecer un lugar fijo en el territorio a los efectos de cumplir con dichas obligaciones. Esta obligación podría vulnerar la libre prestación de servicios en el marco del derecho comunitario, dado que el TJUE ya se ha pronunciado sobre esta vulneración con el establecimiento unilateral de la obligación de nombrar un representante fiscal residente en el territorio para cumplir con sus obligaciones de información y de recaudación. Ahora bien, de acuerdo a esta jurisprudencia no está muy claro en qué circunstancias un Estado miembro puede establecer para una entidad no residente la obligación de nombrar representante fiscal residente en el territorio»*.

[13] Sobre la nueva regulación italiana *vid.* MORIES JIMÉNEZ, M. T. (2017): «La implantación de un nuevo régimen fiscal en Italia para los alquileres de inmuebles a corto plazo en el impuesto sobre la renta como medida de control de plataformas inmobiliarias», *Documentos de Trabajo 15/2017, Fiscalidad de la economía colaborativa: especial mención a los sectores de alojamiento y transporte*, Instituto de Estudios Fiscales, pp. 56-62. Como señala la autora, los alquileres de corta duración ya se venían gravando por el IRPF, a través del régimen de la «cedolare secca» que funcionaba como pago sustitutivo del IRPF para este tipo de rentas.

[14] En un sentido similar ANTÓN ANTÓN, A. y BILBAO ESTRADA, I. (2016): «El consumo colaborativo en la era digital: un nuevo reto para la fiscalidad», *Documentos del Instituto de Estudios Fiscales*, núm. 26/2016, p. 33, abogan por *«(...) bien añadir a las plataformas digitales como sustitutos del contribuyente, bien por establecer acuerdos para que éstas últimas actúen como agentes colaboradores en la recaudación del impuesto»*. Por su parte, CORRECHER MATO, C. J. (2018): *«Economía colaborativa y recaudación tributaria: especial consideración al papel de la plataforma»*, Quincena Fiscal (Aranzadi Westlaw), núm. 22, afirma que *«(...) el instrumento más eficaz que puede utilizar una Administración Tributaria para controlar fiscalmente la economía colaborativa es la propia plataforma, pues del mismo modo que sus características particulares favorecen y potencian los problemas apuntados, también son la clave para hacerles frente. Así pues, para evitar que las Administraciones Tributarias queden sobrepasadas por la potencialidad del fenómeno y que la economía colaborativa pueda convertirse en un refugio para la economía sumergida, es fundamental involucrar a las plataformas colaborativas en la recaudación tributaria, básicamente, porque los mis-*

Bibliografía

ADAME MARTÍNEZ, F., «Turismo y financiación municipal: estudio sobre posibles nuevos Tributos Locales vinculados al turismo» en *Tributos locales*, N°. 112, pp. 13-61, 2013.

ANTÓN ANTÓN, A. y BILBAO ESTRADA, I., «El consumo colaborativo en la era digital: un nuevo reto para la fiscalidad», *Documentos del Instituto de Estudios Fiscales*, núm. 26/2016.

BORJA SANCHÍS, A., «Los impuestos sobre las estancias turísticas en España», *Quincena fiscal* (Aranzadi Westlaw), núm. 18, 2017.

CORRECHER MATO, C. J., «Economía colaborativa y recaudación tributaria: especial consideración al papel de la plataforma», *Quincena Fiscal* (Aranzadi Westlaw), núm. 22, 2018.

MACHANCOSES GARCÍA, E., «Economía de plataforma en los servicios de transporte terrestre de pasajeros: Retos tributarios de la imposición directa sobre el usuario y la plataforma», *Quincena Fiscal* (Aranzadi Westlaw), núm. 15, 2017.

MENÉNDEZ MORENO, A., «Los tributos y las prestaciones patrimoniales de carácter, en la jurisprudencia más reciente del Tribunal Constitucional» en *Quincena Fiscal*, núm. 14, pp. 13-20, 2015.

MORIES JIMÉNEZ, M. T., «La implantación de un nuevo régimen fiscal en Italia para los alquileres de inmuebles a corto plazo en el impuesto sobre la renta como medida de control de plataformas inmobiliarias», *Documentos de Trabajo 15/2017*, Fiscalidad de la economía colaborativa: especial mención a los sectores de alojamiento y transporte, Instituto de Estudios Fiscales, 2017.

NAVARRO GARCÍA, A., «La financiación de los municipios turísticos» en ESTEVE PARDO, M. L. (dir.) *Impulso a la actividad económica en los municipios*, Ed. Huygens. Barcelona, pp. 67-85, 2017.

PATÓN GARCÍA, G., «Fundamento y aportes a la propuesta de municipalizar el Impuesto sobre Estancias Turísticas» en CHICO DE LA CÁMARA, P. (dir.) *Aspectos de interés para una futura reforma de las haciendas locales*, Ed. Tirant lo Blanch. Valencia, pp. 515-533, 2019.

URBANO SÁNCHEZ, L., ¿Es factible la implantación de un impuesto sobre estancias turísticas en el ámbito local?, *International journal of scientific management and tourism*, Vol. 4, N°. 2, pp. 539-561, 2018.

---

mos factores tecnológicos e infraestructura digital que han motivado la impresionante expansión económica y social del fenómeno colaborativo, posibilitan también que la plataforma colaborativa, principalmente en los casos que exista una intermediación en el pago, pueda tener un papel mucho más destacado. Por ello, una acción normativa que imponga a las plataformas colaborativas la condición de sustitutos del contribuyente, retenedores o cualquier otra en función de los intereses y del tributo implicado; o la celebración de acuerdos o convenios entre las Administraciones Tributarias y la propia plataforma, podrían ser instrumentos altamente eficaces para asegurar la recaudación tributaria y para controlar la economía sumergida, sobre todo en el sector del alojamiento colaborativo».

Capítulo 14

Lugar de realización en el IVA de los servicios intermediarios prestados por vía electrónica en la economía colaborativa

Carmen Ruiz Hidalgo

Profesora Titular de Derecho Financiero y Tributario
de la Universidad de Vigo

SUMARIO: 1. INTRODUCCIÓN. 2. LAS PLATAFORMAS DIGITALES EN LA ECONOMÍA CO-LABORATIVA. 3. LOS SERVICIOS DE MEDIACIÓN Y LAS REGLAS DE LOCALIZACIÓN EN EL IVA. 4. LA DELIMITACIÓN JURÍDICA DE LOS SERVICIOS PRESTADOS POR VÍA ELECTRÓ-NICA EN EL IVA. 5. LA CALIFICACIÓN DE LOS SERVICIOS DE INTERMEDIACIÓN COMO SERVICIOS PRESTADOS POR VÍA ELECTRÓNICA. 5.1. Las reglas de localización del IVA en caso de las agencias de viajes que operan en línea. 5.2. Cuando los servicios de mediación se pueden considerar como servicios prestados por vía electrónica. 5.3. Análisis del concepto intervención humana mínima en los servicios prestados por vía electrónica. Bibliografía. Documentos de trabajo.

1. INTRODUCCIÓN

El empleo profuso de las redes informáticas por parte de los consumidores a la hora de comprar/vender bienes o recibir servicios ha supuesto, para las empresas, un cambio en las relaciones económicas tan relevante que ha posibilitado el auge de la contratación electrónica. Este tipo de contratación se caracteriza por la utilización de dispositivos electrónicos e informáticos con independencia de su ubicación y en tiempo real —online—, lo que ha dado lugar a la aparición de las plataformas digitales y, por ende, el desarrollo de la economía colaborativa.

La proliferación de plataformas digitales ha conseguido simplificar e internacionalizar lo que se conoce por *sharing economy*, generando distintos modelos de negocios para los que no existe una definición única. Sin embargo, los agentes que intervienen son tres: los prestadores de servicios —que pueden ser particulares o empresarios/profesionales—, los usuarios de dichos servicios y, por último, las plataformas que conectan en tiempo real la oferta y la demanda para facilitar las transacciones[1]. En la actualidad, las plataformas digitales no sólo conectan a los usuarios, sino que la propia plataforma puede prestar servicios en nombre propio, pero por cuenta de tercero, o incluso aquellas cuyo negocio sea poner en contacto a los usuarios sin que exista ningún negocio material[2]. Los ejemplos son muy variados y, sin ánimos de ser extensos, nos referimos a Airbnb, Booking, Uber, Tinder, Blablacar…

Pues bien, sin entrar en consideraciones desde el punto de vista del Derecho Mercantil sobre la calificación jurídica de los contratos que derivan del uso de las plataformas digitales, los Estados han realizado esfuerzos considerables para someter a tributación esta realidad económica y, evitar, entre otras cosas, que se produzcan supuestos de no imposición y/o bolsas de fraude cuando exista una actividad económica que se pueda gravar.

La doctrina española ha dirigido sus estudios al ámbito de la imposición directa respecto de las rentas obtenidas por los distintos actores implicados en estos nuevos modelos de negocio y, ha prestado poca atención a los problemas que genera la economía colaborativa en relación a la fiscalidad indirecta que son muy variados[3]. Sirva como tales, la identificación de los consumidores que intervienen en este tipo de operaciones a los efectos de determinar el lugar de localización a efectos del IVA, es decir, si tienen la condición de empresarios/profesionales o particulares. O el lugar de establecimiento de los empresarios/profesionales cuando se hayan en otro Estado Miembro distinto del consumidor o se encuentran situado en terceros

---

[1]   Proyecto de Informe de la Comisión Europea de Mercado Interior y Protección del Consumidor, sobre una Agenda Europea de la economía colaborativa, (COM 2016, 356, de 22 de diciembre de 2016).

[2]   La Comunicación de la Comisión al Parlamento Europeo, al Consejo, al Comité Económico y Social Europeo y al Comité de las Regiones, de 2 de junio de 2016, se refiere a la economía colaborativa como aquella que facilita actividades mediante plataformas colaborativas digitales, creando un mercado abierto para el uso temporal de mercancías o de servicios ofrecidos por particulares dónde puede existir o no ánimo de lucro. Cfr. Una Agenda Europea para la económica colaborativa (COM 2016, 356 final, 2 de junio de 2016).

[3]   Así lo han puesto de manifiesto, entre otros autores: ANEIROS PEREIRA, J., «IVA y economía colaborativa: cuestiones fiscales del arrendamiento de inmuebles a través de plataformas digitales (el caso de Airbnb)», en *Quincena Fiscal*, núm. 21, 2016. Aquí citado según la Base de datos Westlaw BIB 2018\6367, p. 3; ASTARLOA ILARDUYA, B., «Operativa actual y cuestiones controvertidas de la aplicación del régimen especial de servicios prestados por vía electrónica del IVA por Airbnb», en *CIRIEC-Revista jurídica de economía social y cooperativa*, núm. 31, 2017, p. 3; SIOTA ÁLVAREZ, M.: *La fiscalidad del transporte colaborativa de viajeros*, Aranzadi, Cizur Menor, 2020, pp. 31 y ss.

países. O si determinadas transacciones realizadas a través de plataformas digitales pueden ser calificadas como actividades económicas sujeta al IVA, como las que se producen entre particulares o cuando las plataformas recopilan información de los usuarios y, posteriormente vende dicha información a los anunciantes.

2. LAS PLATAFORMAS DIGITALES EN LA ECONOMÍA COLABORATIVA

La utilización del término economía colaborativa junto las plataformas digitales ha originado cierta confusión sobre la naturaleza jurídica de ambas, porque no todas las plataformas digitales se encuentran adscritas a la llamada economía colaborativa. Pero, lo que parece obvio es que la actividad que desempeña la plataforma digital es propia de la intermediación de un prestador de servicios. Es decir, la plataforma realiza una actividad económica al poner en contacto a los usuarios, a los suministradores de bienes o prestadores de servicios y clientes y, serán estos lo que desarrollen actividades que pueden calificarse de economía colaborativa, bajo demanda propiamente dicha, o economía de acceso[4].

Ahora bien, no todos los servicios prestados por plataformas ponen en contacto a oferentes y demandantes de bienes o servicios y, por lo tanto, se califican como simples servicios prestados por vía electrónica —artícu-

---

[4]   Como han recogido RAMOS HERRERA y CALVO VÉRGEZ, se puede calificar como economía colaborativa aquella que se lleva a cabo a través de una plataforma digital que actúa como intermediaria para facilitar la utilización, el intercambio o recursos entre iguales o entre particulares y empresas con o sin contraprestación económica entre ellos, como ocurre, por ejemplo, el arrendamiento de viviendas entre particulares o la compraventa de segunda mano. Sin embargo, la economía bajo demanda, si bien utiliza las plataformas digitales, se establece una relación comercial entre las personas usuarias, suministradoras de bienes o prestadoras de servicios y clientes finales a las que se les presta el servicio específico por el que se exige una contraprestación económica. Por último, tendríamos los supuestos de economía de acceso cuando la empresa proporciona el servicio, poniendo a disposición de un conjunto de personas unos bienes para su uso temporal como, por ejemplo, cuando se comparte un coche propiedad de la empresa titular de la plataforma colaborativa digital, entre varias personas de manera no simultánea. Cfr. RAMOS HERRERA, A., J., CALVO VÉRGEZ, J., «La aplicación del Impuesto sobre el Valor Añadido en la economía colaborativa. Una aproximación a sus aspectos conflictivos», AA.VV.: *Fiscalidad de la economía colaborativa: especial mención a los sectores del alojamiento y del transporte. Documentos de Trabajo del Instituto de Estudios Fiscales*, núm. 15, 2017, p. 113.

lo 7.1 del Reglamento de Ejecución (UE) del Consejo 282/2011, de 15 de marzo, por el que se establecen disposiciones de aplicación de la Directiva 2006/112/CE relativa al IVA—. El modelo de negocio se basa en el uso intensivo de las nuevas tecnologías y la automatización de datos, como se verá más tarde.

Sin embargo, a diferencia del anterior, la utilización de las plataformas digitales en el entorno de la economía colaborativa pone en relación a tres actores económicos, tal y como se ha indicado anteriormente, una plataforma, un proveedor de servicios y un receptor de servicios. Como a los efectos de IVA la transacción entre la plataforma-usuario y plataforma-proveedor no muestran diferencias, se deben examinar de forma conjunta[5]. De ahí que el análisis se plantee sobre las transacciones digitales en referencia a la economía colaborativa —en un sentido amplio— en dos niveles, tal y como ha puesto de manifiesto Siota Álvarez. En primer lugar, se debe considerar la sujeción al IVA de las entregas de bienes o prestaciones de servicios que proporcionan los usuarios de una plataforma digital a otros usuarios de la misma; y, en segundo lugar, se debe examinar el tratamiento en el IVA de los servicios prestados por la plataforma a los usuarios, teniendo en cuenta las distintas formas en las que se prestan los servicios como, por ejemplo, la gratuidad para el acceso, como para la prestación de los mismos; o la contraprestación por el acceso y la prestación de servicios gratuitos o al contrario...[6].

De ahí qué antes de analizar si los servicios de mediación se puedan calificar como servicios electrónicos, se debe tener en cuenta que las plataformas que prestan servicios a título oneroso se consideran como empresarios a efectos del artículo 5.1 de la LIVA. *Sensu contrario*, no tienen esta condición aquellas plataformas que realizan exclusivamente operaciones a título gratuito y sin contraprestación alguna.

Además, hay que tener en cuenta, por una parte, si el servicio subyacente que se presta está sujeto a gravamen y, en su caso, el lugar de realización del hecho imponible a efectos del IVA. No resulta baladí determinar estas cuestiones, porque será determinante para saber el lugar de realización del hecho imponible, especialmente relevante cuando los destinatarios tienen la condición de consumidores finales y, por tanto, el Estado que ejerce su potestad tributaria.

---

[5]   Cfr. BERETTA, G., «VAT and the Sharing Economy», en *World Tax Journal*, Vol. 10, núm. 3, 2018, pp. 5 y ss.

[6]   Cfr. SIOTA ÁLVAREZ, M.: *La fiscalidad del transporte..., op. cit.*, pp. 242-245.

Por ello, la primera cuestión que se debe delimitar es los supuestos en los que la plataforma actúa en nombre propio y en nombre propio o por cuenta ajena, o en nombre de terceros y por cuenta ajena. Antes de nada, debemos hacer una precisión, la multitud de modelos de negocios que se han generado bajo el amparo de los conceptos «economía colaborativa» y plataformas digitales resulta abrumadora, por lo que trasladar todas ellas a un único esquema puede resultar escaso, aunque suficiente para el estudio que planteamos en este trabajo.

1.- Las plataformas digitales pueden prestar servicios digitales por cuenta propia y en nombre propio, como ocurre en el caso de horóscopos online o apuestas-juegos online, dónde la intervención humana es mínima y, a efectos de IVA se puede calificar como de un servicio electrónico. A mayor abundamiento, estos servicios se prestan de forma gratuita o con contraprestación lo que supone una diferencia en el IVA.

2.- Las plataformas digitales pueden prestar un servicio en nombre propio, pero por cuenta ajena, como ocurre en el caso de Uber o Cabify, en los que se presta un servicio subyacente de transporte en nombre propio, pero por cuenta de los conductores.

3.- Que la plataforma digital actúe en nombre de terceros y por cuenta de terceros. En este caso, además, tendríamos que diferenciar si el servicio subyacente que se prestan los usuarios está gravado como, por ejemplo, Booking o Airbnb, porque existe una contraprestación económica; o el servicio subyacente no se encuentra gravado bien porque no hay ánimo de lucro, sino que únicamente se comparten gastos como es el caso de Blablacar, o porque no existe un servicio subyacente como es el caso de Meeting o plataformas de citas.

Pues bien, como se puede observar, tal y como apunta Beretta[7], habrá que dilucidar en qué casos los servicios que prestan las plataformas se pueden calificar de «ordinarios», de «mediación», o de «servicios prestados por vía electrónica», ya que cada una de estas calificaciones determinará un lugar de localización específico del hecho imponible, sobre todo si los clientes de dichos servicios son consumidores finales. A mayor abundamiento, las repercusiones a efectos del IVA serán distintas en caso de que la plataforma actúe como prestador directo de un servicio —ya sea en nombre y por cuenta propia, ya sea en nombre propio y por cuenta ajena—, o que lo haga como simple comisionista —actuando en nombre y por cuenta ajena— en

---

[7]   Cfr. BERETTA, G., «VAT and the Sharing...», *op. cit*, pp. 5 y ss.

operaciones realizadas directamente entre sus usuarios, o incluso que los servicios puedan ser calificados como prestados por vía electrónica.

No obstante, tal y como ha reconocido el Comité del IVA de la Unión Europea, no se puede proporcionar una única solución en el tratamiento de las actividades que realizan estas plataformas en el IVA. La realidad es que, tal y como venimos repitiendo, las actividades realizadas a través de plataformas digitales cubren una amplia gama de modelos de negocio que se modifican constantemente y se adaptan teniendo en cuenta las expectativas cambiantes de los clientes, las mejoras técnicas disponibles y los desafíos económicos presentes en la economía global[8]. A pesar de ello, desde la Unión Europea se han aprobado normas y se han interpretado otras para que la aplicación de las legislaciones internas de los EEMM estén armonizadas y respeten los principios informadores de este tributo como los de neutralidad, igualdad, simplicidad y proporcionalidad, para garantizar que estén presentes en las transacciones típicas de la economía colaborativa, al igual que lo están en las más convencionales[9].

Pues bien, las dos alternativas que existen a la hora de calificar los servicios prestados por las plataformas digitales en la economía colaborativa son las siguientes: o se consideran servicios de mediación, o son servicios prestados por vía electrónica. Como ha puesto de manifiesto Siota Álvarez, delimitar la calificación jurídica de estos servicios atendiendo a una u otra, supone determinar un distinto lugar de realización del hecho imponible[10].

3. LOS SERVICIOS DE MEDIACIÓN Y LAS REGLAS DE LOCALIZACIÓN EN EL IVA

De lo expuesto hasta ahora, a mi juicio, se puede afirmar *a priori* que en el caso de aquellas plataformas digitales que pongan en contacto a usuarios con las personas que suministran bienes o prestan servicios, realizan una actividad mercantil de mediación[11]. Por ejemplo, las plataformas de transporte en vehículo compartido prestan un servicio por el que ponen en

---

8   Guidelines resulting from meetings of The Vat Committee, p. 240.

9   Cfr. BERETTA, G., «VAT and the Sharing…», *op. cit*, pp. 5 y ss.

10   Cfr. SIOTA ÁLVAREZ, M.: *La fiscalidad del transporte…, op. cit.*, pp. 250-251.

11   Cfr. RAMOS HERRERA, A. J., «Análisis de la fiscalidad indirecta aplicable a los operadores y clientes de las plataformas tecnológicas de colaboración social», AA.VV.: *Fiscalidad de la colaboración social*, Thomson Reuters-Aranzadi, Cizur Menor, 2018, p. 289.

contacto a los usuarios, tanto pasajeros, como conductores, dispuestos a compartir el vehículo y, serán éstos los que lleguen a un acuerdo en cuanto a la perfección del contrato[12].

Sin embargo, en el caso de que la plataforma digital actúe por cuenta propia y en nombre propio no se encuadraría como servicios de mediación. Asimismo, quedarían descartadas también las plataformas que alojen anuncios de sus usuarios, que serían la versión moderna de la tradicional sección de anuncios de la prensa de papel[13].

A pesar de esta primera delimitación, no siempre resulta fácil determinar cuándo un determinado servicio debe ser calificado como servicio de mediación o no. La Dirección General de Fiscalidad y Unión Aduanera (en adelante DGFUA) ha reconocido que sería importante establecer un conjunto de criterios que, de verificarse, permitiesen identificar los mencionados servicios como de mediación a efectos de la Directiva IVA[14].

En todo caso, y por lo que respecta a los servicios de mediación habrá que distinguir si la plataforma actúa como comisionista frente a un tercero en nombre propio y por cuenta de terceros, o en nombre ajeno y por cuenta de terceros.

Así, por ejemplo, refiriéndose a la plataforma Airbnb, ASTARLOA ILARDUYA ha considerado que no cabe clasificarla como «plataforma de anuncio», puesto que sus funciones van más allá de la mera colocación en su sitio web, o aplicación, de un anuncio; «por lo que podría resultar más adecuado calificarla como plataforma de mediación». Cfr. ASTARLOA ILARDUYA, B., «Operativa actual...», *op. cit.*, p. 13.

[12] ESTANCONA PÉREZ, A. A., «*Carpooling*: C2C en el transporte de personas», *Revista Aranzadi de Derecho y Nuevas Tecnologías*, nº 37, 2015, pp. 168 y 169. Si bien, dadas las características que presenta el contrato de mediación que las plataformas de *carpooling* suscriben con sus usuarios, esta autora defiende que debe dotarse de regulación legal específica, bajo el nombre de «contrato de intermediación».

[13] Recordemos que, entre otros, MONTERO PASCUAL ha distinguido entre «plataformas de anuncios», que tendrían como mera función la publicación de información, tratándose de una versión actualizada de la tradicional sección de anuncios de la prensa en papel, y «plataformas de mediación», que son aquéllas que facilitan la contratación de bienes y servicios procediendo a la casación de oferta y demanda; MONTERO PASCUAL, J. J., «El régimen jurídico de las plataformas colaborativas», AA.VV.: *La regulación de la economía colaborativa*, Tirant lo Blanch, 2017, p. 94.

[14] Tal y como se recoge en TAXUD.c.1 (2016)3297911 (Working paper Nº 906): «VAT 2015: Interaction between electronically supplied services and intermediation services and initial discussion on the scope of the concept of intermediation services when taken in a broader context», 2016, Bruselas, p. 6, durante un proceso de consulta con los Estados miembros que tuvo lugar durante la 102ª reunión del Comité del IVA de la Unión Europea, algunos Estados dieron su opinión sobre lo que debería y lo que no debería calificarse como servicio de intermediación.

Tal y como se establece en el artículo art. 28 de la mencionada Directiva «cuando un sujeto pasivo que actúe en nombre propio, pero por cuenta ajena, medie en una prestación de servicios se considerará que ha recibido y realizado personalmente los servicios de que se trate». Por lo tanto, según la norma comunitaria, sólo se considerarán prestaciones de servicios de mediación aquellos en los que la plataforma digital preste los servicios actuando en nombre ajeno.

Así las cosas, si la plataforma digital actúa en nombre propio no se estimará que presta un servicio de mediación, sino que se entenderá que ha recibido y prestado, por si misma, los correspondientes servicios que se le hubiesen encargado. Es decir, no intermedian en un mercado determinado, sino que lo que hacen es crearlo, «así como los rasgos de dependencia, aun informal, que se aprecian en la relación entre los usuarios oferentes y la plataforma, permiten afirmar que ésta ostenta un cierto poder de disposición en el Estado de la fuente sobre los activos materiales y sobre los recursos personales de los que depende principalmente su obtención de beneficios en el mismo»[15]. Un ejemplo de ello sería el caso de UBER, cuyas reglas de localización del IVA tendrían que tener en cuenta el servicio subyacente que se presta, en este caso el servicio de transporte de pasajeros y, además, la condición de sujeto pasivo del IVA o no del usuario[16]. El artículo 48 de la

---

[15] Cfr. MONTESINOS OLTRA, S.: «Economía de plataforma, Impuesto sobre el Valor Añadido y establecimiento permanente en la economía digital (1)», *Carta Tributaria*, núm. 46, 2019, pp. 8-9.

[16] Desde luego, a mi juicio no sería aplicable el régimen especial de agencias de viajes. El artículo 307 de la Directiva IVA presupone una pluralidad de prestaciones que, a efectos de la aplicación de este régimen, se consideran una «prestación de servicios única» de la agencia de viajes al viajero y que se localizarán, no en función de las reglas aplicables a cada uno de los servicios involucrados, sino en el Estado miembro en que la agencia de viajes haya establecido la sede de su actividad económica o tenga un establecimiento permanente desde el que se haya suministrado su servicio. Así lo ha entendido también el TJUE en el auto de 1 de marzo de 2012 (Asunto *Star Coaches*, C-220/11), dónde se señala que no se incluyen en el ámbito de aplicado del régimen especial de las agencias de viajes las empresas de transporte que no prestan ningún otro servicio de alojamiento, guía o asesoramiento. El TJUE fundamenta esta posición en la Sentencia del TJCE de 12 de noviembre de 1992, C-163/91, «sería necesario además que tales prestaciones no se limiten a un servicio único, sino que incluyeran, además del transporte, otros servicios como la información y el asesoramiento sobre un abanico de opciones para las vacaciones y la reserva de viajes en un autocar». Como ha puesto de manifiesto MONTESINOS OLTRA, atendiendo a la STJUE de 1 de marzo de 2012 que el régimen de viajes resulte aplicable a los supuestos de plataformas que, aunque intermedian en nombre propio y operan en diversos Estados, «lo hacen en relación con servicios de movilidad urbana no acompañados de prestaciones de alojamiento, guía o

Directiva establece una regla especial en el caso de transporte de pasajeros tanto si el destinatario es sujeto pasivo o no: el lugar de realización será el lugar en el que se realice el transporte.

Sin embargo, cuando existe un servicio de mediación —como ocurre por ejemplo en la plataforma Booking—, para determinar el lugar de localización de los servicios habrá que diferenciar si se prestan a un sujeto pasivo que actúa como tal, o si se prestan a un consumidor final.

En el primer caso, y conforme a la regla general del art. 44 de la Directiva IVA, se localizarán en el lugar en el que el sujeto pasivo tenga la sede de su actividad económica; aplicándose, por tanto, el principio de tributación en destino cuando el destinatario de los servicios sea un empresario o profesional, y ello tanto en el ámbito de la Unión Europa como en el ámbito de países terceros.

Por lo que respecta a los destinatarios que no tengan la condición de sujetos pasivos, se aplicará una regla especial de localización prevista en el artículo 46 de la Directiva IVA, en lugar de la que, con carácter general, contempla el art. 45 de la Directiva IVA —y que supone la aplicación del principio de tributación en origen—. En consecuencia, el lugar de localización de un servicio de mediación, prestado en nombre y por cuenta ajena, a quien no tenga la condición de sujeto pasivo será el lugar en el que se haya producido la operación subyacente. De modo que si, por ejemplo, la operación en la que se intermedia —siguiendo el ejemplo de Booking, servicios de alojamiento en un hotel—, se entiende realizada en el territorio dónde se encuentra el alojamiento y, por lo tanto, se aplicará el mismo criterio al servicio de mediación.

No obstante, se pueden plantear ciertos problemas aplicativos en relación a esta última regla de localización de los servicios de mediación en caso de que los servicios subyacentes no estuviesen sujetos a IVA. Es decir, porque fuesen prestados por particulares y no se consideran que exista una actividad económica a efectos de este impuesto como, por ejemplo, ocurre en la plataforma Blablacar. En dichas circunstancias, no cabría aplicar las reglas de localización de las operaciones sujetas a IVA para los servicios subyacentes y, en consecuencia, tampoco se podrían localizar los servicios de mediación, a no ser que se considere que este servicio de mediación pue-

---

asesoramiento y sin que cada uno de los servicios que prestan requiera, a su vez, la adquisición de servicios prestados localizados en distintos Estados». Cfr. MONTESINOS OLTRA, S.: MONTESINOS OLTRA, S., «Economía de plataforma, Impuesto sobre el Valor…», *op. cit.*, pp. 6-7.

de calificarse prestado por vía electrónica. En el caso de que no se pudiera calificar como prestado por vía electrónica, Siota Álvarez planea otra solución y es recurrir al argumento analógico y, a los únicos efectos de determinar el lugar de realización del hecho imponible del servicio de mediación, considerar las reglas de localización de los servicios subyacentes como si dichos servicios estuviesen sujetos a gravamen[17].

4. LA DELIMITACIÓN JURÍDICA DE LOS SERVICIOS PRESTADOS POR VÍA ELECTRÓNICA EN EL IVA

La cuestión que se plantea en este apartado es si las plataformas digitales de economía colaborativa, que utilizan cauces tecnológicos a la hora de prestar sus servicios, se pueden calificar como servicios prestados por vía electrónica[18]. Ahora bien, ¿qué se entiende prestado por vía electrónica? Tanto la normativa de la Unión Europea, como la española[19], se han esforzado por aclarar el alcance de la expresión «servicios prestados por vía electrónica»

La Directiva IVA ha realizado una enumeración ejemplificativa de dichos servicios en su Anexo II[20]. Sin embargo, ha sido el Reglamento de Ejecución del IVA, en el artículo 7, el que de forma mucho más completa ha recogido una definición con los criterios que caracterizan a los servicios prestados por vía electrónica y, además ha recurrido a sendos listados ejemplificativos de servicios que deben considerarse incluidos o excluidos de dicha definición. Concretamente, el apartado 1 del mencionado artículo 7 del Reglamento de Ejecución del IVA, dispone que las «prestaciones de servicios efectuadas por

---

[17] Cfr. SIOTA ÁLVAREZ, M.: *La fiscalidad del transporte…, op. cit.,* p. 252.

[18] Sobre el régimen jurídico en el IVA de los servicios prestados por vía electrónica, véanse: DELGADO GARCÍA, A. M., «La tributación en el IVA de los servicios prestados por vía electrónica», *Revista Española de Derecho Financiero,* núm. 169, 2016.

[19] Así lo indica CUBILES SÁNCHEZ-POBRE, P., «El régimen especial aplicable a los servicios prestados por vía electrónica. Regulación vigente y modificaciones previstas en la Directiva 2008/8/CE, de 12 de febrero», *Quincena fiscal,* núm. 7, 2013. Aquí citado según la Base de datos Westlaw BIB 2013\685, p. 2.

[20] Refiriéndose a: 1) Suministro y alojamiento de sitios informáticos, el mantenimiento a distancia de programas y de equipos; 2) Suministro de programas y su actualización; 3) Suministro de imágenes, texto e información y la puesta a disposición de bases de datos; 4) Suministro de música, películas y juegos, incluidos los de azar o de dinero, y de emisiones y manifestaciones políticas, culturales, artísticas, deportivas, científicas o de ocio; 5) Suministro de enseñanza a distancia.

vía electrónica» contempladas en la Directiva 2006/112/CE «abarcarán los servicios prestados a través de Internet o de una red electrónica que, por su naturaleza, estén básicamente automatizados y requieran una intervención humana mínima, y que no tengan viabilidad al margen de la tecnología de la información»[21].

El apartado 2 del art. 7 del Reglamento de Ejecución del IVA, incluye entre las prestaciones de servicios prestadas por vía electrónica las siguientes: a) el suministro de productos digitalizados en general, incluidos los programas informáticos, sus modificaciones y sus actualizaciones; b) los servicios consistentes en ofrecer o apoyar la presencia de empresas o particulares en una red electrónica, como un sitio o una página web; c) los servicios generados automáticamente desde un ordenador, a través de Internet o de una red electrónica, en respuesta a una introducción de datos específicos efectuada por el cliente; d) la concesión, a título oneroso, del derecho a comercializar un bien o servicio en un sitio de Internet que funcione como un mercado en línea, en el que los compradores potenciales realicen sus ofertas por medios automatizados y la realización de una venta se comunique a las partes mediante un correo electrónico generado automáticamente por ordenador; e) los paquetes de servicios de Internet relacionados con la información y en los que el componente de telecomunicaciones sea una parte secundaria y subordinada (es decir, paquetes de servicios que vayan más allá del simple acceso a Internet y que incluyan otros elementos como páginas de contenido con vínculos a noticias, información meteorológica o turística, espacios de juego, albergue de sitios, acceso a debates en línea, etc.); f) los servicios enumerados en el anexo I.

Mientras que el apartado 3 del art. 7 del Reglamento de Ejecución del IVA, excluye de las prestaciones de servicios por vía electrónica las siguientes: a) los servicios de radiodifusión y televisión; b) los servicios de telecomunicaciones; c) las mercancías cuyo pedido o tramitación se efectúe por vía electrónica; d) los CD-ROM, disquetes o soportes tangibles similares; e) el material impreso, como libros, boletines, periódicos o revistas; f) los CD y casetes de audio; g) las cintas de vídeo y DVD; h) los juegos en CD-ROM; i) los servicios de profesionales, tales como abogados y consultores financieros, que asesoren a sus clientes por correo electrónico; j) los servicios de enseñanza en los que el contenido del curso sea impartido por un profesor

---

[21]   La DGFUA también tuvo ocasión de pronunciarse sobre esta definición a propósito de ciertas preguntas formuladas por las autoridades tributarias belgas —TAXUD.c.1 (2015) 694775 (Working paper Nº 843): «VAT 2015: Scope of the notion of electronically supplied», Bruselas, 2015—.

por Internet o a través de una red electrónica, es decir, por conexión remota; k) los servicios de reparación física no conectados de equipos informáticos; l) los servicios de almacenamiento de datos fuera de línea; m) los servicios de publicidad, como los incluidos en periódicos, carteles o por televisión; n) los servicios de ayuda telefónica; o) los servicios de enseñanza prestados exclusivamente por correspondencia, por ejemplo, por correo postal; p) los servicios convencionales de subastas que dependan de la intervención humana directa, independientemente de cómo se hagan las pujas; t) las entradas a manifestaciones culturales, artísticas, deportivas, científicas, educativas, recreativas o similares reservadas en línea; u) el alojamiento, el alquiler de coches, los servicios de restaurante, el transporte de pasajeros o servicios similares reservados en línea.

A todo ello hay que sumarle que el art. 58.1 de la Directiva IVA aclara que el hecho de que el prestador de un servicio y su destinatario se comuniquen por correo electrónico no implicará, por sí mismo, que el servicio tenga la consideración de servicio prestado por vía electrónica.

El legislador comunitario y, por ende, la normativa nacional, han optado por ofrecer listados ejemplificativos, y no exhaustivos de lo que debe entenderse por «servicios prestados por vía electrónica». De modo que, como apunta Longás Lafuente, «los servicios citados no son los únicos "servicios electrónicos" a efectos del impuesto, aunque sí hay que reconocer que serán los que con más frecuencia se presenten en la realidad»[22].

---

[22]　LONGÁS LAFUENTE, A., *Impuesto sobre el Valor Añadido (1). Comentarios y casos prácticos, 8ª edición*, Ediciones CEF, Madrid, 2018, pp. 634 y 635. La doctrina también ha tratado de ofrecer definiciones basadas en connotaciones sobre lo que debe entenderse por «servicios prestados por vía electrónica». Así, CUBERO TRUYO ha señalado que se «trataría de servicios que consistan en la transmisión de contenidos enviados y recibidos por medio de equipos de procesamiento, siendo transportados por cable, radio, sistema óptico u otros medios electrónicos (e incluyendo la compresión numérica y el almacenamiento de datos). Es decir, no se trata simplemente de usar internet para adquirir bienes que después se envían físicamente, sino que aquello que se adquiere es objeto de suministro meramente electrónico (descarga *on line*), sin que se produzca traslado de elemento corporal alguno». Asimismo, debería de estar presente el elemento de intervención humana mínima por lo que respecta al proveedor del servicio Cfr. CUBERO TRUYO, A., «Regímenes especiales aplicables a los servicios de telecomunicaciones, de radiodifusión o de televisión y a los prestados por vía electrónica» en AA.VV.: *Los regímenes especiales del impuesto sobre sociedades y del IVA*, Tecnos, Madrid, 2016, p. 441. LUCHENA MOZO, G. M., «Las nuevas reglas de localización de los servicios de radiodifusión y televisión, servicios de telecomunicaciones y servicios prestados por vía electrónica tras la Directiva 2017/2455 y el Reglamento de ejecución (UE) 2017/2459», en *Documentos de Trabajo del Instituto de Estudios Fiscales, Ejem-*

Respecto del lugar de localización de los servicios prestados por vía electrónica, una vez más, habrá que diferenciar en función de la condición que tenga el destinatario de los servicios: un sujeto pasivo del IVA que actúe como tal, o un consumidor final.

En el primer caso, y conforme a la regla general del art. 44 de la Directiva IVA, dichos servicios se localizarán en el lugar en el que el sujeto pasivo tenga la sede de su actividad económica. Coincide, por tanto, el lugar de localización de los servicios prestados por vía electrónica con el de los servicios de mediación cuando el destinatario de ambos servicios sea un empresario o profesional, al aplicarse el principio de tributación en destino, y ello tanto en el ámbito de la Unión Europea como en el de los países terceros.

En cambio, determinar el lugar de localización de los servicios prestados por vía electrónica cuando el destinatario de los mismos es un consumidor final resulta más complejo. Como consecuencia de diversas modificaciones normativas producidas en los últimos años, en la actualidad conviven una regla especial de localización y una excepción a dicha regla[23].

Así, y por lo que respecta a la regla especial, el art. 58.1 de la Directiva IVA dispone que el lugar de realización de los servicios prestados por vía electrónica, a personas que no tengan la condición de sujeto pasivo, será aquel en el que dichas personas estén establecidas, o domiciliadas, o residan habitualmente[24]. Sin embargo, esta regla especial, a partir de enero de 2019,

---

plar dedicado a: VI Encuentro de Derecho Financiero y Tributario: Tendencias y retos del Derecho Financiero y Tributario (3ª parte), núm. 12, 2018, p. 55.

[23] En realidad, las reglas específicas de determinación del lugar de realización del hecho imponible en los servicios prestados por vía electrónica han estado vinculadas a dos regímenes especiales, que resultan de aplicación únicamente cuando el prestador del servicio y el consumidor final se encuentran ubicados en países distintos. Dichos regímenes especiales han sido objeto de múltiples modificaciones a lo largo de estos últimos años.

[24] Lo cierto es que, a partir de la Directiva 2008/8/CE, de 12 de febrero, por la que se modifica la Directiva IVA y se introduce la regla especial del art. 58.1, se produjo, según MACARRO OSUNA, un cambio radical respecto a las reglas tradicionales que se venían aplicando en la prestación de estos servicios, sobre todo en lo referente a las transacciones intra-Unión Europea, al generalizarse la regla de la imposición en destino para las operaciones que tengan como destinatarios a consumidores finales. De esta manera, como indica LUCHENA MOZO, se elimina la discrepancia en el tratamiento respecto a la localización existente, hasta el momento, entre los destinatarios que actúan como empresarios o profesionales y los que no tienen tal condición, resultando coincidente la localización de la prestación del servicio con independencia de quien sea el destinatario del mismo; MACARRO OSUNA, J. M., «El nuevo giro del IVA en los servicios por vía electrónica», en *Documentos de Trabajo del Instituto de Estudios*

y conforme al apartado 2 del art. 58 de la Directiva IVA, vuelve a tener una excepción, ya que se localizan los servicios prestados por vía electrónica a consumidores finales en la sede del prestador, siempre que se cumplan una serie de condiciones. Es decir, a partir de 2019 se introduce un régimen mixto de tributación, en origen y en destino, en función de la facturación de los sujetos pasivos, para los servicios prestados por vía electrónica en caso de que los proveedores estén establecidos o tengan su domicilio o residencia habitual en un Estado miembro y los servicios se destinen a personas que no sean sujetos pasivos y estén localizados en un Estado miembro distinto. Para estas transacciones se crea un umbral de 10.000 €[25], por debajo del cual, en principio, los servicios se localizarán en la sede del prestador; si bien, éste podrá optar, si así lo desea, por el principio de tributación en destino, localizando el hecho imponible en el territorio en que los consumidores de dichos servicios estén establecidos, o domiciliados, o residan habitualmente[26]. Esta última regla de localización será obligatoria si el sujeto pasivo está establecido en un país de la Unión Europea y realiza transacciones por encima de los 10.000 € a consumidores finales que estén situados en países de la Unión Europea distintos del suyo[27].

Los motivos por los que el legislador ha introducido esta opción son variados. Por ejemplo, se ha apuntado que el objetivo perseguido podría ser el

---

Fiscales, Ejemplar dedicado a: VI Encuentro de Derecho Financiero y Tributario: Tendencias y retos del Derecho Financiero y Tributario (3ª parte), núm. 12, 2018, pp. 71 y 72; LUCHENA MOZO, G. M., «Las nuevas reglas de localización…», *op. cit.*, p. 59.

[25] El interés por establecer un umbral de facturación mínima se debe, según se desprende del Considerando tercero de la Directiva 2017/2455/UE, de 5 de diciembre, al objetivo de la Comisión Europea de simplificar las obligaciones formales para las pequeñas empresas europeas, que evitarían tener que registrarse en una ventanilla única si su volumen de facturación a otros Estados miembros es pequeño.
     Al respecto, debemos recordar que, con el objetivo de facilitar el cumplimiento de las obligaciones formales en el IVA, los regímenes especiales de los servicios prestados por vía electrónica a particulares por parte de proveedores no establecidos en la Unión Europea, o establecidos pero en un Estado miembro distinto a donde se encuentre el consumidor prevén que el proveedor de los servicios prestados por vía electrónica liquide el IVA a través de una ventanilla única, conocida como *Mini One Stop Shop (MOSS)*, en el Estado miembro en el que esté identificado, evitando así tener que registrarse en cada uno de los Estados miembros en los que se lleven a cabo las operaciones sujetas.

[26] Cabe destacar que, en todo caso, y conforme prevé el apartado 4 del art. 58 de la Directiva IVA, se trata de un umbral de aplicación opcional al que puede acogerse el sujeto pasivo, elección que le vinculará durante dos años naturales.

[27] *Vid.* sobre este tema DELGADO GARCÍA, A. M.: «La tributación en el IVA de los servicios prestados por vía electrónica», *Revista Española de Derecho Financiero*, nº 169, 2016.

de preservar la libre competencia en el sector, y no perjudicar a las pequeñas empresas. Es decir, si se las obligase a tributar conforme al tipo de IVA de su país de establecimiento podrían darse supuestos en que los empresarios de menor facturación deberían competir con tipos más altos en mercados en los que el IVA es menor[28].

Asimismo, tampoco se descarta que la reintroducción del principio de tributación en origen con un determinado umbral para los servicios prestados por vía electrónica se deba a la necesidad de anticipar la vigencia de un régimen único para el conjunto de las transacciones entre sujetos pasivos y consumidores intra-Unión Europea, y así analizar el funcionamiento del mismo en un sector específico[29].

5. LA CALIFICACIÓN DE LOS SERVICIOS DE INTERMEDIACIÓN COMO SERVICIOS PRESTADOS POR VÍA ELECTRÓNICA

A pesar de los listados ejemplificativos de «servicios prestados por vía electrónica» que contemplan las normas de la Unión Europea, y de los esfuerzos doctrinales por señalar las características esenciales que presentarían estos servicios, se han planteado problemas de interpretación y de calificación jurídica respecto a si ciertos tipos de servicios pueden ser encuadrados o no entre los prestados por vía electrónica, en concreto los servicios de mediación[30].

Respecto de la naturaleza jurídica del servicio que prestan muchas plataformas digitales, que operan en el ámbito de la economía colaborativa, desde el punto de vista del Derecho Mercantil, se puede considerar como

---

[28]   MACARRO OSUNA cree que este umbral resulta conveniente para la generalización de la tributación en destino para las ventas intra-Unión Europea a consumidores de otros Estados miembros; sin embargo, estima que la ausencia de costes de transacción en el sector de los servicios prestados por vía electrónica, junto con la posibilidad de prestarlos desde cualquier lugar, podría provocar una mayor distorsión en el mercado que en caso de los bienes tangibles. Por ello concluye que «una vez que se había consolidado la tributación en destino para el comercio electrónico *on line* no había motivos de calado para reintroducir la tributación en origen, siquiera parcialmente». Cfr. MACARRO OSUNA, J. M.: «El nuevo giro del IVA…», *op. cit.*, p. 73-75.

[29]   Cfr. MACARRO OSUNA, J. M.: «El nuevo giro del IVA…», *op. cit.*, p. 73.

[30]   Cfr. LUCHENA MOZO, G. M., «Las nuevas reglas de localización…», *op. cit.*, p. 56.

un contrato de mediación peculiar. Es decir, se realiza por vía electrónica y, además, encaja entre los servicios de la sociedad de la información[31].

Por este motivo, desde el Derecho tributario —en concreto, a los efectos del IVA— se ha planteado si los servicios de mediación, en la medida en que se llevan a cabo a través de cauces electrónicos, pueden calificarse como servicios prestados por vía electrónica. Si fuese así, se aplicaría el régimen jurídico específico correspondiente a dichos servicios y, en particular, las reglas específicas de localización de estos servicios cuando se proporcionan a particulares[32].

Buena prueba de las dudas que han surgido en torno a la calificación que merecen los servicios de mediación, en el caso de que se lleven a cabo en un contexto electrónico, son, fundamentalmente, tres documentos de trabajo que la propia Comisión Europea, a través de la Dirección General de Fiscalidad y Unión Aduanera —en adelante DGFUA—, remitió al Comité del IVA de la Unión Europea con el objetivo de que se ofreciesen orientaciones al respecto.

5.1. *Las reglas de localización del IVA en caso de las agencias de viajes que operan en línea*

El primero de ellos, fechado el 31 de julio de 2014, la DGFUA cuestionaba cuál debía ser el tratamiento, a efectos del IVA, de los paquetes de viaje suministrados a consumidores finales por agencias de viajes que operen en línea porque consideraba que el Reglamento de Ejecución no bastaba para calificar servicios de mediación como prestados por vía electrónica[33]. Efec-

---

[31]   Cfr. RODRÍGUEZ MARTÍNEZ, I., «El servicio de mediación electrónica y las obligaciones...», *op. cit.*, p. 125.

[32]   En el mismo sentido que el expuesto, ASTARLOA ILARDUYA, refiriéndose a la plataforma Airbnb, reconoce que se trataría de una «plataforma de mediación, pero siendo un servicio prestado por vía electrónica». Cfr. ASTARLOA ILARDUYA, B., «Operativa actual...», *op. cit.*, p. 13. MONTESINOS OLTRA también ha señalado que, en principio, no cabe descartar que los servicios prestados por plataformas que permiten poner en contacto a oferentes y demandantes de algún bien o servicio puedan calificarse, en algunos casos, como simples servicios prestados por vía electrónica; ya que este modelo de negocio se basa en el uso intensivo de las nuevas tecnologías y la automatización de procesos lo que, en principio, parece encajar en la delimitación que, sobre los servicios prestados por vía electrónica, contiene el art. 7 del Reglamento de Ejecución del IVA. Cfr. MONTESINOS OLTRA, S., «Economía de plataforma, Impuesto...», *op. cit.*, p. 2.

[33]   TAXUD.c.1 (2014)2806510 (Working paper Nº 814): «Treatment of online supplies made by a travel agent to final consumers», Bruselas, 2014.

tivamente, el Reglamento de Ejecución (UE) núm. 1042/2013 del Consejo, de 7 de octubre de 2013 modificó el art. 7 del Reglamento de Ejecución del IVA, introduciendo, en su apartado 3, la letra «u» por la que «el alojamiento, el alquiler de coches, los servicios de restaurante, el transporte de pasajeros o servicios similares reservados en línea» no se consideran servicios prestados por vía electrónica; y, por tanto, el lugar de localización de dichos servicios será el mismo, independientemente de cómo se reserven (se haga o no en línea)[34]. Además, para los servicios prestados a consumidores por intermediarios que actúan en nombre propio y por cuenta ajena en el suministro de alojamiento en el sector hotelero, o en sectores con una función similar[35], el Comité del IVA aprobó una directriz al respecto que se incluyó posteriormente en el artículo 31 del Reglamento de Ejecución del IVA[36], y que determina que, en esos casos, el servicio de intermediación se considera prestado en el lugar en el que se haya llevado a cabo la operación subyacente.

Por todo, ello la DGFUA concluye que, en el caso de que los servicios prestados por vía electrónica se consideren complementarios o accesorios de ciertos servicios tangibles (alojamiento, transporte de pasajeros) ofrecidos por las agencias de viajes en nombre propio y por cuenta ajena a consumidores finales, habrá que estar a las reglas de localización del hecho imponible de los servicios tangibles; y, en todo caso, no cabrá calificar a los servicios prestados por las agencias de viajes como servicios prestados por vía electrónica aunque concurran en la transacción los requisitos que prevé el art. 7.1 del Reglamento de Ejecución del IVA —que se prestase a través de internet, fuese automatizada, sin intervención humana mínima y dependiese esencialmente del uso de tecnologías de la información—.

A continuación la DGFUA analiza a las agencias de viajes que actúan en nombre y por cuenta ajena en las que se presta un servicio de mediación[37].

---

[34]   TAXUD.c.1 (2014)2806510 (Working paper N° 814): «Treatment of online...», *op. cit.*, p. 2.

[35]   TAXUD.c.1 (2014)2806510 (Working paper N° 814): «Treatment of online...», *op. cit.*, p. 2.

[36]   Concretamente, el art. 31 quater del Reglamento de Ejecución del IVA dispone que: «A efectos de determinar el lugar de prestación de (...) servicios prestados por vía electrónica por un sujeto pasivo que actúe en su propio nombre en combinación con servicios de alojamiento en el sector hotelero o en sectores con una función similar, como campos de vacaciones o terrenos creados para su uso como lugares de acampada, se considerará que esos servicios se prestan en dichas ubicaciones».

[37]   TAXUD.c.1 (2014)2806510 (Working paper N° 814): «Treatment of online...», op. cit, p. 10 y ss.

En ese caso, si el destinatario del servicio es un consumidor, de acuerdo con el art. 46 de la Directiva IVA, su lugar de realización será aquel donde se lleve a cabo la transacción subyacente. Ahora bien, en el caso de que las agencias de viajes utilicen tecnologías electrónicas para suministrar el servicio de mediación al consumidor, este servicio de mediación puede considerarse como un servicio prestado por vía electrónica cuando se preste de forma automatizada, sin intervención de recursos humanos y que dependa esencialmente del uso de tecnologías de la información. En ese caso, según la DGFUA, el servicio proporcionado por la agencia de viajes podría calificarse como prestado por vía electrónica, al encajar en el art. 7.2.c) del Reglamento de Ejecución del IVA. En ese caso, se aplicaría el artículo 58 de la Directiva IVA y, el servicio se localizaría, como regla general, en el lugar donde resida o esté domiciliado el consumidor del mismo.

Sin embargo, como señala la DGFUA, las reglas de localización contenidas en los artículos 46 y 58 de la Directiva se califican como reglas especiales y, la cuestión es que no hay una prelación explícita, por lo que no queda claro cuál de ellos sería aplicable en caso de que los servicios de mediación también encajasen en la calificación de servicios prestados por vía electrónica[38]. En principio, según manifiesta la DGFUA, y teniendo en cuenta el concepto de servicios suministrados por vía electrónica debía de interpretarse del modo más amplio posible, en el caso expuesto, debía prevalecer las reglas de localización del artículo 58 de la Directiva, es decir, los servicios prestados por vía electrónica.

El art. 7.3. u) del Reglamento de Ejecución del IVA prevé que ciertos servicios reservados en línea de naturaleza tangible no se pueden considerar servicios prestados por vía electrónica, la DGFUA concluye que tampoco deberían de calificarse como servicios prestados por vía electrónica los de mediación, en nombre y por cuenta ajena, sobre servicios de naturaleza tangible[39]. Según la DGFUA, dicha interpretación se ampararía en que existe un vínculo intrínseco entre la mediación —el servicio suministrado— y su objeto —el servicio subyacente—. De modo que si se rompiese dicho vínculo se pondrían en peligro los ingresos de IVA cuando el consumidor residiese fuera de la Unión Europea, ya que el Estado miembro de consumo no sería el destinatario de los ingresos asociados a la mediación. Y esa, afirma

---

[38] TAXUD.c.1 (2014)2806510 (Working paper Nº 814): «Treatment of online…», *op. cit.*, p. 11.

[39] TAXUD.c.1 (2014)2806510 (Working paper Nº 814): «Treatment of online…», *op. cit.*, pp. 11 y 12.

la DGFUA, no era la intención que se buscaba al incorporar el art. 58 a la Directiva del IVA[40].

Este documento de trabajo de la DGFUA fue analizado finalmente, el 20 de octubre de 2014, en la 101ª Reunión del Comité del IVA[41], pero el mencionado Comité sólo se pronunció sobre una cuestión tangencial relativa a si las agencias de viajes que realizan servicios de intermediación *on line* les resulta de aplicación o no el régimen especial de las agencias de viajes[42]. Al respecto, el Comité del IVA consideró, por una amplia mayoría, que a las agencias de viaje sólo les resultaría de aplicación el mencionado régimen especial si tuviesen establecida su sede en la Unión Europea, o contasen con un establecimiento fijo en dicho territorio desde el que suministrasen sus servicios.

5.2. Cuando los servicios de mediación se pueden considerar como servicios prestados por vía electrónica[43]

El segundo de los documentos de trabajo de la DGFUA se intenta dilucidar si los servicios de mediación deben considerarse o no incluidos en los apartados t) y u) del art. 7.3 del Reglamento de Ejecución del IVA y, en

---

[40]   TAXUD.c.1 (2014)2806510 (Working paper Nº 814): «Treatment of online...», *op. cit.*, p. 12.

[41]   Guidelines resulting from meetings of The Vat Committee, p. 187.

[42]   En esa reunión del Comité del IVA no se adoptaron acuerdos sobre las otras cuestiones planteadas por la DGFUA en el documento que hemos repasado; porque, según se infiere de documentos posteriores de la propia DGFUA, las opiniones del Comité estaban divididas y se necesitaban más esfuerzos para avanzar hacia un enfoque común. De hecho, en la introducción del documento de trabajo del año 2016 se indica que, en el proceso de preparación para la 102º Reunión del Comité del IVA, se invitó a los Estados miembros a presentar aportaciones para intercambiar opiniones sobre la aplicación de las nuevas reglas de localización de los servicios prestados por vía electrónica que habían entrado en vigor el 1 de enero de 2015. Y aunque se intentó llegar a conclusiones sobre cuándo los servicios de intermediación debían considerarse incluidos en la definición de servicios prestados por vía electrónica del art. 7.1 del Reglamento de Ejecución del IVA, algunos Estados miembros consideraron que era necesario un debate adicional sobre ciertos aspectos, antes de llegar a un acuerdo común en el Comité del IVA.

[43]   TAXUD.c.1 (2016)3297911 (Working paper Nº 906): «VAT 2015: Interaction between electronically supplied services and intermediation services and initial discussion on the scope of the concept of intermediation services when taken in a broader context», Bruselas, 2016.

consecuencia, si pueden ser o no calificados como servicios prestados por vía electrónica.

La DGFUA comienza este documento recordando que, conforme al art. 28 de la Directiva IVA, cuando un sujeto pasivo actúe en nombre propio, pero por cuenta ajena e intermedie en una prestación de servicios, se considerará que ha recibido y realizado personalmente los servicios de que se trate. Bajo dichas circunstancias, la DGFUA concluye que los mencionados servicios de intermediación estarían cubiertos por el art. 7.3, apartados t) y u) del Reglamento de Ejecución del IVA, y que, por tanto, no deberían considerarse como servicios suministrados por vía electrónica, entre otros, la reserva *on line* de una entrada a una manifestación cultural o la reserva *on line* del alquiler de un vehículo[44].

Sólo en el caso de que, a efectos del IVA, un sujeto pasivo preste un servicio en nombre y por cuenta ajena, puede calificase como servicio de mediación. Es cierto que dicho servicio se prestará en el contexto de servicios subyacentes proporcionados por un sujeto pasivo distinto a su vez a otros sujetos pasivos y/o consumidores finales. A los efectos de lugar de localización de los servicios de mediación y de los servicios prestados por vía electrónica, cuando el destinatario de ambos es un sujeto pasivo del IVA, resultaría de aplicación el artículo 44 de la Directiva IVA y, por tanto, se localizarían ambos tipos de servicios en la sede del destinatario. Sin embargo, cuando dichos servicios se proporcionan a consumidores finales, entran en colisión los arts. 46 y 58 de la Directiva IVA al prever, cada uno de dichos preceptos, distintos lugares de localización del hecho imponible, tal y como ya se puso de manifiesto en el anterior informe del año 2014.

Precisamente por ello, la DGFUA plantea dos posibles interpretaciones sobre la relación entre los arts. 56 y 48 de la Directiva IVA en el caso concreto de que las actividades de mediación se produzcan sobre operaciones

---

44   SIOTA ÁLVAREZ puntualiza sobre la «solución a la que llega la DGFUA porque los bienes o servicios que se mencionan en los apartados t) y u) del art. 7.3 del Reglamento de Ejecución del IVA, y sobre los que un sujeto pasivo realizaría una labor de intermediación en nombre propio y por cuenta ajena, son tangibles. Sin embargo, consideramos qué si la intermediación se realizase en nombre propio y por cuenta ajena sobre servicios que ya mereciesen la calificación de prestados por vía electrónica, necesariamente y de acuerdo con el art. 28 de la Directiva IVA, habría que considerar que el intermediario estaría prestando servicios por vía electrónica». Cfr. SIOTA ÁLVAREZ, M.: *La fiscalidad del transporte...*, *op. cit.*, p. 259. En el mismo sentido, MACARRO OSUNA MACARRO OSUNA, J. M., «El nuevo giro del IVA...», *op. cit.*, p. 77.

de reserva *on line* de los bienes y servicios enumerados en los apartados t) y u) del art. 7.3 del Reglamento de Ejecución del IVA[45].

La primera hipótesis, según la DGFUA, es que los mencionados servicios de mediación se consideren excluidos de los apartados t) y u) del art. 7.3 del Reglamento de Ejecución del IVA; y que, por tanto, puedan calificarse como servicios prestados por vía electrónica. En ese caso, las actividades de mediación sobre las reservas *on line* de entradas para diversos eventos o de servicios tangibles como el alojamiento, o el alquiler de coches, etc. se considerarían servicios prestados por vía electrónica. Esto podría conducir, en la práctica, a diversas interpretaciones y conflictos que provocasen problemas de doble imposición o de no imposición, especialmente como resultado de la aplicación divergente de los artículos 46 y 58 de la Directiva IVA.

La segunda hipótesis que plantea la DGFUA es opuesta a la anterior e implica que los servicios de mediación se consideren incluidos en los apartados t) y u) del art. 7.3 del Reglamento de Ejecución del IVA, y que, por tanto, no puedan calificarse como servicios prestados por vía electrónica y, la exclusión del artículo 58 de la Directiva IVA.

La DGFUA, en el documento de trabajo que hemos comentamos en primer lugar[46], ya había analizado la interacción entre los arts. 46 y 58 de la Directiva IVA en situaciones en las que los servicios de mediación se prestan a un consumidor, de manera automatizada, con una intervención humana mínima y sin que tengan viabilidad al margen de la tecnología de la información. En esos casos, se concluyó que no debían de calificarse como servicios suministrados por vía electrónica aquéllos en los que el intermediario actuase en nombre y por cuenta ajena prestando servicios de mediación en relación con servicios de naturaleza tangible. Esta tesis se basó en el argumento de que los servicios de intermediación están estrechamente relacionados con el servicio subyacente; y, por lo tanto, ambos deben estar sujetos a gravamen en el mismo lugar.

Y aunque, en este documento de trabajo, la DGFUA reconoce que sería posible defender un enfoque diferente y analizar el servicio de mediación por separado del servicio subyacente[47], también considera que ello iría en

---

[45]   TAXUD.c.1 (2016)3297911 (Working paper N° 906): «VAT 2015: Interaction…», *op. cit.*, p. 4.

[46]   TAXUD.c.1 (2014)2806510 (Working paper N° 814): «Treatment of online…», op. cit, p. 12.

[47]   TAXUD.c.1 (2016)3297911 (Working paper N° 906): «VAT 2015: Interaction…», *op. cit.*, p. 5.

contra de la naturaleza misma de un servicio de mediación, proporcionado en nombre y por cuenta de terceros, al estar intrínsecamente vinculado con el servicio subyacente. Además, la creciente complejidad de las transacciones económicas y los nuevos modelos de negocio, llevan a la DGFUA a puntualizar que las normas que regulan el lugar de localización de los servicios deben aplicarse de la manera más sencilla posible para adaptarse al contexto transfronterizo. En opinión de la DGFUA, lo que importa es garantizar que los impuestos se graven en el lugar donde se realiza el consumo[48].

Por lo tanto, los servicios de intermediación en nombre y por cuenta ajena vinculados a los apartados t) y u) del artículo 7.3 del Reglamento de Ejecución del IVA, siempre que se presten a los consumidores deben estar sujeto en el lugar en el que se localicen los servicios subyacentes, es decir, dónde se produce el consumo. Vaya por delante, que la propia DGFUA apunta que es un tema controvertido, especialmente teniendo en cuenta los avances tecnológicos que influyen en la forma en que se presentan las empresas en la actualidad.

Pues bien, después de analizar este documento de trabajo, el Comité del IVA, en la 107ª Reunión, adopta una serie de acuerdos sobre este tema[49], que pasamos a resumir:

1. En primer lugar, y apartándose del criterio previamente mantenido por la DGFUA, el Comité del IVA aprobó por una amplia mayoría que los servicios de mediación, prestados en nombre y por cuenta ajena, relacionados con las entregas de bienes y prestaciones de servicios de naturaleza tangible que se enumeran en los apartados t) y u) del art. 7.3 del Reglamento de Ejecución del IVA, no estarían cubiertos por esas disposiciones. Es decir, que podrían calificarse, en su caso, como servicios prestados por vía electrónica.

2. El Comité del IVA puntualizó que los servicios de mediación prestados en un entorno digital, para que se pudieran calificar como servicios prestados por vía electrónica, tenían que cumplir el requisito de la que la intervención humana fuera mínima, en el sentido del art. 7.1 del Reglamento de Ejecución del IVA.

En concreto, el Comité del IVA estimó, por una amplia mayoría, que cuando un suministro individual requiera distintas reacciones no automa-

---

[48]   TAXUD.c.1 (2016)3297911 (Working paper Nº 906): «VAT 2015: Interaction...», *op. cit.*, p. 5.

[49]   Guidelines resulting from meetings of The Vat Committee, pp. 217 y 218.

tizadas y humanas, por parte del proveedor se considerará que se produce una participación activa del intermediario en la transacción.

3. Y, por último, el Comité del IVA consideró mayoritariamente que los servicios de las plataformas digitales que actúan como mercados, proporcionando solo servicios automatizados pasivos, que no requieren más que una mínima intervención humana (en el sentido del artículo 7.1 del Reglamento de Ejecución del IVA), y permiten que dos partes entren en contacto con el fin de obtener por separado bienes o servicios, no cumplen las condiciones para ser considerados como servicios de mediación y, por lo tanto, no estarán amparados por el art. 46 de la Directiva IVA.

Así, por ejemplo, el Comité del IVA confirmó por una amplia mayoría que cuando un servicio consista en un suministro generado automáticamente desde un ordenador a través de internet u otra red electrónica, en respuesta a datos específicos introducidos por el receptor del servicio, se considerará servicio automatizado pasivo.

5.3. Análisis del concepto intervención humana mínima en los servicios prestados por vía electrónica[50]

El Comité del IVA, en la 102ª Reunión[51], acordó que los elementos de la definición de servicios prestados por vía electrónica tienen la misma importancia a la hora de considerar que un servicio es electrónico, conforme al art. 7.1 del Reglamento de Ejecución del IVA. Además, para evaluar la existencia de «intervención humana mínima», incluida en la definición de «servicios prestados por vía electrónica», sólo habría que tener en cuenta el grado de participación del proveedor en la prestación del servicio y no el nivel de intervención del cliente. Y aprobó por unanimidad que un servicio sólo requiere una «intervención humana mínima» en aquellos casos en los que el proveedor configura inicialmente un sistema necesario para el suministro del servicio, hace labores de mantenimiento o lo repara en caso de problemas relacionados con su funcionamiento. De ahí que, aunque los servicios suministrados en línea o de manera más tradicional puedan presentar similitudes y características comparables, ambos servicios no pueden

---

[50] TAXUD.c.1 (2017)1270284 (Working paper Nº 919): «VAT 2015: Scope of the notion of electronically supplied services; minimal human intervention (second follow-up)», 2017, Bruselas.

[51] *Guidelines resulting from meetings of The Vat Committee*, pp. 193 y 194.

ser idénticos; y, en todo caso, sólo los que cumplen todas las condiciones de los servicios prestados por vía electrónica pueden ser calificados como tales

Así las cosas, atendiendo a los criterios que se habían adoptado en la 102ª Reunión, el Comité del IVA, en la 106ª Reunión, estimó que resultaba imprescindible acometer una evaluación de los criterios que debían tenerse en cuenta sobre «mínima intervención humana», a través de ejemplos concretos que los Estados propusieron[52], para que se pueda aplicar de la manera más armonizada posible. Y es que existe una dificultad en acotar una regla general que pueda aplicarse para determinar si el servicio de manera armonizada.

El Comité del IVA mantiene que como la noción de «mínima intervención humana» se desarrolla en el lado del prestador de los servicios, habrá que tener en cuenta si cada suministro individual hecho al cliente requiere intervención humana del lado del proveedor. Así, por ejemplo, debe considerarse que supone más que una «mínima intervención humana», a los efectos de calificarlos como servicios prestados electrónicamente, por ejemplo, el caso de suministro de archivos de PDF no estandarizados por email.

La cuestión es que ante el amplio número de posibles servicios que se prestan por vía digital y que se encuentran en continuo crecimiento, resulta difícil determinar una regla general que sirva para evaluar si el servicio que se presta tiene una mínima intervención humana o es algo más. Por ese motivo, en el Work Paper nº 919, se presentan y evalúan los ejemplos que proporcionan los Estados miembros. A los efectos de este trabajo, se hace referencia a algunos de los ejemplos previstos sobre los servicios de intermediación prestados por plataformas para determinar si son servicios electrónicos porque la intervención humana es mínima. En concreto se hace referencia a: citas con otros usuarios de la plataforma; acceso para la participación en debates online profesionales; servicios de alquiler entre particulares.

En el caso de las plataformas dedicadas a las citas o el acceso para las participaciones en debates online con otros profesionales, se considera que son servicios prestados por vía electrónica si la búsqueda y las funciones de filtro previstas para concertar citas se encuentra automatizada; al igual que en el caso de la plataforma no organiza o participa en los debates, ni presta otros servicios como consultoría con los usuarios y, sólo configura el sistema en la *website* y lo mantiene regularmente. En el caso de las plataformas

---

[52]   MERKX, M., «VAT and E-Services: When Human Intervention Is Minimal», en *International VAT Monitor*, núm. 1, 2018.

de intermediación de alquiler entre particulares pueden ser servicios prestados por vía electrónica cuando no exista ninguna intervención manual entre
los usuarios[53].

Así las cosas, teniendo en cuenta estos ejemplos, así como otros que se
encuentran En el caso de que la plataforma preste un servicio más persona-
lizado, incluso en el caso de que el usuario no la utilice o sea de una forma
excepcional, no se considera como un servicio prestado por vía electrónica,
porque exceden de la noción «mínima intervención humana».

Por lo tanto, el Comité de IVA confirma que el trabajo del personal de
una empresa prestación de servicios en línea través del cual se prestan los
servicios con el fin de su constante actualización, personalización o mejora,
se considerará dentro de los límites de «Intervención humana mínima»,
siempre cuando el trabajo no se dirija a solicitudes individuales de clientes,
y sólo se refiera re a cambios genéricos no específicos del entorno del sistema. En cualquier caso, hay que tener en cuenta que cuando una plataforma
de intermediación ofrece diferentes opciones al usuario, cada una de ellas
debe evaluarse de forma separada.

Bibliografía

ANEIROS PEREIRA, J., «IVA y economía colaborativa: cuestiones fiscales del arrendamiento de inmuebles a través de plataformas digitales (el caso de Airbnb)», en
Quincena Fiscal, núm. 21, 2016.

ASTARLOA ILARDUYA, B., «Operativa actual y cuestiones controvertidas de la aplicación del régimen especial de servicios prestados por vía electrónica del IVA por
Airbnb», en *CIRIEC-Revista jurídica de economía social y cooperativa*, núm. 31,
201.

BERETTA, G., «VAT and the Sharing Economy», en *World Tax Journal*, Vol. 10, núm.
3, 2018.

CUBERO TRUYO, A., «Regímenes especiales aplicables a los servicios de telecomuni-
caciones, de radiodifusión o de televisión y a los prestados por vía electrónica» en
AA.VV.: *Los regímenes especiales del impuesto sobre sociedades y del IVA*, Tecnos,
Madrid, 2016.

CUBILES SÁNCHEZ-POBRE, P., «El régimen especial aplicable a los servicios prestados por vía electrónica. Regulación vigente y modificaciones previstas en la Directiva 2008/8/CE, de 12 de febrero», *Quincena fiscal*, núm. 7, 2013.

---

[53]   Las plataformas digitales que prestan servicios de intermediación respecto del alojamiento han sido objeto de análisis en el Guidelines of the 107th meeting of the VAT
Committee (Working Paper Nº 914).

DELGADO GARCÍA, A. M., «La tributación en el IVA de los servicios prestados por vía electrónica», *Revista Española de Derecho Financiero*, núm. 169, 2016.

DELGADO GARCÍA, A. M.: «La tributación en el IVA de los servicios prestados por vía electrónica», *Revista Española de Derecho Financiero*, n° 169, 2016.

ESTANCONA PÉREZ, A. A., «*Carpooling*: C2C en el transporte de personas», *Revista Aranzadi de Derecho y Nuevas Tecnologías*, n° 37, 2015.

LONGÁS LAFUENTE, A., *Impuesto sobre el Valor Añadido (1). Comentarios y casos prácticos, 8ª edición*, Ediciones CEF, Madrid, 2018.

LUCHENA MOZO, G. M., «Las nuevas reglas de localización de los servicios de radiodifusión y televisión, servicios de telecomunicaciones y servicios prestados por vía electrónica tras la Directiva 2017/2455 y el Reglamento de ejecución (UE) 2017/2459», en *Documentos de Trabajo del Instituto de Estudios Fiscales, Ejemplar dedicado a: VI Encuentro de Derecho Financiero y Tributario: Tendencias y retos del Derecho Financiero y Tributario (3ª parte)*, núm. 12, 2018.

MACARRO OSUNA, J. M., «El nuevo giro del IVA en los servicios por vía electrónica», en *Documentos de Trabajo del Instituto de Estudios Fiscales, Ejemplar dedicado a: VI Encuentro de Derecho Financiero y Tributario: Tendencias y retos del Derecho Financiero y Tributario (3ª parte)*, núm. 12, 2018.

MERKX, M., «VAT and E-Services: When Human Intervention Is Minimal», en *International VAT Monitor*, n°. 1, 2018.

MONTERO PASCUAL, J. J., «El régimen jurídico de las plataformas colaborativas», AA.VV.: *La regulación de la economía colaborativa*, Tirant lo Blanch, 2017.

MONTESINOS OLTRA, S.: «Economía de plataforma, Impuesto sobre el Valor Añadido y establecimiento permanente en la economía digital (1)», *Carta tributaria*, núm. 46, 2019.

RAMOS HERRERA, A. J., «Análisis de la fiscalidad indirecta aplicable a los operadores y clientes de las plataformas tecnológicas de colaboración social», en AA.VV.: *Fiscalidad de la colaboración social*, Thomson Reuters-Aranzadi, Cizur Menor, 2018.

RAMOS HERRERA, A., J., CALVO VÉRGEZ, J., «La aplicación del Impuesto sobre el Valor Añadido en la economía colaborativa. Una aproximación a sus aspectos conflictivos», en LUCAS DURÁN, M., GARCÍA-HERRERA BLANCO, C. (Dirs.), *Fiscalidad de la economía colaborativa: especial mención a los sectores del alojamiento y del transporte. Documentos de Trabajo del Instituto de Estudios Fiscales*, núm. 15, 2017.

SIOTA ÁLVAREZ, M.: *La fiscalidad del transporte colaborativa de viajeros*, Aranzadi, Cizur Menor, 2020.

Documentos de trabajo

TAXUD.c.1 (2014) 2806510 (Working paper N° 814): «Treatment of online supplies made by a travel agent to final consumers», Bruselas, 2014.

TAXUD.c.1 (2015) 694775 (Working paper N° 843): «VAT 2015: Scope of the notion of electronically supplied», Bruselas, 2015.

Proyecto de Informe de la Comisión Europea de Mercado Interior y Protección del Consumidor, sobre una Agenda Europea de la economía colaborativa, (COM 2016, 356, de 22 de diciembre de 2016).

Una Agenda Europea para la económica colaborativa (COM 2016, 356 final, 2 de junio de 2016.

TAXUD.c.1 (2016) 3297911 (Working paper N° 906): «VAT 2015: Interaction between electronically supplied services and intermediation services and initial discussion on the scope of the concept of intermediation services when taken in a broader context», 2016, Bruselas.

TAXUD.c.1 (2017) 1270284 (Working paper N° 919): «VAT 2015: Scope of the notion of electronically supplied services; minimal human intervention (second follow-up)», 2017, Bruselas.

Capítulo 15

Los retos fiscales del crowdlending tras la consolidación de la financiación colectiva

María del Mar Soto Moya
Profesora de Derecho Financiero y Tributario
Universidad de Málaga

SUMARIO: 1. INTRODUCCIÓN. 2. DE LA COLABORACIÓN SOCIAL A LA BÚSQUEDA DE RENDIMIENTO: LA TRASFORMACIÓN DEL CROWDFUNDING EN LA ÚLTIMA DÉCADA. 3. EFECTOS TRIBUTARIOS DEL CROWDLENDING: LAS ESPECIALIDADES DEL PRÉSTAMO COLECTIVO. 4. REFLEXIONES FINALES. Bibliografía.

1. INTRODUCCIÓN

El análisis de los retos que, en el sistema tributario actual, puede generar una figura como el crowdlending, es una cuestión que, lejos de plantearse como un caso aislado o singular, resulta necesario, al haberse consolidado este tipo de financiación como un instrumento frecuentemente utilizado en la práctica. Así lo reflejan los datos relativos a las cantidades financiadas a través crowdfunding. La financiación colectiva es uno de los fenómenos que mayor crecimiento ha experimentado en los últimos años, tanto en nuestro país como en otros Estados (Italia, EEUU, Francia, Reino Unido...), incremento que se debe, sin duda, a las dificultades de obtención de crédito a través de los sistemas bancarios tradicionales, que han restringido notablemente la financiación otorgada tanto a empresas como a particulares. Concretamente, entre los años 2017 y 2018 se ha producido un incremento general del 62,12 por ciento, pasando de los 101.651.284 euros en 2017 a los 159.691.767 euros en 2018. Ahora bien, el mayor incremento se ha observado en las plataformas dedicadas a crowdlending, ya que la financiación a través de préstamos colectivos ha aumentado en el año 2018 un 43,32 por ciento, sobre todo el llamado crowdlending inmobiliario, con un 20,79 por ciento, quedando el incremento de la tipología de inversión (equity crowdfunding) en un 16,06 por ciento[1]. Resulta llamativo como, con el paso de los años, el crowdfunding ha pasado de ser un instrumento eminentemente utilizado para la financiación de proyectos sociales, del Tercer Sector, culturales... que entraban dentro de las tipologías de donaciones o recompensas, a ser, en la actualidad, una herramienta que se usa, en un importante número de operaciones, con el objetivo de obtener un rendimiento económico.

La financiación de proyectos a través de aportaciones colectivas con intermediación de una plataforma digital (crowdfunding) ha sido una constante en los últimos años, tanto en los países de nuestro entorno como en el nuestro. Así, se ha pasado de considerar este tipo de financiación como alternativa a consolidarse como un instrumento con vocación de continuidad, si bien es cierto que su uso ha aumentado más en unas tipologías de crowdfunding que en otras.

En efecto, una de las modalidades que mayor éxito ha tenido ha sido el crowdfunding basado en préstamos (crowdlending). Su funcionamiento, a priori, es sencillo: consiste en la concesión de préstamos por parte de los inversores (prestamistas) a los promotores del proyecto (prestatarios), a cambio de un interés pactado en las condiciones del contrato. Esta tipología entra dentro del ámbito de aplicación de la Ley 5/2015, de 27 de abril, de fomento de la financiación empresarial, por lo que las plataformas de financiación participativa que sean intermediarias de este tipo de préstamos y los sujetos que participen como promotores o como inversores, deben estar a lo dispuesto en la citada Ley.

El crowdlending se utiliza para la financiación de numerosos proyectos, tanto en el ámbito inmobiliario como para la financiación de pymes emergentes o para la expansión empresarial. Sin embargo, y pese al aumento exponencial de su utilización, la incertidumbre de muchos de los sujetos participantes sobre sus consecuencias jurídicas y tributarias se mantiene en la actualidad.

Este tipo de inversiones tienen implicaciones tributarias que no pueden considerarse baladíes. Así, en el caso de que se trate de personas físicas, la obtención de la contraprestación en forma de intereses debe considerarse a efectos fiscales como un rendimiento de capital mobiliario, al ser un rendi-

---

[1]   Datos extraídos de UNIVERSO CROWDFUNDING: *Financiación participativa en España 2018. Informe anual 2018.* Disponible en: https://www.universocrowdfunding. com/wp-content/uploads/UC_Informe-anual-del-Crowdfunding-ES-EN-2018_XX92-FO2P-XZA1-32IK.pdf.

miento obtenido de la cesión a terceros de capitales propios. Otro aspecto controvertido es el relativo a la consideración de gastos deducibles de las posibles comisiones que tuviera que pagar el inversor a la plataforma de financiación participativa. Asimismo, recientemente ha comenzado a utilizarse este tipo de crowdfunding para la financiación de la vivienda social, con un tipo de interés para los inversores muy por debajo del habitual, lo que ha generado nuevas cuestiones tributarias para los agentes participantes.

Como puede observarse, la determinación de los efectos tributarios del crowdlending en la actualidad supone un desafío para el Derecho Financiero y Tributario, máxime cuando se trata de una figura en constante evolución, pero que se ha consolidado como un importante instrumento de financiación en nuestro país. Al análisis de sus consecuencias tributarias, y de los principales retos a los que se enfrenta nuestro sistema jurídico-tributario en el ámbito del crowdlending, se dedicará la presente comunicación.

2. DE LA COLABORACIÓN SOCIAL A LA BÚSQUEDA DE RENDIMIENTO: LA TRASFORMACIÓN DEL CROWDFUNDING EN LA ÚLTIMA DÉCADA

Ya sea por su utilización de forma directa o por la publicidad que esta figura ha obtenido por su uso para la financiación de proyectos populares o, incluso, por partidos políticos, son pocas las personas que, en la actualidad, no conocen el crowdfunding. Este instrumento de financiación, que en los últimos años ha tenido un aumento exponencial, parte de una sencilla fórmula: una persona necesita financiación para un determinado proyecto y la solicita, a través de una plataforma electrónica, a una colectividad, que voluntariamente y si le interesa, financia ese proyecto y obtiene (o no) una remuneración a cambio[2].

El crowdfunding tiene origen en la necesidad de colaboración mutua ante problemas económicos o sociales que no han obtenido solución a través de las vías tradicionales, y también en la idea de la necesidad de trasformar nuestro modelo económico capitalista y lineal en un modelo más social y circular. Este es el germen de los sistemas que se han venido implantando (o que vienen con fuerza) en los últimos años: Economía Colaborativa, Economía Social, Economía Circular…).

---

[2]   Sobre el concepto y características del crowdfunding, *vid.* SOTO MOYA, M. M.: *Tributación del crowdfunding*, Tirant lo Blanch, 2018.

Ahora bien, las implicaciones colectivas ya se venían realizando con anterioridad en el seno de otra figura que, a nuestro entender, puede ser considerada como el origen del crowdfunding: el crowdsourcing. El crowdsourcing es un término anglosajón que puede traducirse como «colaboración abierta distribuida» y que tiene lugar cuando se produce una convocatoria abierta a un grupo de personas para la realización de tareas que, tradicionalmente, realizarían profesionales del sector. Como indica Howe, se trata de una forma de resolución de los problemas a través de una acción comunitaria[3]. Esta figura se basa en la actuación colectiva y social, lo que Surowiecki ha definido como la «sabiduría de las masas» o «inteligencia colectiva» entendida como la evidencia de que las decisiones tomadas por un grupo de personas y el apoyo social dan lugar a mayores posibilidades de éxito[4]. En el crowdsourcing no existe una inversión económica por parte de un sujeto, sino que lo que aportan los sujetos participantes son sus conocimientos que, en algunos casos pueden ser recompensados y en otros no[5]. Se trata por tanto de una ayuda mutua a través de un procedimiento que consiste en que un sujeto presenta un determinado problema y otros, la comunidad, aportan sus conocimientos para resolverlo[6].

Estas características pueden también predicarse de la economía colaborativa, que surge para dar una utilidad a bienes que estaban infravalorados, y que se intercambian entre pares. Ejemplos de ello serían el conocido couchsurfing, los bancos de tiempo, o Blablacar (con algunas precisiones), entre otros muchos. Sin embargo, este tipo de actuaciones y colaboración entre pares no son nuevas, sino que se han venido dando a lo largo de la historia: amigos que te prestan una pequeña cantidad económica para la realización de un proyecto, vecinos que se turnan para cuidar o llevar a los niños al

---

[3]   HOWE, J.: «Crowdsourcing: Why the Power of the Crowd Is Driving the Future of Business». *Crown Publishing Group*, 2009. El autor definió por primera vez el crowdsourcing en el año 2006 como «the process by which the power of the many can be leveraged to accomplish feats that were once the province of a specialized few», en HOWE, J.: «The rise of crowdsourcing», Wired magazine, 2006, p. 5.

[4]   SUROWIECKI, J.: *The Wisdom of Crowds: Why the Many Are Smarter Than the Few and How Collective Wisdom Shapes Business*. Doubleday. 2004.

[5]   El crowdsurcing es utilizado en diferentes sectores, entre los que puede destacarse el audiovisual. Sobre este particular, resulta muy interesante el trabajo de CANTALAPIEDRA NIETO, B.: «Crowdfunding y audiovisual de proximidad. La economía colaborativa como instrumento de desarrollo sectorial», *CIRIEC, Revista de Economía Pública, Social y Cooperativa*, Nº 95, 2019, pp. 257-298.

[6]   Uno de los ejemplos más claros de esta forma de colaboración es la conocida Wikipedia, en la que la colaboración de los sujetos a generado la construcción de una enciclopedia abierta plurilingüe.

colegio, personas que van a trabajar al mismo lugar y cada día lleva su vehículo una de ellas... ¿Cuál ha sido entonces la característica que ha marcado la diferencia y que ha hecho que este tipo de operaciones aumenten de forma exponencial en los últimos años? Sin duda alguna ha sido el factor tecnológico. Nos encontramos ante un *ciberestado* que, tal y como indica Bollier «ha potenciado las identidades sociales y los intereses no económicos de la gente, convirtiéndolos en una fuerza con mucha influencia en las redes electrónicas»[7].

Ahora bien, los recursos tecnológicos han propiciado también que, en los últimos años, hayamos pasado de una economía colaborativa o social a lo que conocemos en la actualidad como economía de plataforma, en la que el objetivo principal ya no es ayudar o colaborar con los demás, sino, en muchas ocasiones, la obtención de un rendimiento económico[8]. En este sentido se pronuncia Trillo Párraga al analizar la situación de los trabajadores en relación al fenómeno de la economía colaborativa: «la economía colaborativa es presa de una fuerte ambivalencia intencionada, ya que de un lado se presenta como una red entre iguales que permitiría optimizar recursos existentes para la prestación de un servicio sin que ello persiga un beneficio empresarial o un lucro personal. En este caso, la economía colaborativa se caracterizaría por liberar espacios de la mercantilización de la prestación de ciertos servicios donde la propiedad o titularidad del bien o servicio que se ofrece no determina una paralela relación de supremacía/subordinación económica, social y laboral. Por otro lado, sin embargo, se pretenden incluir en esta ulterior categoría de la economía a todas aquellas iniciativas empresariales que haciendo uso de las plataformas virtuales pretenden el beneficio empresarial, dotándose de un número de trabajadores (autónomos/subordinados) para la prestación efectiva del servicio»[9].

Esta misma circunstancia es aplicable al crowdfunding, que en sus orígenes se utilizaba fundamentalmente para la financiación de proyectos sociales y culturales[10]. Sin embargo, ha ido evolucionando, sobre todo en la

---

[7]   BOLLIER, D.: «El redescubrimiento del procomún», *Novática: Revista de la Asociación de Técnicos de Informática*, Nº 163, 2003, pp. 10-12.

[8]   Sobre la economía de plataforma, *vid.* MONTESINOS OLTRA, S.: «Fiscalidad del consumo colaborativo de alojamiento rústico: tratamiento de los usuarios de plataformas en el Impuesto sobre la Renta de las Personas Físicas», *CIRIEC, Revista jurídica de economía social y cooperativa*, Nº 31, 2017, pp. 43-92.

[9]   TRILLO PÁRRAGA, F.: «Economía digitalizada y relaciones de trabajo», *Revista de Derecho Social*, Nº 76, 2016, p. 66.

[10] Así lo afirmaban autores como RODRÍGUEZ DE LAS HERAS BALLELL, cuando expresaba que «la creación de comunidades sociales y el aprovechamiento de las ventajas

última década, hacia otras fórmulas de financiación en las que la finalidad de los inversores es la obtención de un beneficio económico, es decir, una financiación con remuneración, ya sea por intereses de un préstamo o por beneficios por inversión en el proyecto.

Así, son numerosos los inversores que se decantan por este tipo de operaciones en lugar de otras más tradicionales, como podrían ser los depósitos, ya que su rentabilidad es mayor. Esta actividad de inversión está teniendo un importante incremento en los últimos años, siendo la que más ha crecido, la que se refiere a los préstamos inmobiliarios, como se ha señalado *supra*. Es evidente, que no puede hablarse ya del crowdfunding, al menos del crowdfunding financiero, como una fórmula de colaboración social, o de economía colaborativa, sino que se trata de operaciones de inversión que se realizan a través de plataformas de financiación colectiva.

Estas modalidades, a diferencia de las de crowdfunding basado en donaciones y en recompensas, han sido reguladas por la Ley 5/2015, de 27 de abril, de fomento de la financiación empresarial (en adelante Ley 5/2015). Nuestra norma, al igual que muchas de sus homólogas, solo incluye dentro de su ámbito de aplicación las tipologías de crowdfunding con remuneración para el inversor, es decir, la modalidad de préstamos (lending) y de participación en el capital (equity).

Esto ha provocado ya algunas consecuencias en el ámbito jurídico-tributario, pues se crea cierta inseguridad jurídica para los sujetos que participan ya que, por ejemplo, los requisitos que han de cumplir las plataformas se diferencian en función si entran o no dentro del ámbito de aplicación de la Ley.

3. EFECTOS TRIBUTARIOS DEL CROWDLENDING: LAS ESPECIALIDADES DEL PRÉSTAMO COLECTIVO

El crowdlending consiste en la concesión de préstamos por parte de los inversores (prestamistas) a los promotores de un proyecto (prestatarios), a

---

del hacer colectivo se han venido reflejando en numerosas iniciativas para la co-creación artística y cultural, la distribución, el uso y la explotación colectivas». En RODRÍGUEZ DE LAS HERAS BALLELL, T.: «El crowdfunding: una forma de financiación colectiva, colaborativa y participativa de proyectos», *Pensar en Derecho*, Nº 3, 2013, p. 102.

cambio de un interés pactado en las condiciones del contrato[11]. Teniendo en cuenta esta forma de proceder, la operación ha de calificarse, irrefutablemente, como un préstamo de los recogidos en el artículo 1740 del CC: «Por el contrato de préstamo, una de las partes entrega a la otra, o alguna cosa no fungible para que use de ella por cierto tiempo y se la devuelva, en cuyo caso se llama comodato, o dinero u otra cosa fungible, con condición de devolver otro tanto de la misma especie y calidad, en cuyo caso conserva simplemente el nombre de préstamo. El comodato es esencialmente gratuito. El simple préstamo puede ser gratuito o con pacto de pagar interés».

En concreto, la Ley 5/2015 establece que entra dentro del concepto de financiación participativa «la solicitud de préstamos, incluidos los préstamos participativos, en cuyo caso se entenderá por promotor a las personas físicas o personas jurídicas prestatarias». Puede tratarse tanto de préstamos entre particulares (P2P) como entre particulares y empresas (P2B)[12]. Además, dentro de este tipo, los aportantes, si bien pretenden la obtención de un rendimiento en forma de interés, pueden tener una finalidad diversa, surgiendo así, por ejemplo, los llamados préstamos sensibles o sociales[13]. Sin embargo, en la presente comunicación nos centraremos en las consecuencias tributarias que se derivan de los préstamos colectivos con finalidad remuneratoria.

---

[11] Algunos autores, como GIMENO RIBES, han entendido que esta modalidad, las aportaciones a título de préstamo, no constituiría una forma de crowdfunding en sentido estricto, en aquellos casos en los que hubiera un solo inversor, ya que el préstamo de persona a persona realizado en este sentido no sería crowdfunding por ser individual. Sin embargo, no podemos estar de acuerdo con esta afirmación, ya que este tipo de operaciones cuentan con todas las características necesarias para considerarse crowdfunding, y así lo hace la propia Comisión Europea. Sobre este particular, *vid.* COMISIÓN EUROPEA: *Liberar el potencial de la microfinanciación colectiva en la Unión Europea,* 2014.

[12] Entre las plataformas de crowdfunding basado en préstamos en España pueden destacarse, entre otras: Arboribus (préstamos a empresas), Loanbook (préstamos a empresas), Comunitae (cuyo objetivo es mixto, es decir, préstamos tanto a empresas como a particulares) o Zank (préstamos entre particulares). Como puede observarse, las modalidades son diversas, si bien deben respetarse las condiciones establecidas en la *Ley 5/2015.*

[13] Una de las primeras plataformas de crowdlending fue «Zopa», en Reino Unido, que nació en el año 2005 y que se dedica a los préstamos P2P, de persona a persona, de igual a igual, en definitiva sin intermediarios financieros. Esta plataforma se caracteriza por realizar operaciones de préstamo pero basados no solo en criterios financieros, sino también en un enfoque ético y social, por lo que ha sido definida como una plataforma honesta, de confianza, ética, sensible e innovadora. Este tipo de préstamos puede consultarse en: https://www.zopa.com.

En este ámbito ha tenido especial desarrollo el crowdfunding inmobiliario, cuyo objetivo es que los inversores obtengan la rentabilidad debida, aunque en ocasiones se viene utilizando para la financiación de vivienda social[14]. Ahora bien, en esta modalidad, junto con el equity crowdfunding, el inversor realiza su aportación al proyecto sin *animus donandi*, sino con la finalidad de obtener una remuneración.

El funcionamiento del crowdfunding inmobiliario a través de préstamos es sencillo, el inversor realiza una aportación, que normalmente tiene un mínimo de cincuenta euros, y participa en una Sociedad Limitada que es la que compra el inmueble. El capital necesario para llevar a cabo el proyecto es aportado por los inversores que prestan el capital bajo el contrato de préstamo que determina los derechos de los inversores y determina los beneficios en función del interés que se haya pactado en la subasta correspondiente.

Los inmuebles posteriormente pueden alquilarse o venderse, y será en este punto en el que el inversor obtiene rentabilidad. Como puede observarse, la finalidad fundamental de este tipo de proyectos es la obtención de una remuneración económica en forma de interés.

En relación a los sujetos intervinientes, la Ley 5/2015 preceptúa que han de cumplirse unos requisitos de información, que serán diferentes según se trate de personas físicas o jurídicas. En cuanto a las primeras, el artículo 75.2 de la norma determina que los proyectos deberán contener, al menos, la siguiente información: Currículum vitae, domicilio a efecto de notificaciones, descripción de la situación financiera y endeudamiento. Si se trata de personas jurídicas, el contenido de la obligación se amplía, debiendo las mismas otorgar, al menos, los siguientes datos: Descripción de la sociedad, de sus órganos sociales y del plan de actividades. Identidad y currículum vitae de los administradores y directores, denominación social, domicilio social, dirección del dominio de Internet y número de registro del emisor, forma de organización social, número de empleados, descripción de la situación financiera, estructura del capital social y endeudamiento.

Ahora bien, la Ley permite a las plataformas de financiación participativa ocultar preliminarmente la identidad de los promotores, siempre que garanticen que los inversores puedan conocer tal identidad en alguna fase anterior a la efectiva aportación de los fondos. Es decir, los aportantes tie-

---

[14]   Sobre las particularidades de esta tipología, JIMÉNEZ PARÍS, T. A.: «Breve introducción al fenómeno del crowdfunding inmobiliario en España», *Revista Crítica de Derecho Inmobiliario*, Nº 773, 2019, pp. 1577-1601.

nen derecho a conocer las identidad del prestatario antes del efectivo desembolso del préstamo, y no solo tal identidad sino también los datos a los que nos hemos referido anteriormente, lo que, a nuestro entender, otorga seguridad jurídica al inversor, ya que de esta forma puede tener constancia de la posible solvencia o insolvencia del promotor, así como de otras cuestiones que sean determinantes para la entrega del préstamo. Asimismo, los proyectos anunciados en las plataformas deben contener la información relativa a los préstamos, con una breve descripción de sus características esenciales y los riesgos asociados al mismo, una descripción de los derechos asociados al préstamo en cuestión, así como cualquier limitación de tales derechos.

En particular, el artículo 76 de la Ley 5/2015 establece que los proyectos «deberán incorporar la siguiente información al objeto de clarificar las condiciones en las que promotor e inversores participan en el proyecto de financiación participativa:

a) El tipo de préstamo, importe total del préstamo y la duración del contrato de préstamo.

b) La tasa anual equivalente, calculada de acuerdo con la fórmula matemática que figura en la parte I del anexo I de la Ley 16/2011, de 24 de junio, de contratos de crédito al consumo.

c) El coste total del préstamo incluyendo los intereses, las comisiones, los impuestos y cualquier otro tipo de gastos incluyendo los de servicios accesorios con excepción de los de notaría.

d) La tabla de amortizaciones con el importe, el número y la periodicidad de los pagos que deberá efectuar el promotor.

e) El tipo de interés de demora, las modalidades para su adaptación y, cuando procedan, los gastos por impago y una advertencia sobre las consecuencias en caso de impago.

f) En su caso, las garantías aportadas, la existencia o ausencia de derecho de desistimiento y de reembolso anticipado y eventual derecho de los prestamistas a recibir indemnización».

Por lo demás, la Ley 5/2015 establece que los préstamos concedidos quedarán sujetos al régimen jurídico al que estén sometidos, ya que, como se ha indicado anteriormente, puede tratarse de distintos tipos de préstamo, como por ejemplo, un préstamo participativo o un préstamo entre particulares.

En cuanto a las consecuencias tributarias que este tipo de operaciones devengarán para los agentes que intervienen, serán diferentes en función de la posición que ocupen en la relación triangular que se deriva de la estructura del crowdfunding y si son personas físicas o jurídicas.

Desde la perspectiva del prestatario, y siempre que se trate de una persona física, los efectos deben analizarse en el ámbito del Impuesto sobre la Renta de las Personas Físicas (IRPF). En este caso, la aportación otorgada por el inversor no supone un rendimiento de actividades económicas para el promotor del proyecto, que a la postre debe devolver esa cuantía y además los intereses pactados. La cantidad que recibe el promotor del proyecto de crowdfunding basado en préstamos no va a tener la consideración de renta a efectos del IRPF, ya que no constituye capacidad económica, porque una vez recibido se convierte en pasivo que ha de devolverse al inversor.

Ahora bien, pese a que la cantidad abonada en concepto de préstamo no se considera como rendimiento de actividades económicas de la persona física que ejerce una actividad profesional, cabe preguntarse si el pago de los intereses al aportante puede constituir un gasto deducible para el promotor del proyecto, cuestión que no resulta baladí, ya que puede suponer un verdadero ahorro para el prestatario. De acuerdo con lo dispuesto en el artículo 28.1 de la LIRPF, el rendimiento neto de las actividades económicas se determinará según las normas del IS, sin perjuicio de las normas especiales contenidas en el artículo 30 de la LIRPF para la estimación directa y en el artículo 31 para la estimación objetiva. Esta remisión genérica a las normas del IS para la determinación del rendimiento neto de actividades económicas, nos lleva al artículo 10 de la LIS, que en su apartado 3 dispone que «en el método de estimación directa, la base imponible se calculará, corrigiendo, mediante la aplicación de los preceptos establecidos en esta ley, el resultado contable determinado de acuerdo con las normas previstas en el Código de Comercio, en las demás leyes relativas a dicha determinación y en las disposiciones que se dicten en desarrollo de las citadas normas».

Por lo tanto, podrán deducirse los gastos financieros siempre que se cumplan las condiciones que establece la Ley. El Real Decreto 1514/2007, de 16 de noviembre, por el que se aprueba el Plan General de Contabilidad (en adelante PGC), dispone, dentro del Grupo 6, como gastos financieros, los intereses de deudas. Es decir, se determina que la empresa puede contabilizar el importe de la contraprestación devengada en el ejercicio derivada de la utilización de capitales ajenos. Se trata de intereses de los préstamos recibidos y de cualquier otra deuda pendiente de amortizar, cualquiera que sea la forma en la que se instrumenten esos intereses.

Ahora bien, tal y como ha expresado la DGT en numerosas ocasiones, la deducibilidad de los gastos está condicionada por el principio de su correlación con los ingresos, de tal suerte que aquellos respecto de los que se acredite que se han ocasionado en el ejercicio de la actividad, que sean necesarios para la obtención de los ingresos, serán deducibles, en los términos previstos en los preceptos legales antes señalados, mientras que cuando no exista esa vinculación o no se probase suficientemente no podrían considerarse como fiscalmente deducibles de la actividad económica[15]. Esto nos lleva a determinar si estamos en presencia de un gasto financiero que pueda ser considerado como gasto deducible en el IRPF.

La deducibilidad de los gastos financieros en las actividades económicas deriva de la condición de elemento afecto a la actividad de la deuda, es decir, de que el pasivo sea necesario para la obtención de los rendimientos, y no cabe duda de que las aportaciones realizadas y el consecuente pago de los intereses, resultan imprescindibles para la realización de tal actividad. A mayor abundamiento, sobre la cuestión concreta de la deducibilidad de los intereses de préstamos destinados a la financiación de un negocio cuya actividad es ejercida por una persona física, afirma la DGT que si se cumple el requisito de la correlación con los ingresos, así como los límites cuantitativos establecidos en el artículo 20 de la LIS, los mismos podrán deducirse en el IRPF[16].

Puede concluirse, teniendo en cuenta la doctrina administrativa analizada, que los promotores (personas físicas) de proyectos de crowdfunding financiados mediante la modalidad de préstamos, pueden deducir los inte-

---

[15]   Consultas Vinculantes de la DGT V2371-15 de 28 de julio de 2015; V1202-12 de 31 de mayo de 2012; V1008-12 de 9 de mayo de 2012; V1625-11 de 24 de junio de 2011; V1712-09 de 17 de julio de 2009; V1247-07 de 15 de junio de 2007.

[16]   En la Consulta Vinculante de la DGT de 28 de julio de 2015, se plantea la problemática de la deducibilidad de los gastos por un consultante que ejerce la actividad de notario, actividad sometida al régimen de estimación directa de determinación del rendimiento de la actividad económica, y tiene contratados varios préstamos con entidades financieras, que se destinan a la adquisición de su vivienda habitual, a la adquisición de fondos de entidades financieras, cuya naturaleza no queda precisada en la consulta, y a su actividad económica. La cuestión que se aborda es la consideración como gastos deducibles de la actividad económica de la notaría de los intereses correspondientes a los distintos préstamos. Intereses que pueden considerarse como gastos deducibles en el caso de líneas de crédito destinadas a financiar el negocio y a otras finalidades. Concluye la DGT confirmando la deducibilidad de los intereses: «En caso de líneas de crédito destinadas conjuntamente a financiar el negocio y a otras finalidades, sólo pueden considerarse como gastos deducibles los intereses que correspondan a la parte prestada destinada al negocio». Así, los considera gastos deducibles por la correlación de los mismos con los ingresos.

reses derivados de dicho préstamo en el IRPF, ya que estos gastos son imprescindibles para la propia puesta en marcha y realización de la actividad.

Por último resulta necesaria la referencia a la obligación del promotor de realizar la retención pertinente de los intereses que constituyen un rendimiento de capital mobiliario para el inversor persona física. Tal obligación corresponde al prestatario (siempre que el mismo sea empresario o profesional, porque en caso contrario no tendría obligación de realizar retención) y no a la plataforma de crowdlending, ya que, como se determinó en el análisis correspondiente a las relaciones entre los sujetos implicados, la plataforma se limita a realizar una mediación de pago, y por lo tanto no es la que satisface las rentas[17]. Así lo afirma la DGT en su consulta de 16 de febrero de 2015: «podrá considerarse que la consultante realiza una simple mediación de pago y, en consecuencia, no satisface las rentas, cuando el prestatario identifique precisa y claramente al perceptor cesionario (lo cual no puede deducirse de la información facilitada en la medida en que en la misma no se detalla si se realiza o no la notificación al prestatario del nuevo titular de los derechos económicos), cuantifique el rendimiento y lo ponga a disposición de la consultante para su pago a este último»[18].

Tampoco si el promotor es una persona jurídica pueden considerarse las aportaciones como un ingreso, ya que realmente el importe de lo obtenido a través de la campaña de crowdfunding aparece en el pasivo del balance de la empresa que solicita la financiación, pues las cantidades otorgadas deben devolverse. Ese pasivo se irá reduciendo a medida que la sociedad reembolse las cuotas pactadas, desapareciendo del balance dicha partida una vez abonadas la totalidad de las cuotas. Por ello las aportaciones no tienen naturaleza de ingreso a efectos de su valoración en la base imponible, por lo que no se originan consecuencias en la tributación de su beneficio.

En cuanto a los gastos que pueden ser deducibles para la sociedad, es evidente que si la LIRPF se remite a la LIS para la determinación de la deducibilidad de los gastos y con base en los artículos 10 y siguientes del citado texto legal concluimos que los intereses constituían gastos deducibles en el IRPF, debemos confirmar la deducibilidad de los mismos en el IS[19]. En el

---

[17]   El artículo 76 del RIRPF preceptúa que «No se considerará que una persona o entidad satisface rentas cuando se limite a efectuar una simple mediación de pago».

[18]   Consulta Vinculante de la DGT V0593-15, de 16 de febrero de 2015.

[19]   En referencia específica al prestatario persona jurídica resulta ilustrativa la Sentencia del Tribunal Supremo de 9 de julio de 2015 que sobre la deducibilidad de los intereses de un préstamo otorgado a una sociedad establece que los mismos no pueden ser deducibles «puesto que los gastos por intereses del préstamo que se pretender deducir no

crowdfunding basado en préstamos la cantidad aportada por el inversor es imprescindible para una efectiva realización de la actividad económica, por lo que el nexo de causalidad entre el ingreso y el gasto derivado del pago de los intereses del préstamo se infiere, a nuestro entender, incuestionable, por lo que tanto el promotor persona física como jurídica podrá deducir tal gasto.

Ahora bien, las consecuencias tributarias que se van a derivar para el inversor son realmente las mismas que para los prestamistas tradicionales. Así, la obtención de la contraprestación en forma de intereses debe considerarse a efectos fiscales como un rendimiento de capital mobiliario, al ser un rendimiento obtenido de la cesión a terceros de capitales propios. El artículo 25 de la LIRPF dispone que «Tienen esta consideración las contraprestaciones de todo tipo, cualquiera que sea su denominación o naturaleza, dinerarias o en especie, como los intereses y cualquier otra forma de retribución pactada como remuneración por tal cesión, así como las derivadas de la transmisión, reembolso, amortización, canje o conversión de cualquier clase de activos representativos de la captación y utilización de capitales ajenos». En el caso del crowdfunding, la contraprestación a través de los intereses siempre va a estar presente, y en caso de no conocerse la retribución, la aportación se presume retribuida, salvo prueba en contra[20].

En cuanto a la valoración de tales rendimientos, se efectuará por el valor normal en el mercado. En este caso, el valor normal será la contraprestación acordada por las partes. Ahora bien, si se trata de préstamos y operaciones de captación o utilización de capitales ajenos en general, se entenderá por valor normal en el mercado el tipo de interés legal del dinero que se halle en vigor el último día del período impositivo. Por lo tanto, la presunción de onerosidad que acompaña a las cesiones de bienes o derechos supone para los préstamos una estimación de rendimientos que se cuantifica aplicando el tipo de interés legal del dinero en vigor el último día del período impositivo. Si se llegara a probar la gratuidad del préstamo, supuesto que en el crowdfunding va a ser verdaderamente improbable, no operará la estimación de rendimientos. La contraprestación en forma de interés siempre va a estar presente, cuantificándose como rendimiento de capital mobiliario

---

guardan relación con los ingresos de la actividad empresarial, ni siquiera concebidas en sentido amplio, pues tales gastos financieros no derivan en modo alguno o son necesarios para la obtención de tales ingresos».

[20] Así lo indica el art. 6.5 de la LIRPF, que establece que «Se presumirán retribuidas, salvo prueba en contrario, las prestaciones de bienes, derechos o servicios susceptibles de generar rendimientos del trabajo o del capital».

en la sede del prestamista. Estos rendimientos deben imputarse, de acuerdo con lo dispuesto en la letra a) del apartado 1 del artículo 14 de la LIRPF, al periodo impositivo en que sean exigibles por el prestamista.

El rendimiento íntegro obtenido será, por lo tanto, la cantidad económica recibida en forma de interés, debiendo tenerse en cuenta que el artículo 26 de la LIRPF dispone que, en relación con los rendimientos de capital mobiliario, podrán deducirse los gastos de administración y depósito. Estos gastos se refieren a aquellos importes que repercuten las empresas de servicios de inversión, entidades de crédito u otras entidades financieras que, de acuerdo con el Real Decreto Legislativo 4/2015, de 23 de octubre, por el que se aprueba el texto refundido de la Ley del Mercado de Valores, tengan por finalidad retribuir la prestación derivada de la realización por cuenta de sus titulares del servicio de depósito de valores representados en forma de títulos o de la administración de valores representados en anotaciones en cuenta.

En cuanto a las posibles comisiones que en ocasiones han de pagar los inversores a las plataformas (algunas plataformas establecen que tal comisión no se cobrará al prestamista si el prestatario no efectúa el pago completo de una cuota mensual del préstamo), resulta interesante la cuestión de su posible deducibilidad. Si tenemos en cuenta el tenor literal de la LIRPF, la respuesta debe ser negativa. Y ello porque la propia Ley 5/2015 establece en su artículo 52.1 que: las plataformas de financiación participativa no podrán ejercer las actividades reservadas a las empresas de servicios de inversión ni a las entidades de crédito. Es más, el artículo 61.1.c) de la Ley 5/2015 dispone expresamente que la plataforma de financiación participativa debe publicitar en su página web que no ostenta la condición de empresa de servicios de inversión, ni entidad de crédito y de que no está adherida a ningún fondo de garantía de inversiones o fondo de garantía de depósitos.

Ahora bien, pese a que en principio, teniendo en cuenta el sentido literal de la Ley, no se podrían considerar gastos deducibles las comisiones pagadas a la plataforma, entendemos que, pese a no poder considerarse, evidentemente, como entidades de crédito o empresas de servicios de inversión, sí que son entidades que realizan un servicio de depósito, y la comisión pagada por el inversor tiene por finalidad retribuir la prestación de ese servicio, por lo que, a nuestro entender, el gasto sí debe ser deducible. Hay una correlación entre los ingresos y los gastos, que es requisito determinante de la deducibilidad. En nuestra opinión, las plataformas de financiación participativa realizan actividades análogas a las entidades referidas en el artículo 26 de la LIRPF, ya que desarrollan tareas administrativas tales como el análisis de los proyectos recibidos, determinando el riesgo que implica cada proyecto para el inversor, aunque la Ley 5/2015 dispone que la publicación y clasificación de esta información no constituye asesoramiento financiero. A nuestro entender, se revela en este caso una laguna jurídica, y a la misma vez, una relación de semejanza entre el supuesto contemplado por la Ley y aquel (referido al crowdfunding) carente de regulación, por lo que sería adecuado aplicar la consecuencia jurídica del primero al segundo[21].

Sin embargo, y aunque se dan los elementos configuradores de la analogía, la misma afectaría a los elementos esenciales del tributo, no pudiendo aplicarse en este caso. Esto nos lleva a evidenciar una importante consecuencia, y es que, la deducibilidad del gasto, tal y como está configurada en la actualidad, no puede aplicarse a los inversores de los proyectos de crowdfunding, ni siquiera por analogía.

El perjuicio para los inversores en los proyectos de crowdfunding con remuneración respecto de aquellos que deciden invertir por los cauces tradicionales es más que evidente, ya que las cantidades a deducir pueden ser considerables. De nuevo constatamos la falta de incentivación de este tipo de operaciones por parte de la normativa tributaria. En nuestra opinión, resulta necesaria en este punto la intervención legislativa en pro de los prestamistas en esta tipología de crowdfunding. En concreto, consideramos oportuna la incorporación de las plataformas de financiación participativa al artículo 26 de la LIRPF, con el objeto de posibilitar la aplicación de los gastos deducibles en el mismo especificados por parte de los inversores para la cuantificación de sus rendimientos netos de capital mobiliario.

Por último, respecto de las sociedades aportantes en los préstamos realizados a través de crowdfunding, hemos de detenernos en la determinación de la deducibilidad de las comisiones pagadas a la plataforma electrónica. Las mismas constituyen un gasto financiero específico, que se inserta dentro la cuenta 669, con la denominación «Otros gastos financieros».

Tal gasto será deducible siempre que esté debidamente justificado, ya que la correlación con el ingreso, como se afirmó en relación a las personas físicas, es indudable. Además, la propia LIS, en su artículo 15.h), confirma este extremo, ya que dispone la no deducibilidad de estos gastos cuando se deriven de deudas con entidades del grupo. A sensu contrario, sí pueden ser deducibles los que se contraigan con entidades que no sean del grupo, como ocurre en el caso del crowdfunding, ya que la plataforma electrónica que se beneficia de la comisión no es una entidad del grupo.

---

[21]   HERRERA MOLINA, P. M.: «Aproximación a la analogía y el fraude de ley en materia tributaria», *Revista de Direito Tributário*, Nº 73, 1999, p. 60.

En cuanto al tipo de gravamen aplicable, el tipo general es de un 25 por ciento, pero puede ocurrir, aunque no es tan frecuente como en el caso de las sociedades promotoras, que la sociedad prestamista sea una empresa de nueva o reciente creación, aplicándose entonces un tipo de gravamen del 15 por ciento.

4. REFLEXIONES FINALES

Si bien queda fuera de toda duda que la financiación colectiva se ha convertido en una nueva fórmula de financiación que tiene vocación de continuidad, son algunas las cuestiones controvertidas que se presentan en el ámbito de la fiscalidad, y en concreto de la fiscalidad del crowdlending.

En primer lugar, como se ha señalado, la aportación otorgada por el inversor no supone un rendimiento de actividades económicas para el promotor del proyecto, que a la postre debe devolver esa cuantía y además los intereses pactados. Pese a que la cantidad abonada en concepto de préstamo no se considera como rendimiento de actividades económicas de la persona física que ejerce una actividad profesional, ni un ingreso para la persona jurídica, los promotores de proyectos de crowdfunding, pueden deducir los intereses derivados de dicho préstamo en el IRPF y en el IS, ya que estos gastos son sustanciales a la propia puesta en marcha y realización de la actividad.

En cuanto a la remuneración de los prestamistas, genera también consecuencias tributarias, ya que la misma viene dada en forma de intereses, por lo que constituye un rendimiento de capital mobiliario a efectos del IRPF, y un ingreso en el IS. En cuanto a la deducibilidad de la comisión pagada a la plataforma, si tenemos en cuenta el tenor literal de la LIRPF, la respuesta debe ser negativa. Sin embargo, la tesis que sostenemos es la contraria. Entendemos que la plataforma de financiación participativa, pese a no poder considerarse, como establece la Ley 5/2015 como entidad de crédito o empresa de servicios de inversión, sí que es una entidad que realizan un servicio de depósito. Otro argumento a favor de la consideración de la comisión como gasto deducible es el de su finalidad retribuir la prestación de ese servicio. Además se cumple también el requisito determinante de la deducibilidad de los gastos: su correlación con los ingresos. Por estos motivos, a nuestro entender, el gasto sí debe ser deducible.

Por último, cabe señalar que este tipo de operaciones pueden generar una importante inseguridad jurídica para los sujetos que intervienen, que en muchas ocasiones no son conscientes de los riesgos que asumen, priorizando la rentabilidad que les otorgan este tipo de préstamos, muy por encima de la que proporcionan los instrumentos tradicionales.

Bibliografía

BOLLIER, D., «El redescubrimiento del procomún», *Novática: Revista de la Asociación de Técnicos de Informática*, Nº 163, 2003.

CANTALAPIEDRA NIETO, B., «Crowdfunding y audiovisual de proximidad. La economía colaborativa como instrumento de desarrollo sectorial», *CIRIEC, Revista de Economía Pública, Social y Cooperativa*, Nº 95, 2019.

COMISIÓN EUROPEA, *Liberar el potencial de la microfinanciación colectiva en la Unión Europea*, 2014.

HERRERA MOLINA, P. M., «Aproximación a la analogía y el fraude de ley en materia tributaria», *Revista de Direito Tributário*, Nº 73, 1999.

HOWE, J., «Crowdsourcing: Why the Power of the Crowd Is Driving the Future of Business». *Crown Publishing Group*, 2009.

JIMÉNEZ PARÍS, T. A., «Breve introducción al fenómeno del crowdfunding inmobiliario en España», *Revista Crítica de Derecho Inmobiliario*, Nº 773, 2019.

MONTESINOS OLTRA, S., «Fiscalidad del consumo colaborativo de alojamiento rústico: tratamiento de los usuarios de plataformas en el Impuesto sobre la Renta de las Personas Físicas», *CIRIEC, Revista jurídica de economía social y cooperativa*, Nº 31, 2017.

RODRÍGUEZ DE LAS HERAS BALLELL, T., «El crowdfunding: una forma de financiación colectiva, colaborativa y participativa de proyectos», *Pensar en Derecho*, Nº 3, 2013.

SOTO MOYA, M. M., *Tributación del crowdfunding*, Tirant lo Blanch, 2018.

SUROWIECKI, J., *The Wisdom of Crowds: Why the Many Are Smarter Than the Few and How Collective Wisdom Shapes Business*. Doubleday. 2004.

TRILLO PÁRRAGA, F., «Economía digitalizada y relaciones de trabajo», *Revista de Derecho Social*, Nº 76, 2016.

PARTE II. Los retos del Derecho Financiero y Tributario ante la inteligencia artificial

Capítulo 16

El Derecho Tributario ante el reto de asignar valor fiscal a los servicios y transacciones económicas que derivan de la explotación de datos[*]

GUILLERMO SÁNCHEZ-ARCHIDONA
Profesor de la Universidad Complutense

SUMARIO: . 1. A MODO DE INTRODUCCIÓN: EL PROBLEMA ES MAYOR DEL ESPERADO. TODO ESTÁ EN TODAS PARTES. 2. NECESARIA DISTINCIÓN ENTRE LOS TIPOS DE SERVICIOS DERIVADOS DE LA EXPLOTACIÓN DE DATOS Y SU TRASCENDENCIA TRIBUTARIA. 3. SOLUCIONES O MEDIDAS PROPUESTAS. 3.1. Solución primera. Articular un nuevo impuesto. El tercer hecho imponible del impuesto sobre los servicios digitales de la Unión Europea. 3.2. Solución segunda: la revelación obligatoria del valor de los datos. La «DASHBOARD» norteamericana. 3.3. Solución tercera: los datos como derechos humanos. Alterar el sistema de relaciones empresa-usuario. 4. CONCLUSIONES. Bibliografía.

1. A MODO DE INTRODUCCIÓN: EL PROBLEMA ES MAYOR DEL ESPERADO. TODO ESTÁ EN TODAS PARTES

Cada vez son más recordadas las tres leyes de la robótica que Asimov planteó en su novela *El círculo vicioso* a fin de organizar una convivencia civilizada entre humanos y máquinas[1]. No obstante, la robótica y la inteligencia artificial (IA) ya no son meras conjeturas futuristas contenidas en

---

[*] Este trabajo se ha elaborado en el marco del Proyecto de Investigación RTI2018-093553-B-100, «Retos jurídico-tributarios de la robótica y la inteligencia artificial en la era digital», financiado por el Ministerio de Ciencia, Innovación y Universidades, cuyos investigadores principales son los profesores Juan José Hinojosa Torralvo e Ignacio Cruz Padial.

[1] *Vid*. ASIMOV, I., *El círculo vicioso*, Edit. Runaround, Estados Unidos, 1942. Estas tres leyes son: 1) Un robot no puede hacer daño a un ser humano o, por medio de la inacción, permitir que un ser humano sea lesionado; 2) Un robot debe obedecer las órdenes recibidas por los seres humanos, excepto si estas órdenes entrasen en conflicto con la Primera ley; y 3) Un robot debe proteger su propia existencia en la medida en que esta protección no sea incompatible con la Primera o Segunda ley.

novelas de ciencia-ficción, y los retos que plantean son objeto de análisis en el seno de las organizaciones internacionales y los Estados[2].

Los avances científico-tecnológicos en los últimos 60 años han experimentado un cambio de enfoque significativo: desde desarrollar instrumentos o herramientas con los que se potencian habilidades humanas, a diseñar objetos que imitan o desempeñan un trabajo igual que el humano, e incluso en ocasiones, de manera más eficiente[3].

---

[2]   De hecho, una de las actuaciones más recientes tuvo lugar el 22 de mayo de 2019, cuando la OCDE y la Comisión Europea adoptaron un conjunto de directrices gubernamentales sobre IA, a modo de principios que deben regir a la IA, que son: 1. La IA debe estar al servicio de las personas y del planeta, impulsando un crecimiento inclusivo, el desarrollo sostenible y el bienestar; 2. Los sistemas de IA deben diseñarse de manera que respeten el Estado de derecho, los derechos humanos, los valores democráticos y la diversidad, e incorporar salvaguardias adecuadas —por ejemplo, permitiendo la intervención humana cuando sea necesario— con miras a garantizar una sociedad justa y equitativa; 3. Los sistemas de IA deben estar presididos por la transparencia y una divulgación responsable a fin de garantizar que las personas sepan cuándo están interactuando con ellos y puedan oponerse a los resultados de esa interacción; 4. Los sistemas de IA han de funcionar con robustez, de manera fiable y segura durante toda su vida útil, y los potenciales riesgos deberán evaluarse y gestionarse en todo momento; 5. Las organizaciones y las personas que desarrollen, desplieguen o gestionen sistemas de IA deberán responder de su correcto funcionamiento en consonancia con los principios precedentes. (*Cfr.* OCDE, «Recommendation of the Council on Artificial Intelligence», *OCDE Legal Instruments*, París, 2019).

[3]   En este sentido, según los datos publicados por la OCDE, más de 60 millones de trabajadores correrán el riesgo de ser reemplazados por robots en los próximos años, y el 14% de los empleos de los países desarrollados, de acuerdo al mismo estudio, son altamente automatizables. *Vid.* OCDE, «Putting faces to the Jobs and risk of automation», *OCDE Publishing*, París, 2018. En el mismo sentido, según un estudio reciente realizado por el Institute for Business Value (IBV) de IBM, la brecha digital provocará que en los próximos tres años más de 120 millones de trabajadores de las 12 principales economías del planeta tendrán que volver a entrenarse o reciclarse, a riesgo de quedar obsoletos para un mercado que requerirá cada vez más habilidades digitales. Otros estudios contrastables refrendan la tesis expuesta. OSBORNE y FREY en su estudio *The Future of Employment* alertaban del riesgo de personas «inempleables» cifrando en un 47% la cifra de empleo que peligraba en los Estados Unidos a causa de que las máquinas podrían desarrollarlos mejor que los humanos, y se prescindiría de aquellos puestos que no requieren una formación especial (*Cfr.* OSBORNE, M. A., Y FREY, C. B., «The Future of Employment: How Susceptible Are Jobs to Computerisation?», 17 de septiembre de 2013, disponible *online: http://www.oxfordmartin.ox.ac.uk/downloads/academic/The_Future_of_Employment.pdf.* Fecha de última consulta: 14/04/2018). En el mismo sentido, *vid.* LEVY, F., Y MURNANE, R., «The New Division of Labor: How Computers are Creating the Next Job Market», *Princeton University Press*, 2004. Además, más del 30% de los empleos seguramente experimentará cambios muy significativos. No obstante, como recogen BERG, A., BUFFIE, E., y ZANNA, L. F., «Robots,

Sin embargo, no es suficiente el estudio de cómo se comporta el Sistema tributario ante la disyuntiva de contratar a una persona u optar por adquirir un robot para la empresa —aunque también es sumamente necesario—, ya que actualmente las mayores fuentes de beneficio económico se asocian a la IA, y en particular, a la explotación de datos masivos (*Big Data*[4]) mediante algoritmos[5].

La realidad es que, en 2018, los datos superaron al petróleo como el bien más preciado del planeta, y existe un grupo reducido de empresas que los tienen en su poder y los aprovechan, de un modo u otro, para obtener beneficio empresarial, como, entre otras: *Google*, *Amazon*, *Facebook* y *Apple*

---

crecimiento y desigualdad», *Finanzas y Desarrollo*, septiembre, 2016, se han publicado estudios económicos que ofrecen posiciones no coincidentes sobre las repercusiones en los salarios de la incorporación de los robots a los procesos productivos, divididos entre las escuelas que, por un lado, exponen que los avances tecnológicos incrementan la productividad, y por otro lado, los que argumentan que contribuye a generar desigualdad. Aspectos que, por otra parte, vienen siendo una constante desde el siglo XX, ya que en la década de los 50 y 60, principalmente en los Estados Unidos, el temor se centraba en las repercusiones de la introducción de la computarización en los puestos de trabajo. Aunque el riesgo más importante es que la robótica traiga consigo personas «inempleables» que no puedan encontrar ningún tipo de trabajo por desarrollarlo de manera más eficiente y barata, por ejemplo, un algoritmo. Esta tesis, aunque pueda ser calificada de tremendista, no debería ser desechada a la ligera, ya que desde los albores de la historia la tecnología nos ha acompañado, y hemos desechado unos elementos por otros que hacían la tarea encomendada de forma más rápida y eficiente. Baste un simple ejemplo: cuando los avances en la locomoción hicieron poco eficientes a los coches de caballos, no se optó por potenciarlos, sino, simplemente, por su retirada. *Vid.* un interesante estudio histórico en HARARI, Y. N., *Homo Deus. Breve historia del mañana*, Debate, Madrid, 2016.

[4] Por datos podemos entender caracteres y símbolos de comunicaciones que pueden formalizarse y reproducirse a voluntad y que son fácilmente transportables con ayuda de medios técnicos adecuados para ello. Sin embargo, los datos como tales no tienen ningún valor intrínseco, únicamente cuando se explotan masivamente. A su vez, este concepto hace referencia a la gran cantidad y diversidad de datos útiles para el empleo de tecnologías digitales, así como a las diversas posibilidades de reunirlos y de que sean analizados. Como dice HOFFMANN-RIEM: «… El *Big Data* se emplea para dirigir comportamientos individuales y colectivos, para registrar la evolución de tendencias, para hacer posibles nuevos tipos de producción y distribución y para el cumplimiento de tareas estatales, pero también para nuevas formas de actos ilegales, en particular de ciberdelincuencia» (*Cfr.* HOFFMANN-RIEM, W., *Big Data. Desafíos también para el Derecho*, Civitas, Navarra, 2018, p. 41.

[5] Por algoritmo pudiera exponerse, entre otras, esta definición: «conjunto metódico de pasos que pueden emplearse para hacer cálculos, resolver problemas y alcanzar decisiones. Un algoritmo no es un cálculo concreto, sino el método que se sigue cuando se hace el cálculo» (HARARI, Y. N., *Homo Deus… op. cit.*, p. 100). Un algoritmo, en definitiva, explota datos masivos.

(conocidas como GAFA)[6]; no siempre captándolos de un modo conocido por los usuarios productores.

Piénsese en lo siguiente: todas las interacciones, pasos, compras con la tarjeta de crédito, localizaciones, «me gusta» en redes sociales, están conectados a tiempo real y relacionados con mi perfil. Esos puntos sobre mi identidad proporcionan a cualquier potencial vendedor acceso directo a mi pulso emocional, y armados con esa información me suministran contenido configurado a mi medida[7].

Y ahora véase la importancia de quién posea esos datos: el archiconocido caso de *Cambridge Analytica* (C.A.) y las elecciones norteamericanas de 2016. Según ex trabajadores de la compañía, el equipo de campaña de Donald Trump gastó un millón de dólares al día en publicidad dirigida a usuarios de *Facebook*. Así, se suministra información sesgada por tipo de perfiles a usuarios que, posiblemente, pueda influir a la hora de ejercer su derecho a voto, y con ello, predecían la personalidad de millones de votantes. Y lo mismo ha sucedido con la campaña a favor del *Brexit*[8], también perpetrada bajo la dirección de C.A.

Así es como, por ejemplo, todas las aplicaciones vinculadas a *Facebook* recopilan datos tanto de la persona que accede a ella como de toda su red de amigos. Esto quiere decir que si es un «amigo de amigo» en dicha plataforma, también tienen acceso a sus gustos y preferencias. Y esos datos (transformados y sistematizados en perfiles) los utilizan para fines comer-

---

[6] De hecho, resulta enormemente significativa la declaración realizada por el CEO de Facebook, Mark Zuckerberg, ante el Comité de Judicatura, Comercio, Ciencia y Transportes de los Estados Unidos, cuando le preguntaron qué cantidad de beneficio (económico) deriva directamente de la explotación de esos datos, y respondió: «todo». Es decir, el 100%, ya que posteriormente miles o millones de empresas pagan en concepto de publicidad por tener acceso a esos datos con fines comerciales.

[7] Este tipo de tesis han llegado incluso a crear toda una religión en torno a los datos: el dataísmo que sostiene que el universo consiste en flujos de datos, y que el valor de cualquier fenómeno o entidad está determinado por su contribución al procesamiento de datos. De este modo, en el siglo XXI «… estamos desarrollando algoritmos superiores que utilizan una potencia de computación sin precedentes y bases de datos gigantescas» y «… los algoritmos de Google o Facebook no solo saben exactamente cómo nos sentimos, sino también un millón de datos más sobre nosotros que ni siquiera sospechamos…» (*Cfr.* HARARI, Y. N., *Homo Deus… op. cit.*, pp. 400 y ss.).

[8] De hecho, este tipo de tácticas comunicativas se han englobado bajo la calificación de «tácticas de comunicaciones de grado militar», que en consecuencia, fueron usadas contra la población de Reino Unido durante la campaña a favor del *Brexit*, como reconoció recientemente Brittany Kaiser, ex trabajadora de C.A. durante dicho período, ante la citada anteriormente Comisión de senadores de los Estados Unidos.

ciales. Ello explica cómo las empresas que poseen esos datos masivos y los explotan son las que más cuota de mercado tienen.

En esta situación, el problema, lógicamente, se agrava. Hemos sido espectadores de cómo algunas empresas, que prestan los —dudosamente denominados— «servicios digitales» han alcanzado grandes cuotas de mercado, como así lo son también sus beneficios económicos. Nos referimos a multinacionales tales como el grupo GAFA: modelos de negocio sustanciados en la explotación masiva de datos cuyo beneficio económico reside, en gran parte, en el análisis de los datos de los usuarios. Es decir, estas empresas son las que mejor han explotado la «economía del dato» para obtener incesantes beneficios económicos, no siempre recompensado a efectos de aportación a las arcas públicas de los Estados.

Al respecto, no pocas han sido las críticas vertidas hacia estos gigantes tecnológicos por sus mínimas contribuciones al Erario público. Diversas fuentes periodísticas se han hecho eco de este asunto llegando a una conclusión clara: en relación a sus ingresos y beneficios, el montante total de tributación en España es ínfimo, como puede apreciarse en los siguientes gráficos[9]:

EL NEGOCIO DE LOS GIGANTES DIGITALES EN ESPAÑA

En millones de euros anuales.

- Impuestos
- Ingresos

Google (2017): 9,1 / 96
🍎 (2018): 10,1 / 435,4
f (2017): 0,2 / 10,1
amazon (2018): 4,4 / 490,8

RESULTADOS GLOBALES

En miles de millones de euros anuales. En 2018.

- Beneficios
- Ingresos

Google (2017): 27,7 / 123,5
🍎 (2018): 53,7 / 239,8
f (2017): 19,9 / 49,6
amazon (2018): 9,1 / 210,3

---

[9]   Vid. *https://www.elmundo.es/economia/empresas/2019/09/15/5d7be3c6fdddff34208b 45ad.html.*

Por ello, no es de extrañar que para paliar dicha situación se reclamen, entre otras medidas, la concepción de los datos como propiedad privada (e incluso como Derechos humanos) y que aquellas empresas interesadas en su adquisición abonen lo correspondiente; así se sabría, entre otras cosas, cuánto valen esos datos, asunto nada baladí por sus potenciales implicaciones tributarias.

La IA puede tanto contribuir a solucionar el problema de la falta de contribución al Erario público de determinadas rentas (que es el gran problema de fondo, no hay que olvidarlo) como agravarlo más.

En el primer caso, por ejemplo, mediante la instalación de un *software* para detectar casos de fraude o evasión, y en el segundo, dificultando la localización y valoración de esas rentas por la falta de elementos objetivos de medición de los datos explotados por algoritmos.

Y es este uno de los grandes retos a los que se enfrenta el Derecho tributario: asignar un valor fiscal a las operaciones verdaderamente importantes que basan su principal activo en el análisis y explotación de datos y modificar el sistema de relaciones empresa-usuario en torno a los mismos.

Actualmente, hablar de robótica implica afirmar que *Terminator* ha muerto y, consecuentemente, el abandono de esa concepción del robot humanoide, yendo más allá en los retos que supone la IA, y dentro de esta, los datos explotados por algoritmos; unos datos que en poder de algunas empresas multinacionales se emplean directa o indirectamente en la obtención de beneficio económico y que huyen del control de las Administraciones tributarias.

Ese valor fiscal se debe asignar, primero, a los datos en bruto, segundo, a los datos tras el proceso de refinado, y tercero, a la utilidad o servicio para el que se requieran esos datos.

Ello implica, a su vez, la necesaria diferenciación entre los tipos de servicios prestados que se basan en la captación de datos y, por supuesto, en consecuencia proponer soluciones frente a tal problema.

2. NECESARIA DISTINCIÓN ENTRE LOS TIPOS DE SERVICIOS DERIVADOS DE LA EXPLOTACIÓN DE DATOS Y SU TRASCENDENCIA TRIBUTARIA

No todos los servicios asociados a la explotación de datos pueden suponer un problema a efectos de identificación de potenciales rentas no controladas, como tampoco no todos los interesados desean captar datos para la misma finalidad. Existen servicios de venta o explotación de datos prestados por empresas perfectamente transparentes e identificados, y otros absolutamente opacos y sin un método objetivo de cuantificación.

Por ello, es necesario diferenciar entre dos tipos de beneficio económico asociado a la explotación algorítmica de los datos, en este caso: tipo A, modalidad activa; y tipo B, modalidad pasiva.

El primero de ellos (o modalidad activa) hace referencia a aquellas situaciones en las que media un servicio prestado por una empresa especializada en explotación de datos a un usuario, ente o administración contratante. En este supuesto, los datos pueden ser tanto del propio solicitante como captados por la empresa correspondiente.

Lo verdaderamente valioso no son los datos aislados o quién sea el propietario o cesionario de los mismos, sino las conclusiones que esos datos arrojen una vez que hayan sido explotados. Estos resultados, normalmente, revelan una situación o dato clave para el contratante, que le reparará, a corto, medio o largo plazo cuantiosos beneficios económicos; mucho más que el coste de prestación de dicho servicio.

Se aprecian, por tanto, dos finalidades: primera, el propio servicio prestado por una empresa, que girará una minuta e integrará dichas rentas obtenidas en los impuestos en los que corresponda; y segunda, el dato o conclusión clave para el solicitante, que generará una posición de superioridad en un determinado mercado y que también originará, en su momento, diversas obligaciones tributarias.

Este podría ser el caso, por ejemplo, de una empresa farmacéutica que quiera introducir un determinado producto en un barrio de Madrid, y desee conocer en cuáles de estos se realizan más visitas a hospitales, farmacias, y cuál es la edad media de los residentes del mismo. Así, puede que hasta esos datos, en bruto, ya los tenga en su poder dicha farmacéutica, pero acude a una empresa especializada en explotación de datos para que los analice, los ponga en común, y arroje la conclusión clave: que en el barrio X de Madrid existen unas condiciones muy propicias para incorporarse a dicho mercado porque se producen, durante todo el año, cuantiosas visitas a hospitales y farmacias, por parte de personas con una media de edad de 73 años, y compran determinados medicamentos que guardan alguna relación, o sus componentes, con el que la empresa farmacéutica pretende introducir.

Por tanto, esos datos, que incluso pertenecen a dicha farmacéutica, no valen prácticamente nada sin la empresa que los pone en común, lo que viene a ratificar una de las afirmaciones que expusimos atrás: los datos en bruto no tienen gran valor sin un *software* que los explote y arroje las conclusiones deseadas. Es decir, ese proceso de refinamiento de los datos, es similar, salvando las distancias, a lo que ocurre con el petróleo crudo.

Se podría poner otro ejemplo cuyo contratante no sea una empresa privada, sino por ejemplo, una Administración Pública. Imagínese el caso de una delegación de la Policía Nacional que requiriese la elaboración de un perfil criminal en determinados barrios de Madrid, porque vienen observando un aumento no explicado de hurtos y robos en algunos puntos de la capital. Esos datos, o mejor dicho, bases de datos con perfiles que ya viene teniendo en su poder el citado cuerpo de Policía se ceden a una empresa para su explotación, es decir, se abona una determinada cantidad por dicho servicio que pretende encontrar la conclusión: que en el barrio X, Y y Z de Madrid se producen más hurtos en un horario de 05.00 a 08.00 de la mañana, más robos en un horario de 23.00 a 02.00, y son cometidos mayoritariamente por varones caucásicos con una media de 1,80 de altura, pelo castaño, gafas y barba[10].

En resumidas cuentas, en esta modalidad, una empresa, ente o institución pública abona una determinada cantidad de dinero a otra empresa especializada en explotación de datos que presta el servicio de entregarles las conclusiones que resulten de interés, y por tanto, a efectos tributarios no parece que entrañe mayores problemas puesto que la prestación de ese servicio genera unas rentas que deberá incorporar, bien en el IRPF, bien en el IS, además de cumplir con las correspondientes obligaciones en materia de IVA. En este caso, se puede apreciar que la contraprestación dineraria está perfectamente identificada y eso permite su clarificación e incursión a efectos de dichos impuestos.

Adentrados en el segundo tipo o modalidad pasiva, este hace referencia a aquellas situaciones en las que algunas empresas obtienen información de los usuarios, que posteriormente pueden producir beneficio económico, ya sea directo, al aprovecharse para seguir ofertando productos en su platafor-

---

[10]   Todos estos datos, obviamente, son hipotéticos y solo sirven a efectos del ejemplo propuesto, sin que exista ningún indicio de veracidad sobre los mismos.

ma (*Amazon, Aliexpress, Ebay,* etc.) o indirecto, si esos datos se venden a otras empresas para sus propios fines (*Facebook*)[11].

Bien es sabido que cuando los usuarios interactúan en las plataformas digitales o a través de algún medio digital, generan externalidades. Por un lado, los efectos directos de red se refieren a los que acaecen entre los propios usuarios de una aplicación, *web*, o contenido digital. Estos efectos de red pueden proporcionar fuertes incentivos para que los usuarios permanezcan o se unan a una plataforma, y el proveedor de la plataforma puede explotar dicho efecto para obtener ganancias, a través de los contenidos compartidos, valoraciones u opiniones de los usuarios en esas plataformas que a su vez tienen repercusiones sobre otros usuarios.

El mejor ejemplo de lo dicho es *Amazon*: los vendedores ofrecen públicamente (sin ninguna contraprestación) las opiniones vertidas por los usuarios. La mayor o menor valoración de los usuarios afecta a las posibilidades de que otros futuros usuarios realicen compras de un determinado bien en dicha plataforma, y por tanto, influye en el beneficio empresarial de los vendedores y del intermediario.

En términos generales, se puede decir que la rentabilidad de *Amazon*, como intermediario (o *Marketplace*) de bienes o servicios, puede atribuirse parcialmente a las valoraciones de los consumidores, siendo este el efecto de la red directo entre usuarios: lo que opine uno, puede influir en otro para su compra. En este sentido, el valor creado por el usuario (el comentario o valoración) contribuye a seguir usando dicha plataforma.

Por otro lado, los usuarios que interactúan en las plataformas digitales o a través de algún medio digital también generan otro tipo de externalidades, que se pueden percibir de forma indirecta. Los efectos de red indirectos se refieren a las externalidades entre diferentes tipos de usuarios, esto es, una situación por la que unos usuarios se preocupan por lo que hacen otros usuarios, o dicho en otros términos, que un mismo servicio puede ser ofrecido «gratis» en un territorio y de pago en otro.

---

[11]   Este ejemplo también es extrapolable a *Google,* que recopila datos tanto de manera activa como pasiva. En el primer caso, cuando un usuario comunica directamente información suya a *Google,* al iniciar sesión en *Gmail* o *Youtube* (aplicaciones de *Google*); y en el segundo caso, al realizar los usuarios búsquedas en sus navegadores, por ejemplo, *Chrome.*

Una plataforma como *Amazon* puede proporcionar servicios completamente gratis a un tipo de usuarios (por ejemplo, consumidores individuales) en un país, mientras que a otro tipo de usuarios (por ejemplo, vendedores de productos y servicios) dicho servicio les conlleva un coste. De este modo, la plataforma puede beneficiarse de la creación de valor del usuario en el país A sin recibir ningún pago del mismo, puesto que el usuario es el que en última instancia compra un determinado producto, pero el beneficio lo obtiene la plataforma a través de los vendedores de dichos productos, que son los que pagan en concepto de intermediación a la plataforma.

El ejemplo de *Amazon* es perfectamente extrapolable a otras empresas multinacionales como *Google* y *Facebook*, que se benefician fundamentalmente de la publicidad y posicionamiento en la red, y actúan prácticamente como intermediarios en la captación de datos.

Además, el usuario no siempre es consciente del valor de esos datos y que dichas empresas los están extrayendo con su propia colaboración, pero aquel tiene una actitud pasiva ante los mismos y resulta mucho más complicado saber cómo se pueden cuantificar.

En estos casos, los datos, que son elementos de carácter intangible profundamente rentables, les son entregados por los consumidores de manera prácticamente indirecta. Véanse, además del ejemplo expuesto *supra*: los «me gusta» de *Facebook* a publicaciones con un determinado sesgo ideológico; compartir fotos en *Instagram* mencionando la localización de la misma y etiquetando a la persona que te acompaña en dicha foto; y un sinfín de ejemplos que podrían ser válidos[12].

En estos casos, el denominador común es que diversos actos que forman parte de la cotidianeidad de los usuarios producen cuantiosos beneficios económicos para las empresas que los recopilen en masa y posteriormente los exploten. De las costumbres del usuario, otras empresas (como las GAFA) obtienen cuantiosos beneficios económicos.

Y esta modalidad es la que representa un gran problema a efectos tributarios, porque realmente no se puede dilucidar: uno, cuánto valen esos

---

[12]   Según los datos aportados por los senadores Warner y Hawley en la proposición de la *Designing Accounting Safeguards to Help Broaden Oversight and Regulations on Data Act* (DASHBOARD), que será analizada más adelante en este trabajo, el valor medio de los datos que los ciudadanos estadounidenses «regalan» a compañías como las GAFA, rondan los 4,40 euros al mes.

datos (brutos) que obtienen de los usuarios; y dos, qué beneficio económico obtienen de ellos tras explotarlos para una determinada finalidad.

Por tanto, se comprende que suponga un gran problema para las arcas públicas de los Estados ya que, si no existen métodos objetivos de medición de esos valores o datos, tanto en bruto como refinados, difícilmente se puedan imputar en las bases imponibles de los impuestos que corresponda. Es decir, se produce una fuga de ingresos tributarios, no ya por falta de cumplimiento de las obligaciones tributarias por los contribuyentes, sino porque no se pueden cuantificar el propio activo que da lugar a esas rentas potenciales (los datos) y cuánto valen en relación con la finalidad para la que se emplean.

Por último, otro asunto no menor es que, además de los dos tipos de servicios o modalidades expuestas, en la gran mayoría de ocasiones lo que se vende no son los datos o las conclusiones, sino el acceso por un tiempo limitado a un determinado *software* en el que se pueden introducir los datos y este arrojará las correspondientes conclusiones. Es decir, se abona una cantidad X en una suscripción anual por el uso de ese software.

Es, por tanto, más necesario que nunca proponer soluciones para asignar un valor a los datos a efectos tributarios.

3. SOLUCIONES O MEDIDAS PROPUESTAS

Solución mágica, a día de hoy, no existe, pero sí la necesidad de hacer propuestas sólidas y profundas para intentar alterar el *status quo* actual. Ahora bien, ello no quiere decir que no se hayan alzado algunas voces bien proponiendo, bien reflexionando, acerca de los retos que plantea la robótica para nuestra rama de conocimiento.

Es más, no hay que olvidar que la chispa que prendió la llama del estudio de la robótica e IA y su relación con el Derecho tributario fueron las declaraciones, conocidas por todos, del magnate Bill Gates: «Los robots deben pagar impuestos», abriendo la veda a estudiar soluciones tales como articular un nuevo impuesto sobre los robots[13].

---

[13]   Y ahondó en otra idea: que los robots deberían ser sometidos a gravamen de la misma forma que lo son los humanos. Puede verse disponible *online* en: *https://www.youtube.com/watch?time_continue=21&v=nccryZOcrUg.*

De este modo, las aportaciones siguientes se centraron, muy acertadamente, bien en atisbar una especie de gravamen (sea un impuesto u otro tributo) sobre los robots, como esgrimieron Oberson[14], Fernández Amor[15] y García Novoa[16], bien en su relación con la sostenibilidad financiera u otras alternativas a tal gravamen, como Grau Ruíz[17].

Todas las mencionadas aportaciones han abierto el camino para el estudio del gravamen de la robótica, pero como se viene exponiendo en este trabajo, las soluciones frente a la falta de métodos de asignación de valor fiscal a los datos requieren otro tipo de instrumentos e ir más allá que los planteados hasta la fecha.

Así las cosas, y reiterando que no existen soluciones mágicas, podemos diferenciar tres posibles vías de actuación: la primera, articular un nuevo impuesto, este es, el Impuesto sobre los Servicios Digitales (ISDi); la segunda, a través de una revelación obligatoria *ex lege* por parte de las empresas del valor económico de esos datos; y la tercera, que engarza en cierto modo con la segunda, repensar el tratamiento jurídico de los datos como capital o como trabajo.

3.1. Solución primera. Articular un nuevo impuesto. El tercer hecho imponible del impuesto sobre los servicios digitales de la Unión Europea

El sometimiento a gravamen de los servicios (denominados «digitales») bajo los que subyacen, presuntamente, explotación de datos masivos, no se

---

14   *Vid.* OBERSON, X., «Taxing Robots? From the emergency of an electronic ability to pay to a tax on robots or the use of robots», *World Tax Journal*, mayo, 2017, pp. 247 y ss.

15   *Vid.* FERNÁNDEZ AMOR, J. A., «Derecho tributario y cuarta revolución industrial: análisis jurídico sobre aspectos fiscales de la robótica», *Nueva Fiscalidad*, núm. 1, 2018, pp. 55 y ss.

16   *Vid.* GARCÍA NOVOA, C., *El Derecho tributario actual: innovaciones y desafíos*, Instituto Colombiano de Derecho Tributario, Bogotá, 2018, pp. 90-92; GARCÍA NOVOA, C., «Impuestos atípicos en la era post BEPS», en Cubero Truyo, A., Tributos asistemáticos del ordenamiento vigente, Tirant lo Blanch, Madrid, 2018, pp. 2018 y ss.

17   *Vid.* GRAU RUÍZ, M. A., «La adaptación de la fiscalidad ante los retos jurídicos, económicos, éticos y sociales planteados por la robótica», *Nueva Fiscalidad*, núm. 4, 2017, pp. 35 y ss.; «La búsqueda de alternativas para la tributación de los robots: la tasa californiana aplicable a los vehículos autónomos», en GARCÍA NOVOA, C., *4ª Revolución industrial: la fiscalidad de la sociedad digital y tecnológica en España y Latinoamérica*, Aranzadi, Navarra, 2019, pp. 155 y ss.

ha solucionado, ni se va a solucionar, con el tercer hecho imponible contenido en el Impuesto sobre los Servicios Digitales (ISDi) pretendido por la Unión Europea[18]; e igual sucede con el Impuesto sobre Determinados Servicios Digitales (IDSD) español[19]. El primero con un panorama nada halagüeño, al contrario que el segundo, que entrará en vigor en enero de 2021.

El sustento teórico de un (nuevo) impuesto que grave los servicios digitales reside en que los usuarios son el activo fundamental y que podría sustentar la articulación de un gravamen que focalice en aquellos como elemento impositivo[20].

Como bien es sabido, sin ánimo de ser exhaustivos, a modo de recordatorio general, el 21 de marzo de 2018 se presentó una propuesta de directiva tendente a articular el ISDi[21], esto es, un nuevo impuesto con tres hechos imponibles:

a) *La inclusión en una interfaz digital —entendida esta como cualquier tipo de programa informático, incluidos los sitios web o parte de los mismos y las aplicaciones, incluidas las aplicaciones móviles, accesibles a los usuarios— de publicidad dirigida a los usuarios de dicha interfaz.*

b) *La puesta a disposición de los usuarios de una interfaz digital multifacética que les permita localizar a otros usuarios e interactuar con ellos, y que pueda facilitar asimismo las entregas de bienes o las prestaciones de servicios subyacentes directamente entre los usuarios.*

---

[18]   *Vid.* CONSEJO, Propuesta de directiva 148/2018, *relativa al sistema común del Impuesto sobre los Servicios Digitales*, de 21 de marzo de 2018.

[19]   *Vid.* BOLETÍN OFICIAL DE LAS CORTES GENERALES (BOCG), Proyecto de Ley del Impuesto sobre Determinados Servicios Digitales, Boletín Oficial de las Cortes Generales de 20 de febrero de 2020. Aprobado por el Senado el 6 de octubre de 2020.

[20]   Puede verse un estudio en CUI W., «The Digital Services Tax: A Conceptual Defense», 2018, *Academia.edu.*

[21]   Propuesta que, como es sabido, acumula numerosas críticas por parte de la doctrina; principalmente, por su dudosa naturaleza jurídica autocalificada indirecta, que del análisis de sus elementos configuradores no parece corroborarse. Pueden verse estudios al respecto en: CALDERÓN CARRERO, J. M., «Nota sobre el Paquete Europeo (2018) en materia de fiscalidad de la economía digital», *AEDAF*, 2018; KOFLER, G., Y SINNIG, J., «Equalization Taxes and the EU»s Digital Services Tax», *Intertax*, vol. 47, núm. 2, 2019; MACARRO OSUNA, J. M., «Novedades recientes en la tributación indirecta relacionada con la economía digital: del IVA al (in)directo "Digital Services Tax"» en CASTAÑOS CASTRO, P., Y CASTILLO PARRILLA, J. A., *El mercado digital en la Unión Europea*, Reus, Madrid, 2019; MENÉNDEZ MORENO, A., «El nuevo Impuesto sobre Determinados Servicios Digitales», *Quincena fiscal*, núm. 6, 2019.

c) *La transmisión de los datos recopilados acerca de los usuarios que hayan sido generados por actividades desarrolladas por estos últimos en las interfaces digitales.*

A lo que aquí nos interesa, este último pretende someter a gravamen la simple transmisión de datos de los usuarios, es decir, la transmisión de datos brutos, y ya se viene comentando que estos tienen muy poco valor en comparación con los mismos tras el proceso de refinado.

Un impuesto cuyo hecho imponible pretende someter a gravamen los servicios digitales (que habría que demostrar, por otra parte, que la «transmisión de datos» pueden considerarse como tal) se centre en la simple venta de datos es un planteamiento erróneo, ya que si una empresa presta ese servicio en el seno de su actividad profesional, este tendrá un coste y dichas rentas se imputarán en las bases imponibles de los impuestos correspondientes, pero no en un nuevo ISDi. Se produciría, en consecuencia, una colisión entre el hecho imponible del IRPF o IS en su caso con aquel.

Y si únicamente se pretende gravar la «renta proveniente de datos», se excluye lo más lucrativo: el proceso de análisis y explotación, por un lado, y la finalidad de obtener las conclusiones que arrojan esos datos, por otro.

En resumen, ese tercer hecho imponible no pretende gravar el verdadero beneficio económico que origina la explotación de datos refinados, sino solo su transmisión en bruto, cuyo valor es sustantivamente inferior. No solucionaría el problema, ni de someter a gravamen la operación en cuestión, ni de dilucidar cuánto valen esos datos.

Mas cuando en la mayoría de casos, como también se ha mencionado, se «vende» o cede un *software* desarrollado por una empresa a un precio determinado y esos datos ya los puede poseer esa empresa; así, en este supuesto ya no sería de aplicación este tercer hecho imponible, ya que no se ha producido ninguna venta de datos recopilados mediante interfaces digitales, y dejaría sin gravar este tipo de servicios (que por otra parte, ya estarían sometidos a gravamen en los impuestos correspondientes).

Por tanto, ni se grava lo fundamental, que es el beneficio económico derivado de la captación de datos, ni la gran mayoría de servicios requeridos de explotación de datos, por centrarse este hecho imponible únicamente en «transmisión o venta de datos». Queda demostrado así, que no parece tenerse claro qué origina un mayor beneficio económico en lo que guarda relación con la explotación de datos, y este hecho imponible queda vacío de contenido.

Así las cosas, es recomendable atisbar otras soluciones que focalicen en cómo se puede dilucidar cuánto valen esos datos que, posteriormente, producen beneficio económico para según qué entes interesados.

Desde esta perspectiva, los datos y algoritmos constituyen los límites del Derecho tributario: no son abarcables actualmente, y se ha pretendido hacerlo a través de los «servicios digitales», en una apuesta deficiente y carente de la técnica legislativa y jurídica propia que debe impregnar a los tributos, y no se debe usar una categoría artificialmente construida *ad hoc* para englobar a todo tipo de elementos que, por unos u otros motivos, no dispongan de un nexo de tributación en los impuestos tradicionales[22].

3.2. Solución segunda: la revelación obligatoria del valor de los datos. La «DASHBOARD» norteamericana

Dentro de las soluciones o medidas que se centran, en nuestra opinión, en aquello verdaderamente relevante, esto es, cuánto valen esos datos y su finalidad, existe una vía a tener en cuenta: que sean las empresas, en cumplimiento de una obligación *ex lege*, las que revelen su valor.

Se trata del Proyecto de ley *Designing Accounting Safeguards to Help Broaden Oversight and Regulations on Data* (DASHBOARD, SIL 19759), presentado por los senadores Warner y Hawley en el Senado de los Estados Unidos en abril de 2019, cuyas líneas maestras se pueden sintetizar gráficamente de la siguiente forma[23]:

---

[22]   Esta afirmación ha sido desarrollada en otro trabajo anterior. Como también, al hilo de lo anterior, que no se pueden adaptar elementos del siglo XXI (los datos y algoritmos) a instituciones del pasado siglo (Impuesto sobre Sociedades, IVA, etc). El desafío de la robótica exige un estudio coherente y sosegado e implica, también, un sistema tributario «moderno». Para más detalles, *vid.* SÁNCHEZ-ARCHIDONA, G., «La tributación de la robótica y la inteligencia artificial como límites del Derecho Financiero y Tributario», *Quincena Fiscal*, núm. 12, 2019, pp. 69-100.

[23]   Fuente: traducción y elaboración propia tomando como referencia el documento original de los senadores Warner y Hawley presentado al Senado de los Estados Unidos. (SIL19759). Poco después de la proposición de la DASHBOARD, el senador Fisher y el propio senador Warner presentaron otro proyecto más: el *Deceptive Experiences to Online Users Reduction* (DETOUR, SIL 19435), o Ley sobre experiencias engañosas para la reducción de usuarios online, que pretende la reducción de las experiencias engañosas de los usuarios online, mediante la prohibición del uso de determinadas interfaces y diseños engañosos conocidos como dark patterns. Por su parte, y en consonancia con el citado proyecto, los senadores Booker, Wyden y Clarke presentaron el proyecto de ley de la *Algorithmic Accountability Act* (AAA, OLL 19293) o Ley de responsabilidad algorítmica, que pretende obligar a las grandes empresas a analizar de

Objetivo del proyecto	Obligar a los operadores de datos comerciales que superen dos requisitos a revelar cuánto valen los datos obtenidos de los usuarios y para qué se utilizan.
Requisitos para estar obligado a revelar los datos y su finalidad	1. Cualitativo: entidad con capacidad que actúa como proveedor de servicios de consumo en línea o intermediario de datos 2. Cuantitativo: generar una cantidad material de ingresos por uso, recolección, procesamiento, venta, o compartir datos de los usuarios; y tener más de 100 millones de usuarios mensuales en los EE.UU. durante una mayoría de meses.
¿Cómo se delimita la configuración del usuario?	Consumidor individual que utiliza un servicio en línea diseñado para el uso del consumidor por un operador de datos comerciales.
¿Cómo se definen los «datos de usuario»?	Cualquier información que identifique, se relacione con, describa, sea capaz de ser asociado con, o podría razonablemente estar vinculados con un usuario individual, ya sea directamente al operador de datos comerciales o derivado de la actividad llevaba a cabo por el mismo.
Procedimiento para exigir la revelación de los datos	El operador de datos comerciales deberá frecuentemente, y en su defecto, una vez cada 90 días: 1. Proporcionar a cada usuario la valoración económica de sus datos realizada por dicho operador. 2. De manera clara y visible, debe identificar los tipos de datos recopilados ya sea por él mismo a través de otra persona vinculada, y las formas en que son utilizados dichos datos, especificando si el uso está o no directamente relacionado con el servicio en línea que el operador de datos proporciona al usuario. 3. También deberá proporcionar a los usuarios la capacidad de eliminar todos los datos que el operador de datos comerciales posee o mantiene su control, y debe ser a través de una sola configuración u otro mecanismo claro y visible mediante el cual el usuario pueda realizar dicha eliminación.
Excepciones a la eliminación de los datos de los usuarios	1. Casos en los que exista una obligación legal del operador de datos comerciales para mantener bajo su custodia dichos datos. 2. Para el establecimiento, ejercicio o defensa de reclamaciones legales. 3. Si esos datos fuesen necesarios para detectar fallos de seguridad, protección contra actividades engañosas, fraudulentas o ilegales, o asistir al enjuiciamiento de los patrocinadores de dicha actividad. Asimismo, un operador de datos comerciales no puede retener esos datos recopilados de los que son necesarios para realizar las actividades anteriores.

---

forma periódica sus algoritmos y reparar aquellos que generen decisiones discriminatorias, injustas, sesgadas o imprecisas.

Objeto de revelación (I) *(Inmediato)*	Tanto los operadores de datos comerciales como filiales consolidadas de los mismos deberán presentar un informe anual o trimestral donde se contenga el valor agregado de los datos obtenidos, y en particular: 1. Los datos de los usuarios que los operadores de datos comerciales poseen. 2. Contratos con terceros para la recopilación de datos de los usuarios a través del servicio en línea proporcionado por el propio operador de datos comerciales. 3. Cualquier otro elemento que la Comisión determine, por imperativo legal, que es necesario o útil para la protección de los inversores y del interés público.
Objeto de revelación (II) *(Futuro)*	Un año después de la entrada en vigor de este proyecto, se podrá exigir a un operador de datos comerciales que revele ciertos extremos sobre el valor de los datos de los usuarios, que incluyen: 1. Medidas técnicas y legales implementadas para proteger los datos del usuario que hayan sido desarrolladas por el propio operador de datos comerciales. 2. Evaluación de riesgos financieros y legales asociados con el almacenamiento del tipo y cantidad de datos que posee el operador de datos comerciales. 3. Fuente de datos que posee el operador de datos comerciales, ya sea por una relación directa o indirecta con el consumidor u otros medios. 4. Cada operación que genere ingresos y que estos deriven de los datos de los usuarios, incluyendo cualquier filial o subsidiaria. 5. La entrada en vigor de cualquier contrato por más de 10 millones de dólares con un tercero para recopilar, ceder licencias o intercambio de datos por parte de un tercero previo acuerdo con el operador de datos comerciales. 6. Cantidad de ingresos derivados de la obtención, recopilación, procesamiento, venta, uso o intercambio de los datos de los usuarios durante dicho período. 7. Cómo los cambios en la medición del valor razonable agregado de los datos del usuario afectan el rendimiento y los flujos de efectivo del operador de datos. 8. Cualquier adquisición de datos de usuarios valorados en más de 100 millones de dólares.
Metodología de valoración de los datos obtenidos	La Comisión, previa consulta con las organizaciones de establecimiento de normas apropiadas, desarrollará un método o varios métodos para calcular el valor de los datos de usuario que se deben divulgar, y también tendrá en cuenta la posibilidad de desarrollar métodos distintos para calcular el valor de los datos para diferentes usos, sectores y modelos de negocio.
Disponibilidad y accesibilidad de los datos obtenidos	El operador de datos comerciales garantizará que todas las revelaciones mencionadas en la columna anterior están disponibles para el usuario: 1. En la fecha y después de la misma en la que el operador de datos comerciales realiza la identificación de los mismos. 2. A través de cualquier mecanismo habitual por el que el usuario puede interactuar con el servicio en línea suministrado por el propio operador de datos comerciales.

No cabe duda (más allá del recorrido que pueda tener) que es la propuesta que mejor ha sabido entender cuál es el principal foco de conflicto que suscita la ausencia de métodos certeros de valoración de los datos y la finalidad para la que se emplean.

Si el problema es que no es posible, o no existen los medios para averiguar cuánto valen los datos que recopilan algunas empresas, una solución sería articular un instrumento jurídico vinculante que las obligue a identificarlos; y así se prescinde de la ardua tarea de evaluar y medir (también a efectos fiscales) esos datos.

De este modo, al afectar únicamente a grandes multinacionales tecnológicas, que serán las únicas que cumplan el requisito cualitativo y cuantitativo, no supondrá una grave distorsión en la actividad económica, pero queda patente que las cantidades que revelen, tanto del valor esos datos, como de la finalidad para la que se utilicen, servirán como referencia a efectos fiscales.

Así las cosas, podría dilucidarse cuánto valen esos preciados datos con los que obtienen sus beneficios, y se estará más cerca de lograr identificar o imputar ciertas rentas en las bases imponibles que correspondan. Aunque no exista certeza de los ingresos obtenidos, sí que se sabrá cuánto vale su principal materia prima, y a través de un método de medición adecuado (casi con seguridad, sería un método objetivo) se podría lograr una cierta aproximación a su cifra de negocios.

Es nuestra opinión, en un plano teórico, es una propuesta muy acertada; ahora bien, en el plano práctico, tenemos más dudas. Fundamentalmente por la metodología de valoración de los datos obtenidos, ya que si bien pueden conseguirse una infinidad de datos, servirá de bien poco haberlos recibido si no es correcto su análisis.

Hubiera sido recomendable una propuesta que incorporase en su prosa ese método de valoración, ya que, de lo contrario, actualmente disponemos de una declaración de intenciones sin el instrumento que le da sentido. Además, no se menciona el plazo en el que esa herramienta estaría en pleno funcionamiento; como tampoco los elementos que toma en consideración para llegar a dichas conclusiones, y de ellas se podrían extraer cantidades imputables a efectos fiscales y generar diversas obligaciones tributarias. Asunto nada baladí como para no disponer de ese método de valoración.

Es el aspecto más importante de la propuesta, más allá de la buena intención que despliega: esa herramienta mágica que otorgue la matrícula de honor y efectividad práctica a una propuesta teórica de notable.

No obstante, puesto que, de llegar a buen puerto solo sería de aplicación en los Estados Unidos, supondrá un punto de inflexión para trasladar este debate al seno de la OCDE y de la Unión Europea, y permita extrapolar aquellos aspectos acertados para consensuar, en la medida de lo posible, esa herramienta de valoración de los datos.

Por ello, debemos reiterar que es una propuesta muy acertada, que focaliza sobre lo verdaderamente importante en la prestación de los conocidos «servicios digitales», que son la captación de esos datos por parte de algunas empresas, y pretende otorgar una solución, en forma de un método de valoración de los datos previamente entregados (por obligación *ex lege*) por parte de los entes que los captan. Sin embargo, hasta hallar ese método de valoración preciso, y que este sea, primero, aplicable con cierta fiabilidad en los Estados Unidos, y segundo, extrapolable a los países del entorno OCDE y Unión Europea, esta propuesta carece, por desgracia, de aplicabilidad práctica.

3.3. *Solución tercera: los datos como derechos humanos. Alterar el sistema de relaciones empresa-usuario*

Una tercera vía consistiría en repensar el sistema de relaciones entre las empresas y los usuarios en torno a los datos. Ello conlleva, ineludiblemente, estudiar si los datos, tanto brutos como refinados, se deben concebir como capital o como trabajo.

Como destaca Llaneza, ¿cómo sería una economía de datos en la que los gigantes tecnológicos tuvieran que pagar por el acceso a estos?[24] Y como bien aclara, al hilo de lo recogido por *The Economist*: «... no sería la primera vez que un importante recurso económico haya pasado de ser usado a ser poseído y negociado, como ocurrió con la tierra, el agua...»[25].

Calificar correctamente ante qué tipo de servicio prestado nos encontramos es imprescindible, como también dilucidar si esos datos que «vagan» por el ciberespacio son directamente accesibles por algunos entes (empresas) sin previa contraprestación, o si por el contrario son propiedad de quien, activa o pasivamente, los produce (usuarios).

---

[24]   *Cfr.* LLANEZA, P., *Datanomics*, Deusto, Barcelona, 2019, p. 29.
[25]   Puede verse el artículo online en: *https://www.economist.com/the-world-if/2018/07/07/what-if-people-were-paid-for-their-data*. Fecha de última visita: 23/04/2019.

Concebir los datos como Derechos humanos o propiedad privada conlleva su consideración como trabajo, en contraposición al actual panorama internacional, que prima los datos como capital. Los datos como mano de obra implican que los usuarios deberían recibir una contraprestación por verter esos datos a la red, ya que son una materia prima que alimenta a una determinada IA, por lo que es un trabajo inconsciente o pasivo en el que se generan datos.

Si hay un miembro claro en esta ecuación, es que sin los datos de los usuarios, las empresas que obtienen cuantiosos beneficios económicos, directos o indirectos, no lograrían, ni mucho menos, esas cifras de negocio. Por tanto, un miembro de esa ecuación produce esos datos y otro los explota obteniendo beneficio, pero el primero no recibe ninguna contraprestación por un bien que, de no producirlo, sería imposible obtener esa cantidad de ingresos. Por tanto, los datos de los usuarios son el componente fundamental de un modelo de negocio a escala mundial.

Es de justicia esgrimir un razonamiento a favor de los datos como trabajo frente a los datos como capital, ya que son bienes que las empresas captan de forma gratuita, tal y como si fuese un bien de consumo a su disposición, sin ninguna contraprestación[26].

Algunos autores han llegado a afirmar que los usuarios que vierten esos datos son colaboradores voluntarios de la actividad de la propia empresa[27]. Al respecto, compartimos dicha tesis en el sentido de que los usuarios podrían, incluso, ser considerados como coproductores de esas rentas potenciales derivadas, en último término, de la captación y explotación de esos datos.

Es más, la tesis citada alude a la necesidad de crear un impuesto específico sobre la recogida y explotación de datos, tomando en consideración únicamente aquellos que ponen de manifiesto trabajo gratuito, como medida de compensación y, en definitiva, como instrumento que permita ingresar cantidades a las arcas públicas de los Estados.

---

[26]   Al respecto puede verse un studio en ARRIETA IBARRA, T., GOLF, L., JIMÉNEZ HERNÁNDEZ, D., LANIER, J., Y WEYL, G., «Should We Treat Data as Labor? Moving Beyong "free"», *American Economic Association - Papers & Proceedings*, vol. 1, núm. 1, 2017.

[27]   *Cfr.* COLLIN, P., Y COLIN, N., *Task Force on Taxation of the Digital Economy*, Ministere de L'Economie et des Finances, France, 2013, pp. 3-4. Al respecto, puede verse un análisis en ROSEMBUJ, T., «La fiscalidad de la automatización», *El Fisco*, julio de 2018, disponible *online: http://elfisco.com/articulos/1653.*

Y tampoco han faltado voces, como Ben-Shahar, que han propuesto un impuesto que grave a los usuarios que provean datos personales, invirtiendo en este caso el sujeto pasivo del impuesto, que serían los usuarios, sobre la base de la externalidad negativa que origina la cantidad incesante de datos superfluos en la red[28], es decir, para combatir la *data polution*.

Así las cosas, es patente que los usuarios son la única fuente de producción de beneficios identificable, no media contraprestación y se tratan los datos como un mero recurso de consumo (datos como capital), y urge repensar el sistema de relaciones entre las empresas y los usuarios por los datos de estos últimos, de forma que estos sean de su propiedad privada y las empresas abonen la cantidad pactada por ellos, convirtiéndose así los usuarios en productores de datos y, a la vez, en perceptores de renta (datos como trabajo)[29].

Este «nuevo» sistema de relaciones permitiría lograr una doble finalidad: primera, que los datos sean propiedad exclusiva de los usuarios y solo se compartan mediando un pago por ellos, y dejarían de ser estos meros coproductores pasivos de la renta de las empresas que los explotan; y segunda, asignaría un valor a esos datos, ya que conllevaría expresamente la incorporación de la contraprestación recibida como rendimiento del trabajo en el IRPF, y por tanto, ya estarían identificados tanto el valor de esos datos, es decir, su valor fiscal, como la cantidad a integrar en los impuestos correspondientes.

Insistiendo en la situación jurídico-tributaria, si un usuario recibe una contraprestación por sus datos, se debe considerar como renta gravable, y el valor de esos datos, como han puesto de manifiesto algunos autores[30], podría ser compartido entre la empresa y el usuario productor.

Esta perspectiva focalizaría en el dato como medidor de la capacidad económica del usuario, ya que estos generan una serie de beneficios medibles y cuantificables como renta gravable a efectos del IRPF, y como ya

---

[28]   *Cfr.* BEN-SHAHAR, O., «Data polution», *Public Law Working Paper - University of Chicago*, núm. 679, 2018, pp. 17-24.

[29]   También se deben tener en cuenta los intereses detrás de ambas consideraciones: si se toma como referencia el sistema de relaciones empresa-usuarios de los datos como capital, lógicamente encauza su postura hacia la estimulación de la innovación y beneficio empresarial; mientras que si lo hace hacia los datos como trabajo, se dirige hacia las personas para promover la calidad de los datos. En este sentido, ROSEMBUJ, T., «La fiscalidad de la automatización»... *op. cit.*

[30]   ARRIETA IBARRA, T., GOLF, L., JIMÉNEZ HERNÁNDEZ, D., LANIER, J., Y WEYL, G., «Should We Treat Data as Labor? Moving Beyong "free"»... *op. cit.*

hemos dicho, se identificaría claramente el valor fiscal tanto de los datos como su imputación a las bases imponibles correspondientes. De esta forma, alteraría también el sistema de relaciones entre las administraciones tributarias y los contribuyentes.

En resumidas cuentas, parece loable pensar que el actual sistema de relaciones empresa-usuario en torno a los datos no es del todo razonable, puesto que existen dos partes claramente perjudicadas: primera, los usuarios porque no reciben contraprestación por la producción de un bien de su propiedad (datos); y segunda, el Erario público, puesto que no se ingresan las cantidades correspondientes que derivan de la explotación de esos datos por algunas empresas.

4. CONCLUSIONES

No es una tarea sencilla extraer un corolario de conclusiones al uso en temas tan profundamente abstractos y complejos como el que nos ocupa. Pero tampoco se ha pretendido abordar la problemática agotando todas las posibles soluciones; al contrario, se ha puesto de manifiesto una realidad económica que debe encontrar cobijo, de un modo u otro, tarde o temprano, en los ordenamientos jurídico-tributarios. No obstante, de lo expuesto en este trabajo se pueden extraer una serie de reflexiones, que son las siguientes.

Primera. La regulación vía legislativa de los datos no forma parte de un futuro lejano en el que la realidad supere a la ciencia ficción y la IA domine a la raza humana; es el presente desde hace muchos años y el ordenamiento jurídico ha permanecido ajeno, por unos u otros motivos, a esta realidad, ahora irreversible.

Segunda. Bien es cierto que en materias tales como la protección de los datos personales se están consiguiendo importantísimos avances, pero en la esfera tributaria el mayor reto consiste en diseñar métodos precisos de cuantificación de los datos que vinculen a las administraciones y los contribuyentes en aras, por un lado, de garantizar la seguridad jurídica, y por otro, del nacimiento de las correspondientes obligaciones tributarias, que se pondrán de manifiesto tomando en consideración el dato como medidor de la capacidad económica.

Tercera. Ello conlleva, ineludiblemente, delimitar correctamente qué tipos de actos, situaciones o hechos demuestran esa capacidad económica y cuáles no pueden ser enmarcados en los impuestos tradicionales. En aquellos servicios cuyos datos no sean captados de una manera consciente por el usuario, o este no sepa de dicha actividad y colabore pasivamente en la entrega de los mismos (la modalidad pasiva que hemos descrito en este trabajo), el problema no se enmarca exclusivamente en la esfera tributaria, sino en una carencia de un instrumento jurídico que regule ese sistema de relaciones, que posteriormente puede generar diversas obligaciones tributarias.

Cuarta. En definitiva, se pretende no ya abordar un cambio en el *status quo* entre las empresas y los usuarios en torno a los datos, que también, sino establecer un nuevo sistema de relaciones entre las administraciones tributarias y los contribuyentes. Al fin y al cabo, se trata de modificar un sistema afianzado, y no será nada fácil ni proponer nuevas soluciones certeras en intención pero ineficientes en su práctica (la DASHBOARD norteamericana, que establece una obligación *ex lege* para las empresas de revelación del valor de los datos captados) ni reciclar otras no diseñadas para abordar tal problema (enmarcar los servicios asociados a la explotación de datos en el ISDi).

Quinta. Queda claro que la solución no debe aplazarse más, y si debe ser desde la OCDE u otra organización el foro donde debe aflorar dicha solución no cabe más dilación, a menos que se esté esperando a, como sucedía en la famosa película de James Cameron, que vuelvan a enviar otro *Terminator* del futuro con la solución mágica.

Bibliografía

ARRIETA IBARRA, T., GOLF, L., JIMÉNEZ HERNÁNDEZ, D., LANIER, J., Y WEYL, G., «Should We Treat Data as Labor? Moving Beyong "free"», *American Economic Association - Papers & Proceedings*, vol. 1, núm. 1, 2017.

ASIMOV, I., *El círculo vicioso*, Edit. Runaround, Estados Unidos, 1942.

BEN-SHAHAR, O., «Data polution», *Public Law Working Paper - University of Chicago*, núm. 679, 2018.

BERG, A., BUFFIE, E., y ZANNA, L. F., «Robots, crecimiento y desigualdad», *Finanzas y Desarrollo*, septiembre, 2016.

BOLETÍN OFICIAL DE LAS CORTES GENERALES (BOCG), Proyecto de Ley del Impuesto sobre Determinados Servicios Digitales, Boletín Oficial de las Cortes Generales de 25 de enero de 2019.

BOOKER, WYDEN Y CLARKE, *Algorithmic Accountability Act* (AAA, OLL 19293), 2019.

CALDERÓN CARRERO, J. M., «Nota sobre el Paquete Europeo (2018) en materia de fiscalidad de la economía digital», *AEDAF*, 2018.

COLE, T., *Digitale transformation*, Valhen, Munich, 2015.

COLLIN, P., y COLIN, N., *Task Force on Taxation of the Digital Economy*, Ministere de L'Economie et des Finances, France, 2013.

COMISIÓN EUROPEA, Informe «Inteligencia artificial: un enfoque europeo para impulsar la inversión y establecer directrices éticas», 25 de abril de 2018.

CONSEJO, Propuesta de directiva 148/2018, *relativa al sistema común del Impuesto sobre los Servicios Digitales*, de 21 de marzo de 2018.

CUI W., «The Digital Services Tax: A Conceptual Defense», 2018, *Academia.edu*.

FERNÁNDEZ AMOR, J. A., «Derecho tributario y cuarta revolución industrial: análisis jurídico sobre aspectos fiscales de la robótica», *Nueva Fiscalidad*, núm. 1, 2018.

FISHER Y WARNER, *Deceptive Experiences to Online Users Reduction* (DETOUR, SIL 19435), 2019.

GARCÍA NOVOA, C., «Impuestos atípicos en la era post BEPS», en CUBERO TRUYO, A., Tributos asistemáticos del ordenamiento vigente, Tirant lo Blanch, Madrid, 2018.

GARCÍA NOVOA, C., *El Derecho tributario actual: innovaciones y desafíos*, Instituto Colombiano de Derecho Tributario, Bogotá, 2018.

GARCÍA NOVOA, C., «La adaptación de la fiscalidad ante los retos jurídicos, económicos, éticos y sociales planteados por la robótica», *Nueva Fiscalidad*, núm. 4, 2017.

GARCÍA NOVOA, C., «La búsqueda de alternativas para la tributación de los robots: la tasa californiana aplicable a los vehículos autónomos», en GARCÍA NOVOA, C., *4ª Revolución industrial: la fiscalidad de la sociedad digital y tecnológica en España y Latinoamérica*, Aranzadi, Navarra, 2019.

HARARI, Y. H., *Homo Deus. Breve historia del mañana*, Debate, Madrid, 2016.

HOFFMANN-RIEM, W., *Big Data. Desafíos también para el Derecho*, Civitas, Navarra, 2018.

KOFLER, G., Y SINNIG, J., «Equalization Taxes and the EU's Digital Services Tax», *Intertax,* vol. 47, núm. 2, 2019.

LEVY, F., Y MURNANE, R., «The New Division of Labor: How Computers are Creating the Next Job Market», *Princeton University Press*, 2004.

LLANEZA, P., *Datanomics*, Deusto, Barcelona, 2019.

MACARRO OSUNA, J. M., «Novedades recientes en la tributación indirecta relacionada con la economía digital: del IVA al (in) directo "Digital Services Tax"» en CASTAÑOS CASTRO, P., Y CASTILLO PARRILLA, J. A., *El mercado digital en la Unión Europea*, Reus, Madrid, 2019.

MENÉNDEZ MORENO, A., «El nuevo Impuesto sobre Determinados Servicios Digitales», *Quincena fiscal*, núm. 6, 2019.

OBERSON, X., «Taxing Robots? From the emergency of an electronic ability to pay to a tax on robots or the use of robots», *World Tax Journal*, mayo, 2017.

OCDE, «Putting faces to the Jobs and risk of automation», *OCDE Publishing*, París, 2018.

OCDE, «Recommendation of the Council on Artificial Intelligence», *OCDE Legal Instruments*, París, 2019.

OSBORNE, M. A., Y FREY, C. B., «The Future of Employment: How Susceptible Are Jobs to Computerisation?», 17 de septiembre de 2013.

ROSEMBUJ, T., «La fiscalidad de la automatización», *El Fisco*, julio de 2018.

SÁNCHEZ-ARCHIDONA, G., «La tributación de la robótica y la inteligencia artificial como límites del Derecho Financiero y Tributario», *Quincena Fiscal*, núm. 12, 2019.

WARNER y HAWLEY, Proyecto de ley: «Accounting Safeguards to Help Broaden Oversight and Regulations on Data Act» (DASHBOARD), Senado de los Estados Unidos, 2019.

Capítulo 17
Los impuestos a los robots desde una perspectiva internacional*

María del Carmen Cámara Barroso
Universidad a Distancia de Madrid

1. INTRODUCCIÓN

La digitalización y automatización (robotización) de la economía traída de la mano de la robótica y la inteligencia artificial (en adelante, IA) es una realidad que ha provocado una nueva revolución industrial que se ha dado a conocer como *Industria 4.0*. Indudablemente, este cambio social lleva aparejado un incremento de la productividad (con la consiguiente reducción de los costes de producción) y de la competitividad empresarial, pero también una transformación del empleo (que ocasiona la sustitución de mano de obra humana por «máquinas»)[1].

Algunos, más optimistas, como Arntz, Gregory y Zierahn, que en 2016 realizaron un estudio con 21 países de la Organización para la Cooperación y el Desarrollo Económicos (en adelante, OCDE), en su momento, entendieron —siguiendo un enfoque basado en las diferentes tareas que integran

---

[*] Este trabajo ha sido realizado en el marco del Grupo de Investigación «Fiscalidad Empresarial (GI-19/1)» de la Universidad a Distancia de Madrid, UDIMA (Plan Nacional I+D+i) (número de identificador: A-81618894-GI-19/1), del que soy IP.

[1] Según datos del Consejo Económico y Social de España (en adelante, CES) de 2018, se calcula que el número total de robots industriales en funcionamiento en la actualidad (estimado en unos 1,5-1,75 millones) podría llegar a triplicarse en 2025. CES: «El futuro del trabajo», en *Colección Informes*, núm, 3, 2018, pp. 52-53. Disponible en: http://www.ces.es/documents/10180/5182488/Inf0318.pdf (consultado el 14 de febrero de 2020).

un determinado puesto de trabajo— que únicamente un 9 por ciento de los mismos sufren riesgo de automatización[2]. Otros, más pesimistas, como Frey y Osborne, ya en 2013, tras analizar la posibilidad de automatización de 702 empleos, estimaron que la robotización de la economía podría suponer la pérdida de un 47 por ciento de los puestos de trabajo existentes en Estados Unidos[3]. En este contexto, añade el CES que «la probabilidad de automatización disminuye cuanto mayor es el grado de responsabilidad, el nivel educativo, la participación en actividades formativas, así como con la adopción de nuevas formas de trabajo»[4].

Por lo que a nosotros interesa, a nivel estatal, esta posible reducción en el empleo, entre otras, llevaría aparejada: (i) una pérdida de recaudación en concepto de rendimientos del trabajo personal del Impuesto sobre la Renta de las Personas Físicas (en adelante, IRPF), pues puede pensarse que en el futuro habrá menos gente trabajando; (ii) un incremento del gasto por prestaciones por desempleo[5]; y (iii), por extensión, una disminución del consumo.

Como posibles soluciones a esta nueva realidad se ha planteado tanto el establecimiento de una renta básica universal, defendida, entre otros, por S. Hawking (que trae su origen en el impuesto negativo sobre la renta propuesto por M. Friedman en 1962 en su libro *Capitalismo y libertad*)[6], o el

---

[2] Cfr. ARNTZ, M., GREGORY, T. y ZIERAHN, U.: «The risk of automation for jobs in OECD countries: a comparative analysis», en *OECD Social, Employment and Migration Working Papers*, 2016, núm. 189. Disponible en: https://www.oecd-ilibrary.org/social-issues-migration-health/the-risk-of-automation-for-jobs-in-oecd-countries_5jlz9h56dvq7-en (consultado el 12 de febrero de 2020).

[3] Cfr. FREY, C. B. y OSBORNE, M.: «The Future of Employment: How susceptible are jobs to computerisation?», en *Oxford Martin School Working Papers*, 2013. Disponible en: https://www.oxfordmartin.ox.ac.uk/downloads/academic/future-of-employment.pdf (consultado el 12 de febrero de 2020).

[4] Cfr. CES: «El futuro del trabajo», *cit.*, p. 53.

[5] Además, señala GRAU RUIZ, «no será en absoluto desdeñable el gasto público generado por los robots, como usuarios de variadas infraestructuras (desde redes para garantizar la conectividad, hasta el suficiente suministro de energía que demanden), por lo que deberán buscarse formas de contribuir a su sostenimiento» (GRAU RUIZ, A.: «La adaptación de la fiscalidad ante los retos jurídicos, económicos, éticos y sociales planteados por la robótica», en *Nueva Fiscalidad*, núm. 4, 2017, p. 58).

[6] Sobre el particular, *vid.* https://www.independent.co.uk/life-style/gadgets-and-tech/stephen-hawking-says-robots-could-make-us-all-rich-and-free-but-were-more-likely-to-end-up-poor-and-a6688431.html (consultado el 15 de febrero de 2020). SEGURA ALAUSTRÉ define la renta básica como «una ayuda incondicional (se mantiene el subsidio sea cual sea el nivel de ingresos del perceptor) que se entrega a todo ciudadano durante el resto de su vida» (SEGURA ALAUSTRÉ, M.: «Los robots en el Derecho Fi-

establecimiento de un impuesto a los robots (por el que aboga, por ejemplo, B. Gates)[7]. Como ya señalara Soler Roch, «la hipótesis no muy lejana de un mundo económico dominado por una utilización intensiva de la inteligencia artificial podría implicar (…) un descenso de la población activa y con ello de sus contribuyentes, haciendo insuficiente un sistema tributario como el actual sustentado sobre todo en las rentas del trabajo y en el consumo»[8].

Dentro de la Unión Europea, aunque en el *Informe con recomendaciones destinadas a la Comisión sobre normas de Derecho civil sobre robótica* de 27 de enero de 2017 (2015/2103 (INL)), cuya ponente fue la eurodiputada M. Delvaux, partiendo de que, «el desarrollo de la robótica y la inteligencia artificial puede dar lugar a que los robots asuman gran parte del trabajo que ahora realizan los seres humanos sin que puedan reemplazarse por completo los empleos perdidos», se proponía estudiar «la posibilidad de someter a impuesto el trabajo ejecutado por robots o exigir un gravamen por el uso y mantenimiento de cada robot, a fin de mantener la cohesión social y la prosperidad», en la *Resolución del Parlamento Europeo con recomendaciones destinadas a la Comisión sobre normas de Derecho civil sobre robótica*, de 16 de febrero de 2017 (P8_TA (2017) 0051), se rechazó la idea de introducir un sistema de tributación de los robots como «personas electrónicas»[9].

2. A NIVEL FISCAL, ¿QUÉ ESTÁ PASANDO EN NUESTRO ENTORNO?

A favor de la de la robotización de la economía encontramos, por ejemplo, incentivos fiscales a la investigación, desarrollo e innovación (en adelante, I+D+i), que podrían llegar a resultar de aplicación ante la inclusión

---

nanciero y Tributario», en BARRIO ANDRÉS, M. (dir.), *Derecho de los robots*, Wolters Kluwer, Madrid, 2018, p. 179).

[7]   Sobre el particular, *vid.* https://qz.com/911968/bill-gates-the-robot-that-takes-your-job-should-pay-taxes/ (consultado el 15 de febrero de 2020).

[8]   Cfr. SOLER ROCH, M. T.: «Los retos tributarios del siglo XXI», en *Revista Española de Derecho Financiero*, núm. 183, 2029, p. 44.

[9]   Entre los detractores de esta propuesta, por ejemplo, la eurodiputada K. KALLAS señaló que la introducción de un impuesto de este tipo afecta negativamente al nivel de innovación y competitividad de la Unión Europea («*introducing a tax on robots, for instance, will simply kill innovation and drive the engineers developing robots elsewhere, and we will be left using the robots instead of creating them*»). Sobre el particular, *vid.* https://www.europarl.europa.eu/doceo/document/CRE-8-2017-02-15-INT-3-738-0000_EN.html (consultado el 16 de febrero de 2020).

de robots en el proceso productivo[10]. A nivel internacional, estos incentivos fiscales se encuentran avalados por la Acción 5 (que lleva por título *Combatir las prácticas fiscales perniciosas, teniendo en cuenta la transparencia y la sustancia*) del Plan BEPS (del inglés *Base Erosion and Profit Shifting*) de la OCDE.

Por ejemplo, dentro del Ordenamiento jurídico español, en la Ley 27/2014, de 27 de noviembre, del Impuesto sobre Sociedades (en adelante, LIS), se contienen los siguientes[11]: (i) libertad de amortización y amortización acelerada (art. 12.3. b) y c) LIS); (ii) reducción de las rentas procedentes de determinados activos intangibles, comúnmente conocido como régimen de *patent box* (art. 23 LIS); y (iii) deducción por actividades de I+D+i (art. 35 LIS).

Por el contrario, «en contra» del proceso de automatización podemos citar los siguientes ejemplos:

En Corea del Sur, país más robotizado del mundo según los datos de la *International Federation of Robotics* (en adelante, IFR)[12], se introdujo en 2017 el primer *robot tax*, consistente en un mecanismo indirecto que, en la

---

[10]   Sobre si podría resultar de aplicación la deducción del art. 35 LIS a la adquisición de un robot, la Dirección General de Tributos (en adelante, DGT), en su Consulta Vinculante V2647-11, de 7 de noviembre, que resolvía un supuesto en el que la entidad consultante había adquirido un robot que realizaba la gestión automática del almacén y actividades de dispensación de los medicamentos (lo que daba lugar a un nuevo proceso en la recepción, almacenaje y venta de los productos), entendió (respecto al entonces vigente art. 35 del Real Decreto Legislativo 4/2004, de 5 de marzo, por el que se aprueba el texto refundido de la Ley del Impuesto sobre Sociedades) que «no tiene lugar un avance tecnológico en la obtención de nuevos productos o procesos de producción, o de mejoras sustanciales, tecnológicamente significativas, de productos o procesos de producción ya existentes». A juicio de la DGT, en este caso concreto, lo que llevaba a cabo la consultante era la adquisición y posterior integración de un robot en su actividad de farmacia para realizar la gestión automática del almacén y la realización de actividades de dispensación de medicamentos, lo que no se puede considerar como innovación tecnológica.

[11]   En este contexto, SÁNCHEZ-URÁN AZAÑA, Y. y GRAU RUIZ, M. A. entienden que «la legislación debe ir avanzando en la garantía de la empleabilidad de las personas humanas y en este sentido ponderar los incentivos para la puesta en marcha de actividades y empresas altamente tecnologizadas con la evitación de pérdida de trabajadores en sectores que están reconvirtiendo su modelo tradicional en otros más tecnologizados» (SÁNCHEZ-URÁN AZAÑA, Y. y GRAU RUIZ, M. A.: «El impacto de la robótica, en especial la robótica inclusiva, en el trabajo: aspectos jurídico-laborales y fiscales», en *Revista Aranzadi de Derecho y Nuevas Tecnologías*, núm. 50, 2019, consultado online).

[12]   Sobre el particular, *vid.* https://ifr.org/ifr-press-releases/news/robot-density-rises-globally (consultado el 15 de febrero de 2020).

práctica, se traduce en una reducción del porcentaje aplicable en la deducción por inversión en I+D allí existente[13]. Por su parte, en California, los propietarios de drones, al adquirirlos, deben pagar una tasa de 5$. También en California, desde 2018, existe un tributo sobre los viajes prestados por vehículos autónomos[14].

Dentro de la doctrina encontramos posturas enfrentadas, pudiendo destacar, por ejemplo, a Oberson[15], favorable a la introducción de impuestos de este tipo por considerarlos como una valiosa solución para afrontar los desafíos a los que se enfrenta el mercado laboral («*we argue that a taxation of robots, or the use of robots, represents a powerful and interesting alternative solution to a potential crucial issue: the decline, or at least the complete change, of labor market and the distributional implications on persons of the growing use of automation*»), y a Englisch, que no es proclive a la configuración de los robots como sujetos pasivos de impuestos, ya sean sobre la renta o el consumo («*there is currently no compelling argument to make robots themselves taxable persons, neither for the purposes of income taxation nor for the purpose of indirect taxes on consumption expenditure*»)[16].

Otros como Abbott y Bogenschneider, cuya opinión compartimos, entienden que, debido a que, en su configuración actual, la mayoría de los ingresos fiscales derivan de ingresos laborales, cuando una máquina reemplaza a un trabajador, se pierde una cantidad importante de ingresos fiscales. A su juicio, el principal problema es el hecho de que nos encontramos ante un sistema tributario diseñado para gravar el trabajo en lugar del capital,

---

[13] Sobre   el   particular,   *vid.*   https://www.koreatimes.co.kr/www/news/tech/2017/08/133_234312.html (consultado el 16 de febrero de 2020).

[14] Sobre el particular, *vid.*, en profundidad, GRAU RUIZ, A.: «La búsqueda de alternativas para la tributación de los robots: la tasa californiana aplicable a los vehículos autónomos», en GARCÍA NOVOA, C. (dir.), *4ª Revolución industrial: la fiscalidad de la sociedad digital y tecnológica en España y Latinoamérica*, Aranzadi, Navarra, 2019, pp. 155-174.

[15] Cfr. OBERSON, X.: *Taxing Robots. Helping the Economy to Adapt to the Use of Artificial Intelligence*, Edward Elgar Publishing Ltd, United Kingdom, 2019, p. 3.

[16] Cfr. ENGLISCH, J.: «Digitalisation and the Future of National Tax Systems: Taxing Robots?», en *SSRN Electronic Journal*, 2018, p. 21. Disponible en: https://papers.ssrn.com/sol3/papers.cfm?abstract_id=3244670 (consultado el 13 de febrero de 2020). En la misma línea de pensamiento, *vid.* ATKINSON, D.: «The case against taxing robots», en *Information Technology & Innovation Foundation*, 2019. Disponible en: https://itif.org/publications/2019/04/08/case-against-taxing-robots (consultado el 15 de febrero de 2020).

sistema que, en consecuencia, no funciona cuando el trabajo (empleados) se convierte en capital (robots)[17].

3. EN LA BÚSQUEDA DE UN CONCEPTO DE «ROBOT»

Si nos planteamos la posibilidad de establecer un impuesto sobre los robots, como mínimo, resulta necesario delimitar el hecho imponible, el sujeto pasivo y su base imponible. Sobre este último punto (base imponible), parte de la doctrina aboga por hacer referencia al salario que debería recibir un robot por hacer este trabajo, esto es, el salario imputado del trabajador que ha sido desplazado[18].

Si partimos de la definición contenida en la Norma ISO 8373:2012, podemos conceptualizar a un «robot industrial» como todo aquel «manipulador multifuncional, controlado automáticamente, reprogramable en tres o más ejes, que puede estar fijo o móvil para uso en aplicaciones de automatización industrial»[19].

---

[17]   Cfr. ABBOTT, R. y BOGENSCHNEIDER, B.: «Should Robots Pay Taxes? Tax Policy in the Age of Automation», en *Harvard Law & Policy Review*, volumen 12, 2018, p. 145. Disponible en: https://papers.ssrn.com/sol3/papers.cfm?abstract_id=2932483 (consultado el 15 de febrero de 2020).

[18]   Cfr. OBERSON, X.: «Taxing Robots? From the Emergence of an Electronic Ability to Pay to a Tax on Robots or the Use of Robots», en *World Tax Journal*, 2017, p. 254 («*based on the idea that a robot replaces humans, and consequently prevents such humans from being paid their salaries, a tax on the imputed hypothetical salary that robots should receive from equivalent work done by humans could be introduced*»). Disponible en: https://www.ibfd.org/sites/ibfd.org/files/content/pdf/wtj_2017_02_int_3_ SeptNewsletter.pdf (consultado el 13 de febrero de 2020). Dentro del Ordenamiento jurídico español, la técnica de la imputación de rentas se contiene en la Ley 35/2006, de 28 de noviembre, del Impuesto sobre la Renta de las Personas Físicas y de modificación parcial de las leyes de los Impuestos sobre Sociedades, sobre la Renta de no Residentes y sobre el Patrimonio. Para autores como GARCÍA NOVOA, «la fórmula de establecer la base imponible de este impuesto sobre los robots tomando en consideración el salario del trabajador del que se va a prescindir es una propuesta que ignora cómo se produce la incorporación de la tecnología a las empresas. Y ello porque rara vez un robot sustituye a un trabajador determinado, sino que la sustitución es por sectores de producción y muchas veces no afecta a la empresa que incorpora el robot sino a empresas auxiliares que son sujetos tributarios diferentes» (GARCÍA NOVOA, C.: «La tributación de los robots y el futurismo fiscal», en *Taxlandia - Blog fiscal y tributario*, 17 de abril de 2018, disponible en https://www.politicafiscal.es/cesar-garcia-novoa/la-tributacion-de-los-robots-y-el-futurismo-fiscal, consultado el 16 de febrero de 2020).

[19]   Sobre el particular, *vid.* http://www.aer-automation.com/wp-content/uploads/2018/05/Presentaci%C3%B3n_AER_jornada_Vigo.pdf (consultado el 13 de febrero de 2020).

Revisando el Derecho comparado, dentro del Ordenamiento jurídico de Corea del Sur, en el *Intelligent Robots Development and Distribution Promotion Act* de 6 de enero de 2016, se define al «robot inteligente» como un dispositivo mecánico que percibe el entorno externo por sí mismo, discierne las circunstancias y se mueve voluntariamente («*a mechanical device that perceives the external environment for itself, discerns circumstances, and moves voluntarily*»).

Por su parte, en el *Informe con recomendaciones destinadas a la Comisión sobre normas de Derecho Civil sobre robótica*, al que hemos hechor referencia arriba, se precisan las características que debe reunir un «robot inteligente» (*smart robot*) en los siguientes términos: (i) capacidad de adquirir autonomía mediante sensores y/o mediante el intercambio de datos con su entorno (interconectividad) y el intercambio y análisis de dichos datos; (ii) capacidad de autoaprendizaje a partir de la experiencia y la interacción (criterio facultativo); (iii) un soporte físico mínimo; (iv) capacidad de adaptar su comportamiento y acciones al entorno; e (v) inexistencia de vida en sentido biológico.

También a nivel europeo, en la Comunicación de la Comisión al Parlamento Europeo, al Consejo Europeo, al Consejo, al Comité Económico y Social Europeo y al Comité de las Regiones, *Inteligencia artificial para Europa*, COM (2018) 237 final, de 25 de abril de 2018, se señala que «los sistemas basados en la IA pueden consistir simplemente en un programa informático (p. e. asistentes de voz, programas de análisis de imágenes, motores de búsqueda, sistemas de reconocimiento facial y de voz), pero la IA también puede estar incorporada en dispositivos de hardware (p. e. robots avanzados, automóviles autónomos, drones o aplicaciones del internet de las cosas)».

Por último, en la Acción 1 del Plan BEPS de la OCDE únicamente se hace referencia a los retos futuros de la IA en los siguientes términos: «*in the future, progress in artificial intelligence and the emergence of cognitive computing may expand the influence of robots beyond the manufacturing sector and into broader segments of the economy, as well as into household applications such as assisting the elderly or disabled with manual tasks. As robots learn to do jobs that previously were solely done by humans, they can potentially generate productivity, help lower prices for customers, contribute to scaling up operations at a global level, and create innovation opportunities which will lead to the emergence of new activities that will require new skills and potentially create new Jobs*»[20].

---

[20]   Sobre el particular, *vid.* https://www.oecd-ilibrary.org/docserver/9789264241046-en.pdf?expires=1581597350&id=id&accname=guest&checksum=1D2A36A8F6320144

A nivel doctrinal, nos encontramos con definiciones como la ofrecida por Fernández Amor, que conceptualiza a los robots como «un artificio que cuenta con dos elementos básicos: un soporte físico no biológico y un programa informático que, mediante algoritmos, permita a la máquina ejecutar las capacidades apuntadas»[21].

Ante esta amalgama de conceptos, Oberson apuesta por una definición amplia de robot, con independencia de la forma física que puedan tener («*we refer to "robots" as a general and broad term, independently from the form the robots may have ("form neutral")»*)[22].

4. LA NECESIDAD DE DOTAR DE PERSONALIDAD JURÍDICA A LOS ROBOTS

Como dato anecdótico, Sophia, inspirada en Audrey Hepburn y creada por Hanson Robotics, es el primer robot humanoide con ciudadanía de un país (en 2017 obtuvo la ciudadana saudí).

En la Comunicación *Inteligencia artificial para Europa* (COM (2018) 237 final), no se menciona la idea de garantizar personalidad jurídica a la IA. En la misma línea, en el Informe *Policy and Investment Reccommendations for Trustworthy AI*, se instaba a los responsables políticos de abstenerse de dotar de personalidad jurídica a los sistemas de IA, por los problemas morales que ello conlleva[23]. Así, por ejemplo, aunque Estonia, importante

---

D8D2E961E03B97ED (consultado el 13 de febrero de 2020). No podemos caer en el error de identificar la fiscalidad de la economía digital con la fiscalidad de los robots. Mientras que el ámbito objetivo de la Acción 1 (y los posteriores documentos de la OCDE que se han sucedido, como, por ejemplo, el *Programme of Work to Develop a Consensus Solution to the Tax Challenges Arising from the Digitalisation of the Economy*, de 31 de mayo de 2019), está formado, principalmente, por empresas digitales (o, en definitiva, intensivas en el uso de bienes intangibles), las empresas tradicionales (pensemos, por ejemplo, en el sector de la automatización) también pueden utilizar la robótica. Además, la finalidad principal de estas acciones de la OCDE es gravar los beneficios empresariales allí donde se genera el valor (y, en particular, donde se localizan los usuarios de los modelos de negocio altamente digitalizados) y no tanto compensar la pérdida de empleo (finalidad extrafiscal).

21   Cfr. FERNÁNDEZ AMOR, J. A.: «Derecho tributario y cuarta revolución industrial: análisis jurídico sobre aspectos fiscales de la robótica», en *Nueva Fiscalidad*, núm. 1, 2018, p. 56.

22   Cfr. OBERSON, X.: *Taxing Robots. Helping* (…), *cit.*, p. 16.

23   Cfr. HIGH-LEVEL EXPERT GROUP ON AI (AI HLEG): *Policy and Investment Recommendations for Trustworthy AI*, European Commission, 2019, p. 41. Disponible

productor de tecnología a nivel europeo, propuso en 2017 dotar de personalidad jurídica a los robots, en la actualidad se ha retirado esta propuesta para alinearse con lo dispuesto por la Unión Europea.

Entre las diferentes propuestas de gravamen a los robots que se barajan en la doctrina podemos distinguir entre una solución a corto plazo (que podríamos definir como un impuesto sobre el uso de los robots) y una a largo plazo (que sería un impuesto sobre los robots considerados en sí mismos)[24]. En este último escenario, en principio, habría que dotar a los robots de una cierta capacidad económica electrónica[25].

Sobre este último punto (la necesidad de dotar a los robots de personalidad jurídica para poder exigirles un impuesto), entendemos que, apoyándonos en lo dispuesto en el art. 35.4 de la Ley 58/2003, de 17 de diciembre, General Tributaria (en adelante, LGT) podríamos pensar lo contrario (siempre que en una norma sustantiva así se contemple), pues allí se dispone que «tendrán la consideración de obligados tributarios, *en las leyes en que así se establezca*, las herencias yacentes, comunidades de bienes y demás entidades que, *carentes de personalidad jurídica*, constituyan una unidad económica o un patrimonio separado susceptible de imposición» (la cursiva es nuestra). Además, por ejemplo, en el art. 7 LIS se señala que, siempre que tengan su

---

en: https://ec.europa.eu/digital-single-market/en/news/policy-and-investment-recommendations-trustworthy-artificial-intelligence (consultado el 15 de febrero de 2020).

[24] Es innegable que esta última solución (impuesto sobre los robots) podría generar problemas de doble imposición económica (pues se gravaría tanto al robot *per se* como a la entidad propietaria del mismo por los beneficios generados por este).

[25] También nos parecen interesantes las propuestas realizadas por SÁNCHEZ-ARCHIDONA HIDALGO: (i) una solución transitoria, «adaptar el Impuesto sobre Sociedades a los datos (…), esta solución consistiría en incluir en [la deducción por I+D] una partida específica que se base en qué porcentaje del beneficio empresarial a efectos de una base imponible corresponde a ese software o algoritmo, es decir, objetivar y cuantificar ese beneficio. Y si se quisiera penalizar, bastaría con suprimir o desincentivar la inversión en I+D»; (ii) una solución a largo plazo, que «implicaría estudiar la viabilidad de un impuesto a los datos» (SÁNCHEZ-ARCHIDONA HIDALGO, G.: «La tributación de la robótica y la inteligencia artificial como límites del Derecho financiero y tributario», en *Quincena Fiscal*, núm. 12, 2019, consultado online). En otro orden de ideas, BARROS entiende que lo más adecuado sería, de una parte, aumentar los impuestos de los sectores con un mayor potencial de automatización, y, de otra, gravar aquellas actividades sometidas a baja (o nula) tributación («*the most appropriate action would be to increase the taxation of some sectors that are notoriously more automated or that present a greater potential for automation, as well as to explore some possibilities for increasing public revenues by taxing some activities that are lightly taxed or not taxed at all*») (BARROS, M.: «Robots and tax reform: context, issues and future perspectives», en *International Tax Studies*, volume 2, núm. 6, 2019, consultado online).

residencia en territorio español, serán contribuyentes del Impuesto sobre Sociedades, «c) los fondos de inversión, regulados en la Ley 35/2003, de 4 de noviembre, de Instituciones de Inversión Colectiva». En la Ley 35/2003 se define a los fondos de inversión como patrimonios separados, sin personalidad jurídica, cuya gestión y representación corresponde a una sociedad gestora, con el concurso de un depositario.

Una vez sentadas estas premisas, resulta necesario estudiar las implicaciones que el establecimiento de un impuesto de este tipo podría tener a nivel internacional.

El impuesto sobre el uso de los robots (que hemos definido arriba como la solución a corto plazo), al igual que el Impuesto sobre Sociedades, recaería sobre la entidad propietaria del robot[26]. Esta modalidad de impuesto quedaría cubierta por el Modelo de Convenio de la OCDE (en adelante, MC OCDE) que en sus arts. 1 y 2 dispone lo siguiente:

- Art. 1 (personas comprendidas): «el presente Convenio se aplica a las personas residentes de uno o de ambos Estados contratantes». Esto es, por ejemplo, dentro del Ordenamiento jurídico español, se aplicaría a todas aquellas entidades que, atendiendo a lo dispuesto en el art. 8 LIS se consideren residentes en territorio español.

- Art. 2 (impuestos comprendidos): «el presente Convenio se aplica a los Impuestos sobre la Renta y sobre el Patrimonio exigibles por cada uno de los Estados contratantes, sus subdivisiones políticas o sus entidades locales, cualquiera que sea el sistema de exacción», entre los que, por ejemplo, se encuentra el Impuesto sobre Sociedades español regulado en la LIS.

Por el contrario, la opción del impuesto sobre los robots (que sería la solución a largo plazo), requeriría la modificación de los arts. 1 y 2 MC OCDE, y la inclusión de los mismos dentro de su ámbito de aplicación[27]. Autores como De Lima Carvalho apuestan por dotar a los robots de un tratamiento similar al de las personas físicas (*«natural person or an individual»*)[28],

---

[26] De forma que podría producirse la paradoja de que, mientras que, bajo el cumplimiento de una serie de requisitos, la entidad creadora del robot tendría derecho a aplicar la deducción contenida en el art. 35 LIS, la entidad que adquiere y explota el mismo se vería gravada por su utilización.

[27] Así, OBERSON considera que «the OECD Model should therefore be modified to include robots as a new form of "electronic persons"» (OBERSON, X.: «Taxing Robots? From (…)», *cit.*, p. 258).

[28] DE LIMA CARVALHO, L.: «Spiritus Ex Machina: Addressing the Unique BEPS Issues of Autonomous Artificial Intelligence by Using "Personality" and "Residence"», en *In-*

mientras que otros, como Oberson, consideran que el tratamiento debería ser similar al de las personas jurídicas, por tratarse de una ficción jurídica («*should be designed from the perspective of a robot as an independent new form of legal entity, entitled to some specific rights and obligations*»)[29].

5. ¿DÓNDE RESIDEN LOS ROBOTS?

Para desarrollar este apartado, podemos traer aquí el interesante ejemplo utilizado por De Lima Carvalho en su trabajo, que se plantea en los siguientes términos[30]:

Consideremos un sistema de IA que se deja en manos de una fábrica totalmente automatizada que produce y opera abejas robóticas para la polinización de cultivos en granjas ubicadas en un par de jurisdicciones vecinas. La fábrica se encuentra en el Estado X, mientras que los servidores utilizados por la IA se encuentran en el Estado Y. Además, la empresa que construyó este sistema de IA es residente fiscal del Estado Z. Varias de las abejas robóticas de IA son enviadas a granjas en los Estados A y B todas las semanas. ¿Qué jurisdicción tiene potestad de gravamen?

De Lima Carvalho propone la toma en consideración de dos criterios diferenciados: en primer lugar, la sede de dirección efectiva desde donde se realiza la gestión y el control del conjunto de actividades de la empresa (*primary place of business —PPB—*)[31]; en segundo lugar, con carácter residual (para el supuesto en el que no se pudiera identificar la sede de dirección efectiva o existiera más de una), la fijación de una jurisdicción virtual única (*single virtual jurisdiction —SVJ—*), que tendría que definirse, y que implicaría una tributación por obligación personal (rentas mundiales).

Por su parte, Oberson, con ciertas matizaciones, considera que debería fijarse la residencia en el lugar donde se utiliza efectivamente el robot («*the principal test could rely on the place of effective use of the robots but it should be adjusted in accordance with other factors, such as the presence*

---

tertax, volumen 47, núm. 5, 2019, p. 438.

[29] OBERSON, X.: *Taxing Robots. Helping* (…), *cit.*, p. 20.

[30] DE LIMA CARVALHO, L.: «Spiritus Ex Machina (…)», *cit*, p. 442.

[31] En el ejemplo de DE LIMA CARVALHO se podría argumentar que el PPB de esta IA específica es la fábrica totalmente automatizada utilizada para producir sus abejas robóticas (Estado X). Si la ubicación de la fábrica y las abejas robóticas no representan el núcleo de las actividades de la IA, podríamos atribuir la residencia imponible al Estado Y (donde se encuentran ubicados los servidores).

of a register of robots, the place of supervision, or the technological infrastructure, in particular»)[32].

6. CALIFICACIÓN DE LAS RENTAS

Respecto de la solución a corto plazo (impuesto sobre el uso de los robots) si, tal y como hemos señalado arriba, tomamos como base imponible el «salario imputado», podríamos dudar si encuadrarlo dentro del art. 15 MC OCDE (renta del trabajo dependiente) o del art. 7 MC OCDE (beneficios empresariales). Por ejemplo, Oberson, con un criterio que compartimos, apuesta por esta última opción[33].

Respecto de la solución a largo plazo (impuesto sobre los robots), más controvertida, podríamos barajar las siguientes opciones (en función de la actividad que realice o el servicio que preste el robot)[34]: (i) art. 7 MC OCDE (beneficios empresariales) para servicios de consultoría; (ii) art. 12 MC OCDE (regalías) en el caso de actividades relacionadas con propiedad intelectual; (iii) art. 15 MC OCDE (renta del trabajo dependiente) si el robot forma parte de una cadena de montaje; o (iv) art. 21 MC OCDE (otras rentas). Otra posibilidad, de más difícil encaje, sería la creación de una nueva categoría (una suerte de art. 21 bis MC OCDE) donde podrían encuadrarse las diferentes actividades que pudiera realizar un robot y en el que, en línea con lo señalado en el epígrafe anterior, el reparto de la carga tributaria podría ser similar al del art. 7 MC OCDE.

Indudablemente, estas medidas deberían incorporarse a través de un instrumento multilateral (con los problemas que ello conlleva, por ejemplo, por la posibilidad que tienen los países de realizar reservas y que hemos visto, por ejemplo, en la Convención multilateral para aplicar las medidas relacionadas con los tratados fiscales para prevenir la erosión de las bases imponibles y el traslado de beneficios). De lo contrario, la introducción de medidas unilaterales en este ámbito puede provocar un incremento de la competitividad y la evasión fiscal, creando lo que podría denominarse como «paraísos fiscales tecnológicos».

---

[32] Cfr. OBERSON, X.: *Taxing Robots. Helping* (…), *cit.*, p. 152. Siguiendo el criterio de OBERSON, podríamos pensar que en el ejemplo de DE LIMA CARVALHO se podría atribuir la residencia fiscal del robot a los Estados A y B, que son los lugares donde operan las abejas robóticas.

[33] Cfr. OBERSON, X.: *Taxing Robots. Helping* (…), *cit.*, p. 148.

[34] Sobre el particular, *vid.* OBERSON, X.: *Taxing Robots. Helping* (…), *cit.*, pp. 154-155.

7. ¿PODEMOS CALIFICAR A UN ROBOT COMO UN ESTABLECIMIENTO PERMANENTE?

Como sabemos, en virtud de lo dispuesto en el art. 7 MC OCDE, «los beneficios de una empresa de un Estado contratante solamente pueden someterse a imposición en ese Estado, a no ser que la empresa realice su actividad en el otro Estado contratante por medio de un establecimiento permanente situado en él».

En la actualidad, atendiendo a lo dispuesto en el art. 5 MC OCDE, para considerar que nos encontramos ante un establecimiento permanente, es necesario que exista un lugar fijo de negocios o un agente dependiente[35]. Teniendo en cuenta que este último (agente dependiente) requiere personalidad jurídica, por todo lo señalado arriba, nos centraremos en este epígrafe en tratar de determinar si podemos calificar a un robot como un lugar fijo de negocios («*The existence of a "place of business", i.e. a facility such as premises or, in certain instances, machinery or equipment*»).

En el Comentario n. 127 al art. 5 MC OCDE (versión 2017) se permite que, cuando una empresa opera equipos informáticos en una ubicación particular (p.e. máquinas de vending), pueda existir un establecimiento permanente aunque no se requiera personal de la empresa para el normal funcionamiento de los equipos («*where an enterprise operates computer equipment at a particular location, a permanent establishment may exist even though no personnel of that enterprise is required at that location for the operation of the equipment*»).

Aunque para entender que existe un lugar fijo de negocios es necesario que exista una localización, atendiendo a lo dispuesto en el Comentario n. 21 al art. 5 MC OCDE, ello no implica que deba permanecer inmóvil, esto es, no resulta necesario que el equipo deba estar fijado al suelo en el que se encuentra (pensemos, por ejemplo, en un servidor de internet), siendo suficiente con que permanezca en un sitio concreto («*(...) this does not mean that the equipment constituting the place of business has to be actually fixed to the soil on which it stands. It is enough that the equipment remains on a particular site*»).

---

[35] En la actualidad, es por todos conocidos que el concepto de establecimiento permanente es muy controvertido. La Acción 1 del Plan BEPS, y las que han seguido después en el contexto del Marco Inclusivo, han establecido nuevos criterios de sujeción (*significant digital presence*) que, de alguna forma, abandonan este concepto tradicional de establecimiento permanente.

Por ultimo, partiendo de que se cumple con el requisito temporal (6 meses puede parecernos un término razonable), es necesario que a través del establecimiento permanente no se realicen actividades auxiliares o preparatorias. Según lo indicado en el Comentario n. 62 al art. 5 MC OCDE, por lo que respecta a los almacenes (donde, en principio, podemos pensar que se realizan actividades auxiliares o preparatorias), si el mismo representa un activo importante y emplea a un número considerable de trabajadores, podríamos entender que constituye una parte esencial de la empresa («*where, for example, an enterprise of State R maintains in State S a very large warehouse in which a significant number of employees work for the main purpose of storing and delivering goods owned by the enterprise that the enterprise sells online to customers in State S, paragraph 4 will not apply to that warehouse since the storage and delivery activities that are performed through that warehouse, which represents an important asset and requires a number of employees, constitute an essential part of the enterprise's sale/distribution business and do not have, therefore, a preparatory or auxiliary character*»).

8. REFLEXIÓN FINAL

Aunque es innegable que la transformación digital lleva implícita cambios en el mercado laboral (que, fundamentalmente, afectará a los trabajadores menos cualificados), y que esto requiere la adopción de una solución por parte del sector público, por lo que respecta al ámbito tributario, quizás, lo lógico sería pensar que (una vez que desaparezcan los incentivos fiscales a la I+D+i, contenidos, por ejemplo, en el art. 35 LIS, que, a nuestro juicio, deberían tener un carácter temporal y no prolongarse legislatura tras legislatura) cuantos más robots tengan las empresas, más beneficios obtendrán y tendrán que pagar más impuestos, no siendo necesario el establecimiento de gravámenes adicionales sobre manifestaciones de capacidad económica algo dudosas[36].

---

[36]   Coincidimos con GARCÍA NOVOA cuando indica que «desde el punto de vista de los principios tributarios, es necesario postular una legitimidad para estos impuestos, más allá de la necesidad de obtener ingresos para compensar la pérdida de puestos de trabajo» (GARCÍA NOVOA, C.: «Impuestos atípicos en la era post BEPS», en CUBERO TRUYO, A. (dir.), *Tributos asistemáticos del ordenamiento vigente*, Tirant lo Blanch, Valencia, 2018, p. 222).

Compartimos pues la afirmación de la IFR cuando entiende que los beneficios y no la forma de obtener los mismos son los que deben gravarse («*profits, not the means of making them, should be taxed*»)[37].

Bibliografía

ABBOTT, R. y BOGENSCHNEIDER, B., «Should Robots Pay Taxes? Tax Policy in the Age of Automation», en *Harvard Law & Policy Review*, volumen 12, 2018, pp. 145-175.

ARNTZ, M., GREGORY, T. y ZIERAHN, U., «The risk of automation for jobs in OECD countries: a comparative analysis», en *OECD Social, Employment and Migration Working Papers*, 2016, núm. 189.

ATKINSON, D., «The case against taxing robots», en *Information Technology & Innovation Foundation*, 2019.

BARROS, M., «Robots and tax reform: context, issues and future perspectives», en *International Tax Studies*, volume 2, núm. 6, 2019, consultado online.

CONSEJO ECONÓMICO Y SOCIAL DE ESPAÑA, «El futuro del trabajo», en *Colección Informes*, núm. 3, 2018.

DE LIMA CARVALHO, L., «Spiritus Ex Machina: Addressing the Unique BEPS Issues of Autonomous Artificial Intelligence by Using "Personality" and "Residence"», en *Intertax*, volumen 47, núm. 5, 2019.

ENGLISCH, J., «Digitalisation and the Future of National Tax Systems: Taxing Robots?», en *SSRN Electronic Journal*, 2018.

FERNÁNDEZ AMOR, J. A., «Derecho tributario y cuarta revolución industrial: análisis jurídico sobre aspectos fiscales de la robótica», en *Nueva Fiscalidad*, núm. 1, 2018, pp. 47-96.

FREY, C. B. y OSBORNE, M., «The Future of Employment: How susceptible are jobs to computerisation?», en *Oxford Martin School Working Papers*, 2013.

GARCÍA NOVOA, C., «Impuestos atípicos en la era post BEPS», en CUBERO TRUYO, A. (dir.), *Tributos asistemáticos del ordenamiento vigente*, Tirant lo Blanch, Valencia, 2018, pp. 209-243.

GARCÍA NOVOA, C., «La tributación de los robots y el futurismo fiscal», en *Taxlandia - Blog fiscal y tributario*, 17 de abril de 2018.

GRAU RUIZ, A., «La adaptación de la fiscalidad ante los retos jurídicos, económicos, éticos y sociales planteados por la robótica», en *Nueva Fiscalidad*, núm. 4, 2017, p. 58.

GRAU RUIZ, A., «La búsqueda de alternativas para la tributación de los robots: la tasa californiana aplicable a los vehículos autónomos», en GARCÍA NOVOA, C. (dir.), *4ª Revolución industrial: la fiscalidad de la sociedad digital y tecnológica en España y Latinoamérica*, Aranzadi, Navarra, 2019, pp. 155-174.

---

[37] Disponible en: https://ifr.org/ifr-press-releases/news/world-robotics-federation-ifr-why-bill-gates-robot-tax-is-wrong (consultado el 14 de febrero de 2020).

HIGH-LEVEL EXPERT GROUP ON AI (AI HLEG), *Policy and Investment Recommendations for Trustworthy AI*, European Commission, 2019.

OBERSON, X., «Taxing Robots? From the Emergence of an Electronic Ability to Pay to a Tax on Robots or the Use of Robots», en *World Tax Journal*, 2017, pp. 247-261.

OBERSON, X., *Taxing Robots. Helping the Economy to Adapt to the Use of Artificial Intelligence*, Edward Elgar Publishing Ltd, United Kingdom, 2019.

SÁNCHEZ-ARCHIDONA HIDALGO, G., «La tributación de la robótica y la inteligencia artificial como límites del Derecho financiero y tributario», en *Quincena Fiscal*, núm. 12, 2019, consultado online.

SÁNCHEZ-URÁN AZAÑA, Y. y GRAU RUIZ, M. A., «El impacto de la robótica, en especial la robótica inclusiva, en el trabajo: aspectos jurídico-laborales y fiscales», en *Revista Aranzadi de Derecho y Nuevas Tecnologías*, núm. 50, 2019, consultado online.

SEGURA ALAUSTRÉ, M., «Los robots en el Derecho Financiero y Tributario», en BARRIO ANDRÉS, M. (dir.), *Derecho de los robots*, Wolters Kluwer, Madrid, 2018, pp. 61-86.

SOLER ROCH, M. T., «Los retos tributarios del siglo XXI», en *Revista Española de Derecho Financiero*, núm. 183, 2029, pp. 31-36.

Capítulo 18

La fiscalidad de los robots y la justicia tributaria

Luis Miguel Muleiro Parada
Universidad de Vigo

SUMARIO: 1. INTRODUCCIÓN. 2. UNA CUESTIÓN PREVIA: ROBOT Y PERSONALIDAD JURÍDICA. 3. LAS ALTERNATIVAS DE GRAVAMEN. 3.1. Un tributo a la inteligencia artificial o automatización. 3.2. Un impuesto extrafiscal a la renta por el empleo de robots. 3.3. Impuesto directo sobre la extraproductividad u otras fórmulas simplificadas. 3.4. La limitación de incentivos fiscales para las empresas robotizadas.. 3.5. La reconfiguración de los beneficios tributarios por actividades de I+D+i. 3.6. Una imposición indirecta especial para la robótica. 3.7. Las previsiones específicas en las figuras tributarias actuales. 3.8. Otros tributos y medidas no tributarias. 3.9. Análisis de conjunto y simplificación tributaria. 4. CONSIDERACIONES DE JUSTICIA TRIBUTARIA A LA FISCALIDAD ROBÓTICA. 4.1. Planteamiento. 4.2. Robots y capacidad contributiva. 4.3. Generalidad e igualdad tributarias frente al gravamen de la robótica. 4.4. Los demás principios de justicia tributaria. 4.5. La justicia tributaria a nivel internacional. 5. CONCLUSIONES. Bibliografía.

1. INTRODUCCIÓN

El imparable desarrollo tecnológico ha propiciado que los robots sean cada vez más sofisticados, tomando decisiones conforme algoritmos y en función de las circunstancias a las que se enfrenten. La inteligencia artificial permite a los robots aprender de sí mismos y decidir autónomamente, incluso de forma independiente, lo que les aporta unos rasgos que podrían estar acercándose cada vez en mayor medida a la voluntad humana. El escenario actual se caracteriza primordialmente por un potencial aumento de objetos inteligentes de la mano del 5G y de su capacidad de potenciar el desarrollo del Internet de las Cosas (IoT) mediante su conectividad. Un contexto que llama constantemente a replantearse la paradoja del libre albedrío en robots.

La Resolución del Parlamento Europeo, de 12 de febrero de 2019, sobre una política industrial global europea en materia de inteligencia artificial y robótica, señala que en el panorama industrial actual existe un delicado equilibrio entre los propietarios y los trabajadores; estima que la aplicación de la inteligencia artificial (IA) en la industria debe avanzar en el marco de una amplia consulta con los interlocutores sociales, ya que el posible cambio en el número de personas que trabajan en el sector requiere políticas proactivas que ayuden a los trabajadores a adaptarse a las nuevas demandas y garantizar que los beneficios sean ampliamente compartidos; asimismo, apunta que para ello es necesario reconsiderar y rediseñar las políticas del mercado de trabajo, los regímenes de seguridad social y la fiscalidad; advierte que la IA es un concepto que abarca una amplia gama de productos y aplicaciones, desde la automatización, los algoritmos, la inteligencia artificial débil y la inteligencia artificial general; y considera que debería abordarse con cautela una ley o regulación integral de la IA, ya que la regulación sectorial puede producir políticas suficientemente generales, pero al mismo tiempo afinadas hasta el nivel en el que tienen sentido para el sector industrial. Así, destacan dos preocupaciones que actualmente se están presentando en la UE desde el punto de vista de la tributación y la revolución robótica. Por una parte la necesidad de rediseñar la fiscalidad tomando en señalada consideración el particular y, por otra, la deseable regulación integral de la inteligencia artificial.

2. UNA CUESTIÓN PREVIA: ROBOT Y PERSONALIDAD JURÍDICA

La capacidad jurídica debe regularse de manera unitaria en todo el ordenamiento y la doctrina mayoritaria sostiene que sólo pueden ser sujetos de Derecho las personas físicas y jurídicas[1]. En los últimos años existe una preocupación progresiva por parte de las instituciones comunitarias con relación a la capacidad jurídica de los robots, la revolución robótica y la «persona electrónica». Hay que recordar que el Parlamento Europeo, el 16 de febrero de 2017, emitió una Resolución (2015/2103 (INL)) con recomendaciones destinadas a la Comisión sobre normas de Derecho civil sobre robótica, entre las que señalaba la posibilidad de crear una personalidad jurídica específica para los robots. Esta Resolución indica la posibilidad de «crear a largo plazo una personalidad jurídica específica para los robots; de forma que como mínimo los robots autónomos complejos puedan ser considerados personas electrónicas responsables de reponer los daños que puedan causar...».

El Parlamento Europeo en su Recomendación hizo uso de un término específico, «persona electrónica». En el Anexo a la Resolución del Parlamento

---

[1]   FERREIRO LAPATZA, J. J.: *Instituciones de Derecho Financiero. Primera Parte (Derecho Financiero)*, Marcial Pons, Madrid-Barcelona-Buenos Aires, 2010, pp. 277 y 280.

Europeo, se define al robot inteligente, como aquél que reúna las siguientes condiciones:

- la capacidad de adquirir autonomía mediante sensores y/o mediante el intercambio de datos con su entorno (interconectividad) y el análisis de dichos datos;
- la capacidad de aprender a través de la experiencia y la interacción;
- la forma del soporte físico del robot;
- la capacidad de adaptar su comportamiento y acciones al entorno.

La calificación de «persona electrónica» fue considerada vaga por algunos autores que llegaron a defender que «la denominación más correcta habría de ser la de persona electro-física, que respondería a la configuración misma de lo que en un futuro serían los robots, a saber, dispositivos físicos con capacidades de computación, almacenamiento y comunicación para controlar e interactuar con un proceso físico, controlados o monitoreados por algoritmos computacionales, e integrados en red»[2]. La creación jurídica de la «persona electrónica» implicaría un cambio sustancial en el tratamiento tributario de inversiones empresariales tecnológicas, pasando de ser un activo deducible vía amortización a un bien de equipo causante de una tributación suplementaria[3].

Los robots inteligentes plantean el problema jurídico de definirlos, pues no siendo persona física ni jurídica, resulta cada vez más discutible que puedan identificarse exactamente como un mero activo, esto es una simple máquina en la medida que sea capaz de tomar decisiones y discernir en buena medida como un ser humano y llegar a actuar de forma independiente a su propietario o programador. La cuestión de la delimitación conceptual no es sencilla y supedita jurídicamente dos aspectos muy importantes. En general, la construcción de una posible personalidad jurídica electrónica para los robots. Desde el punto de vista tributario, condiciona directamente el elemento subjetivo del hecho imponible del tributo requiriendo una especial precaución en la técnica jurídica, en la medida en que los robots de fabricación, los autos que conducen por sí mismos, los *drones* de reparto o cualquier instrumento similar a un clásico robot o que reemplace claramente

[2]   ERCILLA GARCÍA, J.: «Aproximación a una Personalidad Jurídica Específica para los robots», *Revista Aranzadi de Derecho y Nuevas Tecnologías*, nº 47, 2018. Extraído vía electrónica de la Base de Datos de Aranzadi, p. 7.
[3]   SEGURA ALASTRUÉ, M.: «Los robots en el Derecho financiero y tributario» en BARRIO ANDRÉS, M. (Dir.): *Derecho de los robots*, Las Rozas (Madrid), La Ley-Wolters Kluwer, 2018, p. 175.

una categoría específica de trabajo podrían verse contemplados. En sentido contrario a la construcción normativa de un tercer género de personalidad jurídica, Rosembuj ha expresado que: «[E]l robot no es una persona, una persona electrónica o algo similar a una persona. Es solo una máquina, un artefacto que aumenta la renta de la actividad del que lo produce y el excedente de comportamiento de la organización, al igual que los otros componentes de la automatización. El problema real es que el descontrolado empleo de los robots en el empleo disminuye abruptamente el valor del capital humano de trabajo del trabajador»[4]. Sea como sea un problema paralelo al particular es la propia delimitación del concepto de robot. En el propio ámbito tributario, ha tratado de postularse incluso alguna definición con dos elementos básicos: un soporte físico y una programación informática[5].

El art. 35.4 de la LGT prevé la posibilidad de que, siempre que las leyes lo establezcan, las entidades sin personalidad jurídica —comunidades de bienes, herencias yacientes y demás entidades que constituyan una unidad económica o patrimonio separado susceptible de imposición— tengan la consideración de obligados tributarios. En este terreno podría plantearse la cuestión de si los robots tienen encaje en la consideración de este precepto y recibir tal calificación. Actualmente, se ha superado la discusión acerca de si es admisible una capacidad tributaria diferente a la capacidad en el ordenamiento jurídico general. Las Leyes que establecen obligaciones o deberes tributarios (o derechos) pueden tomar como referente subjetivo de su presupuesto de hecho personas naturales o morales pero, igualmente, entes colectivos desprovistos de personalidad jurídica[6]. En todo caso, para que la Ley reguladora de un tributo configure estos sujetos se requiere de su reconocimiento previo por el ordenamiento general[7]. Oberson ha expresado que «[I]ntroducir un impuesto sobre los robots o sobre su uso sería la consecuencia de reconocer una personalidad fiscal específica de los robots. Por lo tanto, podría argumentarse que la legislación fiscal debería otorgar

---

[4]   ROSEMBUJ, T.: *Inteligencia artificial e impuesto*, Barcelona, Editorial el Fisco, 2018, p. 171.

[5]   *Vid.* FERNÁNDEZ AMOR, J. A.: «Derecho tributario y cuarta revolución industrial: análisis jurídico sobre aspectos fiscales de la robótica», *Nueva fiscalidad*, nº 1, 2018, p. 56.

[6]   PEREZ ROYO, F. y CARRASCO GONZÁLEZ, F. M.: *Derecho financiero y tributario. Parte general*, 28ª ed., Navarra, Civitas Thomson Reuters, 2018, p. 175.

[7]   *Vid.* MARTÍN QUERALT, J., LOZANO SERRANO, C., TEJERIZO LÓPEZ, J. M. y CASADO OLLERO, G.: *Curso de Derecho Financiero y Tributario*, 30ª ed., Madrid, Tecnos, 2019, p. 287.

una capacidad legal para los robots, introduciendo un nuevo tipo de personalidad jurídica en la legislación fiscal»[8].

Con independencia de que el gravamen de los robots puede requerir un reconocimiento jurídico como persona, en función de la propuesta a considerar, resulta interesante analizar desde un punto de vista jurídico tributario cuáles son las posibilidades que presenta la tributación de los robots.

3. LAS ALTERNATIVAS DE GRAVAMEN

3.1. Un tributo a la inteligencia artificial o automatización

Una propuesta para la fiscalidad de la robótica avanzada consiste en la posibilidad de un tributo que grave la inteligencia artificial en general cuantificado sobre la relación entre la facturación empresarial y el número de trabajadores. ROSEMBUJ ha indicado que esta idea integra ciertos avances aunque no ha alcanzado una solución satisfactoria en el sentido de que: «[E]l superbeneficio es la equivalencia entre el impuesto salarial sobre ordenadores y software, comparado con el trabajador, que no la proporción empleado-ventas»[9].

En una versión más depurada, el impuesto por el uso de robots vendría vinculado al ingreso imputado que corresponde a la ventaja económica obtenida usando robots en lugar de una mano de obra humana o de sus servicios. Basándose en un razonamiento similar, un impuesto sobre los salarios imputados a los robots podría justificarse por el hecho de que reemplazan, sin compensación, salarios u otras remuneraciones pagadas a personas. Oberson indica que este tributo queda condicionado a la posición legal del robot. «En el caso de que el robot sea empleado de una empresa, y con base en la idea de que un robot reemplaza a los humanos y, por lo tanto, impide que a estos humanos se les paguen sus salarios, se podría introducir un impuesto sobre los hipotéticos salarios imputados que los robots deberían recibir del trabajo equivalente realizado por los humanos. En otras palabras, el impuesto podría aplicarse sobre la cantidad hipotética de salario que los trabajadores habrían recibido para ejercer la actividad que

---

[8]   Sostiene este profesor que parece posible argumentar que debe admitirse una «capacidad tributaria específica» de los robots para pagar. *Vid.* OBERSON, X.: «Taxing Robots? From the Emergence of an Electronic Ability to Pay to a Tax on Robots or the Use of Robots», *World Tax Journal*, Vol. 9, n°. 2, 2017, pp. 250-252.

[9]   ROSEMBUJ, T.: *Inteligencia artificial e impuesto, ob. cit.*, p. 150.

fue reemplazada por robots. Este concepto se basaría en la caracterización legal de la relación entre la empresa propietaria (y usuario del robot) y el propio robot (como obligado tributario), de manera similar a un contrato de trabajo. Si la relación difiere de un contrato laboral, por ejemplo, si el robot es propiedad de una empresa o una persona y actúa bajo un contrato de servicios (entretenimiento, ayuda, asesoramiento, etc.), entonces la renta imputada podría ser una cantidad aproximada de una consideración *arms-length* para servicios similares prestados por humanos»[10].

El tributo sería personal (relativo a la persona física o jurídica —o electrónica si llegase a reconocerse), por cuanto la posibilidad de acudir a un tributo real, aun existiendo, acostumbra a descartarse. Oberson indica que podría ser una solución práctica pero no parece muy eficiente. «En particular, tal concepto permanece basado en una visión de robots como máquinas o equipos o como otras herramientas sin autonomía. Lo que es nuevo y requiere una perspectiva diferente es que los Smart robots (inteligentes), que usan IA, reemplazarían las actividades humanas»[11].

3.2. *Un impuesto extrafiscal a la renta por el empleo de robots*

La elevación del umbral mínimo de pobreza unida a la progresiva destrucción de empleo y una futurible imposibilidad de incorporación al mercado de trabajo como consecuencia principal de la revolución robótica ha hecho plantearse la viabilidad de un impuesto directo de finalidad extrafiscal vinculado al empleo de robots y que tenga como finalidad hacer frente a la destrucción de empleo masivo motivada por la Revolución industrial.

Se trataría de afectar un impuesto directo como los analizados anteriormente, añadiendo su finalidad extrafiscal y su afectación. De esta manera, el ingreso imputado podría ser vinculado a las contribuciones a la seguridad social[12]. Incluso podría proponerse un destino parcial a mejoras educativas y formativas, puesto que el impacto de la revolución robótica será previsiblemente más pronunciado para profesiones de baja cualificación y escaso

---

[10]   OBERSON, X.: «Taxing Robots?», *ob. cit.*, p. 254.
[11]   Para terminar su razonamiento, a su juicio, «El diseño del impuesto debería, en consecuencia, tener en cuenta este hecho y considerar a los robots más como personas electrónicas que son capaces de trabajar o prestar servicios de la misma manera que los humanos. Aún más, el vínculo entre el uso de robots y la sustitución de trabajadores es bastante remota en esta modalidad. La forma correcta de abordar este desarrollo en el futuro es considerar robots como sujetos pasivos». Ibídem, pp. 257 y 258.
[12]   Ibídem, pp. 255 y 256.

valor añadido, las cuales van a requerir especiales dosis de formación y recapacitación.

Como una idea vinculada a esa alternativa, aunque no necesariamente, estaría la conocida Renta Básica Universal. Hay que recordar que se ha planteado como una suerte de salario universal mínimo que podría ser incondicionado o condicionado. Una de las posibilidades para sufragarla sería precisamente exigir impuestos específicos a las nuevas tecnologías sustitutivas de la mano de obra[13].

3.3. Impuesto directo sobre la extraproductividad u otras fórmulas simplificadas

La idea de un tributo sobre la extraproductividad es otra alternativa que se puede plantear el legislador tributario. El beneficio de la robotización procede de su mayor productividad respecto a la que generan los trabajadores (menor gasto genera mayor producción)[14]. Cuando los robots destruyen mano de obra se produce una sustitución de un gasto salarial por una amortización, pudiendo provocar una mejora de productividad. Este suplemento de capacidad económica podría ser susceptible de gravamen y la opción pasaría por hacer tributar exclusivamente el plus de productividad generado por cada robot. En esta propuesta es necesario estimar la productividad estándar de los trabajadores y aplicar un gravamen al extra de productividad generado por el robot. El tributo se enfrenta a diversos obstáculos, entre ellos la determinación de la productividad estándar del trabajador.

Otra alternativa sería un tributo «a forfait». Podría vincularse al ingreso imputado atribuible a las múltiples actividades de los robots o en una fórmula más simplificada todavía a los ingresos empresariales sin diferenciación (como en el régimen previsto en el IRPF para *micropymes* en Francia[15]).

---

[13]   *Vid.* SEGURA ALASTRUÉ, M.: «Los robots en el Derecho financiero y tributario», *ob. cit.*, pp. 177-183.

[14]   En esta línea, también desde otros países ha llegado a proponerse como mejor opción un: «imposta sull'organizzazione robotizzata». Puede verse al respecto el trabajo de GIOVANNINI, A.: «Legalità ed equità: per un nuovo sistema impositivo», *Diritto e pratica tributaria*, n° 6, 2017, pp. 2358 y 2359.

[15]   *Vid.* BELTRAME, P.: *La fiscalité en France*, 21ª ed., París, Hachette Livre, 2017, pp. 40 y 41.

3.4. La limitación de incentivos fiscales para las empresas robotizadas.

La regulación de la fiscalidad empresarial denota que los robots cuentan con un tratamiento tributario favorable respecto a los trabajadores: los beneficios fiscales a la inversión. Si observamos la normativa tributaria del IS en nuestro país contempla deducciones por realización de actividades bien diferentes si se comparan los incentivos tributarios a la I+D+i y los existentes por la contratación de trabajadores. Las empresas cuentan con singulares deducciones en el IS sobre sociedades a la inversión, caso que no existe (o no en tal cuantía) para la contratación de trabajadores. En este ámbito, se podría sostener que las bonificaciones a la inversión en autómatas son una invitación a sustituir mano de obra por capital. Unas deducciones que además de a las sociedades, resultan aplicables a los empresarios personas físicas que determinan sus rendimientos de actividades económicas a través del régimen de determinación directa, por expresa remisión de la normativa reguladora del IRPF[16]. Eliminar los beneficios tributarios podría equilibrar la competencia entre trabajador y máquina, dejando de favorecer la sustitución de mano de obra. El atolladero implícito es la supresión del estímulo a la inversión tecnológica.

3.5. La reconfiguración de los beneficios tributarios por actividades de I+D+i

Ante las mencionadas dificultades que podría suponer limitar los beneficios por actividades de I+D+i, otra alternativa pasa por rediseñar desde el punto de vista tributario los incentivos a la innovación en el ámbito de la robótica. Grau Ruiz estima que: «[E]n vez de desacelerar la innovación mediante la creación de gravámenes a los robots, la solución pasa por promover una mejor distribución de los beneficios que puede generar su utilización»[17].

---

[16] Hay que recordar que ya en 2017 el Gobierno de Corea del Sur, el país más robotizado del mundo, propuso una línea de actuación para limitar los incentivos fiscales que se dan a las empresas que invierten en automatización. No obstante, este mismo año la Asamblea Nacional de ese país, el 4 de julio, aceptó para consideración un proyecto de ley por la que se propone extender hasta el 31 de diciembre de 2022 un régimen de deducciones especial para las inversiones de capital realizadas para mejorar la productividad y la automatización en las instalaciones. *Vid.* http://likms.assembly.go.kr/bill/billDetail.do?billId=PRC_J1F9S0A7P0V4S1J0A4L5K4D2Z1H7Q9#

[17] GRAU RUIZ, M. A.: «La adaptación de la fiscalidad ante los retos jurídicos, económicos, éticos y sociales planteados por la robótica», *Nueva fiscalidad*, nº 4, 2017, p. 56. En

3.6. *Una imposición indirecta especial para la robótica*

Desde el punto de vista de la imposición indirecta existen diferentes opciones a la hora de plantearse el gravamen de la robótica. En una hipótesis algo alejada hasta podría estudiarse un IVA tipo renta[18]. Esa alternativa podría pasar por gravar indirectamente los dividendos de la robotización. Esto supondría subir el IVA, que elevaría la contribución de quienes más consumen. También podría considerarse la aplicación del IVA a las actividades de los robots con una especie de reconocimiento tributario al robot empresario. Oberson ha expresado, sin embargo, que esta posibilidad plantea problemas complejos de caracterización y localización de los diversos tipos de suministros prestados por robots. Otra alternativa, pasaría por someter a gravamen a los robots a través de su consumo, implementando un tipo determinado de IVA para esas operaciones[19].

3.7. *Las previsiones específicas en las figuras tributarias actuales*

En la imposición directa, una opción viene dada por la posibilidad de aumentar la tributación efectiva de las empresas o el incremento de la progresividad de los impuestos. Un argumento a considerar es que las empresas que emplean robots pasan a tener un beneficio mayor derivado de la necesidad de pagar menos nóminas, de una mayor productividad o de una calidad más elevada, lo que podría llevar a incrementar el gravamen empresarial, con el fin de que la recaudación adicional de impuestos pudiese financiar elementos que evitasen el desequilibrio social y la exclusión. Sánchez-Archidona Hidalgo ha defendido que reformar el Impuesto sobre Sociedades para compensar algo más la incorporación de un trabajador

---

desarrollo de esta opinión, la Profa. GRAU considera que idealmente podría valorarse en términos económicos la inversión del propio trabajador (aunque, en principio, fuera involuntaria), realizada con ocasión de la introducción del robot en su entorno laboral. Ésta podría cuantificarse, a partir de las horas de dedicación que cede el trabajador (o el correlativo ahorro para el empresario por el uso de la robótica), sumando también los esfuerzos del trabajador a la hora de formar o entrenar al robot para desarrollar las tareas mientras comparten juntos el trabajo (ibídem, pp. 57 y 58).

[18] *Vid.* ROSEMBUJ, T.: *Inteligencia artificial e impuesto, ob. cit.*, pp. 142-148.

[19] SÁNCHEZ-ARCHIDONA HIDALGO, G.: «La tributación de la robótica y la inteligencia artificial como límites del Derecho financiero y tributario», *Quincena Fiscal*, nº 12, 2019, p. 82. Hipotéticamente, también sería posible gravar su adquisición mediante un impuesto específico sobre la propiedad de los robots, como sucede en el Impuesto sobre Bienes Inmuebles (IBI) o en el Impuesto sobre Vehículos de Tracción Mecánica (IVTM), es decir, que se grave la mera titularidad de ese bien o derecho (ibídem, p. 81).

frente a un robot, sin dejar de desincentivar a este segundo, parece una buena opción[20]. Y si se quisiera penalizar, bastaría con suprimir o desincentivar la inversión en I+D. En la imposición indirecta, las previsiones especiales pasarían por el IVA lo cual llevaría a plantear una armonización comunitaria del particular.

3.8. Otros tributos y medidas no tributarias

La mayor parte de alternativas conducen al análisis de un impuesto que sería personal (relativo a la persona física o jurídica —o electrónica si llegase a reconocerse), por cuanto la posibilidad de acudir a un tributo real, aun existiendo, acostumbra a descartarse. Oberson indica que podría ser una solución práctica pero no parece muy eficiente. «En particular, tal concepto permanece basado en una visión de robots como máquinas o equipos o como otras herramientas sin autonomía. Lo que es nuevo y requiere una perspectiva diferente es que los Smart robots (inteligentes), que usan IA, reemplazarían las actividades humanas»[21]. En cualquier caso, desde un punto de vista teórico, «gravar la propiedad de los robots podría incluirse en otros impuestos ya existentes, como el Impuesto sobre el Patrimonio»[22].

La idea de acudir a otros tributos conduce a pensar en la posibilidad de una tasa para los robots pero es una opción que se puede descartar desde el punto de vista tributario sobre la configuración de la categoría en nuestra normativa. Oberson puntualiza que: «Introducir una tasa sobre los robots requeriría un vínculo suficiente entre el uso de robots y una contrapartida del estado. A primera vista, parece bastante difícil vincular un im-

---

[20]   En este sentido, indica que podría incluirse en la deducción por actividades de I+D+i una partida específica que se base en qué porcentaje del beneficio empresarial a efectos de una base imponible corresponde a ese *software* o algoritmo, es decir, objetivar y cuantificar ese beneficio (SÁNCHEZ-ARCHIDONA HIDALGO, G.: «La tributación de la robótica…», *ob. cit.*, p. 93).

[21]   Para terminar su razonamiento, a su juicio, «El diseño del impuesto debería, en consecuencia, tener en cuenta este hecho y considerar a los robots más como personas electrónicas que son capaces de trabajar o prestar servicios de la misma manera que los humanos. Aún más, el vínculo entre el uso de robots y la sustitución de trabajadores es bastante remota en esta modalidad. La forma correcta de abordar este desarrollo en el futuro es considerar robots como sujetos pasivos». OBERSON, X.: «Taxing Robots?», ob. cit, pp. 257 y 258.

[22]   SÁNCHEZ-ARCHIDONA HIDALGO, G.: «La tributación de la robótica…», *ob. cit.*, p. 81.

puesto (tasa) en robots con un servicio equivalente o ventaja obtenida del estado. Una tasa de servicio podría seguir siendo considerado como una contrapartida para tareas de registro específicas o infraestructuras aportadas por el estado para la supervisión y el control de las actividades de los robots. Sin embargo, la idea de diseñar una tasa compensatoria sobre los ingresos teóricos atribuibles a las actividades de los robots parece contrario al principio de equivalencia»[23]. Excepcionalmente, se ha indicado que no habría que desechar que para algunas operaciones en que los robots pudiesen mejorar las prestaciones de servicios puedan ser convenientes las tasas, por ejemplo, «si una Administración pública utiliza un sistema algorítmico para prestar un servicio público, podría articularse una tasa hasta el coste de ese servicio en caso de aprovechamiento por un ciudadano»[24]. Desde la perspectiva de la tributación indirecta, incluso podría considerarse bastante la futura implantación del impuesto sobre determinados servicios digitales. Como es sabido, este tributo afecta o pretende afectar a las compañías digitales, que se benefician de su inversión en tecnología. De todas maneras estamos ante un tributo que, salvo reconfiguración no está ideado para contrarrestar los efectos de la robotización, sino para limitar maniobras evasivas de grandes tecnológicas, lo que pone en tela de juicio su idoneidad al objeto gravado.

Los desafíos de la robótica exigen un adecuado tratamiento jurídico integral. Las regulaciones de otras ramas del Derecho se presentan como previas, básicas o complementarias, según los casos, para cualquier normativa tributaria que trate de urdirse. En este sentido, la digitalización y la robotización en el mercado laboral también presentan importantes retos para el propio Derecho del Trabajo, con una merecida mención para la viabilidad y sostenibilidad financiera del sistema actual de protección social. Medidas laborales como la cotización social de los robots o la Renta Básica Universal se ubican, desde otros sectores del ordenamiento, como elementos de obligado análisis junto a instrumentos tributarios, como podría ser un tributo específico a los robots[25].

---

[23]   OBERSON, X.: «Taxing Robots?», *ob. cit.*, p. 258.

[24]   SÁNCHEZ-ARCHIDONA HIDALGO, G.: «La tributación de la robótica...», *ob. cit.*, p. 81.

[25]   Sobre este particular, puede verse más extensamente el trabajo de ISPIZUA DORNA, E.: «Industria 4.0: ¿cómo afecta la digitalización al sistema de protección social?», *Lan harremanak-Revista de relaciones laborales*, nº 40, 2018, pp. 1-16.

3.9. Análisis de conjunto y simplificación tributaria

Tras haber analizado las posibilidades de gravamen de la robótica, sus cuestiones jurídicas y cómo el legislador tributario podría abordar este particular, es necesaria una reflexión global acerca de dicho gravamen. Cada alternativa presenta ventajas e inconvenientes desde el punto de vista jurídico-tributario. En cualquier caso, si se hace una observación general acerca de todas ellas, consideramos resaltar una nota coincidente en la mayor parte de las propuestas. Existe un rasgo común y es que, con independencia de otras consideraciones, buena parte de las opciones suponen una mayor complejidad del sistema tributario, ya sea porque exigen regular nuevas figuras impositivas, una configuración diferente de beneficios tributarios, la afectación de tributos… Únicamente las que implican una regulación particular en los impuestos actuales o la supresión de beneficios tributarios estarían al margen de esta consideración. A la simplificación tributaria podría añadirse otro argumento en términos de operatividad del sistema tributario. El conjunto del sistema tributario ha de ser eficaz en la misión que está llamado a cumplir. El alejamiento o pretendido acercamiento a la realidad por parte de las normativas podría verse mínimamente justificado con una mayor eficacia de los regímenes tributarios. La eficacia de la norma tributaria enlaza con su necesaria simplicidad. Una de las condiciones para que una norma sea eficaz es que sea simple. La practicabilidad administrativa posibilita la adecuada aplicación de las leyes. Sin embargo, las opciones estudiadas tampoco muestran una distribución de la carga tributaria razonablemente eficaz.

4. CONSIDERACIONES DE JUSTICIA TRIBUTARIA A LA FISCALIDAD ROBÓTICA

4.1. Planteamiento

La justicia tributaria se concreta en el plano jurídico en una serie de directrices, cuyo contenido y significado debe avanzar al mismo tiempo que lo hacen las sociedades. El Derecho responde a la organización jurídica de las comunidades sociales y sus principios informadores en el plano de la justicia deben adaptarse igualmente por lo que se refiere a sus exigencias frente a las necesidades y realidades actuales.

Las alternativas del gravamen a la automatización y la robótica se encuentran directamente condicionadas por los principios de justicia tributaria, como directrices básicas de nuestra rama jurídica. Una idea que sobre la base de la capacidad contributiva se perfila a través de otros valores jurídicos y tributarios fundamentales[26]. Por todo ello, desde el punto de vista tributario nos parece interesante hacer un análisis de los postulados mínimos que impone la justicia tributaria a las diferentes alternativas propuestas. El contenido y adecuada interpretación de los principios en el nuevo entorno digitalizado y robotizado puede mostrar las pautas para no rebasar los postulados mínimos. Algunas de las alternativas pueden presentar déficits considerables de justicia que lleven a descartar o ponderar en otra medida las posibilidades reales de actuación que tiene el legislador tributario.

4.2. *Robots y capacidad contributiva*

La capacidad económica es el fundamento básico del sistema tributario de manera que limita y orienta al legislador. Como expresa el profesor Ferreiro Lapatza, para la aplicación efectiva de los principios de justicia tributaria «…es necesario determinar, primero, quién tiene y quién no tiene capacidad contributiva. Determinar lo que la doctrina ha llamado capacidad contributiva absoluta. La capacidad para contribuir»[27]. No obstante, es fundamental diferenciar la capacidad tributaria o capacidad jurídica y la capacidad contributiva[28]. El amplio margen que aparenta atribuir este principio a los legisladores, más aún con las interpretaciones que ha ido fraguando el Tribunal Constitucional a lo largo de los años, debe ser contrarrestado desde pautas mínimas de diferentes normas y valores que necesariamente conviene ponderar para delimitar el contenido mismo del principio. En nuestra opinión, las exigencias de este principio presentan diversos obstáculos para las alternativas de gravamen existentes. Una cuestión importante en este ámbito pasa por determinar hasta qué punto el uso de robots en el ámbito empresarial integra un especial signo de riqueza que merece un gravamen singular o adicional.

---

[26]   Hay que recordar que el art. 31.1 de la CE dispone que: «*Todos* contribuirán al sostenimiento de los gastos públicos de acuerdo con su capacidad económica mediante un sistema tributario justo inspirado en los principios de igualdad y progresividad que, en ningún caso, tendrá alcance confiscatorio». Asimismo, el art. 3 de la LGT establece que la ordenación de los tributos ha de basarse en la capacidad económica *de las personas* llamadas a satisfacerlos y en los principios de justicia, generalidad, igualdad, progresividad, equitativa distribución de la carga tributaria y no confiscatoriedad.

[27]   FERREIRO LAPATZA, J. J.: *Instituciones de Derecho Financiero, ob. cit.*, p. 193.

[28]   Ibídem, p. 277.

La doctrina científica es pacífica al considerar que la capacidad económica se ubica al mismo nivel que el hecho imponible de cualquier tributo condicionándolo esencialmente aunque extendiéndose a los demás elementos del tributo y cobrando especial proyección en la cuantificación tributaria. En este sentido se ha resaltado que: «...si el hecho imponible descrito por la Ley encierra en abstracto y en general una manifestación de capacidad económica, son la base imponible y el tipo de gravamen los que han de adaptar la prestación a la capacidad económica concreta demostrada por el hecho realizado y el sujeto que los efectúa... [e]l art. 31.1 CE no es sólo un mandato al legislador, sino un precepto que exige los resultados que debe arrojar el sistema tributario y, en consecuencia, sus principios habrán de estar presentes en la configuración del quantum de la prestación, imponiendo así una vinculación material a la cuantificación del tributo»[29].

Si nos referimos a un impuesto directo extrafiscal relativo a robots, los postulados mínimos de este principio quedarían en entredicho. Los profesores Eseverri Martínez y López Martínez puntualizaron que: «... Compete por lo tanto, a nuestro máximo Tribunal realizar el juicio de constitucionalidad que ha de venir orientado en torno a un triple enjuiciamiento: En primer lugar, se ha de analizar que el elemento que origina el nacimiento de la obligación tributaria sea revelador de capacidad económica [...]. En segundo lugar, el enjuiciamiento de constitucionalidad ha de penetrar en la estructura técnica de cada tributo, analizando los elementos de cuantificación y los regímenes impositivos que pueden producir, en cada caso concreto, una quiebra al señalado principio. Por último, ha de penetrar en la esfera interpretativa y aplicativa de las normas, realizando un análisis subjetivo del tributo, enjuiciando la idoneidad del sujeto para el cumplimiento de la obligación tributaria acorde a su particular capacidad económica»[30]. Desde esta última perspectiva consideramos que no alcanzaría suficiente justificación tributaria gravar la capacidad económica de los robots de una manera individualizada. Ello por varias razones, en primer lugar porque la verdadera capacidad económica que tiene sentido gravar es la de la empresa de la que forma parte como medio de producción[31]. Segura Alastrué ha manifes-

---

29 MARTÍN QUERALT, J., LOZANO SERRANO, C., TEJERIZO LÓPEZ, J. M. y CASADO OLLERO, G.: *Curso de Derecho Financiero y Tributario*, ob. cit., p. 262.

30 ESEVERRI MARTÍNEZ, E. y LÓPEZ MARTÍNEZ, J.: *Temas prácticos de derecho financiero (Parte general)*, Granada, Comares, 2000, p. 159.

31 En este sentido, ROSEMBUJ ha puntualizado que la capacidad contributiva no es del robot, sino de su aptitud para generar superenta en la organización de la que procede... El robot, cualquiera que sea su concepto, es un elemento de producción de superenta dentro de la organización dedicada a la automatización, fijando su acento en el impulso

tado que no hay que perder de vista que los robots no pagarían impuestos sino que lo harán sus propietarios, con los problemas que de ello se pueden derivar. Si se quieren subir los impuestos, «no hay necesidad de utilizar la coartada de cobrarlos indirectamente a través de una máquina»[32].

Además, la sobreimposición sería evidente al gravar la renta empresarial y la renta obtenida por el robot. En ausencia de una personalidad jurídica diferenciada incluso se incurriría en una doble imposición económica/jurídica no deseable aunque se pueda corregir, complicando una vez más la normativa. Respecto a los tributos extrafiscales ha llegado a manifestarse con toda la razón que: «…si estos impuestos recayeran sobre algo ya gravado por otro impuesto, aparte de la doble imposición, ¿qué sentido tendría crear ese nuevo impuesto? Bastaría con aumentar el tipo impositivo del existente o establecer un recargo para determinados casos particulares, y destinar el excedente o el importe del recargo a la Comunidad Autónoma correspondiente»[33].

Finalmente, no hay que olvidar que en los momentos actuales existe una imposibilidad jurídica desde un punto de vista subjetivo. Como destacan Calvo Ortega y Calvo Vérgez en este principio «…siempre se hace referencia a la aptitud, a la posibilidad real, a la suficiencia de un sujeto de derecho para hacer frente a la exigencia de una obligación dineraria concreta por parte de la Administración Pública… la capacidad económica no deja de

---

a la desocupación del trabajo humano. Es un activo intangibles de información dentro del capital intelectual y ajustado, por tanto, a la clasificación de activos intangibles, vida legal útil, amortización, autorrealización. ROSEMBUJ, T.: *Inteligencia artificial e impuesto*, *ob. cit.*, pp. 173 y 174. En términos comparativos, SÁNCHEZ-ARCHIDONA HIDALGO matiza que: «siendo ambas opciones un coste para la empresa, en el marco del Impuesto sobre Sociedades un robot constituye una inversión incentivada fiscalmente mediante un sistema de deducciones flexible, que permite la planificación empresarial, mientras que la contratación de un trabajador supone un coste que siempre disminuirá el beneficio económico, que no goza a su vez del sistema de incentivos de las amortizaciones y no permite en esa medida la planificación empresarial a medio y largo plazo, y a lo que hay que añadir los costes añadidos de, entre otros, cotizaciones a la Seguridad Social, que no revierten en un aumento directo o indirecto del beneficio empresarial». Véase su trabajo: «La tributación de la robótica y la inteligencia artificial como límites del Derecho financiero y tributario», *Quincena Fiscal*, n° 12, 2019, p. 79.

[32] SEGURA ALASTRUÉ, M.: «Los robots en el Derecho financiero y tributario», *ob. cit.*, pp. 176 y 174.

[33] DE VICENTE DE LA CASA, F.: «Los principios de capacidad económica y no confiscatoriedad como límite a la concurrencia de tributos», *Crónica Tributaria*, n° 144, 2012, p. 166.

integrar una situación subjetiva patrimonial en relación con obligaciones determinadas»[34].

A día de hoy, la única capacidad económica que podría reformularse en su gravamen diferenciado sería la de las empresas por el uso de robots que maximizan su beneficio. Someter a gravamen la renta societaria robótica presenta bastantes problemas a la hora de concretar el plus de rendimiento que realmente provocan los robots inteligentes. En este sentido hay que destacar que la incorporación de robots al activo de una empresa no supone, *per se*, un plus de capacidad económica frente a la utilización de otros elementos tecnológicos. Otra cuestión es, dado el coste actual de algunos robots, quién puede permitírselos[35]. Superrenta, extrafiscalidad, afectación, tributación sectorial o modificación de beneficios tributarios son añadidos que no disimulan una indeseable mayor complejidad del objeto gravado. Fórmulas simplificadas o la tributación de capacidades económicas potenciales colisionarían directamente con las exigencias del principio. Así que todas las cautelas son pocas a la hora de gravar especiales capacidades económicas con el añadido de hacerlo en un contexto internacional y globalizado. Desde un punto de vista indirecto, el gravamen societario de características especiales exigiría replantear la tributación del consumo en diferentes ámbitos. En último caso, los condicionantes del principio de capacidad deben perfilarse con el contenido de otros principios de justicia tributaria y ponderada atendiendo a diferentes postulados del ordenamiento tributario.

4.3. *Generalidad e igualdad tributarias frente al gravamen de la robótica*

El prisma de la justicia tributaria se asienta sobre la capacidad económica que debe dar forma a la generalidad e igualdad tributarias para poder alcanzar un sistema justo. Hay que recordar, como expresa el profesor FERREIRO, que la capacidad económica es la forma tributaria de la igualdad y la generalidad. En todo caso, se trata de principios intrínsecamente vinculados entre sí. En este apartado se imponen algunas reflexiones sobre la

---

[34] CALVO ORTEGA, R. y CALVO VÉRGEZ, J.: *Curso de Derecho financiero*, 22ª ed., Navarra, Civitas Thomson Reuters, 2018, p. 49.

[35] *Vid.* GRAU RUIZ, M. A.: «La búsqueda de alternativas para la tributación de los robots: la tasa californiana aplicable a los vehículos autónomos» en GARCÍA NOVOA, C.: *4ª Revolución Industrial: La fiscalidad de la sociedad digital y tecnológica en España y Latinoamérica*, Navarra, Thomson Reuters Aranzadi, 2019, p. 170.

base del contenido integral de estos principios. Una vez cuestionadas las capacidades económicas habilitadas para el gravamen de la robótica[36], el perfil de la igualdad y generalidad comporta condicionantes adicionales. Estos principios requerirían gravar de igual forma a todas las sociedades robotizadas. Los problemas de delimitación de cuáles son «todas las empresas robotizadas» suscita demasiadas incógnitas, ciertamente vinculadas a la delimitación de los robots susceptibles de gravamen, para definir un tratamiento tributario justo. Si se atiende a otras alternativas, las problemáticas derivadas del contenido de estos principios podrían ser aún mayores. Pensemos por ejemplo en el dificultoso tratamiento de capacidades económicas empresariales de forma equitativa en el replanteamiento o eliminación de beneficios tributarios. Así que, aun siendo el complemento de la capacidad económica, también los principios de igualdad y generalidad requieren de especiales cautelas desde la perspectiva fiscal[37]. Alcanzar un tratamiento tributario supuestamente más justo de los robots más inteligentes podría conllevar asimismo tratamientos desiguales, sectoriales e injustos frente a sujetos que se hallen en situaciones similares o empeorar el tratamiento global de otros grupos de contribuyentes.

---

[36] FERNÁNDEZ AMOR ha puntualizado que: [E]l contenido del principio de generalidad que se refleja en el pronombre se compone del conjunto de personas que el ordenamiento jurídico reconoce que, como sabemos, son físicas y jurídicas que desempeñan diferentes posiciones según el art. 35 LGT. Tenemos, por tanto, el primer obstáculo —decisivo por otra parte— para considerar que el robot sea contribuyente: no es una persona en ninguno de los términos que el ordenamiento admite —física o jurídica—. Sin embargo, no hay que perder de vista que la categoría jurídica de «persona» no parece depende únicamente de la naturaleza de las cosas. Sería un impedimento salvable, con la consiguiente reforma legal, a la vista de que el Derecho ha reconocido ese carácter de persona a la persona física pero también a organizaciones o grupos de personas y elementos patrimoniales si ha convenido, constituyendo las personas jurídicas. FERNÁNDEZ AMOR, J. A.: «Derecho tributario y cuarta revolución industrial…», ob. cit., p. 87.

[37] Desde un punto de vista económico se ha indicado que el gravamen de los robots puede reducir la desigualdad en ingresos altos, lo que minora localmente distorsiones del impuesto sobre la renta de la oferta de trabajo; pero aumenta la desigualdad en los ingresos bajos, pudiendo agravar localmente las distorsiones de la oferta de trabajo. Vid. THUEMMEL, U.: «Optimal Taxation of Robots». Disponible en: http://uwethuemmel. com/wp-content/uploads/2017/02/Thuemmel2018_OptimalTaxationOfRobots_October_v2.pdf.

4.4. *Los demás principios de justicia tributaria*

Desde el punto de vista de la progresividad del sistema tributario hay que poner de manifiesto las cautelas respecto a propuestas como la Renta Básica Universal, puesto que habría que considerar el efecto negativo que tiene si se concede a todas las personas sin tomar en consideración el nivel de ingresos. Frente a ello se ha manifestado que sería preferible mantener la condicionalidad de las prestaciones sociales focalizadas en aquellos hogares con menor nivel de ingresos y/o en situación de pobreza. Desde el punto de vista económico, se añade que los estudios señalan que en un escenario de Renta Básica Universal, eliminándose las demás prestaciones, la reducción de la incidencia de la pobreza sería menor que si se mantiene el sistema actual[38]. En un escenario ideal el incremento de la progresividad de los impuestos y la fiscalidad robótica no son excluyentes, es más la idea de proyectar la tasación de la robótica no podría permanecer completamente ajena a la necesaria dosis e inspiración de progresividad del conjunto del sistema tributario[39].

4.5. *La justicia tributaria a nivel internacional*

La globalización económica constituye un proceso de especial relevancia desde hace algún tiempo, vinculado fundamentalmente a la internacionalización del comercio[40]. Los conceptos que la representan son esencialmente: la liberalización de los mercados de comercio de mercancías, liberalización

---

[38] BLANCO PALMERO, P. y DE LA VEGA GARCÍA NARRO, M.: «Principios y herramientas para conseguir un sistema fiscal equitativo: vía del ingreso y del gasto», *Documentos-IEF*, nº 11, 2018, p. 72.

[39] Más detenidamente sobre la inspiración del sistema tributario en el principio de progresividad como requisito para su consideración como sistema justo, progresividad global y progresividad razonable, *vid.* CALVO ORTEGA, R.: *¿Hay un Principio de Justicia Tributaria?*, Navarra, Civitas Thomson Reuters, 2012, pp. 71-84. Para otro estudio extenso, acerca de la pérdida de fuerza de la progresividad dentro del sistema tributario, puede verse SOLER BELDA, R. R.: «Revisión de la vigencia efectiva del principio de progresividad» en LÓPEZ ESPADAFOR, C. M. (Dir.): *Estudios sobre progresividad y no confiscatoriedad en materia tributaria*, Navarra, Aranzadi Thomson Reuters, 2018, pp. 71-124.

[40] GARCÍA PRATS observó que: «La internacionalización económica ha incrementado el temor de las Administraciones tributarias de los diferentes Estados sobre los riesgos de deslocalización de rentas (…)». Véase GARCÍA PRATS, F. A.: «Los precios de transferencia: Su tratamiento tributario desde una perspectiva europea», *Documento de Trabajo del IEF*, nº 9, 2005, p. 5.

del mercado de capitales y una revolución en las tecnologías informáticas y comunicativas. Se trata de un proceso que ejerce una influencia trascendental en la política fiscal de los Estados y ha provocado lo que nuestra doctrina ha denominado «internacionalización del Derecho Tributario»[41]. Desde esta perspectiva, consideramos que el último, aunque no menos importante, factor vinculado a la instauración y pervivencia de los regímenes de determinación objetiva en los ordenamientos tributarios es, precisamente, este proceso de globalización económica.

La fiscalidad robótica se plantea como una cuestión que adquiere dimensión claramente internacional. En este sentido, se ha sostenido que la tributación sobre robots puede intensificar la competencia fiscal entre diferentes jurisdicciones, por lo que requiere un esfuerzo global para incluir este tema en el relativo a los acuerdos internacionales sobre las normas fiscales comunes que deben establecerse para afrontar la evasión y elusión fiscal global[42]. Con carácter general, desde una perspectiva internacional, la profesora Soler Roch ha analizado como la crisis del principio de gravamen global y la competencia fiscal entre las jurisdicciones fiscales facilitan las oportunidades de planificación fiscal por parte de los contribuyentes[43].

Cualquier avance en la tributación o medidas fiscales referidas a la robótica requeriría de un enfoque coordinado a nivel internacional. Existen importantes cuestiones que exceden el ámbito de la robótica, aunque tampoco escapan a él, vinculadas a riesgos de doble imposición o no imposición, precios de transferencia, el tratamiento de ciertas rentas como cánones, la posible traslación internacional de beneficios o a la evasión fiscal, que convendría analizar desde una perspectiva específica[44].

5. CONCLUSIONES

– El impacto de la robótica es global, integra una realidad que afecta a todo tipo de sectores y se utilizará progresivamente en el futuro por

---

[41]   CRUZ PADIAL, I.: «Globalización económica: sinónimo de desnaturalización tributaria», *Crónica Tributaria*, nº 109, 2003, p. 59.

[42]   BOTTONE, G.: «A tax on robots? Some food for thought», *DF Working Paper*, nº 3, 2018, p. 19. Disponible en: https://www.finanze.it/export/sites/finanze/it/.content/Documenti/Varie/dfwp3_2018.pdf.

[43]   SOLER ROCH, M. T.: «La imposición justa sobre las sociedades en un escenario global: un tema pendiente», *Derecho & Sociedad*, nº 50, 2018, pp. 186-197.

[44]   OBERSON, X.: «Taxing Robots?», *ob. cit.*, p. 258.

todas las empresas en el marco de la Industria 4.0. Las alternativas para el gravamen de los robots son muy diferentes. En este trabajo hemos mostrado brevemente las opciones teóricas que pasan por múltiples posibilidades relativas a un tributo a la inteligencia artificial o automatización; un impuesto extrafiscal a la renta por el empleo de robots; un impuesto directo sobre la extraproductividad; la limitación de incentivos fiscales para las empresas robotizadas; la reconfiguración de los beneficios tributarios por actividades de I+D+i; una imposición indirecta especial para la robótica; las previsiones específicas en las figuras tributarias actuales; una imposición indirecta especial para la robótica; las previsiones específicas en las figuras tributarias actuales u; otros tributos y medidas no tributarias. La mayor parte de ellas añadirían un cierto grado de complejidad al sistema tributario y, además, encuentran una imposibilidad adicional en la ausencia de personalidad jurídica de los robots. Frente a ello, se plantea la deseable simplificación del ordenamiento tributario.

— Los postulados mínimos de justicia exigen de antemano una especial cautela en cualquier vía que se quiera explorar. La justicia tributaria requiere singular cuidado por parte del legislador en el análisis de medidas tributarias en el ámbito de los androides. En un hipotético tributo a la robótica, la imposibilidad subjetiva, sitúa a la misma como posible materia imponible. Sin embargo, al poner en conexión las diferentes alternativas con el contenido mismo de los principios de justicia tributaria se observan las debilidades de las hipótesis planteadas. Además, la justicia tributaria exige actualmente analizar la cuestión desde una óptica internacional. Desde el paradigma de la incidencia efectiva de la capacidad contributiva en toda su dimensión y en un contexto universal, la tributación sobre la renta y el patrimonio deben superar un impacto meramente accesorio, alcanzando una dimensión real en favor de una sociedad más justa.

— A nuestro modo de ver, desde el punto de vista tributario, la problemática del gravamen en el ámbito de la robótica está directamente vinculada a otra de mucho mayor calado como es el alcance de una imposición empresarial equitativa a nivel mundial. No se puede tratar de hacer frente a problemáticas incipientes desde un punto de vista tributario sin abordar antes la cuestión de fondo. Es más, sólo una vez se hayan efectuado avances satisfactorios en este sentido podrían plantearse soluciones jurídicas particulares en determinados campos. En cualquier caso, la revolución robótica presenta actualmente destacables retos a otros sectores del ordenamiento jurídico cuya necesaria solución condiciona asimismo cualquier planteamiento desde la perspectiva tributaria. La inteligencia artificial desafía múltiples ramas jurídicas y los tributos integran una esfera particular desde donde no siempre se requiere forzar la integración de nuevas instituciones, sino que puede ser más deseable analizar la posible readaptación de figuras existentes.

Bibliografía

BARRIO ANDRÉS, M. (Dir.), *Derecho de los robots,* Las Rozas (Madrid), La Ley-Wolters Kluwer, 2018.

BELTRAME, P., *La fiscalité en France*, 21ª ed., París, Hachette Livre, 2017.

BLANCO PALMERO, P. y DE LA VEGA GARCÍA NARRO, M., «Principios y herramientas para conseguir un sistema fiscal equitativo: vía del ingreso y del gasto», *Documentos-IEF*, nº 11, 2018.

BOTTONE, G., «A tax on robots? Some food for thought», *DF Working Paper*, nº 3, 2018.

CALVO ORTEGA, R. y CALVO VÉRGEZ, J., *Curso de Derecho financiero*, 22ª ed., Navarra, Civitas Thomson Reuters, 2018.

CALVO ORTEGA, R., *¿Hay un Principio de Justicia Tributaria?*, Navarra, Civitas Thomson Reuters, 2012.

CRUZ PADIAL, I., «Globalización económica: sinónimo de desnaturalización tributaria», *Crónica Tributaria*, nº 109, 2003.

DE VICENTE DE LA CASA, F., «Los principios de capacidad económica y no confiscatoriedad como límite a la concurrencia de tributos», *Crónica Tributaria*, nº 144, 2012.

DORIGO, S., «Robots and taxes: turning an apparent threat into an opportunity», *Tax notes international*, Vol. 92, nº 11, 2018.

ERCILLA GARCÍA, J., «Aproximación a una Personalidad Jurídica Específica para los robots», *Revista Aranzadi de Derecho y Nuevas Tecnologías*, nº 47, 2018.

FALCÃO, T., «Should my dishwasher pay a robot tax?», *Tax notes international*, Vol. 90, nº 12, 2018.

FERNÁNDEZ AMOR, J. A., «Derecho tributario y cuarta revolución industrial: análisis jurídico sobre aspectos fiscales de la robótica», *Nueva fiscalidad*, nº 1, 2018.

FERREIRO LAPATZA, J. J., *Instituciones de Derecho Financiero. Primera Parte (Derecho Financiero)*, Marcial Pons, Madrid-Barcelona-Buenos Aires, 2010.

GARCÍA NOVOA, C. y SANTIAGO IGLESIAS, D. (Dir.), *4ª revolución industrial. Impacto de la automatización y la inteligencia artificial en la sociedad y la economía digital*, Cizur Menor (Navarra), Thomson Reuters Aranzadi, 2018.

GARCÍA NOVOA, C., *4ª Revolución Industrial: La fiscalidad de la sociedad digital y tecnológica en España y Latinoamérica*, Navarra, Thomson Reuters Aranzadi, 2019.

GARCÍA PRATS, F. A., «Los precios de transferencia: Su tratamiento tributario desde una perspectiva europea», *Documento de Trabajo del IEF*, nº 9, 2005.

GIOVANNINI, A., «Legalità ed equità: per un nuovo sistema impositivo», *Diritto e pratica tributaria*, n° 6, 2017.

GRAU RUIZ, M. A., «La adaptación de la fiscalidad ante los retos jurídicos, económicos, éticos y sociales planteados por la robótica», *Nueva fiscalidad*, n° 4, 2017.

GRAU RUIZ, M. A., «La búsqueda de alternativas para la tributación de los robots: la tasa californiana aplicable a los vehículos autónomos» en GARCÍA NOVOA, C. y SANTIAGO IGLESIAS, D. (Dir.), *4ª revolución industrial. Impacto de la automatización y la inteligencia artificial en la sociedad y la economía digital*, Cizur Menor (Navarra), Thomson Reuters Aranzadi, 2018.

ISPIZUA DORNA, E., «Industria 4.0: ¿cómo afecta la digitalización al sistema de protección social?», *Lan harremanak-Revista de relaciones laborales*, n° 40, 2018.

MARTÍN QUERALT, J., LOZANO SERRANO, C., TEJERIZO LÓPEZ, J. M. y CASADO OLLERO, G., *Curso de Derecho Financiero y Tributario*, 30ª ed., Madrid, Tecnos, 2019.

OBERSON, X., «Taxing Robots? From the Emergence of an Electronic Ability to Pay to a Tax on Robots or the Use of Robots», *World Tax Journal*, Vol. 9, n° 2, 2017.

OBERSON, X., *Taxing robots: helping the economy to adapt to the use of artificial intelligence*, Cheltenham, Edward Elgar Publishing, 2019.

PATIAS, I. y LEVENTI, N., «For roboethics issues like of robots taxation, should we apply "pro et contra" or "SWOT analysis"», *American Journal of Engineering Research (AJER)*, Volume-6, Issue-9, 2017.

PEREZ ROYO, F. y CARRASCO GONZÁLEZ, F. M., *Derecho financiero y tributario. Parte general*, 28ª ed., Navarra, Civitas Thomson Reuters, 2018.

ROGEL VIDE, C. (Coord.), *Los robots y el Derecho*, Madrid, Reus, 2018.

ROSEMBUJ, T., *Inteligencia artificial e impuesto*, Barcelona, Editorial el Fisco, 2018.

SÁNCHEZ-ARCHIDONA HIDALGO, G., «La tributación de la robótica y la inteligencia artificial como límites del Derecho financiero y tributario», *Quincena Fiscal*, n° 12, 2019.

SEGURA ALASTRUÉ, M., «Los robots en el Derecho financiero y tributario» en BARRIO ANDRÉS, M. (Dir.), *Derecho de los robots*, Las Rozas (Madrid), La Ley-Wolters Kluwer, 2018.

SOLER BELDA, R. R., «Revisión de la vigencia efectiva del principio de progresividad» en LÓPEZ ESPADAFOR, C. M. (Dir.), *Estudios sobre progresividad y no confiscatoriedad en materia tributaria*, Navarra, Aranzadi Thomson Reuters, 2018.

SOLER ROCH, M. T., «La capacidad económica en los impuestos de ordenación», *Cuadernos de energía*, n° 26, 2009.

SOLER ROCH, M. T., «La imposición justa sobre las sociedades en un escenario global: un tema pendiente», *Derecho & Sociedad*, n° 50, 2018.

Capítulo 19

La adaptación de las normas de Derecho Tributario ante los retos jurídicos de la inteligencia artificial

SORAYA RODRÍGUEZ LOSADA
Profesora Contratada Doctora Interina de Derecho Financiero y Tributario
Universidade de Vigo
mailto:soraya.losada@uvigo.es

SUMARIO: 1. EL DESARROLLO DE LA INTELIGENCIA ARTIFICIAL Y SU INCIDENCIA EN EL DERECHO TRIBUTARIO. 2. LA RESPUESTA DEL DERECHO TRIBUTARIO ANTE LOS RETOS QUE PLANTEAN LA INTELIGENCIA ARTIFICIAL Y LA ROBÓTICA: POSIBLES LÍNEAS DE ACTUACIÓN. 3. ¿HACIA UNA CAPACIDAD DE CONTRIBUIR ELECTRÓNICA?. 4. IMPOSICIÓN SOBRE LOS ROBOTS: ANÁLISIS DE ALGUNAS PROPUESTAS PARA EL GRAVAMEN DE LA ROBÓTICA. 5. VALORACIÓN SOBRE LA IMPLANTACIÓN DE NUEVOS TRIBUTOS A LOS ROBOTS. Bibliografía.

1. EL DESARROLLO DE LA INTELIGENCIA ARTIFICIAL Y SU INCIDENCIA EN EL DERECHO TRIBUTARIO

En los últimos años hemos sido testigos de una progresiva implantación de procesos de automatización inteligente y de la inteligencia artificial (IA) en los procesos productivos. La 4ª revolución industrial está originando cambios estructurales en el comercio y en el empleo. El uso creciente de los robots industriales[1] (especialmente, para realizar tareas de gran complejidad o repetitivas, e incluso para llevar a cabo actividades que resultan particularmente peligrosas) o el desarrollo de los denominados robots de

---

[1] Un robot industrial es un manipulador programable, controlado automáticamente y reprogramable en tres o más ejes, que pueden ser fijos o móviles, utilizado en la ejecución de procesos industriales. La *International Federation of Robotics* (IFR) señaló en 2017 que, en 2019, se estarían utilizando ya más de 2,5 millones de robots industriales (IFR, *The impact of robots on employment*, April, 2017. Disponible en: https://ifr.org/img/office/IFR_The_Impact_of_Robots_on_Employment.pdf).

servicio[2] (muy utilizados para prestar servicios relacionados con la agricultura, construcción, defensa, medicina, educación, servicios financieros o jurídicos) ponen de manifiesto una realidad: los robots están sustituyendo a la mano de obra humana, originando obstáculos éticos, económicos, legales y sociales[3]. Así, en el mercado laboral, la robótica plantea el dilema moral y ético sobre la pérdida de empleo ocasionada por la automatización de tareas[4]. Nos encontramos en un punto de inflexión y de cambio estructural, en el que los Estados deben tomar decisiones estratégicas ante los desafíos y oportunidades en materia de productividad y empleo en una era de cambio tecnológico acelerado. Pero no solo eso; a medida que se vayan produciendo nuevos avances en el uso de la robótica, será necesario comprobar si el Derecho cuenta con los instrumentos pertinentes para enfrentar los nuevos desafíos.

Por lo tanto, la transformación digital ocupa en la actualidad un lugar destacado en la agenda global, algo que se puede constatar en los trabajos de la OCDE y la Unión Europea que pretenden abordar los retos planteados por la automatización inteligente y la inteligencia artificial.

Así pues, en muchos sectores las nuevas tecnologías han convertido a las máquinas y a los robots en elementos más baratos y eficientes que la mano de obra.

Numerosos estudios arrojan datos sobre la incidencia de la IA en el empleo. Así, Osborne y Frey analizaron la susceptibilidad de automatización

---

[2] Un robot de servicio es aquél que realiza tareas útiles para los seres humanos o para otros equipos, con exclusión de las operaciones industriales o de fabricación. Los robots de servicio pueden utilizarse en un entorno doméstico o profesional. En su informe de 2017, la IFR estimó que entre 2016 y 2019 se venderían más de 300.000 robots de servicio profesional, incluyendo vehículos guiados automáticamente que intervienen en los procesos de producción, búsqueda de bienes y piezas o en el traslado de productos en fábricas, almacenes u hospitales. Paralelamente, se estimó un incremento de 42 millones de robots de servicio para uso personal y doméstico durante el período 2016-2019, que facilitarían tareas relacionadas con la limpieza, corte de césped, entretenimiento o asistencia a personas mayores (IFR, *The impact of robots on employment*, April, 2017. Disponible en: https://ifr.org/img/office/IFR_The_Impact_of_Robots_on_Employment.pdf).

[3] OCDE, *Perspectivas de la OCDE sobre la economía digital*, 2017. Disponible en: https://www.oecd-ilibrary.org/science-and-technology/perspectivas-de-la-ocde-sobre-la-economia-digital-2017_9789264302211-es.

[4] La expresión «automatización del empleo» no implica la utilización de herramientas, físicas o no, que contribuyen a un mejor desempeño del trabajo, sino que las máquinas son las que realizan el trabajo (BARRO AMENEIRO, S., «Automatización inteligente», *Integración & comercio*, nº 42, 2017, pp. 290-303 (295).

de 702 empleos actualmente realizados por seres humanos en Estados, concluyendo que aproximadamente el 47% podría sustituirse por robots, especialmente aquéllos para los que no se precisa una formación especial[5]. De otra parte, de acuerdo con los cálculos realizados en el informe del *World Economic Forum* de 2016 titulado «The future of jobs», se prevé una pérdida de 5,1 millones de puestos de trabajo en el período 2015-2020 en el conjunto de países analizados. El informe recoge una pérdida bruta de 7,1 millones de empleos y la creación de 2 millones de nuevos empleos[6]. Otros informes, por el contrario, recogen una visión tecno-optimista. Por ejemplo, el Informe del *McKinsey Global Institute* de 2017 titulado «Un futuro que funciona: automatización, empleo y productividad» señala que no se producirá una sustitución de empleos o trabajos, sino de tareas concretas y, especialmente, aquéllas que son rutinarias o repetitivas. Según los datos arrojados en este informe, solo el 5% de los empleos actuales puede ser totalmente automatizado; sin embargo, habría un 60% de trabajos en los que, al menos el 30% de las tareas, podrían realizarse por máquinas[7]. Finalmente, la OCDE ha precisado recientemente que el 14% de los puestos de trabajo son altamente automatizables; y, otro 32%, se verá sometido a cambios muy significativos[8].

En consecuencia, en las últimas décadas ha tenido lugar un claro retroceso de las rentas de trabajo (y de las cotizaciones a la Seguridad Social), seguido de su sustitución por capital. El resultado de este fenómeno ha derivado en un aumento de la desigualdad y de la pobreza, ya que la tecnología es uno de los principales estímulos para la polarización del empleo y los salarios[9]. De otra parte, siendo el Impuesto Sobre la Renta de las Personas

---

[5]   OSBORNE, M. A., FREY, C. B., «The Future of employment». *Working paper, Oxford Martin Programme on Technology and Employment*, September 2013. Disponible en: https://www.oxfordmartin.ox.ac.uk/downloads/academic/The_Future_of_Employment.pdf.

[6]   WEF, *Future of Jobs. Employment, skills and wordforce strategy for the fourth industrial revolution*, January 2016. Disponible en: http://www3.weforum.org/docs/WEF_Future_of_Jobs.pdf.

[7]   MCKINSEY GLOBAL INSTITUTE, «Un futuro que funciona: automatización, empleo y productividad», enero de 2017. Disponible en: https://www.mckinsey.com/~/media/mckinsey/featured%20insights/digital%20disruption/harnessing%20automation%20for%20a%20future%20that%20works/a-future-that-works-executive-summary-spanish-mgi-march-24-2017.ashx.

[8]   OECD, *Putting faces to the Jobs and risk of automation*, París, 2018.

[9]   AUTOR, D. H., DORN, D., «How technology wrecks the middle class», *The New York Times*, 24 de agosto de 2013; COWEN, T., *Average is over: powering America Beyond the age of the great stagnation*, Dutton: New York, 2013, p. 139; BERG, A., BUFFIE, E.,

Físicas la principal fuente de ingresos del sector público español, el descenso de los ingresos procedentes por rentas del trabajo y la «desimposición» de las rentas de capital, acompañado de la eliminación de los impuestos sobre la riqueza o la crisis del impuesto sobre sociedades y los impuestos sobre las herencias, están poniendo en grave riesgo la sostenibilidad del sistema fiscal.

2. LA RESPUESTA DEL DERECHO TRIBUTARIO ANTE LOS RETOS QUE PLANTEAN LA INTELIGENCIA ARTIFICIAL Y LA ROBÓTICA: POSIBLES LÍNEAS DE ACTUACIÓN

Por lo tanto, en la actualidad existe una necesidad obvia de adaptar la normativa fiscal para abordar los desafíos que plantea la robótica; y, habida cuenta de los constantes avances en este campo, parece que la adaptación del ordenamiento tendrá que ser una práctica constante en el futuro.

Las medidas legislativas propuestas por la doctrina para afrontar este problema pueden agruparse en cuatro grandes bloques.

En primer lugar, las medidas orientadas a *ampliar el gravamen de las rentas de capital,* ya que en la actualidad el sistema fiscal favorece la inversión en capital por encima de la inversión en capital humano.

En segundo lugar, las propuestas dirigidas a *aumentar la recaudación del IVA,* por ejemplo, a través de la eliminación de los tipos reducidos.

En tercer lugar, las propuestas enfocadas a *incrementar el gravamen del Impuesto sobre Sociedades.* Esta postura se puede ver claramente en la línea seguida en el Plan de Acción BEPS, la propuesta de Directiva sobre una Base Imponible Común Consolidada (BICIS/BICCIS), la proliferación de impuestos sobre servicios digitales, o la propuesta sobre un impuesto de sociedades mínimo para grandes empresas.

Y, en cuarto lugar, se encuentran las propuestas relacionadas con la *imposición sobre los robots.*

De hecho, Bill Gates fue de los primeros en manifestarse públicamente a favor de que «los *robots* paguen impuestos». El fundador de Microsoft expresó que, en las próximas dos décadas, los robots y la IA reemplazarán

---

ZANNA, L. F., «Robots, crecimiento y desigualdad», Finanzas y desarrollo, septiembre de 2016. Disponible en: https://www.imf.org/external/pubs/ft/fandd/spa/2016/09/pdf/berg.pdf;

a los seres humanos en muchos sectores. Por ello, se posicionó a favor de que se compense, de alguna manera, por los puestos de trabajo que se reemplacen. Pero, como decíamos, la OCDE y la UE también han dado pasos en esta dirección.

En un contexto europeo, podemos destacar varias iniciativas del Parlamento Europeo. La primera, el informe de Nevejans de octubre 2016, titulado *European Civil Law Rules in Robotics*[10], que recoge una aproximación conceptual al término «robot» y propone principios generales relativos al desarrollo de la robótica y la IA para uso civil. La segunda, las recomendaciones a la Comisión sobre normas de Derecho Civil sobre Robótica, 16 de febrero de 2017[11], con propuestas de apoyo institucional y financiero y recomendaciones de acción normativa. Y la tercera, la resolución de 12 de febrero de 2019, sobre una política global europea en materia de inteligencia artificial y robótica[12], donde se recoge que «*la aplicación de la inteligencia artificial en la industria debe avanzar en el marco de una amplia consulta con los interlocutores sociales, ya que el posible cambio en el número de personas que trabajan en el sector requiere políticas proactivas que ayuden a los trabajadores a adaptarse a las nuevas demandas y garantizar que los beneficios sean ampliamente compartidos; [...] para ello es necesario reconsiderar y rediseñar las políticas del mercado de trabajo, los regímenes de seguridad social y la fiscalidad*».

Por otro lado, entre las iniciativas de la Comisión Europea podemos destacar, en primer lugar, la Comunicación titulada *Un sistema impositivo justo y eficaz en la Unión Europea para el Mercado Único Digital*, donde se indicaba que «*una nueva generación de tecnologías de la información, como el internet de las cosas, la inteligencia artificial, la robótica y la realidad virtual, aportarán rápidamente nuevos avances. Cada vez se utilizan más soluciones digitales que generan nuevas oportunidades para los ciudadanos, las empresas, los inversores y las administraciones públicas. Es esencial que las empresas de la UE aprovechen estas oportunidades para seguir siendo competitivas [...] Europa se enfrenta al desafío de aprovechar rápidamen-*

---

[10] EUROPEAN PARLIAMENT, *European Civil Law Rules in Robotics*, October 2016. Disponible en: http://www.europarl.europa.eu/RegData/etudes/STUD/2016/571379/IPOL_STU(2016)571379_EN.pdf.

[11] EUROPEAN PARLIAMENT, *Resolution of 16 February 2017 with recommendations to the Commission on Civil Law Rules on Robotics*. Disponible en: http://www.europarl.europa.eu/doceo/document/TA-8-2017-0051_EN.html.

[12] EUROPEAN PARLIAMENT, *Resolution of 12 February 2019 on a comprehensive European industrial policy on artificial intelligence and robotics*. Disponible en: http://www.europarl.europa.eu/doceo/document/TA-8-2019-0081_EN.html.

te todas estas oportunidades digitales para asegurar su competitividad, al tiempo que garantiza una fiscalidad justa»[13]. Y, en segundo lugar, el informe de 25 de abril de 2018, titulado *Inteligencia artificial: un enfoque europeo para impulsar la inversión y establecer directrices éticas*[14]. Este documento recoge una serie de medidas encaminadas a poner la IA al servicio de los ciudadanos europeos e impulsar la competitividad de Europa en este campo. Para ello, propone un triple enfoque basado en los siguientes pilares: (1) reforzar la ayuda financiera y fomentar la adopción de la IA por los sectores público y privado; (2) prepararse para los cambios socioeconómicos originados por la IA; y (3) garantizar un marco ético y jurídico adecuado.

Por su parte, la OCDE publicó en 2015 el Informe Final de la Acción 1 de BEPS, dirigida a Abordar los retos fiscales de la economía digital, en el que, tímidamente, se recogía la necesidad de analizar detenidamente los cambios que está originando el progreso tecnológico y, en particular, los avances en la robótica, ya que pueden generar desafíos fiscales adicionales para los Estados en un futuro cercano[15]. En un sentido similar, en 2017, el informe titulado *Perspectivas de la OCDE sobre la economía digital*, se refirió a los retos que plantean la robótica y la inteligencia artificial[16]. Posteriormente, el 22 de mayo de 2019 se aprobaron los principios mínimos que deberían cumplir los sistemas de inteligencia artificial así como recomendaciones a los Estados, tales como facilitar la inversión pública y privada in I+D+i con el objetivo de estimular la innovación en IA de manera segura y viable, fomentar los ecosistemas de IA accesibles, asegurar un marco de políticas que facilite el despliegue de sistemas de IA fiables, capacitar a las personas con habilidades necesarias para la IA y apoyar a los trabajadores para una transición justa y equitativa, y cooperar a través de las fronteras y

---

[13] COMISIÓN EUROPEA, *Comunicación de la Comisión al Parlamento Europeo y al Consejo: Un sistema impositivo justo y eficaz en la Unión Europea para el Mercado Único Digital.* Disponible en: https://eur-lex.europa.eu/legal-content/ES/TXT/?uri=CELEX%3A52017DC0547.

[14] COMISIÓN EUROPEA, *Inteligencia artificial: un enfoque europeo para impulsar la inversión y establecer directrices éticas,* 25 de abril de 2018. Disponible en: https://europa.eu/rapid/press-release_IP-18-3362_es.htm.

[15] OECD, *Addressing the Tax Challenges of the Digital Economy. Action 1 - 2015 Final Report,* 2015. Disponible en: https://www.oecd.org/ctp/addressing-the-tax-challenges-of-the-digital-economy-action-1-2015-final-report-9789264241046-en.htm.

[16] OCDE, *Perspectivas de la OCDE sobre la economía digital,* 2017. Disponible en: https://www.oecd.org/publications/perspectivas-de-la-ocde-sobre-la-economia-digital-2017-9789264302211-es.htm.

los sectores para avanzar en la administración responsable de la IA[17]. Estos principios fueron adoptados por el G20 en junio de 2019.

3. ¿HACIA UNA CAPACIDAD DE CONTRIBUIR ELECTRÓNICA?

La progresiva incorporación de los robots y la inteligencia artificial en los procesos productivos ha propiciado la aparición de teorías sobre la atribución de personalidad jurídica a los robots. Alain y Jérémy Bensoussan fueron de los primeros en manifestarse a favor de esta idea[18]; siguiendo después una línea similar Xabier Oberson[19]. Otros autores, por el contrario, mantiene que, al menos en esta primera etapa, no resulta necesario otorgar personalidad jurídica a los robots[20]; y, solo cuando se alcance una segunda etapa en la que la tecnología permita que los robots adquieran autonomía económica y personal equiparable a los seres humanos cabría abrir el debate del reconocimiento de personalidad jurídica y capacidad económica a los robots.

Por su parte, la resolución de 16 de febrero de 2017 del Parlamento Europeo con recomendaciones destinadas a la Comisión sobre normas de Derecho Civil y Robótica ya sugería a la Comisión que analizase la posibilidad de *«crear a largo plazo una personalidad jurídica específica para los robots, de forma que como mínimo los robots autónomos más complejos puedan ser considerados personas electrónicas responsables de reparar los daños que puedan causar, y posiblemente aplicar la personalidad electrónica a aquellos supuestos en los que los robots tomen decisiones autónomas inteligentes o interactúen con terceros de forma independiente»*[21]. Si bien, a través de estas recomendaciones, se invita a la reflexión sobre la modificación de las normas civiles (en el caso de España, el Código Civil) para atribuir subjetividad o personalidad al robot a efectos de resolver los problemas relacionados con su responsabilidad, lo cierto es el eventual reconocimien-

---

[17] OECD, *Recommendation of the Council on Artificial Intelligence*, 22 May 2019. Disponible en: https://legalinstruments.oecd.org/en/instruments/OECD-LEGAL-0449.

[18] BENSOUSSAN, A., BENSOUSSAN, A., *Droit des robots*, Larcier, Lexing, 2015, p. 41.

[19] OBERSON, X., «Taxing robots? From the emergence of an electronic ability to pay to a tax on robots or the use of robots», *World Tax Journal*, May, 2017, pp. 250 y ss.

[20] FANTI, C., «Switzerland chapter». En: BENSOUSSAN, A., BENSOUSSAN, J., *Comparative handbook: robotic technologies law*, Larcier, 2016, p. 199.

[21] EUROPEAN PARLIAMENT, *Resolution of 16 February 2017 with recommendations to the Commission on Civil Law Rules on Robotics*. Disponible en: http://www.europarl.europa.eu/doceo/document/TA-8-2017-0051_EN.html.

to de personalidad jurídica a los robots podría llevarnos a la aparición de lo que Oberson denomina «capacidad contributiva electrónica» *(electronic ability to pay)* en el ámbito tributario. Todo ello sin perjuicio de que el Derecho Tributario podría introducir un nuevo tipo de personalidad jurídica a efectos fiscales y, en ejercicio de su autonomía calificadora, sería viable reconocer a los robots como entidades separadas[22].

Pero lo cierto es que, hoy por hoy, no hemos alcanzado esa segunda fase a la que se refiere Oberson, en la que los robots alcancen plena autonomía, por lo que, al menos por ahora, no pueden considerarse sujetos de Derecho y, en consecuencia, no pueden ser los contribuyentes de cualquier «impuesto a los robots» que pueda diseñarse. Serán, por lo tanto, sus propietarios (esto es, las empresas) los que estarían obligados a satisfacer el tributo. Y, en este punto, indica García Novoa que «habría que ver si, en la incorporación de un robot al proceso producto de una empresa, se localiza una manifestación singular de capacidad económica que pueda ser susceptible de gravamen», concluyendo que «no parece que la incorporación de un robot al activo de una empresa incluya un plus de capacidad económica frente a la utilización de otros elementos tecnológicos»[23].

Así mismo, las empresas que incorporan robots para aumentar su productividad obtendrán mayores beneficios. Y esta manifestación de capacidad económica está sujeta actualmente al impuesto sobre sociedades que satisfacen las empresas (titulares de la propiedad de los robots). Por lo tanto, en la actualidad, no se dan las condiciones oportunas para reconocer capacidad de contribuir electrónica a los robots. Cualquier propuesta de gravamen sobre los robots, como veremos más adelante, no parte de la existencia de una capacidad de contribuir electrónica del robot, sino que se trata de una medida extrafiscal, dirigida a las empresas para mitigar la pérdida de recaudación por rentas del trabajo[24].

---

[22]   En este sentido, OBERSON, X., «Taxing robots? From the emergence of an electronic ability to pay to a tax on robots or the use of robots», *World Tax Journal… op. cit.*, p. 251. También, GRAU RUÍZ, A., «La adaptación de la fiscalidad ante los retos jurídicos, económicos, éticos y sociales planteados por la robótica», Nueva Fiscalidad, nº 4, octubre-diciembre, 2017, pp. 35-61 (51).

[23]   GARCÍA NOVOA, C., «Impuestos atípicos en la era post BEPS». En: CUBERO TRUYO, A., Tributos asistemáticos del ordenamiento vigente, Valencia: Tirant lo Blanch, 2018, p. 223.

[24]   INBOTS, *White paper on Interactive robotics. Legal, ethics & socioeconomic aspects*, Ref. Ares(2019)4339302 - 08/07/2019. Disponible en: http://inbots.eu/wp-content/uploads/2019/07/Attachment_0-1.pdf.

4. IMPOSICIÓN SOBRE LOS ROBOTS: ANÁLISIS DE ALGUNAS PROPUESTAS PARA EL GRAVAMEN DE LA ROBÓTICA

A efectos de este trabajo, nos centraremos en las propuestas que plantean someter a gravamen la incorporación de la inteligencia artificial en los procesos productivos. Son diversas las posibles líneas de actuación.

Por un lado, cabe la posibilidad de introducir un *gravamen sobre el salario imputado a un robot*. El fundamento para ello se encuentra en la ventaja económica que supone para la empresa la utilización de robots en lugar de recursos humanos, ya que los robots reemplazan, sin compensación, los salarios o cualquier otra remuneración satisfecha a eventuales trabajadores. La técnica de la imputación de rentas se utiliza en España en relación con las rentas inmobiliarias. De lo que se trata, en esta ocasión, es de tomar en consideración en la base imponible el nivel retributivo del trabajador/a al que sustituye el robot[25]. En esta línea, Oberson manifiesta que, en el caso de un robot que sea propiedad de una empresa o persona y actúe en el marco de un contrato de servicios, el cálculo de la renta imputada debería realizarse tomando en consideración el coste que tendría la prestación de servicios similares prestados por humanos, respetando el principio de plena competencia *(arm's length)*. En todo caso, dado que los robots no son sujetos de Derecho, sino objetos jurídicos, serían quieres ostentan su titularidad (las empresas) las que estarían obligadas a satisfacer el pago del impuesto. Por último, para evitar que se produzca una doble imposición económica, el salario imputado debería ser un gasto deducible para la empresa, al igual que sucede con los salarios satisfechos a los trabajadores. Ahora bien, el diseño de esta deducción debería considerar los efectos fiscales de la amortización del robot como elemento del activo de la empresa para evitar resultados ilógicos desde el punto de vista fiscal. Como objeción a esta fórmula cabría decir que en pocas ocasiones un robot sustituye completamente a un trabajador; sino que, como indicaba el Informe del *McKinsey Global Institute*, en la mayoría de las situaciones los robots sustituyen a los seres humanos en tareas concretas y, particularmente, aquéllas que son rutinarias o repetitivas, lo que dificulta determinar a qué trabajador desplaza un robot.

En consonancia con lo anterior, se ha valorado la posibilidad de *sujetar a gravamen la renta atribuible a los robots (salario imputado) y que la recaudación se destine a compensar su falta de cotización a la Seguridad*

---

[25]   OBERSON, X., «Taxing robots? From the emergence of an electronic ability to pay to a tax on robots or the use of robots», *World Tax Journal, op. cit.*, p. 254.

Social. Esta es la idea que subyace en la propuesta presentada en 2016 por la Unión General de Trabajadores a favor de la creación de una contribución a la Seguridad Social que satisfagan las empresas por los robots que han desplazado a trabajadores en las cadenas de producción. También, en cierto sentido, era la línea plasmada en el borrador de preacuerdo del Pacto de Toledo de febrero de 2019, que recogía los retos derivados de la nueva economía que afectan a los ingresos por cotizaciones de la Seguridad Social. Y, para abordar este problema, proponía abrir la puerta a vías alternativas de financiación apuntando que «si la revolución tecnológica implica un incremento de la productividad, pero no necesariamente un aumento del empleo, el reto pasa por encontrar mecanismos innovadores que complementen la financiación de la Seguridad Social», introduciendo a los robots en el sistema de cotización como fórmula para garantizar la sostenibilidad del sistema. Hay que precisar que no se alcanzó el consenso necesario para aprobar esta recomendación, aunque sin duda volverá a ponerse sobre la mesa. Finalmente, en línea con esta propuesta, cabría plantearse una eventual financiación de la Seguridad Social con impuestos, para que no dependa de las contribuciones.

Una variante de la propuesta anterior implicaría la introducción de un ***gravamen sobre el salario imputado a un robot para financiar una renta básica universal***, esto es, una transferencia idéntica a la totalidad de la población de un país. Precisamente ésta era la línea que seguía la propuesta que la europarlamentaria Delvaux plasmó en su informe preliminar de 31 de mayo de 2016, titulado *Recommendations to the Commission on Civil Law Rules on Robotics*[26], donde se indicaba que «*el desarrollo de la robótica y la inteligencia artificial puede conllevar que los robots asuman gran parte del trabajo que ahora realizan los seres humanos, cuestión esta que genera interrogantes sobre el futuro del empleo y la viabilidad de los sistemas de seguridad social en caso de que se mantenga la actual base fiscal, y que podría acarrear una mayor desigualdad en la distribución de la riqueza y el poder. [Por este motivo], debería examinarse la necesidad de exigir a las empresas que informen acerca de en qué medida y proporción la robótica y la inteligencia artificial contribuyen a sus resultados económicos, a efectos de fiscalidad y del cálculo de las cotizaciones a la seguridad social. [Así], a la luz de la repercusión que la robótica y la inteligencia artificial podrían tener en el mercado de trabajo, debería considerarse seriamente la posibilidad de*

---

26   EUROPEAN PARLIAMENT, *Draft Report with recommendations to the Commission on Civil Law Rules on Robotics*, 31 mayo 2016 (2015/2103(INL)) Disponible en: http://www.europarl.europa.eu/doceo/document/JURI-PR-582443_EN.pdf?redirect.

introducir una renta básica universal». La versión definitiva del informe, de 27 de enero de 2017[27], recoge el mismo espíritu y fue aprobada el 16 de febrero de 2017, aunque hasta el momento no se ha adoptado una postura clara y consensuada al respecto.

Una propuesta similar se recoge en el informe del FMI de octubre 2017, donde se indica que un ingreso básico universal *«permite hacer frente a la aceleración de la caída de los ingresos y a la incertidumbre suscitada por el impacto de la evolución tecnológica (y sobre todo la automatización) en el empleo»*, si bien *«su elevado coste fiscal plantea inquietudes en torno a su asequibilidad y al riesgo de que desplace otros gastos de gran prioridad que promuevan un crecimiento inclusivo»*. Según el FMI, el ingreso básico universal podría reemplazar el sistema de prestaciones sociales actual, aunque ello *«dependerá del desempeño de dicho sistema y de la capacidad administrativa del gobierno y las perspectivas de mejora de la focalización»*. La introducción de un ingreso básico universal puede ser una solución para países en desarrollo que desean reforzar a corto plazo su red de protección social. Pero, para *«preservar la sostenibilidad fiscal, esa expansión tendría que financiarse con aumentos de impuestos o recortes del gasto que sean eficientes y equitativos»*. Por el contrario, en países desarrollados, *«reemplazar el sistema actual con un ingreso básico universal se traduciría en una reducción sustancial de las prestaciones para muchos hogares de más bajo ingreso»*[28]. Actualmente, ningún Estado ha implementado, con carácter general, un ingreso básico universal. En Suiza, los ciudadanos rechazaron en un referéndum la propuesta debido al coste de la medida[29]. En Francia, el político francés Benoît Hamon propuso financiar una renta básica universal a través de contribuciones de las empresas, atendiendo al valor añadido que aportan los robots como fuente de ingresos. Esta propuesta también ha tenido un recorrido limitado. Paralelamente, se están llevando a cabo experimentos en algunas ciudades por parte de administraciones públicas o incluso empresas del sector privado. Así, se ha puesto en marcha en San Francisco un experimento de renta básica universal, entregando a un número determinado de habitantes de la ciudad de Stockton, en California, 500

---

[27] EUROPEAN PARLIAMENT, *Report with recommendations to the Commission on Civil Law Rules on Robotics*, 21 de enero de 2017 (2015/2103(INL)) Disponible en: http://www.europarl.europa.eu/doceo/document/A-8-2017-0005_EN.html.

[28] FONDO MONETARIO INTERNACIONAL, «Tackling inequality», *IMF Fiscal Monitor*, October 2017. Disponible en: https://www.imf.org/es/Publications/FM/Issues/2017/10/05/fiscal-monitor-october-2017#Executive%20Summary.

[29] La respuesta de la ciudadanía fue contundente. Un 76,9% de las personas participantes votó en contra de la medida, frente al 23,1% que votó a favor.

dólares durante 18 meses, y recogiendo información sobre el gasto que realizan los ciudadanos con el dinero que le ingresan cada mes en una tarjeta. Existen experiencias similares en Ontario (Canadá), Finlandia y Holanda.

En cualquier caso, lo que parece claro es que, como indican Sánchez-Urán Azaña y Grau Ruíz, una renta básica universal financiada con presupuestos estatales en lugar de con cotizaciones sociales, «conlleva el riesgo de que desincentive la búsqueda de empleo y que se produzca un efecto llamada», por lo que, «a pesar de la universalidad propugnada inicialmente, la realidad impone que se opte por rentas condicionadas»[30], incluyendo limitaciones subjetivas, cuantitativas o temporales.

Otra posible medida a adoptar sería el diseño de **un *tributo objetivo que permita someter a gravamen la titularidad del robot o un derecho de uso sobre el mismo*.** Esto se podría llevar a la práctica de dos maneras: diseñando un impuesto nuevo, similar al Impuesto sobre Bienes Inmuebles o al Impuesto sobre Vehículos de Tracción Mecánica; o introducir este gravamen en impuestos ya existentes, como el Impuesto sobre Patrimonio[31]. En cualquier caso, esta solución se basa en la equiparación del robot a una máquina o a un equipo, sin tener en cuenta a los robots inteligentes que utilizan inteligencia artificial, es decir, que tienen capacidad de aprendizaje y reemplazan actividades humanas. Por lo tanto, podría resultar válida en la fase actual de desarrollo de la robótica en la que nos encontramos, pero no en el momento en el que nos adentremos una segunda fase, en la que los robots puedan cobrar autonomía económica y personal equiparable a los seres humanos. Cuando estemos en ese escenario, habrá que valorar la posibilidad de considerar a los robots como obligados tributarios.

Otras soluciones vendrían de mano de la creación de **un *tipo impositivo superior en el Impuesto sobre Sociedades*** para empresas en las que existe un alto grado de robotización, o el diseño de *tasas por registro y control de los robots*.

Y, finalmente, se ha planteado *someter a gravamen a los robots a través del consumo*. Esta medida podría articularse, por ejemplo, a través del diseño de un impuesto sobre la adquisición de elementos robóticos, o de

---

[30]　SÁNCHEZ-URÁN AZAÑA, M. Y., GRAU RUIZ, M. A., «El impacto de la robótica, en especial la robótica inclusiva, en el trabajo: aspectos jurídico-laborales y fiscales», *Revista Aranzadi de Derecho y nuevas tecnologías*, núm. 50, 2019.

[31]　SÁNCHEZ-ARCHIDONA HIDALGO, G., «La tributación de la robótica y la inteligencia artificial como límites del Derecho financiero y tributario», *Quincena Fiscal*, 12, 2019, pp. 69-100 (79).

la creación de un tipo determinado de IVA aplicable a la adquisición de un robot. Este parece ser el espíritu del nuevo *tax on autonomous vehicles* aprobado en San Francisco (California). De nuevo, si eventualmente el ordenamiento jurídico llega a reconocer capacidad jurídica a los robots, éstos podrían considerarse empresarios y sus actividades podrían sujetarse a IVA. Aunque, para ello, habría que determinar a partir de qué momento un robot adquiere un nivel de independencia o autonomía suficiente como para ser considerado empresario a efectos del IVA. Otras cuestiones relacionadas con la calificación de las prestaciones de servicios en los que los robots desplazan a seres humanos o la definición del lugar de prestación del servicio por parte del robot en el actual contexto de economía digital son temas que deberán analizarse convenientemente[32].

5. VALORACIÓN SOBRE LA IMPLANTACIÓN DE NUEVOS TRIBUTOS A LOS ROBOTS

No cabe duda que la destrucción masiva de mano de obra como consecuencia de la irrupción de la robótica y la automatización en el mercado laboral pone en grave riesgo la sostenibilidad del sistema fiscal. Pero tampoco parece que un gravamen específico sobre los robots sea la mejor, o al menos, la única solución.

En primer lugar, la creación de nuevos impuestos a los robots aumentaría (más si cabe) la complejidad del ordenamiento tributario. Resulta aconsejable, por lo tanto, buscar soluciones que faciliten que el sistema fiscal y sus figuras tradicionales se adapten a la nueva realidad, en lugar de saturar el sistema con nuevos tributos.

En segundo lugar, como anticipamos, cualquier tributo que tome como referencia el salario imputado a un robot parte de la base de que el robot reemplaza a un trabajador/a; pero, como apunta García Novoa, «rara vez un robot sustituye a un trabajador determinado, sino que la sustitución es por sectores de producción y muchas veces no afecta a la empresa que incorpora el robot, sino a empresas auxiliares que son sujetos tributarios

---

[32] OBERSON, OBERSON, X., «Taxing robots? From the emergence of an electronic ability to pay to a tax on robots or the use of robots», *World Tax Journal, op. cit.*, pp. 256-257.

diferentes»[33]. Todo ello no solo dificulta la labor de determinar a qué trabajador desplaza un robot, sino que también favorece la sustitución por robots de los puestos de trabajo menos cualificados.

En tercer lugar, un eventual impuesto a los robots que tengan que satisfacer las empresas resulta incomprensible si, al mismo tiempo, el ordenamiento jurídico-tributario incentiva fiscalmente la inversión en I+D+i a través de la fórmula del beneficio fiscal. Gravar la innovación e incentivarla a la vez resulta incongruente.

En cuarto lugar, cualquier tributo a los robots sería compatible con la amortización del robot, al menos mientras el robot siga siendo un elemento del activo material de las empresas. De esta manera, por un lado se exigiría el impuesto sobre los robots a la empresa, pero por el otro se permitiría la recuperación del coste del bien a través de la amortización. En este punto, Segura Alastrué propone que las inversiones tecnológicas dejen de considerarse un activo deducible a través de la amortización en el Impuesto sobre Sociedades y, plantea la posibilidad de que la inversión tecnológica suponga una tributación adicional[34]. Si finalmente se opta por la introducción de un gravamen de este tipo, cabría plantear la posibilidad de limitar la amortización de los robots.

Por lo tanto, parece que, al menos hoy por hoy, quien debe soportar el coste de la robotización es el conjunto de la sociedad, a través del sistema fiscal clásico. Y, partiendo de esta premisa, procedería valorar cómo aprovechar las posibilidades del sistema fiscal sin perjudicar a la economía de mercado. Las soluciones, son varias.

Como avanzamos anteriormente, puede eliminarse el tratamiento fiscal favorable a las rentas de capital mobiliario —aunque, en este caso, resulta aconsejable contar con un consenso global para evitar la erosión de bases y el traslado de beneficios—.

Otra posible solución viene de mano del incremento del gravamen del Impuesto sobre Sociedades a través de la introducción de un tipo de gravamen superior para empresas con un elevado grado de robotización, o de la reducción de los beneficios fiscales existentes. De hecho, el denominado «impuesto a los robots» introducido en Corea del Sur en 2016 no era sino

---

[33]	GARCÍA NOVOA, C., «Impuestos atípicos en la era post BEPS». En: CUBERO TRUYO, A., *Tributos asistemáticos del ordenamiento vigente... op. cit.*, pp. 224-225.

[34]	SEGURA ALASTRUÉ, M., «Los robots en el Derecho Financiero y Tributario». En: BARRIO ANDRÉS, M., (dir), *Derecho de los robots*, Madrid: Wolters Kluwer, 2018, p. 173.

una limitación a la deducción I+D+i para empresas que sustituían capital humano por robots[35]. Pues bien, habida cuenta del coste fiscal que suponen las ventajas fiscales a la I+D+i, es necesario evaluar la efectividad de los beneficios fiscales existentes en la normativa vigente y comprobar si efectivamente cumplen los objetivos previstos. El exceso de beneficios fiscales no es deseable, puesto que distorsiona el ordenamiento y afecta a la neutralidad. Además, el sistema actual dificulta la aplicación de los mismos por parte de los contribuyentes, y también la verificación por la Administración tributaria de su correcta aplicación. No se trata, por lo tanto, de reducir beneficios fiscales sin más, sino de hacer un buen diseño de los mismos a través de una correcta técnica legislativa, para que la I+D+i sea controlable y eficiente. Partiendo de la necesidad de bonificar la I+D+I, parece lógico que las bonificaciones fiscales deberían centrarse en tres líneas: (1) la inversión (y, en este punto, facilitar el acceso a la misma); (2) la creación de empresas; y (3) la formación (y es que, una vez que se sabe que la robotización ocasiona la pérdida de puestos de trabajo —o tareas concretas—, y partiendo de la base de que hay que promover la innovación, seria deseable potenciar, al menos en esta fase de transición, que las empresas inviertan de manera efectiva en la capacitación tecnológica de sus trabajadores; para ello, habrá que favorecer las deducciones en el aspecto formativo de personal, reduciendo requisitos y mejorando el acceso a las ya existentes).

En cualquier caso, las normas fiscales deben buscar un equilibrio razonable entre el estímulo al progreso tecnológico y la innovación y el apoyo al progreso social. Y, si bien éstas podrían ser respuestas válidas atendiendo al contexto actual, los avances en la tecnología y la evolución de la postura de la OCDE o de la UE respecto de la atribución de personalidad jurídica a los robots podrían aconsejar un cambio de enfoque, aunque, por el momento, no resulta necesario alterar los principios clásicos de la fiscalidad.

Bibliografía

AUTOR, D. H., DORN, D., «How technology wrecks the middle class», *The New York Times,* 24 de agosto de 2013.

BARRO AMENEIRO, S., «Automatización inteligente», *Integración & comercio,* n° 42, 2017, pp. 290-303.

BENSOUSSAN, A., BENSOUSSAN, A., *Droit des robots*, Larcier, Lexing, 2015.

---

[35]   Disponible en: http://elaw.klri.re.kr/eng_mobile/viewer.do?hseq=39153&type=lawname&key=robot.

BERG, A., BUFFIE, E., ZANNA, L. F., «Robots, crecimiento y desigualdad», Finanzas y desarrollo, septiembre de 2016. Disponible en: https://www.imf.org/external/pubs/ft/fandd/spa/2016/09/pdf/berg.pdf;

COMISIÓN EUROPEA, *Comunicación de la Comisión al Parlamento Europeo y al Consejo: Un sistema impositivo justo y eficaz en la Unión Europea para el Mercado Único Digital*. Disponible en: https://eur-lex.europa.eu/legal-content/ES/TXT/?uri=CELEX%3A52017DC0547.

COMISIÓN EUROPEA, *Inteligencia artificial: un enfoque europeo para impulsar la inversión y establecer directrices éticas*, 25 de abril de 2018. Disponible en: https://europa.eu/rapid/press-release_IP-18-3362_es.htm.

COWEN, T., *Average is over: powering America Beyond the age of the great stagnation*, Dutton: New York, 2013.

EUROPEAN PARLIAMENT, *Report with recommendations to the Commission on Civil Law Rules on Robotics*, 21 de enero de 2017 (2015/2103 (INL)) Disponible en: http://www.europarl.europa.eu/doceo/document/A-8-2017-0005_EN.html.

EUROPEAN PARLIAMENT, *Draft Report with recommendations to the Commission on Civil Law Rules on Robotics*, 31 mayo 2016 (2015/2103 (INL)) Disponible en: http://www.europarl.europa.eu/doceo/document/JURI-PR-582443_EN.pdf?redirect.

EUROPEAN PARLIAMENT, *European Civil Law Rules in Robotics,* October 2016. Disponible en: http://www.europarl.europa.eu/RegData/etudes/STUD/2016/571379/IPOL_STU (2016) 571379_EN.pdf.

EUROPEAN PARLIAMENT, *Resolution of 12 February 2019 on a comprehensive European industrial policy on artificial intelligence and robotics*. Disponible en: http://www.europarl.europa.eu/doceo/document/TA-8-2019-0081_EN.html.

EUROPEAN PARLIAMENT, *Resolution of 16 February 2017 with recommendations to the Commission on Civil Law Rules on Robotics*. Disponible en: http://www.europarl.europa.eu/doceo/document/TA-8-2017-0051_EN.html.

FANTI, C., «Switzerland chapter». En: BENSOUSSAN, A., BENSOUSSAN, J., *Comparative handbook: robotic technologies law*, Larcier, 2016.

FONDO MONETARIO INTERNACIONAL, «Tackling inequality», *IMF Fiscal Monitor*, October 2017. Disponible en: https://www.imf.org/es/Publications/FM/Issues/2017/10/05/fiscal-monitor-october-2017#Executive%20Summary.

GARCÍA NOVOA, C., «Impuestos atípicos en la era post BEPS». En: CUBERO TRUYO, A., Tributos asistemáticos del ordenamiento vigente, Valencia: Tirant lo Blanch, 2018.

GRAU RUÍZ, A., «La adaptación de la fiscalidad ante los retos jurídicos, económicos, éticos y sociales planteados por la robótica», Nueva Fiscalidad, n° 4, octubre-diciembre, 2017, pp. 35-61.

IFR, *The impact of robots on employment*, April, 2017. Disponible en: https://ifr.org/img/office/IFR_The_Impact_of_Robots_on_Employment.pdf.

INBOTS, *White paper on Interactive robotics. Legal, ethics & socioeconomic aspects*, Ref. Ares (2019) 4339302 - 08/07/2019. Disponible en: http://inbots.eu/wp-content/uploads/2019/07/Attachment_0-1.pdf.

MCKINSEY GLOBAL INSTITUTE, «Un futuro que funciona: automatización, empleo y productividad», enero de 2017. Disponible en: https://www.mckinsey.com/~/media/mckinsey/featured%20insights/digital%20disruption/harnessing%20automation%20for%20a%20future%20that%20works/a-future-that-works-executive-summary-spanish-mgi-march-24-2017.ashx.

OBERSON, X., «Taxing robots? From the emergence of an electronic ability to pay to a tax on robots or the use of robots», *World Tax Journal*, May, 2017, pp. 247-261.

OCDE, *Perspectivas de la OCDE sobre la economía digital*, 2017. Disponible en: https://www.oecd-ilibrary.org/science-and-technology/perspectivas-de-la-ocde-sobre-la-economia-digital-2017_9789264302211-es.

OECD, *Addressing the Tax Challenges of the Digital Economy. Action 1 - 2015 Final Report*, 2015. Disponible en: https://www.oecd.org/ctp/addressing-the-tax-challenges-of-the-digital-economy-action-1-2015-final-report-9789264241046-en.htm.

OECD, *Putting faces to the Jobs and risk of automation*, París, 2018.

OECD, *Recommendation of the Council on Artificial Intelligence*, 22 May 2019. Disponible en: https://legalinstruments.oecd.org/en/instruments/OECD-LEGAL-0449.

OSBORNE, M. A., FREY, C. B., «The Future of employment». *Working paper, Oxford Martin Programme on Technology and Employment*, September 2013. Disponible en: https://www.oxfordmartin.ox.ac.uk/downloads/academic/The_Future_of_Employment.pdf.

SÁNCHEZ-ARCHIDONA HIDALGO, G., «La tributación de la robótica y la inteligencia artificial como límites del Derecho financiero y tributario», *Quincena Fiscal*, 12, 2019, pp. 69-100.

SÁNCHEZ-URÁN AZAÑA, M. Y., GRAU RUIZ, M. A., «El impacto de la robótica, en especial la robótica inclusiva, en el trabajo: aspectos jurídico-laborales y fiscales», *Revista Aranzadi de Derecho y nuevas tecnologías*, núm. 50, 2019.

SEGURA ALASTRUÉ, M., «Los robots en el Derecho Financiero y Tributario». En: BARRIO ANDRÉS, M., (dir), *Derecho de los robots*, Madrid: Wolters Kluwer, 2018.

WEF, *Future of Jobs. Employment, skills and wordforce strategy for the fourth industrial revolution*, January 2016. Disponible en: http://www3.weforum.org/docs/WEF_Future_of_Jobs.pdf.

Capítulo 20

Contribuyente vs. Administración Tributaria ¿Nos rendimos ante el algoritmo?

María Jesús García-Torres Fernández
Profesora Titular de Derecho Financiero y Tributario
Universidad de Granada

SUMARIO: 1. ANTE UN NUEVO PARADIGMA. 2. ¿QUÉ ES LA INTELIGENCIA ARTIFICIAL?. 3. EL USO DE INTELIGENCIA ARTIFICIAL POR LA ADMINISTRACIÓN TRIBUTARIA. 3.1. La aceptación incondicional de las aplicaciones informáticas suministradas por la Administración Tributaria. 3.2. Limitaciones para declarar rentas o aplicar deducciones o reducciones derivadas de los programas informáticos de asistencia en las declaraciones tributarias. 3.3. El problema de si los datos introducidos en programas auxiliares, o datos que han sido borrados quedan en poder de la AEAT y pueden ser utilizados en contra del contribuyente. 3.4. Los programas dotados de inteligencia artificial de asistencia en las reclamaciones tributarias.. 3.5. Futuros cambios en nuestro sistema de tributación. 4. CONCLUSIONES. Bibliografía.

1. ANTE UN NUEVO PARADIGMA

Hace un par de años, durante una conversación con un abogado especialista en Derecho Tributario perteneciente a una importante Firma nacional, quedé sorprendida ante su opinión sobre que estábamos asistiendo al fin del Derecho Tributario. Sus argumentos se basaban en que la irrupción de los programas informáticos, haciendo uso de desarrollos sobre inteligencia artificial, iban a imponer una única interpretación del Derecho Tributario basada en los criterios de la AEAT, ante la cual el contribuyente difícilmente iba a poder ejercer su defensa, lo que a su vez iba a significar la progresiva desaparición de la figura del asesor tributario. Por todo ello, era de la opinión de que la época de la hegemonía del Derecho Tributario marcada por la proclamación de la Ley Derechos y Garantías del Contribuyente de 1998 había llegado a su fin.

Desde ese momento, he ido reflexionando sobre ese tema al hilo de las noticias y nuevas herramientas que van surgiendo al hilo de la evolución tecnológica[1].

---

[1]   Se trata de un tema de actualidad, por lo que disponemos de numerosos artículos de prensa recientes, tales como: https://www.google.com/amp/s/m.eldiario.es/tecnologia/

La tecnología ya forma parte de forma natural en nuestras vidas, facilitándonos muchos de los trabajos o gestiones que se han de realizar de forma habitual. En este contexto, las personas con una formación no técnica, estamos viviendo los nuevos avances tecnológicos como espectadores o simples usuarios de los mismos, pero no somos ajenos que tal avance también se está traduciendo en empoderamiento, hasta este momento limitado a ser imprescindibles, pero que tiene visos de querer ir más allá, en el sentido de pretender imponer unas nuevas relaciones sociales y jurídicas desde una perspectiva puramente tecnológica.

Desde el punto de vista tributario, los nuevos planteamientos se están centrando en incorporar nuevas fuentes de renta como hechos imponibles gravados, tales como el debate de los robots o de la economía digital, como consecuencia de la necesidad de incrementar los ingresos públicos para financiar el Estado Social. Sin embargo, considero que estamos perdiendo de vista un debate muy importante: La forma en la que se están viendo alterados los derechos y garantías del contribuyente por la incorporación del algoritmo, como un elemento inmaterial y oculto, pero que determina sus obligaciones y deberes y condiciona sus derechos.

2. ¿QUÉ ES LA INTELIGENCIA ARTIFICIAL?

Para realizar un enfoque correcto de este tema es necesaria una introducción sobre las herramientas tecnológicas en base a las cuales se está generando esta situación. En una primera aproximación al problema, cuando a los legos en tecnología nos hablan de inteligencia artificial, surge el temor de que nos vayan a sustituir las máquinas, no solo en el hacer, sino en la función más humana, pensar.

Desde el nacimiento de la informática, somos conscientes de trabajar con aplicaciones que nos superan en rapidez en las búsquedas y almacenamiento de datos, pero, hasta el momento, se trataban de herramientas a nuestro servicio. Sin embargo, lo que nos ha hecho preocuparnos es cuando nos dicen que mediante inteligencia artificial las máquinas van a aprender por sí

Puede-algoritmo-impartir-justicia-tribunales_0_889261602.amp.html; https://www.abogacia.es/2019/06/10/francia-prohibe-el-uso-de-legaltech-para-predecir-las-decisiones-de-los-jueces/#.XRenOu0sZlB.linkedin; https://www.vozpopuli.com/espana/poder-judicial-estudia-implementar-algoritmos-predigan-sentencias_0_1256574916.html.

mismas, sin necesidad de nuestra intervención, por lo que tememos vernos desplazados en la generación y control del conocimiento. No obstante, no debemos olvidar que somos nosotros quienes hemos diseñado y construido estas aplicaciones informáticas gestionadas por inteligencia artificial, por lo que para hacer un diagnóstico serio del peligro que suponen debemos conocer en primer lugar como funcionan.

La inteligencia artificial es algo muy abstracto que para comprenderlo hay que bajar a lo concreto. Cuando hablamos de inteligencia artificial nos estamos refiriendo a sistemas expertos basados en reglas, denominadas técnicamente algoritmos. Esto no es nuevo, porque desde los inicios de la informática todos los programas se basan en reglas extraídas de un análisis previo. De ahí que podemos decir que todos los programas de ordenador son inteligentes. La clave está, pues, en quién y cómo se ha diseñado esa regla. En un principio, estos algoritmos son diseñados únicamente por personas a partir de patrones que se extraen del análisis del problema que pretenden resolver. Y cuanto más complejas sean dichas reglas, más «inteligentes» consideramos dichas aplicaciones, en cuanto que los resultados obtenidos superan los estándares de rapidez y almacenamiento de datos del razonamiento humano.

En otro nivel, se habla de inteligencia artificial cuando son las propias aplicaciones informáticas las que pueden crear nuevas reglas sin que sean diseñadas por un programador humano. La creación de propias reglas por parte de un programa de ordenador se hace mediante lo denominado *machine learning*, en el que encontramos dos variantes, el *machine learning* supervisado y no supervisado. En ambos casos se acude al *big data* como fuente de conocimiento. Al mismo tiempo, los programas creados con inteligencia artificial tienen precisamente su punto débil en el *big data* si los datos utilizados no son de calidad, puesto que se generarán reglas erróneas. No obstante, en el caso de la AEAT, como los datos suministrados son de confianza, ya que proceden de fuentes solventes tales como entidades financieras, notarios, registros oficiales, catastro, etc., y además son objeto de comprobación por la propia Administración, esta deficiencia puede ser en un principio descartada.

En el *machine learning* supervisado, el programa de forma autónoma encuentra una nueva regla mediante el análisis comparativo de una cantidad ingente de datos que suministra el *big data*, si bien posteriormente la nueva regla será validada como correcta por una persona, siendo entonces cuando se incorpora de forma efectiva al sistema. En cambio, en el *machine learning* no supervisado se supone que la máquina sola es capaz de crear reglas nuevas de forma autónoma acudiendo exclusivamente al *big data*, de modo que analizados millones de datos, puede extraer patrones de comportamiento generales y comunes, sin necesidad de tener conocimiento sobre el tema, y se presupone que, por estadística han de resultar correctas (aunque también está demostrado que pueden dar lugar a conclusiones falsas o estúpidas).

En cualquier caso, la inteligencia artificial no es infalible, ya que siempre presenta un porcentaje de acierto (con el consiguiente margen de error) que varía de un campo a otro, de ahí que encontremos resultados positivos muy altos en algunos campos, pero en otros los resultados alcanzados frutos de reglas sin supervisión humana carecen de calidad y no se pueden aceptar como válidos. En el ámbito de *machine learning* no supervisado hasta el momento se ha demostrado que no es fiable en el campo del procesamiento del lenguaje natural y en el reconocimiento de imágenes. Pero sí se obtienen altos nivel de acierto cuando se trata de *machine learning* supervisado, es decir, el programa crea su propia regla a partir del *big data* mediante el análisis de millones de datos, pero después esta regla es validada por una persona.

3. EL USO DE INTELIGENCIA ARTIFICIAL POR LA ADMINISTRACIÓN TRIBUTARIA

Así las cosas, debemos proceder analizar qué cambios pueden surgir en las relaciones entre el contribuyente y la Administración Tributaria por la mejora de las herramientas informáticas basada en inteligencia artificial.

3.1. *La aceptación incondicional de las aplicaciones informáticas suministradas por la Administración Tributaria*

El contribuyente se encuentra en la actualidad con un escenario en el que la mayoría de los datos relacionados con las rentas obtenidas obran en poder de la AEAT por haber sido suministrados por múltiples agentes (empresas, entidades financieras, notarios, catastro, entidades gestoras, retenedores,…), de ahí que sea posible que la Administración le suministre un borrador de su declaración de IRPF y del Impuesto sobre el Patrimonio, que en un alto grado coincide con su declaración real y solo necesita ser validado por el contribuyente. Esta aplicación informática es un sistema experto, pero no se trata de inteligencia artificial, sino de gestión de bases de datos a disposición de la AEAT. La proliferación de estas aplicaciones se ha visto amparada por el artículo 34, 11 LGT donde se reconoce el derecho a que las actuaciones de la Administración tributaria que requieran la intervención del contribuyente se lleven a cabo en la forma que le resulte menos gravosa, siempre que ello no perjudique el cumplimiento de sus obligaciones tributarias.

En todos estos casos estamos ante sistemas expertos basados en algoritmos o reglas introducidas por el programador informático a partir de las normas tributarias interpretadas según la AEAT, pero no alcanza el nivel de inteligencia artificial, porque hasta el momento no evolucionan el sistema dictando nuevas reglas de tributación. Además, los datos son introducidos automáticamente desde bases de datos estructuradas por la propia Agencia y los resultados necesitan ser validados por el propio contribuyente.

No obstante, si podemos apreciar una consecuencia importante: El contribuyente se está acostumbrando a tener una relación directa con la AEAT, sin necesidad de recurrir a ayuda externa de expertos tributarios y, lo que en un principio se puede interpretar como un ahorro de costes, conlleva que se acepta como válido el criterio de la Administración y no se plantea discusión sobre la norma, sino que se asume como la única interpretación correcta. Es decir, la AEAT está consiguiendo que se acepte una interpretación única, con la vertiente positiva de la reducción de la conflictividad, y la negativa de sumisión del contribuyente al criterio administrativo.

3.2. *Limitaciones para declarar rentas o aplicar deducciones o reducciones derivadas de los programas informáticos de asistencia en las declaraciones tributarias*

Poco a poco se ha ido imponiendo el uso de la Administración electrónica, de modo que la única forma posible de cumplir con la Administración es mediante la utilización de los programas de ordenador que de forma gratuita nos suministra. Estos programas son sistemas expertos basados en reglas, pero como tales, son muy rígidos en el sentido que de solo admiten la introducción de datos tal y como ha sido dispuesto. Como aspecto positivo encontramos que sirven de guía para su declaración y facilitan que los contribuyentes no expertos tributarios puedan proceder a cumplimentar sus obligaciones tributarias. Sin embargo, observando su evolución en los últimos años, se pone de manifiesto que también se están extralimitando al solicitar más datos de los estrictamente necesarios.

Como ejemplo reciente, en la declaración del IRPF de 2018 se ha introducido una nueva funcionalidad en la que, para realizar la declaración conjunta en caso de matrimonio, además de los datos del cónyuge, se solicita la clave de referencia o que el cónyuge autorice mediante firma digital. Esta funcionalidad no es objeto de crítica si se analiza desde la perspectiva de dar seguridad del contribuyente no declarante para evitar que sea presentada la declaración conjunta sin su consentimiento, pero presenta deficiencias serias, ya que al introducir la clave de referencia se cargan automáticamente todas sus rentas y datos tributarios a disposición de la Administración, violando la protección de datos de carácter personal[2]. Se trata pues de una extralimitación del programa, puesto que una persona no tiene por qué verse obligada a suministrar sus datos financieros o tributarios a nadie, incluido el otro cónyuge[3].

Pero, al margen del derecho a que ambos cónyuges lleven en privado sus finanzas, el no optar por autorizar la declaración conjunta impide aplicar algunas deducciones. A modo de ejemplo, existe en la Junta de Andalucía una deducción para aquellas familias que tengan servicio doméstico durante el tiempo que los hijos conviven en la familia. Para poder disfrutar de dicha deducción, entre otros requisitos, exige que ambos cónyuges obtengan

---

[2]   Son tres las principales condiciones que la Administración pública debe exigir al *software* que utiliza: en primer lugar, debe operar en la lengua oficial del país (localización); en segundo lugar, debe poder garantizar el acceso a la información en todo momento, en el presente y en el futuro (perennidad); y, en tercer lugar, no ha de permitir que personas no autorizadas tengan acceso a los datos confidenciales de los ciudadanos o a información reservada (seguridad). DELGADO GARCÍA, A. M. «Aspectos legales del software libre en la Administración electrónica tributaria». Revista Aranzadi de Derecho y Nuevas Tecnologías núm. 11/2006 (BIB 2006\894), p. 8.

[3]   Los datos económicos se encuentran bajo el amparo del derecho a la intimidad, según ha admitido el Tribunal Constitucional así como parte de la jurisprudencia y la doctrina mayoritaria. SÁNCHEZ LÓPEZ, M. E: «Algunas cuestiones controvertidas en relación con los requerimientos de información de terceros. Un análisis jurisprudencial». Revista Quincena Fiscal núm. 9/2018. (BIB 2018\8646), p. 5.
El derecho a la protección de datos de carácter personal, y en particular a la seguridad y confidencialidad de los datos que figuren en los ficheros, sistemas y aplicaciones de las Administraciones públicas se establece en el art. 13.h Ley del Procedimiento Administrativo Común de las Administraciones Públicas. Por otra parte, para que las plataformas de Administración electrónica utilizadas por las diversas Administraciones públicas sean seguras es preciso que se respeten las previsiones de la normativa de protección de datos de carácter personal, esto es, básicamente, la Ley Orgánica 15/1999, de 13 de diciembre, de Protección de Datos de Carácter Personal, y el nuevo Reglamento (UE) 2016/679 del Parlamento Europeo y del Consejo, de 27 de abril de 2016, relativo a la protección de las personas físicas en lo que respecta al tratamiento de datos personales y a la libre circulación de estos datos y por el que se deroga la Directiva 95/46/CE (Reglamento General de Protección de Datos). OLIVER CUELLO, R.: «Análisis de los derechos de los contribuyentes en la Administración electrónica». Revista Quincena Fiscal núm. 18/2018 (BIB 2018\12479), p. 26.

rentas del trabajo o de actividades económicas. En este ejercicio 2018, para poder disfrutar de la deducción es necesario activar la opción de tributación conjunta del otro cónyuge, aunque se vaya a presentar como declaración individual. Y como el algoritmo no funciona si no se cumplimenta correctamente en su totalidad, incluyendo la activación de la opción de declaración conjunta, no permite la aplicación del 50% de deducción que le corresponde al cónyuge declarante. Es decir, habrá de optar entre dar a conocer los datos fiscales al otro cónyuge o renunciar a aplicar la deducción.

La cuestión que se debe plantear es relevante: ¿Nos rendimos ante el algoritmo? ¿declaramos tal y como nos exige?, o lo denunciamos. Porque en el caso de la deducción citada, el algoritmo es correcto, ya que de acuerdo con la norma tributaria que regula la deducción citada necesita saber que ambos cónyuges tienen hijos, información que se extrae de los datos de descendientes y, además, que ambos cónyuges obtienen rentas del trabajo o actividades económicas, pero en este último caso no permite que se manifieste de forma afirmativa este dato por el declarante, o que sea la propia AEAT la que haga una comprobación interna con los datos que están en su poder, sino que es necesario que se cargue la opción de declaración conjunta, con los problemas de protección de datos citados.

Llegados a este punto, por el diseño del algoritmo se ven afectados derechos y garantías de ambos contribuyentes, al margen de los de carácter no tributario ya denunciados, para cuya evidencia traemos a colación los siguientes preceptos:

– Artículo 34, 9 LGT: El contribuyente tendrá «Derecho, en los términos legalmente previstos, al carácter reservado de los datos, informes o antecedentes obtenidos por la Administración tributaria, que sólo podrán ser utilizados para la aplicación de los tributos o recursos cuya gestión tenga encomendada y para la imposición de sanciones, sin que puedan ser cedidos o comunicados a terceros, salvo en los supuestos previstos en las leyes»[4].

– Artículo 34, 11 LGT: El contribuyente tendrá «Derecho a que las actuaciones de la Administración tributaria que requieran su intervención se lleven a cabo en la forma que le resulte menos gravosa,

---

[4] El *principio de proporcionalidad* debe conducir a tener conocimiento de hasta qué punto o en qué medida debe «ceder» o no un derecho fundamental frente a la realización del deber de contribuir, materializado en las actuaciones de obtención de información. SÁNCHEZ LÓPEZ, *op. cit.*, p. 24.

siempre que ello no perjudique el cumplimiento de sus obligaciones tributarias».

– Artículo 34, 16 LGT: «Derecho al reconocimiento de los beneficios o regímenes fiscales que resulten aplicables».

Al mismo tiempo, surge la duda de cómo nos defendemos del algoritmo. Dentro de los procedimientos tributarios ¿se recogen vías específicas para denunciar el algoritmo? ¿cómo se establece dicho procedimiento? Es decir, ¿a quién y cómo se debe reclamar que se ha extralimitado en su función?

El mismo artículo 34 de la LGT dispone que el organismo encargado de velar por la efectividad de los derechos de los obligados tributarios es el Consejo para la Defensa del Contribuyente, el cual atenderá las quejas que se produzcan por la aplicación del sistema tributario que realizan los órganos del Estado y efectuará las sugerencias y propuestas pertinentes, en la forma y con los efectos que reglamentariamente se determinen.

El Consejo de Defensa del Contribuyente publica una Memoria de cada ejercicio, siendo la única vía de conocer el contenido y alcance de las quejas y sugerencias recibidas y resueltas por este organismo. Dado que los requerimientos al Consejo están altamente protegidos por la normativa sobre Protección de Datos, no se puede consultar directamente el contenido de sus resoluciones, de modo que su contenido únicamente puede ser conocido según una clasificación previa realizada en las Memorias, concretamente, las quejas y sugerencias se muestran previamente clasificadas en el capítulo de Estadísticas.

Respecto del tema que nos ocupa, en la Memoria de 2017, en el apartado de quejas y sugerencias de la Agencia Tributaria encontramos quejas en la asistencia sobre la utilización del programa PADRE, pero se trata sobre la actividad de atención al contribuyente de la AEAT, no sobre los programas informáticos en sí mismos. Asimismo, en el apartado de la estadística de quejas comunes, no se recoge un apartado expreso sobre el desarrollo o diseño de los programas informáticos de presentación de tributos, pero si se encuentran registradas 18 quejas correspondientes a «0650.- Otros derechos. 34.1 Carácter reservado de los datos» y 109 quejas referidas a los «Requerimientos informáticos del sistema» y 24 quejas en «0350- Complejidad de la cumplimentación». Aunque no podemos consultar el contenido de dichas quejas, sí podemos resaltar el número reducido de las quejas antes referidas (141 en total), respecto del total recibidas en relación con la AEAT (7.471). Por último, destacar que en el Capítulo VI de la «Memoria de 2017 sobre Propuestas normativas, informes, notas informativas y sugerencias», no se incluyen ninguna referencia sobre este tema.

En definitiva, desde el punto de vista legal y formal, está cubierto el derecho de defensa del contribuyente a la extralimitación de los programas informáticos. Sin embargo, atendiendo a la realidad, la defensa frente al algoritmo por parte del contribuyente no es tan sencilla: En primer lugar, ya hemos mencionado como el espíritu crítico de los ciudadanos ante las aplicaciones informáticas de la Administración prácticamente es prácticamente nulo. En segundo lugar, el contribuyente deberá tener conocimientos suficientes para descubrir que la no aceptación de la deducción se debe a una deficiencia de diseño del algoritmo. En tercer lugar, en este caso concreto y en muchos otros, la cuantía aplicable de la deducción es poco significativa, de ahí que no le compense iniciar la reclamación, salvo que disponga de mucho tiempo libre o de un espíritu realmente combativo.

3.3. El problema de si los datos introducidos en programas auxiliares, o datos que han sido borrados quedan en poder de la AEAT y pueden ser utilizados en contra del contribuyente

De forma paulatina se han ido introduciendo el cumplimiento imperativo de las obligaciones tributarias a través de la sede electrónica de la Administración Tributaria competente, quedando prácticamente desterrada la presentación en papel de las declaraciones.

En un primer momento, los programas informáticos se descargaban en el ordenador personal del contribuyente y después se enviaba la declaración final, de forma que podía probar distintas opciones sin que tuviera conocimiento la AEAT. Sin embargo, en los últimos años estos programas obligatorios se complementan *on line*, de modo que todos los datos incorporados quedan registrados en la nube gestionada por la Administración.

Además, el borrador del IRPF está siendo mejorado mediante la introducción de otras herramientas auxiliares. Para la declaración del ejercicio 2018 se ha introducido un nuevo programa a disposición del contribuyente para la gestión de la cartera de valores, así que una vez introducidos los datos por el contribuyente, le facilitará el seguimiento de la evolución de la cartera ejercicio a ejercicio y, de paso, también estará controlada por la AEAT, puesto que dichos datos quedarán estructurados a su disposición. En esta línea, se podrá ampliar la oferta de programas para el contribuyente. Por ejemplo, se podría facilitar un programa para calcular las dietas por desplazamiento exentas dentro de las rentas del trabajo.

El problema que a continuación se expone tiene su origen en la utilización por la Agencia Tributaria de toda esta información. Oliver Cuello manifiesta que «la reutilización de la información es una realidad en el ámbito organizativo de la Administración tributaria, bien por su utilización en el seno de la propia Administración, en aplicación del sistema tributario, o a través de la cesión a otros organismos públicos. Dicha amplitud pone de relieve que el efectivo cumplimiento del principio de limitación de la finalidad durante la reutilización debe recaer sobre la implantación de la privacidad desde el diseño que, a su vez, debe implantar la vigilancia con un sistema de control previo y posterior de acceso a los datos, garantizando para cada situación concreta las medidas de seguridad, trazabilidad e integridad de los datos»[5]. La reciente Directiva (UE) 2019/1024, del Parlamento Europeo y del Consejo de 20 de junio de 2019 relativa a los datos abiertos y la reutilización de la información del sector público, viene a regular la reutilización antes referida, pero consideramos que no es de aplicación en el caso de la utilización de los datos dentro de la propia Administración tributaria, ya que no se produce su cesión, y por no tratarse de datos abiertos.

En el caso anteriormente expuesto en relación con la aplicación de la deducción por servicio doméstico en Andalucía, el obligado tributario se puede defender porque ha tomado consciencia del error del algoritmo y puede objetivizar la denuncia en la pérdida de un derecho determinado. Pero, ¿qué ocurre con los datos introducidos en programas auxiliares de ayuda? En teoría, el contribuyente está protegido ya que «la legislación tributaria ampara expresamente la obtención y la reutilización de los datos con trascendencia tributaria siempre y cuando se encuentre fundamentado desde un punto de vista competencial. En este sentido, su reutilización es válida en la medida en que el órgano necesite o considere relevante la información captada por la ONIF o por la dependencia territorial de inspección. De modo que, el nuevo operador que reutilice los datos deberá justificar, como mínimo, que el acceso a la información del obligado tributario está justificado en un concreto expediente o en el desarrollo de una función atribuida por la normativa tributaria»[6].

Pero la situación puede agravarse cuando los datos introducidos están en poder de la Administración, por ejemplo, por el uso del nuevo programa de gestión de cartera de valores ofertado para la declaración de IRPF de 2018, porque el contribuyente no se los ha cedido, ni pretendía hacerlo, sino que

---

[5]   OLIVER CUELLO, R.: «Administración electrónica tributaria y protección de datos personales», Revista Aranzadi de derecho y nuevas tecnologías, nº 28, 2012, página 19.

[6]   OLIVER CUELLO, op. cit «Administración electrónica ...», p. 19.

sólo ha utilizado voluntariamente la herramienta puesta a su disposición[7]. En esta línea, también nos podemos referir a los datos introducidos en las declaraciones y luego borrados. Todo esto ha dado lugar a la duda, paranoica o no, no lo sabemos, de si los datos previos a la declaración definitiva, introducidos y luego corregidos o borrados quedan registrados por la Agencia Tributaria[8]. No hay que pensar mucho para relacionarlo con programas informáticos que siguen la trazabilidad de los datos, de modo que todos los datos, incluso los borrados, pueden quedar almacenados y posteriormente rastreados mediante herramientas informáticas creadas a efecto.

Así, el contribuyente comienza a estar preocupado al acceder a tales aplicaciones, porque no sabe si la AEAT hará uso de esos datos en algún momento. Y tiene motivos el contribuyente ya que, con estos datos, y el oportuno programa informático con inteligencia artificial, se podrían estimar posibles fraudes tributarios dirigidos a facilitar a la Administración

---

[7] Se trata de un caso distinto a cuando la Administración obliga a completar datos para poder aplicar una deducción, ya que si hay cesión consciente de datos. Al respecto, como ejemplo, nos remitimos al caso denunciado en «La Agencia Tributaria y el Gran Hermano encubierto» (https://blogs.elconfidencial.com/economia/tribuna/2019-08-07/agencia-tributaria-granhermano-encubierto_2160255/? utm_source=emailsharing&utm_medium=email&utm_campaign=BotoneraWeb.

[8] En teoría, la implantación de la Administración electrónica y el uso de programas informáticos se ha realizado con garantías. En esta línea, podemos traer a colación el artículo 98.3 de la LGT y el artículo 39 de la Ley 11/2007 que dispone que «en caso de actuación automatizada deberá establecerse previamente el órgano u órganos competentes, según los casos, para la definición de las especificaciones, programación, mantenimiento, supervisión y control de calidad y, en su caso, auditoría del sistema de información y de su código fuente. Asimismo, se indicará el órgano que debe ser considerado responsable a efectos de impugnación».

RODRÍGUEZ MUÑOZ recuerda que la solución legislativa parece que ha sido designar como responsable de los actos, a «los órganos competentes para la programación y supervisión del sistema de información», a los que obliga a identificarse. Pero, al mismo tiempo, considera que no sirve esa imputación de responsabilidad, dado que la responsable única y exclusiva es la administración en su conjunto, como persona jurídica, como no puede ser de otra manera tal y como está configurada la institución de la responsabilidad patrimonial de la administración en nuestro ordenamiento jurídico (artículo 139 y ss. de la ley 30/1992). Otra cosa es la competencia para el mantenimiento, supervisión y control de los sistemas que generen este tipo de actos, pero eso es competencia funcional, no responsabilidad. En todo caso, esta responsabilidad, serviría únicamente a los efectos de exigir de las autoridades y personal de la administración por los daños ocasionados ex artículo 145 de la referida Ley 30/1992.

RODRÍGUEZ MUÑOZ, J. M.: «Algunas cuestiones polémicas o problemáticas en torno a los procedimientos tributarios por medios electrónicos». Revista Aranzadi Doctrinal núm. 5/2009 (BIB 2009\607), página 10.

tributaria líneas de comprobación o inspección a seguir con un contribuyente concreto.

Ante esta situación caben dos tipos de reacciones. Una general, ante la Administración tributaria como autoridad bajo cuya custodia se encuentran los programas informáticos, y otra particular, por parte del contribuyente afectado por la extralimitación en la utilización de los datos.

Respecto de la primera reacción, hay que tener en cuenta que los programas de la Agencia Tributaria son programas propietarios, es decir, que no tienen el código abierto y, sin acceso al código fuente es imposible saber qué hace una aplicación con estos datos y cómo son tratados[9]. Esto no significa que no estén bajo control, pero este control no lo puede realizar cualquier ciudadano, sino que está encomendado a la Comisión de Seguridad y Control de Informática Tributaria que se encarga de analizar y evaluar los riesgos, y de establecer y mantener actualizados los criterios y directrices generales sobre la seguridad de la información, tratando de hacer operativas las medidas pertinentes para mejorar y reforzar los sistemas de seguridad y control[10], de modo que debemos confiar que realiza bien su trabajo en defensa del contribuyente.

Si planteamos las herramientas particulares para la defensa del contribuyente ante este posible abuso, el artículo 34, 18 LGT dispone el derecho a que las manifestaciones con relevancia tributaria de los obligados se recojan en las diligencias extendidas en los procedimientos tributarios. Parece que esta vía puede ser utilizada para contrarrestar la situación que denunciamos, pero creo que no es suficiente, ya que no se trata de datos, sino de sospechas de posibles infracciones facilitadas por algoritmos creados al efecto aplicados sobre datos no aportados oficialmente y que serán desconocidas por el obligado tributario. También es cierto que, por el artículo 34, 15 LGT, el contribuyente tiene derecho a ser informado al inicio de las actuaciones de comprobación o inspección sobre la naturaleza y alcance de las mismas, procedimiento que no se verá alterado si los indicios de infracción y fraude vienen dados por algoritmos diseñados para ello, puesto que las sospechas se pueden comunicar de forma adecuada para no plantear problemas legales. No obstante, se debería exigir que se justificase como se ha llegado a tal sospecha, para que el afectado pueda conocer si se han utilizado datos borrados o corregidos de sus declaraciones.

---

[9]   DELGADO GARCÍA, *op. cit*, p. 8.
[10] OLIVER CUELLO, *op. cit*, «Administración electrónica ...», p. 19.

Por último, ejerciendo el derecho a conocer la identidad de las autoridades y personal al servicio de la Administración tributaria bajo cuya responsabilidad se tramitan las actuaciones y procedimientos tributarios en los que tenga la condición de interesado (Artículo 34, 6 LGT), se podría solicitar que se comunicase que tales indicios de infracción han sido detectados en todo o en parte por aplicaciones informáticas diseñadas al efecto y la fuente de procedencia de dichos datos.

Como solución a esta situación, la Administración Tributaria debería crear una relación de todas las aplicaciones informáticas que utiliza, acompañadas de una memoria en la que se especifique el alcance, objetivos, y datos que pueden manejar, así como dejar en abierto el desarrollo de los algoritmos que las componen, en aras a dar transparencia a sus actuaciones. De este modo, al igual que buscan la homologación de los programas de contabilidad y gestión de las empresas privadas para garantizar la integridad de las actuaciones realizadas con estas herramientas, se pueden exigir las mismas garantías para el contribuyente.

3.4. Los programas dotados de inteligencia artificial de asistencia en las reclamaciones tributarias.

El artículo 34, 5 LGT dispone el derecho del contribuyente a conocer el estado de tramitación de los procedimientos en los que sea parte. Al mismo tiempo, muchas de las causas de nulidad y anulabilidad de los procedimientos tributarios derivan del vencimiento de plazos por caducidad o prescripción tanto en sede de la Administración Tributaria como respecto del derecho a reclamar por parte del sujeto pasivo. Y, curiosamente, todavía no está disponible una aplicación facilitada por la Administración Tributaria en la que, introducidas las fechas, avisen al contribuyente de los plazos para ejercer su defensa o derechos. Esta aplicación informática sería un sistema experto sin inteligencia artificial que reduciría la conflictividad tributaria y tendría gran utilidad tanto para el contribuyente como para la Administración.

Pero no podemos esperar que la evolución tecnológica se quede ahí. En el ámbito privado está surgiendo la «Law Tech»[11], cuya figura más popular son los smartcontract[12].

---

[11]	El «Legal Tech» hace referencia a aquellas herramientas que solo facilitan la función del jurista, frente al «Law Tech», el cual sirve para denominar a las aplicaciones dirigidas al consumidor final mediante las cuales pueden prescindir de los servicios profesionales de

En el ámbito tributario están ya preparándose plataformas informatizadas de asistencia para redactar reclamaciones[13]. La clave de los cambios que vamos a presenciar está en las bases de datos de doctrina o jurisprudencia que utilicen dichas herramientas, puesto que son las que van a definir la forma de interpretar la norma tributaria. Al inicio de este trabajo, he hecho mención de cómo en el ámbito de la inteligencia artificial, el procesamiento del lenguaje natural encuentra grandes dificultades, y produce resultados erróneos. Estas deficiencias se reducen si se utilizan bases de datos estructuradas, con estructuras gramaticales y lenguaje con cierta homogeneidad, tales como podemos encontrar en las resoluciones de la Dirección General de Tributos. En consecuencia, la utilización de esta base de datos de la Administración tributaria dará lugar a resultados óptimos frente a la utilización de documentos de doctrina académica, resoluciones del TEA o jurisprudencia, pero tendrá como resultado el acatamiento de la interpretación de la norma tributaria por la Administración, es decir, la imposición de una interpretación única en la defensa del contribuyente[14].

Pero, puede ir más allá. El contribuyente, como único legitimado de ejercer y promover su defensa, puede considerar que la versión suministrada por la AEAT es la única posible, no recurriendo a los servicios de expertos tributarios para su defensa, olvidando que la intervención del abogado posibilita generar, crear y construir el Derecho a partir de su proceso deductivo. En este contexto, se entrará en un círculo vicioso en el que siempre se favorecerá prevalencia de la de la interpretación tributaria de la Administración.

---

la abogacía. BARRIO ANDRÉS, M. «Legal Tech y la transformación del sector legal», en la obra *Legal Tech. La transformación digital de la abogacía*. Wolter Kluwer, 2019, p. 64.

[12] Se trata de una evolución del contrato tradicional, en los que se el contenido se puede definir, ejecutar y hacerse cumplir por sí mismo, de manera autónoma y automática, sin intermediarios ni mediadores, puesto que mediante algoritmos se crea el entorno donde se define lo que se puede hacer, cómo se puede hacer, qué pasa si algo no se hace... Es decir, unas reglas de juego que permiten, a todas las partes que lo aceptan, entender en qué va a consistir la interacción que van a realizar.

[13] Se trata de una evolución imparable e internacional. Más allá de la relación con la Administración, se están poniendo las bases para la innovación en ciberjusticia, tal y como ha puesto en marcha por el Consejo de la Unión Europea. Plan de Acción 2019-2023 para la Justicia en Red Europea, (2019/C 96/05), D.O. c96/9 13.03.19.

[14] Sobre el alcance de la doctrina administrativa, nos remitimos al trabajo de ROVIRA FERRER, I: «La compleja relación entre las consultas tributarias vinculantes y los pronunciamientos judiciales». *Revista de contabilidad y tributación: Comentarios, casos prácticos* núm. 413-414/2017.

3.5. *Futuros cambios en nuestro sistema de tributación*

El sistema tributario español se apoya principalmente en las autoliqui-daciones, mediante las cuales, el propio sujeto pasivo el que comunica los datos y realiza el cálculo tributario. Sin embargo, en otros países, Alemania por ejemplo, el sistema mayormente utilizado es el de liquidación tributaria.

No obstante, estamos asistiendo a un cambio de escenario que puede introducir importantes transformaciones. Junto con el suministro de datos propios de la imposición directa, como son las rentas, en el ámbito de la imposición indirecta, se van a obtener grandes avances con el SII (suministro inmediato de información) que se está implantado para el IVA. El gran avance que significa para la Administración tributaria disponer con un corto margen de tiempo toda la facturación de las empresas, no sólo podrá usarse como prevención del fraude, sino también como fuente de conocimiento de los niveles de consumo de los contribuyentes, datos que podrán ser utilizados para crear un nuevo paradigma de tributación individualizada.

De este modo, mediante la utilización de aplicaciones informáticas creadas sobre inteligencia artificial, podríamos asistir al nacimiento de formas de tributación en las que se combinen la obtención de rentas por el contribuyente junto con el consumo a que se destinan, de tal forma que la capacidad económica que definiese la contribución sería el resultado utilizar algoritmos resultantes de aplicar big *data* sobre consumo. Así las cosas, la capacidad económica será la resultante de comparar la actuación individual sobre el consumo general. Este sistema tendría como ventaja el aportar un sistema tributario dinámico en cuanto a la tributación, pero con el grave inconveniente de que resultase un sistema tributario injusto, tanto por ser incorrecto como por poder ser viciado como consecuencia de influencias de carácter económico, político o ideológico sobre qué se debe, cómo y cuándo consumir. Además, el sistema tributario podría estar sesgado por la pérdida o restricciones de la libertad individual a la hora de participar en el mercado, como consecuencia del seguimiento o imposición de hábitos sobre consumo, e incluso la penalización de las actuaciones privadas por la vía del sistema tributario.

Lógicamente, se puede enfocar la defensa del contribuyente alegando los principios de tributarios de generalidad, igualdad, y no confiscatoriedad. No obstante, creo que también nos debemos plantear si la introducción de los algoritmos para el cálculo de una deuda tributaria dinámica, puede alejar nuestro sistema tributario del ámbito jurídico y reducirlo a un mero cálculo técnico y matemático. En este caso, tendríamos mucho que perder como área propia del Derecho ante el área de la Economía Aplicada. Nuestros conocimientos quedarían reducidos a determinar si se ha extralimitado o no en los derechos del contribuyente, pero no podríamos opinar, por falta de preparación técnica, sobre la cualidad o no del algoritmo que define la cantidad que se debe contribuir. En todo caso, podríamos intervenir en el resultado de la actuación tributaria, pero no en el origen.

Por último, debemos cuestionarnos como se verá cumplido el principio de legalidad. Un sistema experto inteligente encargado de determinar la tributación se caracteriza por el dinamismo, lo que choca frontalmente con el procedimiento de refrendo del poder legislativo destinado a aprobar la tributación correspondiente. Así las cosas, si esta nueva modalidad de diseño del sistema tributario se basa en algoritmos generados por inteligencia artificial, es decir, por reglas que definen la tributación autogeneradas por sistemas expertos para cumplir un objetivo previamente marcado de recaudación o gravamen, no en reglas escritas, estos algoritmos habrán de ser aprobados por el poder legislativo para cumplir el principio de legalidad. Este requisito de aprobación convertiría a los algoritmos en normas tributarias estáticas, similares a las de ahora, y cualquier cambio debería ser refrendado por la ley. Aquí la diferencia estaría en la forma de diseñar la norma y en la dificultad de ser analizadas y comprendidas en su desarrollo y contenido por los juristas, no en los resultados.

Otro escenario diferente sería si la incorporación de inteligencia artificial dinámica, por la que se ajustaría la tributación a cada momento mediante la autogeneración de reglas adaptadas a cada momento concreto, en cuyo caso, si se entraría en conflicto con el principio de legalidad y reserva de ley, puesto que se podría caer en la tentación de habilitar a estas aplicaciones con la autoridad necesaria para autogenerar normas de tributación sin la necesidad de su aprobación directa y personalizada, quedando fuera de control directo de la ley el algoritmo.

Realmente, no es un futuro alentador, y cabría plantearse si es necesario rendirse ya ante el algoritmo, como ente que va a decidir de forma autónoma quién y cuanto tributa, o iniciar la lucha por crear un marco jurídico que lo regule para que no se escape de nuestro ámbito de aplicación.

4. CONCLUSIONES

La visión interdisciplinar para la resolución de los problemas jurídicos está en la propia esencia del Derecho Financiero y Tributario. Esta es la razón por la que el Derecho Financiero y Tributario se erigió como una disciplina autónoma e independiente de la Hacienda Pública situada dentro del área jurídica y no económica. No es posible instituir un gravamen tributario sobre una determinada operación sin tener conocimiento global de su dimensión legal, so pena de incumplir con los preceptos constitucionales que lo protegen.

Las aplicaciones informáticas de asistencia en las autoliquidaciones tributarias no son nuevas. Lo que sí es nuevo que, como consecuencia de su desarrollo cada vez más avanzado, se debe tomar consciencia de que pueden llegar a atentar a los derechos de los contribuyentes.

Mediante la exposición de ejemplos concretos se denuncia como el uso de algoritmos aleja la percepción de que realmente se están aplicando de reglas tributarias, lo que produce una aceptación incondicional por parte del contribuyente de los datos resultantes, una ausencia de espíritu crítico y, por tanto, la imposición de una interpretación única de la norma tributaria impuesta por la propia Administración, lo que se verá potenciado por la introducción de las reclamaciones tributarias asistidas en la línea Law Tech.

Asimismo, el funcionamiento de las aplicaciones informáticas sobre datos de los contribuyentes alojados en la nube, supone la pérdida del control sobre los mismos, y la Administración tributaria puede hacer uso de forma no adecuada o bien extralimitarse en sus derechos, ante lo que el contribuyente tiene poca maniobra de defensa.

Por último, se hace un ejercicio de visión de futurible de nuevas formas de tributación que pueden surgir al hilo de la inteligencia artificial, resaltando los problemas que pueden provocar en relación el principio tributario de legalidad y la situación en que quedaría el Derecho Tributario si triunfa el algoritmo.

Bibliografía

BARRIO ANDRÉS, M., «Legal Tech y la transformación del sector legal», en la obra *Legal Tech. La transformación digital de la abogacía*. Wolter Kluwer, 2019.

DELGADO GARCÍA, A. M., «Aspectos legales del software libre en la Administración electrónica tributaria». *Revista Aranzadi de Derecho y Nuevas Tecnologías* núm. 11/2006 (BIB 2006\894).

OLIVER CUELLO, R., «Administración electrónica tributaria y protección de datos personales», *Revista Aranzadi de derecho y nuevas tecnologías*, n° 28, 2012,

OLIVER CUELLO, R., «Análisis de los derechos de los contribuyentes en la Administración electrónica». *Revista Quincena Fiscal* núm. 18/2018 (BIB 2018\12479), p. 26.

RODRÍGUEZ MUÑOZ, J. M., «Algunas cuestiones polémicas o problemáticas en torno a los procedimientos tributarios por medios electrónicos». *Revista Aranzadi Doctrinal* núm. 5/2009 (BIB 2009\607).

ROVIRA FERRER, I., «La compleja relación entre las consultas tributarias vinculantes y los pronunciamientos judiciales». *Revista de contabilidad y tributación: Comentarios, casos prácticos* núm. 413-414/2017.

SÁNCHEZ LÓPEZ, M. E., «Algunas cuestiones controvertidas en relación con los requerimientos de información de terceros. Un análisis jurisprudencial». *Revista Quincena Fiscal* núm. 9/2018. (BIB 2018\8646).

Capítulo 21

Aspectos tributarios de las negociaciones algorítmicas de alta frecuencia *(high-frequency algorithmic trading)* en los impuestos que gravan las transacciones financieras: un estudio de Derecho comparado

Juan Benito Gallego López

Profesor Contratado Doctor de Derecho Financiero y Tributario
Universidad Miguel Hernández de Elche

SUMARIO: 1. INTRODUCCIÓN. 2. LA NEGOCIACIÓN ALGORÍTMICA DE ALTA FRECUEN-CIA. 2.1. Concepto y características. 2.2. Impacto en los mercados: aspectos positivos y nega-tivos. 3. LA TRIBUTACIÓN DE LA NEGOCIACIÓN ALGORÍTMICA DE ALTA FRECUENCIA: LOS CASOS DE FRANCIA E ITALIA. 3.1. Cuestiones introductorias. 3.2. Francia. 3.3. Italia. Bibliografía.

1. INTRODUCCIÓN

Cada vez son más frecuentes y trascendentes los cambios que, en el ámbito de las nuevas tecnologías, está experimentando la negociación en los mercados financieros. Entre ellos destaca la realización automatizada de operaciones según una serie de parámetros predeterminados relativos al comportamiento de los mercados, y que se denomina negociación algorítmica. Un tipo específico de la misma es el de alta frecuencia *(high-frequency algorithmic trading)* y en la que se realiza un análisis a gran velocidad de los datos que va ofreciendo el mercado y, según sean estos, se emiten, modifican o cancelan un gran número de órdenes de compra-venta en milisegundos.

Tanto desde organismos internacionales[1], como desde un cierto sector de la doctrina científica[2], se ha puesto de manifiesto que un elevado uso de este

---

[1]   *Vid.*, entre otros, INTERNATIONAL MONETARY FUND: *Financial Sector Taxation: The IMF's Report to the G-20 and Background Material*, 2010, p. 165 (https://www. imf.org/en/Research).

tipo de negociación puede generar diversos problemas en el funcionamiento de los mercados financieros, como puede ser, entre otros, un gran aumento en la volatilidad en la cotización de los valores. No obstante, dentro de dicha doctrina existen opiniones que consideran que aquélla tiene más efectos favorables que negativos, ya que, por ejemplo, dota de una mayor eficiencia y liquidez a dichos mercados.

El establecimiento de medidas legislativas que tienen como finalidad corregir o limitar los apuntados efectos negativos se ha realizado, tanto en el ámbito regulatorio de los mercados de valores, como en la esfera tributaria.

En relación con esta última, y como es conocido, en nuestra nación, el Gobierno remitió sendos Proyectos de Ley del Impuesto sobre las Transacciones Financieras para su aprobación por las Cortes Generales, el último en el mes de febrero de 2020 —la tramitación del anterior Proyecto quedó paralizada por la disolución de las Cortes como consecuencia de la convocatoria de elecciones en el mes de abril de 2019—. La Ley 5/2020, de 15 de octubre, ha establecido, definitivamente, el Impuesto.

El artículo 2 determina que están sujetas al mismo la adquisición onerosa de determinadas acciones o valores, así como las que deriven de la ejecución o liquidación de algunos instrumentos financieros, aunque no se recoge ninguna disposición específica que afecte a las transacciones realizadas a través de una negociación de alta frecuencia. Su Exposición de Motivos establece que *[l]a configuración del impuesto sigue la línea adoptada por países de nuestro entorno, entre los que cabe citar Francia e Italia, contribuyendo de esta forma a una mayor coordinación de estos gravámenes en el ámbito europeo.* Sin embargo, la normativa de los impuestos que, respectivamente, gravan las diversas transacciones financieras en dichos países establece preceptos específicos que se refieren exclusivamente a este tipo de negociación.

De acuerdo con lo expuesto, en este Comunicación se va a analizar, en primer lugar, el concepto y características de la negociación algorítmica de alta frecuencia; en segundo lugar, las ventajas e inconvenientes que puede acarrear su utilización; en tercer y último lugar, las medidas normativas que, en el seno de la Unión Europea (en adelante, UE) se han establecido para mitigar dichos efectos negativos, dedicando una especial atención al

---

2   Un resumen de las distintas posturas doctrinales sobre los efectos de este tipo de negociación en los mercados financieros puede consultarse en ALUBANKUDI, B. y TAPIA TORRES, M.: «¿Qué sabemos de la negociación de alta frecuencia?», en *Bolsa. Revista mensual de Bolsas y Mercados Españoles*, 4 trimestre, 2014, pp. 50 y 51 (https://www.bolsasymercados.es/esp/Estudios-Publicaciones).

régimen jurídico de los tributos que, en Francia y en Italia, recaen sobre las transacciones financieras que utilizan este tipo de negociación, así como a las consecuencias que se puede extraer de su aplicación en dichos países.

2. LA NEGOCIACIÓN ALGORÍTMICA DE ALTA FRECUENCIA

2.1. Concepto y características

En nuestro ordenamiento jurídico no existe un concepto de este tipo de negociación. Podemos encontrar una definición jurisprudencial en la Sentencia del Tribunal Supremo de 19 de junio de 2019, indicando que se trata de un sistema de negociación que «analiza a gran velocidad datos o señales del mercado y lanza o actualiza, como reacción a dicho análisis, un gran número de órdenes en un período de tiempo muy corto, prácticamente en milisegundos»[3].

Por el contrario, dicha indefinición no se produce en la esfera del Derecho de la UE pero circunscrita al ámbito regulatorio de los mercados financieros, donde se distingue conceptualmente entre el término «negociación algorítmica» y el de «técnica de negociación algorítmica de alta frecuencia». El artículo 4.1, número 39, de la Directiva 2014/65/UE del Parlamento Europeo y del Consejo, de 15 de mayo de 2014, relativa a los mercados de instrumentos financieros (en adelante, Directiva 2014/65/UE), define el primer término como aquella negociación que recae sobre instrumentos financieros y *en la que un algoritmo informático determina automáticamente los distintos parámetros de las órdenes (si la orden va a ejecutarse o no, el momento, el precio, la cantidad, cómo va a gestionarse después de su presentación), con limitada o nula intervención humana. Esta definición no incluye los sistemas que solo se proponen dirigir las órdenes a uno o varios centros de negociación, o procesar las órdenes sin que ello implique determinar ningún parámetro de negociación, o confirmar las órdenes o el tratamiento post-negociación de las transacciones ejecutadas.*

Por su parte, el número 40 del citado artículo 4.1, define la «técnica de negociación algorítmica de alta frecuencia», como aquella negociación de carácter algorítmico en la que concurren las siguientes características: *a) una infraestructura destinada a minimizar las latencias de la red y de otro tipo, que incluya al menos uno de los siguientes sistemas para la introduc-*

---

[3]   Fundamento Jurídico 2º (ECLI: ES:AN:2019:2416).

ción de órdenes algorítmicas: localización compartida, ubicación próxima
o acceso electrónico directo de alta velocidad; b) un sistema que determina
la iniciación, generación, encaminamiento o ejecución de las órdenes sin
intervención humana para cada negociación u orden, y c) elevadas tasas
de mensajes intradía que pueden ser órdenes, cotizaciones o anulaciones[4],
finalizando las jornadas de negociación con posiciones poco significativas o
de carácter neutro. En las siguientes páginas de este trabajo nos referiremos
a ella como negociación de alta frecuencia.

Expuesto lo anterior, es necesario reseñar que tanto la normativa tributaria francesa como la italiana establecen una definición específica de la
citada negociación de alta frecuencia a los meros efectos impositivos, que
presenta algunas diferencias y matices en relación con las anteriores definiciones, y que será objeto de nuestra atención en páginas posteriores.

Además de los elementos anteriormente citados, este tipo de negociación
también se caracteriza porque la finalidad perseguida por sus usuarios es
altamente especulativa. Para ello, estos pueden, bien aprovechar las diferencias entre las cotizaciones de oferta y de demanda de los instrumentos
financieros negociados, realizando, en la mayoría de los casos, una labor de
creador de mercado o *market maker*[5], bien a través del arbitraje (es decir,
sacando partido a las divergencias entre las cotizaciones de los mismos instrumentos financieros en distintas plataformas). Por lo que se refiere a quiénes son dichos usuarios, la Autoridad Europea de los Mercados Financieros[6] (en adelante, AEMF) indica que, atendiendo al volumen de operaciones
realizadas por los mismos en 2014, pueden destacarse los siguientes perfiles
y porcentajes en su utilización: (i) empresas dedicadas habitualmente a la

---

[4]   Esta Directiva es completada por una serie de normas de desarrollo, entre las que cabe
      citar el Reglamento Delegado (UE) 2017/565 de la Comisión, de 25 de abril de 2016.
      En su artículo 19.1 se concreta que se produce dicha tasa alta cuando, en promedio,
      acontece cualquiera de estas circunstancias: (i) al menos dos mensajes por segundo con
      respecto a cualquier instrumento financiero negociado en un centro de negociación;
      (ii) como mínimo, cuatro mensajes por segundo con respecto a todos los instrumentos
      financieros negociados en un centro de negociación.

[5]   Como indica el artículo 17.4 de la citada Directiva 2014/65, la actividad de creación
      de mercado se realiza cuando el operador, negociando por cuenta propia, *incluye el
      anuncio simultáneo de cotizaciones firmes de compra y venta de magnitud comparable
      y a precios competitivos en relación con uno o varios instrumentos financieros en un
      solo centro de negociación o en diferentes centros de negociación, proporcionando así
      liquidez al mercado con regularidad y frecuencia.*

[6]   EUROPEAN MARKET AND SECURITIES AUTHORITY: «High frequency trading
      activity in EU equity markets», en *Esma Economic Report*, núm. 1, 2014, p. 12 (https://
      www.esma.europa.eu/databases-library/esma-library/trends).

negociación de alta frecuencia (24 por ciento); (ii) bancos de inversión (61 por ciento) y (iii) otras entidades o empresas (15 por ciento). Estos operadores suelen actuar por cuenta propia (no de sus clientes), empleando su propia capital en el desarrollo de estas operaciones[7].

2.2. Impacto en los mercados: aspectos positivos y negativos

Como indica el considerando 62 de la citada Directiva 2014/65/UE, los avances tecnológicos, como es la negociación de alta frecuencia, han aportado una serie de ventajas a los mercados financieros, como son, entre otras, una mayor participación de los inversores en los mismos, un aumento de su liquidez, una reducción en la volatilidad de las cotizaciones de los instrumentos financieros a corto plazo y una mejor ejecución en las órdenes de los clientes.

No obstante, la utilización de ésta también acarrea una serie de consecuencias negativas para los mercados y centros de negociación como pueden ser:

(i) La emisión de múltiples órdenes duplicadas o erróneas (u otras anomalías en la emisión o ejecución de dichas órdenes), susceptibles de producir graves trastornos para los inversores.

(ii) Los sistemas de negociación pueden reaccionar de manera exacerbada frente a determinados eventos o situaciones que afecten al mercado, aumentando extraordinariamente la volatilidad y generando, por ello, una serie de perjuicios muy relevantes a los intervinientes en el mercado[8].

(iii) Cabe una utilización abusiva de este tipo de negociación y que puede llegar a constituir prácticas de manipulación de los mercados. En relación con las mismas, la AEMF[9] señala, entre otras, la emisión de órdenes (generalmente de escaso volumen) con la finalidad de determinar el número de órdenes ocultas (*ping orders*); la introducción de un gran volumen de órdenes que, en muy poco tiempo, son canceladas o modificadas para crear incertidumbre en los participantes en el mercado (*quote stuffing*); e introducir

---

[7]   Considerando 61 de la Directiva 2014/65/UE.

[8]   Ejemplo de ello es denominado *flash crash* ocurrido el 6 de mayo de 2010, donde el índice norteamericano *Dow Jones* cayó, en apenas unos segundos, un 10 por ciento.

[9]   EUROPEAN MARKET AND SECURITIES AUTHORITY: *ESMA's technical advice on possible delegated acts concerning the Market Abuse Regulation*, 2015, pp. 15 y ss. (https://www.esma.europa.eu/document/esma%E2%80%99s-technical-advice-possible-delegated-acts-concerning-market-abuse-regulation).

una serie de órdenes con la finalidad de iniciar o exacerbar una tendencia en el mercado (por ejemplo, de compra) animando a otros participantes a acelerar o extender dicha tendencia con la finalidad de crear una oportunidad para cerrar o abrir posiciones a un precio favorable para el inductor (*momentum ignition*).

Para corregir o mitigar estos efectos negativos, los legisladores de diversas jurisdicciones han adoptado una serie de medidas, la mayoría de ellas en el orden regulatorio de los mercados[10], pero también de carácter tributario. Estas últimas, y atendiendo al objeto de este trabajo, serán analizadas con detalle en el siguiente epígrafe. No obstante, consideramos oportuno, hacer referencia, aunque sea de manera resumida, a los cambios normativos que han afectado a los mercados financieros europeos.

En este orden de cosas, el legislador alemán aprobó la Ley de Prevención de Riesgos y Abusos en el Comercio de Alta Frecuencia (*Hochfrequenzhandelsgesetz*) y que entró en vigor el 15 de mayo de 2013. Esta norma, ha sido la primera experiencia normativa europea a la hora de regular este tipo de negociaciones[11], aplicándose sólo a las plataformas de negociación que operan en Alemania. Uno de los objetivos de la norma es corregir o limitar ciertas prácticas perjudiciales (como las puntadas anteriormente), buscando, entre otras cuestiones, que exista una adecuada proporción entre el número de órdenes emitidas, y las efectivamente realizadas (*order-to-trade-ratio*), evitando un número excesivo de órdenes modificadas o canceladas. En este sentido, las plataformas de negociación deben determinar dicha proporción, así como establecer tarifas complementarias en el caso de que se sobrepase la misma.

Con posterioridad a la entrada en vigor de la disposición doméstica alemana, en el seno de la UE se ha considerado oportuno aprobar una serie de normas y que inciden sobre la negociación de alta frecuencia. En primer lugar, la ya mencionada Directiva 2014/65/UE; dentro de las principales medidas adoptadas queremos reseñar, entre otras, que los centros de negociación deberán tener mecanismos de control sobre las actividades que puedan

---

[10] Un resumen de las medidas adoptadas a nivel mundial en este ámbito puede encontrarse en CHUNG, K. H.: «High-frequency Trading: Review of the Literature and Regulatory Iniciatives around the World», en *Asian-Pacific Journal of Financial Studies*, núm. 45, 2016, pp. 7 a 33.

[11] PÉREZ CARRILLO, E. F.: «Negociación algorítmica de alta velocidad (High Frequency Trading), entre la innovación FINTECH, las estrategias y la búsqueda de una regulación adecuada», en *Revista de Derecho Bancario y Bursátil*, núm. 154, 2019, p. 11 (BIB 2019\5301).

calificarse como negociación de alta frecuencia. Además, los mercados regulados deben establecer sistemas que garanticen que este tipo de negociación no puede generar anomalías (ni contribuir a las mismas) en las condiciones de contratación, aprobando medidas que permitan, por ejemplo, limitar la proporción de órdenes emitidas y no ejecutadas[12]. Finalmente, las estructuras de las comisiones no deben crear incentivos que perturben las condiciones de negociación o fomenten las prácticas de abuso de mercado[13].

En segundo lugar, el Reglamento (UE) Nº 596/2014, del Parlamento Europeo y del Consejo de 16 de abril de 2014 sobre el abuso de mercado y por el que se derogan la Directiva 2003/6/CE del Parlamento Europeo y del Consejo, y las Directivas 2003/124/CE, 2003/125/CE y 2004/72/CE de la Comisión. Su artículo 12.2.c) califica, como conductas que constituyen una manipulación de mercado, la formulación de órdenes, su modificación o cancelación a través de la estrategia de alta frecuencia cuando: (i) se transmitan señales falsas a los mercados o (ii) se fije un precio anormal o artificial de los instrumentos financieros, produciendo dichas conductas algunos de los efectos a los que se refiere dicha letra (por ejemplo, exacerbando alguna tendencia de compra o de venta)[14].

Por lo que se refiere a España, la transposición de lo dispuesto en la citada Directiva 2014/65/UE se ha realizado a través del Real Decreto-ley 21/2017, de 29 de diciembre, de medidas urgentes para la adaptación del derecho español a la normativa de la UE en materia del mercado de valores y del Real Decreto-ley 14/2018, de 28 de septiembre, por el que se modifica

---

[12] Artículo 48.6.
Este mandato es desarrollado por el Reglamento Delegado (UE) 2017/566 de la Comisión de 18 de mayo de 2016 en lo relativo a las normas técnicas de regulación sobre la proporción entre órdenes no ejecutadas y operaciones para prevenir anomalías en las condiciones de negociación.

[13] Artículo 48, apartado 12, letra d).
Esta disposición es completada por el Reglamento Delegado (UE) 2017/573 de la Comisión de 18 de mayo de 2016 en lo que se refiere a las normas técnicas de regulación sobre los requisitos destinados a garantizar servicios de localización compartida y estructuras de comisiones equitativos y no discriminatorios.

[14] También en este ámbito, el artículo 5 de la Directiva 2014/57/UE del Parlamento Europeo y del Consejo, de 16 de abril de 2014, sobre las sanciones penales aplicables al abuso de mercado, ha establecido que los Estados miembros deben adoptar las medidas necesarias para que dicha manipulación constituya una infracción penal en los casos más graves y siempre que se haya cometido intencionadamente (por ejemplo, cuando al dar una orden de negociación se transmitan señales falsas sobre la oferta o la demanda de un instrumento financiero).

el texto refundido de la Ley del Mercado de Valores, aprobado por el Real Decreto Legislativo 4/2015, de 23 de octubre[15].

Expuesto lo anterior y como ya se ha anticipado, en las páginas siguientes pasamos a analizar con detalle qué medidas normativas de carácter tributario se han adoptado en Francia y en Italia y que afectan específicamente a las transacciones financieras realizadas mediante la negociación de alta frecuencia.

3. LA TRIBUTACIÓN DE LA NEGOCIACIÓN ALGORÍTMICA DE ALTA FRECUENCIA: LOS CASOS DE FRANCIA E ITALIA

3.1. Cuestiones introductorias

Como es conocido, la idea del establecimiento de un tributo específico sobre las transacciones financieras lleva forjándose varios años en el seno de la UE. En este sentido cabe citar el fracasado intento de aprobación de la Propuesta de Directiva de la Comisión Europea relativa a un sistema común de un impuesto sobre este tipo de transacciones y por la que se modifica la Directiva 2008/7/CE, de 28 de septiembre de 2011[16], destinada a establecer un impuesto sobre las transacciones financieras en todos los Estados miembros de la UE. En dicha Propuesta no se recogía ninguna disposición que afectara específicamente a las transacciones realizadas mediante una negociación de alta frecuencia.

Ante esta paralización, algunos Estados miembros, como es el caso de Francia e Italia aprobaron, en 2012, sus propios tributos sobre determinados tipos de transacciones financieras, estableciendo gravámenes específicos sobre aquellas en que se utiliza este tipo de negociación. Dichos gravámenes, y como será objeto de un examen posterior, no someten a imposición la renta obtenida a través de este tipo de transacciones, ni siquiera su mera utilización, sino que el hecho relevante es que el número de órdenes modificadas o canceladas exceda de un determinado umbral.

---

[15] Por su parte, la Ley Orgánica 1/2019, de 20 de febrero, por la que se modifica la Ley Orgánica 10/1995, de 23 de noviembre, del Código Penal, para transponer directivas de la Unión Europea en los ámbitos financiero y de terrorismo, y abordar cuestiones de índole internacional, ha adaptado dicho Código Penal a los mandatos establecidos en la referida Directiva 2014/57/UE.

[16] COM(2011) 594 final.

Posteriormente, la Comisión Europea aprobó, el 14 de febrero de 2013, su Propuesta de Directiva relativa al impuesto sobre las transacciones financieras[17] en el ámbito del procedimiento de cooperación reforzada, el cual posibilitaba la creación de un tributo de esta naturaleza en los once países adheridos al mismo, es decir, Alemania, Austria, Bélgica, España, Eslovaquia, Eslovenia, Estonia, Francia, Grecia, Italia y Portugal. No obstante, el 16 de marzo de 2016, Estonia finalizó los trámites necesarios para abandonar esta iniciativa[18]. En esta Propuesta, y al igual que sucedía con la de 2011, tampoco se le otorga un tratamiento específico a las transacciones realizadas a través de la negociación de alta frecuencia[19].

Por su parte, el legislador español, y sin dejar de tener presente el referido procedimiento de cooperación reforzada, ha considerado necesario el establecimiento de un impuesto de esta naturaleza a nivel interno, habiéndose aprobado, para ello, la citada Ley 5/2020, la cual, y como ya se ha indicado, sigue la línea determinada en otros países de nuestro entorno como Francia e Italia, pero con la que existen diferencias, por ejemplo, al no contemplar dicha Ley un gravamen específico para las transacciones realizadas a través de las negociaciones de alta frecuencia.

En las siguientes páginas de este trabajo va a desarrollarse el régimen jurídico-tributario de las mismas en Francia y en Italia, así como las consecuencias que cabría extraer de su aplicación en dichos países.

3.2. Francia

Como consecuencia de la apuntada paralización del proceso para la aprobación de un impuesto sobre las transacciones financieras en el ámbito de la UE, Francia ha establecido su propio tributo sobre este tipo de transacciones. En efecto, el artículo 5 de la Ley nº 2012-354, de 14 de marzo de 2012, de reforma de la Ley de Finanzas para 2012, modificó el Código General de Impuestos francés (en adelante, CGI), y aprobó un Impuesto

---

[17]   COM(2013) 71 final.

[18]   https://data.consilium.europa.eu/doc/document/ST-9602-2016-INIT/es/pdf.

[19]   Sin embargo, el ámbito objetivo de aplicación de dicho futuro impuesto sobre las transacciones financieras en el ámbito de la UE parece que va a quedar circunscrito exclusivamente a la adquisición de acciones y otros valores de capital, no gravando otro tipo de transacciones, atendiendo a la posición común manifestada por Francia y Alemania en el Consejo de Asuntos Económicas y Financieros, celebrado el pasado 14 de junio de 2019 (https://www.consilium.europa.eu/es/meetings; consultado el 28 de agosto de 2019).

sobre las Transacciones Financieras[20], el cual entró en vigor el 1 de agosto de 2012.

El Impuesto francés inicialmente estaba configurado por tres modalidades que gravaban la realización de determinadas transacciones financieras: (i) la adquisición onerosa de acciones o valores similares —artículo 235 ter ZD del CGI—; (ii) la realización de operaciones de alta frecuencia —artículo 235 ter ZD bis—, y (iii) la suscripción especulativa de permutas financieras que cubren el riesgo de impago (*crédit default swap* en terminología inglesa —en adelante, *CDS*—), de la deuda de los Estados miembros de la UE —artículo 235 ter ZD ter—.

Como señala el Tribunal de Cuentas francés[21], la aprobación del Impuesto perseguía tres objetivos fundamentales: (i) posibilitar que el sector financiero contribuyera a la recuperación de las finanzas públicas de dicho país; (ii) restringir o limitar las actividades de carácter más especulativo y, finalmente, (iii) iniciar un movimiento de adhesión de otros Estados miembros de la UE al proyecto de la Comisión.

La modalidad que recae sobre la adquisición de acciones o valores similares fue prevista como una forma de obtener ingresos y consolidar las finanzas públicas, mientras que aquellas que afectan a las negociaciones de alta frecuencia y a los *CDS* tenían como finalidad reducir determinadas actividades altamente especulativas[22]. El artículo 26 (V) de la Ley n° 2018-1317, de 28 de diciembre de 2018, de Finanzas para 2019 ha derogado, a partir del 1 de enero de 2019, el mencionado artículo 235 ter ZD ter del CGI, por lo que la citada suscripción especulativa de *CDS* deja de estar sometida a imposición en Francia, medida que conecta con la prohibición general de venta de estos instrumentos financieros establecida por del Reglamento (UE) N° 236/2012 del Parlamento Europeo y del Consejo sobre las ventas en corto y determinados aspectos de las permutas de cobertura por impago, de 14 de marzo de 2012.

Expuesto lo anterior, y de acuerdo con el objeto de este trabajo, pasamos a examinar el régimen jurídico-tributario de las negociaciones de alta

---

[20] Bajo la denominación común de *taxe sur les transactions financières*, aunque la normativa francesa utiliza la expresión *taxe* para cada una de las tres modalidades que lo configuran (https://bofip.impots.gouv.fr/bofip/7554-PGP.html; consultado el 30 de septiembre de 2019).

[21] COURT DES COMPTES: *La taxe sur les transactions financières et sa gestion*, 2017, p. 1 (https://www.ccomptes.fr/fr/publications/la-taxe-sur-les-transactions-financieres-et-sa-gestion).

[22] *Ibidem*, p. 2.

frecuencia en el país vecino, el cual es ciertamente complejo y farragoso. Si se atiende a lo previsto en el artículo 235 ter ZD bis del CGI y al criterio interpretativo al respecto de la Dirección General de Finanzas Públicas francesa (en adelante, DGFP)[23], el régimen jurídico del gravamen francés se caracteriza por las siguientes notas:

(i) Hecho imponible

Las transacciones deben efectuarse por cuenta propia de empresas que realizan negociaciones de este tipo, siempre que operen en Francia en el sentido del artículo 209 (I) del CGI, es decir, que habitualmente llevan a cabo actividades económicas de esta naturaleza en dicho país[24], abarcando a los establecimientos autónomos (incluidas sucursales) de empresas extranjeras en Francia. No obstante, se excluyen las operaciones de creación de mercado.

Dichas transacciones deben recaer sobre los títulos referidos en el artículo L. 212-1 A del Código Financiero y Monetario francés, esto es, afecta a las acciones y no a otro tipo de instrumentos financieros. La sujeción al tributo se produce con independencia del lugar donde se encuentre establecido el emisor del título en cuestión y del valor de capitalización bursátil.

Además, las transacciones deben realizarse a través de una negociación automatizada, la cual se caracteriza por la concurrencias de estos dos requisitos: a) un algoritmo informático determina si, en relación con un valor en concreto, deben emitirse, modificarse o cancelarse las órdenes de compraventa, y además fija los parámetros de precio y cantidad de dichas órdenes; y b) estas actuaciones se realizan en un tiempo que no excede de medio segundo[25] (computado de acuerdo con la duración media que, normalmente, separa la emisión de una orden para comprar o vender un determinado valor, y la orden de modificación o cancelación de ésta, calculada en relación con el mes anterior al que se producen las operaciones gravadas)[26]. No obstante, no se consideran realizadas a través de una negociación au-

---

23   https://bofip.impots.gouv.fr/bofip/ext/pdf/createPdfWithAnnexePermalien/BOI-TCA-FIN-20-20150204.pdf?doc=7581-PGP&identifiant=BOI-TCA-FIN-20-20150204; consultado el 30 de septiembre de 2019).

24   Como indica la DGFP, quedan excluidas las transacciones realizadas por las sucursales en el extranjero de las empresas francesas que realizan las negociaciones de alta frecuencia.

25   Artículo 58 S (I) del Anexo III del CGI.

26   Si dicho test se realizara el mismo mes en que se calcula el tributo, como indica la *International Swap and Derivatives Association*, éste no podría ser predecible en dicho mes y no cumpliría su papel de elemento disuasorio de la realización de este tipo de transac-

tomatizada, y por tanto no se encuentran gravadas, aquellas transacciones en las que se utilizan sistemas informáticos con la finalidad de optimizar la emisión o confirmación de órdenes (*smart orders routers*).

Finalmente, y éste es el elemento más relevante, debe indicarse que el porcentaje o *ratio* de las órdenes de compra-venta canceladas o modificadas en relación con el de las emitidas sobre un idéntico valor, a través de un intermediario financiero concreto y en relación con un mismo día de negociación debe ser superior al 80 por ciento[27]. No obstante, las órdenes modificadas o canceladas en el contexto de la actividad de creación de mercado no serán tenidas en consideración a estos efectos.

(ii) Base imponible y tipo de gravamen

Por su parte, la base imponible del tributo está determinada por dos factores, en primer lugar, el número de acciones sujetas a las órdenes de cancelación y/o modificación que exceden del citado umbral del 80 por ciento; en segundo lugar, dicho exceso debe ser multiplicado por el valor medio del título durante un día de negociación. El tipo de gravamen aplicable sobre esta base imponible es el 0,01 por ciento.

(iii) Sujeto pasivo

El sujeto pasivo del Impuesto es la empresa que realiza el hecho imponible en los términos anteriormente expuestos.

(iv) Devengo y exigibilidad

El tributo se devenga el primer día del mes siguiente al que se transmiten las órdenes de modificación o de cancelación sometidas a imposición y debe declararse y pagarse antes del décimo día de dicho mes.

Expuesto el régimen jurídico-tributario de las negociaciones de alta frecuencia en Francia, en estos momentos nos corresponde analizar qué consecuencias cabría extraer de su aplicación en el país vecino. A este respecto, y como indica el Tribunal de Cuentas francés[28], la única modalidad que, en la práctica, ha resultado eficaz es la que recae sobre la

---

ciones (https://www.isda.org/a/ZTiDE/isda-letter-on-italian-ftt-final.pdf; consultado el 1 de octubre de 2019).

[27] A la hora de determinar este porcentaje, la DGFP habla del cálculo de la *ratio* de cancelación, la cual está configurado por los siguientes elementos: (importe nominal de las órdenes de anulación + importe nominal de las órdenes de modificación)/(importe nominal de las órdenes iniciales + importe nominal de las órdenes de modificación). Dicho importe nominal se refiere al número de acciones que contiene una orden.

[28] COURT DES COMPTES: *La taxe sur les transactions financières et sa gestion, ob. cit.*, p. 3.

adquisición onerosa de títulos de capital y valores asimilados, por lo que las operaciones más especulativas no han resultado, *de facto*, gravadas. Así, la recaudación efectiva del gravamen sobre las negociaciones de alta frecuencia ha sido prácticamente nula. Como posibles causas de dicha falta de recaudación, el citado Tribunal señala el establecimiento de un alto umbral de operaciones no gravadas (debemos recordar que es del 80 por ciento) o la exclusión de las negociaciones realizadas dentro de la actividad de creación de mercado, las cuales representan la mayoría de las operaciones de alta frecuencia realizadas. En cualquier caso, y como apunta dicho órgano, la limitación del ámbito de aplicación de esta modalidad a las operaciones efectuadas por empresas que operan en Francia, permite evitar la entrada en juego del gravamen simplemente deslocalizando las operaciones fuera de este país.

Como conclusión, y coincidiendo con Capelle-Blancard[29], la aplicación del tributo francés resulta tan sencilla de eludir que, como se ha señalado, no ha generado ingresos en el país vecino. Además, y como indican Colliard y Hoffmann[30], el establecimiento de este Impuesto ha tenido un impacto mínimo en el mercado financiero francés.

3.3. Italia

También en Italia, y ante el apuntado fracaso del proyectado gravamen europeo, se ha aprobado un tributo que recae sobre determinadas transacciones financieras, pero no bajo una denominación común, sino mediante una serie de impuestos específicos según el tipo de transacción —los cuales presentan algunas notas comunes—, y que ha introducido el artículo 1, párrafos 491 a 500, de la Ley nº 288 de 24 de diciembre de 2012 (Ley de Estabilidad presupuestaria para 2013)[31].

De acuerdo con dicho párrafo 500, determinados aspectos de estos impuestos, en concreto, los relativos a su gestión y obligaciones de información debían ser desarrollados por un decreto ministerial, por lo que se aprobó el

---

[29]   CAPELLE-BLANCARD, G.: «The financial transaction tax: a really good idea», en *AMF-Scientific Advisory Board Review*, 2017, p. 15.

[30]   COLLIARD, J. E. y HOFFMANN, P.: «Financial Transaction Taxes, Market Composition, and Liquidity», en *ECB Working Paper*, núm. 2030, 2017, p. 8 (https://www.ecb.europa.eu/pub/research).

[31]   DI WIESENHOFF, V. S. y EGORI, R.: «2013 Italian Financial Transaction Tax», en *Derivatives and Financial Instruments*, March-April, 2013, p. 48.

Decreto del Ministro de Economía y Hacienda de 21 de febrero de 2013[32] (en adelante, el Decreto) y su memorándum explicativo.

Por lo que se refiere a las transacciones sometidas a imposición son las siguientes: (i) la transferencia de la propiedad de acciones y otros instrumentos financieros participativos (párrafo 491); (ii) las transacciones sobre instrumentos financieros derivados y otros valores transferibles (párrafo 492) y (iii) las negociaciones de alta frecuencia en los términos a los que se refiere el párrafo 495[33].

De acuerdo con el objeto de este trabajo, acto seguido procedemos a analizar el régimen jurídico-tributario de este tipo de negociaciones en Italia, el cual es todavía más complejo que el previsto por la legislación francesa. Teniendo en consideración lo dispuesto en la Ley nº 288 de 24 de diciembre de 2012, así como el referido Decreto, las cuestiones más relevantes de dicho régimen son las siguientes:

(i) Hecho imponible

El hecho imponible del tributo italiano viene configurado por los siguientes elementos[34]:

En primer lugar, las transacciones deben efectuarse en el mercado financiero italiano[35] y recaer sobre las acciones, los instrumentos financieros participativos y los derivados financieros a los que se refieren los párrafos 491 y 492 de la citada Ley nº 288 —cuestión que desarrolla el artículo 12.1 del Decreto—. Por ejemplo, las transacciones en dicho mercado sobre acciones emitidas por empresas no residentes en Italia, o sobre derivados financieros con este subyacente, están sometidas a imposición[36].

---

32 Modificado por el Decreto de 19 de marzo de 2013.

33 *Imposta sulle negoziazioni ad alta frequenza.*
De acuerdo con lo dispuesto en el artículo 21.2 y 4 del Decreto, su entrada en vigor se produjo, para las transacciones relativas a los instrumentos financieros mencionados en el párrafo 491, el 1 de marzo de 2013, mientras que para los recogidos en el párrafo 492, fue el 1 de julio de dicho año.

34 DI WIESENHOFF, V. S. y EGORI, R.: «2013 Italian Financial Transaction Tax», *ob. cit.*, pp. 59 y ss.

35 De acuerdo con el artículo 12.2 del Decreto, se consideran como tales los mercados regulados y las plataformas de negociación multilateral autorizados por CONSOB (*Commissione Nazionale per la Società e la Borsa*).

36 MINISTERO DELL'ECONOMIA E DELLE FINANZE: *Financial Transaction Tax. FAQ —High-frequency trading—*, 2013, p. 2 (https://www.agenziaentrate.gov.it).

En este aspecto existen diferencias en relación con el régimen previsto por la norma francesa ya que, por un lado, ésta no establece que dichas transacciones deban realizarse en el mercado financiero galo, sino sólo efectuarse por una empresa que opere en el país vecino. Por otro, el abanico de instrumentos financieros sometidos a imposición en Italia es mayor que el previsto en Francia, que se circunscribe sólo a las acciones.

En segundo lugar, dichas transacciones deben efectuarse a través de una negociación de alta frecuencia, es decir, aquella en la que concurren estos dos requisitos: a) las decisiones relacionadas con el envío, modificación y cancelación de órdenes, así como los parámetros más relevantes de las mismas, son fijadas automáticamente por un algoritmo informático; y b) lo anterior ocurre en intervalos que no exceden de medio segundo (computado entre el tiempo en que se emite una orden de compra o venta y la posterior modificación o cancelación de dicha orden por el mismo algoritmo).

No obstante, y como también indica el citado artículo 12.1, existe una serie de transacciones que no se encuentran gravadas cuando la utilización de los algoritmos está vinculada a la realización específica de una actividad de creación de mercado[37] o a la obligación que tienen los intermediarios financieros de realizar la mejor ejecución posible de las órdenes recibidas de sus clientes de acuerdo con la normativa europea (o extranjera equivalente) reguladora de los mercados financieros.

En tercer lugar, y como establece el artículo 13.1 del Decreto, la proporción o *ratio* entre el número de órdenes modificadas y canceladas[38], y la suma de las órdenes emitidas y modificadas debe ser superior al 60 por ciento para un concreto instrumento financiero[39], y en una misma sesión bursátil e intermediario financiero. En relación con esta cuestión, debemos recordar que la *ratio* que fija la normativa francesa es del 80 por ciento.

---

[37]   En el sentido del referido párrafo 494.
El memorándum explicativo también excluye a las *smart orders routers* a las que nos hemos referido anteriormente al analizar el tributo francés.

[38]   En relación a cómo deben computarse las órdenes de modificación, *vid.* MINISTERO DELL'ECONOMIA E DELLE FINANZE: *Financial Transaction Tax. FAQ —High-frequency trading—, ob. cit.*, pp. 4 y 5.

[39]   Por lo que se refiere a los derivados financieros complejos (es decir, aquellos instrumentos financieros que resultan de la combinación de dos o más derivados financieros básicos), estos deben considerarse como una unidad si las correspondientes órdenes se refieren a ellos como un todo a la hora de su negociación (*Ibidem*, p. 7).

Atendiendo a los distintos instrumentos financieros a los que pueden afectar las transacciones, los apartados 2 y 3 del citado artículo 13 realizan la siguiente distinción a la hora de calcular dicha *ratio*: a) en el caso de las acciones, instrumentos financieros participativos, valores representativos de acciones y derivados financieros sobre éstas, el cálculo debe efectuarse en función del número de acciones incluidas en cada orden individual y que han sido objeto de emisión, modificación o cancelación; b) en el supuesto de los derivados financieros cuyo subyacente no sean acciones, la proporción debe obtenerse mediante el número de contratos estándar incluidos también en cada orden individual emitida, modificada o cancelada.

(ii) Base imponible y tipo de gravamen

En lo que atañe a la base imponible, el citado artículo 13.2 y 3 distingue su importe en función del concreto instrumento financiero que se negocia, es decir, en el caso de los instrumentos financieros a los que acabamos de hacer referencia al analizar la *ratio* en la letra a), la base imponible resulta de multiplicar el número de títulos que exceden de dicho umbral por el precio promedio ponderado de las órdenes de compra y venta, o de sus modificaciones; en el supuesto de los citados en la letra b) anterior, dicha base está constituida por el número de contratos estándar que exceden del señalado umbral, multiplicado por el promedio ponderado del valor equivalente[40] de las órdenes de compra y venta o de las modificaciones relacionadas con las mismas.

Sobre esta base imponible se aplica un tipo de gravamen del 0,02 por ciento.

(iii) Obligados tributarios[41]

Atendiendo a lo previsto, tanto en el párrafo 496 de la citada Ley n° 288 de 24 de diciembre de 2012, así como en el artículo 14 del Decreto y en su memorándum explicativo, el contribuyente es la persona que, en el caso de que las órdenes hubieran llegado a ejecutarse, bien adquiriría o compartiría la propiedad de las acciones o de otros instrumentos financieros, bien se convertiría en la contraparte de un instrumento financiero derivado. Por su parte, el artículo 19.1 del Decreto y dicho memorándum establecen que el tributo debe ser recaudado e ingresado por determinados intermediarios

---

[40]   Dicho valor significa, en el caso de las opciones, la prima especificada en el contrato estándar multiplicada por el número de acciones que configuran este contrato; en otro supuesto (por ejemplo, un futuro), es el valor nocional del contrato estándar.

[41]   DI WIESENHOFF, V. S. y EGORI, R.: «2013 Italian Financial Transaction Tax», en *Derivatives and Financial Instruments*, *ob. cit.*, p. 60.

financieros a las que se refiere este artículo. En este sentido, destacan los bancos y otros intermediarios que participan en este tipo de negociaciones, bastando con que dispongan su plataforma de negociación a favor del contribuyente.

(iv) Exigibilidad

De acuerdo con el artículo 19.2, letra c) del Decreto, el tributo debe ser satisfecho hasta el día 16 del mes siguiente a aquel en que se produjo el envío de la orden modificada o cancelada.

Una vez analizado el extraordinariamente complejo régimen jurídico-tributario de las negociaciones de alta frecuencia en Italia, pasamos a examinar qué consecuencias pueden obtenerse de su aplicación en este país. Por lo que se refiere a la recaudación que éste ha aportado a las arcas de la Hacienda Pública italiana, ésta ha sido prácticamente inexistente. En efecto, como indica Castillo Espinosa[42], la misma ha alcanzado las siguientes cifras: 2013 (200.000 euros), 2014 (400.000 euros) y 2015 (300.000 euros). A esta baja recaudación, y como indica Capelle-Blancard[43], cabe añadir que su establecimiento apenas ha afectado al funcionamiento del mercado financiero italiano.

Para finalizar nuestro trabajo queremos reseñar que, en nuestra opinión, el establecimiento en España de un tributo de las características de los aprobados en Francia y en Italia es ciertamente controvertido.

Dicha objeción deriva, por un lado y básicamente, del hecho de que resultaría discutible que, efectivamente, se esté sometiendo a imposición una manifestación de capacidad económica real o potencial (el elemento relevante para que se devengue el tributo es exclusivamente que el número de órdenes modificadas y/o canceladas exceda de un determinada umbral), lo que de acuerdo con lo previsto en el artículo 31.1 de la Constitución española y en el artículo 2.1 de la Ley 58/2003, de 17 de diciembre, General Tributaria, es requisito fundamental para establecer un tributo de carácter extrafiscal. Por otro, y como ha quedado acreditado, su régimen resulta ciertamente complejo y de difícil aplicación, pudiendo calificarse los resultados conseguidos como altamente insatisfactorios, no sólo en lo que se

---

[42]   CASTILLO ESPINOSA, A.: *Impacto económico de un impuesto sobre transacciones financieras en los ciudadanos. Los casos de Francia e Italia*, Tesis Doctoral, 2017, pp. 206 y ss. (https://repositorio.comillas.edu/rest/bitstreams/145656/retrieve).

[43]   CAPELLE-BLANCARD, G.: «Curbing the Growth of Stock Trading? Order-to-Trade Ratios and Financial Transaction Taxes», en *Working Paper- BAFFI CAREFIN Centre Research*, núm. 2015-6, p. 31.

refiere a la recaudación obtenida, sino, en lo que es también relevante, en el escaso éxito obtenido a la hora de que en los mercados financieros no se realicen prácticas de este tipo.

En cualquier caso, y como se ha indicado en páginas precedentes, en la UE existen diversos cuerpos normativos en el ámbito de la regulación de los mercados que han establecido disposiciones concretas y específicas con la finalidad de corregir y limitar determinadas prácticas negativas vinculadas a las transacciones mediante negociaciones de alta frecuencia, y que son aplicables en nuestro país.

Bibliografía

ALUBANKUDI, B. y TAPIA TORRES, M., «¿Qué sabemos de la negociación de alta frecuencia?», en *Bolsa. Revista mensual de Bolsas y Mercados Españoles*, 4 trimestre, 2014, pp. 48 a 52 (https://www.bolsasymercados.es/esp/Estudios-Publicaciones).

CAPELLE-BLANCARD, G., «The financial transaction tax: a really good idea», en *AMF-Scientific Advisory Board Review*, 2017.

CAPELLE-BLANCARD, G., «Curbing the Growth of Stock Trading? Order-to-Trade Ratios and Financial Transaction Taxes», en *Working Paper- BAFFI CAREFIN Centre Research*, núm. 2015-6.

CASTILLO ESPINOSA, A., *Impacto económico de un impuesto sobre transacciones financieras en los ciudadanos. Los casos de Francia e Italia*, Tesis Doctoral, 2017 (https://repositorio.comillas.edu/rest/bitstreams/145656/retrieve).

CHUNG, K. H., «High-frequency Trading: Review of the Literature and Regulatory Iniciatives around the World», en *Asian-Pacific Journal of Financial Studies*, núm. 45, 2016, pp. 7 a 33.

COLLIARD, J. E. y HOFFMANN, P., «Financial Transaction Taxes, Market Composition, and Liquidity», en *ECB Working Paper*, núm. 2030, 2017 (https://www.ecb.europa.eu/pub/research).

COURT DES COMPTES, *La taxe sur les transactions financières et sa gestion*, 2017 (https://www.ccomptes.fr/fr/publications/la-taxe-sur-les-transactions-financieres-et-sa-gestion).

DI WIESENHOFF, V. S. y EGORI, R., «2013 Italian Financial Transaction Tax», en *Derivatives and Financial Instruments*, March-April, 2013, pp. 48 a 63.

EUROPEAN MARKET AND SECURITIES AUTHORITY, *ESMA's technical advice on possible delegated acts concerning the Market Abuse Regulation*, 2015 (https://www.esma.europa.eu/document/esma%E2%80%99s-technical-advice-possible-delegated-acts-concerning-market-abuse-regulation).

EUROPEAN MARKET AND SECURITIES AUTHORITY, «High-frequency trading activity in EU equity markets», en *Esma Economic Report*, núm. 1, 2014 (https://www.esma.europa.eu/databases-library/esma-library/trends).

INTERNATIONAL MONETARY FUND, *Financial Sector Taxation: The IMF's Report to the G-20 and Background Material*, 2010 (https://www.imf.org/en/Research).

MINISTERO DELL'ECONOMIA E DELLE FINANZE, *Financial Transaction Tax. FAQ —High-frequency trading—*, 2013 (https://www.agenziaentrate.gov.it).

PÉREZ CARRILLO, E. F., «Negociación algorítmica de alta velocidad (High Frequency Trading), entre la innovación FINTECH, las estrategias y la búsqueda de una regulación adecuada», en *Revista de Derecho Bancario y Bursátil*, núm. 154, 2019 (BIB 2019\5301).

PARTE III. La deriva del Derecho Financiero y Tributario

Capítulo 22

La deriva del Derecho Financiero y Tributario[*]

Begoña Sesma Sánchez
Catedrática de Derecho Financiero y Tributario
Universidad de Oviedo

¿Hacia dónde *deriva*, entendida esta expresión como destino y no necesariamente desvío, el Derecho Financiero y Tributario en el ámbito de la relación jurídico tributaria, cada vez más dinámica y procedimental, más amplia y compleja? A riesgo cierto de simplificar mucho los trayectos futuros de este viaje, voy a referirme a ellos a modo de grandes titulares.

1º. El primero podría denominarlo el **ensanchamiento continuo, casi ilimitado, del ámbito subjetivo de la relación jurídica tributaria**. Es decir, el cada vez más amplio concepto de «obligado tributario». Basta pensar en las tres últimas categorías de sujetos que hemos de incorporar a este censo. Me refiero a *los delatores o soplones* (nuestro castellano es muy rico para tener que acudir al anglicismo que se ha popularizado), a los *intermediarios fiscales* y a los *«obligados tributarios interesados»* o afectados por esa intermediación fiscal, por utilizar la terminología recogida en el anteproyecto de Ley de transposición de la llamada Directiva DAC6 y del correspondiente proyecto de Decreto de modificación del Reglamento general de gestión e inspección hechos públicos el 20 de junio de 2019[1]. Estamos ante sujetos

---

[*] El presente trabajo recoge aproximadamente el texto de mi intervención en una mesa redonda dedicada a «La deriva del Derecho Financiero y Tributario» en la VI Reunión de Profesores de Derecho Financiero y Tributario, celebrada en Alicante el 18 de octubre de 2019. En la versión original constaban las referencias de agradecimiento y cortesía a los organizadores, singularmente a la dedicación y entusiasmo de la Profa. A. Navarro Faure en la organización de las Jornadas, así como el testimonio de mi sincero reconocimiento y afecto a la Profa. M. T. Soler Roch por su indudable contribución a nuestra disciplina, haciéndola más europea, más latinoamericana, más global y siempre proteccionista con los derechos y garantías de los obligados tributarios.

[1] *Vid.*, Anteproyecto de Ley de transposición de la Directiva (UE) 2018/822 del Consejo, de 25 de mayo de 2018, que modifica la Directiva 2011/16/ UE por lo que se refiere al intercambio automático de información en el ámbito de la fiscalidad en relación con los mecanismos transfronterizos sujetos a comunicación de información, así como el Proyecto de Real Decreto por el que se modifica el Reglamento General de las actuaciones y los procedimientos de gestión e inspección tributaria y de desarrollo de

que voluntariamente desean informar, en el caso de delatores, o que tienen la obligación de hacerlo, en el caso de intermediarios y «obligados tributarios interesados», a la Administración tributaria. Y lo hacen al margen de su condición de contribuyentes, sustitutos, responsables, sucesores, etc. y, por supuesto, con independencia de su personificación física o jurídica y de donde residan. Al amparo de esta obligación de información, que repercute directamente en otras relaciones tributarias ajenas, surge una relación jurídica de contenido formal que entraña derechos y obligaciones, y consiguientemente infracciones, sanciones o exenciones de responsabilidad. Al respecto y a mi juicio, como premisa inicial, debo señalar que la incapacidad de las Administraciones tributarias para resolver los problemas de la llamada fiscalidad agresiva en un contexto globalizado no puede solucionarse imponiendo obligaciones de información, previas y autónomas, referidas a un colectivo indeterminado de sujetos sobre operaciones igualmente indeterminadas y complejas. La lucha contra el fraude fiscal no puede hacerse, al menos no únicamente, a costa de «abusar» del concepto de «colaborador social» en la gestión de los tributos en un entorno económico y empresarial globalizado basado en el concepto de «denuncia».

Por citar algunos temas que están a debate en la actualidad me limitaré a señalar:

1º. Con relación a los delatores de ilícitos tributarios, que quizás no tardemos en ver en nuestro ordenamiento un sistema que pague y premie a los «chivatos» fiscales, como ya existe en otros de nuestro entorno. De momento, tras la aprobación el pasado 8 de octubre (2019) de la Directiva *Whistleblowing,* más conocida como DAC6, estamos en la fase de avanzar en la regulación del estatus del delator (sus garantías de protección laboral, de confidencialidad o la regulación del canal de denuncias) y, simultáneamente, de conciliar los efectos de estas denuncias con la articulación de sistemas de *compliance fiscal* recomendados a las empresas (esto es, con el

---

la normas comunes de los procedimientos de aplicación de los tributos, aprobado por el Real Decreto 1065/2017, de 27 de julio, hechos públicos. Esta regulación está íntimamente vinculada, por otra parte, a la Acción 12 del Proyecto sobre la Erosión de la Base Imponible y el Traslado de Beneficios (proyecto EBEPS), impulsado por el G20 y la OCDE, que señala un conjunto de acciones para combatir las prácticas de elusión fiscal a nivel internacional y, en ese contexto, prevé requerir a los contribuyentes en un sentido amplio que comuniquen sus mecanismos de planificación fiscal agresiva. Sobre el tema vid., por todos, S. MORENO GONZÁLEZ, «La Directiva sobre revelación de mecanismos transfronterizos de planificación fiscal agresiva y su transposición en España: transparencia, certeza jurídica y derechos fundamentales», *Nueva fiscalidad,* nº2, 2019, pp. 21 y ss.

diseño y aplicación de programas de prevención de ilícitos y /o delitos, que obliga a gestionar también el canal de denuncias[2]).

2°. Con relación a los «intermediarios» —que ya se clasifican en principales o secundarios, o de primer y segundo nivel, y que desde luego pueden ser varios y estar obligados a informar a distintas administraciones fiscales—, y al colectivo de «obligados tributarios interesados», esto es, cualquier persona que acuerde con un intermediario o gestione el mecanismo transfronterizo sujeto a comunicación de información, quedan muchas dudas por resolver. Al margen de las implicaciones notorias en el derecho a la no autoincriminación en el caso particular de los «obligados tributarios interesados» y del alcance del secreto profesional de los abogados que obligaría a deslindar cuando actúan realmente como «intermediarios» y cuando como «abogados»[3], se plantean muchos interrogantes vinculados al alcance del secreto profesional de otros profesionales como economistas y asesores fiscales, al orden de prelación de intermediarios y obligados tributarios interesados a los efectos de comunicar información, a las repercusiones del alcance de la información suministrada, al marco temporal de la obligación

---

[2]   La Asociación Española de Normalización (UNE), a través del Subcomité Técnico CTN 307 SC2 «*Compliance tributario*» ha redactado la **norma UNE 19602:2019**, «Sistemas de Gestión de Compliance Tributario. Requisitos con orientación para su uso» como un recopilatorio estándar de prácticas y normas de funcionamiento de carácter voluntario por parte de las empresas a los efectos de prevenir y gestionar sus riesgos tributarios.

[3]   Como ha señalado el Informe del Consejo General del Poder Judicial, de 29 de septiembre de 2019, «El texto del anteproyecto no permite determinar con claridad si la actuación de un abogado que presta asesoramiento jurídico en relación con un mecanismo transfronterizo debe ser subsumida en el concepto de intermediario, y por tanto obligado a declarar, o no, por razón de su secreto profesional. El punto clave es distinguir entre el asesoramiento para diseñar, organizar, poner a disposición o comercializar un mecanismo de planificación fiscal, lo que podría denominarse "asesoramiento participativo", y el asesoramiento estrictamente jurídico que tiene por objeto determinar la posición jurídica de un determinado mecanismo, evaluando su encaje en las normas de aplicación y las consecuencias jurídicas que se derivan del mismo; un asesoramiento que podría denominarse "asesoramiento neutral". Ciertamente la distinción es lábil y probablemente difícil en la práctica, pero conceptualmente la diferencia entre ambos tipos de asesoramiento es posible y permite que el profesional de la abogacía en el marco de sus funciones propias (art. 542.1 LOPJ) pueda legítimamente invocar su secreto profesional, quedando exonerado de la obligación de declarar». El citado Informe contiene sendos votos particulares coincidentes cuestionando, entre otros motivos, el ajuste formal de esta reforma a través de una Ley ordinaria como la LGT y su correspondiente desarrollo reglamentario teniendo en cuenta la afectación de la regulación al secreto profesional de los abogados regulado en el contexto y de la LOPJ y ello con relación, además, al desarrollo del derecho fundamental a la tutela judicial efectiva.

de información, a las listas blancas y negras de mecanismos…, un sinfín de inseguridades jurídicas que choca abiertamente con la pretensión de un régimen sancionador como «amenaza» para asegurar el cumplimiento de estas obligaciones. De momento, mi primera impresión es que la Administración española ha precipitado rápidamente esta regulación, asumiendo el máximo contenido de la Directiva. Sin embargo, considero que si queremos avanzar en el marco de una relación jurídico tributaria más cooperativa y menos enfrentada, sería razonable exigir a la Administración ciertas contrapartidas y, entre ellas, desde luego, una regulación proporcionada y mínimamente garantista con los diversos derechos e intereses en juego y un régimen transitorio sin sanciones en tanto se definen la multitud de conceptos indeterminados que trae consigo la transposición de esta Directiva.

Por otra parte, el ensanchamiento de la parte subjetiva de la relación jurídico tributaria nos obliga a incorporar en la actualidad decididamente a los «asesores fiscales», no ya tanto desde la perspectiva de obligados a informar, como de su participación en el cumplimiento correcto de las obligaciones tributarias de sus clientes. Sin duda alguna, estamos hoy ante una clara «actividad profesional de riesgo», como lo es también ser administrador o liquidador, porque cada vez con más frecuencia se les imputa responsabilidad tributaria y no solo administrativa sino penal. Sorprendentemente, carecemos aún de una adecuada regulación normativa de su estatus jurídico profesional.

A lo anterior hay que añadir que, si la Administración tributaria dispone de cada vez más «blancos» o sujetos a los que *disparar* o dirigir sus pretensiones de colaboración o pago en el entorno de una misma relación jurídico tributaria, habrá que establecer necesariamente un orden y límite a los «disparos» ¿o debemos asumir sin cuestionar que la AEAT pueda dirigirse, simultáneamente, contra el liquidador de una empresa, contra el responsable solidario de ésta, contra su asesor fiscal, contra el administrador y contra el socio o su sucesor? El principio de subsidiariedad, el de proporcionalidad e incluso el de prohibición del enriquecimiento injusto habrán de actuar como límites a estas «ráfagas» y «encadenamientos» que pueda practicar la Administración para ejercer, ciertamente, su legítima pretensión de hacer efectiva por todos los medios la deuda tributaria pero que, indudablemente, implican una compleja relación intersubjetiva en cadena entre una amplia heterogeneidad de obligados tributarios.

2º. En segundo lugar, más pronto que tarde habremos de **incorporar una regulación específica de las herramientas de predicción, de los algoritmos, los robots o las máquinas** que acabarán sustituyendo desde la decisión personal y actualmente humana de elegir al sujeto a inspeccionar, a la detección de áreas, operaciones y bolsas de fraude, a la práctica absolutamente informatizada de las liquidaciones tributarias, al cálculo del valor real de inmuebles u operaciones atendidas diversas variables o, en fin, a la forma de tributación de los beneficios de quienes no solo comercian, negocian y pagan con criptomonedas o gestionan aplicaciones informáticas desde cualquier lugar del mundo y a quienes aplicando técnicas de jurimetría pueden invertir y pronosticar el porcentaje de éxito de los conflictos tributarios[4]. La **Inteligencia Artificial (IA)** está ahí, ya es una realidad y la AEAT ya ha comenzado a usarla, de momento, huérfana de una adecuada regulación normativa de la que carece también en el ámbito del más amplio derecho público[5]. La ha empleado, por ejemplo, para desarrollar un asistente virtual (herramienta de ayuda basada en la tecnología IBM Watson) para resolver las dudas de los departamentos contables y financieros de las empresas respecto del nuevo SII (Sistema de Intercambio Inmediato de información en el ámbito del IVA), lo que significa que es ese asistente virtual (y no un funcionario de Hacienda) quien resuelve las dudas (auténtica conversación) que puede generar la aplicación de este sistema, 24 horas al día, siete días a la semana, lo que ha provocado una reducción muy significativa del número de mails y llamadas dirigidas al Departamento de gestión de la AEAT. Y si dicho asistente empezó atendiendo únicamente dudas sobre 4 áreas (importaciones, exportaciones, plazos de presentación y requisitos) ahora ya cubre el 100% de las áreas y es capaz de derivar a un especialista ante situaciones especialmente complejas. La AEAT está trabajando actualmente también en otros asistentes virtuales en el contexto del IVA («AVIVA», Asistente Virtual del IVA) en diversos ámbitos: calculadora del plazo de remisión de

---

4 A título de ejemplo, sobre el uso de algoritmos en la práctica judicial y la publicidad o no de los mismos, *vid.*, J. NIEVA FENOLL, *Inteligencia artificial y proceso judicial*, Marcial Pons, Madrid, 2018 y S. DE LA SIERRA, «Inteligencia artificial y justicia administrativa: una aproximación desde la teoría del control de la Administración pública», *Revista General de Derecho Administrativo*, nº 53, enero 2020.

5 Recientemente se ha dado noticia de los avances en la aprobación de la Estrategia Nacional de Inteligencia Artificial (http://www.ciencia.gob.es/stfls/MICINN/Ciencia/Ficheros/Estrategia_Inteligencia_Artificial_IDI.pdf). Los objetivos principales de la Estrategia se centran en estas áreas: ética, género y desarrollo normativo; formación; existencia de fuentes de datos fiables y de calidad; impulso industrial por medio de la IA y desarrollo y aplicación de las tecnologías de la IA en áreas estratégicas de la sociedad y las Administraciones Públicas. El diseño y contenido de esta estrategia se realiza a través de 3 órganos: la CDGPCTI (Comisión Delegada del Gobierno de Política Científica, Tecnológica y de Innovación), el Consejo Nacional para la IA y el Comité Nacional de Ética de la IA (para cuidar los aspectos éticos y proteger a los ciudadanos de los desafíos de las nuevas aplicaciones).

las operaciones, localizador de las operaciones, elaboración de declaraciones censales, suministro de información a los sujetos pasivos no acogidos al SII de la información obtenida por otros operadores a través de este sistema, sistema de avisos de datos fiscales (internacional y arrendamientos) … De hecho, dentro de las líneas generales del Plan estratégico de la AEAT recientemente publicitadas, se trabaja en la creación de «Administraciones de asistencia Digital Integral» (ADI), centros de atención «virtuales» gestionados por medios electrónicos y telefónicos no solo en el ámbito del IVA o de las declaraciones censales, sino también en las áreas de recaudación[6].

A partir de estos ejemplos, es una realidad inminente la posibilidad de diseñar algoritmos que permitan identificar al presunto infractor fiscal, el cálculo virtual de nuestras declaraciones porque ha sido determinado por un «robot humanoide», la presunción de veracidad máxima de valores, rentas y derechos a partir de la interrelación de diversos datos, la automatización de los actos administrativos de liquidación o, en fin, en la no necesidad de presentar declaraciones porque todas, absolutamente todas, nuestras rentas y flujos monetarios estarán verificados. A este respecto, como han puesto de manifiesto ya en otras áreas del derecho, urge establecer normativamente pautas de utilización de la IA por parte de la Administración tributaria que aseguren, entre otras muchas exigencias, la transparencia y uso de los sistemas automatizados que están siendo empleados porque no es lo mismo una «Administración asistida por algoritmos que una administración impartida por la inteligencia artificial» siendo especialmente relevante además la protección de los datos que utilicen estas herramientas y la interoperabilidad y coordinación entre los distintos operadores públicos que las emplean[7].

---

[6] *Vid.*, Nota de prensa de la Moncloa de 24 de octubre de 2019, https://www.lamoncloa. gob.es/serviciosdeprensa/notasprensa/hacienda/Paginas/2019/241019_planestrategico. aspx.

[7] *Vid.*, Declaración final de la Red de Derecho Administrativo e Inteligencia Artificial (DAIA) tras su II Seminario Internacional «Datos e inteligencia artificial en el sector público: la importancia de las garantías jurídicas» celebrado en la Facultad de Derecho de la Universitat de València en octubre de 2019 disponible a través del link http:// laadministracionaldia.inap.es/noticia.asp?id=1510059. Sobre el tema *vid.*, entre otras varias aportaciones más específicas, el número monográfico de la Revista General de Derecho Administrativo, núm. 50, «Derecho público, derechos y transparencia ante el uso de algoritmos, inteligencia artificial y big data», coordinado por A. BOIX PALOP y L. COTINO HUESO y J. SOLAR CAYÓN, *La inteligencia artificial jurídica. El impacto de la innovación tecnológica en la práctica del derecho y el mercado de servicios jurídicos*, Thomson Reuters Aranzadi, Pamplona, 2019.

3°. Mi tercera reflexión sobre la deriva de nuestra disciplina, desde la perspectiva de la relación jurídico tributaria, se vincula con la reciente moda de vestir este complejo mundo de obligaciones y derechos de un ideal de «buenismo o bondad». Estamos en la ola de la «**buena administración**» si lo analizamos desde la perspectiva de la Administración o de las «**buenas prácticas tributarias**» y el «**compliance fiscal**» si lo hacemos desde la perspectiva de los obligados tributarios. Se trata en todo caso de «ser bueno» fiscalmente hablando, de no prejuzgar, de confiar, de colaborar, de facilitar el cumplimiento de las obligaciones tributarias, de llegar a acuerdos, de promover un cumplimiento voluntario y bienintencionado de las respectivas obligaciones en el contexto general de una apuesta por la reducción de la litigiosidad y conflictividad fiscal[8].

Esta apelación a la «bondad» se enmarca, en primer lugar, en la demanda internacional y europea de una relación jurídico tributaria cooperativa reclamada por la OCDE y presente en un *Código de contribuyente europeo*, aún en formación y no vinculante[9]. Es una filosofía de relaciones que está presente también en el ámbito de la cooperación entre administraciones tributarias de distintos países sobre todo para prevenir el fraude fiscal. A estos efectos, las acciones BEPS, FATCA, los procedimientos amistosos (MAPs) e iniciativas similares son un buen ejemplo de esta filosofía. Se trata de promover una relación no enfrentada ni antagónica entre Administraciones tributarias y obligados tributarios, sino basada en la buena fe y confianza recíproca, entre la Administración, los obligados tributarios y también los intermediarios fiscales, así como en un incremento de la seguridad jurídica del marco fiscal, apostando por un respeto de los criterios interpretativos de las normas y prácticas en favor de una aplicación uniforme, clara y vinculante. Hay excelentes aportaciones sobre este enfoque cooperativo de la relación jurídico tributaria que personalmente comparto[10] y que abarca

---

8   Al respecto *vid.*, las diversas ponencias recogidas VII Encuentro de Derecho Financiero y Tributario «Una estrategia global al servicio de la reducción de la conflictividad en materia tributaria», promovido por el IEF y celebrado en Madrid los días 10 y 11 de abril de 2019 que pueden consultarse en la web de esta institución.

9   *Vid.*, el documento *Orientaciones para un modelo de Código del contribuyente europeo*, que recogen los principales derechos y obligaciones que regulan las relaciones entre los contribuyentes y las administraciones tributarias en Europea y que puede consultarse en https://ec.europa.eu/taxation_customs/sites/taxation/files/guidelines_for_a_model_for_a_european_taxpayers_code_es.pdf.

10   Entre ellas, las aportaciones de J. A. ROZAS VALDÉS, *Los sistemas de relaciones cooperativas: una perspectiva de derecho comparado desde el sistema tributario español*, Documentos - Instituto de Estudios Fiscales, ISSN 1578-0244, N°. 6, 2016, pp. 1-102 y C. GARCÍA NOVOA, «Hacia un nuevo modelo de aplicación de los tributos (Reflexio-

múltiples ámbitos pero me quiero detener en el que guarda relación con el entorno procedimental de la regulación jurídico tributaria. Y es que, según mi criterio, es necesaria una reforma urgente y profunda tendente a simplificar el entramado procedimental que actualmente caracteriza la aplicación de los tributos y que constituye, como es sabido, una constante fuente de conflictividad tributaria. Si la relación jurídico tributaria actual en nuestro sistema es compleja y conflictiva lo es, principalmente y en gran medida, por la caótica regulación de los procedimientos de aplicación de los tributos que lejos de aportar garantías de seguridad jurídica, motivación suficiente y adecuada de los actos y proteger los derechos de los contribuyentes, provocan todo lo contrario. En el diseño de la caótica regulación los procedimientos tributarios está en gran medida la erosión de los principios que conforman ese ideal de una buena administración y la dificultad de aproximarnos a un entorno colaborativo o cooperativo. La Administración tributaria —que actúa de prelegislador en nuestra materia—, no puede elegir discrecionalmente el procedimiento de aplicación de los tributos, ni puede tergiversar con diversas interpretaciones los plazos de cómputo del procedimiento de inspección, ni puede «abusar» de la adopción de todo tipo medidas cautelares cuando la deuda no está ni siquiera liquidada, ni puede ejecutar sin resolver antes solicitudes de aplazamiento, fraccionamiento, suspensión o compensación y en fin, no puede desvincularse de sus actos propios y de la confianza legítima que su actuación o sus criterios han generado en el contribuyente. La «buena administración» comienza también por una correcta aplicación del marco procedimental y de las prerrogativas administrativas. Por ello, en una verificación de datos no se pueden comprobar valores, y en una comprobación limitada no debería pretenderse la regularización de bases imponibles; a resultas de una inspección no se puede, sin amparo legal, dar traslado al ministerio fiscal de los indicios de un delito[11]; una LVD (liquidación vinculada a delito) debe ser revisable en su orden jurisdiccional natural, el contencioso administrativo y no puede ser el vehículo torticera-

---

nes sobre el cumplimiento cooperativo)», *Revista Española de Derecho Financiero*, nº 183, 2019.

11   La STS núm. 1246/2019, de 25 de septiembre, ha estimado parcialmente el recurso que había planteado la AEDAF contra el artículo 197.bis apartado 2 del RGGI, precepto reglamentario que permitía que se pudiera producir la remisión del tanto de culpa por parte del inspector actuario al Ministerio Fiscal o al juez competente no solo durante las actuaciones inspectoras, sino también después de haberse emitido una liquidación tributaria e, incluso, tras la apertura o habiendo concluido un expediente sancionador. El TS ha declarado la ilegalidad de esta norma por carecer de habilitación legal suficiente en la LGT y afectar, entre otros principios, al de «non bis in idem».

mente empleado por la Administración para esconder las irregularidades del procedimiento; una liquidación anulada, sea por causa de nulidad o anulabilidad, no puede producir como efecto la interrupción de la prescripción de modo que la retroacción de actuaciones debe interpretarse *a la baja* en favor de la seguridad jurídica y la estabilidad del sistema porque no se puede premiar a quien ha dictado un acto inválido con la posibilidad de volver a dictar otro, máxime cuando hablamos de potestades de gravamen —y las tributarias lo son— que han implicado ya una regularización inquisitiva y la práctica de actuaciones de comprobación; en fin, una de las «derivas» de nuestra disciplina debiera empezar, en mi opinión, por una simplificación de los procedimientos y simultáneamente con una práctica proporcionada y eficaz de los mismos, lejos de torticeras trampas procedimentales que juegan casi siempre a favor de la Administración y generan una indudable litigiosidad fiscal. Y llegados a la vía contenciosa también sería oportuno reflexionar sobre la «plenitud jursidiccional», esto es, la plena facultad del órgano jurisdiccional de resolver todas las cuestiones que se planteen al conocer el asunto. ¿Porqué no se acude, por ejemplo, a un perito judicial para resolver un problema de comprobación de valores en vez de anular la liquidación por falta de motivación habilitando con ello un nuevo intento? ¿Porqué no se brinda la posibilidad de una conciliación judicial para resolver la controversia con relación a un acto tributario insuficientemente motivado en vez de habilitar la retroacción del procedimiento para volver a dictar un acto con el mismo contenido de fondo? ¿Porqué en fase de ejecución no se aclara definitivamente la regularización íntegra de un entramado de obligaciones tributarias conexas?

Desde la perspectiva de la Administración, ese ideal utópico de «buena administración tributaria» que podríamos identificar con un conjunto de derechos procedimentales, presenta algunas evidencias que interesa destacar:

1ª. Tiene rango de derecho fundamental «europeo», porque con esta denominación aparece en la Carta Europea de Derechos Fundamentales, cuyo artículo 41 señala que «(1) Toda persona tiene derecho a que las instituciones, órganos y organismos de la Unión traten sus asuntos imparcial y equitativamente y dentro de un plazo razonable» y que dicho derecho incluye, en particular: «a) El derecho de toda persona a ser oída antes de que se tome en contra suya una medida individual que le afecte desfavorablemente. b) El derecho de toda persona a acceder al expediente que le concierna, dentro del respeto a los intereses legítimos de la confidencialidad y del secreto profesional y comercial. c) La obligación que incumbe a la Administración de motivar sus decisiones».

2ª. No obstante, en mi opinión, no hace falta seguramente en muchos casos la invocación de dicho precepto porque esos contenidos «europeos» del principio de buena administración están ya implícitos en el art. 103 de nuestra CE cuando prescribe que «La Administración Pública sirve con objetividad los intereses generales y actúa de acuerdo con los principios de eficacia, jerarquía, descentralización, desconcentración y coordinación, con sometimiento pleno a la ley y al Derecho» así como en el artículo 9.3 cuando se refrenda la interdicción de la arbitrariedad de los poderes públicos y la seguridad jurídica y en al artículo 24 CE cuando garantiza los derechos de defensa de los obligados tributarios; todos ellos protegidos, además, por el control jurisdiccional de la actividad administrativa que establece el artículo el art. 106 CE. La propia Ley 40/2015, de Régimen Jurídico del Sector Público, compendia en su artículo 3.1 varios de los parámetros de lo constituye una buena administración.

3º. De entre ellos, en nuestra *materia imponible,* resultan especialmente relevantes las exigencias que guardan relación con la motivación de los actos administrativos desde la perspectiva del pleno respeto al derecho de defensa de los obligados tributarios[12] así como la de que los procedimientos administrativos no se prolonguen *sine die* y se resuelvan en un plazo razonable. Ambas conectan con un tema muy *querido* por mi, el que analiza las causas de invalidez de las liquidaciones tributarias, las posibilidades de retroacción de actuaciones y los efectos de la anulación porque a día de hoy seguimos sin resolver adecuadamente el problema desde la perspectiva de una buena administración y, simplificando mucho las miles de cuestiones que se plantean, creo que contradice abiertamente la perspectiva de una buena administración aceptar que un acto inválido, sea por causa de nulidad o anulabilidad, o la reclamación o recurso dirigido a obtener esa invalidez, interrumpe la prescripción de la potestad administrativa (de gravamen) para liquidar… de nuevo[13].

---

[12]   STJUE de 16 de enero de 2019, UPS vs Comisión. El TJUE señala que UPS podía haberse defendido más eficazmente si antes de la adopción de la Decisión controvertida hubiera dispuesto del análisis econométrico elegido por la Comisión para negar una operación de concentración empresarial. Es decir que el derecho de defensa se violenta, no solo cuando opera la indefensión absoluta, sino cuando, a pesar de que el acto hubiera sido finalmente el mismo, se produce una pérdida apreciable de posibilidades reales de defensa.

[13]   *Vid.,* SESMA SÁNCHEZ, «La interrupción de la prescripción tributaria por liquidaciones nulas o anulables: una jurisprudencia contradictoria», *Quincena fiscal,* nº 5, 2017, pp. 125 y ss.

4º. En la actualidad, este principio o concepto de «buena administración» está siendo invocado y empleado como argumento de refuerzo junto a otros por la jurisprudencia, en particular por el TS, para resolver casos de especial relevancia en el ámbito procedimental tributario en los que el régimen legal en el que se ejercita las potestades administrativas contraviene, de facto, ese ideal de «buena administración». Son muchos los ejemplos de esta nueva jurisprudencia. Entre los últimos pronunciamientos, los que resuelven estas cuestiones:

- La posibilidad de utilizar la impugnación ordinaria de las liquidaciones del IBI (no así en el caso de que fueran firmes) cuando concurre la invalidez sobrevenida del valor catastral en situaciones excepcionales[14].

- La posibilidad de alegar y aportar pruebas en la vía económico administrativa que no se pudieron aportar durante la tramitación del expediente, salvo que el comportamiento del interesado resultara contrario a la buena fe o abusivo (STS 1632/2018, de 10 de septiembre).

- La necesidad de comprobar individualizadamente los valores, descartando la aplicación automática de coeficientes sobre valores catastrales (STS 842/2018, de 23 de mayo), así como la imposibilidad de comprobar los valores cuando el obligado tributario ha utilizado, sin embargo, este sistema de coeficientes (STS 817/2018, de 21 de mayo).

- La duración máxima del procedimiento de gestión cuando se ordena la retroacción de actuaciones (STS 1652/2017, de 31 de octubre).

- La demora en la ejecución de resoluciones económico administrativas cuando ordenan la retroacción de actuaciones, a los efectos de apreciar si existe o no una dilación desproporcionada o negligente en el retraso (STS 1853/2019, de 18 de diciembre).

- Los límites a la reiteración de actos de liquidación anulados, en el sentido de aclarar, en palabras del TS si, en supuestos en que la Administración tributaria haya dictado una segunda liquidación tributaria respecto de un mismo tributo por haber sido anulada la primera liqui-

---

[14] *Vid.*, en particular, SSTS de 19 de febrero de 2019 (rec. 128/2016), de 4 de marzo de 2017 (rec. 11/2017), de 5 de marzo de 2019 (rec. 4628/2017, rec. 1431/2017 y rec. 4520/2017), de 20 de marzo de 2019 (rec. 3209/2017), de 2 de abril de 2019 (rec. 2154/2017), 7 de mayo de 2019 (rec. 4570/2017), de 14 de mayo de 2019 (rec. 3457/2017) y de 25 de junio de 2019 (rec. 2357/2017). Sobre esta jurisprudencia nos hemos ocupado recientemente, *vid.*, B. SESMA SÁNCHEZ, «La invalidez sobrevenida del IBI: causas y alternativas de revisión», *Quincena Fiscal*, nº 1-2, 2020, pp. 17 y ss.

dación, si es posible dictar una tercera liquidación tributaria cuando se invoque por el contribuyente en la segunda y sucesivas liquidaciones un motivo de nulidad o anulabilidad diferente al anteriormente dirimido y que ocasionó la anulación de una liquidación previa, en tanto no incurra la Administración en idéntico yerro; o si, por el contrario, tal conducta podría ser contraria a los principios de buena fe y seguridad jurídica a los que se encuentra obligada la Administración conforme a normativa legal y constitucional, así como el de buena administración, que impediría repetir una y otra vez la posibilidad de liquidar deudas anuladas en procedimientos revisorios (AATS de 20 de junio de 2019, recurso 8095/2018 y recurso 80/2019).

— La coordinación entre Administraciones cuando convergen varias en la gestión de un tributo como sucede en el caso del IAE, ámbito en el que el TS se ha planteado la cuestión de determinar si la facultad de liquidar el IAE, atribuida a un ayuntamiento, comprende la potestad de modificar de oficio la matrícula del impuesto, al constatarse en el ejercicio de la función de inspección que tiene delegada por la Administración estatal que el contribuyente no se encuentra correctamente encuadrado en el epígrafe que le corresponde; o, por el contrario, se exige que el ayuntamiento notifique a la Administración del Estado y ésta lleve a cabo el cambio de la matrícula con carácter previo a que se pueda girar nueva liquidación (ATS 6636/2019, de 13 de junio de 2019, rec. 374/2019).

— La interrelación de procedimientos tributarios que arroja cuestiones controvertidas por ejemplo, entre los procedimientos de inspección y sancionador a los efectos de determinar si cabe la iniciación de éste cuando no ha concluido la de aquel (AATS 7973/2019, de 9 de julio, rec. 1479/2019 y 9029/2019, de 19 de septiembre, rec. 2314/2019) o la sucesión de procedimientos de comprobación limitada sobre la misma obligación tributaria (ATS 7633/2019, de 20 de junio, rec. 1477/2019).

— La intercambiabilidad (o no) de las cláusulas generales antiabuso de los artículos 13, 15 y 16 de la LGT (ATS de 12 de junio de 2018, rec. 1432/2018).

5°. El mismo principio está siendo explorado también por la Administración tributaria para avanzar en pro de una relación cooperativa con los obligados tributarios y los colaboradores sociales. En este sentido, la AEAT está avanzando en dos líneas:

A) La potenciación de medidas preventivas o simultáneas a la presentación de las autoliquidaciones: este es el contexto por ejemplo de la Directiva de intermediarios, antes citada. Y en la misma línea se enmarca la potenciación de los acuerdos previos en sus diversas modalidades (APAS, *rullings,* actas con acuerdo…) o la publicación de criterios interpretativos de operaciones fiscalmente controvertidas como ha sucedido con la publicación del *Informe de la Comisión consultiva sobre conflicto en la aplicación de la norma,* nº 1 (septiembre 2018) referido a la tributación de los gastos financieros de financiación intragrupo.

B) Iniciativas recientes definidas en el Foro de Asociaciones y Colegios Profesionales Tributarios (replicando el modelo del Foro de grandes empresas de 2009) que en julio de este año (2019) han elaborado sendos *Códigos de Buenas Prácticas Tributarias*, uno dirigido a los profesionales tributarios y otro dirigido a los representantes de los profesionales tributarios[15] que, sin embargo, no ha contado con la adhesión de una de las Asociaciones más representativas como es la Asociación Española de Asesores Fiscales quien ha considerado que el texto presentado era mejorable. Actualmente la AEAT trabaja en la elaboración de códigos similares con las organizaciones representativas de las pymes y autónomos. Aquellos Códigos, típicos ejemplos de *soft law*, están abiertos a la adhesión voluntaria y articulan como compromiso, entre otros: por parte de las asociaciones, colegios e intermediarios, la aprobación de un código deontológico para el ejercicio de la asesoría fiscal, accesible en la web, el compromiso de informar de las irregularidades que detecten en su actividad profesional bien sea genéricamente a la Administración (caso de colegios y asociaciones) bien sea a éstas (caso de profesionales/intermediarios), asumiendo incluso la obligación de aportar prueba documental de ellas así como asumir un decálogo de prácticas prohibidas (por ejemplo, llevar doble contabilidad, software de doble uso, pagos en efectivo por encima de ciertos importes, operaciones de deslocalización fiscal ficticias, estrategias fiscales de elusión en paraíso fiscales o territorios no cooperantes…); por parte de la AEAT, los compromisos que asume en tales Códigos pasan, como hitos más destacables, por habilitar un canal específico de comunicación en su web, por la publicación de criterios de aplicación de los tributos, por singularizar y personalizar la atención a los intermediarios, por agilizar los procedimientos que les afecten o por facilitar cuanto antes el conocimiento de hechos susceptibles de una regularización fiscal para que puedan desplegar su actividad probatoria

---

[15]   Ambos Códigos pueden consultarse en la web de la AEAT, https://www.agenciatributaria.gob.es/AEAT.sede/procedimientoini/ZC01.shtml.

cuanto antes. Además, previo consentimiento expreso, la AEAT puede hacer público el *sello de calidad* de buen colegio, asociación o buen profesional/intermediario, incluso al amparo de la creación de un logo específico que permita su identificación lo cual, si bien puede contribuir a mejorar la imagen profesional de los profesionales o sus asociaciones representativas, constituye un atractivo cuestionable para formalizar la adhesión dados los compromisos que, en orden a un adecuado ejercicio profesional libre implica. Una vez elaborados los códigos resta por definir el tratamiento a dar a los casos de incumplimiento e inobservancia de estos compromisos o los efectos que arroje la adhesión o falta de ella a los mismos.

En esta línea, la AEAT también está trabajando en nuevo grupo para favorecer la certeza jurídica incrementando las resoluciones interpretativas o aclaratorias de nuevas normas tributarias explorando vías de acuerdo en sede económico administrativa e incluso contenciosa, fomentando el debate de cuestiones polémicas, premiando los sistemas de *compliance* tributario y también diseñando una línea que tiene especial relevancia, a mi juicio, como es definir un concepto de «Sujeto Pasivo Certificado» (SPC) a nivel europeo, especialmente a efectos del IVA. Es decir, bautizar a un obligado tributario como un operador fiscal «fiable», similar a la figura del operador económico autorizado (OEA), con un historial tributario impecable (de buen cumplimiento), lo que significa, por ejemplo, acreditar no haber sido sancionado por infracción grave o reiterada de la legislación aduanera, demostrar un alto conocimiento de las operaciones o probar una adecuada solvencia financiera. Hasta la fecha, los obligados tributarios incumplidores solamente quedan expuestos a la condición de «morosos» al amparo de lo previsto en el artículo 95.bis de la LGT pero estas nuevas iniciativas de categorización de los obligados tributarios y de los colaboradores sociales entre buenos y malos precisan, a mi juicio, de una imprescindible cobertura legal máxime si la pertenencia a una u otra categoría arroja consecuencias jurídicas relevantes como lo son, por ejemplo, la preferencia en la resolución de los expedientes que les afecten o la minoración automática de las sanciones que puedan imponerse.

Por otro lado, estas loables iniciativas de la AEAT deben traducirse en modificaciones de la normativa tributaria que reflejen esta misma filosofía cooperativa porque no puede predicarse una «buena administración» tributaria mientras las normas tributarias (principalmente LGT y reglamentos de desarrollo) permanecen invariables y solamente se reforman para incrementar obligaciones y deberes de información de los obligados tributarios, complicar el marco procedimental de las potestades de aplicación de los tributos o potenciar privilegios o prerrogativas de la Administración.

6º. En el plano revisor de la relación jurídico tributaria, sea en vía administrativa o en sede jurisdiccional, dadas las dificultades de diversa índole para apostar por un arbitraje tributario en nuestro sistema al menos en lo que afecta a obligaciones tributarias «nacionales», la mejora la relación cooperativa pasa, en síntesis, a mi juicio, por potenciar estas iniciativas:

– Simplificar la vía económico administrativa (desde el punto de vista procedimental pero también desde la perspectiva de la tipología de reclamaciones y recursos que actualmente existen) y articular mecanismos que permitan la conciliación o mediación para la resolución de los conflictos, especialmente en los supuestos de concurrencia de «obligaciones tributarias conexas» donde la regularización completa demanda necesariamente conjugar los procedimientos de aplicación de los tributos con la ejecución de resoluciones.

– En sede jurisdiccional, al igual que ha sucedido en otros ámbitos como el civil y mercantil, como se apuntó anteriormente, hay margen también para potenciar diversas medidas de conciliación judicial y mejorar la ejecución de los fallos judiciales.

7º. Un último aspecto del amplio concepto de «buena administración» también precisa, sin duda alguna y en mi criterio, de la llamada «better regulation», iniciativa que, a nivel europeo se relaciona con el Acuerdo Interinstitucional «Legislar mejor» de la Comisión, Parlamento y Consejo de 15 de diciembre de 2015, donde se invocan los principios de planificación, participación y evaluación de impacto normativo que bien podrían servir, en nuestro país, no solo para reducir y simplificar el número de normas tributarias, sino para aprobar las estrictamente necesarias, teniendo en cuenta que éstas deben ser proporcionadas a sus objetivos y ser claras, eficientes, accesibles (simples) y transparentes. Asimismo, el objetivo de mejorar el marco regulatorio debe servir para orientar la actuación del prelegislador tributario porque hasta hoy, salvo contadas excepciones, muchas reformas tributarias legales y, sobre todo, disposiciones reglamentarias han sido gestadas y elaboradas casi en exclusiva por la Administración tributaria, poco proclive a incorporar modificaciones en sus textos. Muchas normas tributarias, como sucede con las ordenanzas fiscales, arrojan además importantes problemas de seguridad jurídica y de validez que no siempre son interpretados del mismo por los órganos jurisdiccionales con ocasión de su revisión[16], lo que en nada contribuye a la *certeza del Derecho*. A este respecto

---

[16] A título de ejemplo, puede citarse la cuestión casacional admitida por el TS en el ATS 8392/2019, de 18 de julio de 2019.

sería deseable, y la Red de Profesores de Derecho Financiero y Tributario podría jugar un papel relevante en este ámbito, una mayor participación de los académicos, profesionales y sujetos afectados en los trámites de información y audiencia pública presentes en la elaboración de normas fiscales contribuyendo a conciliar los intereses (contrapuestos en muchas ocasiones) en juego y a la seguridad jurídica que tan necesaria resulta en nuestro ordenamiento tributario.

Capítulo 23
Derivas del Derecho Tributario

Jacques Malherbe
Profesor emérito de la Universidad Católica de Lovaina
Abogado (Simont Braun, Bruselas)
jacques.malherbe@simontbraun.eu

SUMARIO: 1. INTERCAMBIO DE INFORMACIONES. 2. USO DE INFORMACIÓN OBTENIDA ILEGALMENTE. 3. PROCEDIMIENTO AMISTOSO Y ARBITRAJE. 4. REVELACIÓN OBLIGATORIA DE LOS MECANISMOS TRANSFRONTERIZOS SOBRE LOS QUE SE DEBE INFORMAR. 4.1. Privilegio profesional. 4.2. Retroactividad. 4.3. Compatibilidad con el TFUE. 4.4. Libertades. 4.5. Carta de derechos fundamentales.

Entre los numerosos trabajos de la profesora María Teresa Soler Roch figuran importantes estudios sobre el abuso de derecho. Ella considera «que el riesgo de vulnerar los derechos y garantías de los contribuyentes puede ser el talón de Aquiles de las normas antiabuso y si ello fuera así podríamos asistir en el futuro al hundimiento del BEPS por el tropiezo con el iceberg en defensa del contribuyente»[1].

Si bien el abuso de derecho puede considerarse como derivas del contribuyente respecto a la ley, es interesante averiguar si en las evoluciones legislativas recientes no se rompió el equilibrio entre poder estatal y derechos del administrado. A continuación, pasamos a examinar los temas más sobresalientes.

1. INTERCAMBIO DE INFORMACIONES

Desde FATCA (siglas en inglés para la Ley de cumplimiento tributario de cuentas extranjeras) como así también desde varias actuaciones, tales como el Convenio multilateral modificado sobre intercambio de informa-

---

[1] Relatoría general, Tema 2, Las cláusulas antiabuso específicas y los convenios de doble imposición, Memorias de las XXVII Jornadas Latinoamericanas de Derecho Tributario, Tomo II, Lima, 2014, Instituto Peruano de Derecho Tributario, p. 119.

ciones (Common Reporting Standard-CRS), las directivas europeas sobre asistencia administrativa (DAC del 2 al 6) y el Instrumento multilateral de la OCDE, la transmisión del suministro interestatal de informaciones se ha multiplicado. El procedimiento amigable y el arbitraje tributario se han generalizado debido al incremento previsible de litigios pero a pesar de estos cambios, los derechos del contribuyente no se tienen en cuenta.

En Sabou[2], el Tribunal de Justicia de la Unión Europea (TJUE) estimó que la Directiva 77/799/CEE de 1977 sobre asistencia mutua, no otorgaba al contribuyente el derecho de ser informado de una petición de asistencia de su Estado Miembro (EM) a otro EM, puesto que el derecho de defensa no se aplica en la fase de investigación, con el resultado que el contribuyente no puede hacer una crítica de la información transmitida.

En cuanto al derecho nacional, el mismo no reconoce en esos casos ningún derecho al contribuyente, lo reconoce de manera excepcional o en general después del envío de la petición.

Una propuesta del Prof. G. Melis incluye el derecho del contribuyente a recibir notificación del intercambio de información, excepto en el caso que la comunicación perjudica la efectividad de una investigación.

En el caso, Berlioz Investment Fund S.A.[3], se trataba de una solicitud de Francia a Luxemburgo, quien aplicando la Directiva 2011/16/UE del 15 de febrero de 2011 de cooperación administrativa, quería averiguar si la exención de retención al origen era justificada, en relación a un dividendo de una sociedad francesa, a su matriz luxemburguesa. Francia pedía la lista de trabajadores, los contratos de trabajo, los contratos entre sociedades matriz y filial, la identidad y las participaciones de los socios y su financiamiento y el aporte de capital. Berlioz se negaba a comunicar los datos de socios porque eso no era previsiblemente pertinente. Fue multada.

El TJUE estimó que el administrado podía impugnar la sentencia conforme a la Carta de Derechos Fundamentales (art. 47). Así mismo, consideró que el juez nacional puede modificar la sanción y controlar su legalidad limitándose a la verificación de la falta manifiesta de pertinencia. Él tiene acceso a la solicitud de información, no así el administrado pues el documento es secreto.

---

2   C-276/12 del 22 de octubre de 2013, Sabou.
3   C-682/15 del 16 de mayo de 2017.

En otros casos, se manifiesta la falta de colaboración de la administración con el contribuyente. El caso TWOH International B.V.[4], corresponde a un tratamiento de IVA bajo la Directiva de 1977. El contribuyente necesitaba demostrar que una transmisión de información suministrada a Italia constituía una entrega intracomunitaria a tipo cero. La entrega había sido hecha ex-works en Países Bajos. La administración no quiso abrir una investigación en Italia para verificar que hubo transporte al país. Se mantuvo en que el peso de la prueba recae sobre aquel que pide la exención. La Directiva no confiere derecho al contribuyente puesto que su objetivo es evitar el fraude. El EM tiene que agotar sus propias fuentes de información.

En cuanto al uso de la información, aunque sea confidencial y bajo secreto profesional de la administración, se puede utilizar públicamente en tribunales sin ninguna restricción.

2. USO DE INFORMACIÓN OBTENIDA ILEGALMENTE

En general se admite que la información puede utilizarse cuando la entidad pública no ha participado a la ilegalidad. No cabe comentar mucho respecto a la inmoralidad de esa jurisprudencia, adoptada como ley en algunos países. Así se dispone, por ejemplo, en la ley belga modificada en 2013[5].

Esa opinión se exprimió de modo tajanite en dos ordenanzas del Tribunal de Casación italiano:

«L'Amministrazione finanziaria, nella sua attività di accertamento della evasione fiscale può —in linea di principio— avvalersi di qualsiasi elemento con valore indiziario, con esclusione di quelli la cui inutilizzabilità discenda da una disposizione di legge o dal fatto di essere stati acquisit dalla Amminstrazione in violazione di un diritto del contribuente. Sono perciò utilizzabili, nel contraddittorio con il contribuente, i dati bancari acquisiti dal dipendente infedele di un istituto bancario, senza che assuma rilievo l'eventuale reato commesso dal dipendente stesso e la violazione del diritto

---

4   C-184/05 del 27 de septiembre de 2007.
5   Título preliminar del Código de instrucción criminal, art. 52: «La nullité d'un élément de preuve obtenu irrégulièrement n'est décidée que si:
   – le respect des conditions formelles concernées est prescrit à peine de nullité, ou;
   – l'irrégularité commise a entaché la liabilité de la preuve, ou;
   – l'usage de la preuve est contraire au droit à un procès équitable».
   F. Lugentz, Les effets de l'irrégularité de la preuve dans la procédure fiscale, Journal des Tribunaux, 2017, p. 61.

alla riservatezza dei dati bancari (che non gode di tutela nei confronti del fisco). Ove venga emesso avviso di accertamento, spetterà quindi al giudice di merito valutare se i dati in questione siano attndibili, anche attraverso il riscontro con le difese del contribuente»[6].

El contribuyente será deprivado del «due process» porque no podrá examinar de modo contradictorio la obtención de la prueba en el extranjero[7].

3. PROCEDIMIENTO AMISTOSO Y ARBITRAJE

Teniendo en cuenta el debido al intercambio automático de informaciones (CRS, DAC) y la imposición de la economía digital se puede prever un incremento de litigios. Es así que La OCDE se dio cuenta de la necesidad de mejorar los mecanismos de solución de litigios, como resulta de la acción 14 de BEPS y de los cambios en el art. 25 del Tratado Modelo.

Varios instrumentos funcionan simultáneamente:

El art. 25 (incisos 1 y 3) del Tratado modelo y su cláusula de arbitraje (2008);

El Convenio de «arbitraje» (CA) del 23 de octubre de 1990;

El instrumento multilateral OCDE (MLI) (2017) (Art. 16-17: estándar mínimo - procedimiento amistoso; Art. 18-26: arbitraje);

La directiva 2017/1852 del 10 de octubre de 2017 sobre mecanismos de resolución de litigios en la UE (en vigor desde el 30 de junio de 2019) que prevé un procedimiento amistoso (art. 1-5) y la creación de una comisión consultiva (art. 6-15).

El EU Joint Transfer Pricing Forum (2007) publicó recomendaciones sobre el procedimiento amistoso y el «transfer pricing».

Los ámbitos de aplicación de los textos, son distintos. El Convenio de arbitraje sobre precios de transferencia se aplica así, haya o no tratado. El MLI (art. 16) supone una imposición no conforme con las disposiciones del Convenio fiscal comprendido. En cambio, la Directiva en su art. 1° hace mención a la interpretación y aplicación de los convenios de eliminación de

---

[6]   Ordinanze n. 8605 y 8606 del 28 de abril de 2015.
[7]   I. CUGUSI, Le prove atipiche acquisite nell'interscambio di informazioni e la loro rilevanza nel processo tributario, Canterano, Aracne Editrice, 2017, p. 103.

doble imposición. Incluye disposiciones administrativas, por ejemplo, sobre intercambio de información y excluye imposiciones futuras.

Es así que los Estados Miembros pueden escoger entre el MLI y la Directiva.

La iniciación del proceso en el MLI (art. 25) está reservada a la persona afectada o a las autoridades fiscales. En el convenio de arbitraje y la directiva a la persona afectada.

El reclamo en el MLI, se dirige a la autoridad competente de cualquiera de las jurisdicciones.

En la Directiva, se dirige a cada una de las autoridades competentes las que pueden ser de más de dos Estados Miembros. La autoridad acusa recibo dentro de un plazo de dos meses y dispone de un plazo de tres años desde la notificación de la medida, de manera independiente del plazo previsto por el derecho interno.

La Directiva describe el contenido detallado de la reclamación.

Según la Directiva la solicitud de información complementaria tiene que estar dirigida dentro de los tres meses o durante el procedimiento amistoso. La respuesta se espera en un plazo de tres meses. En los otros textos, no se prevé nada.

En cuanto a la decisión sobre la aceptación del reclamo, el MLI no prevé nada por contra la Directiva exige una decisión dentro de los seis meses.

La desestimación del reclamo en el MLI es discrecional. En la Directiva debe basarse en un suministro de información insuficiente, una ausencia de controversia o el vencimiento de plazos. Se aplica aqui la Carta de derechos fundamentales. La persona afectada dispone de un recurso.

La resolución unilateral según la Directiva debe ocurrir dentro del plazo de seis meses.

Para la consulta el MLI, no preve plazo. Si la controversia no se resuelve dentro de los dos años, tiene lugar el arbitraje si está previsto entre los Estados firmantes (art. 19). Según la Directiva, el plazo es de dos años más un año en su caso.?

Si cae desemboca en uno de estos mecanismos, la persona afectada debe aceptarlo, renunciar a otras vías de acción judicial y poner fin a acciones iniciadas dentro de los sesenta días. En el caso que no existiere mecanismo, se informa a la persona afectada indicando los motivos. La persona afectada no tiene derecho de participar o ser oída por su consulta.

En el MLI, hasta el día, 28 Estados aceptaron el arbitraje, entre ellos España. El mismo ocurre si no hay resolución dentro de los dos años y ese plazo podría ampliarse si ambas autoridades competentes consideran que la información adicional no ha sido fue suministrada.

Según la Directiva, una comisión consultiva se constituye cuando el reclamo fue desestimado por una de las autoridades competentes (no así por todas), pueden existir mecanismos de las autoridades competentes.

La designación de árbitros se hace de manera distinta. En el MLI hay tres árbitros, uno nombrado por cada autoridad competente y el tercero, debe ser ajeno a las jurisdicciones contratantes.

La Directiva prevé un presidente, un representante de cada autoridad jurisdiccional competente y una personalidad independiente designada por cada autoridad competente de acuerdo a una lista preexistente.

El procedimiento según el MLI puede ser la «baseball arbitration» (oferta definitiva) en la cual cada autoridad presenta una propuesta de resolución sobre cada cuestión, limitándose a importes monetarios o tipo de impuestos y propuestas alternativas si existiese una necesidad de determinación inicial (p.ej. sobre la cuestión de ser residente o no residente). Se puede recurrir también a la técnica de la opinión independiente.

En la Directiva se sigue un procedimiento de dictamen independiente, sin embargo se puede constituir una Comisión de resolución alternativa de litigios (art. 10) aplicando cualquier tipo de procedimiento (por ej. el de la oferta definitiva).

La decisión de acuerdo al procedimiento del MLI, se dicta dentro del plazo convenido. Una resolución distinta de las autoridades competentes es posible en el plazo de tres meses (art. 24) si se hubiese elegido una opción para ese sistema. Según la Directiva, la decisión ocurre dentro del plazo de seis meses. Una resolución distinta de las autoridades SOLO es posible en el plazo de seis meses.

La sentencia Achmea del Tribunal de Justicia europeo declaró, en relación a un arbitraje y en virtud de un tratado de protección de inversiones que, dado que un tribunal arbitral no puede plantear cuestiones preliminares al TJCE, al no ser una jurisdicción estatal, el mecanismo arbitral se encontraba en contradicción con el Derecho de la UE, puesto que el panel arbitral no debería interpretar el Derecho de la UE.

El artículo 267 del TFUE, que establece que el Tribunal es competente para interpretar los tratados de la UE, y el artículo 344, por el que los Estados miembros se comprometen a no someter los litigios relativos a la interpretación o aplicación del Tratado a métodos de solución no previstos en los tratados, impiden el arbitraje previsto, en su caso, en el tratado de inversión entre los Países Bajos y Eslovaquia.

Esto plantea la cuestión de la compatibilidad del arbitraje fiscal con el tratado, ya que la comisión de arbitraje establecida según el MLI no es una jurisdicción[8].

A modo de conclusión, se puede establecer que en esos procesos, los plazos son exagerados. Es preciso respetar los derechos de persona afectada. Según la directiva, se puede de todas formas, pedir una comparecencia.

La directiva otorga más derechos al contribuyente. También permite un control por el Tribunal de Justicia de la UE.

El convenio de «arbitraje» y la directiva implican una obligación de resolver el litigio (art. 25 TM) y el MLI no. Es el contribuyente quien escoge entre varios instrumentos.

El Convenio de arbitraje se limita a las empresas. No existe solución para los litigios sobre impuestos de sucesión y donación. El arbitraje es una extensión del MAP por lo que no puede iniciarse previamente.

La carta de derechos fundamentales se aplica con la directiva e incluye la materia fiscal, a que no incluye el Convenio de Estrasburgo.

4. REVELACIÓN OBLIGATORIA DE LOS MECANISMOS TRANSFRONTERIZOS SOBRE LOS QUE SE DEBE INFORMAR

La Directiva (UE) 2018/22 del Consejo deL 25 de mayo de 2018 que modifica la Directiva 2011/16/UE (DAC 6) aplica la medida 12 de BEPS[9]. El informe BEPS se ha basado en reglas similares existentes en EE.UU. (1984-

---

8   TJUE, C-284/16, 6 de marzo de 2018, Achmea.

9   Informe final de 2015. Para un comentario con ejemplos, vease A. SCHNITGER, TH. BRINK y T. WELLINZ, Die neue Meldepflicht für grenz[unberschreitende Steuergestaltungen, IStR, 2018, p. 513; M. Stöber, Anzeigepflichten in Bezug auf Steuergestaltungen im deutschen und europäischen Recht, BB, 2018, 1559; M. STÖBER, Zur verfassungs- und unionsrechtlichen (Un-) Zulässigkeit von Anzeigenpflichten in Bezug auf Steuergestaltungen, BB, 2018, 2464; J. KORVING y J VERBAARSCHOT, Netherlands- Mandatory Disclosure in the Netherlands - To disclose or Not to disclose: That is the question?, 10 Eur. Tax, 2019/10; T. CLAPPERS y Ph. MAC-LEAN, European Union/ Netherlands. Tax Avoidance in the Spotlight. The EU Mandatory Disclosure Rules and Their Impact on Asset Managers and Private Equity, 21 Eur. Tax., 2019/3; M. VAN

2004); Canadá (1989-2013); Sudáfrica (2003-2008); Reino Unido (2004-2006-2011); Portugal (2008); Irlanda (2011); Israel y Corea.

La directiva se inspira del informe de la Acción 12 de BEPS[10], lo cual comienza estipulando que los regímenes de revelación obligatoria tendrían que ser «claros y fáciles que entender, equilibrar costes de cumplimiento a los contribuyentes con los beneficios obtenidos por la administración fiscal... que identificar adecuadamente los esquemas, que revelar...»[11]; Existe ya un Directorio de Planificación Fiscal Agresiva (ATP), constituido por una base de datos disponible en ciertos países[12].

Se exige a los intermediarios que presenten información que conozcan, posean o controlen en relación con los mecanismos transfronterizos que deben ser notificados[13]. Un mecanismo transfronterizo es relativo a más de un Estado Miembro, a un Estado Miembro y un tercer país cuando no todos los participantes residen en la misma jurisdicción, o un participante reside simultáneamente en más de una jurisdicción, o el mecanismo forma parte del negocio de un EP en otra jurisdicción, o un participante ejerce una actividad en otra jurisdicción sin ser residente pero teniendo allá un establecimiento permanente, o que el mecanismo pueda tener consecuencias en el intercambio automático de información o la identificación de los beneficiarios efectivos.

Falta una definición del «mecanismo» («dispositif» en francés - «arrangement» en inglés): se entiende sólo en relación con las señas distintivas. A pesar de eso, un mecanismo tendría que ser caracterizado por una construcción jurídica implicando un cierto grado de sofisticación. Además, tendría que ser potencialmente agresivo, lo que excluye los actos jurídicos sencillos[14].

Un mecanismo transfronterizo que debe ser notificado es un mecanismo que cumple uno de las «señas distintivas», incluido un riesgo potencial de evasión fiscal[15].

DEN BERGH y L. VANNESTE, Dispositifs «agressifs»: beaucoup de questions et des réflexions, Fiscol. Intern., 2019, n° 430, p. 1.
10 Mandatory Disclosure Rules, Action 12-2015 Final Report.
11 P. 9; pp. 19-20.
12 P. 26.
13 Art. 3.18.
14 Ph. MAES y L. PINTE, DAC 6: Comment donner du sens. Belgique. Rev. Intern. Patr., 2019, p. 87.
15 Art. 3.19.

Un intermediario es cualquiera persona que diseña, pone sobre el mercado, organiza, pone a disposición para su aplicación, gestiona la implementación de un mecanismo transfronterizo sobre el que deba informarse. Es también cualquier persona que sabe o de la cual se espera razonablemente que sepa, que se ha comprometido a prestar asistencia en relación con tales acciones. Él tiene derecho a aportar pruebas en sentido contrario.

El intermediario debe ser residente en un Estado miembro o tener un establecimiento permanente en un Estado miembro a través del cual se presten servicios relacionados con el mecanismo o estar incorporado en un EM o regido por las leyes de un Estado miembro o estar inscrito en una asociación profesional relacionada con servicios jurídicos, fiscales o de consultoría en un Estado miembro[16].

4.1. Privilegio profesional

Si la obligación de informar viola el secreto profesional, el intermediario lo notificará a cualquier otro intermediario o, en su defecto, al contribuyente de que se trate sobre el que recaerá la obligación de informar.

Se prevén reglas para evitar los informes múltiples[17].

4.2. Retroactividad

La información debe ser archivada cuando el primer paso del mecanismo fue implementado entre la fecha de entrada en vigor (25 de junio de 2018) o la fecha de aplicación de la Directiva. La información debe proporcionarse a más tardar el 31 de agosto de 2020. La Directiva que debe ser transpuesta a finales de 2019 comenzará a aplicarse el 1 de julio de 2020. El intercambio de información se realizará a partir comienza el 3 de octubre de 2020.

La información incluye:

1°. Identificación de intermediarios y contribuyentes pertinentes.

El contribuyente pertinente es cualquier persona a la cual se pone a disposición un mecanismo sobre el que se debe informar para su aplicación, quién está pronto a implementarlo o ha implementado su primer paso.

2°. Detalles de las señas distintivas

---

[16]   Art. 3.21.
[17]   Art. 8ab. 5 y 6.

3°. Resumen del contenido respetando los secretos protegidos

4°. Fecha del primer paso

5°. Detalles de la disposición nacional utilizada como base

6°. Valor

7°. Identificación de los Estados miembros de los contribuyentes pertinentes que puedan verse afectados

8°. Identificación de cualquier otra persona en un Estado Miembro que pueda estar afectada[18].

Las señas distintivas se dividen en varios grupos.

Las señas generales vinculadas a la prueba de la ventaja fiscal como objetivo principal son la confidencialidad, el hecho de que los honorarios del intermediario relacionados con el beneficio fiscal del arreglo o la existencia de una documentación estandarizada de la estructura disponible para más de un contribuyente.

Las señas específicas vinculadas a la prueba del beneficio principal son el uso de empresas deficitarias para la transmisión de pérdidas, la conversión de la renta en capital o en otros ingresos menos gravados así como los carruseles de operaciones circulares.

Las señas específicas relacionadas con las transacciones transfronterizas se relacionan a deducciones cuando el destinatario no reside en ninguna jurisdicción fiscal, el destinatario reside en una jurisdicción donde no hay impuestos (beneficio principal) o que es no cooperativa (figurando en la lista de la OCDE) o cuando hay exención de impuestos en la jurisdicción del beneficiario (beneficio principal) o un régimen fiscal preferencial en la jurisdicción del receptor (ventaja principal).

En todos esos casos se necesita además perseguir como beneficio principal una ventaja fiscal.

Incluye también la depreciación del mismo activo fijo en varias jurisdicciones o la desgravación por doble imposición solicitada en varias jurisdicciones en relación con el mismo elemento o traspasos de activos fijos con diferencias significativas en la contraprestación.

Las señas específicas relativas al intercambio de información o a la identificación de beneficiarios finales incluyen la violación de la obligación de informar usando un producto distinto de una cuenta financiera pero similar

---

[18]   Art. 8 a b.14.

a la misma, la transferencia de una cuenta financiera a una jurisdicción no vinculada por el intercambio automático, la recalificación en productos o pagos no sujetos a intercambio de información, la transferencia o conversión en activos no declarables, la utilización de estructuras para eliminar la presentación de informes en el marco del intercambio automático de informaciones o el socavar los procedimientos de diligencia debida, incluyendo a través de jurisdicciones aplicando de modo incorrecto de los requisitos de transparencia de la legislación contra el blanqueo de capitales.

Se incluye también una cadena formal de propiedad a través de estructuras sin actividad económica sustancial en una jurisdicción distinta de la de residencia del beneficiario efectivo quien es imposible identificar.

Entre las señas específicas relativas a precios de transferencia, se encuentran los regímenes de puertos seguros unilaterales, la transferencia de activos intangibles de difícil valoración sin base de comparación y con proyecciones inciertas de flujos o ingresos, como el traslado transfronterizo de funciones, riesgos o activos si los beneficios antes de intereses e impuestos y antes de la transferencia caen de un 50 % en los siguientes tres años.

La directiva de asistencia administrativa que regula el intercambio de información relevante para la fiscalidad entre Estados miembros ha sido modificada en cinco ocasiones (intercambio automático de información, CRS, intercambio de «rulings» fiscales, informes del país por país).

Las Directivas antielusión (ATAD) han introducido normas inspiradas en las BEPS relativas a la limitación de la deducción de intereses, la imposición de salida, una cláusula contra las prácticas abusivas, las sociedades extrajeras controladas (CFC) y los descalces híbridos.

La DAC 6 corresponde al punto culminante de esas normas que se supone que respaldan el intercambio de información.

Derecho a la seguridad jurídica y a la confianza legítima[19]

Existe una lista de verificación respecto a la regla de derecho por la Comisión de Venecia del Consejo de Europa (2016).

La directiva hace una distinción clara entre un vacío jurídico y una disposición fiscal ordinaria. El criterio corresponderá a la cantidad de ingresos fiscales en juego. Las autoridades públicas deben respetar la ley y las legí-

---

[19]   N. ČIČIN-ŠAWIN, New Mandatory Rules for Tax Intermediaries and Taxpayers in the European Union - Another «Bite» into the Rights of the Taxpayers, WTJ, 1/2019.

timas expectativas del contribuyente. La DAC 6 intensificará el cambio, a veces con carácter retroactivo.

En Francia, un 20 % de las disposiciones fiscales legales se modifican anualmente. El DOTAS británico, sistema de revelación de información sobre el fraude fiscal, llevó al cierre de 925 de los 2.366 regímenes fiscales eludibles revelados en 2013.

El derecho al asesoramiento jurídico y el privilegio legal son reconocidos en casos de competencia por el TJCE, pero sólo frente a abogados independientes, no a abogados internos. Son reconocidos en la ley de blanqueo de capitales por la asistencia en procedimientos judiciales o el asesoramiento sobre la situación jurídica. Se encuentra una definición poco clara en la DAC 6.

4.3. Compatibilidad con el TFUE

La armonización en materia de fiscalidad directa debe basarse en el art. 113, necesario para garantizar el establecimiento y el funcionamiento del mercado interior a fin de evitar distorsiones de la competencia. Además su art. 115 habla de armonización para la aproximación de las disposiciones legales, reglamentarias o administrativas de los Estados miembros que afecten directamente al establecimiento o al funcionamiento del mercado interior, es decir, un espacio sin fronteras interiores en el que esté garantizada la libre circulación de mercancías, personas, servicios y capitales (art. 26).

Han sido adoptadas a favor de la libre circulación, medidas fiscales existentes, tales como las directivas de la UE sobre fusiones, matrices y filiales, intereses y cánones o en contra de la evasión fiscal como la directiva sobre el pago de intereses o la propuesta de directiva BICCIS.

La DAC 6 quiere «proteger las bases imponibles nacionales de la erosión a medida que evolucionan las estructuras de planificación fiscal» (considerando 2) e impedir una reducción de los ingresos fiscales. El objetivo de la DAC es aplicar de manera uniforme las normas (fiscales) existentes, mientras la DAC 6 tiene por objeto identificar vacíos legales y disuadir a los contribuyentes de utilizarlas.

La pérdida de ingresos no puede servir como justificación, si no cualquier medida destinada a aumentar los impuestos podría ser considerada necesaria en el mercado único. La competencia de la UE sería ilimitada. «Las estructuras de planificación fiscal… se benefician de una mayor movilidad tanto de capitales como de personas dentro del mercado interior», es decir, del mercado común. La pérdida de ingresos no es una justificación para el funcionamiento del mercado común, no puede justificar, por ejemplo, la discriminación.

La evasión fiscal tampoco puede servir como justificación. La evasión fiscal lleva a fundar las decisiones de las empresas en factores fiscales en lugar de factores de mercado. La competencia de la UE se limita a las situaciones transfronterizas que, después de la DAC 6, estarían sujetas a una carga administrativa superior a la que aparece en situaciones nacionales, lo que es potencialmente distorcionador de la competencia

No obstante, una restricción de las libertades fundamentales debe estar justificada por el interés público y ser proporcionada.

4.4. Libertades

En cuanto a la libre prestación de servicios (56 TFUE) y a la libertad de establecimiento (art. 49 TFUE), las restricciones deben ser justificadas por una asignación equilibrada de los derechos de imposición, la necesidad de una supervisión fiscal efectiva o la lucha contra la evasión y el fraude fiscales. La asignación equilibrada de los derechos de imposición puede impedir la doble deducción de pérdida o depreciación o el mal uso de precios de transferencia de intangibles difíciles de valorar. La supervisión fiscal es distinta según que se trata de un tercer país sin intercambio de información o de un Estado Miembro de la UE donde uno puede intentar evitar los requisitos de presentación de informes. La lucha contra la evasión y el fraude fiscales sólo puede servir si se trata de «montajes puramente artificiales». No se puede recurrir a presunciones generales de fraude o abuso.

La conclusión es que la mayoría de las señas distintivas no son conformes con las libertades fundamentales[20].

4.5. Carta de derechos fundamentales

La compatibilidad de la DAC 6 con los derechos fundamentales según la Carta de los Derechos fundamentales de la Unión Europea (CFR) es también dudosa.

Infringe la protección de datos de carácter personal (art. 7 y 8). Los datos personales de los contribuyentes e intermediarios, el contenido del

---

[20]   BLUM Y LANGER, La Unión Europea en la encrucijada: Divulgación obligatoria según el DAC 6 y la Ley Primaria de la UE, Parte 1, Eur. Impuesto, 6/2019.

asesoramiento y la identidad de las personas afectadas son comunicados. La DAC 6 es aplicable a personas jurídicas si su nombre se refiere a individuos que la poseen[21].

La libertad para llevar a cabo una actividad empresarial[22] implica que los empresarios sigan siendo libres de poner en práctica los consejos recibidos, pero la DAC aumenta la carga de cumplimiento de las normas. El propósito de la DAC 6 es disuadir.

La justificación de proporcionalidad debe relacionarse a la supervisión fiscal o a la prevención del fraude fiscal, la evasión y el abuso fiscal.

Sólo se permiten restricciones necesarias a los derechos fundamentales para lograr un objetivo de interés general. No se puede recurrir a presunciones generales de fraude o abuso (Eqiom). Los únicos mecanismos abusivos son los arreglos artificiales (Cadbury-Schweppes). Una interpretación estricta tiene que ser aplicada a medidas de prevención de fraude o abuso (Deister).

La DAC 6 se ocupa principalmente de los mecanismos legales. Se podría cuestionar si, identificar vacíos legales sirve a los intereses económicos o financieros de los Estados miembros. Sin embargo, podría aplicarse a las señas que intentan evitar el intercambio de informaciones.

La necesidad de mantener el bienestar de un país no puede justificar cualquier medida. Hay que comprobar si la medida es necesaria y no va más allá de lo preciso caso por caso.

El derecho a incriminarse a sí mismo[23], sólo aplicable en el procedimiento penal, permitiría que la información revelada podría dar lugar a un procedimiento en este sentido.

En conclusión, el objetivo real de la DAC 6 es poner fin a la planificación fiscal. Puede ser comparado con CbC o GAAR's pero estos operan dentro de las reglas existentes. La lucha contra la evasión fiscal tiene sus límites en los derechos fundamentales.

En varios ámbitos del derecho tributario internacional y europeo, se ponen a la par derechos de los administrados, a veces los derechos humanos, y se extiende de modo desmesurado el poder del ejecutivo. Reacciones de los

---

[21]   Asuntos acumulados, Schecke y Eifert, C-92/09 y 93/09 del 9 de noviembre de 2010; Web Mind Licences, C-419/14 del 17 de diciembre de 2015.
[22]   Art. 16.
[23]   Art. 48(2).

parlamentos nacionales, que fueron históricamente instituidos para controlar los derechos del soberano, quedan ausentes de los debates.

A ver si nos acercamos al «Brave new world» que describió Aldous Huxley. Lo que preveía también Orwell en su obra «1984» tal vez tiene su realización en la revolución fiscal iniciada en 2014.

Capítulo 24

Deriva autonómica e índices de riqueza: a medida que pasa el tiempo

GERMÁN ORÓN MORATAL
Universidad Jaume I

SUMARIO: 1. DOS CIRCUNSTANCIAS DIFÍCILMENTE EXPLICABLES RELACIONADAS CON LA FINANCIACIÓN AUTONÓMICA. 2. SOBRE LA JUSTICIA E IGUALDAD EN LA CONTRIBUCIÓN AL SOSTENIMIENTO DEL GASTO PÚBLICO POR DETERMINADOS CONTRIBUYENTES Y SU RELACIÓN CON EL DISFRUTE DE SERVICIOS PÚBLICOS.

En la distribución de materias dentro de este panel sobre la deriva del Derecho Tributario, me ocuparé brevemente de cuestiones relacionadas con la financiación autonómica, y con más detalle, de la necesidad de reflexionar sobre los índices e riqueza y la justicia e igualdad en la contribución al sostenimiento del gasto público.

1. DOS CIRCUNSTANCIAS DIFÍCILMENTE EXPLICABLES RELACIONADAS CON LA FINANCIACIÓN AUTONÓMICA

Brevemente sobre las cuestiones relacionadas con la financiación autonómica, la primera se refiere al propio sistema para las Comunidades de Régimen común. Teniendo un sistema que al poco de formularse en 2009 se evidenció como injustamente discriminatorio (y no sólo por la crisis que en ese momento aún no se quería reconocer) y que ni se revisó en la fecha prevista, 2014, ni cinco años después, estando como se está ahora en ese aspecto y tantos otros, poco más se puede decir, salvo pedir salud para poder llegar a ver la efectiva aprobación de un nuevo modelo y ver si las cantidades obtenidas a través del Fondo de Liquidez Autonómico se acaban devolviendo o no al Estado, o bien sólo una parte, pues el primer supuesto de devolución total no resolvería las deficiencias generadas con el sistema actual. La revisión quinquenal de la DA 7ª de la Ley 22/2009 no se ha cumplido en 10 años, por lo que de momento ya van dos incumplimientos, y el paso del tiempo es inicuo, no inocuo.

La segunda cuestión hace referencia a consecuencias que tiene el ejercicio del poder tributario autonómico en relación con los tributos cedidos. Han sido muchas las voces y las razones que se han expresado, tanto por la doctrina, como por la ciudadanía y muchos operadores jurídicos, en relación con incongruencias y discriminaciones no justificadas —ni desde el volumen o calidad de servicios públicos que pueda prestar una Comunidad Autónoma—, en relación con las diferencias que se dan entre la condición de ser sujeto pasivo de determinados impuestos estatales, pero cedidos, en un territorio o en otro. Diferencias que alcanzan tanto a la forma del cumplimiento del deber de contribuir, como sobre el quantum del mismo, y no voy a extenderme en ello aquí, atendido el conocimiento que de ello tiene este cualificado auditorio.

Sólo un ejemplo que va más allá del propio Derecho Financiero y Tributario, y que es a mi juicio exponente de la necesidad de reflexionar y actuar para modificar la LOFCA y el régimen de delegación de competencias normativas sobre tributos cedidos a las CCAA. El ejemplo lo encontramos en una situación que actualmente se encuentra pendiente ante los tribunales del orden penal, y que está teniendo repercusión mediática, y sobre cuya cuestión de fondo no puedo entrar por desconocimiento. Ciudadana extranjera que comenzó una relación sentimental con ciudadano español y residente en España. Mientras su actividad profesional se lo permitía, y desarrollada fundamentalmente fuera de España, pasaba periodos de tiempo con su nueva pareja en España, hasta que en un determinado momento decide instalarse aquí, incluso al parecer acogiéndose al régimen del IRPF de trabajadores desplazados a España. Una vez así aceptado por la Administración tributaria, y a pesar de ello, se inician actuaciones inspectoras sobre periodos anteriores, atribuyendo la existencia de una residencia fiscal en España previa a la formalmente manifestada por la contribuyente, querellándose la AEAT por la falta de presentación de las declaraciones de IRPF e Impuesto sobre el Patrimonio de varios años, por rentas obtenidas en el extranjero y patrimonio situado también en el extranjero. Lógicamente deberá acreditarse la permanencia del tiempo necesario para ser residente, y ello se deberá producir en sede judicial, pero si la pareja española hubiera residido en Madrid, en lugar de Barcelona, la querella no hubiera sido posible por el Impuesto sobre el Patrimonio, pues la obligación de declarar, aun cuando existe si se tienen más de dos millones de euros, si se incumple no causa perjuicio en esa Comunidad, no hay defraudación, sin perjuicio de que sí hay una infracción por el incumplimiento de un deber formal.

Que sobre tributos estatales cedidos se llegue al extremo de que una misma conducta, sea delito contra la Hacienda Pública en una Comunidad

Autónoma, mientras que no lo sea en otra, evidencia una deriva más que transitoria para el Derecho Tributario.

2. SOBRE LA JUSTICIA E IGUALDAD EN LA CONTRIBUCIÓN AL SOSTENIMIENTO DEL GASTO PÚBLICO POR DETERMINADOS CONTRIBUYENTES Y SU RELACIÓN CON EL DISFRUTE DE SERVICIOS PÚBLICOS

El anclaje en determinados conceptos, sobre los que el paso del tiempo y también el cambio de las circunstancias sin duda inciden, puede llevar a que se puedan causar vulneraciones del principio de igualdad, y también del de capacidad económica en la contribución al sostenimiento del gasto público, sobre todo si se atiende al hecho de que el gasto público por sí mismo, con su efecto redistributivo, no está resolviendo muchas de las desigualdades existentes o que incluso crecen, pues la «lluvia» del gasto público no impide que se pueda apreciar la existencia de zonas en relación con los servicios públicos que presentan las mismas diferencias que las tierras de regadío y las de secano.

A pesar de la validación por el Tribunal Constitucional de los fines extra-fiscales en los tributos, y la previsión en la Ley General Tributaria de que los tributos además de ser medio para obtener recursos para financiar el gasto público, puedan servir para fines de política económica o la realización de principios y fines constitucionales, ello no impide que desde la doctrina se vea con cierta prevención el uso extrafiscal del tributo, esencialmente por la separación del fin típico de los tributos.

En estas reflexiones, pretendo poner de relieve cómo criterios que en un tiempo pudieron ser considerados extrafiscales, e incluso así lo siguen cali-ficando hoy algunos autores, entiendo que hay supuestos en que no debiera ser así por estricta justicia tributaria y financiera, debiendo incidir en la cuantificación de algunos impuestos, bien través del mínimo exento, bien a través de otros elementos de cuantificación, sin que se trate de verdaderos beneficios fiscales, aunque se puedan plasmar técnicamente en bonificacio-nes o reducciones de tipos de gravamen. Podría, pues, ser este uno de los aspectos que formarían parte del primero de los perfiles de un Derecho Financiero del siglo XXI, que apuntaba Escribano López, en la segunda edición de *La configuración jurídica del deber de contribuir* (Lima, 2009), propugnando «un abandono de reticencias puristas mediante la integración de perspectivas que posibiliten un conocimiento más pleno de la realidad que se norma».

Superado en la segunda mitad del siglo XX que el poder de imperio no podía justificar por sí mismo el deber de contribuir, se acude al principio de capacidad contributiva como fundamento de justicia del tributo, si bien en aquellas Constituciones donde ésta no se contempla expresamente, y también en las que se refleja, para muchos se ve como una concreción del principio de igualdad. La concreción de qué se debía entender por capacidad contributiva, tampoco era pacífica, y sin entrar ahora en las diversas construcciones[1], y por su relación con cuanto expondré, traeré sólo a colación la de F. Maffezzoni, quien decía que no podía significar a la vez la manifestación de disfrute de servicios públicos —su posición—, y la capacidad económica de contribuir[2]. Ahora bien, este autor, en otra obra redactada posteriormente[3], aunque publicada con anterioridad (1969), señalaba que por «capacidad contributiva» de un sujeto debemos entender el principio fiscal que requiere la recaudación de ingresos de los contribuyentes de acuerdo con el complejo de sus manifestaciones de riqueza relacionadas con el disfrute de los servicios públicos, y ese complejo de manifestaciones de riqueza lo identificaba con la renta, el patrimonio y otros ingresos[4]. Esto es, admitía que eran las distintas manifestaciones de riqueza que permitían disfrutar en mayor medida de los servicios públicos, lo que justificaba la imposición.

No debe olvidarse que entre las dificultades del concepto de tributo y en concreto de impuesto, como obligación legal y no como contraprestación de nada, se acudía por la ciencia financiera a distinguir entre servicios divisibles (a financiar con tasas, o contribuciones especiales) e indivisibles, que se financiarían con impuestos y otros recursos, negando la existencia de algún beneficio como justificación del impuesto o del deber de contribuir, pues los impuestos se exigen para satisfacer el gasto público. Las circunstancias temporales han llevado a que servicios antes divisibles desde el punto de vista de la financiación, hayan pasado a considerarse indivisibles (ej., acceso a la justicia, como puede contrastarse con la Sentencia 92/2017, de 6 de julio de

---

[1]   De ello me ocupé sumariamente en «Notas sobre el concepto de tributo y el deber constitucional de contribuir», en la obra colectiva *El sistema económico en la Constitución española*, XV Jornadas de Estudio de la Dirección General del Servicio Jurídico del Estado, vol. II, Ministerio de Justicia, S.G.T., 1994, p. 1589 ss.

[2]   *Il principio di capacità contributiva nel Diritto Finanziario*, UTET, 1970, p. 12.

[3]   Así se desprende de la nota 22 y otras de *Profili di una teoria giuridica generale dell'imposta*, Giuffrè Editore, 1969, p. 22.

[4]   No incluía el consumo como manifestación de riqueza, aunque el IVA lo relacionaba entre los otros ingresos, pp. 175 ss. de *Il principio...* y pp. 53-54 de *Profili...*

2017, y las anteriores 140/2016 y 227/2016; infraestructuras de transporte…), o a la inversa (ej. las oscilaciones en la financiación universitaria por los propios estudiantes).

Para L. V. Berliri el problema de la justicia tributaria se presentaba muy claro en sus términos elementales: «¿Con qué criterios y con arreglo a qué principios se debe repartir entre los distintos contribuyentes, según justicia, el gasto de los servicios públicos, cuando el reparto no se atribuya a otro fin que el de cubrir, precisamente, aquel gasto?» Este autor vinculaba los clásicos y típicos índices de riqueza, renta, patrimonio y consumo, respectivamente, a la reproducción de servicios, conservación y disfrute de los mismos[5].

Al margen de la corrección o no del principio del interés sobre el servicio público, como contrapunto al del beneficio, para su teoría de la justicia tributaria, señalaba: «La cuantía de la renta individual y de las diferentes características de las fuentes de donde se obtiene; la cuantía y la composición del patrimonio; la importancia y el tipo de consumo; la composición familiar; *la residencia en la ciudad o en el campo*, la edad, etcétera, son otras tantas variables a las cuales es fácil ligar la variación del interés individual en la prestación de los distintos servicios públicos o grupos de servicios públicos»[6].

En el último cuarto del siglo XX se profundizó en España en el concepto del mínimo exento (Marín Barnuevo, Cencerrado, Herrera Molina, entre otros)[7], para unos expresión también de la ausencia de aptitud para contribuir en tanto no se cubran las necesidad vitales propias (el *honeste vivere* de Ulpiano), y cuya formulación legal ha ido cambiando con el tiempo, pues desde que su existencia estaba implícita en la inexigibilidad del deber de contribuir en el IRPF si la renta era inferior al escalón de la tarifa a la que ya se aplicaba el tipo de gravamen efectivo, y por tanto no era tenido en cuenta para quien tenía renta superior a ese umbral, ha llegado a aplicarse ya a todo contribuyente con independencia de cuál sea su nivel de renta, siempre que declare, habiendo dejado de ser en la actualidad una minoración de la base imponible.

---

5   *El impuesto justo*, IEF, 1986, p. 45 y ss., traducido por Vicente-Arche Domingo.
6   *Ob. cit.* P. 90-91.
7   Cuestión sobre la que la doctrina italiana y alemana habían llevado a cabo relevantes reflexiones, tomadas en cuenta por la doctrina española. Así por ej., en la citada La *Giusta imposta*, se dedica un apartado al problema del mínimo imponible, pp. 249 ss. de la obra en español.

En 1945, fecha de publicación de la obra de BERLIRI, y para el conjunto de tributos italianos, decía que mientras las funciones del Estado, y las consiguientes necesidades financieras, han aumentado muy por encima de cualquier previsión en el curso de los últimos cincuenta años, el mecanismo tributario todavía es sustancialmente el diseñado hace setenta y cinco años (p. 260). Cabe recordar que fue a finales del siglo XIX cuando se inicia la tendencia para implantar impuestos personales, acompañando o sustituyendo en algunos casos a la imposición real.

En efecto, las necesidades financieras, si en 1945 ya habían crecido, qué decir de finales del siglo o de este en el que estamos, habiéndose apuntado muchas de las causas y las consecuencias de las nuevas formas de vida por J. O'Connor en su libro *La crisis fiscal del Estado*, publicado en 1973 y traducido al español en 1981.

En España, con el Estado de Derecho constituido en 1978 y el inicio del camino hacia el Estado del bienestar, puede apreciarse el incremento de gastos comparando los sucesivos Presupuestos Generales del Estado (infraestructuras, generalización de la sanidad, y educación entre otros gastos que crecieron considerablemente[8]).

Hubo un tiempo en que la diferencia principal entre unas ciudades y otras era el número de habitantes, pues desde el punto de vista de los servicios públicos eran prácticamente los mismos en cualquier lugar (defensa nacional, orden público, equipamiento primario, comunicaciones), y en que las infraestructuras (carreteras o ferrocarril) eran para facilitar la comunicación entre las poblaciones por las que se construían, algo que sigue manteniéndose en otros países, como Alemania, por ejemplo. En España, últimamente se piensa más en facilitar la comunicación en línea recta si es posible entre los puntos de inicio y fin.

En 1895, señalaba Seligman que «si la historia de la imposición enseña una lección es la lección de que todo cauce social y moral es resultado de un lento proceso, y que mientras los sistemas fiscales se modifican continuamente desarrollando ideales éticos, estos mismos ideales dependen para su realización de las fuerzas económicas que están transformando continua-

---

[8]   En 1978 el presupuesto de gastos fue de un billón cuatrocientos treinta y tres mil millones de pesetas; en 1988 de ocho billones seiscientos veinticuatro mil seiscientos cuatro millones ciento cuarenta y cinco mil pesetas; en 2001 casi 36 billones de pesetas y en euros más de doscientos quince mil doscientos diecinueve millones; en 2008 trescientos catorce mil trescientos veintidós millones doscientos sesenta y seis mil novecientos diez euros y en 2018 trescientos sesenta y ocho mil trescientos sesenta y nueve millones veintisiete mil ochocientos sesenta.

mente la faz de la sociedad humana»[9]. En ese proceso temporal, el crecimiento de los servicios públicos, con su desigualdad, no tanto en la calidad, sino en su existencia o inexistencia territorial, no ha de ser irrelevante para el sistema tributario.

En la actualidad, mantener sin matices la renta, el patrimonio y el consumo, como los únicos índices indicativos de capacidad económica para contribuir al sostenimiento del gasto público, entiendo que significa quedar anclados en unos conceptos que pueden provocar la existencia de discriminaciones injustificadas entre contribuyentes que presenten idénticas magnitudes de renta, o de patrimonio, pues la dificultad, complejidad o imposibilidad de acceder a determinados servicios, incluso básicos, y por tanto de su no disfrute, más que del disfrute de los mismos, incide en la aptitud de contribuir.

Tradicionalmente, cuando se han establecido diferencias de tributación entre contribuyentes que presentan idénticos o similares niveles de renta o patrimonio, se ha justificado por la concurrencia de circunstancias constitucionalmente amparadas para la discriminación, excepcionando el principio de generalidad y reconduciéndose en la mayoría de los casos a razones de extrafiscalidad o política económica, por separarse de la igual tributación ante igual capacidad.

En la obra citada de O'Connor, señalaba la existencia de un elemento ideológico en la teoría de la tributación que está basado en la capacidad contributiva, pues para él «La premisa oculta de este principio es que los beneficios de los gastos estatales repercuten más o menos por igual en cada contribuyente» (p. 252), y dicha premisa para él es falsa.

Sin duda, los tributos se exigen para financiar gastos públicos, y no todos estos se concretan en servicios públicos, como son políticas de estabilización, redistribución o ciertos intervencionismos, y en concreto los impuestos se exigen por presupuestos de hecho que nada tienen que ver en su formulación con actividades administrativas, pero sin duda su recaudación se destina a sufragar las distintas actividades de los poderes públicos[10].

---

[9]   «El desarrollo de la imposición», en *HPE*, nº 13, 1971, p. 162, traducción del capítulo I de *Essays in Taxation*, 1895.

[10]   T. ROSEMBUJ, desacertadamente en mi opinión, ha querido reivindicar la conexión entre el hecho imponible de los impuestos y los gastos públicos, al señalar que «No resulta aceptable, entonces, desvincular en términos absolutos el hecho imponible del impuesto de la actividad del ente público impositor, o, peor aún, afirmar que se caracteriza por la ausencia de actuación administrativa. Dicho en otros términos, si el impuesto no se confronta con el disfrute del bien colectivo, no hay motivo alguno que le sirva

Dado el nivel alcanzado desde hace años en la prestación de servicios públicos, esencialmente «gratuitos» (aunque financiados con cargo al presupuesto de gastos por todos los ciudadanos), pero no sólo, incluso si nos ceñimos únicamente a los calificados como servicios públicos fundamentales (educación, sanidad y protección social, que llegan a alcanzar el 60% del gasto[11]), es una ilusión pensar que todos ellos se prestan en iguales condiciones, ni tan siquiera en su nivel básico en todo el territorio nacional o autonómico, pues en realidad los estudios y estadísticas se realizan acumulando los datos de territorios autonómicos o provinciales, y dentro de ellos hay muchos casos con diferencias más que sustanciales.

Del mismo modo que se ha producido un incremento de la ganadería intensiva, con graves consecuencias ambientales frente a la extensiva, la concentración residencial en grandes ciudades y las migraciones hacia las grandes urbes, ponen de relieve que las condiciones de acceso a los servicios educativos y sanitarios son bien distintas según el lugar donde se encuentre la persona. También aquí la mayoría prevalece sobre la minoría. Sobre ello ha incidido también el Servicio de Investigación del Parlamento Europeo en un estudio sobre tendencias demográficas en la UE[12], refiriendo causas vinculadas tanto con servicios públicos como privados, en definitiva a las deficientes condiciones de vida (menos educación local u oportunidades de trabajo, dificultades para acceder a servicios públicos o servicios de transporte, cobertura de salud inadecuada o falta de espacios culturales / actividades de ocio).

Si ponemos atención en comunicaciones, más allá de los lugares en que es prácticamente imposible acceder a conexiones de datos o internet, en las infraestructuras de carreteras o ferrocarril se prioriza la conexión entre grandes urbes, en definitiva para «ahorrar tiempo» —como si éste pudiera atesorarse o aprehenderse, y no fuese fugaz—, o «llegar antes», lógicamente quienes se mueven o desplazan entre ellas (el resto ya ni los ve pasar), y puedan emplear o «perder» el tiempo en otra finalidad o actividad distinta del simple desplazamiento. Otra diferencia se ve también en la reducción del

---

de fundamento. Sería un impuesto inicuo, irracional», en «El impuesto como disfrute de bienes colectivos», *El fisco*, nº 154, 2009. El hecho imponible sí está desvinculado, lo que no lo está es contribución que genera, pues se exige precisamente para cubrir los gastos públicos.

[11]   *Servicios públicos, diferencias territoriales e igualdad de oportunidades*, FBBVA, Dir. F. PÉREZ GARCÍA, 2015.

[12]   https://ec.europa.eu/regional_policy/en/newsroom/news/2019/01/31-01-2019-demographic-trends-in-eu-regions.

número de días para el servicio de entrega de correspondencia en muchas poblaciones, avalado recientemente por la AIREF[13].

La limitación de recursos y su justa asignación, también con criterios de eficiencia y economía validan esas actuaciones de los poderes públicos, pero lo que no puede ignorarse es que para su financiación contribuyen en igual medida todos los ciudadanos que tienen equivalente capacidad económica (esencialmente renta y patrimonio), pero no todos están en la mismas condiciones de acceder a muchos de los servicios públicos, pues en ocasiones no es sólo la existencia de un mayor coste económico (traslados por ingresos hospitalarios, alojamiento y atención por familiares, por ej.), sino que el coste puede ser la propia vida por la demora en recibir la asistencia sanitaria. Si en una sociedad como la actual, tan alejada de la economía de subsistencia, es difícil que una familia media pueda satisfacer por sí sola sus propias necesidades, cuando esa familia reside en determinadas zonas rurales, más que difícil, es imposible.

Que el monte esté cuidado, que haya vida y no solo digna en zonas rurales, que lo ríos y sus cauces estén en condiciones, sin duda que pueden ser fines extrafiscales, pero que según dónde se resida no se tenga en cuenta las posibilidades y condiciones de acceso a servicios públicos, es algo que incide en la riqueza de los ciudadanos, y por ende de los contribuyentes, pues sin duda la renta disponible para unos y otros no acaba siendo la misma, y por ello, creo que la premisa de Maffezzoni de que la capacidad contributiva no podía significar a la vez la manifestación de disfrute de servicios públicos y la capacidad económica de contribuir, en la actualidad debe ser reformulada, pues la aptitud para contribuir viene de las manifestaciones de riqueza, pero las posibilidades de disfrute de los servicios en el siglo actual han de poder incidir en la medida de la aptitud para contribuir. Porque ciertamente los servicios públicos actuales, poco tienen que ver con los de hace 50 años.

Es de justicia que ello sea relevante, bien en la configuración del mínimo exento en la imposición sobre la renta y en la personal sobre el patrimonio[14], bien en la cuantificación de la cuota, de modo semejante a como

---

[13] https://www.airef.es/wp-content/uploads/2019/07/ESTUDIOSR7/Version-pu%CC%81blica-final-PROYECTO-7.pdf.

[14] Para MANZONI, I., *Il principio della capacità contributiva nell'ordinamento costituzionale italiano*, Giappicheli, Torino, 1965, p. 80, proponía que en la cuantificación del mínimo exento se tuviera en cuenta también el nivel de Servicios públicos ofrecidos a los ciudadanos, si bien para que la provisión de esos servicios con cargo a la colectividad no fuese computada de nuevo como si fuese cubierta por el propio contribuyente. También el Tribunal Constitucional alemán, como ha sintetizado CENCERRADO MI-

desde la Ley de 30 de diciembre de 1944, y regímenes posteriores hasta la actualidad viene ocurriendo en Ceuta y Melilla, aunque sin duda en ello no sólo incide la variable de los servicios públicos, pero no es ajena, puesto que expresamente se menciona la incidencia en las actividades económicas. Y no debe verse como un beneficio fiscal, sino como la justa contribución al sostenimiento del gasto público.

En consecuencia, entiendo que ante el problema que cada vez con mayor intensidad se está poniendo de relieve con la llamada España «vacía o vaciada», y que no es exclusiva de nuestro territorio, no hay que acudir a razones extrafiscales para modelar la carga tributaria[15], no debe vincularse a una excepción al principio de generalidad, ni a la prohibición de ayudas de Estado, del mismo modo que el mínimo exento tributario no debe guardar relación excluyente con una eventual renta mínima (cuestión ampliamente debatida en la doctrina alemana). Se trata de que las personas físicas, esencialmente en la medición de su contribución al sostenimiento del gasto público en los impuestos sobre la renta y el patrimonio, puedan ver reflejada su situación de desventaja en la que se encuentran (y que el gasto público no impide) respecto de otros que disponen de un acceso directo e inmediato a servicios públicos, pues ante igual riqueza la renta disponible de los primeros es inferior a la de los segundos. Su capacidad contributiva

---

LLÁN, la determinación cuantitativa del mínimo, debe efectuarse teniendo en cuenta el nivel de prestaciones sociales concedido por la legislación alemana, en *El mínimo exento en el sistema tributario español*, Marcial Pons, Madrid, 1999, p. 55.

[15] En el Informe de enero de 2019, *Una fiscalidad diferenciada para el progreso de los territorios despoblados en España*, promovido por SSPA (Áreas escasamente pobladas del sur de Europa), y coordinado por J. A. HERCE, (accesible en http://sspa-network. eu/wp-content/uploads/Una-fiscalidad-diferenciada-para-el-progreso_SSPA.pdf) se reconduce a criterios extrafiscales, y aunque proponen distintas posibilidades de exenciones, bonificaciones o reducciones, afirman que «la propuesta de referencia no tendría cabida en el texto de la CE, porque, y sin entrar en más detalles, supondría un trato fiscal desigual en función de la residencia o ubicación, por lo que devendría inconstitucional» (p. 32). También califican de contrario a la Constitución el régimen fiscal de Ceuta y Melilla, p. 34. Para Morón Pérez, él régimen general de Ceuta y Melilla, puede ser conforme a Derecho por formar su previsión parte del bloque de constitucionalidad, aunque consideraba que podían ser ayudas del Estado las previsiones en relación con el IS y el IRPF, en «El Régimen Fiscal de las Ciudades Autónomas de Ceuta y Melilla: presente y futuro», en CT, 121, 2006, y también apuntaba que «sería necesario realizar estudios econométricos que determinaran la incidencia que las actuales bonificaciones tienen sobre el desarrollo regional y, sobre todo, en qué medida compensan los costes adicionales que las empresas ceutíes y melillenses han de soportar por su peculiar situación geosocial», p. 96.

no es la misma, y por tanto el tributo debiera ser distinto[16], puesto que en definitiva son desiguales.

La diferente situación para acceder a servicios privados de movilidad, ocio, comercio, financieros, etcétera, sin duda generan unos costes e inconvenientes, que debe asumir el ciudadano, pero los servicios públicos que él mismo contribuye a financiar, cuando su acceso es complejo, complicado o difícil, debe ser trascendente a la hora de medir su contribución al gasto público. Se trata de personas físicas, no jurídicas. Y es una cuestión de justicia financiera, pues si como dice Moschetti, es capacidad contributiva la capacidad económica considerada idónea para realizar en el campo económico y social las exigencias colectivas recogidas en la Constitución[17], en los aquí reseñados, esa capacidad o fuerza económica es claramente menor.

Lógicamente ello requiere de unos estudios cuantitativos y econométricos para que no sea arbitraria la formulación legal, acotando los territorios a los que proceda la correspondiente aplicación de la norma, y más estrictamente a las personas que efectivamente residan en ellos y allí tengan su fuente principal de renta. Si para evitar o reducir la despoblación se quieren adoptar otras políticas activas de gasto por las distintas Administraciones (de gasto son las únicas posibles para entidades locales), y de ello pueden ser ejemplo acciones ejecutadas en relación con Fondos Europeos, o ayudas a zonas de baja densidad de población o ultraperiféricas[18], nos encontramos en otro ámbito, distinto de la aptitud para contribuir, e insisto en que en el momento temporal en que estamos, el disfrute de servicios públicos, frente a las dificultades para ello, debe ser un elemento a tener en cuenta a la hora de gravar presupuestos de hecho indicativos de riqueza, y en concreto las dificultades de acceso a los mismos (donde no hay escuela, no hay médico,

---

[16]   Es clásica la afirmación de GRIZIOTTI de que ante la misma capacidad contributiva, todos los que tienen interés en los gastos públicos, han de soportar el mismo tributo, sin privilegios de cualquier naturaleza. *Saggi sul rinnovamento dello studio della scienza delle finanze e del diritto finanziario*, Giuffrè, Milano, 1953, p. 365. No obstante, en el Siglo XXI el nivel de servicios públicos que alcanza a una gran mayoría, pero no a determinadas y determinables minorías territorialmente localizadas, su capacidad de pago no puede ser la misma.

[17]   «Orientaciones generales de la capacidad económica», en *Revista de Derecho Financiero y de Hacienda Pública*, Vol. 53, Nº 269, 2003, p. 535.

[18]   En el Reglamento (UE) n °651/2014 de la Comisión, de 17 de junio de 2014, por el que se declaran determinadas categorías de ayudas compatibles con el mercado interior en aplicación de los artículos 107 y 108 del Tratado, se excluyen del régimen de Ayudas de Estado varias relacionadas con transportes, funcionamiento, y en algunos casos se tratan conjuntamente con las Ceuta y Melilla.

no hay transporte público, como supuestos más significativos, ni los tienen próximos).

En esa línea, aunque como medidas de política económica y fines extra-fiscales se han planteado en el Informe citado de SSPA, aportando propuestas efectuadas en Australia[19] para atender también a los problemas que se dan en zonas alejadas de los servicios publicos normalizados, y que para acceder a ellos deben asumir considerables sobrecostes.

En consecuencia, la residencia en lugares legalmente determinados por las razones apuntadas, debiera ser relevante para cuantificar el impuesto personal sobre la renta y sobre el patrimonio, siempre y sólo sobre personas físicas, sobre rentas generadas en dichos lugares y bienes allí localizados. En el IBI no sería necesaria por estar reflejado en el valor catastral de los inmuebles. Quizás también fuera pertinente la previsión en la imposición sobre vehículos.

Ahora bien, a la vista de que cada vez es mayor el número de ciudadanos que parecen vivir contrarreloj, también es posible que dentro de unos años, no necesariamente muchos, desde la perspectiva y convicción de que el tiempo es oro, con la monitorización a través de las tecnologías de la información y comunicación, pueda saberse la concreta aplicación del tiempo que cada persona le dé, y en función de la sinrazón que en ese momento temporal sea predominante, y para impuestos obviamente periódicos resultado de una ficción legal (al no poder esperar al fallecimiento del obligado), podría considerarse como un índice de riqueza el tiempo destinado a no trabajar, o dolce far niente, el tiempo «ahorrado», el «ganado», «el dejado pasar», etcétera, a saber! Pues las cosas fundamentales suceden a medida que pasa el tiempo, y así lo interpretaba Sam, a petición de Ilsa, en Casablanca. Para otros, en cambio, la riqueza, como activo intangible, serán los recuerdos, pues no otra cosa es la búsqueda del tiempo perdido, como magistralmente, y sin prisas, describió Marcel Proust.

---

[19]   Kettlewell y Yerokhin (2017). Area-specific subsidies and population dynamics: Evidence from the Australian zone tax offset. Papers in Regional Science. November 2017. https://www.researchgate.net/publication/321379178_Areaspecific_subsidies_and_population_dynamics_Evidence_from_the_Australian _zone_tax_offset.

Capítulo 25

El principio de justicia en el Gasto Público y la protección de los derechos constitucionales: ponderación y concretización[*]

Ana Belén Macho Pérez
Universitat Pompeu Fabra

SUMARIO: 1. INTRODUCCIÓN: UNA REFLEXIÓN SOBRE LA DERIVA DEL DERECHO FINANCIERO EN LA VERTIENTE DEL GASTO PÚBLICO. 2. EL PRINCIPIO DE JUSTICIA EN EL GASTO PÚBLICO (ART. 31.2 CE) COMO «MANDATO DE OPTIMIZACIÓN»: PONDERACIÓN Y CONCRETIZACIÓN. 3. LA «DIMENSIÓN FINANCIERA» DE LOS DERECHOS CONSTITUCIONALES Y EL CORRELATIVO DEBER POSITIVO DEL ESTADO. 4. LA PONDERACIÓN DE LOS PRINCIPIOS CONSTITUCIONALES EN JUEGO: UN ANÁLISIS JURISPRUDENCIAL. 4.1. Jurisprudencia constitucional española. 4.2. Jurisprudencia europea y constitucional comparada. 4.3. Jurisprudencia del Tribunal Europeo de Derechos Humanos. 4.4. Jurisprudencia constitucional alemana. 4.5. Jurisprudencia constitucional italiana. 4.6. Jurisprudencia constitucional portuguesa. 5. UNA PROPUESTA PARA LA APLICACIÓN DEL PRINCIPIO DE JUSTICIA DEL GASTO PÚBLICO EN RELACIÓN CON LAS NORMAS QUE ESTABLECEN DERECHOS CONSTITUCIONALES. 6. CONCLUSIONES. Bibliografía.

1. INTRODUCCIÓN: UNA REFLEXIÓN SOBRE LA DERIVA DEL DERECHO FINANCIERO EN LA VERTIENTE DEL GASTO PÚBLICO

La transformación del Derecho de los gastos públicos, como consecuencia de la centralidad asumida por los límites al déficit y a la deuda públicos impuestos por la disciplina presupuestaria europea (Agulló)[1], ha provocado una

---

[*] Este trabajo se ha realizado en ejecución del Proyecto I+D+i (Retos de la Sociedad) «Financiación de servicios públicos esenciales, sostenibilidad y territorio», financiado por FEDER/Ministerio de Ciencia, Innovación y Universidades - Agencia Estatal de Investigación (DER2017-82530-R) y en el seno del Grupo de Investigación Consolidado «Grupo de Investigación Interuniversitario de Derecho Fiscal» (2017 SGR 1792), reconocido y financiado por la Generalitat de Catalunya.

[1] AGULLÓ AGÜERO, Antonia. «Europa, crisis y derecho. Notas para la construcción de un nuevo derecho del gasto público», *Civitas. Revista española de derecho financiero*, núm. 170, 2016, pp. 39-62; y AGULLÓ AGÜERO, Antonia. «Quo vadis? ¿Hacia dón-

erosión de los conceptos y un desplazamiento de los principios del Derecho financiero, en la vertiente del gasto público, de forma paralela a lo sucedido en el ámbito del Derecho tributario (Soler Roch[2]). Por un lado, las categorías jurídicas básicas han experimentado un proceso de «erosión» y de «sedimentación», que obliga a una reconstrucción dogmática de las mismas y a una redefinición de su contenido[3]. Por otro lado, se asiste a un «desplazamiento de principios», entendido como una pretensión de «sustitución o subordinación» de los principios clásicos de Derecho financiero, por nuevos principios.

Estas sugerentes ideas sobre la «deriva del Derecho financiero» han motivado la presente reflexión sobre el principio de justicia en el gasto público garantizado en el artículo 31.2 de la Constitución Española de 1978 (CE). En particular, el objeto de este trabajo es la «concretización» de dicho principio como resultado de su ponderación con otros principios constitucionales. Como señala Rodríguez Bereijo, las políticas de ajuste presupuestario están poniendo a prueba el mandato constitucional de «equitativa asignación de los gastos públicos» (art. 31.2 CE), que parece haber cedido ante las exigencias de estabilidad presupuestaria y sostenibilidad financiera (art. 135 CE)[4]. De esta forma, entendemos que el principio de justicia en el gasto público puede contribuir a «fijar el rumbo» de cara al futuro. Estas páginas pretenden ser tan solo una modesta contribución en el largo camino a recorrer[5], hacia un mayor control *cualitativo* del gasto público y

---

de va el derecho del gasto público?», en AGULLÓ AGÜERO, Antonia (dir.); MARCO PEÑAS, Ester (coord.), *Disciplina presupuestaria, colaboración público privada y gasto público*, Tirant lo Blanch, Valencia, 2016, pp. 29-55.

[2]　SOLER ROCH, María Teresa. «Una reflexión sobre la deriva del Derecho tributario», blog de la Red de Profesores de Derecho financiero y tributario, 2019; y SOLER ROCH, María Teresa. «Los retos tributarios del siglo XXI», *Civitas. Revista española de derecho financiero*, núm. 183, 2019, pp. 31-46.

[3]　Si observamos la evolución y el contenido actual de los conceptos de gasto público (AGULLÓ) y deuda pública (MARCO), más que una «erosión», cabría apreciar una «sedimentación», causada por la incorporación de nuevos conceptos introducidos por la normativa jurídico-contable en materia de disciplina presupuestaria (Reglamento SEC-2010). Ello afecta también a categorías jurídicas básicas del Derecho administrativo, como los conceptos de sector público o de contrato público. *Vid.* AGULLÓ AGÜERO, Antonia. «Europa, crisis y derecho. Notas para la construcción de un nuevo derecho del gasto público», *cit.*, 2016; y MARCO PEÑAS, Ester, *El concepto europeo de deuda pública*, Universitat Pompeu Fabra, Barcelona, 2014.

[4]　RODRÍGUEZ BEREIJO, Álvaro. «Una perspectiva constitucional del control del gasto público», *Revista española de control externo*, vol. 20, núm. 58, 2018, pp. 229-244, en particular, p. 235.

[5]　En este punto, resulta motivadora la «Declaración de Granada», de 18 de mayo de 2018, cuando señala: «*Queda mucho por hacer sobre la concreción de los principios*

la definición de su papel en el contexto más amplio de la evaluación de las políticas públicas[6].

2. EL PRINCIPIO DE JUSTICIA EN EL GASTO PÚBLICO (ART. 31.2 CE) COMO «MANDATO DE OPTIMIZACIÓN»: PONDERACIÓN Y CONCRETIZACIÓN

Ya tempranamente, la doctrina científica manifestó la necesidad de incluir en la Constitución Española límites jurídicos al gasto público (Rodríguez Bereijo)[7], pues el carácter político de la decisión de gasto[8] no obsta a su sometimiento a criterios jurídicos y a un control jurídico[9]. El resultado fue la aprobación de la Enmienda constitucional[10] que dio lugar al artículo 31.2

de justicia financiera respecto de los gastos públicos; esta es una tarea que corresponde a las generaciones actuales. Pero no deja de ser esperanzador el progreso de la tesis sobre el control de justicia de los gastos públicos por parte del Tribunal Constitucional cuando estos no garantizan determinados derechos fundamentales de los ciudadanos».

6   Aunque excede el objeto de este trabajo, dejamos apuntada aquí la necesaria evaluación de las políticas públicas, a la que se dedicó durante apenas 10 años la desaparecida «Agencia Estatal de Evaluación de Políticas Públicas» (creada por Ley 28/2006 y disuelta por Real Decreto 769/2017). Cabe señalar también los diversos proyectos de evaluación del gasto público (*Spending Review*), realizados por la Autoridad Independiente de Responsabilidad Fiscal (AIReF).

7   RODRÍGUEZ BEREIJO, Álvaro. *Introducción al estudio del Derecho financiero*, Instituto de Estudios Fiscales, Madrid, 1976; RODRÍGUEZ BEREIJO, Álvaro. «Derecho financiero, gasto público y tutela de los intereses comunitarios en la Constitución», en *Estudios sobre el Proyecto de Constitución*, Centro de Estudios Constitucionales, Madrid, 1978, pp. 345-361; CORTÉS DOMÍNGUEZ, Matías. «Los principios generales tributarios», en *XVI Semana de Estudios de Derecho Financiero*, Madrid, 1968.

8   VICENTE-ARCHE DOMINGO, Fernando. «Notas sobre el gasto público y contribución a su sostenimiento en la Hacienda Pública», *Civitas. Revista Española de Derecho Financiero*, núm. 3, 1974, pp. 535-547.

9   BAYONA DE PEROGORDO, Juan José. «Notas para la construcción de un Derecho de los gastos públicos», *Presupuesto y gasto público*, núm. 2, 1979, pp. 65-80; CAZORLA PRIETO, Luis María. «Comentarios al artículo 31 de la CE», en GARRIDO FALLA, Fernando (dir.). *Comentarios a la Constitución*, Civitas, Madrid, 1980; ESCRIBANO LÓPEZ, Francisco. *Presupuesto del Estado y Constitución*, Instituto de Estudios Fiscales, Estudios de Hacienda Pública, Madrid, 1981; BAYONA DE PEROGORDO, Juan José. *El Derecho de los gastos públicos*, Instituto de Estudios Fiscales, Madrid, 1991; ORÓN MORATAL, Germán. *La configuración constitucional del gasto público*, Tecnos, Temas claves de la Constitución española, Madrid, 1995.

10   En su redacción inicial, el texto era el siguiente: «*2. El gasto público realizará una asignación equitativa de los recursos públicos y su programación, ejecución y control*

de la Constitución Española (CE) de 1978, precepto que recoge el principio de justicia material en el gasto público, con el siguiente tenor: «*El gasto público realizará una asignación equitativa de los recursos públicos*»[11]. Se trata de una previsión original en el constitucionalismo comparado[12].

Este precepto, ubicado sistemáticamente en el Capítulo Segundo del Título I de la CE, goza por tanto de la protección garantizada por el art. 53.1 CE. Se trata de un principio que vincula a todos los poderes públicos[13]. No

---

responderán a los principios de eficiencia y economicidad». Esta Enmienda constitucional fue presentada en el Senado por el grupo parlamentario Agrupación Independiente y defendida por FUENTES QUINTANA, con la siguiente justificación: «*Existen gastos públicos también —la otra mitad de la Hacienda Pública— cuya conducta debe orientarse por principios semejantes a los que tratan de gobernar el ingreso público, si no queremos correr el riesgo de que la Hacienda con la mano de los gastos públicos anule lo que ha construido con la mano de los ingresos orientada por los criterios constitucionales (…)*». La enmienda se inspiró en el trabajo de RODRÍGUEZ BEREIJO, Álvaro. «Derecho financiero, gasto público y tutela de los intereses comunitarios en la Constitución», *cit.*, 1978, pp. 345-361.

[11] El tenor del art. 31.2 CE es el siguiente: «*El gasto público realizará una asignación equitativa de los recursos públicos, y su programación y ejecución responderán a los criterios de eficiencia y economía*». En este trabajo nos centramos en el principio de «asignación equitativa de los recursos públicos», que es el verdadero principio de justicia material en el gasto público, al que sirven los criterios de eficiencia y economía, que pueden considerarse principios instrumentales. En relación con los criterios de eficiencia y economía, señala RODRÍGUEZ BEREIJO que constituyen: «*Una proyección de racionalidad práctica, correctiva de la programación irresponsable del gasto público a que podría conducir la simple aplicación mecánica y activista del principio de asignación equitativa en razón exclusivamente a los objetivos igualitarios implícitos en el mismo. Asignación equitativa que se ve así ceñida dentro de los límites no sólo de lo financieramente posible, sino también de lo económicamente viable*». RODRÍGUEZ BEREIJO, Álvaro. «Una perspectiva constitucional del control del gasto público», *cit.*, 2018, p. 232.

[12] CAZORLA PRIETO la califica como una disposición a la vanguardia de las Constituciones europeas del siglo XX. *Vid.* CAZORLA PRIETO, Luis María. «El control financiero externo del gasto público en la Constitución», *Presupuesto y gasto público*, 1979, pp. 81 a 102, en particular p. 87.

[13] Para racionalizar el análisis dogmático del principio, es necesario estudiar de forma separada los diversos planos en que el principio opera, según el poder público destinatario: el plano de la producción normativa (como mandato dirigido al Legislador y al titular de la potestad reglamentaria) y el plano de la aplicación normativa. No obstante, por razones de extensión, en este trabajo nos centramos en el análisis del principio de justicia del gasto público como mandato dirigido al Legislador y, más concretamente, en su aplicación en contraste con las normas que establecen derechos constitucionales. Seguimos en este punto la clasificación de normas constitucionales materiales de la CE realizada por RUBIO LLORENTE (inspirada en SCHEUNER). RUBIO LLORENTE, Francisco. «La Constitución como fuente del Derecho», en *La Constitución Española y las fuentes del Derecho*, Instituto de Estudios Fiscales, Madrid, 1979. Sobre la eficacia del principio

es una mera declaración programática, sino un mandato vinculante para el Legislador[14]. La cuestión se centra en determinar cuándo la asignación de recursos públicos «no es equitativa»; en definitiva, cuándo el gasto es «injusto»[15]. La respuesta que ha dado la doctrina científica a esta cuestión permite identificar lo que podríamos denominar una «dimensión negativa» y una «dimensión positiva» del principio de justicia del gasto público[16].

Como límite negativo, García Añoveros ha señalado que este principio exige «la interdicción del gasto inicuo, como la financiación de actividades contrarias a los principios o mandatos constitucionales» y «la interdicción del gasto que promueva la desigualdad»[17]. El principio de justicia del gasto público sería un límite frente a «normas claramente arbitrarias o irracionales» (Pérez Royo)[18].

---

de justicia en el gasto público en los distintos momentos de la actividad financiera (en los planos legislativo y ejecutivo), puede verse: ORÓN MORATAL, Germán. *La configuración constitucional del gasto público*, *cit.*, 1995, pp. 34-51; y, más recientemente, ORÓN MORATAL, Germán. «Derecho financiero y financiación de necesidades fundamentales: perspectiva española», en MARCOS DOMINGUES, José (org.), *Direito Financeiro e Políticas Públicas*, GZ Editora, Rio de Janeiro, 2015, pp. 1 a 28.

14   En relación con toda Ley que contenga decisiones *sustanciales* de gasto público; así, en materia de servicios públicos; prestaciones sociales (pensiones, desempleo, sanidad; …), etc. *Vid.* PÉREZ ROYO, Fernando. «La financiación de los servicios públicos. Principios constitucionales sobre el gasto público», en *Gobierno y Administración en la Constitución*, Instituto de Estudios Fiscales, Madrid, 1988, pp. 125-141; en particular, p. 136.

15   Señalaba CORTÉS DOMÍNGUEZ: *«no he leído en ningún sitio cuándo el gasto es justo y cuándo es injusto, y éste es el problema capital que tiene hoy el Derecho Financiero; mientras que ese problema no se resuelva, no habrá Derecho Financiero, habrá más o menos unos estudios formales sobre el control del gasto, sobre la relación jurídica del gasto público pero ese Derecho carecerá de su base fundamental».* CORTÉS DOMÍNGUEZ, Matías. «Los principios generales tributarios», *cit.*, 1968, p. 104. ALBIÑANA lo califica como «concepto jurídico indeterminado». *Vid.* ALBIÑANA GARCÍA-QUINTANA, César. «Comentario al artículo 31 CE», en ALZAGA VILLAAMIL, Oscar (dir.), *Comentarios a la Constitución de 1978*, Tomo III, Cortes Generales-Editoriales de Derecho Reunidas (EDERSA), Madrid, 1996, p. 441.

16   La reconstrucción del principio que proponemos en este trabajo, como «mandato de optimización» (norma que ordena que algo sea realizado «en la mayor medida posible, dentro de las posibilidades reales y jurídicas existentes»), integra esta doble dimensión. Las «posibilidades jurídicas existentes» vienen determinadas por las reglas y principios en juego (destacadamente, a mi juicio, por las normas que establecen derechos constitucionales), de forma que la aplicación del principio de justicia en el gasto público exige la ponderación con todos los principios contrastantes aplicables al caso (pautas *prima facie* aplicables).

17   GARCÍA AÑOVEROS, Jaime. «El presupuesto y el gasto público en la Constitución», en *El sistema económico en la Constitución española. XV Jornadas de estudio*, Dirección general del servicio jurídico del Estado, Ministerio de Justicia, Madrid, 1994, p. 1655.

18   *Vid.* PÉREZ ROYO, Fernando, *idem*, 1988, p. 139.

Como vinculación positiva, compartimos la idea de que el principio de justicia en el gasto público cumple una «función redistributiva en relación con el art. 9.2 CE», en conexión con la cláusula del Estado social y democrático de Derecho[19], garantizada en el art. 1.1 CE (Rodríguez Bereijo)[20]. Dicha finalidad suele relacionarse con los «principios rectores de la política social y económica», recogidos en el Capítulo Tercero del Título I de la CE, que comúnmente se relacionan con el art. 31.2 CE[21].

En este punto, destacamos la importante construcción de Bayona[22] sobre el principio de asignación equitativa de los recursos públicos, según la cual el principio comporta, al menos, tres exigencias fundamentales: en primer lugar, la de garantizar una satisfacción *mínima* de las necesidades públicas, en aras de la *equidad*; en segundo lugar, la ausencia de discriminaciones *«tanto en sentido absoluto —de unas necesidades respecto de otras— como en sentido relativo, referente a diversas situaciones en relación con una misma necesidad pública»*; y, en tercer lugar, la interdicción de arbitrariedad. Como puede apreciarse, la construcción de Bayona integra las dos dimensiones del principio señaladas, como vinculación positiva y como límite negativo al Legislador.

---

[19]   GARCÍA PELAYO, Manuel. *El Estado social y sus implicaciones*, Universidad Nacional Autónoma de México, México, 1975; y GARRORENA MORALES, Ángel, *El Estado español como Estado social y democrático de Derecho*, Tecnos, Madrid, 1984.

[20]   RODRÍGUEZ BEREIJO, Álvaro, «La Constitución de 1978 y el modelo de Estado: consideraciones sobre la función de la Hacienda Pública», *Revista Sistema*, núm. 53, 1983, pp. 75-94. Dicha función redistributiva se cumple de manera más eficaz por la vía de los gastos que por la vía de los ingresos. En relación con el gasto social, RODRÍGUEZ BEREIJO propone que la asignación de recursos públicos se realice en función de la «incapacidad económica» de los ciudadanos (capacidad económica negativa). *Vid.* RODRÍGUEZ BEREIJO, Álvaro, «Derecho financiero, gasto público y tutela de los intereses comunitarios en la Constitución», *cit.*, 1978, p. 354.

[21]   PÉREZ ROYO, Fernando. «La financiación de los servicios públicos. Principios constitucionales sobre el gasto público», en *Gobierno y Administración en la Constitución*, Instituto de Estudios Fiscales, Madrid, 1988, pp. 125-141; en particular, p. 136. PASCUAL GARCÍA también conecta la «equidad» del art. 31.2 CE con las exigencias del art. 9.2 CE y con la efectiva aplicación de los principios rectores del Capítulo III del Título I de la Constitución. PASCUAL GARCÍA, José. *Régimen jurídico del gasto público: presupuestación, ejecución y control*, Boletín Oficial del Estado, Madrid, 1999, p. 328.

[22]   BAYONA DE PEROGORDO, Juan José. «Notas para la construcción de un Derecho de los Gastos Públicos», *cit.*, 1979; BAYONA DE PEROGORDO, Juan José. «El procedimiento de gasto público y su control», *Presupuesto y Gasto Público*, núm. 13, 1982; BAYONA DE PEROGORDO, Juan José. *El Derecho de los Gastos Públicos*, Instituto de Estudios Fiscales, Madrid, 1991, p. 241.

Por lo que respecta a la vinculación positiva del principio (la idea de la «satisfacción *mínima* de las necesidades públicas» a que se refiere Bayona), la doctrina ha señalado que el principio exige un «mínimo indispensable para la subsistencia» o «procura existencial» —*Daseinvorsorge*—, que el Estado debe garantizar a los ciudadanos (Cazorla)[23]. También se ha conectado dicha exigencia con «la protección del contenido esencial mínimo e indisponible de los derechos de prestación» (Ruiz Almendral y Zornoza Pérez)[24]. Asimismo, puede situarse aquí la idea de que «debe gastarse en aquello que la Constitución, en positivo, promueve como plasmación del interés general» (Martínez Giner)[25] o lo que «se adecue a la voluntad general, (…) aquellas necesidades que en cada momento histórico se consideren merecedoras de satisfacción mediante el empleo de fondos públicos» (Navarro Faure)[26].

En definitiva, el principio de justicia en el gasto público podría cumplir así un papel protagonista, dentro del conjunto de principios consagrados en el art. 31.2 CE, para posibilitar el necesario control *cualitativo* del gasto público, tantas veces demandado (Ramallo Massanet[27]; Martín Queralt)[28], por más que resulte difícil su aplicación (Martínez Lago)[29].

---

[23] CAZORLA PRIETO, Luis María. «Comentarios al artículo 31 de la CE», *cit.*, 1980.

[24] RUIZ ALMENDRAL, Violeta; ZORNOZA PÉREZ, Juan, «Constitución económica y Hacienda Pública», en RAMIRO AVILÉS, Miguel Ángel (coord.); PECES-BARBA MARTÍNEZ, Gregorio (coord.), *La Constitución a examen: un estudio académico 25 años después*, 2004, pp. 641 a 696; en particular, pp. 647-648.

[25] MARTÍNEZ GINER, Luis Alfonso. «La ordenación constitucional del gasto público en España», en GALÁN SÁNCHEZ, Ángel, et al. (eds.). *El alimento del Estado y la salud de la «res publica»: orígenes, estructura y desarrollo del gasto público en Europa*, Instituto de Estudios Fiscales, Madrid, 2013, pp. 27-49; en particular, p. 36.

[26] NAVARRO FAURE, Amparo, «El gobierno económico de la Unión Europea y los principios de justicia del gasto público en una hacienda plural», *Crónica presupuestaria*, núm. 1, 2013, pp. 121-146, en particular p. 131.

[27] Un ejemplo es el uso de la colaboración público-privada como mecanismo de financiación de obras y servicios públicos, con el fin principal de eludir los límites al déficit y la deuda públicos exigidos por la disciplina presupuestaria, y la necesidad de su control *cualitativo*. RAMALLO MASSANET, Juan. «El control externo en las nuevas formas de colaboración público-privada», *Revista Española de Control Externo*, vol. 9, núm. 26, 2007, pp. 13-34.

[28] Recientemente, MARTÍN QUERALT ha reivindicado una vez más la eficiencia, eficacia y economía del gasto público como mandatos que los poderes públicos deben respetar en: MARTÍN QUERALT, Juan; DE BUNES IBARRA, José Manuel, «Fiscalidad en tiempos de excepción», *Carta tributaria. Revista de opinión*, núm. 61, 2020.

[29] MARTÍNEZ LAGO señala: *«Sin caer en el voluntarismo de algunas concepciones políticas (blindajes, suelos de gasto social…), podríamos admitir que el legislador democrático no es enteramente libre a la hora de aprobar los Presupuestos. Que el principio de*

Sin embargo, lo cierto es que el principio de justicia del gasto público ha pasado a convertirse de «la gran esperanza blanca» a «la cenicienta del Derecho constitucional financiero»[30]. En sus cuarenta años de vigencia, son escasos los pronunciamientos del Tribunal Constitucional español (TC) sobre su interpretación[31] y hasta la fecha no se ha utilizado como canon de enjuiciamiento constitucional[32]. En el presente trabajo proponemos acudir a las herramientas que ofrece la Teoría general del Derecho, para avanzar en las posibilidades de aplicación del principio de asignación «equitativa» de recursos públicos como fundamento de decisiones constitucionales sobre casos concretos.

Para ello, partimos de la *Teoría de los derechos fundamentales* de Alexy[33] y su distinción de las normas, entre «reglas» y «principios». Las reglas contienen determinaciones en el ámbito de lo fáctica y jurídicamente posible, de forma que solo pueden ser cumplidas o incumplidas. En cambio, los principios son «normas que ordenan que algo sea realizado en la mayor medida posible, dentro de las posibilidades jurídicas y reales existentes». Para Alexy, los principios son «mandatos de optimización», esto es, pueden

---

equidad del gasto público le vincula, por más que resulte de difícil aplicación y control constitucional o por los tribunales ordinarios»: Vid. MARTÍNEZ LAGO, Miguel Ángel. «Gasto público, sostenibilidad y control», *Revista española de control externo*, vol. 20, núm. 58, 2018, pp. 245-257, en particular p. 253.

30 SOLER ROCH, María Teresa. «Los principios implícitos en el régimen jurídico del gasto público», en *El Sistema económico en la Constitución española. XV Jornadas de Estudio de la Dirección General del Servicio Jurídico del Estado*, Ministerio de Justicia, Madrid, 1994, pp. 1835-1856, en particular, p. 1837.

31 En la mayoría de pronunciamientos del TC, dicho principio aparece simplemente mencionado junto con los restantes principios constitucionales que han de regir el gasto público; así, por ejemplo, en la STC 111/2016, de 9 de junio (FJ 5), donde se enumeran: «*los principios constitucionales que, conforme a nuestra Constitución, han de regir el gasto público: legalidad (art. 133.4 CE); eficiencia y economía (art. 31.2 CE); asignación equitativa de los recursos públicos (art. 31.2 CE); subordinación de la riqueza nacional al interés general (art. 128.1 CE); estabilidad presupuestaria (art. 135 CE; STC 134/2011, de 20 de julio); y control (art. 136 CE)*». Igualmente, en la STC 45/2017, de 27 de abril (FJ 3) y en la STC 132/2018, de 13 de diciembre (FJ 3).

32 RODRÍGUEZ BEREIJO, Álvaro. «Una perspectiva constitucional del control del gasto público», *cit.*, 2018, p. 235.

33 ALEXY, Robert. *Teoría de los Derechos Fundamentales*, traducción de Ernesto Garzón Valdés, revisada por Ruth Zimmerling, Centro de Estudios Constitucionales, Madrid, 1993, pp. 86 y 87. (Original: *Theorie der Grundrechte*, Frankfurt, Suhrkamp, 1986). La tesis de ALEXY presenta algunas diferencias significativas respecto de la teoría de Ronald DWORKIN (*Los derechos en serio*, traducción de Marta Gustavino, Ariel, Barcelona, 1984. Original: *Taking Rights Seriously*, Gerald Duckworth & Co. Ltd., Londres, 1977).

ser cumplidos en diferente grado, dependiendo de las posibilidades reales y jurídicas (estas últimas vienen determinadas por los principios y reglas que juegan en sentido opuesto al principio en cuestión)[34].

Una diferencia fundamental entre los «principios» y las «reglas» es que los principios no pueden servir como fundamento de una decisión, sino que necesitan ser concretados en «reglas» (es lo que denominamos «concretización» —también llamada «concreción» o «especificación» de principios—). Ello tiene lugar precisamente a través de la ponderación. Cuando dos principios entran en colisión, uno (el de menos peso) tiene que ceder ante el otro, pero esto no significa que el principio desplazado se anule ni se derogue; simplemente, no se aplica en ese caso concreto[35]. Esa «preferencia» (la prevalencia de un principio sobre otro) vale solo en ese caso concreto, mientras que en contextos diferentes el principio no aplicado bien podría prevalecer sobre el otro. Se trata de la «relación de precedencia *condicional*» señalada por Alexy (depende de las concretas condiciones del caso)[36]. Como resultado de la ponderación, tiene lugar la concretización de

---

[34]   ALEXY mantiene una concepción principialista de los derechos fundamentales, pero ello no implica, como señala ATIENZA, ningún tipo de reduccionismo: ni las normas en que se plasman los derechos fundamentales son exclusivamente principios, ni los principios pueden comprenderse prescindiendo de otros tipos de normas. ATIENZA, Manuel, Recensión a ALEXY, Robert. *Teoría de los Derechos Fundamentales*, traducción de Ernesto Garzón Valdés, Centro de Estudios Constitucionales, Madrid, 1993, *Revista del Centro de Estudios Constitucionales*, núm. 17, 1994, pp. 241-246.

[35]   Así, ante una concreta norma legislativa o una controversia en particular, el principio P1 se concretiza derivando de él la regla R1 (cuyo antecedente, o supuesto de hecho, es C1); y, en un caso divergente, el mismo principio se concretiza derivando del mismo la regla R2 (cuyo antecedente es C2). Si se dan las condiciones C1, P1 prevalece sobre P2; si se dan las condiciones C2, P2 prevalece sobre P1. *Vid.* GUASTINI, Riccardo, *Filosofía del Derecho positivo. Manual de teoría del Derecho en el Estado constitucional*, Palestra Editores, 2018; GUASTINI, Riccardo, «Principios de derecho y discrecionalidad judicial», Jueces para la democracia, núm. 34, 1999, pp. 39-46.

[36]   Este carácter condicional de la jerarquía axiológica entre principios determina su carácter inestable, flexible, móvil, lo que produce la apariencia de una «reconciliación», «equilibrio» o «vía intermedia» entre los dos principios contrastantes. *Vid.* GUASTINI, Riccardo, «Interpretación y construcción jurídica», Isonomía, núm. 43, 2015. En palabras del autor: «*Los principios, por ser altamente indeterminados (condiciones de aplicación "abiertas", contenido genérico, derrotabilidad, etc.), no son aptos para la solución "directa" de controversias (Dworkin, 1978; Carrió, 1994, pp. 197 y ss.; Alexy, 1993; Prieto Sanchís, 1992; Atienza y Ruiz Manero, 1996; Ratti, 2009, cap. III; Pino, 2010, cap. III). (…) Para contribuir a la solución de casos, los principios tienen que ser "concretados". Concretar un principio consiste en usarlo como premisa —dentro de un razonamiento normalmente no deductivo— para la construcción de una regla implícita, ella sí apta para la solución de una controversia*». Guastini aclara que, al referirse a

uno de los principios (o de ambos), esto es, la «construcción de una regla» que establece que, si se dan determinadas circunstancias, entonces «debe» producirse una determinada consecuencia jurídica (las condiciones bajo las que un principio prevalece sobre otro forman el supuesto de hecho de una «regla» que determina las consecuencias jurídicas del principio prevalente).

Para definir lo que debe entenderse por «optimización», Alexy acude al principio de proporcionalidad y a sus tres subprincipios: idoneidad, necesidad y proporcionalidad en sentido estricto. Los subprincipios de idoneidad y necesidad expresan la pretensión de «alcanzar la mayor realización posible de acuerdo con las posibilidades fácticas». En primer lugar, el subprincipio de *idoneidad* es más bien un criterio negativo (prohibición de utilizar medios que no son idóneos para el fin perseguido por el Legislador). En segundo lugar, el subprincipio de *necesidad* exige que, entre dos medios igualmente idóneos, sea escogido el más benigno con el derecho fundamental afectado. Finalmente, el subprincipio de *proporcionalidad en sentido estricto* expresa la pretensión de «alcanzar la mayor realización posible de acuerdo con las posibilidades jurídicas» (esto es, expresa la optimización en relación con los principios y reglas que juegan en sentido contrario). Este principio es idéntico a la ley de ponderación, que establece lo siguiente: «*Cuanto mayor es el grado de la no satisfacción o de afectación de uno de los principios, tanto mayor debe ser la importancia de la satisfacción del otro*»[37].

En este trabajo adoptamos dos críticas que se han formulado a la teoría de los principios de Alexy y sus correspondientes propuestas. En primer lugar, la crítica de Atienza y Ruiz Manero que distinguen, dentro de los «principios» en sentido genérico, entre «principios en sentido estricto» y «directrices», de modo que solo las directrices serían mandatos de optimización[38].

---

normas «implícitas», no lo hace en sentido lógico (normas derivadas deductivamente de otras normas sin añadir otras premisas), sino en el sentido de «no formuladas (por ninguna autoridad normativa)».

[37] ALEXY, Robert, *Teoría de los Derechos Fundamentales*, cit., p. 161; y ALEXY, Robert. «Epílogo a la Teoría de los derechos fundamentales», *Revista Española de Derecho Constitucional*, núm. 66, 2002, pp. 13 a 64, en particular p. 32.

[38] La distinción formulada por ATIENZA y RUIZ MANERO es la siguiente: «*de los principios en sentido estricto cabe decir que son mandatos de optimización únicamente en el sentido de que, al estar configuradas de forma abierta sus condiciones de aplicación, la determinación de su prevalencia o no en un caso individual determinado exige su ponderación, en relación con los factores relevantes que el caso presente, con principios y reglas que jueguen en sentido contrario; pero una vez determinado que en ese caso prevalece el principio, éste exige un cumplimiento pleno. Las directrices, por*

Al respecto, compartimos la interpretación de Lopera sobre la tesis de los principios como mandatos de optimización, que hace compatible la tesis de Alexy con la citada distinción de Atienza y Ruiz Manero[39].

En segundo lugar, se ha criticado el enfoque *proporcionalista* de Alexy por ser un modelo que está abocado al particularismo (una propiedad diferente puede hacer que un nuevo caso tenga una solución distinta)[40] y se ha propuesto un enfoque *especificacionista*, como modelo generalista que permite resolver casos previamente delimitados. En este modelo, la ponderación se configura como un paso previo a la subsunción. Moreso aplica este enfoque *especificacionista* para resolver los conflictos entre derechos constitucionales: «*la ponderación es la operación que permite pasar de las normas que establecen derechos fundamentales, que tienen la estructura de principios —pautas con las condiciones de aplicación abiertas[41]—, a reglas —pautas con las condiciones de aplicación clausuradas—, con las cuales es posible llevar a cabo la subsunción, en el ámbito de un problema*

---

el contrario, al estipular la obligatoriedad de utilizar medios idóneos para perseguir un determinado fin, dejan también abierto el modelo de conducta prescrito: las directrices sí pueden, en efecto, ser cumplidas en diversos grados». ATIENZA, Manuel; RUIZ MANERO, Juan. «Sobre principios y reglas», Doxa. Cuadernos de Filosofía del Derecho, núm. 10, 1991, p. 110. También puede verse: ATIENZA, Manuel; RUIZ MANERO, Juan. Las piezas del Derecho: Teoría de los enunciados jurídicos, Ariel, Barcelona, 1996 (2ª ed., 2004).

39   LOPERA señala que la «graduabilidad» de los principios puede ser entendida en dos sentidos: 1) Como *intensidad* en la aplicación (esto es, deben realizarse «en el mayor grado posible», en una escala de 0 a 100%, los principios que prescriben la obtención de un *estado de cosas* —serían las «directrices», en la concepción de ATIENZA y RUIZ MANERO—; p. ej. garantizar el acceso a una vivienda digna); 2) Como *frecuencia* en la aplicación (deben realizarse «en el mayor número de ocasiones posibles» los principios que prescriben *acciones* —serían los «principios en sentido estricto»—; p. ej. «no discriminar»). *Vid.* LOPERA MESA, Gloria Patricia, «Los derechos fundamentales como mandatos de optimización», Doxa. Cuadernos de Filosofía del Derecho, núm. 27, 2004, pp. 211-243, en particular, pp. 220 y sigs.

40   De acuerdo con el enfoque proporcionalista de ALEXY, en los casos concretos, los principios tienen diferente «peso» y uno precede al otro (la dimensión del peso configura el núcleo de la ponderación). Como señala MORESO, el enfoque proporcionalista supone que se conserva el alcance de los principios, restringiendo su fuerza. En cambio, el enfoque especificacionista supone reducir el alcance de los principios, conservando su fuerza. MORESO, José Juan, «Conflictos entre derechos constitucionales y maneras de resolverlos», Arbor: Ciencia, Pensamiento y Cultura, núm. 745, 2010 (Ejemplar dedicado a: Actualidad de los Derechos Humanos), pp. 821-832.

41   Se sigue aquí la noción de principios de ATIENZA y RUIZ MANERO, Las piezas del Derecho, cit., 1996.

normativo determinado»[42]. Como resultado de la ponderación, pasamos de una norma *estructuralmente indeterminada*[43] a una *norma estructuralmente determinada*[44]. Así, como resultado de la ponderación, se formulan reglas que exigen un cumplimiento pleno, y que sirven para resolver el caso presente y todos los casos futuros en los que se den las mismas propiedades relevantes[45]. La propuesta de ponderación y «concretización» del principio constitucional de justicia del gasto público que presentamos en este trabajo sigue este modelo[46].

Si aplicamos estos esquemas conceptuales al tema que nos ocupa, podemos afirmar que el principio de justicia del gasto público (expresado como principio de «asignación equitativa de los recursos públicos» —art. 31.2 CE—) es un «mandato de optimización». Es una norma que ordena que

---

[42]   MORESO, José Juan, «Conflictos entre derechos constitucionales y maneras de resolverlos», *cit.*, p. 826. Esta propuesta ya había sido desarrollada previamente por el autor: MORESO, José Juan, «Conflitti tra principi constituzionali», Ragion Pratica, núm. 18, 2002, pp. 201-221.

[43]   Toda norma jurídica prescriptiva (formada por un supuesto de hecho y una consecuencia jurídica) presenta cierto grado de vaguedad e indeterminación, pero lo que aquí se exige es una indeterminación estructural y de un alto grado. *Vid.* VILAJOSANA RUBIO, Josep Maria. *Identificación y justificación del derecho*, Marcial Pons, Barcelona, 2007, págs. 116-121; MORESO, José Juan; VILAJOSANA, Josep Maria, (2004). *Introducción a la Teoría del Derecho*, Marcial Pons, Barcelona, 2004, pp. 61-93.

[44]   En la operación de ponderación, MORESO señala que existen cinco etapas: 1) la delimitación del problema normativo (lo que ALCHOURRÓN y BULYGIN han llamado el *universo del discurso*); 2) la identificación de las pautas *prima facie* aplicables a este ámbito de acciones (los principios que resultan aplicables); 3) la consideración de determinados «casos paradigmáticos», reales o hipotéticos, del ámbito normativo previamente seleccionado en la primera etapa; 4) el establecimiento de las «propiedades relevantes» de ese universo del discurso, que ha de hacer posible la determinación de las soluciones normativas; y 5) la formulación de las reglas que resuelven de modo unívoco todos los casos del universo del discurso. *Vid.* MORESO, José Juan, «Conflictos entre derechos constitucionales y maneras de resolverlos», *cit.*, p. 827.

[45]   Cabe señalar que la ponderación tiene un efecto sincrónico (en una decisión singular), pero también un efecto diacrónico (si se contemplan una serie de decisiones, por ejemplo, del Tribunal Constitucional).

[46]   Una propuesta de concretización y ponderación de los principios constitucionales de Derecho tributario, puede verse en: TOLEDO ZÚÑIGA, Patricia Andrea, *Concretización y ponderación de principios de Derecho tributario. Análisis de la jurisprudencia constitucional desde la Teoría General del Derecho*, Universitat Pompeu Fabra, 2015. Para ello, la autora sigue el modelo de análisis lógico de sistemas normativos desarrollado por los profesores ALCHOURRÓN. C. y BULYGIN, E. (1974. Trabajo original publicado en 1971). *Introducción a la metodología de las ciencias jurídicas y sociales*. (C. Alchourrón, & E. Bulygin, Trads.) Buenos Aires: Astrea.

se realice una asignación equitativa de los recursos públicos «en la mayor medida posible, dentro de las posibilidades reales y jurídicas existentes».

Entre las «posibilidades reales», podemos destacar la diferente capacidad financiera de cada Estado en las concretas circunstancias históricas (ello tiene un importante protagonismo, dada la «insoslayable limitación de los recursos disponibles»)[47]. Entre las «posibilidades jurídicas», se encuentran las determinadas por los otros principios y reglas en juego. Por lo que respecta a los principios, en este trabajo nos centraremos en la ponderación del principio de justicia del gasto público con las normas que establecen derechos constitucionales y tienen el carácter de principios. Sin embargo, el principio de justicia del gasto público también debe ponderarse con los restantes principios constitucionales que rigen el gasto público (entre otros, podemos destacar los principios de eficiencia y economía —art. 31.2 CE—, y el principio de estabilidad presupuestaria —art. 135 CE—).

Como resultado de la ponderación, se lleva a cabo la *concretización* o *especificación* del principio o principios contrastados (por lo que aquí interesa, del principio de justicia del gasto público), que es una operación genuinamente creativa de derecho realizada por el Juez (la creación de reglas) y que depende en todo caso del caso concreto (norma legislativa o acto de aplicación) objeto de discusión. Sin perjuicio, claro está, de que llegara a producirse la ansiada aprobación de una Ley General de Gasto Público, tan demandada por la doctrina (Bayona), que pudiera establecer reglas concretas en desarrollo de los principios jurídicos del gasto público[48].

Considero que este enfoque, basado en las categorías jurídicas expuestas, puede permitir un control «racional» de la aplicación del principio de justicia del gasto público. En mi opinión, su necesidad se ha evidenciado especialmente en los últimos años, en relación con las medidas legislativas de reducción del gasto público adoptadas en cumplimiento de los mandatos de la disciplina presupuestaria (constitucionalizados en el art. 135 CE y desarrollados en la Ley Orgánica 2/2012, de 27 de abril, de Estabilidad Presupuestaria y Sostenibilidad Financiera). Comparto con Rodríguez Bereijo la preocupación sobre el riesgo de caer en interpretaciones forzadas y volunta-

---

[47]   Como señala el TC (en esta ocasión, en materia de Seguridad Social —art. 41 CE—): *«no cabe olvidar que en estos derechos de prestación el grado de su efectividad se encuentra condicionado por los medios económicos disponibles (STC 162/1989), dado el carácter limitado de los recursos».* (STC 37/1994, FJ 5).

[48]   BAYONA DE PEROGORDO, Juan José. «Notas para la construcción de un Derecho de los gastos públicos», *cit.*, 1979.

ristas[49], así como la necesidad de mantener un discurso jurídico riguroso[50]. También considero fundamental incluir en el análisis una adecuada ponderación de todos los principios constitucionales que rigen el gasto público[51].

---

[49]   Puede verse su crítica a la tesis de la «irreversibilidad de los derechos sociales», en: RODRÍGUEZ BEREIJO, Álvaro. «Una perspectiva constitucional del control del gasto público», *cit.*, 2018, pp. 239 a 244. El autor recuerda la distinción entre los derechos y libertades del capítulo II del Título I de la CE (cuyo «contenido esencial» es un límite al Legislador, ex art. 53.1 CE); y los derechos económicos y sociales del capítulo III del Título I de la CE (que, sean derechos de actividad o de promoción, sean derechos de prestación o resultado, son derechos de configuración legal), bajo la rúbrica «principios rectores de la política social y económica». En particular, respecto a la tesis de la «reversibilidad limitada y condicionada» de los derechos sociales (reflejada en el Voto particular discrepante de cuatro magistrados a la STC 49/2015, de 5 de marzo), y el juicio de proporcionalidad que esta supone (que exigiría del legislador una «motivación reforzada» que justifique, con razones suficientes, el carácter ineludible del alcance y de las condiciones de la medida restrictiva del derecho social constitucionalmente reconocido), el autor señala: *«Juicio de proporcionalidad que, en mi opinión, se antoja de aplicación harto difícil y que puede acabar convirtiendo al Tribunal Constitucional en un legislador positivo, mediante una interpretación hiperactivista (optimizadora) de la Constitución, invadiendo la esfera de responsabilidad que corresponde al legislador democrático, por más que éste pueda ser uno de distinta orientación ideológica».* RODRÍGUEZ BEREIJO, Álvaro. «Una perspectiva constitucional del control del gasto público», *cit.*, 2018, p. 242.

[50]   En palabras del autor: *«aunque la función de los estudiosos del Derecho sea impulsar la realidad positiva hacia las aspiraciones de justicia inmanentes al orden jurídico, hay que cuidarse de respuestas dogmáticas simples a problemas complejos».* RODRÍGUEZ BEREIJO, Álvaro, *ídem*, p. 244.

[51]   Sobre la necesidad de conciliar los diversos principios constitucionales que rigen el gasto público, se ha pronunciado la doctrina científica, especialmente tras la incorporación en nuestro ordenamiento jurídico del principio de estabilidad presupuestaria (en 2001) y, más intensamente, a causa de su constitucionalización en el año 2011 (art. 135 CE). MARTÍNEZ GINER señala: *«Sólo con un sistema de racionalidad —eficiencia, economía, eficacia y calidad— global y asumido por todos los operadores jurídicos podrá haber justicia real en la programación del gasto. Es más, las limitaciones del gasto público, en definitiva el principio de estabilidad presupuestaria, lo que aconseja es profundizar más aún en la justicia en el gasto, en la elección de las necesidades públicas a satisfacer, en la prioridad de su ejecución».* MARTÍNEZ GINER, Luis Alfonso. «El principio de justicia en materia de gasto público y la estabilidad presupuestaria», *Civitas. Revista Española de Derecho Financiero*, núm. 115, 2002, pp. 471-492, en particular, p. 482. También NAVARRO FAURE señala: *«un desarrollo del régimen jurídico del gasto público debería centrarse en los criterios en base a los cuales realizar una asignación equitativa de unos gastos cuantitativamente limitados por los compromisos comunitarios».* NAVARRO FAURE, Amparo, «La conciliación entre la estabilidad presupuestaria y una Hacienda autonómica social», *Revista valenciana d'estudis autonòmics*, núm. 61, 2016, pp. 86-119, en particular p. 108. Sobre la relación entre estos principios, puede verse también: MARTÍNEZ LAGO, Miguel Ángel. «Equidad del gasto público y esta-

Para llevar a cabo el análisis en la jurisprudencia constitucional, como hemos señalado, en este trabajo nos centraremos en la posible ponderación del principio de justicia del gasto público con aquellas normas que establecen derechos constitucionales y tienen la estructura de principios[52]. En definitiva, vinculamos la justicia del gasto público a la protección de los derechos constitucionales. Siguiendo a Rubio Llorente, «*el Estado de Derecho no es un Estado de Justicia, sino un Estado de "derechos"*»[53].

3. LA «DIMENSIÓN FINANCIERA» DE LOS DERECHOS CONSTITUCIONALES Y EL CORRELATIVO DEBER POSITIVO DEL ESTADO

Todos los derechos legalmente reconocidos tienen un coste (Holmes y Sunstein)[54]. No solo los derechos económicos y sociales; también los derechos individuales, civiles y políticos (como el derecho a la tutela judicial

---

bilidad presupuestaria en el cuarenta aniversario de la Constitución», *Civitas. Revista Española de Derecho Financiero*, núm. 179, 2018, pp. 99-118.

[52] Por razones de extensión, dejamos para otra ocasión el estudio de la ponderación del principio de justicia del gasto público con los restantes principios constitucionales que rigen el gasto público. Tampoco nos referimos en este trabajo a los principios que rigen la distribución competencial entre el Estado y las Comunidades Autónomas. Sobre este tema, señala RAMALLO que los preceptos del Capítulo III del Título I CE pueden constituir un título competencial (impropio) para que el ejercicio del poder de gasto por el Estado. *Vid.* RAMALLO MASSANET, Juan. «El poder de gasto del Estado: subvenciones y orden competencial», *Documentación administrativa*, núm. 232-233, pp. 401 a 421, en particular, p. 411.

[53] Señala RUBIO LLORENTE que: «*La justicia material no puede ser fin del Estado porque, hoy menos que nunca, no hay "una" idea de justicia que el Estado pueda imponer a todos sus ciudadanos. Hay muchos modos diversos, legítimos e incompatibles entre sí, de entender la proporción entre igualdad y libertad en que consiste la justicia como telos de la acción social y la opción por cualquiera de ello, como objetivo único y necesario de la acción del Estado, conduce inevitablemente al totalitarismo. El Estado como tal, como estructura abierta a las distintas fuerzas y preferencias de la sociedad, no puede justificarse por el servicio a una determinada idea de justicia sustancial. El Estado de Derecho no es un Estado de Justicia, sino un Estado de "derechos"*». RUBIO LLORENTE, Francisco. «Derechos fundamentales, derechos humanos y Estado de Derecho», *Fundamentos: Cuadernos monográficos de teoría del estado, derecho público e historia constitucional*, núm. 4, 2006, pp. 203-233, en particular p. 209.

[54] HOLMES, Stephen; SUNSTEIN, Cass R. *The Cost of Rights. Why liberty depends on Taxes*, Norton & Co., New York, 1999; trad. española «*El costo de los derechos. Por qué la libertad depende de los impuestos*», Ed. Siglo XXI, Buenos Aires, 2011.

efectiva o el derecho al sufragio) requieren un aparato estatal para su protección, que implica un coste elevado[55].

Si atendemos a la clasificación de los derechos basada en su estructura deóntica, Alexy distingue entre: los «derechos de defensa (a acciones negativas)» del Estado y los «derechos a acciones positivas» del Estado. Estos últimos se identifican con los «derechos a prestaciones en sentido amplio», que incluyen: 1) los derechos a protección; 2) los derechos a organización y procedimiento; y 3) los «derechos a prestaciones en sentido estricto», que son: *derechos del individuo frente al Estado a algo que —si el individuo poseyera medios financieros suficientes y si encontrase en el mercado una oferta suficiente— podría obtenerlo también de particulares*[56].

Frente a esta clasificación, Holmes y Sunstein señalan que «todos los derechos legalmente reconocidos son necesariamente derechos a acciones positivas» del Estado y, por tanto, todos ellos tienen un coste. Cuestión distinta es cómo se distribuye ese coste[57]. En realidad, los «derechos a protección» no serían derechos distintos a los «derechos de defensa», sino que la «protección» del Estado (a través de medidas normativas y/o fácticas tendentes a evitar las intervenciones de terceros) sería un «elemento de la configuración institucional del derecho»[58].

Centrándonos en los «derechos a prestaciones en sentido estricto», siguiendo la concepción de Alexy, recordemos que son aquellos derechos en los que el Estado tiene el deber de dar o prestar bienes o servicios que, en principio, el sujeto titular podría obtener en el mercado si tuviera medios suficientes para ello. Starck se refiere a estos derechos como «derechos fundamentales prestacionales»[59]. Nótese que, si bien estos derechos se identifi-

---

[55]   Esta es una de las razones por las que HIERRO rechaza que exista una diferencia cualitativa entre los derechos individuales y los derechos económico-sociales, en particular, por el pretendido carácter costoso de los derechos económico-sociales frente a los derechos individuales. *Vid.* HIERRO, Liborio L. «Los derechos económico-sociales y el principio de igualdad en la teoría de los derechos de Robert Alexy», *Doxa. Cuadernos de Filosofía del Derecho*, núm. 30, 2007, pp. 249-271, en particular pp. 258-260.

[56]   ALEXY, Robert. *Teoría de los Derechos Fundamentales, cit.*, 1993, pp. 427 y sigs.; en particular, p. 482.

[57]   HOLMES, Stephen; SUNSTEIN, Cass R., *idem*, 1999, p. 43.

[58]   Así, el derecho a la vida y la salud, la libertad, la familia o la propiedad, exigen tanto la defensa por parte del Estado (acción negativa) como su protección (acción positiva). HIERRO, Liborio L., *idem*, 2007, p. 264.

[59]   Sobre la transformación de los derechos fundamentales en derechos a recibir una prestación, puede verse: STARCK, Christian (1976), «Staatliche Organisation und staatliche Finanzierung als Hilfen zur Grundrechtsverwirklichung?», en STARCK, Christian,

can generalmente con los «derechos económico-sociales», que son los que «por naturaleza» tienen este carácter prestacional, también los derechos civiles y políticos pueden generar un deber de prestación «en sentido estricto» por parte del Estado para ser garantizados. Así, por ejemplo, el derecho a la asistencia jurídica gratuita, para la efectividad del derecho a la tutela judicial efectiva (SSTC 136/2016 y 119/2019)[60].

Starck se refiere a la dimensión financiera de los «derechos fundamentales prestacionales». Añadimos aquí que todos los derechos legalmente reconocidos requieren acciones positivas del Estado y todos tienen un coste; por tanto, todos los derechos constitucionales tienen, a mi juicio, una «dimensión financiera». De esta forma, puede afirmarse que el Derecho financiero «forma parte» del contenido esencial del derecho fundamental, del mismo modo que el Derecho penal o el Derecho civil (Häberle[61]). «Dimensión financiera» que, atendiendo a la consideración unitaria del fenómeno financiero (Sainz de Bujanda[62]), no solo se manifiesta en la vertiente del gasto público[63], sino también en la del ingreso[64].

Freiheit und Institutionen, Tübingen, Mohr Siebeck, 2002, pp. 158 a 204, en particular, pp. 194 y 195.

[60] PRIETO SANCHÍS también pone el ejemplo de la libertad religiosa que, no solo ha de ser respetada, sino también protegida y hasta subvencionada a fin de que su ejercicio pueda resultar verdaderamente libre. PRIETO SANCHÍS, Luis, «Los derechos sociales y el principio de igualdad sustancial», *Revista del Centro de Estudios Constitucionales*, núm. 22, 1995, pp. 9-57; en particular, p. 16.

[61] HÄBERLE, Peter, *Le libertà fondamentali nello stato costituzionale*, Nis, Roma, 1993 (trad. esp. Häberle, Peter, *La libertad fundamental en el Estado constitucional*, Ed. Pontificia Universidad Católica del Perú, 1997, p. 119).

[62] SÁINZ DE BUJANDA, Fernando. *Sistema de Derecho Financiero*, tomo I, volumen primero, Facultad de Derecho de la Universidad Complutense, Madrid, 1977, pp. 476 y sigs.

[63] La financiación pública es una condición necesaria (aunque no suficiente) para garantizar el disfrute efectivo del derecho de todos los ciudadanos, en condiciones de igualdad. Los poderes públicos deben garantizar la «accesibilidad económica» («asequibilidad»), como condición para el disfrute efectivo de los derechos constitucionales en condiciones de igualdad. Sobre el gasto público como instrumento para reducir la inequidad, puede verse: KLEINBARD, Edward, *We Are Better Than This: How Government Should Spend Our Money*, Oxford U. Press, 2014 (recensión de SHAVIRO, Daniel, en *National Tax Journal*, núm. 68, 2015, pp. 681-688); y KLEINBARD, Edward, «What's a Government Good for? Fiscal Policy in an Age of Inequality», *USC CLASS Research Papers Series*, 2018.

[64] En relación con la exigencia de prestaciones patrimoniales de carácter público (no tributarias) a los ciudadanos, el Tribunal Constitucional ha situado su fundamento en: *«efectuar una asignación de los recursos públicos que responda a los criterios de eficiencia y de economía (art. 31.2 CE). Con la regulación controvertida el Estado ha*

En relación con los derechos económicos, sociales y culturales, reconocidos internacionalmente[65], el Estado tiene la obligación, no solo de «respetar» (acción negativa o de defensa) y de «proteger» (acción positiva), sino también la obligación de «cumplir», que es asimismo un deber positivo del Estado[66]. Esto es, el Estado debe adoptar las medidas apropiadas (de carácter legislativo, presupuestario, administrativo, etc.) para dar «plena efectividad» a estos derechos; entre ellas, medidas jurídico-financieras. Este deber positivo del Estado en relación con los derechos económico-sociales, se consagra en el artículo 2.1 del Pacto Internacional de Derechos Económicos, Sociales y Culturales de 1966 (PIDESC), que establece el deber de los Estados Partes de «adoptar medidas» «hasta el máximo de los recursos de que dispongan» «para lograr progresivamente» la plena efectividad de los

---

puesto su poder de gasto al servicio de una concreta política no sólo con la finalidad de garantizar un uso racional de las prestaciones y servicios necesarios para tutelar la salud pública (art. 43 CE), sino también con el objetivo de llevar a cabo una adecuada y razonable distribución de unos recursos públicos escasos frente a necesidades de protección siempre crecientes (art. 31.2 CE), fines ambos de inequívoco interés público» (STC 139/2016, FJ 6; en sentido similar, STC 83/2014, FJ 3). Se invoca así el principio de asignación «racional» de los recursos públicos (criterios de eficiencia y economía), que tiene un carácter instrumental respecto al principio de asignación «equitativa» de recursos públicos, ambos garantizados en el art. 31.2 CE. En relación con la sanidad, AGULLÓ señala el problema de la *«accesibilidad universal a los servicios públicos esenciales en condiciones de igualdad, estrechamente relacionado a su vez con el principio de capacidad. La compatibilidad del copago con esa accesibilidad en condiciones de igualdad, así como la compatibilidad de su articulación concreta y no sólo de su existencia son, a mi juicio, el verdadero problema y en el que es preciso afinar. Un problema, como se ha dicho, estrechamente relacionado con el principio de capacidad».* Vid. AGULLÓ AGÜERO, Antonia (2020), «La financiación de la sanidad. Parámetros para un problema complejo», en AGULLÓ AGÜERO, Antonia (Dir.); MARCO PEÑAS, Ester (Coord.), *Financiación de la sanidad: Tributación, Gestión, control del gasto y reparto constitucional del Poder Financiero*, Tirant lo Blanch, Valencia, 2020, pp. 13-18.

[65] El reconocimiento internacional de estos derechos se expresa en la Declaración Universal de Derechos Humanos (DUDH) de 1948; en el Pacto Internacional de Derechos Económicos, Sociales y Culturales (PIDESC) de 1966; en el Convenio Europeo para la Protección de los Derechos Humanos y de las Libertades Fundamentales (CEDH) de 1950; en la Carta Social Europea (CSE) de 1961; y en la Carta de los Derechos Fundamentales de la Unión Europea (CDFUE) de 2007. Podemos destacar, por ejemplo, el derecho a la salud, a la educación, a la seguridad social y a un nivel de vida adecuado.

[66] Para hacer efectivos estos derechos, existe el correlativo «deber» de los poderes públicos, al que se refiere PECES-BARBA del siguiente modo: *«se pueden señalar los deberes positivos de los poderes públicos ya citados que suponen el incumplimiento de prestaciones exigibles por los titulares de derechos de crédito frente a esos poderes públicos (derecho a la sanidad, a la seguridad social, a la educación, etc.)».* Vid. PECES-BARBA MARTÍNEZ, Gregorio, «Los deberes fundamentales», *Doxa*, núm. 4, 1987, pp. 329-341, en particular p. 341.

derechos reconocidos en el Pacto, «sin discriminación alguna»[67]. En particular, los Estados deben garantizar la accesibilidad económica («asequibilidad»), que exige que los pagos por los servicios se basen en el principio de la equidad, a fin de asegurar que esos servicios, sean públicos o privados, estén al alcance de todos, incluidos los grupos socialmente desfavorecidos. La garantía de asequibilidad, como garantía de acceso se predica de todos aquellos servicios que se consideran «esenciales» (incluyendo los servicios sanitarios; el suministro de agua potable y saneamiento; el suministro de energía; la vivienda y el transporte, entre otros)[68]. La garantía de accesibilidad no exige la gratuidad de los servicios[69].

En definitiva, el Estado tiene el deber de «maximizar» la «disponibilidad» de recursos a través de su poder financiero (en la doble vertiente del gasto y del ingreso público). Esta idea conecta con el carácter de «mandato de optimización» señalado por Alexy.

En relación con los «derechos a prestaciones en sentido estricto» (que se identifican fundamentalmente con los «derechos fundamentales sociales»), Alexy propone una ponderación de los siguientes principios en juego[70]: el

---

[67] Es importante destacar la relación de estos derechos con el derecho a la igualdad, tanto la prohibición de discriminación (artículo 2.2 del PIDESC), como la igualdad real y efectiva. Al respecto puede verse: Comité de Derechos Económicos, Sociales y Culturales de las Naciones Unidas (2009), Observación general núm. 20, sobre «La no discriminación y los derechos económicos, sociales y culturales» (art. 2.2 del PIDESC).

[68] Una muestra de la importancia de la asequibilidad, como condición que se menciona expresamente para la garantía de los derechos, puede verse en: UNITED NATIONS (2015), *Transforming our world: the 2030 Agenda for Sustainable Development*, de 18 de septiembre de 2015, que incluye los 17 Objetivos de Desarrollo Sostenible (ODS); y EUROPEAN COMMISSION (2017), *European Pillar of Social Rights. Building a more inclusive and fairer European Union*, de 17 de noviembre de 2017. Tras la crisis económica y una agenda europea presidida por la disciplina presupuestaria y las políticas de austeridad, parece que los derechos sociales empiezan a tener el protagonismo que merecen en las políticas de la Unión Europea, aunque todavía sean pasos tímidos y limitados al *soft law*, como el citado Pilar Europeo de Derechos Sociales de 2017.

[69] Sobre esta garantía en relación con el derecho a la salud, y el papel de la financiación pública, puede verse: MACHO PÉREZ, Ana Belén, «Financiación de servicios sanitarios y distribución constitucional del poder financiero: análisis jurídico-financiero de la reforma sanitaria en Estados Unidos», en AGULLÓ AGÜERO, Antonia (dir.); MARCO PEÑAS, Ester (coord.), *Financiación de la sanidad: Tributación, Gestión, control del gasto y reparto constitucional del Poder Financiero*, Tirant lo Blanch, Valencia, 2020, pp. 21 a 92.

[70] Sobre las críticas de HABERMAS y de BÖCKENFÖRDE a la concepción de ALEXY de los derechos fundamentales como «mandatos de optimización» («demasiado poco» y «demasiado»), y la respuesta de ALEXY, puede verse ALEXY, Robert. «Epílogo a la Teoría de los derechos fundamentales», cit., 2002. Concretamente sobre la crítica de

principio de libertad fáctica (*faktische Freiheit*) que sería el principal fundamento de los derechos sociales; el principio democrático de decisión; el principio de la división de poderes; y el principio de la libertad jurídica de otros, así como los otros derechos sociales y los bienes colectivos. En la teoría de Alexy se asumen tres axiomas: el primero es que la igualdad *de iure* no puede ser sacrificada en aras de la igualdad de hecho; el segundo es que el fundamento principal de estos derechos es el principio de libertad fáctica y no el principio de igualdad o, dicho de otro modo, de igualdad de oportunidades para la libertad fáctica; y, finalmente, que los derechos a prestaciones en sentido estricto son derechos a bienes que uno podría adquirir en el mercado si tuviese recursos suficientes. A partir de estos tres axiomas, Alexy construye su «teoría del mínimo», esto es, un mínimo constitucionalmente inadmisible, que sería un límite al Legislador en materia de derechos sociales[71] y[72].

Finalmente, por lo que respecta al fundamento de los «derechos fundamentales sociales» en el principio de igualdad material y efectiva (Starck)[73],

---

HABERMAS, puede verse también: ALEXY, Robert. «Derechos fundamentales, ponderación y racionalidad», en FERNÁNDEZ SEGADO, Francisco (ed.), *The Spanish Constitution in the European constitutional context. La Constitución española en el contexto constitucional europeo*, Madrid, Dykinson, 2003, pp. 1505-1514.

[71] HIERRO expone esta teoría de ALEXY sobre los derechos sociales y concluye que ALEXY no llega a extraer todas las consecuencias que se derivan de su teoría. Para HIERRO, la teoría de los derechos humanos ha de construirse a partir de la combinación de dos entradas: «*por un lado, la distinción entre derechos-libertad, derechos-inmunidad, derechos-pretensión y derechos-potestad y, por el otro, la distinción entre las formas de satisfacción, protección y promoción de los derechos*». Vid. HIERRO, *op. cit.*, 2007, p. 270.

[72] Nótese que, según RUBIO LLORENTE, «el derecho al mínimo vital» es un «derecho humano», que el Legislador ha de realizar (entendido como finalidad necesaria de la acción del legislador), pero no es un derecho fundamental (como límite del poder del legislador). En otras palabras, según la concepción de ALEXY, este derecho exigiría «acciones positivas fácticas» del Estado, pero no «acciones positivas normativas». Señala RUBIO LLORENTE esta noción de «*derechos humanos como derechos que el legislador ha de realizar, aunque ahora esa realización no comporte su positivización, sino la organización material de los servicios que han de satisfacerlos, no una prestación normativa, sino una prestación fáctica. Estos derechos nuevos, cuyo mejor ejemplo es quizás el derecho al mínimo vital, son derechos humanos en cuanto que derivados de la dignidad humana, pero no derechos fundamentales*». RUBIO LLORENTE, Francisco. «Derechos fundamentales, derechos humanos y Estado de Derecho», *cit.*, 2006, p. 228.

[73] STARCK señala que la lista de derechos fundamentales prestacionales para hacer efectiva la igualdad material (como el derecho a la educación; al trabajo; al medio ambiente; a una vivienda digna; etc.) podría completarse, sin demasiado esfuerzo de imaginación, con más derechos (y pone como ejemplo un hipotético derecho a las comunicaciones

ciertamente, la Constitución no contiene un programa preciso de distribución de recursos públicos (que, además, son limitados), ni una prelación exacta de las necesidades atendibles (pues existe un amplio margen de libertad para el Legislador). Ahora bien, el Estado social no debe tolerar las desigualdades inmerecidas; aquellas que están en la base de los derechos sociales, como las carencias o la fortuna social (enfermedad, discapacidad, pobreza, etc.)[74]. En qué medida los derechos fundamentales prestacionales permitan superar estas desigualdades inmerecidas, depende del contenido que se confiera a estos derechos en cada tiempo y lugar (son derechos de configuración histórica[75]).

Sobre el papel que juegan el principio de igualdad material y las normas que establecen los derechos constitucionales (en particular, su «dimensión

---

telefónicas o al transporte sin coste). Podemos pensar en derechos energéticos; derechos digitales; etc. Por ejemplo, en el ámbito digital, junto a los derechos individuales (como la libertad de expresión o el derecho fundamental a la protección de los datos personales) existen derechos colectivos o sociales (así, puede citarse el derecho al acceso universal a internet, como derecho social que garantice que cualquier persona tenga las TIC a su alcance). STARCK, Christian, *Freiheit und Institutionen*, Tübingen, Mohr Siebeck, 2002, pp. 194 y 195.

[74] *Vid.* PRIETO SANCHÍS, Luis, *Estudios sobre derechos fundamentales*, Debate, Madrid, 1990, p. 78; y PRIETO SANCHÍS, Luis, «Los derechos sociales y el principio de igualdad sustancial», Revista del Centro de Estudios Constitucionales, núm. 22, 1995, pp. 9-57, en particular, p. 32; con cita de FERRAJOLI, L., «Tolleranza e intollerabilità nello Stato di Diritto», en *Analisi e Diritto*, Giappichelli, Torino, 1993. En definitiva, los derechos sociales se configuran como derechos de igualdad entendida en el sentido de igualdad material o sustancial (esto es, como derechos a gozar de un régimen jurídico diferenciado en atención precisamente a una desigualdad de hecho que trata de ser limitada o superada). PRIETO SANCHÍS, Luis, *cit.*, 1995, p. 17. Es más, siguiendo a RAWLS, los derechos sociales promueven que el valor de la libertad llegue a ser igual para todos, como igual es la atribución jurídica de esa libertad. RAWLS, John, *Teoría de la Justicia* (1971), trad. de M. D. González, F.C.E., Madrid, 1979, p. 237. O en palabras de BOCKENFORDE, «si la libertad jurídica debe poder convertirse en libertad real, sus titulares precisan de una participación básica en los bienes sociales materiales; incluso esta participación en los bienes materiales es una parte de la libertad, dado que es un presupuesto necesario para su realización». BOCKENFORDE, Ernst-Wolfgang, *Escritos sobre derechos fundamentales*, prólogo de Francisco J. Bastida; trad. de Juan Luis Requejo Pagés e Ignacio Villaverde Menéndez, 1. ed., Nomos Verlagsgesellschaft, Baden-Baden, 1993, p. 74; *vid.* también R. ALEXY, R., *Teoría de los derechos fundamentales*, *cit.*, p. 486 y s.

[75] A diferencia de los derechos individuales, los derechos sociales no son *derechos racionales*, sino «*derechos históricos, cuya definición requiere una decisión previa acerca del reparto de los recursos y de las cargas sociales, que obviamente no puede adoptarse en abstracto ni con un valor universal*». *Vid.* PRIETO SANCHÍS, Luis, «Los derechos sociales y el principio de igualdad sustancial», *cit.*, 1995, p. 14.

financiera», en la doble vertiente, del gasto y del ingreso público) en la aplicación del principio de justicia del gasto público, nos referimos a continuación, a través del análisis jurisprudencial.

4. LA PONDERACIÓN DE LOS PRINCIPIOS CONSTITUCIONALES EN JUEGO: UN ANÁLISIS JURISPRUDENCIAL

Dada la escasez de pronunciamientos del TC español directamente referidos al principio de justicia en el gasto público, analizaremos la jurisprudencia constitucional española, así como la jurisprudencia europea y constitucional comparada, sobre el enjuiciamiento de decisiones *sustanciales* de gasto público (sea contenidas en normas legales, sea en actos de aplicación), en las que se lleva a cabo una ponderación con otros principios constitucionales, en particular, con las normas que establecen derechos constitucionales[76].

4.1. Jurisprudencia constitucional española

Considero que el *leading case* en la materia lo constituye la STC 86/1985, de 10 de julio, que desestimó un recurso de amparo sobre subvenciones a centros docentes privados, en el que se alegaba vulneración de los derechos fundamentales a la igualdad y a la educación (arts. 14 y 27 CE)[77]. En los FFJJ 3 y 4 de la STC 86/1985 se contienen las bases de esta doctrina constitucional.

---

[76] Sobre el papel de los Tribunales Constitucionales para hacer cumplir el principio de solidaridad en Europa, puede verse: SCIARRA, Silvana. *Solidarity and Conflict. European Social Law in Crisis*, Cambridge University Press, 2018; MASALA, Pietro; VALDÉS DAL-RÉ, Fernando, «The Future of Social Europe and of European Integration at a Crossroads. How Can We Recover and Enforce Solidarity as a Fundamental Principle of European Constitutional Law (or Die)?», *European papers: a journal on law and integration*, Vol. 4, Nº. 1, 2019, pp. 257-268. JIMENA QUESADA, L. *Devaluación y blindaje del Estado social y democrático de derecho*, Tirant lo Blanch, Valencia, 2017. Más allá del ámbito europeo, puede verse: CORTI, Horacio, «Las restricciones presupuestarias en la jurisprudencia de la Corte Suprema de Justicia argentina», *Revista jurídica de los Derechos Sociales*, vol. 7, núm. 1, pp. 144 a 173.

[77] *Vid.* SESMA SÁNCHEZ, Begoña. *Las subvenciones públicas*, Lex Nova, 1998; y MARTÍNEZ GINER, Luis Alfonso (coord.); NAVARRO FAURE, Amparo (coord.), *Régimen jurídico-financiero de las subvenciones públicas*, Tirant lo Blanch, 2010.

De forma muy sintética, a partir de la ponderación realizada en este primer pronunciamiento, podemos extraer la siguiente doctrina constitucional, en la que, en mi opinión, pueden identificarse diversas «reglas» y «principios», que configuran las «posibilidades jurídicas» del principio de justicia del gasto público:

– El derecho fundamental a la educación, junto a su contenido primario de derecho de libertad, incorpora una «dimensión prestacional», en cuya virtud los poderes públicos «deben» procurar la efectividad de tal derecho. Podemos hablar así de un «derecho fundamental prestacional» y del correlativo «deber del Estado» de hacerlo efectivo.

– La Constitución impone un concreto derecho de prestación: la gratuidad de la enseñanza básica (art. 27.3 CE). Por lo tanto, el Estado «debe» prestar el servicio público de enseñanza básica de forma gratuita. Se trata de una «regla» de obligado cumplimiento.

– El art. 27.9 CE establece que: «*Los poderes públicos ayudarán a los centros docentes que reúnan los requisitos que la ley establezca*». Se trata de un «principio», que admite distintos grados de cumplimiento. El TC ha señalado que este precepto no consagra un «derecho fundamental a la prestación pública». El derecho a la subvención no nace de la Constitución, sino de la Ley, con los requisitos y condiciones que establezca el Legislador. Ahora bien, «no puede interpretarse como una afirmación retórica, de manera que quede absolutamente en manos del legislador la posibilidad de conceder o no esa ayuda» (STC 77/1985, FJ 11).

– El Legislador puede supeditar el libramiento de las ayudas públicas al respeto de limitaciones que condicionen el derecho del titular del centro a dirigirlo (STC 77/1985, FJ 20). Asumiendo, por ejemplo, «la insoslayable limitación de los recursos disponibles» (STC 77/1985, FJ 11), puede atender, «entre otras posibles circunstancias, a las condiciones sociales y económicas de los destinatarios finales de la educación a la hora de señalar a la Administración las pautas y criterios con arreglo a los cuales habrán de dispensarse las ayudas en cuestión» (STC 86/1985, de 10 de julio, FJ 3)[78].

---

[78] Precisamente, los principios que rigen el gasto público (art. 31.2 CE) se han aducido por el TC como fundamento para el establecimiento legal de requisitos de acceso a las ayudas. En el caso analizado (STC 86/1985), no se reputó inconstitucional que el Legislador atendiese, entre otras posibles circunstancias, a las condiciones sociales y económicas de los destinatarios finales de la educación, a la hora de señalar a la Administración las pautas y criterios con arreglo a los cuales habrán de dispensarse las ayudas en cuestión. Véase también *infra* nota a pie 81.

– El Legislador no es enteramente libre para habilitar de cualquier modo este necesario marco normativo. Señala el TC que el Legislador no podrá «contrariar los derechos y libertades educativas presentes en el mismo artículo» y deberá, asimismo, «configurar el régimen de ayudas en el respeto al principio de igualdad». «Como vinculación positiva, también, el legislador habrá de atenerse en este punto a las pautas constitucionales orientadoras del gasto público, porque la acción prestacional de los poderes públicos ha de encaminarse a la procuración de los objetivos de igualdad y efectividad en el disfrute de los derechos que ha consagrado nuestra Constitución (arts. 1.1, 9.2, y 31.2, principalmente)».

De esta primera doctrina, podemos extraer al menos tres límites que vinculan al Legislador, dentro de su libertad de configuración legal del derecho prestacional (considero que los dos primeros se expresan como vinculación negativa al Legislador y el tercero como vinculación positiva):

1) El respeto del contenido esencial de los derechos y libertades constitucionales.

2) El respeto al principio de igualdad.

3) Las pautas constitucionales orientadoras del gasto público (la consecución de los objetivos de igualdad y efectividad en el disfrute de los derechos constitucionales).

Un ejemplo de concretización del primer límite (respeto del contenido esencial del derecho fundamental, como derecho de libertad) lo encontramos en la STC 74/2018, de 5 de julio. El TC estima el recurso de amparo y declara vulnerado el derecho fundamental a la libertad educativa (art. 27.1 y 27.3 CE), en conexión con la garantía de la libertad ideológica (art. 16.1 CE), por la denegación de la renovación del régimen de concierto (una decisión de gasto público) que se basaba exclusivamente en la opción ideológica del centro docente, en atención al carácter de centro de educación diferenciada[79].

Como ejemplo de concretización del segundo límite (respeto al principio de igualdad *de iure* o ante la ley), podemos citar todas aquellas sentencias

---

[79]   El TC señala: «*Esta última vulneración no se refiere propiamente a la dimensión "prestacional" del derecho a la educación ni a un supuesto derecho subjetivo perfecto a la renovación de concierto —no reconocido como tal en el artículo 27.9 CE; se refiere al "contenido de libertad" del artículo 27 CE y, en lo que aquí importa específicamente, al derecho de los padres a elegir el centro y tipo de formación de sus hijos (art. 27, apartados primero y tercero CE)*». Esta STC 74/2018 cuenta con importantes Votos particulares. Véase también la STC 31/2018.

que declaran la inconstitucionalidad de normas reguladoras de prestaciones públicas por vulneración del principio de igualdad formal consagrado en el art. 14 CE (entre otras, la STC 103/1983, que apreció una discriminación por razón de sexo en materia de pensión de viudedad)[80]. El Legislador tiene un amplio margen de libertad de configuración para decidir si concede o no una determinada prestación[81], pero, si lo hace, no puede establecer distinciones discriminatorias[82].

---

[80] En palabras de PRIETO SANCHÍS: «*Ésta es la razón de ser de muchas de las llamadas sentencias aditivas del Tribunal Constitucional, es decir, de aquellas decisiones en las que el Tribunal extiende a sujetos no mencionados en la norma los "beneficios" en ella previstos (por ejemplo, la STC 103/1983, que amplió para los viudos el régimen de pensiones más favorable establecido para las viudas). Los viudos no hubiesen podido fundar una pretensión iusfundamental a la obtención de cierta clase de pensión o ayuda de no ser porque el legislador decidió previamente que tal pretensión estaba justificada para cierto colectivo "análogo"*». *Vid.* PRIETO SANCHÍS, Luis, *cit.*, 1995, pp. 35 y 36. En materia de pensiones públicas, más ejemplos de vulneración del art. 14 CE los encontramos en la STC 142/1990, de 20 de septiembre; y en la STC 41/2013, de 14 de febrero. En materia de ayudas públicas, la STC 31/2018, de 10 de abril, señala: «*dado que las ayudas públicas previstas en el artículo 27.9 CE han de ser configuradas "en el respeto al principio de igualdad" (STC 86/1985, FJ 3), sin que quepa justificar un diferente tratamiento entre ambos modelos pedagógicos, en orden a su percepción, la conclusión a la que ha de llegarse es la de que los centros de educación diferenciada podrán acceder al sistema de financiación pública en condiciones de igualdad con el resto de los centros educativos: dicho acceso vendrá condicionado por el cumplimiento de los criterios o requisitos que se establezcan en la legislación ordinaria, pero sin que el carácter del centro como centro de educación diferenciada pueda alzarse en obstáculo para dicho acceso*» (STC 31/2018, FJ 4 b). Esta STC 31/2018 se cita en la STC 74/2018, que analizaremos en el siguiente epígrafe, en la que se declara vulnerado el derecho fundamental a la libertad educativa (art. 27 CE) y se estima el recurso de amparo, por haberse denegado la renovación del concierto en atención al carácter de centro de educación diferenciada (sin necesidad de examinar la alegada infracción del art. 14 CE).

[81] Precisamente en la STC 41/2013, el Fiscal General y del Abogado del Estado aducían el art. 31.2 CE para justificar la constitucionalidad del precepto legal, al argumentar que la finalidad del requisito legal cuestionado resultaba «*adecuada para garantizar la equidad, eficiencia y economía del gasto público en materia de pensiones públicas, dentro del margen de apreciación de las circunstancias socioeconómicas de cada momento a la hora de administrar recursos limitados para atender a un gran número de necesidades sociales, (arts. 31.2 y 41 CE), y que no contraviene los mandatos de protección social de la familia y en particular de los hijos menores (art. 39 CE)*».

[82] Como señala PRIETO SANCHÍS, en relación con el reparto de recursos públicos, si el Estado decide que un cierto grupo de personas obtenga prestaciones (sanitarias, educativas, etc.) con carácter gratuito o subvencionado atendiendo, por ejemplo, a su renta familiar, el juicio de igualdad *de iure* velará porque el criterio clasificatorio del legislador (en este caso, la renta familiar) no sea radicalmente arbitrario y que no hayan quedado indebidamente excluidas algunas personas. En cambio, el juicio de igualdad sustancial exige justificar que ese criterio que introduce desigualdades normativas es en sí mismo

Un ejemplo de concretización del tercer límite (consecución de los objetivos de igualdad y efectividad en el disfrute del derecho fundamental) lo encontramos en la STC 214/1994, de 14 de julio: «*Los poderes públicos deben establecer un programa de ayudas al estudio que garantice a los ciudadanos con menos recursos económicos el acceso a la educación. Dentro de este programa de ayudas pueden incluirse... prestaciones económicas en forma de becas*» (STC 214/1994, de 14 de julio (FJ 8); STC 188/2001, de 20 de septiembre (FJ 5)). El Estado, en ejercicio de su poder financiero (y, concretamente, de su poder de gasto público) «debe» garantizar el acceso de «todos» a la educación, en condiciones de igualdad; en particular, a los ciudadanos con menos recursos económicos. Nótese que no nos situamos en el primer límite mencionado (el respeto del contenido esencial del derecho de libertad); tampoco en el segundo límite mencionado (el respeto a la igualdad *de iure* o ante la ley); sino en el tercer límite, relativo al gasto público (la garantía del disfrute efectivo del derecho fundamental, en condiciones de igualdad[83]). A mi juicio se trata también aquí de un «principio en sentido estricto», un «mandato de optimización», que debe aplicarse dentro de las «posibilidades reales y jurídicas»[84], pero que, una vez concretizado, exige su pleno cumplimiento.

---

racional, adecuado y proporcionado para obtener igualdades de hecho, a la luz del fin perseguido, esto es, de limitar la desigualdad entre familias ricas y pobres en materia sanitaria, educativa, etc. Otros criterios son la discapacidad, la raza, el sexo, etc. (medidas de discriminación positiva). *Vid.* PRIETO SANCHÍS, Luis, *cit.*, 1995, p. 27.

[83] Cabe distinguir, por tanto, entre la igualdad protegida por el art. 14 CE y la igualdad protegida por el art. 31.2 CE, que puede considerarse implícita en el principio de asignación «equitativa» de los recursos públicos, como garantía de no discriminación en el disfrute de los derechos constitucionales, en particular, por motivos económicos.

[84] Dicho de otro modo, existe un «núcleo o reducto indisponible por el legislador», a partir del cual los derechos prestacionales son de estricta configuración legal. Dentro de este núcleo indisponible, se encuentran una serie de reglas y principios; entre otros, el deber de los poderes públicos de «ayudar a los centros docentes» (STC 77/1985) y de establecer un «programa de ayudas al estudio» (STC 214/1994). También el deber de los poderes públicos de «establecer —o mantener— un sistema protector que se corresponda con las características técnicas de los mecanismos de cobertura propios de un sistema de Seguridad Social» (STC 32/1981). En la configuración legal de estos derechos, el Legislador puede introducir limitaciones, atendiendo, entre otras, a las circunstancias socioeconómicas (así, por ejemplo, la limitación de la actualización de la capacidad adquisitiva de las pensiones más altas, «en tanto se encuentra fundada en las exigencias derivadas del control del gasto público y del principio de solidaridad, goza de una justificación objetiva y razonable» —STC 100/1990, de 30 de mayo, FJ 3—). Ahora bien, aunque las medidas restrictivas adoptadas por el Legislador no están por sí mismas prohibidas (en este sentido, compartimos que no puede mantenerse la tesis de la irreversibilidad absoluta de los derechos sociales), sí cuentan con importantes límites y, en particular, deben estar especialmente justificadas. Es aquí donde situamos

En síntesis, de esta doctrina constitucional se infiere que el Legislador dispone de una amplia libertad para configurar legalmente el derecho prestacional y ejercer su poder financiero (y, concretamente, su poder de gasto), siempre que: 1) respete el contenido de los derechos y libertades constitucionales; 2) respete el principio de igualdad; y 3) garantice el acceso de todos al disfrute efectivo del derecho; en particular, de los ciudadanos con menos recursos económicos.

Los dos primeros son límites «negativos»; el tercero y último expresa la idea de la «vinculación positiva» del principio de asignación equitativa de los recursos públicos al Legislador, que en este trabajo anclamos en la teoría de los derechos constitucionales.

En los últimos años, el Tribunal Constitucional español ha dictado diversos pronunciamientos en los que declara la constitucionalidad de medidas legislativas restrictivas de derechos sociales, con importantes Votos particulares. Así, en materia de pensiones (arts. 41 y 50 CE), la STC 49/2015, de 5 de marzo, que legitima constitucionalmente la decisión del Gobierno, mediante el Real Decreto-Ley 28/2012, de no actualizar las pensiones según la variación anual del IPC (con el voto en contra de 5 Magistrados)[85]. En materia de derecho a la protección de la salud (art. 43 CE), en relación con el principio de igualdad (art. 14 CE), puede verse la STC 139/2016, de 21 de julio y posteriores, con sus respectivos votos particulares[86]. Estamos ante

---

la «concretización» del principio, esto es, la construcción de «reglas», como resultado de la ponderación del principio, que puedan ser aplicadas a casos futuros.

[85] Contra la posterior Ley 23/2013, Reguladora del Factor de Sostenibilidad y del Índice de Revalorización de las Pensiones, que incorpora esta normativa, ha sido admitida a trámite en 2018 la demanda presentada ante el Tribunal Europeo de Derechos Humanos, que está pendiente de resolución (véase *infra* el epígrafe dedicado a la jurisprudencia del TEDH).

[86] La STC 139/2016 declara constitucional la norma que excluye a los extranjeros irregulares de las prestaciones sanitarias gratuitas fuera de determinados supuestos excepcionales. El TC declara que el derecho a la protección de la salud (art. 43 CE) es un derecho de configuración legal y, en la regulación de las condiciones, el TC admite la posibilidad de limitar la titularidad en virtud de la situación legal y administrativa en España. El TC sostiene que *«dentro del margen del legislador de establecer sus prioridades, la norma examinada no responde a una opción arbitraria, sino a la preservación de bienes o intereses constitucionalmente protegidos, como el mantenimiento del sistema sanitario público, sin desconocer las posibilidades del sistema en un momento de intensas complicaciones económicas, observándose, en la distinción entre extranjeros con autorización de residencia y los que carecen de ella, la debida proporcionalidad y dando cumplimiento a las obligaciones internacionales en la materia»* (STC 139/2016, FJ 10). Este pronunciamiento cuenta con tres votos particulares, en los que se consideran inadmisibles las limitaciones del derecho a la asistencia sanitaria gratuita, que

una incipiente doctrina constitucional en la que el principio de justicia en el gasto público puede, y debe a mi juicio, adquirir un mayor protagonismo.

4.2. Jurisprudencia europea y constitucional comparada

Pese a la inexistencia de preceptos similares al artículo 31.2 CE en el Derecho comparado, el análisis de la jurisprudencia europea, así como de la jurisprudencia constitucional de nuestro entorno más próximo, puede resultar útil para explorar las posibilidades del principio de justicia del gasto público (art. 31.2 CE) como canon de enjuiciamiento constitucional.

4.3. Jurisprudencia del Tribunal Europeo de Derechos Humanos

En primer lugar, en la jurisprudencia del Tribunal Europeo de Derechos Humanos (TEDH)[87], se aprecia una incipiente doctrina sobre las obligaciones positivas del Estado para la protección de los derechos sociales de prestación (como el derecho a la salud, a la vivienda o a la protección social). Tal doctrina se basa en una interpretación extensiva de los derechos civiles y políticos reconocidos en el Convenio Europeo de Derechos Humanos (CEDH), puesto que el CEDH no reconoce expresamente los derechos sociales de prestación (a excepción del derecho a la educación)[88].

---

se conecta con el derecho a la salud, a su vez vinculado con el derecho a la vida y a la integridad física (art. 15 CE), derechos que no son susceptibles de limitación alguna en atención a la condición administrativa de su titular. Diversas Comunidades Autónomas aprobaron normativas propias, en las que reconocían el derecho a la asistencia sanitaria gratuita a los extranjeros irregulares con residencia en sus respectivos territorios, normativas que fueron anuladas, respectivamente, por la STC 134/2017 (País Vasco), la STC 145/2017 (Comunitat Valenciana), STC 2/2018 (Extremadura) y STC 17/2018 y 18/2018 (Navarra). Todas ellas cuentan con Votos particulares.

[87] Téngase en cuenta que, de conformidad con el artículo 10.2 CE: «*Las normas relativas a los derechos fundamentales y a las libertades que la Constitución reconoce se interpretarán de conformidad con la Declaración Universal de Derechos Humanos y los tratados y acuerdos internacionales sobre las mismas materias ratificados por España*».

[88] Al respecto, puede verse: CARMONA CUENCA, Encarna, «Derechos sociales de prestación y obligaciones positivas del Estado en la jurisprudencia del Tribunal Europeo de Derechos Humanos», UNED, Revista de Derecho Político, núm. 100, septiembre-diciembre 2017, págs 1209-1238. La autora señala que: «*Aunque se trata de una interpretación incipiente y poco desarrollada, muestra un camino en el que se debería profundizar en el futuro. Es generalmente admitido que son los Estados quienes deben tener la iniciativa en el diseño y establecimiento de los derechos sociales de prestación pero, en caso de conductas y omisiones estatales manifiestamente contrarias a los estándares internacionales, el Tribunal Europeo debería obligar a los Estados mediante*

Así, en la Sentencia del TEDH de 10 de abril de 2012 (caso *Panaitescu v. Romania*), en atención a las circunstancias particulares del caso, se ha declarado vulnerado el derecho a la vida (artículo 2 del CEDH), porque el Estado no proporcionó al solicitante el tratamiento médico gratuito al que tenía derecho (según lo ordenado por los tribunales nacionales y de acuerdo con lo prescrito por los médicos), por motivos burocráticos, lo que agravó la enfermedad del paciente y puso en riesgo su vida. En esta Sentencia el TEDH declara que, del mismo modo que las autoridades estatales no pueden alegar la falta de fondos o recursos como excusa para no pagar una deuda judicial, tampoco pueden hacerlo cuando existe la necesidad de garantizar la protección práctica y efectiva del derecho fundamental protegido por el artículo 2 CEDH (derecho a la vida[89]).

En materia de prestaciones sociales, aunque el CEDH no contempla el derecho a la Seguridad Social, son numerosas las sentencias del TEDH en las que se tutela el derecho a percibir prestaciones sociales, al amparo del derecho de propiedad garantizado por el artículo 1 del Primer Protocolo Adicional al CEDH[90].

En este sentido, cabe destacar dos pronunciamientos del TEDH sobre reformas legislativas húngaras dirigidas a reducir el gasto social en aplicación de las políticas de austeridad presupuestaria. En primer lugar, la STEDH de 13 de diciembre de 2016 (caso *Bélané Nagy c. Hungría*) ha declarado vulnerado el derecho de propiedad por una reforma de la legislación húngara que provocó que la demandante perdiera su pensión de incapacidad, sin

---

sus sentencias a dictar una legislación o establecer políticas que hagan efectivos estos derechos».

[89] En el ámbito internacional, en aplicación del Pacto Internacional de Derechos Civiles y Políticos de 1966, el Comité de Derechos Humanos de la ONU ha adoptado una histórica decisión, de 7 de agosto de 2018 (caso *Toussaint c. Canadá*), en la que declara que el Estado (en este caso, Canadá) debe adoptar la legislación que asegure que los inmigrantes irregulares tienen acceso a la asistencia sanitaria básica, para prevenir un razonable y previsible riesgo que pueda resultar en pérdida de su vida. Se conecta así el derecho a la salud con el derecho a la vida.

[90] *Vid.* SÁNCHEZ-RODAS NAVARRO, Cristina, «La aplicación del primer Protocolo adicional del convenio europeo de derechos humanos a las prestaciones sociales ¿freno para las reformas de Seguridad Social?», *Cuadernos de Derecho Transnacional*, octubre 2018, Vol. 10, núm. 2, pp. 676-697. Como señala la autora: «*Ateniéndonos al artículo 10.2 de la Constitución, el derecho a prestaciones sociales ha de ser interpretado en España a la luz de la jurisprudencia del TEDH. Sin embargo, hasta la fecha, nuestro Tribunal Constitucional ha negado que las reformas restrictivas de derechos en el ámbito de las prestaciones sociales sean indemnizables porque parte de la premisa que en estos supuestos sólo existe una expectativa de derecho no indemnizable».*

experimentar cambios en su estado de salud (la nueva norma exigía un determinado período de carencia, cuando ello resultaba ya de imposible cumplimiento para la demandante). En un ajustado fallo, el TEDH estimó que *«el amplio margen de racionalización del que disponen los Estados respecto de sus sistemas de Seguridad Social no puede justificar medidas carentes de toda proporcionalidad ni pueden comportar un sacrificio individual excesivo, ya que la Seguridad Social no deja de ser "la expresión de la solidaridad de la sociedad con sus miembros más vulnerables"».*

También en la STEDH de 7 de marzo de 2017 (caso Baczúr c. Hungría), se declaró vulnerado el derecho de propiedad, por la reforma legislativa sobre el cálculo de la pensión de invalidez, que provocó una reducción de 2/3 del importe de la pensión que el demandante venía percibiendo (de 510 a 140 euros mensuales), situación agravada porque el demandante no tenía ninguna otra renta significativa con la que subsistir y pertenecía al grupo vulnerable de personas con discapacidad.

España ha sido condenada en dos ocasiones por el TEDH en materia de pensiones de Seguridad Social, por vulneración del art. 14 CEDH (prohibición de discriminación) en relación con el art. 1 del Protocolo 1 del CEDH (protección de la propiedad)[91]. Está pendiente de resolución la demanda, admitida a trámite en 2018, contra la reforma llevada a cabo por la Ley 23/2013 en materia de pensiones (STC 49/2015, citada *supra*), por posible vulneración del art. 1 del Protocolo 1 del CEDH.

4.4. *Jurisprudencia constitucional alemana*

Desde sus primeros pronunciamientos, el Tribunal Constitucional Federal alemán (*Bundesverfassungsgericht* —en adelante, *BVerfG*—) ha declarado que la realización del Estado social pertenece a la esfera de la libertad de configuración del Legislador (Sentencia de 19 de diciembre de 1951 —*BVerGE* 1, 97, 104—)[92]. No obstante, con posterioridad, también ha declarado que es una obligación del Estado social ayudar a las personas que lo necesiten (Sentencia de 18 de junio de 1975 —*BVerfGE* 40, 121, 133—).

---

[91]   Así, en la STEDH de 3 de abril de 2012, se condenó a España por la diferencia de trato que establecía la legislación en materia de pensiones entre los sacerdotes católicos y los pastores evangélicos, ya que a estos últimos no se les computaban los años anteriores a su integración al régimen de la Seguridad Social.

[92]   Téngase en cuenta, además, que la *Grundgesetz* (Ley Fundamental de Bonn de 1949, *GG*), a diferencia de la CE, no prevé expresamente derechos fundamentales de carácter prestacional.

En aplicación de esta doctrina, el BVerfGE ha reconocido el derecho a una plaza para estudiar (Sentencia de 18 de julio de 1972 —*BVerfGE* 33, 303, 330—); el derecho a la financiación de la investigación (Sentencia de 29 de mayo de 1973 —*BVerfGE* 35, 79, 114—); y el derecho a las subvenciones para escuelas privadas (Sentencia de 8 de abril de 1987, *BVerfGE* 75, 40, 62)[93].

El *BVerfGE* también ha declarado que, puesto que las prestaciones dinerarias tienen implicaciones financieras significativas en el Presupuesto público, tales decisiones están reservadas al Legislador. El ciudadano no puede derivar un derecho subjetivo de la Ley de Presupuestos (Sentencia de 22 de octubre de 1974, *BVerfGE* 38, 121, 126)[94].

En los últimos años, uno de los pronunciamientos más importantes en esta materia es la Sentencia del *BVerfG* de 9 de febrero de 2010 (*BVerfGE* 125, 175, 260), en la que se declara inconstitucional una reforma legislativa en materia de Seguridad Social, por vulneración del derecho fundamental a la dignidad humana, que exige garantizar un mínimo de subsistencia digno (Art. 1.1 GG), en conjunción con el principio del Estado social (Art. 20.1 GG, que contiene la cláusula por la que República Federal de Alemania se declara un Estado federal, democrático y social)[95] y[96].

---

[93] Sobre la concretización del derecho fundamental consagrado en el Art. 7 GG que se lleva a cabo en esta última sentencia, puede verse: MÜLLER, Friedrich, *Die Positivität der Grundrechte. Fragen einer praktischen Grundrechtsdogmatik*, Schriften zum Öffentlichen Recht (SÖR), Band 100, Duncker & Humblot, Berlin, 2ª ed., 1990, pp. 120 a 128.

[94] Sobre esta última cuestión, siguiendo a HÄBERLE, el juez no puede extraer del Presupuesto títulos para la promoción de derechos fundamentales, pero puede dar impulso al proceso de crecimiento de las garantías constitucionales. *Vid.* HÄBERLE, Peter, «Grundrechte im Leistungsstaat», *Veröffentlichungen der Vereinigung der Deutschen Staatsrechtslehrer* (VVDStRL) 30, 1972, pp. 107 y 110 (la traducción es nuestra). Esta es una importante cuestión, que se podría trasladar a las restantes jurisdicciones constitucionales nacionales que analizamos en este trabajo.

[95] Sobre la concretización del principio en esta sentencia, puede verse: BOROWSKI, Martin. *Grundrechte als Prinzipien*, Ed. Nomos, 3ª ed., 2018, pp. 427 a 444. También puede verse: BITTNER, C., «Human Dignity as a Matter of Legislative Consistency in an Ideal World: The Fundamental Right to Guarantee a Subsistence Minimum in the German Federal Constitutional Court's Judgment of 9 February 2010», *German Law Journal*, Vol. 12/11, 2012, pp. 1941-1960; EGIDY, E., «The Fundamental Right to the Guarantee of a Subsistence Minimum in the Hartz IV Decision of the German Federal Constitutional Court», *German Law Journal*, Vol. 12/11, 2012, pp. 1961-1982. *Cit.* por: GORDILLO PÉREZ, Luis, «Derechos Sociales y Austeridad», *Revista jurídica de los Derechos Sociales (Lex Social)*, núm. 1, 2014.

[96] Recientemente, se ha dictado la Sentencia del *BVerfG* de 5 de noviembre de 2019 (1 BvL 7/16), por la que se han declarado parcialmente inconstitucionales las sanciones impuestas en aplicación de dicha normativa.

La Sentencia del *BVerfG* de 9 de febrero de 2010 (posterior a la constitucionalización en la *Grundgesetz* del principio de estabilidad presupuestaria[97]) es muy relevante, porque el *BVerfG* obliga al Estado a que asuma un determinado nivel de prestación (y, con ello, un gasto público).

En esta Sentencia se enjuiciaba un paquete legislativo (conocido como *Hartz IV*) mediante el cual se modificaba el régimen de prestaciones sociales previsto en el Libro Segundo del Código de Seguridad Social alemán. Para el Tribunal Constitucional alemán, tras la modificación, la norma sobre la prestación estándar no garantizaba el derecho fundamental al mínimo de subsistencia que la dignidad humana requiere. Según el *BVerfG*, la garantía de un mínimo vital debe asegurar a toda persona necesitada las condiciones materiales indispensables para su existencia y para la participación en la vida social, cultural y política. El Legislador tiene una amplia libertad de configuración normativa, pero debe concretar y actualizar continuamente esta garantía, y organizar los servicios que se proporcionarán de acuerdo con el nivel de desarrollo de la sociedad y las condiciones de vida existentes.

No obstante, como señala la doctrina, es ciertamente excepcional que, en la ponderación, un derecho fundamental social prevalezca sobre los principios en colisión y permita exigir al Estado una determinada prestación. Esto solo se produce cuando la libertad real (*faktische Freiheit*) del ciudadano lo exija con mucha urgencia y los derechos y bienes en colisión solo se vean ligeramente afectados. Ello puede afirmarse respecto del mínimo existencial para la subsistencia; una atención médica simple; un alojamiento sencillo; o una mínima educación. Para el resto, el individuo debe procurarse por sí mismo las prestaciones que posibiliten el ejercicio de las libertades[98].

4.5. Jurisprudencia constitucional italiana

Tradicionalmente, la *Corte Costituzionale* italiana ha conferido un amplio margen de libertad de configuración del Legislador para la aprobación de legislación restrictiva de derechos sociales, sobre la base de consi-

---

[97] La reforma de la *Grundgesetz* (Ley Fundamental de Bonn de 1949, GG), a fin de incorporar la regulación derivada de la disciplina presupuestaria europea, se llevó a cabo a través de dos reformas sucesivas, en 2006 y en 2009. Sobre ambas reformas, puede verse: PARDO ESTEVE, Mª Luisa, «El impacto del principio de estabilidad presupuestaria sobre los Gobiernos locales», *Anuario del Gobierno Local 2012*, Fundación Democracia y Gobierno Local, 2013, pp. 153 a 172, en particular, pp. 162 a 164.

[98] BOROWSKI, Martin. *Grundrechte als Prinzipien, cit.*, 2018, p. 444.

derar prevalentes las exigencias de equilibro financiero y caracterizar los derechos sociales como «financieramente condicionados» (entre los últimos pronunciamientos, puede verse la Sentencia de la *Corte Costituzionale* núm. 248/2011, en materia de derecho a la salud[99]). En aplicación de esta doctrina, la *Corte* solo ha declarado inconstitucionales las medidas legislativas que ha considerado manifiestamente arbitrarias e irrazonables, por vulneración del principio de igualdad formal, o que vulneran el «contenido esencial» del derecho[100].

No obstante, a partir del año 2012, la *Corte Costituzionale* ha dictado diversas declaraciones de inconstitucionalidad, por vulneración de los principios de igualdad material y de razonabilidad (artículo 3 de la Constitución italiana —CI—), que son los utilizados como canon de enjuiciamiento constitucional de medidas legislativas que restringen derechos fundamentales prestacionales. Se trataba de diversas medidas legislativas dirigidas a la reducción de gasto público para dar cumplimiento a la disciplina presupuestaria (nuevos arts. 81 y 119 CI, reformados en 2012)[101]. El resultado de la ponderación no ha sido siempre el mismo. Tras unas primeras de-

---

[99] En esta sentencia se declara constitucional la medida enjuiciada, con el fundamento de la «*configurazione del diritto alle prestazioni sanitarie come "finanziariamente condizionato", giacché "l'esigenza di assicurare la universalità e la completezza del sistema assistenziale nel nostro Paese si è scontrata, e si scontra ancora attualmente, con la limitatezza delle disponibilità finanziarie che annualmente è possibile destinare, nel quadro di una programmazione generale degli interventi di carattere assistenziale e sociale, al settore sanitario" (ex multis, sentenza n. 111 del 2005)*».

[100] Así, por ejemplo, cabe citar la Sentencia de la Corte Costituzionale núm. 432/2005:«*Un régimen de favor que sin duda excede los límites esenciales, no excluye que las elecciones relacionadas con la determinación de las categorías de los beneficiarios —necesariamente a circunscribir en función de la limitación de los recursos financieros— deban ser ejercidos, siempre y en cualquier caso, respetando el principio de razonabilidad, permitiendo al legislador, ya sea estatal o regional, introducir regímenes diferenciados únicamente cuando existe una causa normativa evidentemente no irracional o arbitraria*».

[101] La *Corte Costituzionale* no es competente para determinar las políticas sociales, pero puede tutelar la prestación y el disfrute de las prestaciones sociales, y así se manifiesta en diversas sentencias. Al respecto, puede verse: MASALA, PIETRO, «El impacto de la crisis económica y de la reforma constitucional de 2012 en la jurisprudencia de la Corte Constitucional italiana en materia de ponderación entre los derechos sociales prestacionales y la estabilidad presupuestaria», *Anuario Iberoamericano de Justicia Constitucional*, 20, 2016, 223-255. También puede verse: DE MIGUEL BÁRCENA, Josu, «La recepción constitucional de la cláusula de estabilidad presupuestaria en Italia. Comentario a las Sentencias 10/2015 y 70/2015 de la Corte Constitucional», *Revista Española de Derecho Constitucional*, núm. 106, 2016, pp. 431-449. Sobre la jurisprudencia constitucional italiana en los últimos años en esta materia, también puede verse:

claraciones de inconstitucionalidad (Sentencia de la Corte núm. 233/2012; Sentencia núm. 2/2013[102]; Sentencia núm. 116/2013), se dictaron también algunos pronunciamientos en los que se consideró prevalente el principio de equilibrio presupuestario (Sentencia núm. 310/2013, núm. 154/2014 y núm. 219/2014).

Entre las últimas declaraciones de inconstitucionalidad, hay que destacar la Sentencia de la *Corte Costituzionale* núm. 70/2015, sobre la norma legal que había bloqueado, en los años 2012 y 2013, el mecanismo automático de revalorización de las pensiones de jubilación, que afectaba también a las pensiones de importe bajo (se trata de un caso similar al enjuiciado en la STC 49/2015, pero con un resultado distinto). La Corte declara vulnerados los principios de solidaridad, igualdad material y razonabilidad (arts. 2 y 3 CI) y el derecho de los jubilados a una prestación de Seguridad Social proporcionada y adecuada (arts. 36 y 38.2 CI). En este pronunciamiento, se lleva a cabo una ponderación entre estos principios y el principio de estabilidad presupuestaria enunciado en los arts. 81 y 119 CI (reformados por la Ley constitucional núm. 1/2012). En la Sentencia se declara que el «derecho a una prestación adecuada de Seguridad Social» (arts. 36 y 38 CI) «resulta irrazonablemente sacrificado en nombre de exigencias financieras no expresadas en detalle»[103].

«Prestaciones sociales y nacionalidad», *XVIII Encuentro Trilateral de los Tribunales Constitucionales de España, Portugal e Italia* (Roma, 6-8 de octubre de 2016).

[102] La Sentencia de la *Corte Costituzionale* núm. 2/2013 declara: «*Es constitucionalmente ilegítimo supeditar la concesión de una ayuda regional de asistencia social de naturaleza económica a la posesión del requisito de residencia prolongada durante un predeterminado y significativo período, sin que haya ninguna relación razonable entre la duración de la residencia y las situaciones de necesidad o de pobreza, referidas directamente a la persona, a la que tiene intención de contrarrestar dicha ayuda. Las exigencias de contención del gasto público y la circunstancia de que se trate de prestaciones de naturaleza económica que exceden a las esenciales no son suficientes para justificar la previsión del requisito de residencia prolongada durante un tiempo determinado, en cuanto que las elecciones relacionadas con la determinación de los beneficiarios deben ser ejercidas, siempre y, en cualquier caso, respetando el principio de razonabilidad*».

[103] Declara esta Sentencia de la Corte Costituzionale 70/2015: «*L'interesse dei pensionati, in particolar modo di quelli titolari di trattamenti previdenziali modesti, è teso alla conservazione del potere di acquisto delle somme percepite, da cui deriva in modo consequenziale il diritto a una prestazione previdenziale adeguata. Tale diritto, costituzionalmente fondato, risulta irragionevolmente sacrificato nel nome di esigenze finanziarie non illustrate in dettaglio. Risultano, dunque, intaccati i diritti fondamentali connessi al rapporto previdenziale, fondati su inequivocabili parametri costituzionali: la proporzionalità del trattamento di quiescenza, inteso quale retribuzione differita (art. 36, primo comma, Cost.) e l'adeguatezza (art. 38, secondo comma, Cost.). Quest'ultimo è*

Considero que, mediante la ponderación, la *Corte Costituzionale* ha concretizado el «derecho a una prestación adecuada de Seguridad Social», fundado en los arts. 36 y 38 CI. Atendiendo a las circunstancias del caso (cuantía de las pensiones afectadas, duración de la medida restrictiva y escasa motivación de la medida por el Legislador)[104], la Corte ha declarado que debe prevalecer en este caso (relación de precedencia condicional) el derecho a una prestación adecuada de Seguridad Social.

4.6. *Jurisprudencia constitucional portuguesa*

En los últimos años, el TC portugués ha dictado diversas sentencias en las que enjuicia las medidas legislativas adoptadas para reducir el endeudamiento público[105] y, en varias ocasiones, ha declarado la inconstitucionalidad de las medidas legislativas adoptadas, por vulneración de los principios de igualdad y de proporcionalidad, reconocidos respectivamente en los artículos 13 y 2 de la Constitución de la República Portuguesa (CRP).

---

da intendersi quale espressione certa, anche se non esplicita, del principio di solidarietà di cui all'art. 2 Cost. e al contempo attuazione del principio di eguaglianza sostanziale di cui all'art. 3, secondo comma, Cost».

[104]   La Sentencia de la Corte 70/2015 cuenta con el precedente de la Sentencia 316/2010, en la que se declaró constitucional un bloqueo de la revalorización de las pensiones adoptado por el legislador italiano en 2007. Como hemos señalado, la concretización del principio depende de las circunstancias del caso. Las circunstancias que distinguen uno y otro caso, enjuiciados respectivamente en la Sentencia 316/2010 y en la Sentencia 70/2015, que consideramos relevantes para la resolución son: 1) la cuantía de las pensiones afectadas por la medida legislativa restrictiva (en la Sentencia 316/2010 solo afectaba a las pensiones superiores a ocho veces la mínima, mientras que en la Sentencia 70/2015 afectaba también a pensiones con importe relativamente bajo, en torno a los 1.200 euros); 2) la modulación de la norma según el importe de la pensión, que no se preveía en el caso enjuiciado en la Sentencia 70/2015; 3) la duración de la medida (un año en el caso de la Sentencia 316/2010, frente a dos años en el caso de la Sentencia 70/2015); y 4) la justificación de la medida por el legislador (en la Sentencia 70/2015, la Corte no consideró suficiente motivación la mención genérica de la situación financiera; en cambio, en el caso de la Sentencia 316/2010, la Corte apreció que el Legislador había motivado la finalidad solidaria-redistributiva del bloqueo de la revalorización de las pensiones más elevadas, que se dirigía a financiar ayudas a los beneficiarios de las pensiones más bajas).

[105]   GORDILLO PÉREZ, Luis Ignacio, «Constitución económica, ordoliberalismo y Unión Europea. De un Derecho económico nacional a uno europeo», *Revista de Derecho UNED*, núm. 23, 2018, pp. 249 a 283.

La Sentencia del Tribunal Constitucional portugués 353/2012 declaró inconstitucional la suspensión de la paga extra de los funcionarios y pensionistas, por vulneración del derecho a la igualdad. En un segundo pronunciamiento, la Sentencia del Tribunal Constitucional portugués 187/2013, declaró que una serie de medidas legislativas (entre ellas, reducciones salariales en el sector público y el establecimiento de un impuesto general de solidaridad) vulneraban el principio de igualdad (artículo 13 CRP) y el principio de proporcionalidad (artículo 2 CRP).

En particular, el Tribunal Constitucional portugués ha declarado que la suspensión de las pagas extras y equivalentes solo a funcionarios y pensionistas supone una discriminación respecto a otros empleados que no está suficientemente motivada y, por ello, es contraria al principio de igualdad en su vertiente de confianza legítima. En el caso de las reducciones de subsidios de desempleo e incapacidad, ha declarado que es contraria al principio de proporcionalidad por afectar al núcleo mínimo de subsistencia.

El TC portugués ha declarado que la libertad del Legislador para adoptar medidas no «puede ser ilimitada, incluso en el cuadro de una crisis económica y financiera grave». Los ajustes presupuestarios deben respetar la siguiente máxima: «*cuanto mayor es el grado de sacrificio impuesto a los ciudadanos para la satisfacción de los intereses públicos, mayores deben ser las exigencias de equidad y justicia en el reparto de tales sacrificios, de forma que tales criterios se contravienen cuando tal reparto es excesivamente diferenciado*» (Sentencias 353/2012, de 5 de julio, y 187/2013, de 5 de abril)[106].

---

[106]   Sobre esta jurisprudencia constitucional portuguesa, puede verse: AFONSO PEREIRA, Ravi, «Igualdade e proporcionalidade: un comentário às decisões do Tribunal Constitucional de Portugal sobre cortes salariais no sector público», *Revista Española de Derecho Constitucional*, núm. 98, 2013, pp. 317-370; GUILLEM CARRAU, J., «El Constitucional Portugués ante a las medidas de ajuste: la Sentencia de 5 de abril de 2013», *Cuadernos Manuel Giménez Abad*, núm. 5, 2013, pp. 69-77, y PONCE SOLÉ, J., «El Estado social y democrático de derecho ante la austeridad y los recortes sociales: La jurisprudencia del tribunal constitucional portugués y su interés para el caso español», *Revista de Derecho constitucional europeo*, núm. 23, 2015; y VIDAL PRADO, C. (dir.), *Crisis económica y reforma de las Administraciones públicas. Un estudio comparado*, INAP, Madrid, 2017.

5. UNA PROPUESTA PARA LA APLICACIÓN DEL PRINCIPIO DE JUSTICIA DEL GASTO PÚBLICO EN RELACIÓN CON LAS NORMAS QUE ESTABLECEN DERECHOS CONSTITUCIONALES

Como «mandato de optimización», el principio de justicia material del gasto público ordena que se lleve a cabo una asignación equitativa de recursos públicos «en la mayor medida posible, dentro de las posibilidades reales y jurídicas existentes». Las «posibilidades reales» vienen determinadas principalmente por la capacidad financiera del ente público en cada tiempo y lugar, teniendo en cuenta la «insoslayable limitación de los recursos disponibles». Las «posibilidades jurídicas» vienen determinadas por las reglas y principios en juego.

Para determinar esta «optimización», hay que acudir al principio de proporcionalidad y a sus tres subprincipios: idoneidad, necesidad y «proporcionalidad en sentido estricto». Los dos primeros expresan la «optimización» de acuerdo con las «posibilidades fácticas». El tercer subprincipio expresa la «optimización» de acuerdo con las «posibilidades jurídicas» y es idéntico a la ley de ponderación, que establece que: *Cuanto mayor es el grado de la no satisfacción o de afectación de uno de los principios, tanto mayor debe ser la importancia de la satisfacción del otro*[107].

A partir de estos conceptos y del análisis jurisprudencial, podemos presentar la siguiente reconstrucción del principio de justicia material del gasto público, para la resolución de casos concretos. Dicha reconstrucción está basada en la ponderación del principio de asignación equitativa de recursos

---

[107] Recordemos que, según la teoría *débil* de los principios de ALEXY (para cada caso jurídico no existe una única respuesta correcta), uno de los elementos que impide un uso arbitrario de los principios es que, en relación con las «posibilidades jurídicas», la ponderación ha de llevarse a cabo respetando la máxima proporcionalidad. *Vid.* ALEXY, Robert, *Teoría de los Derechos Fundamentales, cit.*, 1993, p. 161. Así, la ponderación se puede dividir en tres pasos: en primer lugar, es preciso definir el grado de la no satisfacción o de afectación de uno de los principios; en segundo lugar, se define la importancia de la satisfacción del principio que juega en sentido contrario; y, por último, se define si la importancia de la satisfacción del principio contrario justifica la afectación o la no satisfacción del otro. De esta forma, «*con ayuda de la ponderación, ciertamente no en todos, pero sí en algunos casos, puede establecerse un resultado de manera racional y que la clase de estos casos es suficientemente interesante como para que la existencia de la ponderación como método esté justificada*». ALEXY, Robert, «Epílogo a la Teoría de los derechos fundamentales», *Revista Española de Derecho Constitucional*, núm. 66, 2002, pp. 13 a 64, en particular p. 32.

públicos con otros principios en juego, destacadamente, con las normas que establecen derechos constitucionales, de la que resulta lo siguiente[108]:

1) El *subprincipio de idoneidad* prohíbe utilizar medios que no sean idóneos para el fin perseguido por el Legislador. Si, en la decisión de asignación de recursos públicos que suponga intervención en un derecho, el Legislador no persigue ningún fin, o persigue un fin constitucionalmente ilegítimo o irrelevante, la ley deberá ser declarada inconstitucional por carecer de razonabilidad o, dicho con una terminología equivalente, por ser arbitraria[109]. Los fines perseguidos por el Legislador pueden ser muy diversos (así, por ejemplo, garantizar la estabilidad presupuestaria y la sostenibilidad financiera). Del análisis jurisprudencial se puede extraer que está prohibida toda asignación de recursos públicos que incurra en arbitrariedad.

2) El *subprincipio de necesidad* exige que, entre dos medios igualmente idóneos para el fin perseguido por el Legislador, sea escogido el más benigno con el derecho afectado. Del análisis jurisprudencial se puede extraer que está prohibida toda asignación de recursos públicos que escoja, entre diversas alternativas igualmente idóneas para la consecución del fin propuesto, la que suponga un mayor sacrificio para el derecho afectado.

3) El subprincipio de *proporcionalidad en sentido estricto* expresa la «optimización» del principio de justicia material del gasto público en relación con las reglas y principios en juego. Al respecto, destacamos aquí las siguientes:

3.1) *Las normas constitucionales que establecen «derechos de prestación en sentido estricto» directamente exigibles.* Así, por ejemplo, la norma que establece que: «La enseñanza básica es obligatoria y gratuita» (art. 27.3 CE). Se trata de «reglas», por tanto, son normas de obligado cumplimiento.

---

[108]   Presentamos aquí esta reconstrucción sin ánimo de exhaustividad, pues ello exigiría contemplar todas las «posibilidades jurídicas» que determinan el grado de cumplimiento del principio de justicia material del gasto público. Este principio debe ponderarse también con los restantes principios constitucionales que rigen el gasto público, como los que exigen una asignación «racional» de los recursos públicos (eficiencia y economía) y, destacadamente, en los últimos años, con el principio de estabilidad presupuestaria (art. 135 CE).

[109]   BERNAL PULIDO, Carlos. *El principio de proporcionalidad y los derechos fundamentales*, Centro de Estudios Políticos y Constitucionales, Madrid, 2003; y «Tribunal Constitucional, Legislador y principio de proporcionalidad. Una respuesta a Gloria Lopera», *Revista Española de Derecho Constitucional*, núm. 74, 2005, pp. 417-444, en particular, p. 418.

Está prohibida toda asignación de recursos públicos que incumpla estas reglas.

3.2) El principio de igualdad formal o de iure. Diversos pronunciamientos jurisprudenciales analizados, en materia de subvenciones y prestaciones públicas, permiten expresar que está prohibida toda asignación de recursos públicos que establezca diferencias de trato que no cuenten con una justificación objetiva y razonable.

3.3) Los principios que establecen derechos y libertades fundamentales. En la concepción de Alexy, se trata de «derechos a acciones negativas (defensa)» del Estado, pero que también exigen un «derecho a acciones positivas (protección)». Del análisis jurisprudencial puede extraerse que está prohibida toda asignación de recursos públicos que no respete el «contenido esencial» de los derechos y libertades fundamentales (así, por ejemplo, la libertad ideológica).

3.4) Los principios que establecen «derechos a prestación en sentido estricto». Del análisis jurisprudencial resulta que está prohibida toda asignación de recursos públicos que no respete el «contenido mínimo» o «garantía institucional» de estos derechos (así, por ejemplo, el derecho a la Seguridad Social).

3.5) El principio de igualdad y libertad real y efectiva. Del análisis jurisprudencial puede extraerse que está prohibida toda asignación de recursos públicos que suponga una intervención «grave» en el principio de igualdad real y efectiva (que no garantice un «mínimo existencial para la subsistencia»), sin que existan razones de peso que justifiquen dicha intervención (cuando los restantes derechos y bienes en colisión solo se vean levemente afectados)[110].

6. CONCLUSIONES

I.- El principio de justicia en el gasto público (expresado como principio de «asignación equitativa de los recursos públicos» en el art. 31.2 CE) es un «principio jurídico», esto es, una norma que ordena que algo sea realizado «en la mayor medida posible» (un «mandato de optimización»), cuyo

---

[110] Podemos recordar aquí la ley de la ponderación de ALEXY: «*Cuanto mayor es el grado de la no satisfacción o de afectación de uno de los principios, tanto mayor debe ser la importancia de la satisfacción del otro*».

cumplimiento depende de las «posibilidades reales» y las «posibilidades jurídicas» existentes. Entre las «posibilidades reales» que determinan el cumplimiento del principio, cabe destacar la capacidad financiera del Estado en un determinado momento histórico («hasta el máximo de los recursos disponibles»). Por lo que respecta a las «posibilidades jurídicas», estas vienen determinadas por las reglas y principios en juego. Su carácter de principio jurídico determina que no pueda ser aplicado directamente para la resolución de un caso. Mediante su «ponderación» con las reglas y principios en juego, puede ser «concretizado» en «reglas» que servirán para la resolución del caso concreto (y que pueden ser invocadas para casos futuros). Estas reglas son de obligado cumplimiento.

II. A partir de estos conceptos y del análisis jurisprudencial, pueden extraerse diversas reglas que permiten la aplicación del principio de justicia material del gasto público para la resolución de casos concretos. Dichas reglas resultan de la ponderación, en particular, de los subprincipios de idoneidad y necesidad (que expresan la «optimización» en relación con las «posibilidades reales») y del subprincipio de proporcionalidad en sentido estricto (que expresa la «optimización» en relación con las «posibilidades jurídicas», esto es, en relación con las reglas y principios en juego). Entre estas últimas, destacamos: 1) Las normas constitucionales que establecen «derechos de prestación en sentido estricto» directamente exigibles; 2) El principio de igualdad formal o *de iure*; 3) Los principios que establecen derechos y libertades fundamentales (derechos a acciones negativas —defensa— y a acciones positivas —protección— del Estado); 4) Los principios que establecen «derechos a prestación en sentido estricto»; y 5) El principio de igualdad y libertad real y efectiva (del que deriva la teoría «del mínimo»).

Estos últimos principios conectan, a mi juicio, el principio de justicia del gasto público con el deber positivo del Estado en relación con los derechos constitucionales (de todos los derechos que exigen acciones positivas del Estado, no solo de los denominados «derechos fundamentales prestacionales»); y, en particular, con la que aquí denominamos la «dimensión financiera» de los derechos constitucionales, mediante el ejercicio del poder financiero del Estado, en la doble vertiente del gasto y del ingreso público.

III.- Una reconstrucción del principio de justicia material del gasto público, entendido como «mandato de optimización», que reconduzca la idea de «justicia material» a la protección de los derechos constitucionales, puede permitir la aplicación del principio como mandato vinculante para el Legislador, con pleno respeto del principio democrático y de la división de poderes, y en aplicación de la cláusula del Estado social y democrático de Derecho y de los valores consagrados en el art. 1.1 de la CE. El resultado de la ponderación es la concretización del principio, mediante la creación de reglas, que permiten un control racional de su aplicación. El análisis de la jurisprudencia constitucional y europea muestra que, aunque todavía queda un largo camino por recorrer, el futuro es esperanzador.

Bibliografía

AFONSO PEREIRA, Ravi, «Igualdade e proporcionalidade: un comentário às decisões do Tribunal Constitucional de Portugal sobre cortes salariais no sector público», *Revista Española de Derecho Constitucional*, núm. 98, 2013, pp. 317-370.

AGULLÓ AGÜERO, Antonia, «Europa, crisis y derecho. Notas para la construcción de un nuevo derecho del gasto público», *Civitas. Revista española de derecho financiero*, núm. 170, 2016, pp. 39-62.

AGULLÓ AGÜERO, Antonia, «Quo vadis? ¿Hacia dónde va el derecho del gasto público?», en AGULLÓ AGÜERO, Antonia (dir.); MARCO PEÑAS, Ester (coord.), *Disciplina presupuestaria, colaboración público privada y gasto público*, Tirant lo Blanch, Valencia, 2016, pp. 29-55.

AGULLÓ AGÜERO, Antonia, «La financiación de la sanidad. Parámetros para un problema complejo», en AGULLÓ AGÜERO, Antonia (Dir.); MARCO PEÑAS, Ester (Coord.), *Financiación de la sanidad: Tributación, Gestión, control del gasto y reparto constitucional del Poder Financiero*, Tirant lo Blanch, Valencia, 2020, pp. 13-18.

ALBIÑANA GARCÍA-QUINTANA, César, «Comentario al artículo 31 CE», en ALZAGA VILLAAMIL, Oscar (dir.), *Comentarios a la Constitución de 1978*, Tomo III, Cortes Generales-Editoriales de Derecho Reunidas (EDERSA), Madrid, 1996.

ALCHOURRÓN. C. y BULYGIN, E., *Introducción a la metodología de las ciencias jurídicas y sociales*. (C. Alchourrón, & E. Bulygin, Trads.), Astrea, Buenos Aires, 1974 (Original publicado en 1971).

ALEXY, Robert, *Teoría de los Derechos Fundamentales*, traducción de Ernesto Garzón Valdés, revisada por Ruth Zimmerling, Centro de Estudios Constitucionales, Madrid, 1993 (Original: *Theorie der Grundrechte*, Frankfurt, Suhrkamp, 1986).

ALEXY, Robert, «Epílogo a la Teoría de los derechos fundamentales», *Revista Española de Derecho Constitucional*, núm. 66, 2002, pp. 13 a 64.

ALEXY, Robert, «Derechos fundamentales, ponderación y racionalidad», en FERNÁNDEZ SEGADO, Francisco (ed.), *The Spanish Constitution in the European constitutional context. La Constitución española en el contexto constitucional europeo*, Madrid, Dykinson, 2003, pp. 1505-1514.

ATIENZA, Manuel, *Las razones del Derecho. Teorías de la argumentación jurídica*, Centro de Estudios Constitucionales, Madrid, 1991.

ATIENZA, Manuel, Recensión a ALEXY, Robert. *Teoría de los Derechos Fundamentales*, traducción de Ernesto Garzón Valdés, Centro de Estudios Constitucionales, Madrid, 1993, *Revista del Centro de Estudios Constitucionales*, núm. 17, 1994, pp. 241-246.

ATIENZA, Manuel; RUIZ MANERO, Juan, «Sobre principios y reglas», *Doxa. Cuadernos de Filosofía del Derecho*, núm. 10, 1991.

ATIENZA, Manuel; RUIZ MANERO, Juan, *Las piezas del Derecho: Teoría de los enunciados jurídicos*, Ariel, Barcelona, 1996 (2ª ed., 2004).

BAYONA DE PEROGORDO, Juan José, «Notas para la construcción de un Derecho de los gastos públicos», *Presupuesto y gasto público*, núm. 2, 1979, pp. 65-80.

BAYONA DE PEROGORDO, Juan José, «El procedimiento de gasto público y su control», *Presupuesto y Gasto Público*, núm. 13, 1982.

BAYONA DE PEROGORDO, Juan José, *El Derecho de los gastos públicos*, Instituto de Estudios Fiscales, Madrid, 1991.

BERNAL PULIDO, Carlos, *El principio de proporcionalidad y los derechos fundamentales*, Centro de Estudios Políticos y Constitucionales, Madrid, 2003.

BERNAL PULIDO, Carlos, «Tribunal Constitucional, Legislador y principio de proporcionalidad. Una respuesta a Gloria Lopera», *Revista Española de Derecho Constitucional*, núm. 74, 2005, pp. 417-444.

BITTNER, C., «Human Dignity as a Matter of Legislative Consistency in an Ideal World: The Fundamental Right to Guarantee a Subsistence Minimum in the German Federal Constitutional Court's Judgment of 9 February 2010», *German Law Journal*, Vol. 12/11, 2012, pp. 1941-1960.

BOCKENFORDE, Ernst-Wolfgang, *Escritos sobre derechos fundamentales*, prólogo de Francisco J. Bastida; trad. de Juan Luis Requejo Pagés e Ignacio Villaverde Menéndez, 1. ed., Nomos Verlagsgesellschaft, Baden-Baden, 1993.

BOROWSKI, Martin, *Grundrechte als Prinzipien*, Ed. Nomos, 3ª ed., 2018.

CARMONA CUENCA, Encarna, «Derechos sociales de prestación y obligaciones positivas del Estado en la jurisprudencia del Tribunal Europeo de Derechos Humanos», *UNED, Revista de Derecho Político*, núm. 100, septiembre-diciembre 2017, págs 1209-1238.

CAZORLA PRIETO, Luis María, «El control financiero externo del gasto público en la Constitución», *Presupuesto y gasto público*, 1979, pp. 81 a 102, en particular p. 87.

CAZORLA PRIETO, Luis María, «Comentarios al artículo 31 de la CE», en GARRIDO FALLA, Fernando (dir.). *Comentarios a la Constitución*, Civitas, Madrid, 1980.

CORTÉS DOMÍNGUEZ, Matías, «Los principios generales tributarios», en *XVI Semana de Estudios de Derecho Financiero*, Madrid, 1968.

CORTÉS DOMÍNGUEZ, Matías; MARTÍN DELGADO, José María, *Ordenamiento tributario español*, vol. I, 3ª ed., Civitas, Madrid, 1977.

CORTI, Horacio, «Las restricciones presupuestarias en la jurisprudencia de la Corte Suprema de Justicia argentina», *Revista jurídica de los Derechos Sociales*, vol. 7, núm. 1, pp. 144 a 173.

DE MIGUEL BÁRCENA, Josu, «La recepción constitucional de la cláusula de estabilidad presupuestaria en Italia. Comentario a las Sentencias 10/2015 y 70/2015 de la Corte Constitucional», *Revista Española de Derecho Constitucional*, núm. 106, 2016, pp. 431-449.

DWORKIN, Ronald, *Los derechos en serio*, traducción de Marta Gustavino, Ariel, Barcelona, 1984 (Original: *Taking Rights Seriously*, Gerald Duckworth & Co. Ltd., Londres, 1977).

EGIDY, E., «The Fundamental Right to the Guarantee of a Subsistence Minimum in the Hartz IV Decision of the German Federal Constitutional Court», *German Law Journal*, Vol. 12/11, 2012, pp. 1961-1982.

ESCRIBANO LÓPEZ, Francisco, *Presupuesto del Estado y Constitución*, Instituto de Estudios Fiscales, Estudios de Hacienda Pública, Madrid, 1981.

FERRAJOLI, Luigi, «Tolleranza e intollerabilità nello Stato di Diritto», en *Analisi e Diritto*, Giappichelli, Torino, 1993.

GARCÍA AÑOVEROS, Jaime, «El presupuesto y el gasto público en la Constitución», en *El sistema económico en la Constitución española. XV Jornadas de estudio*, Dirección general del servicio jurídico del Estado, Ministerio de Justicia, Madrid, 1994.

GARCÍA PELAYO, Manuel, *El Estado social y sus implicaciones*, Universidad Nacional Autónoma de México, México, 1975.

GARRORENA MORALES, Ángel, *El Estado español como Estado social y democrático de Derecho*, Tecnos, Madrid, 1984.

GORDILLO PÉREZ, Luis Ignacio, «Derechos Sociales y Austeridad», *Revista jurídica de los Derechos Sociales (Lex Social)*, núm. 1, 2014.

GORDILLO PÉREZ, Luis Ignacio, «Constitución económica, ordoliberalismo y Unión Europea. De un Derecho económico nacional a uno europeo», *Revista de Derecho UNED*, núm. 23, 2018, pp. 249-283.

GUASTINI, Riccardo, «Principios de derecho y discrecionalidad judicial», Jueces para la democracia, núm. 34, 1999, pp. 39-46.

GUASTINI, Riccardo, «Interpretación y construcción jurídica», Isonomía, núm. 43, 2015.

GUASTINI, Riccardo, *Filosofía del Derecho positivo. Manual de teoría del Derecho en el Estado constitucional*, Palestra Editores, 2018.

GUILLEM CARRAU, J., «El Constitucional Portugués ante a las medidas de ajuste: la Sentencia de 5 de abril de 2013», *Cuadernos Manuel Giménez Abad*, núm. 5, 2013, pp. 69-77.

HÄBERLE, Peter, «Grundrechte im Leistungsstaat», *Veröffentlichungen der Vereinigung der Deutschen Staatsrechtslehrer* (VVDStRL) 30, 1972.

HÄBERLE, Peter, *Le libertà fondamentali nello stato costituzionale*, Nis, Roma, 1993 (trad. esp. Häberle, Peter, *La libertad fundamental en el Estado constitucional*, Ed. Pontificia Universidad Católica del Perú, 1997).

HIERRO, Liborio L., «Los derechos económico-sociales y el principio de igualdad en la teoría de los derechos de Robert Alexy», *Doxa. Cuadernos de Filosofía del Derecho*, núm. 30, 2007, pp. 249-271.

HOLMES, Stephen; SUNSTEIN, CASS R., *The Cost of Rights. Why liberty depends on Taxes*, Norton & Co., New York, 1999; trad. española «El costo de los derechos. Por qué la libertad depende de los impuestos», Ed. Siglo XXI, Buenos Aires, 2011.

JIMENA QUESADA, Luis, *Devaluación y blindaje del Estado social y democrático de derecho*, Tirant lo Blanch, Valencia, 2017.

KLEINBARD, Edward, *We Are Better Than This: How Government Should Spend Our Money*, Oxford University Press, 2014.

KLEINBARD, Edward, «What's a Government Good for? Fiscal Policy in an Age of Inequality», *USC CLASS Research Papers Series*, 2018.

LOPERA MESA, Gloria Patricia, «Los derechos fundamentales como mandatos de optimización», *Doxa. Cuadernos de Filosofía del Derecho*, núm. 27, 2004, pp. 211-243.

LÓPEZ GUERRA, L., «La protección de los derechos económicos y sociales en el Convenio Europeo de Derechos Humanos», en TEROL BECERRA, M. y JIMENA QUESADA, L. (Dirs.), *Tratado sobre protección de derechos sociales*, Valencia: Tirant lo Blanch, 2014, pp. 297-317.

MACHO PÉREZ, Ana Belén, «Financiación de servicios sanitarios y distribución constitucional del poder financiero: análisis jurídico-financiero de la reforma sanitaria en Estados Unidos», en AGULLÓ AGÜERO, Antonia (dir.); MARCO PEÑAS, Ester (coord.), *Financiación de la sanidad: Tributación, Gestión, control del gasto y reparto constitucional del Poder Financiero*, Tirant lo Blanch, Valencia, 2020, pp. 21 a 92.

MARCO PEÑAS, Ester, *El concepto europeo de deuda pública*, tesis doctoral, Universitat Pompeu Fabra, Barcelona, 2014.

MARTÍN QUERALT, Juan, «Recensión a la obra de Rodríguez Bereijo Introducción al Derecho Financiero», en *Civitas. Revista Española de Derecho Financiero*, núm. 10, 1976.

MARTÍN QUERALT, Juan, «La Constitución Española y el Derecho financiero», *Hacienda Pública Española*, núm. 63, 1980.

MARTÍN QUERALT, Juan; DE BUNES IBARRA, José Manuel, «Fiscalidad en tiempos de excepción», *Carta tributaria. Revista de opinión*, núm. 61, 2020.

MARTÍNEZ GINER, Luis Alfonso, «El principio de justicia en materia de gasto público y la estabilidad presupuestaria», en *Civitas. Revista Española de Derecho Financiero*, núm. 115, 2002, pp. 471 a 492.

MARTÍNEZ GINER, Luis Alfonso, «La ordenación constitucional del gasto público en España», en GALÁN SÁNCHEZ, Ángel, et al. (eds.). *El alimento del Estado y la salud de la "res publica": orígenes, estructura y desarrollo del gasto público en Europa*, Instituto de Estudios Fiscales, Madrid, 2013, pp. 27-49.

MARTÍNEZ GINER, Luis Alfonso (coord.); NAVARRO FAURE, Amparo (coord.), *Régimen jurídico-financiero de las subvenciones públicas*, Tirant lo Blanch, Valencia, 2010.

MARTÍNEZ LAGO, Miguel Ángel, «Equidad del gasto público y estabilidad presupuestaria en el cuarenta aniversario de la Constitución», *Civitas. Revista Española de Derecho Financiero*, núm. 179, 2018, pp. 99-118.

MARTÍNEZ LAGO, Miguel Ángel, «Gasto público, sostenibilidad y control», *Revista española de control externo*, vol. 20, núm. 58, 2018, pp. 245-257.

MASALA, Pietro, «El impacto de la crisis económica y de la reforma constitucional de 2012 en la jurisprudencia de la Corte Constitucional italiana en materia de ponderación entre los derechos sociales prestacionales y la estabilidad presupuestaria», *Anuario Iberoamericano de Justicia Constitucional*, 20, 2016, pp. 223-255.

MASALA, Pietro; VALDÉS DAL-RÉ, Fernando, «The Future of Social Europe and of European Integration at a Crossroads. How Can We Recover and Enforce Solidarity as a Fundamental Principle of European Constitutional Law (or Die)?», *European papers: a journal on law and integration*, Vol. 4, N°. 1, 2019, pp. 257-268.

MORESO, José Juan, «Conflitti tra principi constituzionali», *Ragion Pratica*, núm. 18, 2002, pp. 201-221.

MORESO, José Juan, «Conflictos entre derechos constitucionales y maneras de resolverlos», *Arbor: Ciencia, Pensamiento y Cultura*, núm. 745, 2010 (Ejemplar dedicado a: Actualidad de los Derechos Humanos), pp. 821-832.

MORESO, José Juan; VILAJOSANA, Josep Maria, *Introducción a la Teoría del Derecho*, Marcial Pons, Barcelona, 2004.

MÜLLER, Friedrich, *Die Positivität der Grundrechte. Fragen einer praktischen Grundrechtsdogmatik*, Schriften zum Öffentlichen Recht (SÖR), Band 100, Duncker & Humblot, Berlin, 2ª ed., 1990, pp. 120 a 128.

NAVARRO FAURE, Amparo, «El gobierno económico de la Unión Europea y los principios de justicia del gasto público en una hacienda plural», *Crónica presupuestaria*, núm. 1, 2013, pp. 121-146.

NAVARRO FAURE, Amparo, «La conciliación entre la estabilidad presupuestaria y una Hacienda autonómica social», *Revista valenciana d'estudis autonòmics*, núm. 61, 2016, pp. 86-119.

ORÓN MORATAL, Germán, *La configuración constitucional del gasto público*, Tecnos, Temas claves de la Constitución española, Madrid, 1995.

ORÓN MORATAL, Germán, «Derecho financiero y financiación de necesidades fundamentales: perspectiva española», en MARCOS DOMINGUES, José (org.), *Direito Financeiro e Políticas Públicas*, GZ Editora, Rio de Janeiro, 2015, pp. 1-28.

PARDO ESTEVE, Mª Luisa, «El impacto del principio de estabilidad presupuestaria sobre los Gobiernos locales», *Anuario del Gobierno Local 2012*, Fundación Democracia y Gobierno Local, 2013, pp. 153 a 172.

PASCUAL GARCÍA, José, *Régimen jurídico del gasto público: presupuestación, ejecución y control*, Boletín Oficial del Estado, Madrid, 1999.

PECES-BARBA MARTÍNEZ, Gregorio, «Los deberes fundamentales», *Doxa*, núm. 4, 1987, pp. 329-341.

PÉREZ ROYO, Fernando. «La financiación de los servicios públicos. Principios constitucionales sobre el gasto público», en *Gobierno y Administración en la Constitución*, Instituto de Estudios Fiscales, Madrid, 1988, pp. 125-141.

PONCE SOLÉ, Juli, «El Estado social y democrático de derecho ante la austeridad y los recortes sociales: La jurisprudencia del tribunal constitucional portugués y su interés para el caso español», *Revista de Derecho constitucional europeo*, núm. 23, 2015.

PRIETO SANCHÍS, Luis, «Los derechos sociales y el principio de igualdad sustancial», *Revista del Centro de Estudios Constitucionales*, núm. 22, 1995, pp. 9-57.

RAMALLO MASSANET, Juan, «El poder de gasto del Estado: subvenciones y orden competencial», *Documentación administrativa*, núm. 232-233, 1992, pp. 401 a 421.

RAMALLO MASSANET, Juan, «El control externo en las nuevas formas de colaboración público-privada», *Revista Española de Control Externo*, vol. 9, núm. 26, 2007, pp. 13-34.

RAWLS, John, *A Theory of Justice*, Harvard University Press, 1971 (*Teoría de la Justicia*, trad. de M. D. González, F.C.E., Madrid, 1979).

RODRÍGUEZ BEREIJO, Álvaro, *Introducción al estudio del Derecho financiero*, Instituto de Estudios Fiscales, Madrid, 1976.

RODRÍGUEZ BEREIJO, Álvaro, «Derecho financiero, gasto público y tutela de los intereses comunitarios en la Constitución», en *Estudios sobre el Proyecto de Constitución*, Centro de Estudios Constitucionales, Madrid, 1978, pp. 345-361.

RODRÍGUEZ BEREIJO, Álvaro, «La Constitución de 1978 y el modelo de Estado: consideraciones sobre la función de la Hacienda Pública», *Revista Sistema*, núm. 53, 1983, pp. 75-94.

RODRÍGUEZ BEREIJO, Álvaro, «El sistema tributario en la Constitución: (los límites del poder tributario en la jurisprudencia del Tribunal Constitucional)», *Revista española de derecho constitucional*, núm. 36, 1992, pp. 9-70.

RODRÍGUEZ BEREIJO, Álvaro, «Una perspectiva constitucional del control del gasto público», *Revista española de control externo*, vol. 20, núm. 58, 2018, pp. 229-244.

RUBIO LLORENTE, Francisco, «La Constitución como fuente del Derecho», en *La Constitución Española y las fuentes del Derecho*, Instituto de Estudios Fiscales, Madrid, 1979.

RUBIO LLORENTE, Francisco, «Derechos fundamentales, derechos humanos y Estado de Derecho», *Fundamentos: Cuadernos monográficos de teoría del estado, derecho público e historia constitucional*, núm. 4, 2006, pp. 203-233.

RUIZ ALMENDRAL, Violeta; ZORNOZA PÉREZ, Juan, «Constitución económica y Hacienda Pública», en RAMIRO AVILÉS, Miguel Ángel (coord.); PECES-BARBA MARTÍNEZ, Gregorio (coord.), *La Constitución a examen: un estudio académico 25 años después*, 2004, pp. 641 a 696.

SÁINZ DE BUJANDA, Fernando, *Sistema de Derecho Financiero*, tomo I, volumen primero, Facultad de Derecho de la Universidad Complutense, Madrid, 1977.

SALA SÁNCHEZ, Pascual, «La garantía constitucional de los derechos económicos y sociales y su efectividad en situaciones de crisis económica», Revista Española de Control Externo, núm. 46, 2014, pp. 11-122.

SÁNCHEZ-RODAS NAVARRO, Cristina, «La aplicación del primer Protocolo adicional del convenio europeo de derechos humanos a las prestaciones sociales ¿freno para las reformas de Seguridad Social?», *Cuadernos de Derecho Transnacional*, octubre 2018, Vol. 10, núm. 2, pp. 676-697.

SCIARRA, Silvana, *Solidarity and Conflict. European Social Law in Crisis*, Cambridge University Press, 2018.

SESMA SÁNCHEZ, Begoña, *Las subvenciones públicas*, Lex Nova, Valladolid, 1998.

SHAVIRO, Daniel, Recensión de KLEINBARD, Edward, *We Are Better Than This: How Government Should Spend Our Money*, Oxford University Press, 2014, *National Tax Journal*, núm. 68, 2015, pp. 681-688.

SOLER ROCH, María Teresa, «Los principios implícitos en el régimen jurídico del gasto público», en *El Sistema económico en la Constitución española. XV Jornadas de Estudio de la Dirección General del Servicio Jurídico del Estado*, Ministerio de Justicia, Madrid, 1994, pp. 1835-1856.

SOLER ROCH, María Teresa, «Una reflexión sobre la deriva del Derecho tributario», blog de la Red de Profesores de Derecho financiero y tributario, 2019.

SOLER ROCH, María Teresa, «Los retos tributarios del siglo XXI», *Civitas. Revista española de derecho financiero*, núm. 183, 2019, pp. 31-46.

STARCK, Christian, «Staatliche Organisation und staatliche Finanzierung als Hilfen zur Grundrechtsverwirklichung?», 1976, en STARCK, Christian, *Freiheit und Institutionen*, Tübingen, Mohr Siebeck, 2002, pp. 158 a 204.

TOLEDO ZÚÑIGA, Patricia Andrea, *Concretización y ponderación de principios de Derecho tributario. Análisis de la jurisprudencia constitucional desde la Teoría General del Derecho*, tesis doctoral, Universitat Pompeu Fabra, 2015.

VICENTE-ARCHE DOMINGO, Fernando, «Notas sobre el gasto público y contribución a su sostenimiento en la Hacienda Pública», *Civitas. Revista Española de Derecho Financiero*, núm. 3, 1974, pp. 535-547.

VIDAL PRADO, C. (dir.), *Crisis económica y reforma de las Administraciones públicas. Un estudio comparado*, INAP, Madrid, 2017.

VILAJOSANA RUBIO, Josep Maria, *Identificación y justificación del derecho*, Marcial Pons, Barcelona, 2007.

ZORNOZA PÉREZ, Juan, «El equitativo reparto del gasto público y los derechos económicos y sociales», *Hacienda Pública Española*, núm. 113, 1988, pp. 41 a 54.

ZORNOZA PÉREZ, Juan, «Hacienda Pública, gasto público y derechos económicos y sociales», *Revista Derecho del Estado*, núm. 10, 2001, pp. 25 a 40.

Capítulo 26

Reflexiones sobre la deriva del Derecho tributario en el escenario europeo

María Cruz Barreiro Carril
Profesora titular de Derecho Financiero y Tributario
Universidad de Vigo

SUMARIO: 1. INTRODUCCIÓN. 2. LAS DEFICIENCIAS DEL LEGISLADOR EN EL ÁMBITO EUROPEO E INTERNO. 2.1. Déficits legislativos en el ámbito de la Unión Europea: la incorrecta base jurídica de la Directiva anti-abuso. 2.2. Déficits en el ámbito de las legislaciones domésticas. El caso español. 3. EL TJUE Y SU CONTROVERTIDA JURISPRUDENCIA: REEMPLAZANDO AL LEGISLADOR. 4. LA NECESIDAD DE SENTAR EL FOCO DE LA INVESTIGACIÓN EN EL ORDENAMIENTO, COMO UN SISTEMA. 5. CONSIDERACIONES FINALES. Bibliografía.

1. INTRODUCCIÓN

El escenario de la fiscalidad directa en el seno de la Unión Europea es, sin duda alguna, problemático. En primer lugar, y en cuanto a lo que concierne al legislador europeo, los pasos recientes dados en materia de normativa anti-abuso resultan controvertidos pues pareciera que la Unión Europea se ha limitado a trasladar, sin más, las soluciones propuestas por la OCDE en el marco del Plan BEPS, soluciones que pueden plantear problemas de cara al funcionamiento del mercado interior. La Directiva anti-abuso, *por la que se establecen normas contra las prácticas de elusión fiscal que inciden directamente en el funcionamiento del mercado interior*[1], de 12 de julio de 2016, constituye un claro ejemplo de ello. Los legisladores nacionales tampoco colaboran como debieran a la construcción de este mercado interior, pues vienen reaccionando, con cierta frecuencia, de manera tardía e insuficiente a las exigencias derivadas del Derecho de la Unión.

Por otro lado, el escenario de la fiscalidad directa en el seno de la Unión Europea se viene haciendo cada vez más complejo porque los Estados miembros se mantienen reacios a adoptar directivas realmente armonizadoras que eliminen los obstáculos fiscales (derivados de normas en materia de

---

[1]   Directiva (UE), 2016/1164 OJ L 193, 19.7.2016, p. 1-14.

imposición directa) al ejercicio de las libertades fundamentales por parte de los contribuyentes. Esta situación coloca al TJUE en una posición complicada a la hora de valorar la compatibilidad de las normas nacionales estatales en la referida materia, pues debe interpretar las libertades fundamentales sin poder recurrir a normas de Derecho secundario que le servirían de guía. En este contexto, hemos venido observando una senda emprendida ya hace más de una década por el TJUE, consistente en reemplazar al legislador en la tarea de establecer cómo deben eliminarse los obstáculos fiscales al ejercicio de las libertades fundamentales por parte de los contribuyentes, cuando tales obstáculos no se derivan de las normas discriminatorias de un solo Estado.

Finalmente, hemos observado una tendencia en la doctrina internacional a analizar de forma parcial la problemática de la fiscalidad directa en el ámbito de la Unión Europea. Ello se ha puesto de evidencia, de forma particular en el ámbito de la Directiva anti-abuso. Viene siendo común que a la hora de analizar si el contenido de esta Directiva resulta compatible con el Derecho de la Unión Europea, la doctrina internacional se remita a la posición del TJUE sobre la compatibilidad de normas nacionales anti-abuso con el Derecho de la Unión Europea. Y así, si las normas de la Directiva se acomodan a la jurisprudencia luxemburguesa se concluye que las disposiciones de la Directiva son compatibles con el derecho primario y viceversa. Este enfoque no es, en nuestra opinión, procedente, pues olvida que a la hora de valorar una restricción a las libertades no es, en absoluto, baladí si tal restricción se deriva de una disposición estatal —que refleja la soberanía estatal— o si, por el contrario, se deriva de una norma de derecho secundario que, en fiscalidad directa, solo puede perseguir la promoción del mercado interior. Similares críticas pueden realizarse sobre el modo en el que en ocasiones, se analizan las normas nacionales en fiscalidad directa a la luz del Derecho de la Unión. Es frecuente que la doctrina se limite a realizar la valoración de compatibilidad utilizando como única referencia la jurisprudencia luxemburguesa, sin analizar, en primer lugar, si ésta es compatible con el reparto competencial que los Estados miembros han acordado en el ámbito de la Unión.

El presente trabajo, reflexionará, sobre las tres problemáticas planteadas, a través de diversos ejemplos, destacando, muy en particular, la necesidad de analizar el ordenamiento tributario dentro del ordenamiento jurídico global en el que se integra, prestando especial atención a las exigencias derivadas del Derecho de la Unión Europea, así como a la necesidad de respetar el reparto competencial entre los Estados miembros y la Unión Europea en el ámbito de la fiscalidad directa.

2. LAS DEFICIENCIAS DEL LEGISLADOR EN EL ÁMBITO EUROPEO E INTERNO

La tendencia de los legisladores nacionales y europeo refleja un intento por parte de los Estados miembros de conservar uno de los reductos de soberanía que no le ha sido arrebatado (por lo menos totalmente) a lo largo del proceso de integración europea. El elevado número de asuntos en materia de fiscalidad directa de los que viene conociendo el TJUE y en los que éste ha declarado la incompatibilidad de las normas nacionales con la disposiciones relativas a las libertades fundamentales[2] constituye una muestra evidente del interés de aquellos en proteger su soberanía y más en particular, sus bases imponibles frente a las maniobras de planificación fiscal agresiva de los contribuyentes. Con la adopción de la Directiva anti-abuso —conocida por las siglas de su denominación inglesa como «ATAD»[3]—, bien pudiera parecer que los Estados miembros se han decidido, finalmente a ceder parte de su soberanía fiscal en favor de una mejora en las condiciones de ejercicio de las libertades fundamentales por parte de los contribuyentes. Nada más lejos de la realidad. Al contrario de lo que pudiera parecer dicha Directiva no sirve para reforzar las libertades fundamentales sino las soberanías fiscales nacionales. El objetivo de los Estados miembros sigue siendo, por tanto, proteger sus intereses recaudatorios. Analicemos ambas cuestiones más detalladamente.

2.1. Déficits legislativos en el ámbito de la Unión Europea: la incorrecta base jurídica de la Directiva anti-abuso

Por todos es conocida la reticencia que los Estados miembros vienen mostrando frente a, prácticamente, cualquier intento de la Comisión dirigido a armonizar los impuestos directos. Es así que este ámbito de la imposición no se encuentra armonizado, salvo en lo que concierne a algún aspecto puntual[4]. Dichas propuestas armonizadoras de la Comisión perseguían eli-

---

[2]   https://ec.europa.eu/taxation_customs/infringements_en.

[3]   *Anti Tax Avoidance Directive.*

[4]   Directiva 90/434/CEE relativa al régimen fiscal común aplicable a las fusiones, escisiones, aportaciones de activo y canje de acciones realizados entre sociedades de diferentes Estados miembros (DO L 225 de 20 de agosto de 1990, p. 1), sustituida por la Directiva 2009/133/CE del Consejo de 19 de octubre de 2009 relativa al régimen fiscal común aplicable a las fusiones, escisiones, escisiones parciales, aportaciones de activos y canjes de acciones realizados entre sociedades de diferentes Estados miembros y al traslado del domicilio social de una SE o una SCE de un Estado miembro a otro (DO

minar las disparidades existentes en las legislaciones estatales, que creaban obstáculos fiscales para los contribuyentes en el ejercicio de las libertades fundamentales. Así, por ejemplo, a través de la Propuesta de Base Imponible Común Consolidada se pretendía una armonización de las reglas domésticas sobre la determinación de la base imponible, que sirviese, *inter alia*, para eliminar la doble imposición (o la imposibilidad de compensar pérdidas), a la que se enfrentan las empresas que operan a nivel intra-UE. Sin embargo, este proyecto, que se remonta al año 2011, y que ha sido relanzado recientemente en el seno del «Paquete de Lucha contra la evasión fiscal»[5], sigue sobre la mesa sin que se prevea que en un medio plazo obtenga de los Estados miembros la unanimidad requerida, por tratarse de una directiva en materia fiscal. Todavía una mayor resistencia, si cabe, mostraron los Estados miembros de cara a cualquier tipo de armonización de la imposición sobre la renta de las personas físicas dirigida a la eliminación de los obstáculos fiscales a la libre circulación de trabajadores. Así, la propuesta de la Comisión en este sentido[6], en virtud de la que habría regido el principio de tributación en el Estado de residencia con el fin de garantizar la igualdad de trato entre trabajadores residentes y no residentes, encontró el rechazo frontal por parte de los Estados miembros, lo que provocó que la Comisión tuviese que conformarse con la aprobación de una mera Recomendación[7] que incluyó el contenido de la propuesta de Directiva frustrada.

L 310 de 25 de noviembre de 2009, p. 34)ⁱ Directiva 90/435/CEE relativa al régimen fiscal común aplicable a sociedades matrices y filiales de Estados miembros diferentes (DO L 225 de 20 de agosto de 1990, p. 6), reemplazada por la Directiva 2011/96/UE del Consejo, de 30 de noviembre de 2011, relativa al régimen fiscal común aplicable a las sociedades matrices y filiales de Estados miembros diferentes (DO L 345 de 29 de diciembre de 2011, p. 8); Directiva 2003/48/CE del Consejo, de 3 de junio de 2003, en materia de fiscalidad de los rendimientos del ahorro en forma de pago de intereses (DO L 157 de 26 de junio de 2003, p. 38), derogada por la Directiva (UE) 2015/2060 del Consejo, de 10 de noviembre de 2015 (DO L 301, 18 de noviembre de 2015, p. 1). Directiva 2003/49/CE del Consejo de 3 de junio de 2003 relativa a los pagos de intereses y cánones efectuados entre sociedades asociadas de diferentes Estados miembros (DO L 157 de 26 de junio de 2003, p. 49); Directiva 2011/16/UE del Consejo, de 15 de febrero de 2011, relativa a la cooperación administrativa en el ámbito de la fiscalidad y por la que se deroga la Directiva 77/799/CEE (DO L 64 de 11 de marzo de 2011, p. 94).

5   Comunicación de la Comisión al Parlamento europeo y al Consejo sobre «La transparencia fiscal para luchar contra la evasión y la elusión fiscales», COM(2015)0136 final, 18 de septiembre de 2015.

6   (COM(79)0737).

7   Es sabido, no obstante, que la Recomendación 94/79/CE relativa al régimen fiscal de las rentas percibidas por los trabajadores transfronterizos, desplegó, en realidad, unos efectos «cuasi vinculantes», gracias a la jurisprudencia del TJUE. Como había puesto de manifiesto MARTÍN JIMÉNEZ, bien parece que el TJUE se basó en dicha Recomen-

Es así que la noticia de que una Directiva en el ámbito de los impuestos directos consiguiese, en épocas más recientes, la unanimidad de los Estados miembros en un «tiempo récord» resulta totalmente sorprendente. Nos referimos, como no, a la ATAD, que consiguió ser aprobada tan sólo seis meses después de que fuese propuesta por la Comisión[8]. ¿Significa este hecho que los Estados miembros han tomado conciencia del perjuicio que supone para los contribuyentes el hecho de que cada uno de tales Estados ejerza su soberanía en la materia sin tener en cuenta las legislaciones de los restantes Estados? En absoluto. Más bien al contrario, la Directiva, en lugar de eliminar las disparidades entre legislaciones conducentes, *inter alia*, a situaciones de doble imposición, lo que hace es evitar que se produzcan, *inter alia*, escenarios de «doble no imposición». En particular, la Directiva impide que los contribuyentes puedan hacer uso de las referidas disparidades en su beneficio.

Ahora bien, ¿puede una Directiva adoptarse en el ámbito de los impuestos directos con tal finalidad? Entendemos que la respuesta debe ser negativa. Como hemos reiterado en varios trabajos[9], el artículo 115 del TFUE, única base jurídica para la adopción de Directivas en materia de imposición directa, habilita al Consejo para, por unanimidad, adopte «directivas para la *aproximación de las disposiciones legales* (…) de los Estados miembros

---

dación para resolver el asunto *Schumacker* (*Towards Corporate Tax Harmonization in the European Community*, Series on International Taxation, núm 22, Kluwer, Londres, La Haya y Boston, 1999, p. 303). En su sentencia de 14 de febrero de 1995 (asunto C-279/93), el TJUE resolvió, en la línea de lo establecido en la referida Recomendación, que el Estado de la fuente debe conceder al no residente el trato otorgado a sus residentes, en lo que concierne a la toma en consideración de su situación personal y familiar, cuando el no residente obtiene sus ingresos *total o casi exclusivamente* de la actividad ejercida en el Estado de la fuente, sin obtener en su Estado de residencia ingresos suficientes para estar sujeto en él a un impuesto que permita tener en cuenta tales circunstancias. Tras la sentencia, muchos Estados miembros procedieron a modificar el contenido de sus legislaciones para adaptarlas a esta norma de derecho blando. Alemania, lo hizo, incluso, con anterioridad a la resolución del caso. El contenido de la recomendación se refleja en nuestro ordenamiento en el establecimiento de un régimen especial para contribuyentes residentes en otros Estados miembros de la Unión Europea (artículo 46 del Real Decreto Legislativo 5/2004, de 5 de marzo, por el que se aprueba el Texto Refundido de la Ley del Impuesto sobre la Renta de no Residentes). De esta manera, la recomendación termina por desplegar efectos de una norma de *hard law*.

[8] Propuesta de Directiva por la Comisión Europea el 28 de enero del 2016 (COM(2016) 26 final 2016/0011 (CNS)).

[9] BARREIRO CARRIL, M. C.: «La controvertida base jurídica de la Directiva antiabuso. Un análisis a la luz de las reglas de vinculación», *Revista de Derecho Comunitario Europeo*, vol. 62, 2019, pp. 155-196. DOI: https://doi.org/10.18042/cepc/rdce.62.05.

que incidan directamente en el establecimiento o funcionamiento del mercado interior». Así, mientras el referido artículo 115 habilita a la *aproximación de legislaciones estatales* cuando éstas incidan negativamente en el funcionamiento del mercado interior, lo que hace la ATAD es *luchar,* como se indica en su título, *contra las prácticas de elusión fiscal que inciden directamente en el funcionamiento del mercado interior.* Sorprende que los redactores de la Directiva se hayan esforzado sobremanera en recalcar que las *prácticas de elusión fiscal* contra las que la Directiva pretende luchar *inciden directamente en el funcionamiento del mercado interior.* Ninguna de las (pocas) Directivas (verdaderamente armonizadoras) hasta ahora adoptadas en el ámbito de la fiscalidad directa, incluía en su título una referencia tal.

Al margen de que la incidencia que tienen las conductas de planificación fiscal agresiva sobre el funcionamiento del mercado interior es de una naturaleza mucho más indirecta que la que tienen las situaciones de doble imposición —que afectan a los pilares del mercado interior—, lo cierto es que el artículo 115 del TFUE no habilita, a nuestro juicio, a los Estados miembros a establecer reglas para luchar contra ciertas prácticas de los contribuyentes. La referida disposición, sólo habilita, repetimos, a aproximar disposiciones legales estatales, cuando tales disposiciones incidan en el funcionamiento del mercado interior. Dado que tales disposiciones pueden crear obstáculos fiscales (por ejemplo, doble imposición) al ejercicio de las libertades fundamentales, pilares del mercado interior, una directiva de aproximación puede perseguir como único objetivo, la eliminación de la doble imposición, o puede perseguir la imposición única (eliminando de forma coherente la doble imposición y la doble no imposición). En la medida en que la ATAD, no persigue ninguno de estos objetivos, no puede fundamentase en el artículo 115 TFUE[10]. En ausencia de una base jurídica para la aprobación de una Directiva con un contenido como el que se recoge en la ATAD, ésta sólo sería posible tras una reforma del Tratado de Funcionamiento de la UE, que previese una base jurídica adecuada al efecto.

2.2. Déficits en el ámbito de las legislaciones domésticas. El caso español

A la reticencia de los Estados miembros a la adopción de directivas armonizadoras, se une una tendencia a mantener disposiciones en sus ordena-

---

[10] BARREIRO CARRIL, M. C.: «La controvertida base jurídica de la Directiva antiabuso. Un análisis a la luz de las reglas de vinculación», *op. cit.,* pp. 183-184.

mientos tributarios, que contradicen claramente las disposiciones del TFUE relativas a las libertades fundamentales. El legislador español constituye buen ejemplo de ello.

La regulación tributaria española en materia de sucesiones y donaciones refleja la referida tendencia. Es por todos conocida la sentencia del TJUE de 3 de septiembre de 2014[11], en la que este tribunal declaró que la regulación española de los puntos de conexión, en lo que concierne a la normativa aplicable del impuesto sobre la referida materia, constituía una restricción a la libre circulación de capitales. Conforme a los puntos de conexión fijados en la Ley 22/2009 de 18 de diciembre[12], por los que se establecía la cesión a las Comunidades Autónomas, en cuanto a la norma aplicable, sólo se contemplaba la cesión a aquellas Comunidades Autónomas del rendimiento de los sujetos pasivos residentes (contribuyentes por obligación personal), de modo que los sujetos pasivos no residentes (contribuyentes por obligación real), siempre quedaban sujetos a la normativa estatal. Teniendo en cuenta que las Comunidades Autónomas han venido haciendo uso de las facultades normativas de que gozan en este impuesto con gran intensidad, estableciendo beneficios fiscales muy relevantes, el trato fiscal otorgado a los no residentes era, en la práctica, menos favorable que el que recibían los residentes. En idéntica situación se encontraban los sujetos pasivos residentes cuyo causante residiese en el extranjero, pues en tal caso, tampoco se producía la cesión, aplicándose la normativa estatal, menos favorable. El legislador español trató de eliminar la referida restricción a través de la Ley 26/2014 de 27 de noviembre de 2014 por la que se introdujeron importantes modificaciones en el IRPF, y algunas otras en otros impuestos. La doctrina[13] ha sido prácticamente unánime al afirmar que esta modificación fue muy tardía, y sin duda incompleta: el legislador español no eliminaba

---

[11]   Asunto C-127/2012, *Comisión contra España*.

[12]   Ley por la que se regula el sistema de financiación de las Comunidades Autónomas de régimen común y Ciudades con Estatuto de Autonomía y se modifican determinadas normas tributarias.

[13]   *Vid.*, *inter alia*, ARRANZ DE ANDRES, C.: «El elemento internacional o transfronterizo en las sucesiones mortis causa. Una mirada al caso británico», *Quincena Fiscal*, núm. 10, 2015, pp. 19-55; HERRERA MOLINA, P.: «Las enmiendas parlamentarias al Impuesto sobre Sucesiones siguen quebrantando el Derecho de la Union Europea», *ECJ Leading cases*, octubre 2014. Las críticas a nuestra normativa por su difícil reconciliación con el Derecho de la UE, venían no obstante realizándose con carácter previo a la referida sentencia. *Vid.* SOLER ROCH, M. T., «Retos pendientes de la fiscalidad internacional», *Encuentro de Derecho financiero y tributario (1ed.) Desafíos de la Hacienda Pública española. Justicia en el diseño del sistema tributario español, Documentos del IEF*, núm. 10, 2012, pp. 13-26.

la referida restricción cuando quienes la padecían eran los contribuyentes inmersos en una situación extracomunitaria. Hace algo más de un año que el Tribunal Supremo[14] vino a corroborar la referida limitación de nuestra legislación, declarando que ésta no puede, tampoco, discriminar a los no residentes extracomunitarios, condenando a España a indemnizar, en aquella ocasión, a una contribuyente residente en Canadá. La incompatibilidad de la normativa española en la materia con el Derecho de la Unión era tan manifiesta que la Dirección General de Tributos, se adelantó a la sentencia del Tribunal Supremo, y, con ocasión de su consulta de 11 de diciembre de 2018, modificó su criterio sobre la aplicabilidad de los beneficios fiscales del Impuesto en cuestión, cuando la sucesión tiene lugar en un escenario que sobrepasa los límites de la Unión Europea o del Espacio Económico Europeo.

En este contexto, entendemos que se hace necesario un profundo estudio sobre cómo han de articularse los puntos de conexión del Impuesto sobre Sucesiones y Donaciones, con el fin de dar pleno cumplimiento a las exigencias del Derecho de la Unión, pues como había expresado la profesora Pita Grandal hace ya más de quince años, en relación con los tributos propios, «la cesión y su alcance viene determinada por el Derecho comunitario en la medida en que constituya plasmación de las políticas de la Unión o incida en el desarrollo de las mismas. El ordenamiento interno discurre sin conflictos por sus propios cauces salvo cuando choca con una norma que encuentra su fundamento en uno de los principios comunitarios»[15].

Otro ejemplo más reciente sobre como la resistencia del legislador tributario español a adaptarse a las exigencias de las disposiciones del Derecho primario relativas a las libertades fundamentales, lo constituye la obligación establecida en el artículo 10 de la Ley del Impuesto sobre la Renta de los no Residentes. Conforme dicho artículo, el contribuyente no residente debe, en ciertos casos, nombrar un representante fiscal en España. Los problemas de incompatibilidad de la referida normativa con el Derecho de la UE se habían hecho ya evidentes a raíz de la sentencia del TJUE de 5 de mayo de 2011[16]. A través de esta sentencia, el referido tribunal había entendido que una obligación similar contenida en la normativa portuguesa constituía un obstáculo a la libre circulación de capitales y a la libre prestación de servicios, que no

---

14   Asunto 242/2018, sentencia del Tribunal Supremo de 19 de febrero de 2018.
15   PITA GRANDAL, A. M.: «Incidencia del Derecho comunitario europeo en el poder financiero autonómico» en PITA GRANDAL, A. M. (dir.): *Hacienda autonómica y local*, Tórculo Edicións, 2003, p. 166.
16   *Comisión/Portugal*, C-267/09.

encontraba justificación alguna, dados los mecanismos de asistencia mutua existentes entre las Administraciones tributarias de los Estados miembros. Según el tribunal, estos mecanismos constituyen un medio menos restrictivo para la consecución del fin perseguido (lucha contra el fraude) por la disposición en cuestión. Varias son las voces que, ya desde entonces, vienen advirtiendo sobre la necesidad de que el legislador español acomode la normativa en cuestión a la jurisprudencia referida[17]. Sin embargo, el legislador no ha emprendido acción alguna al respecto, y es así que el pasado 25 de julio, la Comisión europea envió una carta de emplazamiento a las autoridades españolas en la que explica los problemas que la obligación de designar el referido representante fiscal supone para los contribuyentes no residentes, al implicarles costes adicionales, constituyendo estos constes obstáculos al ejercicio de las libertades comunitarias. Si la respuesta de las autoridades españolas, que debería ya haberse producido en el momento de redacción de este trabajo, no convence a la Comisión, ésta podrá enviar una petición formal para que el legislador dé cumplimiento al Derecho de la Unión.

No sería la primera vez que el legislador español se resiste a dar cumplimiento al Derecho de la Unión hasta el final, absteniéndose de realizar modificación alguna hasta el conocimiento de una sentencia del TJUE en la que se declare que la normativa en cuestión resulta incompatible con las exigencias derivas del Derecho primario en materia de libertades fundamentales[18].

3. EL TJUE Y SU CONTROVERTIDA JURISPRUDENCIA: REEMPLAZANDO AL LEGISLADOR

En línea de las observaciones realizadas en el apartado anterior, ha de resaltarse que la reticencia de los Estados miembros a adoptar medidas armonizadoras en el ámbito de la imposición directa ha dejado sin solución a muchos contribuyentes que, inmersos en una situación intra-UE, sufren

---

[17]   *Vid.* VEGA GARCÍA, A.: «La obligación de nombrar un representante fiscal y las libertades de la Unión Europea. La STJUE de 5 de mayo de 2011, Comisión /Portugal, C-267/09, y su influencia en la normativa española», *InDret*, 4, 2013.

[18]   Ese ha sido el caso de la tributación sucesoria, explicada con anterioridad, pero también el de otros regímenes fiscales como el relativo a las ganancias patrimoniales obtenidas por no residentes sin mediación de establecimiento permanente, vigente hasta el 31 de diciembre de 2006. En este último caso, la sentencia del TJCE de 6 de octubre de 2009 (asunto C-562/07, *Comisión contra España*) declaró que el referido régimen fiscal contradecía la libre circulación de capitales.

obstáculos fiscales que no padecerían de no haber ejercicio las libertades fundamentales.

Ejemplo de ello son las situaciones de doble imposición jurídica a que conduce la aplicación simultánea de distintos criterios de sujeción al impuesto, desde un punto de vista espacial. Así, como es sabido, prácticamente todos los Estados de nuestro entorno aplican principios de tributación distintos para residentes y para no residentes. Mientras los primeros tributan por su renta mundial (*worldwide taxation*) los segundos tributan únicamente por las rentas obtenidas en el territorio de la fuente en base al principio de territorialidad en sentido estricto (*source taxation*). Este escenario conduce inevitablemente a una situación de doble imposición jurídica.

Obstáculos no menos importantes se producen cuando no sólo el Estado de la fuente aplica el principio de territorialidad en sentido estricto, sino que, de la misma manera procede el Estado de residencia. Ello sucede cuando el Estado de residencia aplica la exención, como mecanismo para evitar la doble imposición con arreglo al principio de simetría[19]. En ese supuesto, las empresas residentes en un Estado miembro en el que obtienen beneficios con un establecimiento permanente ubicado en un Estado miembro distinto, a través del cual obtienen pérdidas, sufrirán el perjuicio de verse impedidas de compensar tales pérdidas con los beneficios quedando rentas positivas y negativas atribuidas a los dos Estados. El obstáculo fiscal que ello supone en relación con las libertades fundamentales es claro. Algo similar sucede con los regímenes de consolidación fiscal, presentes en muchos Estados que permiten la compensación automática de pérdidas con beneficios de las entidades pertenecientes al mismo grupo, pero cuya aplicación se venía encontrando limitada a las entidades residentes[20].

Si bien el TJUE entendió que los obstáculos fiscales a los que se enfrentan los contribuyentes en la primera de las situaciones (doble imposición) se derivan de la aplicación simultánea de las legislaciones tributarias (no discriminatorias) de dos Estados miembros, y por tanto, no pueden ser remediados al amparo de las disposiciones relativas a las libertades funda-

---

[19]   *Vid.* JIMÉNEZ-VALLADOLID DE L'HOTELLERIE-FALLOIS, D. J.: «La compatibilidad del principio de simetría en la aplicación del método de exención con la libertad de establecimiento. Comentario a la sentencia del Tribunal de Justicia de las Comunidades Europeas de 15 de mayo de 2008, asunto Lidl Belgium (C-414/06)», *Crónica Tributaria*, núm. 128, 2008.

[20]   *Vid.* WEBER, D.: «In search of a (new) equilibrium between tax sovereignty and freedom of movement within the EC», *Intertax*, vol. 34, núm. 12, 2006.

mentales[21], entendió que en el segundo caso, el Estado de residencia de la entidad que obtiene los beneficios vulneraría las disposiciones referidas en determinados supuestos. En el asunto *Marks & Spencer*[22], el TJUE sentó su doctrina sobre las denominadas «pérdidas finales» que ha sido corroborada a lo largo de los años y más recientemente en sus sentencia dictadas el pasado año sobre los asuntos *Bevola*[23] y *Sofina*[24]. Conforme a esta doctrina, cuando el Estado de residencia del contribuyente aplica el principio de territorialidad en sentido estricto, ignorando, a efectos de gravamen, tanto beneficios como pérdidas foráneas, se encuentra obligado a «importar» aquellas pérdidas cuya compensación nunca será posible en el Estado en el que se producen[25]. Se trata del enfoque que el profesor Wattel ha denominado con acierto «*always somewhere approach*»[26]. Este enfoque, que a nuestro juicio constituye una manifestación del conocido como «*overall approach*» (enfoque conjunto), resulta a nuestro juicio inadecuado conforme al estadio actual de reparto de competencias entre los Estados miembros y la Unión Europea en materia de imposición directa. El referido enfoque conjunto implica que, el TJUE, a la hora de valorar la compatibilidad de la norma de un Estado con el Derecho de la Unión, tiene en cuenta la situación tributaria en el otro Estado que ejerce su competencia tributaria de forma simultánea sobre el contribuyente inmerso en una situación intra-UE. Por mucho que la imposibilidad de compensar pérdidas cree un obstáculo al ejercicio de las libertades fundamentales para dicho contribuyente, este obstáculo no puede, a nuestro juicio, ser eliminado por el TJUE a través de una jurisprudencia en la que hace depender la compatibilidad de la norma estatal con el Derecho de la Unión Europea, de la situación (jurídica o fáctica) en otro Estado. Entendemos con Weber, que el hacer depender el juicio de compatibilidad con el Derecho de la UE de la norma de un Estado miembro de la situación tributaria en otro Estado miembro, supone una erosión de la soberanía del primer Estado[27]. En una tarea que pudiera parecer loable, como es la de

---

[21]   Sentencia del TJCE de 14 de noviembre de 2006, asunto C-513/04, *Kerckhaert y Morres*; sentencia del TJCE de 17 de julio de 2009, asunto C-128/08, *Damseaux*; sentencia del TJCE de 12 de febrero de 2009, asunto C-67/08, *Block*.

[22]   Sentencia del TJCE de 13 de diciembre de 2003, asunto C-446/03, *Marks & Spencer*.

[23]   Sentencia del TJUE de 12 de junio de 2018, asunto C-650/16, *Bevola*.

[24]   Sentencia del TJUE de 22 de noviembre de 2018, asunto, C-575/17, *Sofina*.

[25]   Ya sea en cabeza del establecimiento permanente foránea o en cabeza de la filial foránea.

[26]   WATTEL, P. en WATTEL, P. y TERRA, B.: *European Tax Law*, Kluwer Law International, 3ª edición, La Haya, 2001., pp. 727 y 733 y ss.

[27]   «In search of a (new) equilibrium between tax sovereignty and freedom of movement within the EC», *op. cit.*, pp. 588 y ss.

tratar de contribuir al desarrollo del mercado interior, el TJUE se encuentra, a nuestro parecer, reemplazando al legislador en la tarea de decidir el Estado que debe tener en cuenta las pérdidas a efectos de su compensación. Ello plantea numerosos problemas de inseguridad jurídica, y como no, de legitimidad democrática.

4. LA NECESIDAD DE SENTAR EL FOCO DE LA INVESTIGACIÓN EN EL ORDENAMIENTO, COMO UN SISTEMA

En los apartados anteriores, hemos puesto de manifiesto nuestra posición sobre las deficiencias en que, entendemos, incurren los legisladores y el TJUE, a la hora de aplicar, transponer e interpretar el Derecho de la UE.

En el caso del legislador europeo, hemos constatado que la Directiva anti-abuso no puede adoptarse en base al artículo 115 del TFUE. Pues bien, en el estudio de esta Directiva, hemos comprobado que parte de la doctrina internacional, a los efectos de valorar si el contenido de la referida Directiva es posible, se remite a la posición del TJUE sobre la compatibilidad de normas nacionales anti-abuso (por ejemplo, reglas de vinculación en el ámbito de las asimetrías híbridas) con el Derecho de la Unión Europea. Y así, si las normas de la Directiva se acomodan a la jurisprudencia luxemburguesa se concluye que son compatibles con el derecho primario y viceversa. Entendemos que este enfoque no es procedente, pues olvida que, a la hora de valorar una restricción a las libertades no es, en absoluto, baladí si tal restricción se deriva de una disposición estatal —que refleja la soberanía estatal— o si, por el contrario, se deriva de una norma de derecho secundario que, en fiscalidad directa, solo puede perseguir la promoción del mercado interior. Como hemos puesto de manifiesto en otro trabajo, cuando el TJUE permite ciertas normas anti-abuso no es porque entienda que tales normas contribuyen a la mejora del mercado interior, sino porque entiende que ha de tolerarlas dado el escenario de ausencia de directivas armonizadoras en materia de imposición directa. Por tanto el origen de la norma anti-abuso (si se deriva de una norma estatal, o por el contrario, de una directiva), se revela esencial, a la hora de valorar la compatibilidad de la medida en cuestión con el Derecho de la UE. Cuando el TJUE valora una norma anti-abuso doméstica con el Derecho de la UE debe tener en cuenta que las competencias para delimitar la competencia tributaria en el ámbito de la imposición directa sigue residiendo en los Estados miembros, lo que significa que éstos deben seguir estando en condiciones de mantener, bajo determinadas circunstancias, ciertas normas anti-abuso para proteger sus bases imponibles. Sin embargo, ello no significa, en absoluto, que tales normas anti-abuso, aceptadas por el TJUE en la esfera nacional, puedan incorporarse sin más a una directiva[28].

Y en este sentido, reiteramos la posición explicada en el apartado 3.2. A efectos de valorar la ATAD a la luz del Derecho de la UE, debe tenerse en cuenta que las directivas en materia de imposición directa no pueden ser adoptadas para cualquier fin sino sólo para la promoción del mercado interior, en las condiciones establecidas en el artículo 115 del TFUE. Ello quiere decir, que no sólo es necesario analizar el contenido de la Directiva a la luz de las disposiciones relativas a las libertades fundamentales, sino también, y sobre todo, a la luz del artículo 115 el TFUE. Muchos autores se centran en analizar las disposiciones anti-abuso de la ATAD a la luz de la jurisprudencia del TJUE sobre las correspondientes disposiciones anti-abuso domésticas, sin realizar mención alguna a la base jurídica de la Directiva. Podríamos decir, utilizando las palabras del profesor Ferreiro Lapatza, que dicha doctrina utiliza la «técnica del caso concreto» que «cuando se exagera en el análisis del Derecho, incita a ver fragmentariamente este sistema de normas. A perder de vista su unidad (…) a cuidar cada árbol sin tener en cuenta el bosque»[29].

Algo similar sucede en relación con la jurisprudencia del TJUE en materia de compensación de pérdidas empresariales. El TJUE no puede reemplazar al legislador en la tarea de establecer cómo deben eliminarse los obstáculos al ejercicio de las libertades fundamentales cuando dichos obstáculos no se derivan de la norma discriminatoria de un Estado, sino del ejercicio neutral de las competencias tributarias por parte de dos Estados. Más allá de que la posición de dicho tribunal en su doctrina *Marks and Spencer* en torno a las pérdidas finales debiera ser, a nuestro entender, objeto de revisión, las palabras del profesor Ferreiro, parecen si cabe, todavía más pertinentes, en cuanto al trabajo a realizar por la doctrina. Es frecuente que ésta se limite a realizar una valoración sobre la compatibilidad de las normas estatales con el Derecho de la Unión Europea utilizando como única referencia la jurisprudencia luxemburguesa, sin analizar si ésta es, en primer lugar, compatible con el reparto competencial que los Estados miembros han acordado en el ámbito de la Unión Europea.

---

[28]   BARREIRO CARRIL, M. C.: «La controvertida base jurídica de la Directiva antiabuso. Un análisis a la luz de las reglas de vinculación», *op. cit.*, pp. 175-176.

[29]   FERREIRO LAPATZA, J. J.: «La derrota del Derecho», *op. cit.*, p. 473.

5. CONSIDERACIONES FINALES

Las reflexiones realizadas en el presente trabajo nos permiten concluir que tanto los legisladores, como el TJUE y la doctrina no vienen prestando suficiente atención a ciertos aspectos del Ordenamiento, lo que desemboca en consecuencias indeseables desde el punto de vista del mercado interior, pero también desde el punto de vista de las soberanías estatales.

Las tendencias observadas son contraproducentes para el mercado interior, en la medida en que los legisladores nacionales no adecúen sus sistemas tributarios a las exigencias derivadas del Derecho de la Unión, pero también cuando el legislador europeo adopta una Directiva como la ATAD que, en lugar de eliminar los obstáculos fiscales a que se enfrentan los contribuyentes, se centra únicamente en impedir que estos puedan aprovecharse de las disparidades legislativas existentes para reducir sobremanera su carga tributario o incluso, para provocar una situación de «doble no imposición». En un análisis sobre la compatibilidad de las medidas contenidas en la ATAD con el Derecho primario debería analizarse en primer lugar si su contenido es posible a la luz de la base jurídica empleada, y en segundo lugar, en su caso, la compatibilidad de sus disposiciones con el Derecho primario.

Las soberanías estatales también se están viendo dañadas por ciertas tendencias del TJUE pero también del legislador. Por lo que se refiere al TJUE, ya hemos visto que en ocasiones, y al objeto de dar una solución al contribuyente inmerso en situaciones intra-UE, este tribunal ha ido demasiado lejos en la protección de las libertades fundamentales, al hacer depender la compatibilidad de una norma estatal con el Derecho de la UE, de la situación tributaria en el otro Estado miembro que ejerce, de forma simultánea, sus competencias sobre el contribuyente en cuestión. Pero también el legislador europeo está contribuyendo, en cierta medida, a erosionar la soberanía estatal. En este sentido, en otro trabajo hemos tenido la ocasión de explicar que la ATAD se «inmiscuye» un asunto concebido hasta ahora como estatal: la prevención del abuso. Teniendo en cuenta que la imposición directa sigue siendo competencia de los Estados miembros, «qué duda cabe de que estos se encuentran en la mejor posición para decidir cómo implementar las recomendaciones BEPS de manera coherente con sus políticas socioeconómicas, así como con las libertades fundamentales, al contar con una consolidada jurisprudencia del TJUE, que en ausencia de verdadera armonización debe continuar siendo, en nuestra opinión, la guía adecuada en el diseño de los sistemas fiscales nacionales»[30]. Sin embargo, la ATAD obliga a los Estados miembros a incorporar unas cláusulas anti-abuso que pueden resultar ajenas a sus necesidades[31]. Dado este contexto, entendemos que ahora más que nunca es indispensable que la doctrina a la hora de analizar tanto la jurisprudencia del TJUE como el Derecho derivado en el ámbito de la imposición directa, debería prestar la máxima atención a las reglas de reparto de competencias entre los Estados miembros y la Unión Europea.

Es así que resultan más que oportunas las palabras del profesor Ferreiro insistiendo en la necesidad de poner el foco del estudio en el *Ordenamiento* como un todo, teniendo en cuenta las relaciones estructurales que permiten verlo como un todo[32]. Cualquier otra perspectiva, indicaba el profesor «traerá graves consecuencias sobre nuestra Ciencia del Derecho y la formación de nuestros juristas», lo que «irá en detrimento de la bondad y perfección de nuestro Ordenamiento y dificultará la realización entre nosotros del Estado de Derecho»[33].

Bibliografía

ARRANZ DE ANDRÉS, C., «El elemento internacional o transfronterizo en las sucesiones mortis causa. Una mirada al caso británico», *Quincena Fiscal*, núm. 10, 2015, pp. 19-55.

BARREIRO CARRIL, M. C., «La controvertida base jurídica de la Directiva antiabuso. Un análisis a la luz de las reglas de vinculación», *Revista de Derecho Comunitario Europeo*, vol. 62, 2019, pp. 155-196. DOI: https://doi.org/10.18042/cepc/rdce.62.05.

FERREIRO LAPATZA, J. J., «La derrota del Derecho», en GARCÍA NOVOA, C. (coord.): *La derrota del Derecho y otros estudios, comentados: Libro homenaje al Prof. Dr. José Juan Ferreiro Lapatza*, Marcial Pons, Ediciones Jurídicas y Sociales, Madrid, 2012.

HERRERA MOLINA, P., «Las enmiendas parlamentarias al Impuesto sobre Sucesiones siguen quebrantando el Derecho de la Union Europea», *ECJ Leading cases*, octubre 2014.

JIMÉNEZ-VALLADOLID DE L'HOTELLERIE-FALLOIS, D. J., «La compatibilidad del principio de simetría en la aplicación del método de exención con la libertad de establecimiento. Comentario a la sentencia del Tribunal de Justicia de las Comuni-

---

[30]   BARREIRO CARRIL, M. C.: «La controvertida base jurídica de la Directiva antiabuso. Un análisis a la luz de las reglas de vinculación», *op. cit.*, p. 187.

[31]   Ibídem.

[32]   FERREIRO LAPATZA, J. J.: «La derrota del Derecho», *op. cit.*, p. 472.

[33]   FERREIRO LAPATZA, J. J.: «La derrota del Derecho», *op. cit.*, p. 473.

dades Europeas de 15 de mayo de 2008, asunto Lidl Belgium (C-414/06)», *Crónica Tributaria*, núm. 128, 2008.

MARTÍN JIMÉNEZ, *Towards Corporate Tax Harmonization in the European Community*, Series on International Taxation, núm 22, Kluwer, Londres, La Haya y Boston, 1999.

PITA GRANDAL, A. M., «Incidencia del Derecho comunitario europeo en el poder financiero autonómico» en PITA GRANDAL, A. M. (dir.): *Hacienda autonómica y local*, Tórculo Edicións, 2003.

SOLER ROCH, M. T., «Retos pendientes de la fiscalidad internacional», *Encuentro de Derecho financiero y tributario (1ed.) Desafíos de la Hacienda Pública española. Justicia en el diseño del sistema tributario español, Documentos del IEF*, núm. 10, 2012, pp. 13-26.

VEGA GARCÍA, A., «La obligación de nombrar un representante fiscal y las libertades de la Unión Europea. La STJUE de 5 de mayo de 2011, Comisión /Portugal, C-267/09, y su influencia en la normativa española», *InDret*, 4, 2013.

WATTEL, P. en WATTEL, P. y TERRA, B., *European Tax Law*, Kluwer Law International, 3ª edición, La Haya, 2001.

WEBER, D., «In search of a (new) equilibrium between tax sovereignty and freedom of movement within the EC», *Intertax*, vol. 34, núm. 12, 2006.

Capítulo 27

La deriva actual del concepto de tributo

Rosa Litago Lledó

Profesora Titular de Derecho Financiero y Tributario
Universitat de València

A la memoria del Profesor Carmelo Lozano

SUMARIO: 1. LAS RAZONES QUE PERMITEN HABLAR DE LA DERIVA ACTUAL DEL CONCEPTO DE TRIBUTO. 2. CRÍTICA A LA CONSTITUCIONALIDAD DE LA «FINANCIACIÓN TARIFARIA» DE LOS SERVICIOS PÚBLICOS DERIVADA DE LA LCSP. 2.1. La supuesta inocuidad del nuevo concepto legal de prestación patrimonial de carácter público en el concepto de tributo. 2.2. La «tarifa» como único objeto de la STC 63/2019, de 9 de mayo. 2.3. La constitucionalidad del criterio legal que atiende al régimen jurídico de gestión del servicio. El cambio de doctrina del TC sobre las prestaciones coactivas no tributarias. 2.4. El silencio del TC sobre el verdadero fundamento constitucional de las «tarifas» y su obligatoriedad en el ámbito local. Bibliografía.

1. LAS RAZONES QUE PERMITEN HABLAR DE LA DERIVA ACTUAL DEL CONCEPTO DE TRIBUTO

Según la definición del Diccionario de la Real Academia de la Lengua Española, una de las acepciones posibles del término «deriva» es la siguiente: «Evolución que se produce en una determinada dirección, especialmente si esta se considera negativa». Conforme a ello, es evidente que la elección del mismo para dar título a este trabajo denota que el tono de las líneas que siguen deberá ser por fuerza eminentemente crítico, por su propia finalidad, que no es otra sino poner de manifiesto la que se antoja una evolución muy negativa del concepto de tributo.

Uno de los principales retos que plantea en la actualidad el Derecho Tributario español es el concepto mismo de tributo, lo que es tanto como decir que se ve afectada la propia esencia de la disciplina. La principal razón de ello es la nueva redacción de la Disposición Adicional 1ª LGT, llevada a cabo por la Ley de Contratos de Sector Público (Ley 9/2017, de 8 de noviembre; en lo sucesivo, LCSP), que incluye, por primera vez, la definición legal de la categoría de las prestaciones patrimoniales de carácter público del Art. 31.3 CE y supone, además, la desaparición formal de los tributos o exacciones parafiscales. Esta circunstancia, en si misma considerada, invita a reflexionar sobre su incidencia en el concepto constitucional y legal de tributo y hace «sospechar» que en una u otra medida éste se ha debido ver afectado y, lógicamente, también el deber de contribuir.

Resulta llamativo que la definición legal de las prestaciones patrimoniales de carácter público, pese a ser un concepto íntimamente ligado a dicho deber constitucional de contribuir del Art. 31 CE, siquiera sea por su ubicación sistemática en ese mismo precepto, pero sobre todo por sus orígenes en el concepto de *prestazione imposte* y la finalidad de erradicación de la parafiscalidad, razón de ser del mandato que encierra su apartado 3, en el que se las menciona como objeto de la reserva de ley, se lleve a cabo en una ley puramente «administrativa». ¿Es esto un síntoma de inocuidad de la reforma legal? ¿Estamos ante una «simple» aclaración conceptual que en nada interfiere en el concepto de tributo?

La reciente STC 63/2019, de 9 de mayo, se inclina por la respuesta afirmativa a estos interrogantes. Y ello pese a circunstancias tales como que la susodicha reforma de la LCSP afecta tanto a la LGT, en los términos que se han descrito arriba, como al TRLHL modificando su artículo 20, es decir, la definición del hecho imponible de las tasas locales; y también a la LTPP estableciendo cuál es el régimen jurídico de una modalidad específica de las prestaciones patrimoniales de carácter público: la tarifa.

Así pues, la polémica, lejos de apagarse tras el pronunciamiento del TC, se aviva con afirmaciones tan discutibles como la que parece identificar la «tarifa», a la que ni siquiera alude la Disp. Ad. 1ª LGT, ni el TRLHL, con la «prestación patrimonial de carácter público», incurriendo en una confusión que carece de sustento jurídico en LCSP ¿O es que, acaso, el TC está ofreciendo un «concepto constitucional de tarifa» aunque no reconoce su carácter novedoso ni su influencia en el concepto de tributo?

Pero lo más llamativo es que, sin admitir que esté modificando su doctrina previa, iniciada con la STC 185/1995, de 14 de diciembre, y pese a la literalidad de su FJ 3, el TC sostenga ahora que del Art. 31.3 CE se desprende una doble «noción de coactividad» en función del régimen jurídico por el que se gestionan los servicios públicos. Y que, incluso, aunque sean servicios esenciales, su eventual «financiación tarifaria» goza de respaldo constitucional.

2. CRÍTICA A LA CONSTITUCIONALIDAD DE LA «FINANCIACIÓN TARIFARIA» DE LOS SERVICIOS PÚBLICOS DERIVADA DE LA LCSP

2.1. La supuesta inocuidad del nuevo concepto legal de prestación patrimonial de carácter público en el concepto de tributo

La conclusión más relevante que cabe alcanzar tras una primera lectura de la STC 63/2019, de 9 de mayo, es que, según se afirma en su FJ 6 a): «las disposiciones impugnadas no alteran el régimen jurídico de las tasas y los precios públicos».

De ser ello cierto, habría perdido cualquier razón de ser la principal crítica que cabe efectuar a la reforma de la LCSP. El tema, pues, estaría zanjado. De este modo, la seguridad jurídica habría salido reforzada en una cuestión tan largamente conflictiva. El logro sería histórico. Basta contar los años transcurridos desde la publicación del emblemático trabajo sobre la potestad tarifaria del Profesor García de Enterría que data del año 1953[1], o la doctrina de la *Corte Costituzionale* Italiana sobre el Art. 23 de la Constitución Italiana al hilo del canon telefónico exigido por un ente privado, al que calificó como *prestazione imposte*[2]. Precepto del que nuestro art. 31.3 CE es deudor absoluto. Y, antes incluso, basta recordar el hito legislativo que supuso la Ley de 26 de diciembre de 1958, de Tasas y Exacciones Parafiscales.

Efectivamente, la pacificación de tan larga polémica en el seno del Derecho financiero y tributario español se habría logrado mediante la LCSP, esto es, mediante una ley ajena al mismo, ya que se trata de una ley puramente administrativa. Esta es la conclusión que avala nuestro TC cuando corrobora lo afirmado por la EM de la susodicha LCSP: que su finalidad es meramente «aclaratoria» y trata de poner fin a tantos años de ardua polémica. En palabras del TC (FJ 6, b)) «la reforma *consolida* la diferenciación entre una financiación tributaria y una financiación que se denomina "tarifaria" de los servicios públicos, que en todo caso (...) *ya estaba presente en el régimen anterior (...) de manera que la novedad introducida no es sustancial»*. Lo cierto es, no obstante, que,

---

[1] GARCÍA DE ENTERRÍA, E.: «Sobre la naturaleza de la tasa y las tarifas de los servicios públicos», *RAP*, nº 12, 1953.

[2] FEDELE, A.: «Correspettivi di pubblici servici, prestaciones imposte, tributi», *Rivista di Diritto Finanziario e Scieneze de le* Finanze, II, 1971. PÉREZ ROYO, F: «La contribución de la *Corte Costituzionale* italiana a la doctrina sobre el principio de legalidad tributaria», en *El Tribunal Constitucional*, Vol. III, IEF, Madrid, 1981.

pese a lo que afirma su autor en el preámbulo, la LCSP no se centra sólo en las «tarifas» sino que establece un concepto legal, hasta entonces inédito, el de prestación patrimonial de carácter público y lo hace, de manera indirecta, a través de la reforma de tres leyes tributarias: LGT, LTPP y TRLHL. El camino elegido por el legislador es tortuoso y carente de rigor desde la óptica de la técnica jurídica, pero resulta plenamente efectivo a la hora de crear una apariencia que el TC ha asumido ciegamente sin formular ningún reproche crítico. Y ello pese a las trascendentales consecuencias jurídicas que acarrea desde la perspectiva del Art. 31 CE. Es decir, del deber solidario de contribuir.

Como he adelantado, dice el TC que tras la LCSP el régimen jurídico del tributo, —centrándolo en el de la tasa puesta en relación con el precio público— no se ha visto alternado ni modificado en absoluto. «Para empezar, porque no se modifican los preceptos legales que regulan estas figuras en la LTPP, la LGT y la LHL».

Es decir, si no entiendo mal, la razón por la que el TC rechaza la incidencia de la LCSP en el concepto de tributo es que como no se modifica formalmente el Art. 2 LGT, tal concepto no se ha visto alterado. La debilidad del argumento se evidencia en su carácter puramente formal que debe ceder frente al contenido de la nueva Disp. Ad. 1ª LGT. Pero, aun dándolo por válido: ¿acaso no le dice nada al TC la ubicación del nuevo apartado 6 del Art. 20 TRLHL? ¿No ha reparado en que se inserta en el «hecho imponible» de las tasas locales? Esta sola circunstancia, más allá de la deficiencia técnica que representa visto el contenido del precepto, denota a las claras que, cuando menos, sí se afecta de lleno al ámbito de las tasas locales. Y aquí es donde entra en juego otra discutible afirmación del TC en torno a la obligatoriedad de las mismas que analizaré más adelante. Antes de ello, conviene tener en cuenta que la eventualidad que baraja el TC sobre la posible modificación formal del Art. 2 LGT a través de una ley administrativa hubiera representado, a mi juicio, un verdadero hito —por calificarlo suavemente— en la labor del legislador. Sin embargo, toda esta apariencia formal, hábilmente creada, a mi entender, a través de una ley ajena al ordenamiento tributario, no puede impedir ver el verdadero alcance de la reformada Disp. Ad. 1ª LGT. En ella se define el nuevo concepto legal de prestación patrimonial de carácter público en contraposición con el concepto legal de tributo del art. 2 LGT al que alude expresamente, y al que engloba en su seno. Esta norma tributaria es, pues, como ya he tenido ocasión de argumentar más ampliamente, el verdadero núcleo de la reforma[3]. Y dado que es objeto expreso de impugnación ante el TC, tal y como recoge el FJ 2 de la STC 63/2019, debiera ser también, por su carácter omnicomprensivo, propio de una categoría general, el objeto de la «controversia» resuelta por la sentencia. Sin embargo, como a continuación expondré, no sucede así en absoluto ya que, de su lectura detenida, se concluye que el TC acaba enjuiciando la constitucionalidad de la «tarifa», especie no tributaria del género prestación patrimonial de carácter público. Y de ahí los limitados efectos que, en buena lógica, cabe atribuir a su fallo.

La trascendencia de la labor configuradora de una nueva categoría legal que el TC niega se evidencia por la incidencia en las normas tributarias que, a su vez, se refleja en el cuadro de ingresos que sirven para financiar servicios públicos, en el que se introduce formalmente la categoría de prestación patrimonial de carácter público al dotarle de rango legal. Esta circunstancia es la que definitivamente permite rechazar el simple argumento formal del TC respecto de la redacción inalterada del Art. 2 LGT.

Es cierto que la categoría de prestación patrimonial de carácter público está reconocida en el Art. 31.3 CE y, dado que el legislador la incluye expresamente en la nueva definición legal de la Disp. Ad. 1ª LGT, tal vez quiera decir con ello que ésta se limita a reproducir lo dicho por el TC al interpretar qué pueda entenderse por tal. Sin embargo, la supuesta naturaleza aclaratoria de la reforma de la LCSP únicamente quedaría avalada de confirmarse la plena coincidencia entre el concepto legal y el previo concepto constitucional que vincula al legislador. De lo contrario, las discrepancias entre ambos desembocan necesariamente en la naturaleza conformadora del nuevo régimen legal.

En definitiva, la incorporación a diversas leyes, administrativas y tributarias, de un nuevo concepto legal ¿puede llegar a ser considerado como algo meramente aclaratorio y no innovador del ordenamiento jurídico? La explicación, como ya he adelantado, es que la figura cuya naturaleza dice «aclarar» el legislador, según se expresa en la EM de la LCSP, es la «tarifa», no la prestación patrimonial de carácter público. Y en el debate clásico sobre la dicotomía tasa/tarifa no aparecía la cuestión sobre las prestaciones impuestas o coactivas. Buena muestra de ello es la controversia surgida en el seno del TS, donde la postura minoritaria discrepante rechaza la aplicación

---

[3]   LITAGO LLEDÓ, R.: «La desaparición legal de la parafiscalidad: Análisis de la nueva disposición adicional 1ª de la LGT conforme al artículo 31 de la CE», *RCyT. CEF*, Núm. 430 (enero 2019).

a las «tarifas» de la STC 185/1995, de 14 de diciembre. Lo que es tanto como sostener que no pueden ser calificadas como prestaciones patrimoniales de carácter público. La causa de ello es que tal razonamiento se basa en la concepción clásica de la cuestión. Esta es, justamente, la única novedad que admite el TC (FJ 3 *in fine*): la naturaleza de prestación coactiva que se somete a la reserva de ley del Art. 31.3 CE y de ahí que sea, como expondré en el epígrafe siguiente, el núcleo de la «controversia» que enjuicia.

En suma, con arreglo a todo lo dicho hasta ahora pareciera que el eje de la reforma legal lo representa la tarifa identificada con la prestación patrimonial de carácter público no tributario que define la Disp. Ad. 43ª LCSP y a la que también alude la Disp. Ad. 1ª LGT. Sin embargo, en mi opinión, ésta no es en absoluto la conclusión que se extrae de la simple lectura de estas normas, pues ninguna de las dos menciona expresamente a la tarifa. Como tampoco lo hace el nuevo Art. 20.6 TRLHL. Todas ellas, por el contrario, aluden a las prestaciones patrimoniales de carácter público no tributario. Sólo una de las normas implicadas en la cuestión, el nuevo apartado c), —en puridad, el d)[4]—, añadido al Art. 2 LTPP alude a las «tarifas». Y lo más relevante, a los efectos que ahora interesan, es que las identifica con las cantidades que abonan los usuarios a los «concesionarios de obras y servicios conforme a la legislación de contratos del sector público». Esto es, tal y como está redactado este precepto, las tarifas, al igual que los tributos, son, en primer lugar, una especie del género prestación patrimonial de carácter público. Y, en segundo lugar, únicamente se derivan de una modalidad concreta de gestión indirecta de los servicios públicos, la concesión administrativa, o más exactamente de acuerdo con la nueva configuración jurídica de la LCSP, del contrato administrativo de «concesión de servicios» definido en su Art. 15. En tercer lugar, la consecuencia inmediata que se deriva de esta norma es que su régimen jurídico no es el previsto por la LTPP, porque

---

4   FERNÁNDEZ PAVÉS. Mª. J.: «¿Cómo queda la financiación de los servicios públicos? Tasas, prestaciones patrimoniales públicas o tarifas y precios públicos», en CUBERO TRUYO, A. (Dir.): *Tributos asistemáticos del ordenamiento vigente*, Tirant lo Blanch, Valencia, 2018, pp. 123 y 124: Sostiene, en cambio, que la nueva letra pasará a ser la c) y la que la anterior letra c) se convertirá en la nueva letra d). Conforme a ello, se consigue la supervivencia de esta última previsión, pese a que, a mi entender, no hay razón alguna para considerarla derogada implícitamente. Por esto mismo, coincido con CUBERO TRUYO, A.: «Significación impropia que se desprende del término "precio público": el ejemplo de los "precios públicos (sic) universitarios"», en CUBERO TRUYO, A. (Dir.): *Tributos asistemáticos del ordenamiento vigente*, Tirant lo Blanch, Valencia, 2018, p. 180, que se trata de un error del legislador que denota su escaso rigor técnico. En cualquier caso, añado yo, lo importante no es la ubicación de la norma, sino las consecuencias que comporta.

no se trata de ingresos públicos de Derecho público. Lo que nos lleva indefectiblemente a buscar el concepto técnico de tarifa y su régimen jurídico a la nueva LCSP.

Previamente, puede concluirse ya que la relectura de la Disp. Ad. 1ª LGT en combinación con la nueva letra del Art. 2 LTPP supone que sólo las prestaciones derivadas de un tipo concreto de gestión indirecta de los servicios (públicos) como es la concesión, son calificables jurídicamente como tarifas. Por exclusión, según estas dos normas tributarias el resto de prestaciones no son tarifas en sentido estricto o técnico jurídico. Así, no lo son las prestaciones derivadas de la gestión directa del servicio mediante personificación privada, a través de «las sociedades de economía mixta, entidades públicas empresariales, sociedades de capital íntegramente público y demás fórmulas de Derecho privado», conforme al último párrafo del apartado 2 de la Disp. Ad. 1ª LGT[5]. Y tampoco las que surjan por la gestión indirecta de los servicios distinta de la concesión.

Esta conclusión, derivada del tenor literal de las normas analizadas es, sin embargo, contradicha por la EM de la LCSP que afirma: «se *aclara* la naturaleza jurídica de las tarifas que abonan los usuarios por la utilización de las obras o la recepción de los servicios, tanto en los *casos de gestión directa de estos, a través de la propia Administración,* como en los supuestos de *gestión indirecta, a través de concesionarios,* como prestaciones patrimoniales de carácter público no tributario»[6]. Como decía, a mi modo de ver, el tenor literal de las normas tributarias aludidas desdice lo afirmado por el autor de la LCSP en dos aspectos: primero, porque la tarifa, en sentido estricto, no es, aparentemente, la razón de las reformas habidas en la LGT y en el TRLHL, pues en ellas no se las nombra; y, segundo, porque la única mención a las mismas en la LTPP no lo es en relación con la gestión directa, sino únicamente en el caso de gestión indirecta mediante contrato de concesión de servicios. Lo que resulta coincidente con la concepción clásica de la cuestión, en la que los ingresos por gestión directa se califican normalmente

---

[5] Cfr. FALCÓN Y TELLA, R: «Las tarifas que abonan los usuarios de un servicio público como prestaciones patrimoniales de carácter público no tributarias», *Quincena Fiscal,* nº 5, 2018.

[6] A esta misma conclusión llegan FERNÁNDEZ PAVÉS. Mª. J.: *op. cit.* p. 131 y 132 y TORNOS MAS, J.: «La tarifa como contraprestación que pagan los usuarios en el contrato de concesión de servicios de la Ley 9/2017, de Contratos del Sector Público», *La Administración al día. INAP,* (21/12/2017) *http://laadministracionaldia.inap.es/noticia. asp?id=1508103.*

como *precios* y las tarifas se reservan para el caso de gestión indirecta por concesión[7].

En cambio, la genérica expresión de la EM de la LCSP que luego contradice el Art. 2 LTPP sí resulta coincidente con la opinión manifestada en el voto particular formulado a la STS de 23 de noviembre de 2015 (Rec. 4091/2013) que en su punto 4 también las refiere a los ingresos obtenidos mediante gestión directa del servicio a través de personificación privada. Con la diferencia esencial, que ya he desatacado, de que las excluía del concepto de prestación patrimonial de carácter público al rechazar que les resultara aplicable la doctrina de la STC 185/1995.

Por lo demás, la conclusión obtenida de la interpretación literal de las normas tributarias implicadas, que conlleva una *restricción del concepto de tarifa*, se corrobora cuando se acude a la normativa administrativa no tributaria. Me refiero, lógicamente, al articulado de la LCSP. En este sentido, sostiene Tornos Más[8] que una de las cuestiones interpretativas que plantea la nueva LCSP es, precisamente, que la figura de la tarifa queda vinculada con el novedoso «contrato de concesión de servicios» del art. 15 LCSP que sustituye al anterior contrato de concesión de servicios «públicos». Afirmación que avala el tenor literal del Art. 289.2 LCSP. Norma que sí alude expresamente a esta denominación de tarifas. En contraste con el art. 312, b) LCSP que se ocupa de una específica modalidad del «contrato de servicios» del Art. 17 LCSP —«contratos de servicios que conlleven prestaciones directas a favor de la ciudadanía»— que no supone el riesgo operacional demandado por la normativa europea (Directiva 2014/23/UE) y para la que no emplea la mencionada denominación de tarifa.

En definitiva, pese a que, como he señalado antes, toda la polémica referida a esta cuestión se suele basar en la dicotomía tasa-tarifa, tras la nueva configuración de la LCSP este planteamiento, aun siendo gráfico, es del todo inexacto desde un punto de vista técnico jurídico por las razones que acabo de señalar. El problema, sin embargo, es que, como expongo en el epígrafe siguiente, ha condicionado absolutamente la decisión del TC.

---

[7]   LOZANO SERRANO, C: «Calificación como Tributos a Prestaciones Patrimoniales públicas de los Ingresos por Prestación de Servicios», *Civitas. REDF*, nº 116, 2002, p. 613.

[8]   TORNOS MAS, J.: *op. cit.*

2.2. La «tarifa» como único objeto de la STC 63/2019, de 9 de mayo

En la delimitación del objeto del recurso de la STC 63/2019, de 9 de mayo, el TC parte de un error de principio inducido, a mi modo de ver, y como ya he señalado antes, por seguir literalmente lo expresado por la EM de la LCSP. Sin embargo, ello resulta determinante para conocer cuál es, realmente, lo que el TC denomina la «controversia». El problema es que ésta no coincide con el objeto del recurso de manera que no es ya, o no es solo, una cuestión de incongruencia, sino de los efectos que de esta se derivan que, lógicamente, se deben ceñir a los límites más estrechos en que el TC deja delimitada la aludida «controversia».

El error al que me refiero es el siguiente: Tras mencionar y reproducir en los FFJJ 1 y 2 los preceptos impugnados, el TC no repara en cuál es su verdadero contenido, al que me he referido arriba, y afirma, en el FJ 3, bajo el título «Finalidad de los preceptos impugnados y contexto jurídico en el que se insertan», que todos ellos «regulan una modalidad concreta de prestación patrimonial de carácter público, que denominan "tarifa"».

Pues bien, la mera lectura de cada uno de ellos, todos de la LCSP (el Art. 289.2, la Disp. Ad. 43ª, la Disp. Final 9ª (nueva letra «c» (sic) del art. 2 LTPP), la Disp. Final 11ª (nueva redacción de la Disp. Ad. 1ª LGT) y la Disp. Ad. 12ª (nuevo art. 20.6 TRLHL)), evidencia que tal afirmación carece de cualquier sustento en las normas que dice sintetizar el TC.

Efectivamente, porque, atendido su tenor literal no es, en mi opinión, asumible lo siguiente:

Primero, que el TC sostenga que: «El régimen jurídico que se impugna en este proceso se establece en el art. 289.2 y en la disposición adicional cuadragésima tercera, mientras que el resto de preceptos (disposiciones finales novena, undécima y duodécima), se *limitan a trasladar el anterior esquema»,* a las normas tributarias ya citadas. Ello no es cierto porque la Disp. Ad. 43ª LCSP no menciona las prestaciones patrimoniales de carácter público en general, que es, justamente, de lo se ocupa la nueva Disp. Ad. 1ª LGT. No hay tal reproducción de aquélla en ésta ni tampoco en el Art. 20.6 TRLHL. Ni siquiera la nueva letra añadida al art. 2 LTPP es trasunto del Art. 289.2 LCSP.

Segundo, que el TC afirme que el denominador común de todos ellos es que «introducen» en el ordenamiento la «expresión» «prestación patrimonial de carácter público no tributario», que hasta ese momento no había sido objeto de ninguna regulación específica, sino que este Tribunal había deducido de las diferentes prestaciones.

En primer lugar, porque es contradictorio admitir que se introduce algo que no existía en la ley y luego negarle que se trate de una novedad. Cuando, a continuación, tratando de refutar esa supuesta labor creadora de la LCSP, se incurre nuevamente en la confusión de la categoría con la especie. Porque, dice el TC: «En todo caso, la novedad introducida por los preceptos impugnados, es sólo relativa, pues la *tarifa* como contraprestación, y herramienta de financiación de servicios públicos, no constituye una novedad en nuestro ordenamiento jurídico, en tanto que referida al establecimiento y regulación de la contraprestación exigible, entre otros, en aquellos casos en los que determinados servicios públicos se prestan bien mediante personificación privada o bien mediante gestión indirecta». Sin embargo, la tarifa en sentido técnico jurídico, existiera o no, sólo se circunscribe a esta segunda forma de gestión, no a la gestión directa, como he expuesto antes.

En segundo lugar, aun cuando la novedad fuera relativa ello también supone una labor creadora del legislador. Circunstancia que no puede desconocerse sosteniendo que lo que éste hace es simplemente acuñar una «expresión», cuando, en realidad, se trata de un concepto jurídico de carácter constitucional, además.

En tercer lugar, la verdadera novedad no es la que señala el TC, porque lo nuevo es la categoría, el concepto legal, de las «prestaciones patrimoniales de carácter público» que recoge la reformada Disp. Ad. 1ª LGT. Norma que también define sus dos especies. En otros términos, la verdadera aportación de la reforma, a la que debiera dirigirse el examen de constitucionalidad, habida cuenta de cuál es el contenido de las normas impugnadas, no la contiene la Disp. Ad. 43ª LCSP que sólo se ocupa, como es lógico, de una de esas dos especies, las prestaciones patrimoniales de carácter público no tributarias.

Por último, y en coherencia con lo anterior, si el concepto legal realmente enjuiciado es el de prestación patrimonial de carácter público, en general, no puede concluirse, como así lo hace, que la verdadera novedad, lo que es objeto del proceso, es que las «tarifas» sean, tras la LCSP, prestaciones patrimoniales de carácter público no tributario.

En definitiva, todo ello evidencia el sesgo en la delimitación de la «controversia» que, lógicamente, influye en la argumentación que conduce hasta el fallo de la sentencia y le dota, en mi opinión, de una eficacia limitada. En este sentido, dos son los aspectos a destacar:

De una parte, que la figura central de cuya constitucionalidad se duda sería la «tarifa» y no la prestación patrimonial de carácter público se desprende de los argumentos legales empleados por el TC para sustentar su adecuación a la reserva de ley no tributaria del Art. 31.3 CE. Argumentos que se refieren sólo a esta figura, a la que se alude bien de manera genérica (arts. 99 a 102 y 103 a 105 LCSP), pero la mayoría de las veces de manera limitada a una sola de sus variantes, la del Art. 15 LCSP, esto es, a las tarifas exigidas en los contratos de concesión de servicios. Este es el único precepto al que alude expresamente la sentencia [FJ 6, a)] aunque en otro pasaje de este mismo FJ 6, en su letra c), se refiera al art. 267.2 LCSP que, sin embargo, se inserta en el régimen jurídico de un contrato distinto, el de concesión de obras del Art. 14 LCSP. Y sin que en ninguna otra parte se mencione nada relativo al contrato de servicios del Art. 17 LCSP en relación con el art. 312 LCSP, que regula las «Especialidades de los contratos de servicios que conlleven prestaciones directas a favor de la ciudadanía». A la trascendencia de todo ello ya me he referido con antelación.

De otra parte, y como consecuencia de lo anterior, ya hemos visto que el TC asume la carencia de efectos innovadores o de cualquier eficacia creadora del régimen derivado de la LCSP puesto que la «tarifa» ya existía en nuestro ordenamiento jurídico y la LCSP se limitaría a aclarar su régimen jurídico. Lo relevante ahora es que tales razonamientos le permiten formular la llamada «controversia» limitándola a considerar la existencia constitucional de la misma al albur de la doctrina del TC sobre las prestaciones patrimoniales de carácter público no tributarias. En sentido contrario, el TC rechaza el principal argumento de los recurrentes según el cual, de la doctrina constitucional sobre las prestaciones patrimoniales de carácter público, consideradas en general, que fue iniciada con la STC 185/1995, la financiación de los servicios públicos coactivos, esenciales o prestados en régimen de monopolio, deben reconducirse necesariamente a la tasa, al tributo, y, en fin, a las exigencias de los principios constitucionales del art. 31.1 CE.

Como se puede fácilmente observar, el TC incurre en un apriorismo al desconocer que el verdadero objeto del recurso, considerando los preceptos impugnados en su conjunto, se cierne sobre las prestaciones patrimoniales de carácter público, como categoría general, cuyo concepto formula y concreta la Disp. Ad. 1ª LGT y no las especies del mismo a las que aluden los demás preceptos recurridos. Y este error de planteamiento, a mi juicio, le lleva a fijarse en el concepto de «tarifa» que ofrece la ley administrativa, la LCSP, de lo que se derivan dos consecuencias fundamentales en la fundamentación de la sentencia y conclusión del fallo. Una, la que vengo tratando desde el principio: que no hay incidencia alguna en el concepto de tributo. Y es lógico que sea así si sólo nos fijamos en la Disp. Ad. 43ª LCSP y en el Art. 289.2 LCSP. No lo sería, en cambio, si el foco se pusiera en la Disp. Ad.

1ª LGT y el Art. 20.6 TRLHL que también se impugnan, aunque el TC los olvide de manera inexplicable. La otra, se refiere al argumento sobre el que se considera la constitucionalidad de la llamada «financiación tarifaria». Así, la doctrina del TC en la que se analiza el encaje de la «tarifa», según se desprende claramente del FJ 5, no es la de las «prestaciones tributarias», para las que cita las SSTC 185/1995 y 233/1999, sino que directamente se va a considerar la de las prestaciones «no tributarias», representada por las SSTC 182/1997 y 83/2014, entre otras. Argumentación que se justifica limitando el contenido de aquellas primeras sentencias paradigmáticas a que la discusión se centraba en la distinción entre tasa y precio público y no, como hemos venido creyendo muchos hasta ahora, incluida una porción mayoritaria del TS, que dichas sentencias fijaron el concepto de prestación patrimonial de carácter público en general, incluyendo tributos y cualquier otra prestación coactiva cualquiera que fuese su denominación.

El error argumental, la incongruencia lógica, en que, a mi juicio, incurre la STC 63/2019, de 9 de mayo, es que, en primer lugar, para la definición de la nota esencial de las prestaciones patrimoniales de carácter público, la de su coactividad, no tiene más remedio que acudir, lógicamente, a aquellas primeras sentencias SSTC 185/1995 y 233/1999. En segundo lugar, que, reprochándole incluso a los recurrentes el desconocimiento de la doctrina posterior sobre prestaciones coactivas no tributarias, el propio TC incurre en una grave contradicción ya que omite flagrantemente la nota esencial de dicha doctrina, la que representaba su verdadera impronta: la exigencia de una finalidad de interés público, constitucional, distinto del deber solidario de contribuir al sostenimiento de los gastos públicos. En otras palabras, ¿cómo puede afirmarse la adecuación constitucional de la «tarifa» a la doctrina sobre prestaciones patrimoniales de carácter público no tributarias si ni siquiera se menciona, ni tan solo se considera, cuál pueda ser su finalidad pública si se trata del requisito determinante, la verdadera razón de ser de la doctrina de la STC 182/1997 respecto de las anteriores?

En la respuesta a este interrogante confluyen dos circunstancias esenciales, a mi modo de ver. La primera, el hecho de que en los artículos que centran la «controversia» que resuelve el TC, la Disp. Ad. 43 ª y el Art. 289.2 LCSP, no aparece en ningún momento la alusión a los «fines de interés general» que sí recoge el apartado 2 de la Disp. Ad. 1ª LGT, en coherencia con la doctrina constitucional iniciada con la susodicha STC 182/1997. Norma que, como se evidencia una vez más, es absolutamente ignorada e injustificadamente preterida por el TC en un aspecto esencial.

La segunda, que no se alcanza a ver cuál es la necesidad de negar lo obvio respecto a la cuestión del régimen jurídico en que se presta el servicio.

Es decir, si el punto de partida en el razonamiento del TC es que la STC 185/1995 no le resulta aplicable a la «tarifa», ¿para qué negar la literalidad de su FJ 3? O si se hace, ¿por qué no reconocer el cambio de doctrina?

2.3. La constitucionalidad del criterio legal que atiende al régimen jurídico de gestión del servicio. El cambio de doctrina del TC sobre las prestaciones coactivas no tributarias

La falta de respuesta al anterior interrogante da pie a pensar que, con la finalidad de dar respaldo constitucional al criterio legal, —en absoluto nuevo, como enseguida expondré—, que se basa en el régimen de gestión del servicio para determinar la naturaleza de la prestación que hayan de abonar los usuarios por él, nos hallamos ante una *nueva doctrina constitucional* que sólo cabría referir, dado el sesgo de su objeto, a las *tarifas en sentido estricto*. Según ella, en primer lugar, la coactividad, derivada de la naturaleza del servicio, queda matizada por la circunstancia mencionada por el TC en el FJ 6, a) de la STC 63/2019, que se refiere «al ámbito concreto al que se refiera o afecte el servicio público en particular». Éste es el que determina no ya la coactividad sino la idoneidad de una forma de gestión u otra del servicio y si ésta es de derecho privado, en concreto, se articula a través de un contrato de concesión de servicios del Art. 15 LCSP, se rige por el principio de reserva de ley «no tributaria» del Art. 31.3 CE, pero queda al margen de los principios de su apartado primero. Ello le permitiría eludir, en línea con el FJ 7 de la STC 63/2019, cualquier atisbo de desigualdad. La siguiente nota que habría que añadir a las dos anteriores es que, matizando, a su vez, la doctrina de la STC 182/1997 y siguientes sobre las prestaciones no tributarias, éstas no necesariamente han de responder a unos «fines de interés general», ya que nada se dice al respecto en la STC 63/2019, más allá de la referencia a que sólo de manera indirecta o mediata sirven para allegar recursos con los que financiar el servicio público. De ser esto cierto, el interrogante que surge inmediatamente es: ¿en qué lugar queda la referencia de la Disp. Ad. 1ª.2 LGT a dicha exigencia? La última nota es que la gestión mediante el contrato de concesión de servicios «impone» la financiación del mismo a través de la «tarifa» en contrapartida con la «obligatoriedad de emplear tasas» que, según el FJ 6, a) de la STC 63/2019, se deriva de nuestro ordenamiento jurídico.

Conforme a lo anterior, resulta llamativo que al propio TC se le olvide que el eje central de la STC 185/1995, de 14 de diciembre, el que representaba el argumento principal de la postura mayoritaria del TS antes de la LCSP, es, precisamente, la *indiferencia de régimen jurídico de la prestación*.

Pues, dice la STC 185/1995 (FJ 3), reiterada en este extremo por la STC 182/1997, que: «El sometimiento de la relación obligacional a un régimen de Derecho público no es suficiente por si solo para considerar que la prestación patrimonial así regulada sea una prestación patrimonial de carácter público en el sentido del art. 31.3 CE». El principal logro de esta idea básica es el mismo del precedente al que se acoge, la doctrina sobre las prestaciones «impuestas» de la *Corte Costituzionale* italiana, que fue reconducir a la reserva de ley, e incluso a la figura del tributo, a las prestaciones derivadas de «contratos de adhesión», regidos por el Derecho privado pero relativos a servicios esenciales e irrenunciables o servicios, que aun no siendo de tal naturaleza, son prestados en régimen de monopolio. De ahí que la premisa básica sobre la que parece asentarse el nuevo régimen legal derivado de la LCSP, la inaplicabilidad de esta doctrina constitucional a los supuestos de gestión del servicio con arreglo a fórmulas de Derecho privado, que es la misma que sostenía el Voto particular a la STS de 23 de noviembre de 2015 (Rec. n° 4091/2013), no resulte, a mi entender, aceptable. El solo hecho de que la STC 185/1995, de 14 de diciembre, se refiriera a la categoría de los precios públicos, ingresos públicos de Derecho público, no puede sustentar tal planteamiento, porque su fundamento no se limita a aquellos supuestos, sino que, al contrario, se debe a los que ahora nos ocupan, los de Derecho privado. Lamentablemente, como ya he adelantado, este criterio ha sido respaldado en el FJ 5, d) de la STC 63/2019. Conclusión que, a la vista de la literalidad del FJ 3 de la STC 185/1995, de 14 de diciembre, corrobora el cambio de doctrina constitucional necesario para otorgarle respaldo al eje de la reforma de la LCSP: que el modo de gestión del servicio público es el criterio determinante de su forma de financiación.

2.4. El silencio del TC sobre el verdadero fundamento constitucional de las «tarifas» y su obligatoriedad en el ámbito local

Tal y como acabamos de ver, uno de los reproches que cabía hacerle al autor de la LCSP cuando se promulgó, el principal diría yo, era su falta de coherencia con la doctrina del TC representada por aquella paradigmática STC 185/1995. Pues resultaba más que dudosa su adecuación a aquella otra sobre prestaciones coactivas no tributarias que con posterioridad se había abierto paso en la STC 182/1997. La razón es que su legitimación se basa en la existencia de una finalidad constitucional distinta de la mera financiación del gasto público que las situara en la órbita del Art. 31.1 CE. En otros términos, el hecho de que la gestión del servicio no sea directa por el ente público titular (sin interposición de sociedades u otros entes), o bien sea indirecta a través de un concesionario que es el núcleo de la reforma de la LCSP: ¿permite obviar que, al fin y a la postre, son satisfechas por los usuarios de servicios esenciales o monopolísticos que, por lo tanto, acceden a ellas de manera coactiva y que no sirven más que para su financiación? Este interrogante básico queda sin respuesta por parte del TC. Pues la alusión del FJ 5, e) con carácter genérico a esta doctrina posterior (SSTC 83/2014, 167/2016 y 167/2016) en la que se hace hincapié en la finalidad indirecta de allegar recursos públicos no sirve para aclararnos cuál es esa otra finalidad constitucional que tendrían las nuevas prestaciones patrimoniales de carácter público establecidas en relación con servicios públicos de lo más diverso, a diferencia de los ejemplos concretos tratados por estas sentencias, que pudiera determinar que no se hallen sujetas a las exigencias del art. 31.1 CE. Permitiendo, en definitiva, la contraposición de dos regímenes de financiación del mismo tipo de servicios, tributaria, en el seno del art. 31.1 CE y «tarifaria», al margen del mismo. La pregunta es: ¿cuenta con respaldo constitucional este sistema de financiación? ¿Es cierto que la LCSP no «reimplanta» las llamadas «tarifas» preconstitucionales y se limita a «consolidar» una realidad que estaba implícita en el ordenamiento jurídico? La respuesta afirmativa del TC carece de sustento, a mi modo de ver, y así lo evidencia la postura mayoritaria que hasta la entrada en vigor de la LCSP sostenía el TS.

Habida cuenta de cuál era el objeto del recurso que resolvió la STC 185/1995, de 14 de diciembre, la cuestión en torno a la naturaleza de prestaciones patrimoniales de carácter público del Art. 31.3 CE en relación con las obligaciones contractuales, es decir, no *ex lege* ni derivadas de un acto de autoridad, parecía quedar clara respecto de las que podían reputarse prestaciones patrimoniales coactivas exigidas en régimen de Derecho público. De ahí la exclusión de los precios públicos «voluntarios» de dicho concepto, y del principio de reserva de ley, pese a ser ingresos públicos de Derecho público. La duda surgió, sin embargo, en relación con aquellas otras que, aun presentando la nota de coactividad en su presupuesto de hecho, discurrían por los cauces del Derecho privado. Justamente era el caso de las tarifas y precios exigidos en los supuestos de gestión de servicios públicos mediante las fórmulas de Derecho privado[9]. El problema se planteó porque, tras esta

---

[9] Especialmente las empresas mixtas y las concesiones que son los modos de gestión más frecuentemente empleados en España: SERRANO SANZ, J. M.: «El debate sobre la gestión pública o privada del servicio urbano de aguas», *El Cronista del Estado Social y Democrático de Derecho*, nº 69, 2017, p. 38; y SANAÚ, J.: «Los aspectos sociales en la gestión pública y privada del agua en España», *El Cronista del Estado Social*

sentencia se llegó a poner en duda la subsistencia misma de la potestad tarifaria y su distinción con la potestad tributaria[10]. Planteamiento que no deja de ser lógico ya que, considerada con detenimiento, creo que se puede concluir que donde alcanza todo su sentido la doctrina constitucional es justo respecto de estas figuras. Pues como ya he dicho, la postura del TC siguiendo a la *Corte Cost ituzionale* italiana supuso un importante cambio de enfoque en tanto trasladaba la atención a la situación en que se encuentra el obligado a satisfacer la prestación[11]. El resultado que se logra con este criterio es ir más allá del «acto de autoridad» y abandonar la teoría, de larga tradición, que vincula la naturaleza de la prestación con la forma de gestión del servicio[12]. De este modo, y una vez confirmada la desvinculación entre ambas por el TC[13], la legislación tributaria no hizo sino reflejar este dato en dos trascendentales preceptos de la LGT (2003): la Disp. Ad. 1ª y el art. 2.2, a). Pero este dato absolutamente fundamental parece haberse olvidado al tratar la polémica intensificada a raíz de la *supresión del párrafo segundo del citado Art. 2.2, a) LGT por la Ley de Economía Sostenible* (Ley 4/2011, de 4 de marzo). E inexplicablemente, en mi opinión, esta circunstancia es la que ha adquirido el carácter de hito legislativo en el reflejo que la controversia sobre la subsistencia de la potestad tarifaria ha tenido en el ámbito jurisdiccional, concretamente en el seno del TS.

No deja de ser llamativo, por ello, que, en este aspecto, la LCSP acoja la postura minoritaria sostenida por el voto particular a la STS de 23 de noviembre de 2015 (Rec. 4091/2013) del que importa destacar dos aspectos

---

　　　*y Democrático de Derecho*ʿ, nº 69, 2017, p. 50. Véase sobre ello, más extensamente, FERNÁNDEZ PAVÉS. Mª. J.: *op. cit.* pp. 109 a 117.

10　RAMALLO MASSANET, J.: «Tasas, precios públicos y precios privados (hacia un concepto constitucional de tributo)», *Civitas REDF*, nº 90, 1996, pp. 270 y 271. Rechazando esta posibilidad, véase la extensa argumentación de VILLAR ROJAS, F.: «Dictamen sobre el concepto de tasa de la nueva Ley General Tributaria y su eventual impacto en las tarifas por prestación del servicio municipal de abastecimiento domiciliario de agua potable», *Quincena Fiscal*, nº 10, 2005, que aboga por la inaplicabilidad de la LGT (2003) a los servicios públicos locales.

11　RAMALLO MASSANET, J.: *id. últ. cit.* Recuerda LOZANO SERRANO, C: «Calificación como Tributos...», *op. cit.*, p. 633, que, en la base de la doctrina del TC, está la diferencia entre coactividad de la prestación y coactividad del presupuesto de hecho que la genera. Distinción ínsita en el concepto mismo de tributo.

12　Véase en GARCÍA DE ENTERRÍA, E.: *op. cit.*

13　Como ya había justificado con anterioridad a la promulgación de la Constitución, GARCÍA DE ENTERRÍA, *id. últ. cit.*, p. 133, recordando que una cosa es la obligación tributaria —conclusión que se sigue de la afirmación de la naturaleza de tasas de las tarifas por servicios públicos genuinos, que sirven a necesidades colectivas consolidadas—, y otra el modo de gestión del ingreso.

fundamentales. Por una parte, que éste basa su discrepancia en los argumentos de una Sentencia anterior, la STS de 28 de septiembre de 2015 (Rec. nº 2042/2013) recaída, sin embargo, respecto de los servicios mortuorios que habían dejado de ser servicios esenciales reservados en favor del sector público[14]. Dato esencial si se tiene en cuenta que, en esta polémica Sentencia, el debate lo centran las prestaciones referidas al agua, estrictamente, el abastecimiento domiciliario y la depuración de aguas, que siguen siendo servicios calificados como esenciales por la normativa vigente (Art. 86.2 LBRL). Pero, además, la afirmación del susodicho voto particular sobre que la eliminación del párrafo 2º del Art. 2.2, a) LGT (2003) supone una «vuelta atrás» que permite recuperar las «ideas de precio y beneficio para los servicios públicos gestionados por concesionarios e incorporar a los servicios públicos en régimen de concesión o de gestión indirecta los criterios de autofinanciación y del equilibrio económico del contrato», es tanto como admitir dos consecuencias que, a mi modo de ver, no se sostienen.

– Una, ello supondría afirmar que la doctrina de la STC 185/1995, de 14 de diciembre, nunca tuvo lugar y sólo dependía de lo dispuesto por el conflictivo párrafo del art. 2.2, a) LGT (2003) al que atribuye eficacia configuradora de las prestaciones.

Sin embargo, hay dos argumentos que, en mi opinión, permiten rechazar esta hipótesis: por un lado, la doctrina constitucional no había variado en este punto; y, por otro, en el plano legislativo dicha doctrina no sólo se materializó en este polémico párrafo sino también, y fundamentalmente, en la Disp. Ad. 1ª LGT (2003) que representó un nuevo intento legislativo por erradicar la parafiscalidad reconduciéndola al concepto constitucional o material de tributo. Norma que, por cierto, no había sido derogada en el momento en que se pronuncia el TS que, sin embargo, no la tiene en cuenta en absoluto en su razonamiento. Se trata, no obstante, de una omisión cuya relevancia pone de manifiesto el destino que ha tenido en manos del autor de la LCSP, para quien no ha pasado inadvertida su eficacia en todos los ámbitos territoriales *ex* art. 1º LGT.

–La otra consecuencia igualmente rechazable es aún más relevante si cabe, pues da por sentado que la doctrina del TC sobre las prestaciones patrimoniales de carácter público, formulada entonces e inalterada como decía en el momento a que se refiere esta polémica, previo a la LCSP y a la STC 63/2019, para nada incidió en la configuración de la Hacienda Pública

---

[14] Art. 22 del Real Decreto-ley 7/1996, de 7 de junio, sobre medidas urgentes de carácter fiscal y de fomento y liberalización de la actividad económica.

y los criterios de justicia por los que debe discurrir. Dicho de otro modo, de admitirse esta postura se zanjaba el problema de la admisibilidad constitucional de prestaciones patrimoniales de carácter público establecidas con arreglo al principio del beneficio antes de la entrada en vigor de la LSCP, sin contar para ello con sustento constitucional[15], ni tampoco legal, como sí sucede hoy día tras la entrada en vigor de la citada LSCP.

En este contexto de conflictividad es en el que, creo, cabe enmarcar la reacción del legislador a través de la LCSP consistente en dotar de contenido legal la categoría jurídica de las prestaciones patrimoniales de carácter público, tratando probablemente de atajar con ello el peligro de interpretaciones judiciales «divergentes» en relación con estos casos conflictivos a los que supuestamente la doctrina del TC no habría dado respuesta. No obstante, y aunque esta intención sería loable desde la perspectiva del principio de seguridad jurídica, el autor de la LCSP habría incurrido, a mi parecer, y más allá del resultado que persigue, en dos errores fundamentales al acuñar dicho concepto legal. Errores que, a la vista de lo que afirma la STC 63/2019, parece que no deben ser tales.

El primero, tratar de *determinar legalmente y de manera apriorística* los modos de financiación de los servicios públicos. Volviendo así sobre la antigua polémica que ya resurgió con la figura de los precios públicos[16]. El primer argumento legal que evidencia este intento y que abunda en la tesis que formulé al principio sobre el velado carácter obligatorio de las mal llamadas «tarifas», se obtiene del contraste entre los términos posibilistas empleados por el art. 20.4 TRLHL —que usa el verbo «podrá»— y el tono claramente imperativo del nuevo art. 20.6 TRLHL introducido por la LCSP. Pero esta restricción de la elección sobre los medios de financiación de los servicios públicos, en realidad, viene condicionada en un estadio previo y anterior en el ámbito local como consecuencia de su regulación en la LBRL. Este es el verdadero «contexto» al que, en mi opinión, debió acudir la STC 63/2019 en su FJ 3 ya que su conocimiento resulta esencial para comprender debidamente toda esta cuestión. La razón es que esta norma, tras la reforma de que fue objeto por la Ley 27/2013, de 27 de diciembre, de Racionalización y Sostenibilidad de la Administración Local, (en lo sucesivo, LRSAL), y sobre

---

[15]   LOZANO SERRANO, C.: «Las prestaciones patrimoniales públicas en la financiación del gasto público», *Civitas REDF*, nº 97, 1998, p. 50.

[16]   GIANNINI, A. D.: *Instituciones de Derecho Tributario*. Traducción y estudio preliminar de F. SÁINZ DE BUJANDA, Editorial de Derecho Financiero, Madrid, 1957, p. 60; GARCÍA DE ENTERRÍA, E.: *op. cit*, p. 140; MARTÍN QUERALT, J.: *El Proyecto de Ley Reguladora de las Haciendas Locales*, IEE, Madrid, 1988, pp. 107 y 108.

la base de los principios de estabilidad presupuestaria y suficiencia financiera del Art. 135 CE, introduce un *evidente favorecimiento de los modos privados de gestión* y una más que cuestionable *limitación de la autonomía de los Ayuntamientos*[17]. Por lo demás, éste sería, a mi juicio, el fin público o «de interés general» con respaldo constitucional que demanda la doctrina iniciada con la STC 182/1997, de 28 de octubre, y que avalaría esta nueva figura legal sin finalidad contributiva[18]. La cuestión central a resolver, con carácter general, y que el TC deja sin respuesta alguna respecto de las «tarifas» es: ¿cuentan con respaldo constitucional estos ingresos no tributarios basados en el principio de beneficio y derivados del nuevo concepto legal de prestaciones patrimoniales de carácter público?

El segundo de los errores que habría cometido el legislador ya lo he señalado antes y es el de acuñar un concepto legal o técnico de prestación patrimonial de carácter público sobre un criterio dogmáticamente erróneo y contrario a la doctrina del TC y del TS y que consiste en atender al régimen jurídico en que se presta el servicio o se realiza la actividad, el modo de gestión, en suma, para determinar la naturaleza jurídica de aquélla. Sin embargo, tal opción legislativa, al menos en lo que se refiere a las «tarifas», es plenamente refrendada por el TC a través del velado cambio de doctrina al que me he referido anteriormente.

Señala Villar Rojas que la nueva redacción del Art. 85.2 LBRL ha cambiado de forma muy sustancial el criterio tradicional de libertad de elección del modo de gestión[19]. Afirmación que, de aceptarse, supone en consecuencia, añado yo, la restricción de los medios de financiación de los servicios públicos, habida cuenta de la naturaleza de elemento esencial que en la LCSP se otorga a este criterio. De modo que la reducción del principio de autonomía financiera local (Art. 142 CE) y la influencia en la tradicional discrecionalidad que se reconoce en la elección de los medios de financia-

---

[17]   Véase MORENO DE MOLINA, J. A. y A. VILLANUEVA CUEVAS: «El régimen de los servicios mínimos locales tras la reforma efectuada por la Ley 27/2013, de 27 de diciembre, de racionalización y sostenibilidad de la administración local», en la monografía *Reforma del Régimen Local*, Aranzadi, 2014 (BIB 2014/553).

[18]   LITAGO LLEDÓ, R.: «El principio de estabilidad presupuestaria del Art. 135 CE como fundamento constitucional de las nuevas "tarifas"», *Quincena Fiscal*, nº 21, 2018.

[19]   VILLAR ROJAS, F. J.: «Implicaciones de los principios de sostenibilidad y estabilidad presupuestaria en los modos de gestión de los servicios públicos locales», *El Cronista del Estado Social y Democrático de Derecho*, nº 58-59, 2016, pp. 102 y 103,.

ción de los servicios públicos, son, desde luego, las dos cuestiones que debieran suscitar el recelo de este nuevo régimen y su adecuación al art. 31 CE[20].

Esta conclusión resulta evidente, a mi juicio, si se conviene con este autor que la restricción en la elección de la modalidad de gestión que se consagra en la LBRL tras su reforma por la Ley 27/2013, de 27 de diciembre, LRSAL, deriva de dos factores fundamentales: la imposición legal a los Entes locales de tener que escoger el modo de gestión más sostenible y eficiente (Art. 25.3 y 4 y Art. 85.2 LBRL), y que, en cualquier caso, se impone la financiación por los usuarios, a través de tasas o «tarifas». Es decir, en cualquiera de las dos hipótesis, restringiendo o eliminando la opción por la financiación del servicio sin cargo específico a los usuarios o beneficiarios de los servicios.

En suma, de la tradicional posibilidad de elección entre modos de gestión directa e indirecta —excluido el caso de las actividades que implican ejercicio de autoridad, que también ha sido objeto de reforma— se pasa a las reglas determinadas por la ley en que se da prioridad a la gestión indirecta mediante contrato[21]. E incluso, dentro de este ámbito, tampoco se reconoce plena discrecionalidad administrativa tras la creación de la Oficina Nacional de Evaluación por la Ley 40/2015, de 1 de octubre, de Régimen Jurídico del Sector Público, que la incorporó como Disp. Ad. 36ª del TRLCSP y que hoy recoge el Art. 333 LCSP[22]. Parece así que sólo en defecto de lo ante-

---

[20]   Recuerda ORÓN MORATAL, G.: «¿La tasa como tributo obligatorio? Tasas por servicios hídricos y aprovechamientos hidráulicos y condicionantes de su cuantificación», *Tribuna Fiscal*, nº 258, 2012, pp. 34 y 35, que es aquí donde mejor se ha evidenciado tradicionalmente la discrecionalidad del poder público para prestar un servicio o llevar a cabo una actividad administrativa «sin coste específico para el destinatario» o exigir una tasa, pudiendo calificarse como el «tributo potestativo por antonomasia».

[21]   VILLAR ROJAS, F. J.: «Implicaciones…», *op. cit.* p. 104, sostiene que la gestión indirecta se presenta por el legislador como una «alternativa equivalente a la gestión directa administrativa» y sólo de la gestión directa empresarial se exige justificar la mayor sostenibilidad y eficiencia, no así de la gestión indirecta. En mi opinión, sin embargo, ello no significa que no se vean afectadas ambas por ese requisito, pues se establece con carácter general para priorizar entre todos los modos de gestión.
       En contra de la posición crítica de VILLAR ROJAS, se muestra FERNÁNDEZ, T. R.: «Reflexiones sobre la sostenibilidad de los servicios públicos, un nuevo principio general en gestación», *Revista de Administración Pública*, nº 200, 2016, p. 450, quien defiende la priorización establecida por la LBRL y justifica el hecho de que la gestión indirecta no se someta a la exigencia de la memoria justificativa predicable de la gestión directa empresarial «ya que la adjudicación del contrato correspondiente habrá de serlo a través de la correspondiente licitación pública y esto asegura, por hipótesis, la obtención de la solución económicamente más ventajosa».

[22]   *Ibidem.*

rior se acudirá a la gestión directa, estableciéndose, según Tornos Mas[23], una «especie de principio de subsidiariedad» que otorga primacía al sector privado de manera que la «opción por la gestión directa —con un medio propio— debe fundarse en una demostración de su mayor eficacia respecto a la contratación con un tercero privado». Y aun en el seno de esta última, priorizando el propio Art. 85.2, A) último párrafo, LBRL, los modos administrativos (gestión directa por la propia Entidad Local u Organismo autónomo local) en detrimento de las entidades públicas empresariales y las sociedades mercantiles públicas[24].

En este contexto, el rechazo del TC a la generación de una situación de desigualdad que derivaría no de la ley, sino de su aplicación, sólo se explica por la concepción también clásica del principio de reserva de ley de que hace gala el TC que atiende únicamente a la garantía de autoimposición[25]. Esto supone desconocer el fundamento más actual del principio que se refiere a la seguridad jurídica, pero esencialmente a la *igualdad,* según destacó el profesor Pérez Royo[26]. Perspectiva en la que incide de lleno la nueva normativa, cuyo carácter imperativo sobre los modos de gestión privados de diversos servicios públicos, especialmente los locales, deducido de la combinación de los arts. 25, 26 y 85 LBRL y 20.6 TRLHL, *introduce una diferencia de trato en función de la capacidad económica de los usuarios de los mismos.* Pues, en estos casos, este principio contributivo queda preterido por los del beneficio y la suficiencia financiera. En este sentido, cabe reprochar a la STC 63/2019 que no haya tenido en cuenta la afirmación de la STC 167/2016 que sostuvo que: «El hecho de que la prestación regulada en la norma controvertida no tenga carácter tributario excluye que deba analizarse a la luz de los principios del art. 31.1 CE, en cuanto recoge los criterios inspiradores del sistema tributario siendo exigibles, aunque con diferente intensidad, respecto de las prestaciones patrimoniales de naturaleza tributaria, y no, en consecuencia, de cualquier prestación patrimonial (STC 83/2014, FJ 6) (…). Por el contrario, *sí debe ajustarse al art. 14, en conexión con el art. 9.3 CE,* dado que ambos preceptos juegan como parámetro de control del legislador (…)».

---

23   TORNOS MAS, J.: «La remunicipalización de los servicios públicos locales», *El Estado Social y Democrático de Derecho*, nº 58-59, 2016, p. 43.
24   VILLAR ROJAS, F. J.: «Implicaciones…», *op. cit.,* p. 103.
25   FERNÁNDEZ PAVÉS. Mª. J.: *op. cit.* p. 121, ésta es la razón de ser de la referencia del Art. 20.6 TRLHL a la ordenanza municipal.
26   PÉREZ ROYO, F.: «Fundamento y ámbito de la reserva de ley en materia tributaria», *Hacienda Pública Española*, nº 14, 1972, p. 216.

Bibliografía

CUBERO TRUYO, A., «Significación impropia que se desprende del término "precio público": el ejemplo de los "precios públicos (sic) universitarios"», en CUBERO TRUYO, A. (Dir.): *Tributos asistemáticos del ordenamiento vigente,* Tirant lo Blanch, Valencia, 2018.

FALCÓN Y TELLA, R., «Las tarifas que abonan los usuarios de un servicio público como prestaciones patrimoniales de carácter público no tributarias», *Quincena Fiscal,* nº 5, 2018.

FEDELE, A., «Correspettivi di pubblici servici, prestaciones imposte, tributi», *Rivista di Diritto Finanziario e Scieneze de le* Finanze, II, 1971.

FERNÁNDEZ PAVÉS. Mª. J., «¿Cómo queda la financiación de los servicios públicos? Tasas, prestaciones patrimoniales públicas o tarifas y precios públicos», en CUBERO TRUYO, A. (Dir.): *Tributos asistemáticos del ordenamiento vigente*, Tirant lo Blanch, Valencia, 2018.

FERNÁNDEZ, T. R., «Reflexiones sobre la sostenibilidad de los servicios públicos, un nuevo principio general en gestación», *Revista de Administración Pública,* nº 200, 2016.

GARCÍA DE ENTERRÍA, E., «Sobre la naturaleza de la tasa y las tarifas de los servicios públicos», *RAP*, nº 12, 1953.

GIANNINI, A. D., *Instituciones de Derecho Tributario.* Traducción y estudio preliminar de F. SÁINZ DE BUJANDA, Editorial de Derecho Financiero, Madrid, 1957.

LITAGO LLEDÓ, R., «La desaparición legal de la parafiscalidad: Análisis de la nueva disposición adicional 1ª de la LGT conforme al artículo 31 de la CE», *RCyT. CEF,* Núm. 430 (enero 2019).

LITAGO LLEDÓ, R., «El principio de estabilidad presupuestaria del Art. 135 CE como fundamento constitucional de las nuevas "tarifas"», *Quincena Fiscal,* nº 21, 2018.

LOZANO SERRANO, C., «Calificación como Tributos a Prestaciones Patrimoniales públicas de los Ingresos por Prestación de Servicios», *Civitas. REDF,* nº 116, 2002.

LOZANO SERRANO, C., «Las prestaciones patrimoniales públicas en la financiación del gasto público», *Civitas REDF,* nº 97, 1998.

MARTÍN QUERALT, J., *El Proyecto de Ley Reguladora de las Haciendas Locales*, IEE, Madrid, 1988.

MORENO DE MOLINA, J. A. y VILLANUEVA CUEVAS, A., «El régimen de los servicios mínimos locales tras la reforma efectuada por la Ley 27/2013, de 27 de diciembre, de racionalización y sostenibilidad de la administración local», en la monografía *Reforma del Régimen Local,* Aranzadi, 2014 (BIB 2014/553).

ORÓN MORATAL, G., «¿La tasa como tributo obligatorio? Tasas por servicios hídricos y aprovechamientos hidráulicos y condicionantes de su cuantificación», *Tribuna Fiscal*, nº 258, 2012.

PÉREZ ROYO, F., «Fundamento y ámbito de la reserva de ley en materia tributaria», *Hacienda Pública Española*, nº 14, 1972.

PÉREZ ROYO, F., «La contribución de la *Corte Costituzionale* italiana a la doctrina sobre el principio de legalidad tributaria», en *El Tribunal Constitucional*, Vol. III, IEF, Madrid, 1981.

SANAÚ, J., «Los aspectos sociales en la gestión pública y privada del agua en España», *El Cronista del Estado Social y Democrático de Derecho*, nº 69, 2017.

SERRANO SANZ, J. M., «El debate sobre la gestión pública o privada del servicio urbano de aguas», *El Cronista del Estado Social y Democrático de Derecho*, nº 69, 2017.

TORNOS MAS, J., «La remunicipalización de los servicios públicos locales», *El Estado Social y Democrático de Derecho*, nº 58-59, 2016.

TORNOS MAS, J., «La tarifa como contraprestación que pagan los usuarios en el contrato de concesión de servicios de la Ley 9/2017, de Contratos del Sector Público», *La Administración al día. INAP, (21/12/2017) http://laadministracionaldia.inap.es/ noticia.asp?id=1508103.*

VILLAR ROJAS, F., «Dictamen sobre el concepto de tasa de la nueva Ley General Tributaria y su eventual impacto en las tarifas por prestación del servicio municipal de abastecimiento domiciliario de agua potable», *Quincena Fiscal*, nº 10, 2005.

VILLAR ROJAS, F. J., «Implicaciones de los principios de sostenibilidad y estabilidad presupuestaria en los modos de gestión de los servicios públicos locales», *El Cronista del Estado Social y Democrático de Derecho*, nº 58-59, 2016.

Capítulo 28

A star is born: ¿un nuevo Derecho Financiero y Tributario?

Teresa Pontón Aricha
Área de Derecho Financiero y Tributario
Universidad de Cádiz

SUMARIO: 1. EL NUEVO DERECHO FINANCIERO Y TRIBUTARIO. 2. LA ALARGADA SOBRA DE LA FISCALIDAD INTERNACIONAL. 3. ÁMBITO INTERNO. 4. CONCLUSIÓN. Bibliografía.

1. EL NUEVO DERECHO FINANCIERO Y TRIBUTARIO

Obviamente no podemos vivir de espaldas a la realidad, a los cambios sociales y conceptuales de nuestra sociedad. En apenas dos décadas hemos saltado de una sociedad analógica a una digital, ya no nos comunicamos por carta lo hacemos por email o Instagram, del dial de nuestros teléfonos fijos en el pasillo de casa al terminal de pantalla táctil que nos acompaña a la playa o la montaña. Esto ha tenido también reflejo en nuestra administración, la tributaria en nuestro caso que a trompicones intenta saltar del papel al expediente digital, de la ventanilla a la oficina virtual.

El más claro exponente de la situación es la llamada «Declaración de Granada» de mayo de 2018 en la que se ponía de manifiesto la preocupante situación en la que se encuentra el Derecho Financiero y Tributario a la que los continuos intentos de evitar la tributación por parte de entidades y ciudadanos hay que sumar los esfuerzos de la Administración Tributaria por recaudar a cualquier precio, aunque ello signifique una merma de los derechos de los contribuyentes o una quiebra de los principio básico recogidos en el artículo 31 de nuestro texto constitucional.

No hay buen manual que omita los pilares sobre los que se asienta nuestra disciplina, la exposición de los mismos será más o menos extensa, contendrá un numero mayor o mejor de referencias a los pronunciamientos del Tribunal Constitucional que los ha ido perfilando pero no podemos olvidar que los principios constitucionales sobre los que se asientan nuestro ordenamiento tributario fueron una gran conquista que ahora nos parece lejana. Supuso un cambio trascendental ya que se trata de principios generales aplicables a todos los tributos, vinculan a los órganos jurisdiccionales a los legislativos y al propio Ejecutivo. Los principios de capacidad económica, legalidad, generalidad y justicia parece que cada día están más arrinconados.

¿Tan alejados estamos de lo que nos enseñaron los maestros? ¿Estamos presenciando el nacimiento de un nuevo Derecho Financiero y Tributario?

2. LA ALARGADA SOBRA DE LA FISCALIDAD INTERNACIONAL

El principal motor de este cambio ha sido la fiscalidad internacional. La globalización 4.0 y la economía digital han irrumpido en nuestro mundo para quedarse, puede que incluso para dominar nuestro terreno ya que están son las principales líneas que se están desarrollando en los distintos foros internacionales como el Foro Económico Mundial Davos 2019, preocupa también a la OCDE y a la Comisión Europea la creciente movilidad del capital y de activos intangibles, como la propiedad intelectual, y los nuevos modelos de negocio de las multinacionales tecnológicas. Se trata de un tema extremadamente complejo que aquí solamente esbozaremos.

La deslocalización de las grandes empresas nos conduce a nuevos términos como «rentas sin Estado» también empezamos a encontrar «rentas difíciles de gravar» que chocan frontalmente con los conceptos tradicionales pero buscan el traslado de los beneficios de forma artificiosa a territorios de baja tributación. Ello nos fuerza a abandonar el paradigma de la presencia física como umbral del derecho a gravar operaciones transfronteriza afectando directamente al concepto de establecimiento permanente tampoco soporta los retos de los nuevos sistemas ya que no es el mismo lugar donde se crea valor y donde las empresas pagan sus impuestos.

BEPS ha sido el parche que la OCDE puso en marcha para intentar poner freno a la erosión de las bases pero a día de hoy no sabemos si las herramientas implementadas suponen una verdadera vía a la solución o un enmascaramiento-legalización del comportamiento de ciertos países, Estados Unidos que se ha convertido en el gran paraíso fiscal por excelencia a pesar de las listas negras y grises que se han ido elaborando. El Inclusive Framework on BEPS[1] propone dos alternativas para paliar la situación ac-

---

[1]   OECD/G20 Inclusive Framework on BEPS: Progress Report July 2018-May 2019 https://www.oecd.org/tax/beps/inclusive-framework-on-beps-progress-report-july-2018-may-2019.pdf.

tual, la primera es la adopción de un impuesto mínimo aplicable en todo el mundo, mientras que la segunda es una reformulación de la capacidad impositiva de los Estados en función de dónde se considere que la entidad está creando valor.

Este tema también ha sido tratado por la Comisión Europea. En septiembre de 2017, se propuso la «iniciativa conjunta para la imposición de las empresas que operan en la economía digital», que se ultimó en marzo de 2018 con la Propuesta de Directiva relativa al sistema común del impuesto sobre los servicios digitales que grava los ingresos procedentes de la prestación de determinados servicios digitales, que contiene dos líneas de actuación: en el marco de la imposición directa, que permitirá a los estados miembros gravar los beneficios que se generen en su territorio de empresas que no teniendo presencia física tengan «presencia digital» o un «establecimiento permanente virtual» y, un régimen transitorio, consistente en un impuesto indirecto que grava el 3% de ingresos generados por la publicidad online, la actividad de intermediación de plataformas digitales y la venta de datos de usuarios, que ya veremos a que puerto nos lleva.

Este no es el único escenario. No podemos pasar por alto la Directiva 2018/822 del Consejo de 25 de mayo de 2018, que modifica la Directiva 2011/16/UE por lo que se refiere al intercambio automático y obligatorio de información en el ámbito de la fiscalidad en relación con los mecanismos transfronterizos sujetos a comunicación de información, conocida como DAC 6. Esta obliga a los denominados «intermediarios fiscales» a informar sobre los indicios y sospechas de planificación fiscal agresiva intentando dibujar una línea dónde es imposible pero buscando siempre un culpable.

3. ÁMBITO INTERNO

Lo primero que debemos mencionar por su importancia es la quiebra del principio de reserva de ley. Desgraciadamente para todos, no sólo para juristas, la propia Administración Tributaria sufre gravemente ya que cada día la ausencia de este principio la va envenenando lentamente y tarde o temprano tendrá que hacer frente a sus consecuencias. Aunque la Constitución y la Ley General Tributaria blindan este principio poco a poco reglamentos, instrucciones e incluso consultan van desvirtuando la reserva de ley, no se trata solo del uso abusivo del Real Decreto Ley que han realizado todos los ejecutivos sin excepción. Otro tipo de instrumentos llegan ha redibujar el hecho imponible y algunos elementos esenciales del tributo sin tener en cuenta los derechos del contribuyente amparados en la mal entendida justicia tributaria y la eficiencia de la Administración que ahora ha recibido una falsa pátina de legalidad bajo la cobertura de la transparencia.

Para analizar la falta de seguridad jurídica a la que vivimos sometidos es necesario mucho más que estas breve páginas, pero permítanme apuntar que ya desde Europa se pone de manifiesto lo esencial de este tema en el asunto C-81/10 P en su párrafo 100 establece que «*A este respecto procede recordar que el principio de seguridad jurídica, que forma parte de los principios generales del Derecho de la Unión, exige que las normas de Derecho sean claras, precisas y de efectos previsibles, a fin de que los interesados puedan orientarse en las situaciones y relaciones jurídicas reguladas por el ordenamiento jurídico de la Unión (véanse las sentencias de 15 de febrero de 1996, Duff y otros, C-63/93, Rec. p. I-569, apartado 20; de 7 junio de 2007, Britannia Alloys & Chemicals/Comisión, C-76/06 P, Rec. I-4405, apartado 79, y de 18 noviembre de 2008, Förster, C-158/07, Rec. p. I-8507, apartado 67)*». Quizás si nos lo dicen desde Europa le empecemos a prestar más atención a la seguridad jurídica del contribuyente y la necesidad de que los efectos del ordenamiento sea previsibles.

En otro orden, hemos sufrido en menos de una década un cambio radical en la manera de relacionarnos con la Administración Tributaria. El primer paso lo dio la Agencia Estatal de Administración Tributaria siendo pionera en la integración de las nuevas tecnologías en los procedimientos tributarios y en la adaptación a la eAdministración que hoy impera en nuestro ordenamiento. Siempre ha estado a la cabeza de la adaptación a las nuevas herramientas tecnológicas que le permiten gestionar de manera más eficiente los millones de datos que recibe; ha utilizado todos los recursos que ha tenido en su mano, claro ejemplo de ello es que desde 1997 han utilizado internet en su relación con los contribuyentes; comenzaron a poner en marcha una plataforma 24/365 antes que ninguna otra Administración Pública, así como un sistema de identificación y firma, incluso un sistema para facilitar el pago telemático en cooperación con las entidades financieras, pero lo más importante era el desarrollo de un sistema cifrado para la transmisión de toda esta información de manera segura.

Las técnicas electrónicas han supuesto un gran avance en el desarrollo de la eficacia y eficiencia de la Administración Tributaria, los trámites se han acelerado, la información ha sido más fácil de recolectar y se ofrece más transparencia sobre los procesos. Pero si observamos las normas reguladoras de esta nueva Administración Tributaria electrónica nuestro primer sentimiento es sentirse inquietud por la cantidad ingente de normas, y por los términos técnicos relacionados con las webs, firmas, identificaciones, requisitos del navegador y de entornos que se nos escapan de las manos. No cabe duda de la sofisticación de nuestra eAdministración, distintos informes de la Comisión Europea[2] han puesto de manifiesto como nos situamos por encima de la media, pero la cuestión a descubrir mediante esta comunicación es sí este sistema ofrece la suficiente seguridad jurídica al contribuyente puesto que parece que la forma va a prevalecer sobre el fondo ya que la aplicación informática «dominará» nuestra relación.

No podemos olvidar que la Ley 39/2015 conforme a la Disposición Adicional Primera de la misma rige de manera supletoria en nuestro ordenamiento, es decir, la presentación de declaraciones tributarias y autoliquidaciones se rigen por la propia normativa tributaria, la Ley General Tributaria y Reglamento de desarrollo. Lo que si queda sujeto es la presentación de documentos y solicitudes a través del registro electrónico, y las notificaciones.

La Ley General Tributaria, en su artículo 96[3] supuso la base sobre la que se asentaría toda la implantación de las nuevas tecnologías en ámbito tributario, este es el pilar sobre el que poco a poco ha ido se ha construido

---

[2]   The Role of Digital Government in the European Semester process 2018, https://ec.europa.eu/isa2/sites/isa/files/docs/publications/european_semester_report.pdf.

[3]   Artículo 96 Utilización de tecnologías informáticas y telemáticas.
«1. La Administración tributaria promoverá la utilización de las técnicas y medios electrónicos, informáticos y telemáticos necesarios para el desarrollo de su actividad y el ejercicio de sus competencias, con las limitaciones que la Constitución y las leyes establezcan.
2. Cuando sea compatible con los medios técnicos de que disponga la Administración tributaria, los ciudadanos podrán relacionarse con ella para ejercer sus derechos y cumplir con sus obligaciones a través de técnicas y medios electrónicos, informáticos o telemáticos con las garantías y requisitos previstos en cada procedimiento.
3. Los procedimientos y actuaciones en los que se utilicen técnicas y medios electrónicos, informáticos y telemáticos garantizarán la identificación de la Administración tributaria actuante y el ejercicio de su competencia. Además, cuando la Administración tributaria actúe de forma automatizada se garantizará la identificación de los órganos competentes para la programación y supervisión del sistema de información y de los órganos competentes para resolver los recursos que puedan interponerse.
4. Los programas y aplicaciones electrónicos, informáticos y telemáticos que vayan a ser utilizados por la Administración tributaria para el ejercicio de sus potestades habrán de ser previamente aprobados por ésta en la forma que se determine reglamentariamente.
5. Los documentos emitidos, cualquiera que sea su soporte, por medios electrónicos, informáticos o telemáticos por la Administración tributaria, o los que ésta emita como copias de originales almacenados por estos mismos medios, así como las imágenes electrónicas de los documentos originales o sus copias, tendrán la misma validez y eficacia que los documentos originales, siempre que quede garantizada su autenticidad, integridad y conservación y, en su caso, la recepción por el interesado, así como el cumplimiento de las garantías y requisitos exigidos por la normativa aplicable»

el buque insignia de la eAdministración española pues abría la puerta a una nueva forma de entender la Administración y de comunicarse con los contribuyentes cuando nos quedaba muy lejos el concepto del eGoverment.

Pero en nuestro ámbito se dio un paso más ya que Ley General Tributaria, ya establecía en su artículo 98.4 la posibilidad de crear la obligatoriedad en nuestro ámbito señalando expresamente que «*En el ámbito de competencias del Estado, el Ministro de Hacienda podrá determinar los supuestos y condiciones en los que los obligados tributarios deberán presentar por medios telemáticos sus declaraciones, autoliquidaciones, comunicaciones, solicitudes y cualquier otro documento con trascendencia tributaria*». Lo que antes de la entrada en vigor de la Ley 39/2015 se concreto en sociedades anónimas, sociedades de responsabilidad limitada, otras Administraciones Públicas y, algunos grupos de personas jurídicas, pymes e incluso algunas personas físicas.

Real Decreto 1065/2007, de 27 de julio, por el que se aprueba el Reglamento General de las actuaciones y los procedimientos de gestión e inspección tributaria y de desarrollo de las normas comunes de los procedimientos de aplicación de los tributos desarrolla en sus artículos 82 y siguientes lo establecido en el 96 de la norma anterior.

Las notificaciones electrónicas también eran obligatorias mucho antes del nacimiento de la Ley 39/2015. Su obligatoriedad se establece en el Real Decreto 1363/2010, de 29 de octubre, por el que se regulan supuestos de notificaciones y comunicaciones administrativas obligatorias por medios electrónicos en el ámbito de la Agencia Estatal de Administración Tributaria, cuyo artículo 4 los lista:

- NIF-A: sociedad anónima.
- NIF-B: sociedad de responsabilidad limitada.
- NIF-N: las personas jurídicas y entidades sin personalidad jurídica que carezcan de nacionalidad española.
- NIF-W: establecimientos permanentes y sucursales de entidades no residentes en territorio español.
- NIF-U: uniones temporales de empresas.
- NIF-V: Agrupación de interés económico, Agrupación de interés económico europea, Fondo de Pensiones, Fondo de capital riesgo, Fondo de inversiones, Fondo de titulización de activos, Fondo de regularización del mercado hipotecario, Fondo de titulización hipotecaria o Fondo de garantía de inversiones.

A lo que hay que sumar las personas y entidades que:

- Las inscritas en el Registro de grandes empresas regulado por el artículo 3.5 del Reglamento general de las actuaciones y los procedimientos de gestión e inspección tributaria y de desarrollo de las normas comunes de los procedimientos de aplicación de los tributos, aprobado por el Real Decreto 1065/2007, de 27 de julio.

- Hayan optado por la tributación en el régimen de consolidación fiscal, regulado por el capítulo VII del título VII del texto refundido de la Ley del Impuesto sobre Sociedades, aprobado por el Real Decreto Legislativo 4/2004, de 5 de marzo.

- Hayan optado por la tributación en el Régimen especial del grupo de entidades, regulado en el capítulo IX del título IX de la Ley 37/1992, de 28 de diciembre, del Impuesto sobre el Valor Añadido.

- Estuvieran inscritas en el Registro de devolución mensual, regulado en el artículo 30 del Real Decreto 1624/1992, de 29 de diciembre, Reglamento del Impuesto sobre el Valor Añadido.

- Tengan la condición de representantes aduaneros según lo dispuesto en el Real Decreto 335/2010, de 19 de marzo, por el que se regula el derecho a efectuar declaraciones en aduana y la figura del representante aduanero, o presenten declaraciones aduaneras por vía electrónica.

Este listado no coincide plenamente con el de la Ley 39/2015, en este aspecto la Agencia Estatal de Administración Tributaria fue más exigente extendiendo la obligación de notificación a otros sujetos, lo que no se encuentran en la norma administrativa se limitarán a la tributaria debiendo emitirse un acuerdo que los declare incluidos en el sistema de la Dirección Electrónica Habilitada, creada por Orden PRE/878/2010, de 5 de abril.

Uno de los principales inconveniente de la relación con la eAdministración Tributaria es la falta de asistencia, se establecen las obligaciones pero no existe una vía de auxilio para el contribuyente que no tiene capacidad para superar estas barreras tecnológicas. El artículo 12.1 de la Ley 39/2015 impone el deber de *garantizar que los interesados pueden relacionarse con la Administración a través de medios electrónicos»*, al tiempo que las Administraciones Públicas *«asistirán en el uso de medios electrónicos a los interesados»*, y el artículo 13.b reconoce el derecho *«a ser asistidos en el uso de medios electrónicos en sus relaciones con las Administraciones Públicas»*, algo lógico y razonable ya que se establece la obligación hasta que nos detenemos en apartado segundo del artículo 12 establece una excepción «*asistirán en el uso de medios electrónicos a los interesados no incluidos en los apartados 2 y 3 del artículo 14*»; es decir, a los obligados no se les asiste. La ayuda es para los que no tienen la obligación lo que la tiene entiende la Administración que ya han tenido tiempo para a adaptarse.

La eAdministración ha tenido un plazo de vacatio para que todas las Administraciones pudieran ponerse al día ya que no se trata de un objetivo sencillo. Se ha invertido en la formación del personal, tanto funcionarios como laborales, pero parece que el esfuerzo dirigido a formar a los contribuyentes parece que se ha dejado de lado, directamente se han impuesto una serie de cauces obligatorios a los que debían adaptarse sin tener en cuenta la brecha digital, o las circunstancias del contribuyente. Una medida que ha tomado la Agencia es la Resolución de 4 de abril de 2017, de la Dirección General de la Agencia Estatal de Administración Tributaria, sobre asistencia a los obligados tributarios y ciudadanos en su identificación telemática ante las entidades colaboradoras con ocasión del pago telemático de las tasas que constituyen recursos de la Administración General del Estado y sus Organismos Públicos, mediante el sistema de firma no avanzada con clave de acceso en un registro previo (Sistema Cl@ve Pin) y firma electrónica de funcionario o empleado público, medida destinada al cobro de tasas como su propio titulo indica y destinada a las entidades colaboradoras en lugar de a los contribuyentes que deben hacer frente a la obligación...

Otro tema cuestionable es la notificación electrónica, no ya sólo por la complejidad técnica sino por las consecuencias que se derivan de la misma. La notificación se realiza a través del sistema de firma verificada en la sede electrónica, en el caso de no estar disponibles mediante comparecencia para garantizar los derechos del ciudadano y por seguridad jurídica; la idea es establecer un sistema más seguro que la comunicación mediante correo electrónico pero para la comparecía en la sede el contribuyente recibirá un correo electrónico, algo que carece de lógica alguna y puede llegar a quebrar la idea misma del sistema.

El problema es que las comunicaciones y notificaciones estarán 30 días naturales en el buzón de la Dirección Electrónica Habilitada, en caso de que fueran rechazadas expresamente o expirase el plazo de 10 días sin haber accedido, la consulta completa de las comunicaciones y notificaciones sólo podrá realizarse a través de la sede electrónica de la Agencia Tributaria, para lo que será necesario la firma. La consecuencia de ello es que transcurrido el plazo de 10 días se entenderá practicada la notificación, y así sin más pasamos de un sistema con varios intentos de notificación y la publicación al mero transcurso del plazo de diez días.

Lo mismo sucede con el registro electrónico, es necesario cumplimentar unos campos obligatorios, pero los formularios constriñen los derechos del contribuyente pesando mucho más los requisitos técnicos que el contenido del mismo, sin contar con los problemas de conexión que puedan surgir.

De manera muy clarificadora describe Boix Palop[4] lo que esta sucediendo «No se trata de garantizar que el ciudadano acceda al contenido de la comunicación y sea efectivamente notificado, ni de procurar que en la medida de lo posible estas comunicaciones se lleven a cabo de manera fructuosa. Si así fuera habría una preocupación real por garantizar la efectiva puesta en conocimiento de la actuación administrativa por parte de los interesados empleando cualquiera de los muchísimos medios existentes en la actualidad y perfectamente donde se ha puesto de manifiesto sin rubor hasta qué punto las supuestas garantías que tanto se ha preocupado nuestro Derecho de, supuestamente, construir no son, en la práctica, más que coartadas argumentativas que esconden la búsqueda y consolidación de situaciones de privilegio de la Administración, que consolida mecanismos de comunicación que le resultan, simplemente, mucho más cómodos y seguros exclusivamente a ella. Luce por su ausencia, por el contrario, la genuina preocupación por adaptar tecnológicamente el procedimiento administrativo a su verdadera razón de ser, y ello por una mezcla de comodidad, desconfianza y la tendencia de la Administración a ganar espacios cuando se han de instaurar nuevos procedimientos o formas de actuar ni siquiera con la carga de que sean esos ciudadanos los que deban arrastrar déficits que puedan demostrarse meramente accidentales derivados de las posibles consecuencias de los problemas que puedan surgir achacables al canal de comunicación elegido».

Otro claro ejemplo es el artículo 32.4 de la Ley 39/2015 que excluye la posibilidad de un plazo extraordinario en el caso de que sea el ciudadano el que tenga problemas técnicos, se prevé una ampliación del plazos por incidencias del sistema pero no lo contrario, siendo necesario que la Administración publique en su sede la indecencia para el aumento del plazo en el que ser servicio no ha sido efectivo.

En todo este entorno hay que detener y prestar atención a la protección de los datos del contribuyente ya que uno de los puntos que más se está

---

4   BOIX PALOP, Andrés; «En torno al encuadre jurídico de la innovación tecnológica en relación con nuestros retos pendientes en innovación administrativa», Discussant a la ponencia de Julián Valero (Universidad de Murcia) presentada en el STEM de mayo de 2016 (Teoría del Derecho público, Universidad de Castilla la Mancha, campus de Toledo) sobre «Innovación tecnológica e innovación administrativa». http://uv.academia.edu/ABoixPalop.

desarrollando es la interporatividad de las distintas Administraciones. El propio portal la define como «*la capacidad de los sistemas de información y de los procedimientos a los que éstos dan soporte, de compartir datos y posibilitar el intercambio de información y conocimiento entre ellos*»[5]. El artículo 53.1.d establece el derecho «*A no presentar datos y documentos no exigidos por las normas aplicables al procedimiento de que se trate, que ya se encuentren en poder de las Administraciones Públicas o que hayan sido elaborados por éstas*», lo que significa que las Administraciones pasarán los datos de una a otra y las normas de interoperatividad son más técnicas que jurídicas resultando muy complejo conocer los verdaderos límites de la misma. Esta se estructura entorno Esquema Nacional de Interoperabilidad, regulado por el Decreto 4/2010, de 8 de enero, por el que se regula el Esquema Nacional de Interoperabilidad en el ámbito de la Administración Electrónica, se trata de un conjunto de criterios y recomendaciones en materia de seguridad, conservación y normalización que deberán ser tenidos en cuenta por las Administraciones Públicas para la toma de decisiones tecnológicas que garanticen la interoperabilidad, entre ellas mismas y con los ciudadanos.

Ciertamente nos hemos centrado en la Agencia Estatal de Administración Tributaria por ser la más desarrollada y potente de todas las Administraciones tributarias, el desarrollo a nivel autonómico y local que está avanzando siguiendo el modelo ya establecido pero carece de los mismos recursos que la todo poderosa Agencia, por lo que dependiendo del término municipal podrán darse desigualdades en el acceso y a los procedimientos.

La informática decisional también empieza a hacer mella en los derechos de los contribuyentes ya que supone la sustitución de la inteligencia humana por una aplicación informática, inteligencia artificial, en la toma de decisiones tributarias. Es cierto que se ha pretendido dar cobertura legal a este fenómeno a través del artículo 96.3 de la Ley General Tributaria pero un ejemplo de su trascendencia es el artículo 100.2[6] de la misma ya que una decisión automatizada podrá terminar un procedimiento. Y la pregunta es la siguiente: si un acto tributario es el reflejo de la voluntad de un órgano ¿puede una aplicación emitir un acto cuando carece de personalidad? ¿es

---

[5]   https://administracionelectronica.gob.es/pae_Home/pae_Estrategias/pae_Interoperabilidad_Inicio.html#.W0J1HI5Axow (Última consulta 9 de julio de 2018)

[6]   «2. Tendrá la consideración de resolución la contestación efectuada de forma automatizada por la Administración tributaria en aquellos procedimientos en que esté prevista esta forma de terminación».

suficiente la identificación el órgano tal y cómo se establece en el artículo 96?

Y en otra dirección pero relacionado con la inteligencia artificial pasamos a la tributación de los robots. Algunos trabajadores actualmente son remplazados por robots pero el problema no es solo gravar esta situación, el problema es que nuestro sistema tributario descansa sobre los trabajadores y el consumo y en las Perspectivas de empleo 2019[7], la OCDE estima que un 21,7% de los empleos en España tiene una alta probabilidad de ser automatizados en los próximos años lo que supondrá un cambio importante. Una de las posibles líneas que se estudia directamente relacionada con la construcción estructural de nuestro sistema es la de imputar un hipotético sueldo-beneficio a cada robot siendo esta la base; otra la de establecer una tasa a la máquina tal y como se hace con los automóviles, iniciativa que ya se ha puesto en marca en California; mientras que otros defienden que es necesario preservar la neutralidad impositiva para el empresario por lo que debería buscarse una solución más próxima a la estructura del IVA.

Existen otros muchos ejemplos de la deriva de nuestro Derecho Tributario. No nos queda muy lejos en el tiempo, aunque sea del siglo pasado, la interpretación «in dubio pro Fisco», la «interpretación económica de la norma», las prestaciones patrimoniales por servicios públicos, el sujeto del Impuesto de Actos Jurídicos Documentados…

4. CONCLUSIÓN

Estos no son todos los caminos que nos conducen a la deriva. Uno de los principales es el desconocimiento de nuestra historia pero no podemos pretender que nuestros alumnos lean a Vanoni, Berliri, D'Amanti, Sainz de Bujanda para comprender el desarrollo del pensamiento jurídico tributario aunque a las nuevas generaciones que van a integrar la doctrina estos nombres deberían, al menos, sonarles.

Quizás el problema sea el paradigma de la política tributaria doméstica y debamos replantear completamente nuestros sistemas que se basa en el «esfuerzo» de los trabajadores a través de la tributación directa de las personas físicas que sigue siendo el tributo que nutre esencialmente nuestras arcas, dónde la tributación de las personas jurídicas se encuentra muy por

---

[7]   OECD Employment Outlook 2019 https://www.oecd.org/spain/Employment-Outlook-Spain-ES.pdf.

debajo de lo que debería y sigue anclada en el concepto de residencia y establecimiento permanente. Pero incluso si se decide afrontar este cambio es necesario volver a los conceptos y principios básicos del Derecho Tributario, ha costado mucho cimentar estos pilares para ahora destruirlos u olvidarlos, sabemos lo que sucederá al construir nuestro moderno rascacielos tributario en arenas movedizas, el problema es que parece que nos da igual siempre y cuando tenga aire acondicionado.

¿Ha nacido una nueva estrella? Parece que la respuesta es afirmativa pero el precio está siendo muy alto. Nuestro ordenamiento tributario debe apoyarse en un desarrollo legal que respete los mandatos constitucionales, en los que una para fundamental es una Administración que gestione y administre respetando siempre esa estructura jurídica así como los principios que la cimentan, y un sistema de control administrativo y judicial que garantice una aplicación conforme a derecho, dentro de este sistema de control se encuentra nuestra doctrina que debe engrasar en el engranaje del sistema y en algunas ocasiones ponerlo al límite exponiendo y evidenciando sus defectos tal y como estamos haciendo al evidenciar la falta de respeto al sistema de principios que no sólo nos sirve de guía, también nos protege frente a la arbitrariedad y la falta de seguridad jurídica que todos sufrimos.

Bibliografía

AYALA SANHUEZA, Alberto Gabriel, «Incentivos fiscales a la innovación en robótica: Una necesaria reformulación» en *Revista general de legislación y jurisprudencia*, ISSN 0210-8518, N° 2, 2019, pp. 207-260.

BOIX PALOP, Andrés, «En torno al encuadre jurídico de la innovación tecnológica en relación con nuestros retos pendientes en innovación administrativa», *Discussant a la ponencia de Julián Valero* (Universidad de Murcia) presentada en el STEM de mayo de 2016 (Teoría del Derecho público, Universidad de Castilla la Mancha, campus de Toledo) sobre «Innovación tecnológica e innovación administrativa». http://uv.academia.edu/ABoixPalop.

EDEN, Lorraine, «The Arm's Length Standard Is Not the Problem (October 11, 2019)» en *Tax Management International Journal* (Reproduced with permission from Tax Management International Journal, 48 TMIJ 10, 10/11/2019. Copyright 2019 by The Bureau of National Affairs, Inc. (800-372-1033) http://www.bna.com.).

FERNÁNDEZ AMOR, José Antonio, «¿Han de pagar impuestos los robots?: perfiles jurídico tributarios de la robótica en Derecho español» en *The balance between worker protection and employer powers: insights around the world* / Nuno Cerejeira Namora (ed. lit.), Lourdes Mella Méndez (ed. lit.), Duarte Abrunhosa e Sousa (ed. lit.), Gonçalo Cerejeira Namora (ed. lit.), Eduardo Castro Marques (ed. lit.), 2018, ISBN 9781527513549, pp. 567-593.

GRAU RUIZ, María Amparo, «La búsqueda de alternativas para la tributación de los robots: la tasa californiana aplicable a los vehículos autónomos» en *4ª Revolución industrial: la fiscalidad de la sociedad digital y tecnológica en España y Latinoamérica* César García Novoa (dir.), 2019, ISBN 9788413093727, pp. 155-174.

MORENO FERNÁNDEZ, Juan Ignacio, «De la garantía de la ley al abandono del principio democrático como legitimación del ejercicio del poder» en *Diálogos jurídicos: Anuario de la Facultad de Derecho de la Universidad de Oviedo*, Nº. 1, 2016, pp. 77-100.

MORENO GONZÁLEZ, Saturnina / COLLADO YURRITA, Miguel Ángel, «Principios constitucionales del Derecho Tributario: principios materiales» en *Derecho tributario: parte general*; coord. por Gracia María Luchena Mozo, Miguel Ángel Collado Yurrita, 2006, ISBN 84-96354-89-X, pp. 35-52.

MORILLO VELARDE DEL PESO, José Antonio, «Comentario al artículo 96 LGT», en *Comentarios a la nueva Ley General Tributaria*, Thomson-Aranzadi, Pamplona, 2004.

SOLER ROCH, María Teresa, «La imposición justa sobre las sociedades en un escenario global: un tema pendiente» en *Derecho & Sociedad*, Nº. 50, 2018, pp. 186-197.

VICENTE-TUTOR RODRÍGUEZ, Manuel (dir.), *Retos de la fiscalidad española: cuestiones controvertidas en materia tributarias*; Thomson Reuters Aranzadi, 2017. ISBN 9788491521860.

VIZCAÍNO CALDERÓN, Miguel, «La Administración tributaria electrónica en la nueva Ley General Tributaria», en Estudios sobre la nueva Ley General Tributaria, Instituto de Estudios Fiscales, Madrid, 2004,

Capítulo 29

¿Quién vincula a quién?: TEAC *versus* DGT y seguridad jurídica[*]

María-José Fernández-Pavés[**]
Catedrática de Derecho Financiero y Tributario
Universidad de Granada

SUMARIO: 1. LAS CONSULTAS TRIBUTARIAS ESCRITAS. 1.1. Contestaciones vinculantes y alcance. 1.2. Exclusión de vinculatoriedad: matizaciones. 2. INTERPOSICIÓN Y RESOLUCIÓN DE RECURSOS O RECLAMACIONES. 2.1. Vías de impugnación *versus* órganos vinculados. 2.2. Cambios en la jurisprudencia ¿y en la doctrina administrativa?. 2.3. Alcance temporal de esa prevalencia. 2.4. Otros efectos derivados. 3. A MODO DE REFLEXIÓN FINAL. Bibliografía.

1. LAS CONSULTAS TRIBUTARIAS ESCRITAS

La figura de las consultas a la Administración tributaria con contestación vinculante viene regulada en los arts. 88 y 89 de la LGT como una de las actuaciones de información y asistencia a los obligados tributarios que presta aquélla, a su vez integradas dentro de las actuaciones y procedimientos para la aplicación de los tributos (art. 83.1 LGT); esta es la causa por la cual se dice al final del segundo de aquellos preceptos que la contestación a las consultas tributarias escritas tendrá carácter meramente informativo, no por tanto de acto administrativo en sentido estricto, al producirse como consecuencia de una de dichas actuaciones debidas de información y asistencia a los obligados tributarios. Y a su vez, esta es la razón por la que el obligado tributario no podrá entablar recurso alguno contra dicha contestación, pudiendo hacerlo solamente, en su caso, frente al acto o actos

---

[*] Trabajo elaborado en el seno del Proyecto de Investigación «*La lucha por la ética y contra la corrupción: empleo y contratación del sector público, urbanismo y actividad de fomento de los poderes locales*» DER2016-79920-R, financiado por la Unión Europea y el Ministerio de Ciencia, Innovación y Universidades, y enmarcado en la Unidad de Excelencia «*Sociedad Digital: Seguridad y Protección de Derechos* (SD2)» de la Universidad de Granada.

[**] Researcher ID: K-8329-2014. ORCID: 0000-0003-1634-613X.

administrativos propiamente dichos que se dicten con posterioridad a ello, precisamente en aplicación de los criterios manifestados en esa contestación a la consulta; e igualmente, es el motivo de que su presentación y sobre todo la contestación de las consultas formuladas, no interrumpa los plazos establecidos en las normas tributarias para el cumplimiento con las obligaciones tributarias, al no tratarse como decimos de un acto administrativo propiamente dicho.

Según comienza ahora el primero de los preceptos citados, los obligados tributarios y otras entidades, asociaciones u organizaciones[1] podrán formular consultas a la Administración tributaria respecto al régimen, la clasificación o la calificación tributaria que en cada caso les corresponda, las cuáles habrán de formularse mediante un escrito (incluidos los medios electrónicos, art. 66.5 RGGI) con los contenidos establecidos a nivel reglamentario[2], dirigido al órgano competente para su contestación que será el que tenga atribuida la iniciativa para elaborar, proponer o interpretar disposiciones en el orden tributario (es decir, en el ámbito estatal la DGT, art. 65 RGGI) y ello antes de que finalice el plazo establecido para ejercer los derechos, presentar las declaraciones o autoliquidaciones o, en general, cumplir con las obligaciones tributarias sobre las que se pregunta.

Dicho órgano competente debe contestar también por escrito en el plazo de seis meses, a contar desde su presentación, aquellas consultas que reúnan los requisitos vistos (escritas, con su contenido completo y dirigidas a la DGT en general), pues en caso contrario, se tendrá por desistido al consultante y se archivará su consulta si, como se le habrá requerido, no son subsanados esos defectos por éste en un plazo de 10 días desde la notificación del requerimiento de la Administración (art. 66.6 RGGI); o incluso, en

---

[1]   Como los colegios profesionales, cámaras oficiales, organizaciones patronales, sindicatos, asociaciones de consumidores, asociaciones o fundaciones que representen intereses de personas con discapacidad, asociaciones empresariales y organizaciones profesionales, así como las federaciones que los agrupen, siempre que consulten sobre cuestiones que afectan a la generalidad de sus miembros o asociados.

[2]   Como mínimo habrán de contener: nombre y apellidos, razón social o denominación completa, NIF del obligado tributario y, en su caso, del representante; en este último caso, documentación acreditativa de la representación; manifestación expresa de si en el momento de presentar el escrito se está tramitando o no un procedimiento, recurso o reclamación relacionado con el régimen, clasificación o calificación tributaria que le corresponda planteado en la consulta, salvo que se formule por las entidades, asociaciones u organizaciones referidas; objeto de la consulta, expresando con claridad y con la extensión necesaria los antecedentes y circunstancias del caso; lugar, fecha y firma, o acreditación de la autenticidad de su voluntad expresada por cualquier medio válido en derecho (art. 66.1 RGGI).

segundo lugar, será inadmitida a trámite su consulta si se formulase fuera de esos plazos establecidos, es decir, una vez concluidos los mismos, lo que habrá de ser comunicado igualmente al interesado (art. 66.7 RGGI), en este caso evidentemente sin posibilidad de subsanación, de ahí el trato diferente para cada uno de estos supuestos. No obstante, la falta de contestación en dicho plazo no implica la aceptación por la DGT (generalizando) de los criterios expresados en el escrito de consulta presentado, si es que se hubieran formulado; lo que nos lleva a considerar la poca relevancia de incluirlos[3], aunque pueda ser relativamente habitual o frecuente[4], ya que además no se menciona expresamente en los contenidos necesarios que ha de contener una consulta tributaria, recogidos en el art. 66.1 y 2 RGGI, ni siquiera entre los datos, elementos y documentos que, se dice, pueden incluirse en su solicitud o acompañarla (art. 66.3 RGGI).

1.1. *Contestaciones vinculantes y alcance*

Evidentemente lo relevante de esta figura son los efectos que pueden producir las contestaciones administrativas a esas consultas tributarias, respecto de lo que la Ley señala taxativamente que tendrán efectos vinculantes en todos aquellos supuestos que se cumplan una serie de condiciones, alguna de las cuales deviene curiosamente del también requisito temporal de presentación y admisión ya visto (lo que parece un poco incongruente, si el no cumplimiento del mismo implica de entrada su inadmisión): que la consulta se hubiera formulado antes de que finalice el plazo establecido para ejercer los derechos, presentar las declaraciones o autoliquidaciones o, en general, cumplir con las obligaciones tributarias sobre las que se plantea. Por tanto, no tiene relevancia a estos efectos, en principio, la materia sobre la que se pregunta a la Administración tributaria (pues régimen jurídico, además de clasificación y calificación tributaria, abarca prácticamente todo), el tributo al que se refiera, ni cualquier otro aspecto sobre el que verse relativo a ese régimen jurídico, clasificación o calificación que le resulte aplicable; sí, en cambio, el momento procedimental como vamos a ver a continuación, pues será vinculante en todo caso la contestación siempre que la consulta reúne esos requisitos. Dichas condiciones o exigencias para que opere esa vinculatoriedad de

---

[3]　De hecho no se dice nada de ello en la Ley, como sí ocurre con los Acuerdos previos de valoración (art. 91.2 LGT).

[4]　Sí es posible legalmente respecto de la Información con carácter previo a la adquisición o transmisión de bienes inmuebles (art. 90.3, segundo párrafo LGT).

la contestación a las consultas tributarias escritas (definidas todas ellas en sentido negativo por la Ley) son, además del posible momento de su presentación como decimos, las siguientes:

- Que no se modifique la legislación correspondiente que sea aplicable a ese supuesto de hecho, y que establece su régimen jurídico, determina su clasificación, o define su calificación a efectos tributarios.

- Que tampoco se modifique la jurisprudencia que, igualmente, resulte aplicable al caso concreto (y hacemos notar que dice sólo jurisprudencia, no menciona a la doctrina administrativa en este sentido; cuya interpretación estricta o laxa tendrá bastante importancia a efectos de lo que nos interesa en este trabajo, como vamos a ver).

- Del mismo modo, que no se hayan alterado las circunstancias, antecedentes y demás datos recogidos en el escrito de consulta, a la hora de describir la situación[5] sobre cuya regulación se pregunta a la Administración.

- Y finalmente, que la consulta no plantee cuestiones relacionadas con el objeto o tramitación de un procedimiento, recurso o reclamación ya iniciado con anterioridad a su formulación[6], aunque se cumpla el requisito temporal de presentación señalado (art. 89.2 LGT).

Si se cumple con todo eso, la Administración tributaria, y más concretamente (porque esto también es importante) los órganos y entidades de ella encargados de la aplicación de los tributos, es decir, los que desarrollan las actividades administrativas dirigidas a la información y asistencia

---

[5] Si fuera el caso, debe mencionarse la existencia de un establecimiento permanente o una transacción transfronteriza, el grupo mercantil o fiscal al que se pertenece, la descripción de la actividad empresarial o las transacciones o series de transacciones desarrolladas o a desarrollar, los estados que pudieran verse afectados por la transacción u operación, las personas residentes en otros Estados que pudieran verse afectadas por la contestación y, en su caso, cualquier otro dato que resulte exigible por la normativa de asistencia mutua aplicable (art. 66.2 RGGI).

[6] En relación con ello, el art. 66.1.b RGGI exige manifestar de forma expresa en la consulta si, en el momento de presentar el escrito, se está tramitando o no un procedimiento, recurso o reclamación económico-administrativa relacionado con las cuestiones planteadas en la consulta; matizando incluso que cuando la consulta haya sido formulada por alguna de las entidades, asociaciones u organizaciones que pueden presentarla en lugar de por un concreto obligado tributario, su contestación no tendrá efectos vinculantes para aquellos miembros o asociados que, en el momento de formular la consulta, estuviesen igualmente siendo objeto de un procedimiento, recurso o reclamación económico-administrativa iniciado con anterioridad y relacionado con ella (art. 68.2 RGGI).

a los obligados tributarios como ésta, así como a la gestión, inspección y recaudación (art. 83.1 LGT); deben aplicar en su relación con el consultante los criterios expresados en la contestación a la misma dados por la DGT, puesto que se cumplirían todas las condiciones para tener ese carácter vinculante. Lo cual se ve ratificado por el art. 12.3 LGT, cuando diferencia entre las disposiciones interpretativas o aclaratorias dictadas por estos órganos de la Administración tributaria en general, con efectos vinculantes para sus órganos y entidades encargados de la aplicación de los tributos, y las dictadas por el Ministro que regula tal precepto, de obligado cumplimiento para todos los órganos de la Administración tributaria.

Pero no sólo se producen dichos efectos a este nivel inmediato, puesto que esos mismos órganos de la Administración tributaria encargados de la aplicación de los tributos, deberán aplicar iguales criterios a los contenidos en las contestaciones de las consultas tributarias escritas a cualquier otro obligado tributario, diferente del consultante por tanto, siempre que exista identidad entre los hechos y circunstancias de dichos sujetos y los que se incluían en la contestación a la consulta correspondiente[7].

De ahí que resulte especialmente importante en relación con esto último (la aplicación en el futuro de igual criterio a otros obligados tributarios con circunstancias idénticas, pero cuando además consulten sobre lo mismo) la aclaración que efectúa directamente la norma reglamentaria de desarrollo en este caso, pues la Ley no precisa nada al respecto; al establecer que cuando la contestación a la consulta tributaria incorpore un cambio de criterio administrativo, «rompiendo» por tanto en apariencia con esa vinculatoriedad que alcanza incluso a estos mismos órganos encargados de resolverlas, como acabamos de ver (esencialmente la DGT); la Administración tributaria deba necesariamente motivar de manera suficiente dicho cambio de criterio, entendemos con hechos y fundamentos de Derecho que lo avalen de manera suficiente, congruente y razonable, basándose especialmente en que se hayan producido cambios en la normativa que le resulta aplicable por regular esa situación, o bien por haberse modificado la jurisprudencia pronunciada al respecto (art. 68.1 RGGI), lo que realmente nos está llevan-

---

[7] Fuerza vinculante a la que se refiere con toda claridad el TEAC en su Resolución de 22 de septiembre de 2015: «*Por tanto, la Inspección, en el ejercicio de sus actuaciones inspectoras, de conformidad con el trascrito artículo 89.1 de la Ley 58/2003, está vinculada por los criterios contenidos en las consultas tributarias escritas, criterios que debe aplicar siempre que exista identidad entre los hechos y circunstancias del obligado tributario en cuestión y los que se incluyan en la contestación a la consulta*».

do a que en esas situaciones no se cumpliría realmente alguna de las condiciones o requisitos precisos para que se produzca esa vinculatoriedad, o lo que es lo mismo, que no proceda la misma por haber variado su régimen jurídico, clasificación o calificación jurídica vía reforma normativa o bien jurisprudencialmente.

O lo que es lo mismo, como parece deducirse por vía positiva, mientras persista esa regulación y la jurisprudencia de ella derivada por no haberse modificado la normativa o régimen jurídico vigente ni tampoco la doctrina jurisprudencial que le resulte aplicable a ese supuesto concreto; ante identidad de casos deben necesariamente aplicarse los mismos criterios contenidos en la primera contestación vinculante de la DGT de manera sucesiva, y no solamente cuando haya más consultas al respecto. Puesto que en estos hechos o situaciones posteriores coincidentes con los datos sobre los que se consultó, no operan las limitaciones del momento de su presentación (no tiene por qué haber otra consulta), ni tampoco del no inicio de un procedimiento de aplicación de los tributos (de hecho lo habrá normalmente para que nos planteemos aplicar iguales criterios a los vinculantes en él, aunque éste deberá haber comenzado con posterioridad a la formulación de aquella consulta inicial), o de la no interposición de un recurso o reclamación en relación con ello, ahora con alcance general. Luego esto es así, dado que esos otros dos requisitos o exigencias operan respecto de la consulta tributaria escrita que genera esos criterios vinculantes (con la excepción de la resolución de posibles recursos o reclamaciones interpuestos, que lo excluye en todo caso; veremos porqué), y no en relación con otros supuestos posteriores sobre los que no es preciso preguntar, aunque podría hacerse, y respecto de los que despliega sus potestades la Administración tributaria; ya que tanto si se hace como si no, los órganos de aplicación de los tributos deben actuar siguiendo ese mismo planteamiento.

Limitación esta última que también persiste, como decíamos en nota, cuando quien formula la consulta es alguna de las entidades, asociaciones u organizaciones que pueden representar a un colectivo, en lugar de hacerlo un obligado tributario concreto; en cuyo caso, la contestación evacuada tampoco tendrá efectos vinculantes para aquellos miembros o asociados que, en el momento de formularse la consulta por esa entidad, ya estuviesen igualmente siendo objeto de un procedimiento y, desde luego, si han entablado un recurso o reclamación relacionado con ella. Puesto que aquello es una cosa (vinculación para los órganos de aplicación de los tributos, junto a los que asisten e informan), y otra distinta que los otros órganos, también de la Administración tributaria pero ya no de gestión, inspección o recaudadores esencialmente, es decir, los que resuelven recursos o reclamaciones[8], deban atender a los mismos criterios, lo que como vamos a ver, parece que no será así pues se deduce claramente de la literalidad de los preceptos legales implicados.

1.2. *Exclusión de vinculatoriedad: matizaciones*

Luego siguiendo con lo anterior, ahora *sensu* contrario, no tendrán efectos vinculantes para la Administración tributaria o, más concretamente, para sus órganos de gestión, inspección y recaudación en general (los más implicados en ello), las contestaciones a las consultas formuladas cuando se haya modificado con posterioridad a ello la legislación aplicable a ese supuesto sobre el que se ha preguntado, o bien igualmente cuando haya cambiado la jurisprudencia que resulte aplicable a ese caso concreto. En estos dos supuestos, puede haber una contestación tributaria a esa consulta escrita, por supuesto, pero aquélla no producirá efectos vinculantes para los órganos de aplicación de los tributos lo que, por tanto, no conllevará que la Administración tributaria deba aplicar necesariamente en su relación con el consultante los criterios expresados en la contestación a la misma; y además de ello, resulta evidente que, tampoco a otros obligados tributarios con los que exista identidad entre los hechos y circunstancias de dichos sujetos y los que se incluían en la contestación a la consulta formulada.

Cosa distinta, o al menos matizable en mayor o menor medida, es lo que podríamos plantearnos en los otros dos supuestos citados, cuando se hayan alterado las circunstancias, antecedentes y demás datos sobre esa situación que se habían recogido en el escrito de consulta, o también cuando se hayan planteado en la consulta cuestiones relacionadas con el objeto o tramitación de procedimientos, recursos o reclamaciones iniciados con anterioridad a que se formulase la consulta (además de las matizaciones que ya hemos formulado respecto de esto último en relación con las consultas de entidades representativas de colectivos y sus miembros o asociados).

Por una parte, evidentemente no tendrá efectos vinculantes respecto del consultante la contestación administrativa recibida, cuando sus circunstancias, antecedentes y datos en general hayan cambiado entre la formulación de la consulta y consiguiente respuesta administrativa, de un lado, y el mo-

---

[8] Más aún si fuera ya en el plano jurisdiccional, en relación con los recursos contencioso administrativos; pero no parece estar considerando también esto la Ley, dado que cuando habla de recursos o reclamaciones suele referirse siempre al recurso de reposición y la reclamación económico administrativa.

mento en el que debe aplicársele al mismo el régimen jurídico, clasificación o calificación que proceda en el procedimiento de gestión, inspección o recaudación correspondiente, de otro; aquí parece claro que la contestación dada por la DGT no ha podido alcanzar esa vinculatoriedad en su aplicación, precisamente hacia quien formuló la consulta, dado que sus circunstancias se han modificado sobre las relatadas al preguntar a la Administración.

Sin embargo, aunque se hayan modificado dichas circunstancias fácticas para él, si existen otros posibles supuestos con iguales antecedentes, hechos y datos que aquellos sobre los que el consultante preguntó en relación con otros obligados tributarios, aunque luego le cambiaron o se modificaron para aquél, las consecuencias han de ser bien distintas; pues resulta igualmente evidente que la Administración sí ha de mantener posteriormente esos mismos criterios para estos otros obligados tributarios, que tienen los mimos antecedentes o circunstancias que aquellos sobre los que se consultó sin que, por el contrario, sus hechos hayan cambiado, dado que el art. 89.1 *in fine* LGT es muy claro al respecto: «*Los órganos de la Administración tributaria encargados de la aplicación de los tributos deberán aplicar los criterios contenidos en las consultas tributarias escritas a cualquier obligado, siempre que exista identidad entre los hechos y circunstancias de dicho obligado y los que se incluyan en la contestación a la consulta*».

Y por otra parte, en primer lugar, tampoco tendrá efectos vinculantes en relación con el consultante la contestación dada por la DGT, si éste ha incumplido la condición de formular su consulta antes de haberse iniciado, por la Administración o el propio obligado tributario, un procedimiento de aplicación de los tributos en cuyo objeto o tramitación van a sustanciarse cuestiones relacionadas con las materias sobre las que se preguntó; del mismo modo que lo impide igualmente, ahora en relación con otros obligados tributarios en los que concurran los mismos hechos y circunstancias, si es respecto de estos últimos que se ha iniciado ese procedimiento de aplicación de los tributos con anterioridad a que se haya formulado la consulta de referencia ante la DGT, aunque su contestación sí pueda tener esa vinculatoriedad para las relaciones entre la Administración tributaria y el consultante, cuando sobre él no hay abierto procedimiento alguno al respecto.

Junto a ello, en segundo lugar, también se produce esta exclusión de vinculatoriedad cuando lo que ya ha comenzado con anterioridad al momento de formularse la consulta tributaria escrita es un procedimiento revisor, por haberse entablado un recurso de reposición o una reclamación económico administrativa por parte del consultante; en cuyo caso, los órganos de gestión, inspección y recaudación no tienen que aplicarle al consultante los criterios manifestados en la contestación, en aquellos procedimientos de aplicación de los tributos que desarrollen en relación con el mismo y cuyo objeto o tramitación se relacionen con la consulta. Del mismo modo que si es otro obligado tributario con iguales antecedentes y circunstancias que los del consultante, quien ha iniciado esa vía de revisión con anterioridad a que se haya formulado por este último la consulta ante el órgano competente para evacuar su contestación; tampoco tiene que aplicarle la Administración tributaria esos criterios de la DGT a este otro sujeto, en los procedimientos de aplicación de los tributos relacionados con el objeto de aquella consulta que lleve a cabo respecto a este otro obligado tributario.

2. INTERPOSICIÓN Y RESOLUCIÓN DE RECURSOS O RECLAMACIONES

Precisamente relacionado con esto último que hemos analizado, la incidencia en cuanto al momento de interposición de recursos o reclamaciones en relación con los posibles efectos vinculantes de las contestaciones a las consultas tributarias escritas, hay algunos otros aspectos muy relevantes a los efectos del objeto del presente trabajo, en cierta forma conectados entre sí; por una parte, qué tipos de vías impugnatorias son las que hemos de considerar para ello y, por consiguiente, cuáles son los recursos o reclamaciones posibles que, según el momento en el que se entablan, pueden impedir o no que se produzcan esos efectos vinculantes que venimos comentando. Unido lógicamente al alcance subjetivo definido por la Ley, u órganos de entre los varios que integran la Administración tributaria que quedan sometidos a esa vinculatoriedad y, consecuentemente, obligados a aplicar los criterios vertidos en las contestaciones evacuadas con efectos vinculantes; de lo que parece deducirse que quedan bajo el mejor criterio, más cualificada preparación técnica y profesional del órgano directivo al que compete la emisión de esas contestaciones a las consultas tributarias sin poder desviarse del mismo en estos casos.

Y siguiendo con ello, de otro lado también, la resolución ahora de cuales de esas vías impugnatorias rompe las consecuencias que, en otro caso, se hubieran producido derivadas de esta figura, por haber manifestado un criterio diferente en cuanto a la interpretación que ha de darse al régimen jurídico, clasificación o calificación tributaria sobre la que se consultaba; en tanto que su parecer, ahora, debe prevalecer o tener preponderancia incluso sobre el resultado de lo que es simplemente la consecuencia del ejercicio de una labor de información y asesoramiento a los obligados tributarios, si bien es cierto que con posibles consecuencias relevantes para ellos, pero sobre todo evacuada desde un órgano directivo al que se atribuyen aspectos tan relevantes como la iniciativa para elaborar disposiciones generales en el orden tributario, además de su propuesta e incluso su interpretación, aunque en estos supuestos bajo el parecer manifestado en esas otras resoluciones, en su caso.

2.1. *Vías de impugnación* versus *órganos vinculados*

Como sabemos, en el ámbito tributario español tenemos dos vías o ámbitos de revisión a través de la interposición de recursos o reclamaciones (además de la que cabe mediante los procedimientos especiales de revisión, también llamada revisión de oficio por la Administración); primeramente la administrativa, desarrollada como norma general a través del recurso de reposición potestativo y de la reclamación económico administrativa obligatoria que regulan la Ley General Tributaria (LGT) y su Reglamento de desarrollo (Real Decreto 520/2005, de 13 de mayo, en materia de revisión en vía administrativa), con las peculiaridades del ámbito local[9]; y la vía jurisdiccional, concretamente a través de los recursos contencioso administrativos en sus distintas instancias que regula su propia normativa (Ley 29/1998, de 13 de julio), resueltos por Jueces y Magistrados que integran los Juzgados y Tribunales como órganos de Justicia, como señala el art. 117.3 CE.

Sin embargo, a la hora de plantearnos qué posibles recursos o reclamaciones son los que podrían interponerse con anterioridad a la formulación de una consulta tributaria ante la DGT para enervar sus posibles efectos vinculantes, debemos quedarnos tan sólo con la primera posibilidad, dado que precisamente es necesario agotar esta vía de impugnación administrativa previa a la jurisdiccional al encontrarnos en un modelo incardinado en el régimen continental o *régime administratif* frente al anglosajón o *rule of law*; lo que temporalmente hablando, impedirá de *facto* que haya podido dar lugar a la interposición del recurso contencioso en el momento que pueda consultarse a dicho órgano ante las dudas que suscita el régimen jurí-

---

[9] Donde, según se trate o no de los llamados municipios de gran población, existe el recurso de reposición local que regula el TRLHL, obligatorio como única vía administrativa de impugnación posible cuando precisamente no se trata de aquellas Entidades locales, y éste pero con cárter potestativo más la reclamación económico administrativa municipal obligatoria, establecida por el Título X de la LBRL, cuando sí estamos ante municipios de gran población.

dico, la clasificación o calificación tributaria de cualquier hecho o situación, ni siquiera en su primera instancia.

Por tanto, frente a esta evidencia, lo que resta es delimitar qué otros mecanismos revisores tributarios integrantes de la primera vía administrativa de impugnación son los que producirían ese efecto, y aquí podemos señalar que todos ellos, puesto que la doble referencia legal y reglamentaria a recursos y reclamaciones es equivalente a la que suele utilizarse en la LGT y otras normas de esta materia para identificar al recurso de reposición, por un lado, y a la reclamación económico administrativa por otro; en el bien entendido además, desde nuestro punto de vista, que por supuesto de forma comprensiva a sus diferentes modalidades vigentes: reposición estatal y local y reclamación económico administrativa estatal y municipal, más la posible autonómica, junto a sus versiones en los regímenes forales. Luego la interposición de cualquiera de ellos, previa a la formulación de una consulta tributaria por el obligado tributario, implicará la imposibilidad de que la contestación administrativa a la consultante pueda tener carácter vinculante.

Y ello es plenamente congruente con la delimitación subjetiva que efectúa la Ley sobre los órganos de la Administración tributaria sometidos, en su caso, a esa vinculatoriedad, dado que el art. 89.1 LGT dice literalmente que tendrán dichos efectos tan sólo *«para los órganos y entidades de la Administración tributaria encargados de la aplicación de los tributos en su relación con el consultante»* y, como ya hemos visto, estos son los que llevan a cabo las funciones referidas en el art. 83.1 LGT: información y asistencia a los obligados tributarios propiamente dicha, gestión e inspección comprensivas de la liquidación, más recaudación tanto voluntaria como ejecutiva. Luego aquellos otros órganos que, aun formando parte de la Administración tributaria, no ejerzan esas funciones del Título III de la LGT y, por tanto, no sean calificables como aplicadores de los tributos, es decir, básicamente los de revisión en el ejercicio de su función como tales[10], son los únicos de hecho no vinculados por los criterios manifestados en las contestaciones vinculantes a las consultas tributarias escritas[11]; pues aquellos que

---

[10] Esto es importante si tenemos en cuenta que los órganos que resuelven los recursos de reposición en general, lo son también de aplicación de los tributos (al ser los mismos que han dictado el acto o resolución recurrida) pero que, ante dicha impugnación, actúan ahora ejerciendo funciones revisoras y no aplicativas de los mismos.

[11] Como argumentaban las cuatro propuestas de liquidación ratificadas y asumidas por la Resolución del TEAC de 8 de marzo de 2018: *«Esta Resolución de 05/02/2015 la ha dictado el TEAC previa toma en consideración del criterio ya expresado por*

ejercen la potestad sancionadora, junto a los encargados de la recuperación de ayudas de Estado que afecten al ámbito tributario, más evidentemente los que desarrollan actuaciones y procedimientos de aplicación de los tributos en supuestos de delito contra la Hacienda pública (Título IV, VI y VII de la misma Ley) también lo son.

De ahí que, por tanto, cuando precisamente esos órganos de revisión en materia tributaria resuelvan los recursos de reposición o las reclamaciones económico administrativas interpuestos en vía administrativa que son de su competencia, no tendrán que plegarse ni aceptar necesariamente los criterios que hayan podido mantener las contestaciones evacuadas por la DGT ante hechos, circunstancias o situaciones idénticas a las resueltas en esas impugnaciones, ni evidentemente tampoco sobre los mismos casos respecto de los que se consultó si posteriormente se recurre el acto administrativo aplicativo de dicho parecer aunque éstas tengan carácter vinculante; ya que no están sujetos o sometidos a ello, es decir, no les alcanza esa vinculatoriedad en ningún caso, consecuencia lógica y congruente con la tradicional separación orgánica y funcional que viene rigiendo desde hace muchos años en la Administración tributaria española. Y evidentemente, aún menos todavía si cabe, cuando nos encontremos en el segundo supuesto de impugnación posible en materia tributaria, la vía jurisdiccional o contencioso administrativa, dada la independencia plena y único sometimiento al imperio de la ley de los Jueces y Magistrados que integran el poder judicial (art. 117.1 CE).

2.2. Cambios en la jurisprudencia ¿y en la doctrina administrativa?

Precisamente en relación con esto último, se puede afirmar taxativamente que el criterio manifestado en las sentencias que emanan de dichos órganos jurisdiccionales prevalece sobre el administrativo de cualquiera de los suyos, tanto de aplicación de los tributos como también de los encargados de la revisión administrativa a través de la resolución de recursos y reclamaciones (además por supuesto de sobre el criterio de los obligados tributarios), al integrar en nuestro sistema al poder judicial que es el encargado en última instancia de la interpretación de las normas jurídicas y, por ende, de la fijación de doctrina jurisprudencial a través de las sentencias del máximo órgano jurisdiccional, el Tribunal Supremo (art. 123.1 CE y art. 1.6 del Có-

---

la Dirección General de Tributos (en particular, se citan en la Resolución del TEAC las consultas V1520-10, V1553-10 y V2083-10), por lo que la corrección del criterio administrativo efectuada por el TEAC en su Resolución es plenamente consciente y querida».

digo civil). Esto es indudable, al igual que el hecho de que ahora, el criterio manifestado por los órganos de resolución de recursos y reclamaciones en vía administrativa en esta materia, también prevalece sobre el parecer manifestado por los órganos de aplicación de los tributos cuando se trata de las actuaciones y procedimientos de gestión, inspección y recaudación, dado que estos son impugnables en ambas vías como reza el art. 6 LGT[12].

Sin embargo, otra cosa que puede ser o no diferente como vamos a ver, es si el criterio manifestado por esos órganos de resolución de la reposición y sobre todo del económico administrativo, debe prevalecer también sobre el parecer de los otros órganos de aplicación de los tributos, los que han de informar y asesorar a los obligados tributarios en el ejercicio de sus derechos y en el cumplimiento de sus obligaciones y deberes tributarios; y concretamente nos referimos en esto a la DGT como competente para evacuar las contestaciones vinculantes a las consultas tributarias escritas formuladas igualmente por los mismos obligados tributarios, puesto que además éstas no son actos administrativos, que es a lo que se refiere aquel precepto. Es evidente que no sucede al revés, como ya hemos analizado, lo que probablemente nos puede hacer entrever que sí ocurra en este otro sentido; pero hay que analizarlo al no resultar tan evidente y, sobre todo, fundamentarlo jurídicamente.

Para ello nos vamos a centrar esencialmente en las resoluciones de las reclamaciones económico administrativas, al ser las que realmente responden a esa separación no sólo funcional sino también orgánica y, sobre todo, porque en general son la vía de recurso administrativo que debe agotarse obligatoriamente para poder acudir al contencioso administrativo; si bien es cierto que puede desarrollarse en ciertas ocasiones en única instancia ante los Tribunales Económico Administrativos (TTEEAA) Regionales o Locales o el propio Central (TEAC) y, en otras, en dos instancias por caber una primera ante los Regionales o Locales más la alzada ordinaria ante el TEAC (igual ocurre con estos órganos a nivel autonómico y de ciudades autónomas), en cuyo caso, será la resolución de esta última la que cierre

---

[12] En este sentido se ha manifestado con claridad la DGT en contestación a consulta de 28-04-2014, V1156/2014: «*Las resoluciones de los Tribunales Económico-Administrativos y de los tribunales ordinarios que establezcan criterios interpretativos tienen naturaleza declarativa en cuanto que señalan cuál es la interpretación correcta de la norma desde que la misma fue aprobada, lo que implica que son aplicables a los supuestos susceptibles de ser regularizados —lo que incluye tanto los procedimientos en curso como los procedimientos que se abran con posterioridad a la correspondiente resolución—*».

la vía impugnatoria tributaria que abre la jurisdiccional. En este sentido, resulta muy elocuente el art. 239.8 LGT cuando señala que la doctrina que de modo reiterado establezca el TEAC vinculará a los TTEEAA Regionales y Locales así como a los órganos económico administrativos de las CCAA y de las Ciudades Autónomas y, esto es lo importante, también al resto de la Administración tributaria del Estado, de las CCAA y de las Ciudades Autónomas (todos sus órganos)[13], por lo que debe recogerse esto de forma expresa en sus resoluciones y acuerdos, procediéndose a su publicación, como otra de las funciones de información y asesoramiento a las que nos hemos referido (art. 86 LGT).

En el mismo sentido, el art. 242.4 LGT[14] que regula el recurso extraordinario de alzada para la unificación de criterio, posible frente a las resoluciones que no sean del TEAC pero dictadas en única instancia (por no ser susceptibles de alzada ordinaria) cuando se estimen[15] gravemente dañosas y erróneas o apliquen criterios distintos a los contenidos en las resoluciones de los otros órganos de esta naturaleza[16]; señala que los criterios estableci-

---

[13] Fuerza vinculante de la doctrina del TEAC sobre las consultas, analizada en diversas ocasiones por dicho Tribunal, como en su Resolución de 22 de septiembre de 2015 que afirma: «*Lo anterior debe entenderse respetando en todo caso la vinculación de toda la Administración tributaria a la doctrina del Tribunal Económico Administrativo Central, establecida en el apartado 7 del artículo 239 de la Ley 58/2003, General Tributaria. Es decir, si sobre la cuestión objeto de regularización existiera doctrina del TEAC, es ésta doctrina la que vincula a los órganos de aplicación de los tributos y, en caso de no respetarse, el precepto incumplido por el acto administrativo que se dicte sería este último precepto*». Incluso la propia DGT así lo reconoce, por ejemplo en su Consulta vinculante V1156/2014 de 28 de abril de 2014: el efecto vinculante de las consultas desaparece tan pronto como el TEAC sienta doctrina.

[14] Al respecto, el Informe del Servicio Jurídico de la AEAT ANP 3141/2015 de 28 de mayo, tomado en consideración en las liquidaciones cuestionadas que ratifica el TEAC en su Resolución de 8 de marzo de 2018, señala: «*El artículo 89 LGT establece la vinculación de las consultas para los órganos de la Administración en tanto no se modifique la legislación o jurisprudencia aplicable al caso. En este sentido, la resolución del TEAC, aunque no cabe considerarla como jurisprudencia, no ha de olvidarse el carácter de doctrina vinculante (art. 242 LGT)… Por tanto, se aprecia la fuerza vinculante de la resolución del TEAC sobre las consultas vinculantes dictadas por la DGT*».

[15] Por los Directores Generales del Ministerio de Hacienda o los Directores de Departamento de la AEAT, así como por los órganos equivalentes o asimilados de las CCAA y Ciudades con Estatuto de Autonomía respecto a las materias de su competencia (art. 242.1 LGT).

[16] De ahí lo recogido en el último párrafo del art. 242.1 LGT «*Cuando los tribunales económico-administrativos regionales o locales o los órganos económico-administrativos de las Comunidades Autónomas y de las Ciudades con Estatuto de Autonomía dicten resoluciones adoptando un criterio distinto al seguido con anterioridad, deberán*

dos en sus resoluciones vincularán a todos esos mismos órganos económico administrativos estatales, autonómicos y de ciudades autónomas, junto
también al «*resto de la Administración tributaria del Estado y de las Comunidades Autónomas y Ciudades con Estatuto de Autonomía*»[17]. Y en línea
con ello, el siguiente precepto que regula ahora el recurso extraordinario
para la unificación de doctrina, lo admite contra las resoluciones dictadas
por el propio TEAC cuando el Director General de Tributos del Ministerio
de Hacienda esté en desacuerdo con su contenido, así como cuando discre-
pen los Directores Generales de Tributos de las CCAA y Ciudades Autónomas u órganos equivalentes, en el caso de que el recurso se origine por una
resolución de un órgano dependiente de la respectiva autonomía o ciudad
autónoma; señalando igualmente su párrafo 5 que esta doctrina será vinculante para todos los órganos económico-administrativos en los diferentes
niveles territoriales, así como para el resto de la Administración tributaria
del Estado y de las CCAA y Ciudades Autónomas.

Es más, destaca en relación con este último recurso en lo que aquí nos
interesa, que a nivel estatal es el Director General de Tributos el que puede
plantear dicho recurso extraordinario para la unificación de doctrina frente
a las resoluciones dictadas por el TEAC, en segunda o única instancia, cuando discrepe de los criterios que contengan dichas resoluciones; vinculando
también a todos los niveles administrativos que venimos señalando, ahora
incluido el propio TEAC. Pero eso no puede llevarnos a considerar que sea
el responsable de dicho órgano directivo quién decide, ni mucho menos,
puesto que será competente para resolverlo la Sala Especial para la Unifica-

---

hacerlo constar expresamente en las resoluciones». Del mismo modo, ahora según el
art. 229.1.d LGT, se puede promover por el Presidente o la Vocalía Coordinadora del
TEAC, la adopción de una resolución en unificación de criterio con los mismos efectos, cuando existan resoluciones de los TTEEAA Regionales o Locales que apliquen
criterios distintos a los de resoluciones de otros TTEEAA o que revistan especial trascendencia; dando previamente trámite de alegaciones a los Directores Generales del
Ministerio de Hacienda, a los Directores de Departamento de la AEAT y a los órganos
equivalentes o asimilados de las CCAA y Ciudades con Estatuto de Autonomía respecto
a las materias de su competencia.

[17] Nos lo recuerda la Resolución del TEAC de 8 de marzo de 2018, tomando argumentos
de las propuestas de liquidación ratificadas sobre las que resuelve: «*El artículo 242.4
de la misma LGT establece carácter vinculante respecto de los criterios establecidos
por el TEAC en las resoluciones que dicte en recursos extraordinarios de alzada para
la unificación de criterio, y esa vinculación afecta no sólo a los órganos de la Administración tributaria estatal encargados de la aplicación de los tributos, sino también al
resto de la Administración tributaria del Estado (incluida la propia Dirección General
de Tributos)*».

ción de Doctrina que existe en este ámbito, compuesta por el Presidente del TEAC como Presidente, tres vocales de dicho Tribunal, el propio Director General de Tributos recurrente, el Director General de la AEAT, el Director General o Director del Departamento de ésta del que dependa funcionalmente el órgano que hubiera dictado el acto a que se refiere la resolución objeto de recurso, y el Presidente del Consejo para la Defensa del Contribuyente[18]; adoptándose además esta resolución por decisión mayoritaria de sus miembros, con voto de calidad del Presidente en caso de empate, lo que marca claramente una cierta prevalencia de su criterio al respecto.

Y además, respecto de todo lo anterior, tanto el art. 242.3 LGT como el art. 243.4 LGT sientan un principio importante a estos efectos que, sin embargo, no se contiene en la regulación del primer precepto citado como es lógico, y es que la resolución que se dicte en el recurso extraordinario de alzada así como en el recurso extraordinario para la unificación de doctrina habrá de respetar la situación jurídica particular derivada de la resolución recurrida, fijando la doctrina aplicable; luego *sensu* contrario, es evidente que la doctrina que establezca el TEAC de modo reiterado en sus resoluciones del procedimiento económico administrativo general en única o segunda instancia (recordemos, art. 239.8 LGT), vinculará al resto de órganos de esta naturaleza, y lo que más nos importa, a todos los órganos de aplicación de los tributos así como a los que prestan esa debida información y asesoramiento a los obligados tributarios (DGT en cuanto a las consultas) de las Administraciones tributarias estatal, autonómica y local, sin que por el contrario, evidentemente, deba respetarse la situación jurídica particular cuya reclamación precisamente se está resolviendo en vía administrativa.

2.3. *Alcance temporal de esa prevalencia*

Una vez establecida la prevalencia del criterio sentado por el TEAC en sus resoluciones frente, entre otros órganos, al de la DGT en tanto que órgano competente en general para evacuar las contestaciones a las consultas tributarias escritas; resta hacer mención al alcance temporal de la misma, o lo que es igual, al posible carácter retroactivo o no de esa prevalencia en caso de que esto pueda plantearse. Sobre ello parece también bastante claro

---

[18]   Cuando el recurso tenga su origen en una resolución de un órgano dependiente de una Comunidad Autónoma o Ciudad con Estatuto de Autonomía, las referencias al Director de la AEAT y al Director General o Director del Departamento de ella se entenderán realizadas a los órganos equivalentes o asimilados de dicha Comunidad Autónoma o Ciudad con Estatuto de Autonomía.

que estamos hablando de la aplicabilidad en el tiempo de un criterio interpretativo, no de una modificación normativa producida pues la regulación
permanece inalterable, lo que desde luego nos llevaría a una respuesta bien
distinta y mucho más matizada; es decir, a partir del momento en el que se
haya dictado una resolución reiterativa del TEAC, la cuestión a resolver es
si puede y, sobre todo, debe aplicarse[19] por aquel órgano directivo cuando
conteste a consultas tributarias que, además, como norma general tendrán
carácter vinculante para los órganos de aplicación de los tributos, no lo olvidemos, tan sólo sobre aquellos «hechos imponibles futuros» (por resumir)
realizados desde ese momento en que se ha dictado la resolución, o bien
además de ello a los hechos, situaciones y circunstancias acontecidos con
anterioridad a que aquélla se haya dictado.

Aquí parece que sólo cabe esta segunda opción, puesto que estamos hablando de la interpretación de las normas y no de su reforma o modificación y el alcance de esto[20]; por lo que la regulación contenida en el art. 10.2
LGT no le resulta aplicable, en tanto que se refiere a la retroactividad e irre-
troactividad de las norma tributarias propiamente dichas y, en ningún caso,
a la interpretación que deba darse a las mismas, regida en este último caso
por el art. 12 LGT, cuyo primer apartado nos remite al art. 3.1 del Código
Civil para ello. Interpretación que, por otra parte, no afecta de ninguna manera a la redacción de la norma, sino que exclusivamente persigue aclarar el
verdadero y auténtico significado de su contenido, del mandato jurídico que
incorpora, a través de los diversos signos externos por los que se manifiesta.

Es más, si ejercitamos un poco la memoria y nos remontamos a los tiempos en los que, bajo la vigencia de la anterior LGT, surgió una cierta polémica sobre los posibles «derechos adquiridos» derivados de los beneficios
fiscales; recordaremos que aquello se zanjó en sentido negativo, puesto que

---

[19]   De hecho, en base a la doctrina sentada por el TS en su sentencia de 10 de noviembre de
      2008, el principio de confianza legítima y de los actos propios de la Administración no
      está exento de límites; no alcanzando sus efectos al ejercicio de las potestades regladas,
      en las que la Administración se encuentra desprovista de un margen de discrecionalidad
      y ha de someterse estrictamente a la legalidad, como es este caso, dado que el nuevo
      criterio la vincula, no quedándole otra alternativa que aplicarlo.

[20]   Como señala la Resolución del TEAC de 8 de marzo de 2018: «*Estamos ante un cam-
      bio interpretativo, y no ante un cambio normativo. Esta diferencia, pese a lo alegado
      por el interesado, incide en el momento temporal de aplicación; ya que, a un cambio
      interpretativo de una norma no son de aplicación los límites temporales del artículo
      10.2 LGT (…), que hace alusión a la irretroactividad de las normas aducida por el
      interesado, pues realmente señala el criterio en que debió de ser interpretada la norma
      desde su entrada en vigor*».

entonces se trataba propiamente de reformas legislativas y no de cambios interpretativos, incluso cuando dicha modificación perjudicara las expectativas de los hipotéticos beneficiarios futuros de dichos beneficios fiscales, pues no eran más que eso. Si esto fue así, más aún si cabe cuando de lo que hablamos es de un cambio de criterio interpretativo y no de la reforma de la normativa[21]. Ahora bien, esta aplicación retroactiva del nuevo sentido dado a la regulación de ese hecho, situación o circunstancia tendrá, a su vez, las limitaciones legales derivadas de la prescripción como no puede ser de otra manera; puesto que como sabemos, la Ley sienta al respecto una regulación general que la fija en cuatro años, si bien es cierto que, en lo referido a las actuaciones de comprobación e investigación, la cosa es radicalmente diferente, aunque lamentablemente no podemos entrar en ello por las características y objetivos del presente trabajo.

2.4. Otros efectos derivados

Hilando con esto último en primer lugar, mientras nos encontremos dentro del plazo de prescripción de las potestades administrativas de aplicación de los tributos, los órganos correspondientes podrán realizar verificaciones, comprobaciones e investigaciones; requerir información, datos o documentos; liquidar como consecuencia de los resultados obtenidos y, en general, ejercer dichas potestades en relación con el asunto sobre el que se formuló una consulta tributaria que fue contestada por la DGT en un sentido diferente al que posteriormente haya sentado de forma reiterada el TEAC en sus resoluciones[22]; para, en su caso, aplicar a ese supuesto el criterio de interpretación manifestado por este último Tribunal, en sentido diferente del manifestado por aquel órgano directivo en su respuesta, regularizando

---

[21]   Como sostienen en su argumentación las liquidaciones ratificadas por el TEAC en su Resolución de 8 de marzo de 2018, citando el Informe del Servicio Jurídico de la AEAT ANP 3141/2015 de 28 de mayo: «... *no cabe hablar de doctrina o criterio favorable o desfavorable, pues los efectos del nuevo criterio* [del TEAC] *dependerán de las circunstancias de cada contribuyente*».

[22]   La DGT en su Consulta vinculante V1156/2014 de 28-04-2014 señala: «*Las resoluciones de los Tribunales Económico-Administrativos y de los tribunales ordinarios que establezcan criterios interpretativos tienen naturaleza declarativa en cuanto que señalan cuál es la interpretación correcta de la norma desde que la misma fue aprobada, lo que implica que son aplicables a los supuestos susceptibles de ser regularizados. (...) La vinculación que se recoge en los preceptos anteriores se extiende, tanto a los procedimientos en curso como a los procedimientos que se abran con posterioridad, en definitiva, como se decía antes, a todos los supuestos que sean susceptibles de ser regularizados*».

si procede esa situación tributaria, dado que la vinculatoriedad previa que había respecto de aquel sentido interpretativo de la normativa que lo rige, debe cambiarse hacia el de este último criterio mantenido por el TEAC en sus resoluciones[23].

Del mismo modo pero ahora en sentido inverso, el obligado tributario que pueda verse favorecido o beneficiado por el nuevo criterio interpretativo que ahora deba aplicarse derivado de dichas resoluciones económico administrativas, frente al que mantenían las contestaciones de la DGT; podrá recurrir al procedimiento de solicitud de rectificación de su autoliquidación si aún está dentro del plazo para ello, con la petición fundada en esa nueva forma de interpretar la normativa que le resulta aplicable y que puede implicar, incluso, la generación del derecho a la devolución de un ingreso tributario indebido si se reduce con ello el monto de su deuda tributaria ingresada. Esto podría producirse igualmente derivado del ejercicio de sus facultades por la Administración tributaria, procediendo los órganos de aplicación de los tributos a corregir del mismo modo anterior pero ahora en sentido favorable para el sujeto su situación tributaria; incluyendo además el procedimiento especial de revisión para la devolución de ingresos tributarios indebidos, que puede iniciarse tanto de oficio como a instancia del interesado.

Finalmente, otra consecuencia también relevante al respecto es la posible exoneración de responsabilidad, que implicaría la imposibilidad de sancionar al obligado tributario que actuó de acuerdo al criterio manifestado en un determinado sentido interpretativo por la DGT en su contestación[24], bien frente a la consulta por él formula o incluso respondiendo a las planteadas por otros sujetos sobre un mismo supuesto[25], y cuyo criterio ahora

---

[23] En la misma línea de nota anterior (argumentación recogida en la Resolución del TEAC de 8 de marzo de 2018, citando las liquidaciones que, a su vez, citan dicho Informe del Servicio Jurídico de la AEAT) se dice: «*En cuanto su aplicación a ejercicios pasados pero no prescritos, en los cuales se presentaron declaraciones conforme al criterio de la DGT… el criterio sentado por el TEAC es el que debió aplicarse desde la entrada en vigor de la norma (no es un cambio normativo sino un criterio interpretativo), la doctrina administrativa vinculante no está sujeta a límites temporales. En consecuencia, se concluye que sí cabe la comprobación a ejercicios pasados y no prescritos aplicando el criterio sentado por la resolución del TEAC*».

[24] Resolución del TEAC de 8 de marzo de 2018: «*El hecho de que el obligado tributario haya actuado amparado en las consultas vinculantes impide que su conducta pueda ser objeto de sanción, al no apreciarse negligencia en su comportamiento*».

[25] Expresamente menciona: cuando se haya puesto la diligencia necesaria en el cumplimiento de las obligaciones tributarias, porque el obligado tributario ajusta su actuación a los criterios manifestados por la Administración en la contestación a una consulta

deba variarse por la reiterada doctrina administrativa del TEAC, dado que el art. 179.2.c LGT lo establece explícitamente. Del mismo modo, también contempla que las acciones u omisiones tipificadas en las leyes no darán lugar a responsabilidad por infracción tributaria, cuando se haya ajustado la actuación a los criterios manifestados por la Administración tributaria competente en las publicaciones y comunicaciones escritas a las que se refieren los arts. 86 y 87 LGT que, si bien no hacen referencia a las consultas tributarias escritas, sí incluye el primero de ellos que el Ministerio de Hacienda difundirá periódicamente las contestaciones a consultas así como las resoluciones económico administrativas de mayor trascendencia y repercusión, y el segundo que igualmente la Administración tributaria informará a los contribuyentes de los criterios administrativos existentes para la aplicación de la normativa tributaria.

3. A MODO DE REFLEXIÓN FINAL

En conclusión, resulta evidente la relevancia que tiene para la seguridad jurídica de los obligados tributarios el conocer con certidumbre y previsibilidad cual va a ser el criterio de interpretación de las normas tributarias que le va a aplicar la Administración, fundamentalmente en el desarrollo de las actuaciones y procedimientos para la aplicación de los tributos respecto de sus actividades, conductas y situaciones en las que se halle; desde este punto de vista, aunque inicialmente pudiera parece que la problemática abordada en este trabajo es compleja y pueda generar dudas, nuestra pretensión ha sido dar claridad y arrojar un poco de luz sobre ello, con el repaso y análisis exhaustivo de toda la normativa implicada en la materia, así como de jurisprudencia, doctrina administrativa y alguna bibliografía que ha tenido oportunidad de manifestarse al respecto.

Qué duda cabe que primeramente, cuando se hace una aproximación inicial al tema puede parecer en cierta forma dudosa la opción que tomar, pero vemos necesario no sólo por esa seguridad precisa, sino igualmente por la ansiada justicia tributaria a lograr por nuestro sistema tributario, que haya normas claras, interpretadas con especialización y profesionalidad además de objetividad, y por supuesto cuyo sentido, alcance y significado

---

formulada por otro obligado, siempre que entre sus circunstancias y las mencionadas en la contestación a la consulta exista una igualdad sustancial que permita entender aplicables dichos criterios y éstos no hayan sido modificados.

pueda ser conocido de manera indubitada por todos los posibles afectados como potenciales obligados tributarios; y ello no siempre debe llevar a un resultado ventajoso, favorecedor o beneficioso para los intereses de los sujetos, ni por supuesto tampoco para las posibles pretensiones recaudatorias de la Hacienda pública española, puesto que debe estar presidido por la razonabilidad, la transparencia, la seguridad jurídica y la justicia tributaria.

Ante diferentes órganos integrantes todos ellos de una misma Administración tributaria, deben establecerse reglas claras, justificadas y precisas que ordenen, estructuren e incluso jerarquicen, por qué no, el parecer administrativo que, al fin y al cabo debe ser uno y único frente a los obligados tributarios; evidentemente sin que ello lleve a una petrificación o hipertrofia del Derecho Tributario y su interpretación sino, antes bien, para permitirle avanzar en paralelo a nuestra sociedad y su desarrollo de forma dinámica, pero del mismo modo con total claridad, certidumbre y seguridad en cada momento concreto, desde la perspectiva estática que representa la fijación exacta a fecha definitiva de la situación tributaria de una persona concreta y sus obligaciones y deberes tributarios para con el fisco. Esperamos haber aportado un poco de sensatez al respecto, desde la única pretensión que nos mueve de fortalecer nuestro sistema tributario en paralelo al reforzamiento de los derechos y garantías de los obligados tributarios; solo así se mantendrán y podrán crecer nuestro Estado social y democrático de Derecho y nuestro también Estado del bienestar.

Bibliografía

BAS SORIA, J., «El valor prevalente de la doctrina del TEAC sobre las consultas de la DGT: Análisis de la RTEAC de 8 de marzo de 2018»; *Estudios Financieros, Revista de Contabilidad y Tributación*, n° 424. 2018.

CALVO VÉRGEZ, J., «Los efectos vinculantes derivados de las consultas tributarias y su incidencia sobre la doctrina de los Tribunales económico-administrativos»; *Gaceta Fiscal*, n° 395. 2019.

DÍAZ RUBIO, P., *El principio de confianza legítima en materia tributaria*; Tirant lo Blanch, Valencia. 2014.

FALCÓN Y TELLA, R., «La confianza legítima en el ámbito tributario (I): la vinculación de la AEAT a las contestaciones a consultas y a las resoluciones de los Tribunales Económico-Administrativos»; *Quincena Fiscal*, n° 20. 2012.

FALCÓN Y TELLA, R., «La confianza legítima en el ámbito tributario (II): la vinculación de la AEAT al precedente (SSAN de 3 de diciembre de 2009 y de 26 de enero y de 24 de julio de 2012)»; *Quincena Fiscal*, n° 21. 2012.

HERRERO DE EGAÑA ESPINOSA DE LOS MONTEROS, J. M., «La vinculación de la administración tributaria a los actos propios en su función de comprobación. Comentario a la STS de 4 de noviembre de 2013»; *Quincena Fiscal*, n° 7. 2014.

MARTÍNEZ GINER, L. A., «La Seguridad Jurídica como límite a la potestad de comprobación de la Administración Tributaria: Doctrina de los actos propios y prescripción del fraude de Ley»; *Quincena Fiscal*, n° 20. 2015.

ORENA DOMÍNGUEZ, A., «Hacienda no puede ir contra sus actos propios: confianza legítima, seguridad jurídica y buena fe»; *Quincena Fiscal*, n° 7. 2015.

RODRÍGUEZ-RAMOS LADARIA, L., «El desconcierto alrededor de la deducibilidad de los intereses de demora en el impuesto sobre sociedades y el efecto vinculante de las consultas»; *Actualidad Administrativa*, n° 7-8. 2016.

Capítulo 30

Las opciones tributarias: su ejercicio y rectificación en la reciente jurisprudencia y doctrina administrativa*

Eva María Cordero González
Profesora Titular de Derecho Financiero y Tributario
Universidad de Oviedo

SUMARIO: 1. LAS OPCIONES TRIBUTARIAS: PROBLEMÁTICA ACTUAL. 2. CONCEPTO Y TIPOLOGÍA DE OPCIONES TRIBUTARIAS. 3. LA IRREVOCABILIDAD DE LAS OPCIONES. 3.1. Fundamento. 3.2. El error en la formación de la voluntad. 3.3. Cambio de circunstancias en el ejercicio de la opción. Interpretación «rebus sic stantibus». 4. LA AUSENCIA DE PRESENTACIÓN DE LA AUTOLIQUIDACIÓN/SOLICITUD EN PLAZO COMO OPCIÓN IMPLÍCITA. 5. IRREVOCABILIDAD DE LAS OPCIONES V. PRINCIPIO DE REGULARIZACIÓN ÍNTEGRA.

1. LAS OPCIONES TRIBUTARIAS: PROBLEMÁTICA ACTUAL

Las opciones tributarias constituyen una categoría tributaria sin apenas desarrollo en la LGT que está incidiendo, sin embargo, ampliamente en los derechos de los contribuyentes, en particular en el derecho a la rectificación de las autoliquidaciones reconocido por el artículo 120 de esta norma. A ello ha contribuido, además de su deficiente marco normativo, la aplicación automática e incondicional que la doctrina administrativa y jurisprudencia ha venido realizando del artículo 119.3 de la LGT, que impide rectificar las opciones ejercidas transcurrido el período voluntario de declaración. Con amparo en esta norma, se ha imposibilitado la corrección de simples errores en las autoliquidaciones presentadas y sujetado a plazos, no previstos inicialmente en su normativa reguladora, el ejercicio de derechos esenciales para la determinación de la capacidad económica gravada, como la compensación de bases imponibles negativas, según la doctrina más reciente del TEAC.

---

* El presente trabajo se ha realizado en el marco del proyecto de investigación del plan nacional «Reformas recientes y pendientes del sistema tributario español» (MINECO-18-DER2017-83703-P)

Resulta cada vez más frecuente que las normas tributarias establezcan regímenes opcionales, en los que la concreción de aspectos diversos de la relación jurídico tributaria queda a la voluntad del obligado. El régimen del IVA de caja, el IVA diferido a la importación, el régimen de los grupos de entidades en el mismo impuesto, los criterios de imputación temporal de ingresos y gastos en los impuestos sobre la renta, son sólo algunos ejemplos de los numerosos regímenes opcionales existentes. La posibilidad de elegir entre distintas alternativas no afecta al carácter *ex lege* de la obligación tributaria, pero sí reduce su carácter predeterminado en relación con un determinado supuesto de hecho, al depender su cuantía de la elección realizada.

La Ley General Tributaria regula las opciones en su artículo 119.3, según el cual «las opciones que según la normativa tributaria se deban ejercitar, solicitar o renunciar con la presentación de una declaración no podrá rectificarse con posterioridad a ese momento, salvo que la rectificación se presente en período reglamentario de declaración». Con ello, la LGT de 2003 asumió lo que ya habían establecido algunos regímenes opcionales, el régimen de tributación conjunta en el IRPF en particular, desde su regulación en el artículo 86 de la Ley 18/1991, de 6 de julio. Se parte de la consideración, así pues, de que el obligado tributario realiza una declaración de voluntad que le vincula y que no podrá ser alterada fuera del período voluntario.

Para las opciones que se ejercitan con la presentación de una autoliquidación, esta regulación resulta especialmente gravosa, pues supone excepcionar lo previsto en el artículo 120.3 de la LGT que, en términos muy amplios, autoriza a solicitar la rectificación de la autoliquidación presentada que haya perjudicado de algún modo los intereses legítimos del obligado, en tanto que no se haya dictado liquidación definitiva o transcurrido el plazo de prescripción[1]. Tanto la doctrina administrativa como la jurisprudencia dictada hasta el momento han mantenido una interpretación estricta del artículo 119.3 de la LGT, imposibilitando la modificación de la opción adoptada aunque se alegue error de derecho o se alteren las circunstancias en las que se tomó la decisión, al producirse algún cambio en la situación tributaria en el marco de una regularización administrativa o, incluso, voluntaria.

---

[1]   En relación con las opciones ejercidas a través de una declaración, el artículo 119.3 de la LGT excepciona también la previsión del artículo 122.3 de la LGT, según el cual: «Los obligados tributarios podrán presentar declaraciones o comunicaciones de datos complementarias o sustitutivas, haciendo constar si se trata de una u otra modalidad, con la finalidad de completar o reemplazar las presentadas con anterioridad».

La inexistencia de un concepto normativo de opción y la falta de identificación expresa de lo que deban considerarse como tales en la normativa propia de cada tributo ha ocasionado, por otra parte, una gran inseguridad jurídica y dado lugar a una abundante litigiosidad, propiciada por la extensa interpretación del artículo 119.3 de la LGT llevada a cabo por la Administración Tributaria. En los últimos meses se han dictado numerosas resoluciones del TEAC que califican como opción distintos regímenes tributarios, delimitan los rasgos generales de esta categoría e inciden en su carácter irrevocable. Sobre estas mismas cuestiones se encuentran pendientes de resolución diversos recursos de casación ante el Tribunal Supremo, en los que se cuestiona la compatibilidad de esta doctrina con los principios de capacidad económica o regularización íntegra. A todos ellos se hace referencia en este trabajo, en el que se exponen de forma somera las cuestiones más controvertidas y actuales en relación con esta categoría tributaria.

2. CONCEPTO Y TIPOLOGÍA DE OPCIONES TRIBUTARIAS

A pesar de su extensión y relevancia dogmática, las opciones tributarias no han sido abordadas de forma adecuada por el legislador[2]. El artículo 119.3 de la LGT renuncia a formular un concepto de opción, limitándose a señalar su carácter irrevocable fuera del período voluntario. Tampoco exige que las opciones sean calificadas expresamente como tales en la normativa propia de cada tributo para aplicar los efectos del artículo 119.3, ni alude la posible fijación de plazos distintos para el ejercicio o modificación de determinadas opciones, como ocurre en la normativa foral. Así, el artículo 117 de la Norma Foral 2/2005, de 10 de marzo, General Tributaria del Territorio Histórico de Bizkaia, el artículo 115.3 de la Norma Foral 6/2005, de 28 de febrero, General Tributaria de Álava y el artículo 115.3 de la Norma Foral 2/2005, de 8 de marzo, General Tributaria del Territorio Histórico de Gipuzkoa, excepcionan la regla general prevista en términos similares al artículo 119.3 de la LGT, señalando que no obstante la normativa regula-

---

[2]   Como afirma ALIAGA AGULLÓ la LGT «ha hecho gala, en esta materia, de un especial abandono, al limitarse a regular un aspecto muy concreto de su régimen jurídico, la imposibilidad de rectificarlas». Añade que las deficiencias del legislador «no se sostienen» a la vista de la madurez alcanzada por el fenómeno opcional en el ordenamiento tributario y son, «en gran medida, las responsables de la amplia y rica problemática que suscita este fenómeno, al que ha venido a unirse el defecto de incomprensión en el que incurre, en demasiadas ocasiones, nuestra Administración». Cfr. COMPAÑ PARODI, T., *La opciones tributarias en el ordenamiento español*, Tirant lo Blanch, 2018.

dora de cada tributo podrá establecer otro momento o período diferente de rectificación, en las condiciones que se especifiquen en la misma. En este sentido, a título de ejemplo, los artículos 126 de la Norma foral 37/2013, de 13 de diciembre, del Impuesto sobre Sociedades de Álava y el artículo 128 de la Norma foral 2/2014, de 17 de enero, del Impuesto sobre Sociedades de Guipúzcoa contemplan un listado cerrado de opciones a ejercitar en la autoliquidación, señalando cuáles de ellas no podrán rectificarse transcurrido el período voluntario y cuáles podrán alterarse en tanto que no se haya producido requerimiento de la Administración[3].

En territorio común, a falta de concepto normativo, en aplicación del artículo 12.2 de la LGT relativo a la interpretación de las normas tributarias, el TEAC ha acudido a los diccionarios de la lengua española y del español jurídico de la RAE para definir las opciones tributarias. Optar es, como señalan las resoluciones de 4 de abril de 2017 (1510/2013) y 9 de abril de 2019 (03285/2018) la «libertad o facultad de elegir», el «derecho a elegir entre dos o más cosas, fundado en precepto legal o en negocio jurídico» o el «derecho a elegir entre dos o más alternativas».

Entre la doctrina, se considera que concurre una opción tributaria cuando, como señala Báez Moreno, la subsunción del hecho imponible real bajo el hecho imponible previsto en la norma impositiva no conduce de forma necesaria a una determinada consecuencia jurídica, sino más bien a una opción del obligado tributario de la consecuencia jurídica aplicable de entre las posibles[4]. La facultad de optar puede referirse al hecho imponible, como ocurre en la renuncia a la exención en el IVA para determinadas operaciones inmobiliarias o los criterios de imputación de rentas en el IRPF o en IS; al sujeto pasivo, en los regímenes de grupos de entidades en el IVA o la tributación consolidada en el IS; a los elementos de cuantificación, en el

---

[3]   Vid. también, en parecidos términos, los artículos 105 de la Norma Foral 13/2013, de 5 de diciembre, del Impuesto sobre la Renta de las Personas Físicas de Bizkaia, el artículo 105 de la Norma Foral 33/2013, de 27 de noviembre, del Impuesto sobre la Renta de las Personas Físicas en Álava y el artículo 104 de la Norma Foral 3/2014, de 17 de enero, del Impuesto sobre la Renta de las Personas Físicas del Territorio Histórico de Gipuzkoa.

[4]   Vid. también sobre este concepto, entre otros, MALVÁREZ PASCUAL, L. «Las exigencias formales para el ejercicio de las opciones fiscales. Estudio de su régimen jurídico a la luz del principio de proporcionalidad», RTT, núm. 88, enero/marzo 2010, p. 27 y COMPAÑ PARODI, T., La opciones tributarias en el ordenamiento español, ob. cit., pp. 86 y ss y MONTESINOS OLTRA, S. «El concepto de opción tributaria», CREDF, núm. 176, 2017, pp. 107 y ss.

régimen de determinación de la base imponible en el IRPF o los regímenes de prorrata en el IVA, entre otros elementos de la obligación.

Para que exista una opción en sentido propio es necesario, tal y como ha afirmado Juan Lozano, que concurra un componente «volitivo» de elección entre regímenes fiscales o bloques normativos, cuya aplicación dé lugar a consecuencias diversas en el cumplimiento de las obligaciones tributarias[5]. No cabe identificar opción con cualquier beneficio fiscal o partida negativa o favorable que pueda aplicarse el contribuyente en la autoliquidación, considerando que, si no se incluye, se ha optado por no aplicarla[6]. En estos casos no puede afirmarse que la norma establezca la alternativa de aprovechar o no el beneficio fiscal, que siempre podrá ser objeto de rectificación en el marco del artículo 120.3 de la Ley General Tributaria. En todo caso, existen numerosos casos fronterizos y no siempre es posible identificar con certeza cuándo la relación obligacional se encuentra totalmente determinada por la norma y cuándo se confiere al sujeto cierto margen de decisión en su configuración. Además, aún pudiendo calificarse un régimen como opcional, resulta necesario ponderar la vinculación propia de las declaraciones de voluntad con la prevalencia del principio de capacidad económica, teniendo en consideración también la finalidad de la opción y el cauce establecido para su ejercicio, especialmente cuando se inserta en las operaciones de calificación y cuantificación propias del deber de autoliquidar, sin que sea posible otorgar un trato uniforme a la multiplicidad de opciones existentes aplicando con total rigidez el artículo 119.3 de la LGT. La reciente sentencia del Tribunal Supremo de 18 de mayo de 2020 (rec. 5692/2017) resalta la necesidad de que las opciones aparezcan delimitadas con la claridad necesaria para otorgarles carácter vinculante, viniendo a admitir la posibilidad de excepcionar la irrevocabilidad del artículo 119.3 cuando las alternativas ideadas normativamente y sus consecuencias no se encuentren delimitadas de forma adecuada[7].

---

[5]   Cfr. JUAN LOZANO, A. *Opciones tributarias y derecho de defensa*. Francis Lefebvre, 2018, p. 267.

[6]   Cfr. A. JUAN LOZANO, «Algunos interrogantes respecto a la identidad del procedimiento de inspección: cuestiones funcionales, temporales y estructurales», *V Congreso Tributario: Cuestiones tributarias problemáticas y de actualidad*, CGPJ/Escuela Judicial, Estudios de Derecho Judicial, núm. 156 abril 2010, pp. 162-163. GÓMEZ TABOADA, «Las opciones tributarias: cuando la tierra se abre bajo nuestros pies», *QF*, núm. 5/2012, pp. 37-38.

[7]   En este sentido, *Vid.* también A. JUAN LOZANO, que alude a la inquietud generada por la «rigidez que presenta la aplicación de este precepto en un escenario en el que las opciones establecidas en el sistema tributario son múltiples, y no todas ellas operan

El artículo 119.3 se formula, en efecto, en términos sumamente amplios, al referirse de forma genérica a las opciones que deban ejercitarse, solicitarse o renunciarse con la presentación de una declaración que, en el artículo 119.1 se define como todo documento presentado ante la Administración tributaria donde se reconozca o manifieste la realización de cualquier hecho relevante para la aplicación de los tributos. En función de la modalidad de ejercicio de la opción tributaria, entre la doctrina se ha distinguido entre aquellas sujetas aprobación de la Administración tras la solicitud del interesado (plan especial de amortización en el impuesto sobre sociedades); aquellas para las que la elección de un determinado régimen fiscal exige la comunicación expresa a la Administración, ya sea mediante declaración censal, una comunicación o en la propia autoliquidación (regímenes de estimación objetiva en el IRPF) y aquellas que se ejercitan de forma tácita en la autoliquidación del impuesto[8].

Partiendo de este concepto, la jurisprudencia y doctrina administrativa reciente han considerado como opciones y aplicado el régimen del artículo 119.3 a varios supuestos especialmente controvertidos. Así, se ha calificado como opción el derecho a deducir el IVA soportado, en la medida en que el artículo 99.3 de la Ley 37/1992, de 28 de diciembre, del IVA establece que podrá ejercitarse en la autoliquidación relativa al período de liquidación en que su titular haya soportado las cuotas deducibles o en las de los sucesivos, siempre que no hubiera transcurrido el plazo de cuatro años, contados a partir del nacimiento del mencionado derecho. Las resoluciones del TEAC de 21 de junio de 2011 y 16 de septiembre de 2014 califican como opción este derecho, considerando que no podrá ejercerse ni modificarse la ya realizada una vez vencido el plazo de presentación de la autoliquidación del período, sin perjuicio de su posible ejercicio en los períodos posteriores. Con ello, se perjudica a quien por error no incorpora las cuotas soportadas a la última autoliquidación del período, que no podrá optar por la devolución hasta finales del ejercicio siguiente. La resolución del TEAC de 19 de abril

---

sobre unas situaciones fácticas en las que pueda apreciarse identidad de razón». «De nuevo sobre las opciones tributarias: Los límites del artículo 119.3 LGT y el principio de capacidad económica; aspectos pendientes en la jurisprudencia» *Tribuna*, El derecho.com, Lefebvre, 6.11. 2017. https://elderecho.com/de-nuevo-sobre-las-opciones-tributarias-los-limites-del-articulo-119-3-lgt-y-el-principio-de-capacidad-economica-aspectos-pendientes-en-la-jurisprudencia

[8]   Cfr. MALVÁREZ PASCUAL, L. «Las exigencias formales para el ejercicio de las opciones fiscales. Estudio de su régimen jurídico a la luz del principio de proporcionalidad», *RTT*, núm. 88, enero/marzo 2010, pp. 30-34 y COMPAÑ PARODI, T., *La opciones tributarias en el ordenamiento español, ob. cit.*, pp. 178 y ss.

de 2014 se refiere también a un supuesto en el que, ante la regularización del IVA soportado y deducido en un determinado período, por considerar que no se encontraba aún devengado, el contribuyente solicita su inclusión en los periodos siguientes mediante la rectificación de las autoliquidas presentadas, lo que es rechazado por el TEAC, al entender que en tales períodos no es posible ejercitar la citada opción. En relación con el IVA, también ha sido calificada como opción y sujeta a la irrevocabilidad del artículo 119.3 la elección entre devolución y compensación en la última declaración del período cuando las cuotas soportadas exceden de las devengadas, tal y como afirma la sentencia del TS de 28 de noviembre de 2011 (JT 2012/2493). En cambio, la sentencia del TSJ de Madrid de 22 de enero de 2020 (rec. 255/2018), en contra del criterio de la Administración tributaria, considera que la rectificación en la cuantía de las cuotas compensadas procedentes de períodos anteriores, una vez transcurrido el período voluntario, no constituye un cambio de opción, sino la mera rectificación de un error material, en la medida en que la entidad había presentado la declaración del trimestre anterior consignando tal saldo como pendiente y no lo había aplicado finalmente en la declaración del último trimestre del ejercicio, en la que había solicitado la devolución de una cantidad inferior.

Otro de los supuestos cuya calificación como opción ha planteado más dudas ha sido la compensación de bases imponibles negativas, a la que se refieren diversas resoluciones del TEAC dictadas en los últimos meses[9]. Esta figura está regulada en el artículo 26 de la Ley 27/2014, de 27 de noviembre del Impuesto sobre sociedades (LIS), en virtud del cual «las bases imponibles negativas que hayan sido objeto de liquidación o autoliquidación podrán ser compensadas con las rentas positivas de los períodos impositivos siguientes con el límite del 70 por ciento de la base imponible previa a la aplicación de la reserva de capitalización establecida en el artículo 25 de esta Ley y a su compensación. En todo caso, se podrán compensar en el período impositivo bases imponibles negativas hasta el importe de 1 millón de euros». A diferencia de lo que ocurre en el IRPF, en el que las pérdidas

---

[9] Calificando expresamente como opción fiscal el régimen de compensación de bases imponibles negativas, *vid.* R. NAVAS VÁZQUEZ, «Opción por la tributación conjunta», en E. SIMÓN ACOSTA (coord.) *Comentarios al Impuesto sobre la Renta de las personas físicas y al Impuesto sobre el Patrimonio. Homenaje a L. Mateo Rodríguez,* Aranzadi, Pamplona, 1995, p. 1292. *Vid.* también al respecto A. SÁNCHEZ PEDROCHE, BAS SORIA y MOYA CALATAYUD, *Estudio concordado y sistemático de la Ley General tributaria y su normativa de desarrollo,* Ed. Tirant lo Blanch, 2012, p. 815; CORDERO GONZÁLEZ, E. M., *Las bases imponibles negativas en el impuesto sobre sociedades,* Thomson Reuters Aranzadi, 2017.

patrimoniales y rentas negativas obtenidas se aplican de forma automática en su cuantía máxima en los períodos posteriores (artículos 47 y siguientes de la Ley 35/2006, de 28 de noviembre, del Impuesto sobre la Renta de las Personas Físicas, LIRPF), el artículo 26 de la LIS, otorga al sujeto pasivo el derecho a determinar en qué cuantía y período aprovecha las bases pendientes, posibilitando su reserva para períodos posteriores en el caso de que, aun obteniendo renta en el período, disponga de otras deducciones en la cuota que decida aplicar preferentemente e impidan el nacimiento de la obligacion[10]. Como ha señalado Montesinos Oltra, al otorgarse esta facultad al contribuyente que dispone de bases negativas, el legislador le permite no verse perjudicado en el ejercicio de otras minoraciones eventualmente incompatibles con su compensación por insuficiencia de base o de cuota, tratando de asegurar con ello los objetivos perseguidos por tales minoraciones al tiempo que procura una mayor igualdad en su disfrute. En opinión de este autor, la decisión del contribuyente no consiste tanto en compensar o no las bases negativas ni hacerlo en mayor o menor medida sino más bien entre compensarlas o practicar otras minoraciones de ejercicio igualmente potestativo, en función de su mayor o menor plazo de aplicación y sus peculiaridades como opción, habida cuenta de que no en todos los supuestos existe colisión entre el aprovechamiento de las bases y otros objetivos fiscales[11]. Aplicando el mismo criterio que en relación con las cuotas a compensar en el IVA, en sus resoluciones de 4 de abril de 2017, 16 de enero de 2019, 9 de abril de 2019 y 14 de mayo de 2019, el TEAC ha considerado, sin embargo, que la compensación de bases negativas constituye una opción no vinculada con la existencia de otras deducciones en

---

[10]   El artículo 156 del antiguo Real Decreto 2631/1982, de 15 de octubre, regulador del Reglamento del Impuesto sobre Sociedades, era más explícito en este sentido, al establecer que la deducción se practicaría: «1...*distribuyendo la cuantía en la proporción que el sujeto estime conveniente. 2. A estos efectos, la base imponible (…) se minorará por el importe que la sociedad decida compensar de las bases imponibles negativas habidas en los cinco años precedentes*». Como opción la califica expresamente el artículo 128 de la Norma Formal 11/2013 de 5 de diciembre, del Impuesto sobre Sociedades de Bizkaia.

[11]   Cfr. S. MONTESINOS OLTRA, «Aplicación de cantidades pendientes de compensación o deducción y opciones tributarias: análisis del nuevo apartado 4 del artículo 119 de la Ley General Tributaria», *CT*, núm. 161/2016, p. 103. Más recientemente, resaltando las diferencias existentes entre la compensación de bases negativas y otras opciones y cuestionando su calificación como tal, *vid.* del mismo autor «La compensación de bases imponibles negativas en el Impuesto sobre Sociedades: ¿una opción tributaria?» *Carta tributaria*, núm. 29-30, 2017 y «La compensación de bases imponibles negativas como ejercicio de una opción tributaria: ¿acierto definitivo o perseverancia en el error por parte del TEAC?», *Carta tributaria*, núm. 50, 2019.

la cuota. La resolución del TEAC de 4 de abril de 2017 señala, en efecto, que el contribuyente, al compensar determinado importe de BINS, opta por una determinada cuota a ingresar o a devolver, que no podrá modificar con posterioridad; cuando la opción, como ya hemos señalado, se refiere propiamente a la preferencia de las BINS frente a las deducciones. Con ello, se desarrolla una doctrina restrictiva que, a nuestro modo de ver, no es acorde con el papel central de esta figura en la estimación de la capacidad económica de la entidad, que debería permitir suma flexibilidad en la corrección de los errores producidos en su aplicación.

3. LA IRREVOCABILIDAD DE LAS OPCIONES

3.1. *Fundamento*

El carácter irrevocable de las opciones tributarias se ha justificado partiendo del principio de seguridad jurídica y de la doctrina de los actos propios. Así lo afirmó el Tribunal Supremo incluso antes de la introducción del artículo 119.3 en la LGT. En la sentencia de 5 de julio de 2011 (RJ 2011, 6192), en relación con el diferimiento por reinversión de beneficios extraordinarios del artículo 21 de la ya derogada Ley 43/1995, de 27 de diciembre del Impuesto sobre Sociedades, señaló que «partiendo de que la decisión u opción de acogerse o no a la previsión legal correspondía al interesado, y de que las opciones tributarias se comunican a la Administración, hay que entender, aunque no exista mención expresa en la normativa, que el momento en que debía ejercitarse la opción era el de la presentación de la declaración del ejercicio en que tenía lugar la transmisión de los activos que originaban la obtención de los beneficios extraordinarios». Transcurrido el periodo voluntario de declaración e ingreso sin haberse acogido al diferimiento, el sujeto pasivo no puede modificar la opción posteriormente, al tratarse de una declaración de voluntad a la que «debe estarse por razones de seguridad jurídica». En el mismo sentido se pronuncian las sentencias del Tribunal Supremo de 14 de noviembre de 2011 (RJ 2012, 2160), 20 de abril de 2012 (RJ 2012, 6037) y 5 de mayo de 2014 (RJ 2014, 2473) y las resoluciones del TEAC de 30 de junio de 2011 (PROV. 2011, 297752), de 21 de enero de 2016 (JT 2016/168), 4 de abril de 2017 01510/2013 y 9 de abril de 2019 (03285/2018).

También entre la doctrina se ha afirmado que la imposibilidad de modificar el ejercicio de una opción viene justificada por la máxima que impide *venire contra factum propium* ligada al principio de buena fe «que impone un comportamiento leal en las actuaciones jurídicas», según ha señalado Navas Vázquez[12]. Para otros autores, sin embargo, es la propia esencia de la opción como declaración de voluntad la que justifica su carácter irrevocable, por entrañar en sí misma la vinculación del declarante a lo manifestado[13].

Sin restar relevancia a estos principios, a nuestro modo de ver, la máxima de la irrevocabilidad de las opciones debería aplicarse de forma flexible, teniendo presente que en ningún caso se trata de principios absolutos, ponderando su aplicación a la vista de diversos factores. En primer lugar, la propia finalidad de los regímenes opcionales, establecidos, como señaló Calvo Ortega para lograr un mejor ajuste de la capacidad económica de cada sujeto, flexibilizar la norma tributaria y contribuir a la equidad, mediante la contemplación de las circunstancias singulares de cada situación subjetiva[14]. Los fines perseguidos al configurar un régimen como opcional son diversos, desde el mejor ajuste a la capacidad económica, la reducción de los deberes formales o la consecución del principio de neutralidad en el IVA y que pueden verse perjudicados si se mantiene un criterio excesivamente rígido en cuanto a la posibilidad de alterar la opción[15].

No es posible, por otro lado, tratar de forma igual todos los regímenes opcionales, debiendo tomarse en consideración entre otros factores el cauce previsto para el ejercicio de la opción. A los efectos de valorar la vinculación del obligado a su declaración de voluntad, no pueden equipararse las opciones que se ejercen de forma expresa, por ejemplo, a través de una solicitud o declaración censal con aquellas que se asumen de forma implícita en el marco de la propia autoliquidación, en las que es más factible la comisión por errores de derecho que afecte a la declaración de voluntad o incluso aquellas que requieran para su efectividad la realización de actos

---

[12]   Cfr. R. NAVAS VÁZQUEZ, «Opción por la tributación conjunta», en VVAA, E. SIMÓN ACOSTA (coord.) *Comentarios al Impuesto sobre la Renta de las personas físicas y al Impuesto sobre el Patrimonio. Homenaje a L. Mateo Rodríguez*, Aranzadi, Pamplona, 1995, p. 1301.

[13]   Cfr. M. SIMÓN MATAIX, *Las opciones tributarias en el impuesto sobre la renta de las personas físicas*, ob. cit., p. 178. *Vid.* también en este sentido DÍEZ PICAZO para quien no se puede invocar la doctrina de los actos propios cuando la conducta inicial es una declaración de voluntad, vinculante por su propia naturaleza. *La doctrina de los propios actos*, Bosch, Barcelona, 1963, pp. 196 y 197.

[14]   Cfr. «Los acuerdos fiscales», *Estudios en homenaje al Profesor Pérez de Ayala*, Dykinson, 2008. p. 452.

[15]   Sobre la finalidad de las opciones tributarias, *vid.* T. COMPAÑ PARODI, *Las opciones tributarias en el ordenamiento español*, ob. cit., pp. 101 y ss.

previos en el ámbito mercantil, como ocurre por ejemplo con el régimen de tributación consolidada, en el que la falta de comunicación de la opción no debería conllevar la inaplicación del régimen.

También es fundamental tomar en consideración si la opción ejercitada es de las denominadas de régimen completo, en la que el obligado asume un determinado régimen jurídico a futuro, con consecuencias indeterminadas, favorables o desfavorables, en el momento de ejercer la opción, que como ha destacado Malvárez Pascual forman parte del componente de riesgo propio de la elección del régimen jurídico de que se trate. Este tipo de opciones difieren de las que se ejercitan en el marco de una autoliquidación y en relación con circunstancias ya producidas en el momento de presentarla, respecto de las que es más sencillo asumir la comisión de un error en la formación de la voluntad[16]. Finalmente, sería necesario también valorar la incidencia y relevancia de cambio solicitado en los procedimientos de gestión tributaria, realizando una ponderación entre la carga administrativa generada y la repercusión de la irrevocabilidad sobre los fines perseguidos por el régimen opcional[17].

Esta ponderación no se ha realizado en el plano legislativo, a falta de una adecuada regulación de cada una de las opciones, y ha sido escasa también por la doctrina administrativa y jurisprudencia reciente, que ha aplicado de forma uniforme el artículo 119.3 de la LGT, con independencia del tipo de opción de que se trate y de sus consecuencias sobre los principios a que sirve el régimen opcional afectado.

3.2. El error en la formación de la voluntad

De acuerdo con esta interpretación, se ha rechazado de forma sistemática el error de la voluntad como causa legitimadora del cambio de opciones reflejadas en una autoliquidación.

---

[16] Cfr. MALVÁREZ PASCUAL, L. «Las exigencias formales para el ejercicio de las opciones fiscales. Estudio de su régimen jurídico a la luz del principio de proporcionalidad», *ob. cit.*, pp. 36 y ss.

[17] La multiplicidad de opciones existentes, la heterogeneidad de sus características jurídicas, contenido y alcance temporal, así como su diferente trascendencia en la gestión del tributo imposibilitan que su ejercicio pueda reconducirse a unas mismas e idénticas formalidades, por lo que no todo incumplimiento (o cumplimiento defectuoso) del medio a través del que el optante haya de ejercer su facultad de elección puede provocar las mismas consecuencias jurídicas.

Así, por ejemplo, la sentencia del TSJ de Extremadura, de 13 de marzo de 2020 (rec. 409/2019) desestima el recurso presentado frente a la denegación de la rectificación de la autoliquidación del IRPF en la que el contribuyente solicitó la aplicación de la exención del artículo 7p) de la LIRPF en lugar del régimen de los excesos de tributación, previsto en el artículo 9.A.3b) 4º del RD 439/2007, de 30 de marzo, por el que se aprueba el reglamento del IRPF, recogido en el borrador de declaración facilitado por la AEAT y confirmado por el recurrente. El TSJ destaca que el uso de los sistemas de ayuda de la AEAT puede tener consecuencias en el ámbito sancionador pero no desvirtúan las obligaciones del contribuyente al presentar su autoliquidación, calificando y declarando el hecho imponible y demás elementos del tributo. Partiendo de la existencia de una opción entre el régimen de exención y el de excesos de tributación, el Tribunal rechaza la alegación del recurrente en el sentido de que «no hubo momento para optar», al haber confirmado sin más el borrador de declaración, en el que ya venía integradas las rentas correspondientes. «Las opciones no tiene por qué consistir exclusivamente en marcar una casilla como sucede en el caso de la tributación conjunta o individual —afirma el Tribunal— sino que también consisten en la forma en que los ingresos son calificados y declarados», sin que sea posible efectuar el cambio de opción pasado el período voluntario, en aplicación del artículo 119.3 de la LGT.

También desfavorable es la sentencia del TSJ de Madrid, de 10 de junio de 2020 (rec. 397/2019) relativa al cambio de opción del régimen de tributación individual, establecido por defecto en el borrador de autoliquidación, al régimen de tributación conjunta, tras incorporar al descendiente que convivía con el contribuyente. *«No era obligación de la administración (…) —afirma el Tribunal— la de revisar la autoliquidación de la actora y darle la posibilidad de cambiar la opción de tributación si le resultaba más favorable. Era la actora la que debió de apreciar si, a pesar de haber recibido en los ejercicios 2012 y 2013 el borrador de su autoliquidación, con la opción de tributación individual, debía de haberla modificado a conjunta si ello respondía más a sus intereses fiscales y en tal sentido, el art. 98 LGT indica en su apartado 1 que el borrador que la administración pone a disposición de los contribuyentes es a efectos meramente informativos y en el apartado 5 expresamente se determina que, si el contribuyente considera que el borrador no refleja su situación tributaria, deberá de presentar la declaración del Impuesto, conforme al art. 97 LGT, es decir, mediante la correspondiente autoliquidación, sin confirmar el borrador enviado. No puede entenderse que exista enriquecimiento injusto por parte de la administración al no admitirse el cambio de opción de tributación, ya que la actora eligió voluntariamente la opción de tributación que creía más ventajosa y, en virtud del principio de seguridad jurídica, debe asumir las consecuencias de sus autoliquidaciones en los ejercicios de referencia, aunque implicasen un aumento de tributación, ya que, además, son firmes y no pueden ser discutidas».*

Estas sentencias se centran en las obligaciones inherentes al deber de autoliquidar y a los efectos limitados de la asistencia prestada por la administración tributaria al configurar el borrador de declaración, pero no aclaran por qué no es posible extender el derecho a la rectificación de autoliquidaciones reconocido por el artículo 120.3 de la LGT a los errores cometidos al formular la declaración de voluntad, cuando se observe que la opción aplicada perjudica al contribuyente y no se aprecie un uso abusivo de las posibilidades ofrecidas por el régimen opcional.

La resolución del TEAC de 4 de abril de 2017 también rechaza la rectificación del error cometido al compensar una cuantía de bases negativas inferior a la máxima posible, detectado por el contribuyente pocas semanas después de la presentación de la autoliquidación en período voluntario. En ella, el TEAC desestima la reclamación considerando que una vez que se ha optado por la compensación parcial, transcurrido el período voluntario, no cabe modificar esta decisión[18].

A nuestro modo de ver, este tipo de errores en el ejercicio de opciones deberían ser subsanables al igual que otros cometidos en la autoliquidación y susceptibles de rectificación a través del artículo 120.3 de la LGT. No cabe olvidar, como resaltó el propio TEAC en su resolución de 3 de diciembre de 1997 que «la facultad de opción, en tanto que inserta en el deber de proceder a la autoliquidación supone el traslado al contribuyente una serie de complejas tareas propias de la Administración».

En relación con la compensación de bases negativas, la posibilidad de rectificar la compensación practicada debería ser posible, no sólo cuando, como apunta Montesinos Oltra, resulte irracional la decisión de no compensar en un período porque exista renta y el obligado no tenga derecho a otras minoraciones y estas resulten compatibles con la compensación, sino también para aplicar las reducciones con menor plazo de compensación o

---

[18] *Vid.* en este sentido, SIMÓN MATAIX, con la aplicación en nuestro ordenamiento de la solución desarrollada por la jurisprudencia italiana. Cfr. *Las opciones tributarias en el impuesto sobre la renta de las personas físicas, ob. cit.*, pp. 186 y ss.

deducción si existen varias incompatibles[19]. El error debería, en definitiva, considerarse probado si la elección realizada resulta incongruente, tal y como se alegó en la reclamación relativa a la resolución del TEAC de 4 de abril de 2019, que se destacaba que rechazar el error implicaba entender que el sujeto optó por pagar una carga tributaria adicional a la que le correspondería de haber liquidado correctamente el impuesto.

Por otra parte, hay que tener en cuenta que el error al emitir la declaración de voluntad puede referirse a la propia opción, pero puede afectar también a otros elementos de la obligación que incidan sobre la primera, propiciando una decisión equivocada, al considerar, por ejemplo, exentas ciertas rentas sujetas a gravamen. Este último supuesto lleva a plantearse la posibilidad de revocar opciones ante el cambio en las circunstancias en que se ejerció la opción, ya sea en el marco de una regularización administrativa o voluntaria.

3.3. Cambio de circunstancias en el ejercicio de la opción. Interpretación «rebus sic stantibus»

El carácter irrevocable de las opciones se ha mantenido incluso aunque se haya producido un cambio en las circunstancias de su ejercicio, en el marco de una regularización administrativa o voluntaria. A nuestro juicio, en estos casos, no existe contradicción con la doctrina de los actos propios, ni se vulnera el carácter vinculante de las declaraciones de voluntad, al haberse alterado las circunstancias para emitirla[20]. En este sentido, Falcón y Tella destaca que «el ejercicio de la opción se produce en función de los datos declarados», de manera que «si en vía de gestión o inspección se altera la base imponible ha de darse la oportunidad al sujeto de que modifique su opción. O, dicho de otro modo, aunque la opción no pueda modificarse libremente una vez finalizado el plazo para declarar, la misma ha de entenderse limitada por la cláusula *rebus sic stantibus*, por lo que, si se corrige la declaración inicial con una declaración complementaria o a través de una liquidación administrativa, no se trata ya de modificar la opción inicial,

---

[19]   Cfr. «Aplicación de cantidades pendientes de compensación o deducción y opciones tributarias: análisis del nuevo apartado 4 del artículo 119 de la Ley General Tributaria», *ob. cit.*, p. 106.

[20]   Así lo entiende también NAVAS VAZQUEZ para quien cuando se introducen nuevos elementos en la decisión realizada, a raíz de la comprobación administrativa, «es evidente que los sujetos pueden expresar de nuevo, y con distinto sentido, su opción» Cfr. «Opción por la tributación conjunta», *ob. cit.* p. 1303.

sino de la necesidad de reconocer la posibilidad de ejercer dicho derecho a efectos de la nueva autoliquidación o liquidación»[21]. En el mismo sentido, Malvárez Pascual considera que «parece razonable que el mantenimiento de la opción elegida sólo se produzca de forma obligatoria cuando los datos que determinaron una determinada elección se mantengan inalterados. Pero a veces es precisamente el descubrimiento de nuevas circunstancias que no se tuvieron en cuenta a la hora de realizar la elección —v.gr. aparición de nuevas rentas no declaradas en un procedimiento de comprobación— el que motiva la pretensión de cambiar la opción manifestada en su momento»[22].

La posibilidad de alterar la opción ante el cambio de las circunstancias se planteó durante la tramitación parlamentaria de la Ley General Tributaria, en el que se presentaron diversas enmiendas que, sin embargo, no llegaron a ser incorporadas al texto de la Ley. Así, se valoró incorporar al art. 119 de la LGT un añadido que señalara que «cuando en virtud de la verificación o comprobación administrativa se rectifique la base imponible o algún otro elemento determinante de la deuda tributaria, el obligado tributario podrá ejercitar, solicitar o renunciar a las opciones previstas en la normativa tributaria, que surjan como consecuencia de la correspondiente rectificación». Con la misma finalidad, se presentó una enmienda equivalente en relación con la rectificación de autoliquidaciones para incorporar al artículo 120 un nuevo apartado que señalara que cuando se rectificara «la base imponible o algún otro elemento determinante de la deuda tributaria, se deberá ofrecer al sujeto pasivo la posibilidad de ejercitar de nuevo las opciones a que se refiere el apartado 3 del artículo 119 de esta ley». Como justificación de ambas enmiendas se indicaba que si las opciones dependen en su ejercicio de las magnitudes que sirven de base a las declaraciones, «es de equidad» que para realizar una nueva liquidación modificando tales magnitudes, se permita elegir de nuevo[23].

Estas enmiendas no fueron aceptadas y no llegaron a introducirse en la LGT, lo que ha servido precisamente para reforzar la interpretación estricta del artículo 119.3 de la LGT, considerando que la intención del legislador

---

[21]   «Comentario a la resolución del TEAC de 3 de diciembre de 1997», *QF*, 9/1998 (BIB 1998, 1555), p. 46. En el mismo sentido J. GÓMEZ TABOADA «Las opciones tributarias: cuando la tierra se abre bajo nuestros pies», *ob. cit.* pp. 33 y ss.

[22]   «Las exigencias formales para el ejercicio de opciones fiscales. Estudio de su régimen jurídico a la luz del principio de proporcionalidad», *ob. cit.* pp. 52-54.

[23]   Coincidiendo en el acierto de estas propuestas, *vid.* M. FERNÁNDEZ JUNQUERA, «Los procedimientos tributarios: aspectos comunes y procedimientos de gestión», R. CALVO ORTEGA (Dir.), *Comentarios a Ley General tributaria*, Cívitas, Thomson-Reuters, 2009, pp. 498-499.

fue la de no admitir el cambio de opción en ninguno de estos casos. Así, las sentencias de 9 de julio de 2012 (RJ 2012, 7788) y 6 de febrero de 2012 (RJ 2012, 3806) (rec. 1928/2008) en relación con la opción por reinversión de beneficios extraordinarios regulada en el artículo 21 de la ya derogada Ley 43/1995, del Impuesto sobre Sociedades y en la de 5 de mayo de 2014 (RJ 2014, 2473) (rec. 5690/2011) en relación con el criterio de imputación temporal adoptado (de caja o devengo).

La sentencia del TS de 23 de octubre de 2014 se refiere, por ejemplo, a la elección del criterio de imputación temporal de rentas en el impuesto sobre sociedades, en un supuesto en el que la sociedad había declarado una pérdida por la transmisión de un elemento el inmovilizado y optado expresamente por el criterio del devengo. Tras la regularización administrativa, se comprueba el valor y se considera obtenida una ganancia patrimonial, ante lo que solicita la aplicación del criterio del cobro para imputarla a períodos posteriores. Con fundamento en los principios de seguridad jurídica, la vinculación a los propios actos y la preservación de la legítima confianza, el TS concluye, sin embargo, que «no puede admitirse que a raíz de una comprobación y, esencialmente, como consecuencia de un cambio en la valoración, efectuado por la Administración, se altere el criterio de imputación de ingresos y gastos por el que voluntariamente había optado el sujeto pasivo. Ninguna incidencia puede tener esa mudanza valorativa sobre el criterio de imputación temporal en su momento elegido».

El mismo criterio se ha mantenido también en relación con el régimen de la tributación conjunta. Numerosas sentencias consideran que, concluido el plazo para declarar, no cabe el cambio del régimen de tributación conjunta por la tributación individual aun cuando la primera resulte más gravosa tras la presentación de una declaración extemporánea para incorporan las rentas del cónyuge, que previamente se habían considerado exentas. La sentencia del TSJ Castilla y León de 14 de diciembre de 2012 señala en este sentido que «si existe un cambio de las circunstancias objetivas respecto al momento inicial en que se formalizó la opción (…) es única y exclusivamente por una circunstancia imputable a los interesados». La misma conclusión se ha aplicado si las rentas afloran en el marco de una regularización administrativa, tal y como señalan las sentencias del TSJ de Madrid de 29 de abril de 2015, y del TSJ de Castilla y León de 5 de febrero de 2019, según las cuales el régimen de tributación elegido no puede modificarse aun cuando como consecuencia de la regularización practicada por la Administración, resulte más gravoso.

La posibilidad de cambiar la opción sólo se ha admitido si el cambio de las circunstancias o el eventual error cometido es ajeno al obligado, ante la aparición, por ejemplo, de una la declaración judicial de paternidad o de incapacidad que altere la composición de los miembros de la unidad familiar con efectos retroactivos.

En este sentido, por ejemplo, la sentencia del TSJ de Zaragoza, de 15 de junio de 2020 (rec. 482/2019) estima el recurso presentado frente a la denegación de la solicitud de rectificación de la autoliquidación para cambiar el régimen de tributación individual por el régimen de tributación conjunta en el IRPF por parte de un contribuyente que había declarado como rendimientos de trabajo las retribuciones percibidas por cuidado de un menor a cargo por enfermedad grave. El cambio de régimen se solicita tras la publicación por la DGT de una consulta vinculante en la que se consideran estas rentas como exentas, siendo más favorable por tanto el régimen de tributación conjunta que el inicialmente aplicado por el contribuyente. La solicitud de rectificación fue estimada sólo parcialmente, considerando las rentas exentas y efectuando la devolución correspondiente, pero rechazando el cambio al régimen de tributación, en aplicación del artículo 119.3 de la LGT. La sentencia citada estima el recurso considerando que la opción aplicada en la autoliquidación se encontraba viciada por un error, «que en absoluto resulta imputable a los presentes, sino que lo es a la propia Administración Tributaria, que los incluye como tales rendimientos del trabajo en la comunicación de datos fiscales y en los borradores de las declaraciones. Se trata de un error extracualificado, pues obviamente cualquier ciudadano ha de acomodar sus opciones legales al supuesto de que las leyes y lo dictado por la Administración Tributaria es válido y no nulo: es decir, no tiene por qué poner en entredicho que un dato de tal importancia a efectos del impuesto en cuestión, como los son los ingresos del contribuyente, pueda no tenerla consideración o naturaleza que le atribuye la propia Administración tributaria que gestiona tal impuesto». «Aun siendo cierto —añade— que, ante la rigidez del precepto transcrito, una vía para obtener el resarcimiento del perjuicio sufrido, en el caso de cumplirse los presupuestos exigibles, pudiera ser el de la responsabilidad patrimonial de la Administración, no puede desconocerse los Tribunales Superiores de Justicia han abierto una vía de mayor simplicidad, y menos gravosa en trámites para el contribuyente afectado, en los casos en los que se ha inducido al contribuyente a optar por el régimen de tributación más favorable por causas ajenas a su voluntad, y pueda estimarse que se nos encontremos ante un supuesto de voluntad viciada en la elección del régimen de opción de tributación».

La reciente sentencia del Tribunal Supremo de 18 de mayo de 2020 (rec. 5692/2017) parece apuntar, sin embargo, un posible cambio de criterio en la doctrina jurisprudencial mayoritaria, al afirmar la posibilidad de excepcionar la irrevocabilidad del artículo 119.3 si cambian las circunstancias del ejercicio de la opción: «Debe convenirse, también —afirma esta sentencia—, que amparadas las opciones que ofrece el legislador en el principio de justicia tributaria y la concreción de la efectividad del principio de capacidad económica, podría verse afectada la irrevocabilidad como regla general cuando una modificación de las circunstancias sustanciales determinantes en el ejercicio de la opción afecten a los citados principios». Con esta sentencia, el Tribunal Supremo sienta las bases para un eventual pronunciamiento favorable en el recurso de casación 327/2019 admitido por auto de 30 abril de 2019. En él se plantea si es admisible el cambio de la opción ejercitada cuando se produce un cambio de circunstancias que da lugar a un cambio del régimen sustantivo de tributación. Se trataba de una sociedad que tributaba en el régimen de sociedades patrimoniales y en aplicación de la normativa del IRPF, aplicó el criterio del devengo para la tributación de una plusvalía por una cesión inmobiliaria. Tras la regularización, le deja de ser de aplicación el régimen de las sociedades patrimoniales, quedan sujeto al régimen general del impuesto sobre sociedades. El sujeto pasivo considera que al haberse cambiado el régimen sustantivo de tributación debería permitírsele de nuevo volver a optar por el criterio de imputación temporal, cambiando el criterio del devengo por el de caja, petición que es rechazada por la Administración Tributaria. Ante esta situación, se plantea al Tribunal Supremo la necesidad de «determinar si, habiéndose regularizado la situación tributaria de un contribuyente en un procedimiento de inspección, y provocado un cambio en el régimen sustantivo de tributación aplicable, el artículo 119.3 de la LGT obliga a mantener la opción inicial manifestada por el contribuyente o permite que se ejerciten las nuevas o distintas opciones admitidas por la ley para el régimen de tributación aplicable tras la regularización inspectora»[24].

---

[24]   En relación con los efectos que el cambio de las circunstancias en que se ejercitó la opción puede tener sobre su irrevocabilidad, JUAN LOZANO ha distinguido dos tipos de supuestos: 1) Aquellos en los que el obligado tributario puede pretender una revocabilidad de la opción cuando se enfrenta a una regularización por la Administración tributaria de la que se deriva un incremento de la base imponible o deuda tributaria, ante la cual se plantea como más conveniente una elección por la alternativa distinta a aquella por la que inicialmente optó, pero sin que la fundamento de ese acto o liquidación suponga una distinta calificación del sujeto, hecho imponible, o componentes de la base imponible determinante de la aplicación de un régimen sustantivo distinto de aquel aplicado por el obligado tributario en su autoliquidación. También nos encontramos en este escenario cuando es el obligado tributario quien se plantea una rectificación espontánea de la autoliquidación. Esta autora distingue estos supuestos de aquellos otros en los que se produce una regularización que comporta un cambio, total o parcial, de régimen sustantivo de tributación desde la perspectiva del principio

En relación con las bases imponibles negativas, el artículo 119.4 permite expresamente la aplicación de las bases pendientes para absorber la cuota derivada de un procedimiento inspector. El artículo 119.4 señala, en este sentido, que «en la liquidación resultante de un procedimiento de aplicación de los tributos podrán aplicarse las cantidades que el obligado tributario tuviera pendientes de compensación o deducción». En su resolución de 4 de abril de 2017, el TEAC ha precisado que esta posibilidad sólo está prevista para absorber las bases imponibles negativas pendientes en la medida en que no hubieran sido susceptibles de compensarse con anterioridad por insuficiencia de cuota, lo que supone realizar una interpretación restrictiva del artículo 119.4 de la LGT, que únicamente prohíbe hacer uso de las BINS ya compensadas en otros periodos, trasladándolas a otros anteriores, mediante la presentación de declaraciones complementarias en aquellos en los que se compensaron[25]. Según declara esta resolución, si «aun autoliquidando una base imponible previa a la compensación positiva», el contribuyente decidió no compensar importe alguno o compensar un importe inferior al límite máximo compensable en el ejercicio en función de la base imponible positiva previa a la compensación autoliquidada y «pudiendo obtener como resultado de su autoliquidación una cantidad a ingresar inferior a la resultante o una cantidad a devolver superior a la resultante, ha optado por consignar los importes consignados en su autoliquidación, no podrá posteriormente, y fuera ya del plazo de autoliquidación en voluntaria, sea vía de rectificación de autoliquidación o en el seno de un procedimiento de comprobación, ex artículo 119.3 LGT, modificar la opción ya ejercitada en el sentido de que le resulte a ingresar una cantidad inferior o a devolver una cantidad superior»

También en relación con la compensación de las bases imponibles negativas, la resolución del TEAC de 16 de enero de 2019 ha precisado que la

---

de capacidad económica, situaciones sobre la que no existe jurisprudencia en sentido propio y respecto de los que procedería establecer un límite «intrínseco» a los efectos del artículo 119.3 de la LGT cuando de su interpretación «literal y acrítica» pueda resultar una infracción del principio de capacidad económica. Cfr. «De nuevo sobre las opciones tributarias: los límites del artículo 119.3 LGT y el principio de capacidad económica; aspectos pendientes en la jurisprudencia», *ob. cit.*

[25] Como aclara MONTESINOS OLTRA, la única hipótesis que queda prohibida en este artículo es la de recuperación de cantidades ya aplicadas una vez iniciado un procedimiento de comprobación, lo que supone a contrario que, con anterioridad este momento o puede realizarse cualquier modificación. Cfr., S. MONTESINOS OLTRA, «Aplicación de cantidades pendientes de compensación o deducción y opciones tributarias: análisis del nuevo apartado 4 del artículo 119 de la Ley General Tributaria», *CT*, núm. 16/2016, p. 104.

opción ejercitada ha de interpretarse *rebus sic stantibus*, en tanto que no varíen las circunstancias, si bien únicamente en relación con un supuesto muy concreto, cuando se incrementen las BINS disponibles al haberse confirmado en vía administrativa o judicial las previamente autoliquidadas por el obligado y reducidas de forma improcedente por la administración tras una comprobación administrativa. En estos casos y en tanto que se trate de bases que deriven de una «improcedente actuación de la Administración», podrá instarse la rectificación de la autoliquidación para incluirlas.

4. LA AUSENCIA DE PRESENTACIÓN DE LA AUTOLIQUIDACIÓN/SOLICITUD EN PLAZO COMO OPCIÓN IMPLÍCITA

La reciente doctrina administrativa considera, por otra parte, que el transcurso del plazo para declarar sin haber presentado autoliquidación implica para algunas opciones la voluntad tácita de no aplicarse determinado beneficio fiscal. Así se deduce de las resoluciones del TEAC de 4 de abril de 2017 y 14 de mayo de 2019 de nuevo en relación con la compensación de bases imponibles negativas. En la de 2017, ya se indicó que el contribuyente no hubiera presentado autoliquidación estando obligado a ello, «no ejerció derecho a compensar cantidad alguna», «optando por su total diferimiento», por lo que «transcurrido dicho periodo reglamentario de declaración, no podrá rectificar su opción solicitando, ya sea mediante la presentación de declaración extemporánea ya sea en el seno de un procedimiento de comprobación, la compensación de bases imponibles negativas de ejercicios anteriores». Se considera que «lo contrario haría de mejor condición al no declarante que al declarante», que quedaría vinculado por la opción realizada, Este criterio es confirmado en la resolución del TEAC de 14 de mayo de 2019, relativo a una sociedad que presenta una autoliquidación extemporánea por el Impuesto sobre Sociedades 2015 poco después de finalizar el plazo de declaración, en la que compensa algo más de dos millones de euros de bases imponibles negativas. La Administración inicia una regularización en la que emite liquidación provisional, para eliminar las bases negativas compensadas de la autoliquidación presentada y liquidando la cuota correspondiente.

Desde nuestro punto de vista, esta interpretación no resulta adecuada y presenta numerosos problemas más allá de los que ya hemos señalado sobre la correcta delimitación de esta opción. En primer lugar, resulta cuanto menos dudoso considerar que, a falta de previsión expresa en la norma, quien no presenta la autoliquidación está ejercitando tácitamente una opción. Incluso en los primeros regímenes opcionales que sirvieron de base para la regulación de las opciones tributarias en la LGT, se habilitaba un plazo para el ejercicio de la opción a falta de declaración. Así se prevé en el IRPF en relación con el régimen de tributación conjunta, respecto del que se establece un plazo de diez días para optar por su aplicación o por la tributación individual en el caso de que no se hubiere presentado declaración. La sentencia del Tribunal Supremo de 18 de mayo de 2020 dictada en relación con el cumplimiento del plazo para solicitar el régimen fiscal especial aplicable a los trabajadores desplazados a territorio español, regulado en el vigente artículo 95 de la Ley 35/2006, de 28 de noviembre, del IRPF, permite cuestionar también esta doctrina. Esta sentencia considera que, para que pueda entenderse ejercida una opción de forma tácita, es necesario que la normativa lo prevea expresamente; es decir, que transcurrido el plazo para optar por un determinado régimen, se establezca la aplicación de otro distinto menos favorable. La doctrina del TEAC no se ajusta a este criterio, pues de la LIS no se desprende que la falta de declaración en plazo conlleve la pérdida del derecho a aplicar las BINS ese ejercicio, ni que el régimen aplicable por defecto sea el de la no compensación.

La interpretación administrativa choca, además, con el tenor literal del artículo 119.4 de la LGT antes mencionado y según el cual «en la liquidación resultante de un procedimiento de aplicación de los tributos podrán aplicarse las cantidades que el obligado tributario tuviera pendientes de compensación o deducción, sin que a estos efectos sea posible modificar tales cantidades pendientes mediante la presentación de declaraciones complementarias o solicitudes de rectificación después del inicio del procedimiento de aplicación de los tributos». La interpretación defendida por el TEAC en estas resoluciones llevaría al absurdo de permitir utilizar las bases pendientes para absorber la renta no declarada en el seno de un procedimiento inspector, impidiendo en cambio la compensación cuando es el propio obligado el que regulariza su situación tributaria presentando una autoliquidación extemporánea en la que pretende compensar bases pendientes.

Finalmente, a nuestro modo de ver, no es admisible sujetar a un plazo tan breve la aplicación de un elemento tan relevante en la cuantificación del impuesto sobre sociedades, esencial para el cumplimiento de los principios de capacidad económica e igualdad considerando que la falta de presentación de la autoliquidación en plazo implica optar por no compensar. Diversas sentencias recientes de tribunales inferiores añaden, además, que con independencia de la naturaleza que se atribuya a la compensación de BINS, no es posible sancionar el incumplimiento del plazo de declaración con la pérdida del derecho, atribuyéndole una sanción impropia más allá de la que pudiera corresponder por el incumplimiento formal, en aplicación del artículo 198 de la LGT. Así lo considera la sentencia del TSJ de Santander de 11 de mayo de 2020 (rec. 267/19) y también las sentencias del TSJ de Cataluña de 19 de junio de 2020 267/2019) y de 25 de mayo de 2020 del TSJ de la Comunidad Valenciana (rec. 1339/2018), que cuestionan la configuración de la compensación de BINS como opción y la aplicación del artículo 119.3 LGT a estos supuestos[26].

5. IRREVOCABILIDAD DE LAS OPCIONES V. PRINCIPIO DE REGULARIZACIÓN ÍNTEGRA

La rigidez con que se ha interpretado el carácter irrevocable de las opciones choca, por otro lado, con el denominado principio de regularización íntegra, asentado en la jurisprudencia del TS de los últimos años. Este principio ha tenido especial extensión en relación con el IVA, en el que aparece asociado al principio de neutralidad. Así, las **sentencias del TS de 3 de febrero de 2016, 30 de enero de 2013 y 26 de enero de 2012, en relación con la regularización practicada sobre el IVA asimilado a la importación señalan que, puesto que la en**tidad *pudo ejercitar el derecho a la deducción en el mismo momento en que procedía la liquidación de las cuotas, no procede la exigencia de las cuotas por IVA devengado ni la exigencia de intereses de demora asociados a dichas cuotas «por no existir perjuicio económico para la Administración»*. Esta cuestión presenta una problemática más amplia que la del ejercicio de opciones, pero tiene una dimensión relacionada también con esta figura en su aplicación a la compensación de BINS o de saldos en el IVA, que obligaría a tener en cuenta los pendientes en el marco de una regularización.

Así lo entendió el TS en sentencia de 22 de noviembre de 2017, al hilo precisamente de la compensación de bases, en la que señaló que *«la regularización ha de ser íntegra, alcanzando tanto a los aspectos positivos como a los negativos para el obligado tributario; se ha considerado que cuando*

---

[26]   En contra, sin embargo, vid, entre otras, la Sentencia del TSJ de Castilla y León, Burgos de 16 de diciembre de 2019 (rec. 105/2019), en un caso similar, sigue la doctrina del TEAC y señala que «si cualquier modificación respecto del ejercicio de una opción se ha de realizar dentro del periodo reglamentario de declaración, en el supuesto de que la declaración no se presente en plazo, como no puede modificarse la opción, tampoco cabe entender que pueda ejercitarse la misma».

un contribuyente se ve sometido a una comprobación y se procede a la regularización mediante la oportuna liquidación procede atender a todos los componentes, y ello por elementales principios que inspiran un sistema tributario que aspira a responder al principio de justicia».

Este principio ha sido invocado también por la Audiencia Nacional, en su sentencia de 21 de noviembre de 2019 en relación con el artículo 66bis de la LGT, considerando que esta norma habilita a la Administración a resolver favorablemente la solicitud de rectificación presentada para incluir y compensar BINS no declaradas en el período de su obtención, ya prescrito[27]. Frente a esta sentencia se ha presentado un recurso de casación, admitido mediante auto del TS de 16 de julio de 2020 (rec. 1118/2020), en cuya resolución el TS tendrá que concretar la eficacia de este principio en relación con las opciones tributarias y la naturaleza de una de las más controvertidas, la compensación de BINS, tal y como hemos puesto de manifiesto a lo largo de este trabajo.

---

[27] El artículo 66bis de la LGT señala: «2. El derecho de la Administración para iniciar el procedimiento de comprobación de las bases o cuotas compensadas o pendientes de compensación o de deducciones aplicadas o pendientes de aplicación, prescribirá a los diez años a contar desde el día siguiente a aquel en que finalice el plazo reglamentario establecido para presentar la declaración o autoliquidación correspondiente al ejercicio o periodo impositivo en que se generó el derecho a compensar dichas bases o cuotas o a aplicar dichas deducciones».

Capítulo 31

La planificación potencialmente agresiva y el nuevo deber informativo de los intermediarios

MIGUEL ÁNGEL SÁNCHEZ HUETE
Universitat Autònoma de Barcelona

SUMARIO: 1. INTRODUCCIÓN. 2. LA PLANIFICACIÓN FISCAL POTENCIALMENTE AGRESIVA COMO PRESUPUESTO. 2.1. El concepto: ¿adición o novedad?. 2.2. ¿Hacia una planificación fiscal dócil?. 3. LOS DEBERES DE INFORMACIÓN Y EL DEBER DEL INTERMEDIARIO COMO CONSECUENCIA. 4. LA PRESUNCIÓN DE BUENA FE COMO LÍMITE. Bibliografía.

1. INTRODUCCIÓN

La cooperación administrativa y asistencia mutua entre los Estados, sobre todo a nivel informativo, es uno de los factores básicos para la lucha contra la elusión y evasión internacional. En el ámbito de la Unión Europea se ha generalizado, a través de la Directiva 2011/16/UE, el intercambio automático de información. Dicha Directiva ha sido la base para un incremento paulatino de su contenido tanto formal —por el número de modificaciones— como material —por la ampliación del ámbito de regulación— en sus sucesivas modificaciones por las Directivas 2015/2376, 2016/881, 2016/2258, 2018/822.

Con la modificación llevada a cabo por la Directiva (UE) 2018/822 del Consejo, de 25 de mayo se ha procedido a una singular ampliación de su contenido al introducir obligaciones que directamente afectan a la ciudadanía. No solamente resultan los Estados obligados entre si sino también los contribuyentes y los ciudadanos para con éstos. Resulta una vinculación cualitativamente diversa cuya justificación en clave de intercambio informativo no resulta evidente, al centrarse en la existencia de operaciones que califica de planificación potencialmente agresiva.

El objeto del presente capítulo es el análisis de la obligación informativa impuesta por la Directiva (UE) 2018/822 a los intermediarios y, subsidiariamente, a los contribuyentes. Todo ello sobre la base de que para la adecuada comprensión de la obligación se han de tener presente dos aspectos; el primero, delimitar su objeto (el deber informativo) y su correlación con el deber de intercambio interestatal y, el segundo, estrechamente relacionado, analizar el objetivo (la finalidad) de su regulación.

Se interrelacionan así dos cuestiones diversas; la regulación de la obligación de información de los particulares; y determinar cuál es la finalidad pretendida con dicho régimen, es decir, conocer y evitar la planificación potencialmente agresiva. Por consiguiente, la finalidad de la norma no es sólo informar a los Estados, para prevenir, si no también para disuadir —principalmente a los intermediarios— de realizar determinadas prácticas. Se establece, junto a la obligación positiva de informar, una finalidad implícita que conlleva una conducta negativa de abstenerse a realizar.

Para el estudio de nuestro objeto estructuraremos la exposición en tres apartados.

En primer lugar, procede delimitar las practicas de riesgo que configuran el presupuesto de la obligación: las que integran la denominada planificación fiscal potencialmente agresiva. Posee una clara relación con la planificación fiscal agresiva de la Acción 12 del plan BEPS de la OCDE y las anteriores iniciativas de la Unión Europea, si bien el adverbio «potencialmente» inaugura una nueva tipología de planificación que pretende anticipar el riesgo fiscal admisible.

En segundo lugar, hemos de analizar la extensión y consecuencias del deber informativo impuesto. Para ello se ha de tener presente dos consideraciones básicas, de un lado, que se trata de suministrar datos ajenos y, por consiguiente, de prevenir la evasión-elusión ajena. De otro lado, constatar como el legislador adopta esquemas de prevención del fraude estrechamente relacionados con los de prevención del blanqueo de capitales de la Ley 10/2010, de 28 de abril.

En tercer, y último lugar, cabe plantear algunas consideraciones críticas que tienen en cuenta los eventuales límites que ha de respetar el deber jurídico impuesto, tanto por el presupuesto de su aplicación como por las consecuencias que conlleva. En tal sentido cabe considerar el impacto que supone, la obligación, su transgresión y los presupuestos sobre los que opera, sobre el principio general de la buena fe.

2. LA PLANIFICACIÓN FISCAL POTENCIALMENTE AGRESIVA COMO PRESUPUESTO

La finalidad de la obligación introducida no es sólo allegar más información sino el evitar la planificación potencialmente agresiva. No sólo se desea informar, para prevenir, si no también para disuadir de realizar determinadas prácticas. De ahí que uno de los principales objetivos en tal regulación es evitar que los intermediarios conciban y/o comercialicen tales operaciones potencialmente peligrosas. Se establece así, de manera expresa, una obligación positiva de informar con una finalidad implícita que implica una conducta negativa de abstenerse de realizar.

Tal finalidad preventiva pretende limitar las situaciones potencialmente nocivas, o no deseables, a fin de mejorar el funcionamiento del mercado interior[1]. Se trata de prevenir el riesgo de una concreta planificación trasnacional, en la que intervienen varias jurisdicciones, que conlleva el traslado de beneficios empresariales a regímenes fiscales más favorables. La Directiva acoge la idea de riesgo potencial en el art. 3 párrafo 20 afirmando que «seña distintiva» es una característica o particularidad de un mecanismo transfronterizo que supone la indicación de un riesgo potencial de elusión fiscal enumerada en el anexo IV.

En definitiva, con las señas distintivas establecidas se pretende delimitar y evitar concretas practicas de planificación transfronteriza indicativas de una potencial elusión fiscal. Y para ello se proponen medidas más estrictas contra los intermediarios que ayuden en la configuración de mecanismos de elusión y evasión fiscal; se les impone la obtención de información sobre las titularidades reales en estructuras negociales no transparentes —Considerando 4— a cuyo incumplimiento se adicionan eventuales sanciones[2]. Relacionado con lo anterior, y en aras a configurar un entorno de equidad tributario en el mercado interno, se establece que las autoridades tributarias compartan la información tributaria facilitada por los intermediarios —Considerando 6—.

2.1. El concepto: ¿adición o novedad?

El riesgo a prevenir se delimita por un adjetivo —agresivo— y un adverbio —potencialmente—. Así pues, ante el interrogante de qué se ha de entender por planificación fiscal potencialmente agresiva se pueden adoptar dos posturas que comportan metodologías diversas; la sumativa, que supo-

---

[1]   Así el Considerando 7 y el 19 al afirmar que su objetivo es «la mejora del funcionamiento del mercado interior al desalentar la utilización de mecanismos transfronterizos de planificación fiscal agresiva [...]».

[2]   Nótese, como comentaremos más adelante, que aquí se habla también de evasión fiscal no tan sólo de elusión, instituciones diversas en presupuestos y consecuencias.

ne partir de las ideas sobre la planificación fiscal agresiva efectuada por la Resolución 2012/772 (en la línea de la Acción 12 del plan BEPS de la OCDE), y adicionar los elementos que la convierten en potencialmente agresiva; y la novativa, que supone crear un nuevo concepto, no necesariamente coincidente con las practicas que integran la planificación fiscal agresiva.

La planificación fiscal agresiva había sido objeto de regulación por la Recomendación 2012/772UE, 6 de diciembre[3]. Dicha planificación fiscal agresiva resultaba una idea de una cierta «elasticidad conceptual» y de determinación dinámica[4]. Elasticidad conceptual por cuanto no bascula en un concepto abstracto y determinado, sino que se acota en relación con un conjunto de indicios o prácticas que evidencian la existencia de dicha planificación. La ambigüedad terminológica y la flexibilidad que se pretende con tal mecanismo de corrección hace que se desdibuje la institución y las consecuencias que conlleva[5]. La designación «planificación fiscal agresiva» tiene origen en Estados Unidos, y alude a un tipo de planificación que se ca-

---

[3]   Ver comentarios que efectuamos en «El riesgo del abuso normativo en la Unión Europea. Análisis de la Resolución 2012/772 y de la Directiva 2016/1164». *Quincena Fiscal*. nº 12. 2017. En relación con la delimitación de la planificación fiscal agresiva SANZ GÓMEZ considera que pivota en torno al fenómeno del fomento y la comercialización de la planificación. Por consiguiente, dicha planificación puede no resultar abusiva ni ilegal pues no se acota atendiendo a su mayor o menor conformidad con la norma o con su «espíritu» (SANZ GÓMEZ, Rafael, J.: «Entre el palo y la zanahoria: la comunicación obligatoria de esquemas de planificación fiscal agresiva y su interacción con las iniciativas de cumplimiento cooperativo». *Crónica Tributaria*. nº 1. 2016, p. 41). Ver sobre las prácticas abusivas y su entronque con la planificación fiscal agresiva, entre otros, a BARCIELA PÉREZ, José Antonio: «Planificación fiscal agresiva y abuso del derecho en la jurisprudencia del Tribunal de Luxemburgo». *Revista de Fiscalidad Internacional y Negocios Transnacionales*. n°. 5. 2017.

[4]   El art. 4 de la Recomendación opta por el establecimiento de un concepto genérico —apartado 4.2.—, si bien acude a un listado o clasificación de conductas y comportamientos —apartado 4.4.— y a criterios cuantitativos para evaluar el beneficio fiscal —apartado 4.7.— para completar la descripción de tan inasible concepto.

[5]   En tal orientación LAMPREAVE MÁRQUEZ alude a que el informe final de la acción 12 de BEPs recomienda que las autoridades tributarias sean particularmente flexibles en la definición de estos marcadores específicos para evitar que una interpretación estricta de los mismos sirva para eludir la obligación de declaración. También que la Comisión en la DAC6 no define el concepto de planificación fiscal agresiva dado que este concepto ha evolucionado a lo largo de los años adquiriendo una complejidad creciente. (LAMPREAVE MÁRQUEZ, Patricia: «El Intercambio de información sobre estructuras transnacionales potencialmente agresivas». Consultado en. http://www.cisscompliancefiscal.com/documento.php?id=DT0000266701_20180515. html#nDT0000266701_NOTA23.

racteriza por el diseño de operaciones que van contra el espíritu o finalidad de la norma[6].

Lo agresivo de la planificación fiscal tiene que ver con los riesgos potenciales que genera el comportamiento y con la filosofía que anima la relación cooperativa[7]. Ahora bien, es preciso acotar dicha nomenclatura a esquemas jurídicos para señalar un tratamiento y régimen adecuado. La existencia de una planificación agresiva requiere, de un lado, la obtención de una ventaja tributaria sin que existan motivos que justifiquen la obtención de tal beneficio y, de otro lado, el empleo de una forma jurídica artificiosa (impropia, inadecuada, incorrecta, agresiva…) en relación con el fin. Ambos requisitos resultan básicos y necesarios para que proceda corregir la conducta.

En todo caso, no podrá ser reprobado el comportamiento del obligado cuando tal calificación suponga un estado de cosas no imputable, como es la ausencia de una adecuada armonización de los ordenamientos nacionales generadora de errores y distorsiones, o por el establecimiento tributaciones nacionales que busquen competir «agresivamente» con otros Estados. La planificación fiscal agresiva a evitar no deriva del mero aprovechamiento de ventajas fiscales, ni de las lagunas o defectos normativos de los ordenamientos nacionales. A nadie se le puede exigir tributar de acuerdo con un deber ético no normativizado, ni al empleo de la negociación más beneficiosa para la recaudación. La planificación agresiva que precisa ser corregida ha de ser fruto de la conducta ilegal del obligado, y únicamente lo será cuando se trate de una elusión en la que se aplique la norma contrariando su espíritu para obtener un beneficio fiscal[8].

---

[6]   CALDERÓN CARRERO, J. M. y QUINTAS SEARA, A.: «Una aproximación al concepto de "planificación fiscal agresiva" utilizado en los trabajos de la OCDE». *Revista de Contabilidad y Tributación*. nº. 394, p. 50.

[7]   SANZ GÓMEZ indica que «Bajo la relación cooperativa, la Administración espera que las grandes empresas sean capaces de gestionar sus procesos internos de manera adecuada para ofrecer un riesgo fiscal bajo; así como de identificar los supuestos potencialmente conflictivos y que, en mayor o menor grado, van a exponerse ante las autoridades para su discusión». (SANZ GÓMEZ, Rafael J.: *La «relación cooperativa» entre la administración tributaria y las grandes empresas: análisis de la experiencia española*. Tesis doctoral. Universidad de Sevilla. 2014, p. 37).

[8]   Se ubica la planificación fiscal agresiva en relación con el fraude de ley, o sea, la relación de operaciones o estructuras que se amparan en el uso artificioso o impropio de la norma, así NOCETE CORREA, F. J.: «¿Es posible una planificación fiscal lícita y socialmente responsable en la UE?». *Quincena Fiscal*. nº. 5. 2016, p. 10.

La planificación fiscal agresiva no es una nueva institución de nítidos perfiles[9]; es una designación para describir catálogos de practicas mutables. Tal inconcreción ha llevado también a su progresiva ampliación; de practicas u operaciones agresivas a operaciones potencialmente agresivas De la lucha contra la planificación fiscal agresiva, efectuada por la Recomendación 2012/772, se pasa a la lucha contra la planificación fiscal potencialmente agresiva, de la Directiva 2018/822. Tal matiz pone de relieve el avance de la prevención a un estadio previo; ahora se combaten situaciones potenciales. Todo ello al margen de las diferencias estructurales existentes pues la Recomendación 2012/772 es una norma no coactiva, que regula una cláusula antiabuso, y la Directiva es una norma imperativa, que prevé una obligación informativa sobre el presupuesto de dicha planificación.

Aparentemente la planificación fiscal potencialmente agresiva se formula como un concepto relacionado al anterior preexistente de planificación fiscal agresiva, en donde el reto sería acotar la potencialidad de las practicas ya definidas. Pero esta lógica sumativa no resulta la adoptada, se configura como un concepto autónomo delimitado por signos distintivos propios. En tal sentido no existe remisión alguna de la Directiva 2018/822 a la Recomendación 2012/772, operando su concreción de forma autónoma. Comparte, con el anterior concepto de planificación fiscal agresiva, el referirse a una planificación trasnacional y el aparecer asociado a cautelas o correcciones. No obstante, a la planificación potencialmente agresiva no se le impone un deber de corrección, como al anterior, sino resulta presupuesto para el establecimiento de una obligación a cargo de intermediarios; de un deber de información-denuncia de practicas de riesgo. Es así un deber que se establece a un tercero con el fin de evitar-prevenir la elusión tributaria ajena.

En la delimitación de la planificación potencialmente agresiva se parte de establecer una nomenclatura diversa a la nacional en la que identifica mecanismos con operaciones o negocios, ya sean individuales o en grupo, y a señas distintivas, con características o peculiaridades de las operaciones o negocios. La seña distintiva relevante, que generan los indicios que justifican el deber que sobre los que se imponen la obligación, se vincula al

---

[9]   SOLER ROCH califica a la planificación fiscal agresiva como un concepto poco claro y sin sustrato jurídico «más bien dirigido a designar una especie de "zona gris" entre las opciones de planificación fiscal legítimas de los contribuyentes y la elusión fiscal». (SOLER ROCH, Mª T.: «Prólogo» en MORENO GONZÁLEZ Saturnina: *TAX RULINGS: Intercambio de información y ayudas de Estado en el contexto post-BEPS.* Tirant lo Blanch. Valencia. 2017, p. 16-17).

mecanismo sujeto a comunicación que se relacionan en el anexo IV de la Directiva 2018/822.

Las señas distintivas establecidas no son concretos y precisos comportamientos, pues muchos de ellos integran categorías abstractas que se forman con la adicción de conceptos jurídico con notable grado de indeterminación. Quintas Bermúdez, siguiendo la regulación de dicho anexo, las clasifica en señas generales, vinculadas al criterio del beneficio principal, y determinadas señas específicas, que hacen referencia a características concretas del mecanismo. Las señas generales vinculadas al criterio del beneficio principal las subdivide, a su vez, en generales (confidencialidad, retribución participativa, diseño estandarizado) y específicas (artificiosidad, recaracterización, operaciones circulares). En las señas específicas diferencia entre las vinculadas a operaciones transfronterizas —que, a su vez, diferencia entre las vinculadas o no con el criterio de beneficio principal—, las relativas al intercambio automático de información y la titularidad real y, las relativas a los precios de transferencia[10].

Castro de Luna intenta simplificar la compleja descripción diferenciando entre:

1º. Señas distintivas específicas que originan la obligación de informar: a) las que impliquen un doble aprovechamiento de beneficios fiscales en más de una jurisdicción, b) las que pueda dificultar el intercambio de cuentas financieras, y c) las que afectan a precios de transferencia, o como indica la norma, «la transmisión de activos intangibles difíciles de valorar».

2º. Señas distintivas que han de estar ligadas al criterio del beneficio principal para generar el nacimiento de la obligación de informar: a) las señas distintivas van ligadas a la imposición de una cláusula de confidencialidad al cliente o al cálculo de los honorarios del intermediario en función de la obtención de un beneficio fiscal o del importe del mismo, b) las señas distintivas se refieren a la adquisición de una entidad con pérdidas con la única finalidad de beneficiarse de las mismas, a operaciones realizadas con la finalidad de cambiar la naturaleza de las rentas puestas de manifiesto con las mismas y a la simulación de operaciones sin sustrato real, c) las operaciones entre partes vinculadas, realizadas entre jurisdicciones en las

---

[10] QUINTAS BERMÚDEZ, Jesús: «Planificación fiscal: obligaciones de comunicación de intermediarios fiscales y contribuyentes: Directiva (UE)2018/822 del Consejo, de 25 de mayo de 2018 ("DAC6"): síntesis y crítica». *Quincena Fiscal*. n°. 22. 2018, p. 3-5.

que el ingreso no quede sujeto a un impuesto análogo al Impuesto sobre Sociedades[11].

Como puede apreciarse en las clasificaciones enunciadas se aúna la pluralidad y generalidad de los puntos de vista con un notable casuismo. Conjugar unos y otros ofrece una pluralidad de supuestos difícilmente reconducibles a concretos esquemas.

2.2. ¿Hacia una planificación fiscal dócil?

De la exposición anterior se observa como se crea un concepto de planificación trasnacional a evitar, al que se tilda de potencialmente agresiva, sobre la base de un catálogo de prácticas y criterios. No se trata de una planificación necesariamente ilícita en clave nacional que integre la elusión, propia del conflicto en la aplicación de la norma tributaria, o la evasión, en caso de la simulación. Se trata de una categoría propia del contexto trasnacional en el que opera, y con una función de anticipar o prevenir el riesgo que suponen tales operaciones.

En consecuencia, y sobre la base de evitar unas planificaciones potencialmente agresivas, según la calificación comunitaria, se crea una férrea obligación informativa sobre los intermediarios fiscales bajo el siguiente presupuesto —de acuerdo con el Considerando 5— «Es preciso recordar cómo determinados intermediarios financieros y otros asesores fiscales parecen haber ayudado activamente a sus clientes a ocultar dinero en el exterior». Según la anterior afirmación el ámbito de riesgo que parece demandar una mayor información se basa en: primero, una planificación fiscal potencialmente agresiva, que no define de manera precisa y, segundo, vagas alusiones a «determinados» asesores fiscales que «parecen haber ayudado». La imprecisión de sus presupuestos y su necesidad, a tenor de lo expresado, resulta notable.

La planificación fiscal potencialmente agresiva deviene un estándar de peligrosidad y sospecha que poco tiene que ver con la ilegalidad o legalidad de las conductas. En tal planteamiento existe el riesgo de pretender una planificación fiscal dócil o sometida a cánones de comportamiento optimo

---

[11] CASTRO DE LUNA, Manuel José: «La nueva obligación formal que se avecina: Directiva (UE) 2018/822 del Consejo, de 25 de mayo de 2018 que modifica la Directiva 2011/16/UE. Revelación de mecanismos transfronterizos de planificación fiscal agresiva. DAC 6». *Revista Quincena Fiscal*. nº 7. 2019.

o no peligroso[12]. Cánones de peligrosidad que no aparecen basados directamente en la mención legal que así expresamente lo declare sino en la consideración administrativa o en el deseo de los Estados. La planificación fiscal dócil resulta aquella que sigue las directrices de interpretación que establece normalmente la Administración a través de sus resoluciones, instrucciones y consultas, pero también el legislador a través de catálogos de conductas no deseables (potencialmente agresivas). En tal sentido, si se siguen las pautas se abandona la zona de sospecha, evitando la incomodidad de la acción administrativa y el cumplimiento de obligaciones informativas. La planificación rebelde, como contrapuesta a la anterior, no supondría en puridad una contradicción a la norma, genera una sombra de sospecha —no de ilegalidad— proyectada en determinadas operaciones[13].

La planificación fiscal potencialmente agresiva no supone una planificación fiscal ilegal, no se realiza en fraude de ley o resulta de una practica simuladora. Obsérvese que no se declara así por la Directiva, ni precisa de tal calificación administrativa. La calificación de planificación potencialmente agresiva genera un clima de sospecha sobre la base de la obligación impuesta, de las consecuencias sancionadoras de su incumplimiento, y del deber implícito de evitar que conlleva.

La planificación fiscal potencialmente agresiva tiene que ver con la concreción de comportamientos considerados de riesgo. Comportamientos que, sin ser ilegales o resultar prohibidos, precisan cautelas. Dicha planificación deviene así un estándar de peligrosidad y sospecha. El presupuesto de hecho difuso de la prevención de riesgo fiscal no puede convertirse, a través de la obligación informativa y de la sanción por su transgresión, en una prohibición velada de conductas lícitas[14]. Su generalidad y expansión corre el peligro de imponer una moralidad de forma indirecta a través de la

---

[12]   Somos del parecer que es posible clasificar la planificación fiscal atendiendo a tres criterios básicos: a) según su licitud, la planificación puede ser licita o ilícita, b) según las medidas aplicables, la planificación es correctiva, represiva o premial, c) según la conducta del obligado en relación a la interpretación de la Administración, la planificación es dócil o rebelde (Ver SÁNCHEZ HUETE, Miguel Ángel: *Tributación, fraude y blanqueo de capitales*. Marcial Pons. Madrid. 2019, p. 62 y ss.)

[13]   A este respecto tener en cuenta que tan lícita y legítima es la interpretación de los particulares como la Administrativa, serán los tribunales en última instancia quienes decidan pues ellos tienen el monopolio para «decir justicia» —*iuris dictio*— en relación con lo señalado en el art. 117 de la CE.

[14]   Al margen de los efectos que se pueden cuando la operación resulta delictiva, pues supone establecer un deber de autodenuncia que puede entrar en colisión con el deber de no declarar contra si o no confesarse culpable del art. 24.2 de la CE.

sospecha que supone afirmar a un gran número de operadores: te controlo, te vigilo, y si no cumples, te sanciono. Moralidad, en tanto que se trata de pautas de comportamiento que *ex ante* se consideran poco adecuadas —pero, insistimos, que no resultan prohibidas— o, utilizando su inexpresiva mención, son potencialmente agresivas.

En tal panorama existe el riesgo de que se instaure una suerte de fundamentalismo fiscal. Fundamentalismo en la medida que se abandona la lógica de lo legal o ilegal para considerar que un comportamiento ha de evitarse. Supone introducir una dimensión ética o moral anteponiéndose, o actuando en paralelo, a la normativa. En un Estado de Derecho, en donde la ley ha de pautar los comportamientos, no resulta admisible ni la objeción fiscal por parte del contribuyente ni el fundamentalismo fiscal por parte de los Estados exigiendo comportamientos tributarios más allá de los imperativamente fijados.

Los riesgos que se pretenden evitar con la planificación fiscal potencialmente agresiva pueden concitar otros que entrañen introducir desconfianza e inseguridad en la relación jurídico-tributaria. Existe el riesgo de que con la regulación de la planificación fiscal potencialmente agresiva se incida más en la lógica de lo deseable y se abandone la de lo prohibido y lo permitido. Supone, sobre la base de evitar riesgos potenciales, el establecer cánones de comportamiento deseables que se antepongan o desconozcan pautas normativas existentes.

3. LOS DEBERES DE INFORMACIÓN Y EL DEBER DEL INTERMEDIARIO COMO CONSECUENCIA

La Directiva (UE) 2018/822 del Consejo, de 25 de mayo amplia la necesidad de incrementar la información interestatal como medio para prevenir y evitar las conductas lesivas a los Estados nacionales. Pero da un paso cualitativamente diverso como venimos comentado. De un lado, delimita el riesgo transfronterizo en concretas prácticas: las que integran la planificación fiscal potencialmente agresiva. Y, de otro lado, atribuye una importante responsabilidad, en forma de obligación informativa —eventualmente sancionada—, a determinados sujetos que intermedian o realizan tales operaciones.

De lo anterior resulta que se incrementa la cantidad, y calidad, de datos a ser intercomunicados entre los Estados a través de la creación de una nueva obligación ciudadana. El número de datos a informar entre los Estados se correlaciona con el nuevo deber informativo, a concretos ciudadanos, establecido por la posición negocial que ocupan en relación con las prácticas calificadas de planificación potencialmente agresiva.

En tal sentido la Directiva pone en relación dos deberes de naturaleza diversa; un deber de información de los intermediarios —y subsidiariamente a los contribuyentes— para con el Estado; y otro de los Estados entre sí. El primero es un deber de información de un particular a un ente público, singularizado por el hecho de que busca prevenir (si el obligado es el intermediario) una conducta de riesgo ajena. Se establece la obligación a los intermediarios respecto de operaciones que diseñe, comercialice o ponga disposición de las que razonablemente se pueda suponer la existencia de una planificación fiscal agresiva. En defecto de la anterior, cuando el intermediario esté acogido al deber de secreto, no exista intermediario, o no se encuentre en la UE, se establece la obligación a cargo del contribuyente. El segundo deber, es un deber de colaboración informativo interestatal, de los Estado miembros correlacionado con la información facilitada por los particulares.

Ambos deberes, el estatal de comunicación y el de los intermediarios, difieren en fundamento y estructura. Se diferencian principalmente por razón de los sujetos obligados a los que afecta, por razón de la secuenciación temporal —la información que posibilita el deber de los particulares es previa—, y por razón del contenido informativo. Atendiendo a su diverso fundamento se ha de tener presente que la colaboración informativa interestatal supone preservar de manera directa la eficacia y la coordinación administrativa, mientras que el deber de los particulares entronca con el deber de contribuir, ya sea el deber propio o el ajeno. Ahora bien, tales deberes poseen en común la idea de prevención de las conductas acotadas como de riesgo, y que se relacionan implícitamente con la elusión, sin que aparezca claramente definido la legalidad que contradice. La justificación de las medidas, a decir de la Directiva 2018/822, se basan no tanto en el deber de contribuir como en consideraciones genéricas e indirectas basadas en la equidad tributaria. Y en tal argumentación se establecen tanto las obligaciones a los intermediarios como la necesidad de colaboración entre autoridades para compartir la información —ver Considerandos 6 y 19—.

La obligación de los intermediarios a informar supone un nuevo deber ciudadano vinculado indirectamente con la cooperación informativa interestatal. Ahora bien, a los particulares —terceros intermediarios—, se les encomiendan tareas adicionales de prevención, pues se trata de un riesgo tributario ajeno. En tal sentido, para el nacimiento de la obligación basta el conocimiento, no se exige una participación activa en la planificación potencialmente agresiva del contribuyente. La obligación del intermediario es informar de datos que conozca, posea o controle, ya sea directa o indirectamente, cuando intervenga profesionalmente ayudando, asistiendo o asesorando. Son datos ajenos conocidos directa o indirectamente en el ejercicio de su labor profesional. Por consiguiente, su finalidad es prevenir el riesgo tributario ajeno, no el propio, en tal lógica su establecimiento requiere una cierta mesura. Ha de ser proporcional al peligro que origina a nivel transnacional; así se afirma que «[...] es crucial no regular a escala de la Unión más de lo necesario para alcanzar los objetivos perseguidos» —Considerando 10—, y ha de resultar coherente con la evolución internacional[15].

Se define como intermediario a cualquier persona que diseñe, comercialice, organice, ponga a disposición para su ejecución o gestione la ejecución de un mecanismo sujeto a comunicación. Igual consideración tiene cualquier persona que —teniendo en cuenta los hechos y circunstancias del caso, la información disponible, y la experiencia y conocimientos necesarios para prestar los servicios indicados— sabe o cabe razonablemente suponer que sabe que se ha comprometidos a prestar, directamente o por medio de otras personas ayuda, asistencia o asesoramiento con respecto a los aspectos indicados en el párrafo precedente. Como vemos, la delimitación subjetiva de intermediario es amplísima, pudiendo estar involucrados en la obligación de información múltiples profesionales encargados del asesoramiento legal, fiscal, financiero o contable de individuos (tanto personas físicas como jurídicas) que realicen operaciones del ámbito de sospecha.

El nacimiento de la obligación de dicho intermediario se relaciona con un aspecto territorial para afirmar su vinculación. Así se indica la necesidad de que concurran alguna de las siguientes circunstancias en relación con alguno de los Estados miembros de la UE: la residencia a efectos fiscales; el mantenimiento de establecimiento permanente a través del que se presten los servicios relativos al mecanismo sujeto a intercambio de información; la constitución o sujeción a la legislación; o inscripción en una asociación profesional relacionada con servicios jurídicos, fiscales o de consultoría en dicho ámbito territorial.

---

[15] Así el Considerando 13. Ahora bien, tal regulación tiene el carácter de común, pudiendo los Estado adicionar otras obligaciones de comunicación de naturaleza similar, dicha información adicional no debe comunicarse automáticamente a las autoridades competentes de los demás Estados miembros. La diversidad de regímenes que potencialmente pueden establecerse no ha de perjudicar los criterios que enunciados de proporcionalidad y coherencia.

Como puede apreciarse el intermediario, tal y como se recoge en el art. 3. 21, acaba por ser una construcción jurídica, no una mera figura delimitada por usos negociales. En tal sentido su configuración resulta expansiva al establecerse sobre la base de un criterio de notable ambigüedad consistente en lo que «cabe razonablemente suponer que sabe». La razonabilidad de tal suposición parte de considerar los diversos indicios concurrentes. Ahora bien, en la medida que puedan determinar la obligación, y su incumplimiento acarrear una sanción, los mismos indicios de la obligación no pueden considerarse —por sí solos— como indicios para fundamentar la sanción. La valoración de los indicios en el ámbito punitivo resulta, más que medio de prueba, un modo de apreciar la prueba. La denominada prueba de indicios —a la que se alude profusamente en el ámbito punitivo— es una prueba indirecta en la que cabe discernir claramente, entre los elementos determinados ciertamente, de las consecuencias que se puede deducir[16].

En la misma línea cabe tener presente que tanto el intermediario como el contribuyente podrán argumentar, como criterio de no sujeción respecto de dicha obligación, que no cabía razonablemente suponer que estaban implicados en un mecanismo que comportaba la obligación de informar, bien, por haber participado en un aspecto parcial de la operación o, bien, por que la misma no tenia en cuenta aspectos fiscales. No obstante, y como se evidencia de tal operatividad, ello conlleva invertir la carga de la prueba; es el ciudadano quien ha de probar el aspecto negativo que comporta el «no cabe razonablemente suponer» afirmado. De ahí que tal prueba indiciaria exige una motivación que explique racionalmente el proceso deductivo por el que de unos hechos —indicios— se deducen otros hechos —consecuencias—. Así el indicio ha de ser cierto, y no meramente hipotético. También la racionalidad de la inferencia obtenida se ha de efectuar sobre la base de una suficiente motivación en donde se ponga de manifiesto la lógica y coheren-

---

[16] A este respecto la STC de 1 de diciembre de 1989 diferencia entre sospecha conjetura e indicio. La sospecha, que consistiría en la aprehensión o imaginación de una cosa por conjeturas fundadas en apariencias o visos de verdad. La conjetura, que sería el juicio que, con ciertas probabilidades de acierto, se forman de las cosas o acaecimientos por las señales que se ven u observan y, finalmente, el indicio, que es la acción o señal que da a conocer lo oculto, en virtud de las circunstancias, que concurren en un hecho, dándole carácter de verosimilitud. Se afirma por el Tribunal Supremo que «Esta mal llamada prueba de presunciones no es un medio de prueba, sino una forma de valoración de los hechos indirectos plenamente acreditados, por ello, entre éstos y el dato precisado de acreditar ha de existir, conforme a lo requerido por el art. 1253 CC "un enlace preciso y directo según las reglas del criterio humano"» (por todas, SSTS 22 Jul. 1987, 30 Jun. 1989, 15 Oct. 1990 y 5 Feb. 1991).

cia de su determinación, de acuerdo con las reglas de la experiencia. En tal sentido las inferencias realizadas por el órgano administrativo no pueden ser absurdas o ilógicas de manera que puedan resultar arbitrarias, según prohíbe el art. 9.3 de la CE.

La obligación del contribuyente aparece cuando no exista intermediario o cuando, existiendo, se den algunos de los supuestos de dispensa —art. 3.6.—. De manera análoga a la figura del intermediario existe una interpretación autentica de que se ha de entender por contribuyente. El art. 3 en su apartado 22 afirma que «contribuyente interesado» es cualquier persona a cuya disposición se haya puesto, para su ejecución, un mecanismo transfronterizo sujeto a comunicación de información o que se dispone a ejecutar un mecanismo transfronterizo sujeto a comunicación de información o ha ejecutado la primera fase de tal mecanismo. En definitiva, el contribuyente resulta una figura diversa a la delimitada por el ordenamiento nacional que pivota en torno a la realización del hecho imponible.

El carácter subsidiario de dicha obligación comporta la necesidad de considerar cuando no existe intermediario, y cuando operan dichas dispensas. Simplificadamente, el intermediario no está obligado a informar si no reside en la UE, no exista tal figura, o resulte amparado por el secreto profesional. A este respecto tener presente que en España el secreto profesional ampara a los abogados, pero no al resto de profesionales que pudieran intervenir como intermediarios, así los asesores, economistas, consultoras o auditores[17]. Parecería lógico, en la transposición de garantías y regímenes a

---

[17] El secreto profesional tiene que ver no sólo con el derecho a la intimidad de la otra persona de la cual se poseen datos (art. 18 CE), tiene que ver el derecho a no confesarse culpable o no declarar en contra sí y con su derecho de defensa. En tal orientación se menciona en el art. 24.2 de la CE cuando, a renglón seguido de enunciar tales derechos, afirma que «La ley regulará los casos en que, por razón de parentesco o de secreto profesional, no se estará obligado a declarar sobre hechos presuntamente delictivos». Recogiendo tal mandato la Ley Orgánica del Poder Judicial en su artículo 542.3 afirma que los abogados deberán guardar secreto de todos los hechos o noticias de que conozcan por razón de cualquiera de las modalidades de su actuación profesional, no pudiendo ser obligados a declarar sobre los mismos. Se centra así en el abogado dicho deber no como privilegio sino como forma de tutelar los derechos de los otros concernidos —sus clientes— en el desarrollo de su actividad. Tal sentir se recoge en el Código Deontológico de la Abogacía Española cuando afirma que «La confianza y confidencialidad en las relaciones entre cliente y abogado, ínsita en el derecho de aquél a su intimidad y a no declarar en su contra, así como en derechos fundamentales de terceros, impone al abogado el deber y le confiere el derecho de guardar secreto respecto de todos los hechos o noticias que conozca por razón de cualquiera de las modalidades de su actuación profesional, sin que pueda ser obligado a declarar sobre los mismos».

efectuar, que la obligación de informar en caso de secreto fuera análoga a la propia de la prevención del blanqueo de capitales. Así el secreto profesional se vincula a la existencia de un litigio, pudiendo alcanzar tanto a momentos previos como posteriores al mismo[18].

El deber información impuesto supone crear un deber jurídico de naturaleza pública y carácter tributario. Con el mismo pone en evidencia el traspaso de funciones públicas a la ciudadanía, conlleva privatizar la indagación sobre el riesgo fiscal al responsabilizar del mismo a los particulares a través de un genérico deber informativo. A este respecto cabe también tener presente que el deber de informar puede convertirse en deber de denuncia cuando la operación potencialmente agresiva se califique *a posteriori* como ilícita punitivamente, ya suponga la comisión de una infracción tributaria o un delito. Cuestión de gran relevancia por los derechos y garantías que aparecen implicados, como el derecho a no confesarse culpable y a no declarar contra si vigentes en el ordenamiento punitivo, según el art. 24.2 de la CE.

De tal importancia resulta dicho deber de secreto que penalmente se sanciona en el art. 199.2 al profesional que, con incumplimiento de su obligación de sigilo o reserva, divulgue los secretos de otra personal.

[18] Tener presente que el artículo 22 de la Ley 10/2010 de 28 de abril, de prevención del blanqueo de capitales y de la financiación del terrorismo indica que «Los abogados no estarán sometidos a las obligaciones establecidas en los artículos 7.3, 18 y 21 con respecto a la información que reciban de uno de sus clientes u obtengan sobre él al determinar la posición jurídica en favor de su cliente o desempeñar su misión de defender a dicho cliente en procesos judiciales o en relación con ellos, incluido el asesoramiento sobre la incoación o la forma de evitar un proceso, independientemente de si han recibido u obtenido dicha información antes, durante o después de tales procesos. Sin perjuicio de lo establecido en la presente Ley, los abogados guardarán el deber de secreto profesional de conformidad con la legislación vigente». BLANCO CORDERO alude a que quedan excluidos del deber de comunicación del abogado: las actividades de defensa en cualquier proceso judicial, el asesoramiento en relación con un futuro proceso penal o expediente administrativo y el asesoramiento posterior a la realización de las transacciones (BLANCO CORDERO, Isidoro: *El delito de blanqueo de capitales*. Editorial Aranzadi. Navarra. 2012, p. 550 y ss.). Ver también MARTÍNEZ-VALERA Paola Úbeda: «La prevención del blanqueo de capitales y la abogacía». *Revista de derecho UNED*. n°. 20. 2017, p. 642 y ss. BUSQUETS GALLEGO, Marta: «El secreto profesional de los abogados y la obligación de información en el marco de la Ley de blanqueo de capitales». Iuris: *Actualidad y práctica del derecho*. n° 190. 2013. FERNÁNDEZ BERMEJO, Daniel: «El abogado ante el blanqueo de capitales y el secreto profesional». *Revista Aranzadi Doctrinal*, n°. 8. 2017. CÓRDOBA RODA Juan: *Abogacía, secreto profesional y blanqueo de capitales*. Madrid. Marcial Pons, 2006.

4. LA PRESUNCIÓN DE BUENA FE COMO LÍMITE

La obligación informativa sobre datos ajenos no resulta una novedad ni resulta prohibida por nuestro ordenamiento. Lo que resulta novedoso, y puede ser discordante, es el genérico y cuestionable presupuesto de su aplicación —la planificación fiscal potencialmente agresiva— y la gravosa carga y sospecha que genera, junto a la consecuencia de su incumplimiento —la sanción—. Es una medida que origina controversias en relación con su proporcionalidad, pero también con principios básicos y estructurales que organizan nuestra convivencia como es el principio de buena fe, exigible también en el ámbito tributario[19].

La buena fe resulta principio general del derecho que opera tanto desde la perspectiva del ejercicio de los derechos y potestades como del cumplimiento de deberes, ya sea por la Administración, ya por los administrados. La Administración aparece vinculada por el reconocimiento de dicho principio, pues en su actuación se haya sometida no tan sólo a la ley sino al Derecho, como afirma el art. 103.1 de la CE. La vinculación de la Administración a la ley no resulta óbice para su reconocimiento, pues el principio de legalidad es sólo uno de los elementos del Estado de Derecho, y el principio de la buena fe supone el reconocimiento jurídico del valor ético social de la confianza, elemento esencial para la paz y la seguridad jurídica[20]. La ley que somete a la Administración se ha de entender en el sentido que expresa tal principio. Pues no cabe olvidar que la superioridad de los principios generales del derecho deriva de su función informadora del ordenamiento, lo que les confiere una preminencia valorativa. Cualquier norma, legal o consuetudinaria, ha de tener sentido conforme a los mismos.

La función informadora implica que los principios generales del derecho inspiran el ordenamiento, transmitiéndole unidad y coherencia para la consecución de los valores a los que se aspira, de acuerdo con el art. 1.1.

---

[19] La Directiva objeto de análisis está siendo objeto de transposición al ordenamiento jurídico interno y modificará la LGT, a la que añadirá dos Disposiciones Adicionales, y los artículos 45 a 49 bis del Reglamento General de Gestión e Inspección. Cabe remarcar de tales previsiones: a) la habilitación a la Administración para publicar los mecanismos transfronterizos de planificación más relevantes, con lo que se dota de facto de un importante papel directivo aunque sea a «efectos meramente informativos», b) el diseño de infracciones que se prevén aparecen solapadas, en buena medida, a los incumplimientos de dichas obligaciones, y c) las importantes sanciones tributarias atribuidas.

[20] PONT MESTRES, Magín, «En torno a la ausencia de presunción de buena fe del contribuyente en la Ley General Tributaria». *Quincena Fiscal*. nº 19. 2004 [consultado en el servicio westlaw el 15 de julio de 2015].

de la CE. En tal sentido, la buena fe aparece estrechamente vinculado a la prosecución del valor justicia[21]. En esta perspectiva resulta presupuesto y fundamento intrínseco de la creación normativa, fuente de inspiración que evita incongruencias y contradicciones, permitiendo que las reglas particulares y las normas sean inteligibles. Ello comporta la existencia de mandatos imperativos implícitos a los diversos agentes que concurren.

En primer lugar, el legislador no puede dictar disposiciones que contraríen el principio general de buena fe.

En segundo lugar, la aplicación de las normas por tribunales, administraciones y particulares ha de tener presente tal principio.

En tercer lugar, y como pauta de conducta, la Administración tributaria y la ciudadanía —en tanto que parte de la relación jurídico-tributaria— debe adecuar su actuar al principio de buena fe; resulta así criterio de conformación, tanto de los derechos que se ejercen como de las obligaciones que concurren.

La buena fe en su relación con la legislación evidencia una función normativa como fuente del Derecho. Es pauta de conducta vinculante, aunque su estructura externa —la propia del principio— sea diversa a la norma, de mayor amplitud[22]. Los principios son elementos estructurales del sistema que conforman el ordenamiento jurídico al expresar valores materiales esenciales que soportan el ordenamiento jurídico, concordante a su función informadora. Esta función responde a la idea de principio como primer instante de algo, o como causa u origen que antecede al ordenamiento. Si bien, en el plano aplicativo del Derecho —en la tarea de su «descubrimiento»—, los principios acostumbran a visualizarse como consecuencia o resultado, como criterio inducible por un proceso de abstracción o generalización de las normas particulares del ordenamiento. Este punto de vista denota su función interpretativa y su operatividad en la aplicación del Derecho. En

---

[21] En tales consideraciones seguimos en este a apartado a CONDE MARÍN, Emilia: *La buena fe en el contrato de trabajo. Un estudio de la buena fe como elemento de integración del contrato de trabajo.* Editorial LA LEY. Madrid. 2007. [Consultado el capitulo «El principio general de buena fe» en versión electrónica en La ley digital de 18 de febrero de 2019, p. 1 a 47]. Sobre principios generales del derecho ver ZAGREBELSKY, G.: *El derecho dúctil. Ley, derechos, justicia.* Editorial Trotta. Madrid. 2009 y GARCÍA DE ENTERRÍA, Eduardo: *Reflexiones sobre la Ley y los principios generales del Derecho.* Civitas. Madrid. 2016.

[22] Afirma ZAGREBELSKY que los principios expresan valores más generales que las reglas, pero no concretos mandatos (ZAGREBELSKY, G.: *El derecho dúctil. Ley, derechos, justicia.* Editorial Trotta. Madrid. 2009, p. 110).

tal acepción resulta que aquello que es principio, en sentido de primero u originario, deviene consecuencia o aspecto derivado[23].

El carácter informador implica que su posición jurídica no es únicamente subsidiaria, a los efectos de cubrir las lagunas de ley y la costumbre. El legislador no puede desoír su existencia y ha de respetar su vigencia, en mayor motivo, cuando pueden deducirse de la Constitución —por su relación con la justicia del art. 1.1.—, pues como afirma el Tribunal Constitucional «[...] la Constitución, lejos de ser un mero catalogo de principios de no inmediata vinculación y de no inmediato cumplimiento hasta que no sean objeto de desarrollo legal, es una norma jurídica, la norma suprema de nuestro ordenamiento [...]» (STC 16/1981, FJ 1º). En tal línea, se ha de tener presente que los jueces y tribunales no únicamente aparecen vinculados a la aplicación de normas positivas, leyes y reglamentos, sino también principios constitucionales, como se encarga de recordar el art. 5.1. de la Ley Orgánica 6/1985, de 1 de julio, del Poder Judicial. En consecuencia, una cosa es que los principios no conlleven mandatos concretos, y otra muy diversa que supongan meras admoniciones, pautas voluntaristas o consejos.

En relación con la Administración y los administrados destacan las funciones de dicho principio a la hora de interpretar e integrar la norma jurídica. La exigencia de buena fe conlleva una interpretación equilibrada de los intereses en juego en la relación tributaria. Aquilata los intereses que han de protegerse tributariamente: los de la Administración y los del administrado. De aquí se deriva que no cabe partir de apriorismos respecto de la prevalencia de unos u otros a la hora de efectuar la exegesis normativa.

Afirmar el criterio de buena fe en la relación tributaria coadyuva a desterrar pautas interpretativas que ponderan más los intereses defendidos por el fisco —*in dubio pro fiscum*— o por el ciudadano —*in dubio contra fiscum*—. **Lo cual implica ratificar que las normas tributarias son normas jurídicas ordinarias, no conllevan una restricción de derechos, pues también poseen una dimensión positiva: hacen posible la redistribución y solidari-**

---

[23]   Apunta BOBBIO al referirse a los principios que «son tres las cuestiones básicas en torno a este concepto: el de la naturaleza (de naturaleza normativa dado que se encuentran implícitamente dentro de una legislación aún cuando no sea de manera expresa); el de la fuente (ya que se origina o deriva de generalizaciones sucesivas a partir de los preceptos del sistema en vigor) y el de la validez de tales principios (encuentran dicha validez no por ser "verdades supremas" lo cual no es absolutamente cierto, sino por ser sí de máxima generalidad y aceptación)» (BOBBIO, Norberto. *Teoría General del Derecho*. Madrid, Editorial Debate, traducción de E. Rozo. 1994, p. 275).

dad entre la ciudadanía[24]. Así no pueden exacerbarse visiones comunitarias en donde la satisfacción de necesidades comunes justifique criterios interpretativos especiales que favorezca a la Administración tributaria, en tanto que defensora de los intereses generales. La Administración no resulta una parte debilitada precisada de tutela específica, pues posee un gran número de facultades jurídicas exorbitantes —v.gr. autotutela declarativa y la autotutela ejecutiva de sus actos—[25]. En el mismo sentido la Administración ha de ejercer sus potestades y facultades en la creencia que los obligados van a cumplir con las normas que le son de aplicación.

La buena fe evidencia el equilibrio de interés concurrentes en donde no prevale ni el de la Administración ni del obligado. Se correlaciona con el amplísimo reconocimiento del ordenamiento a las posibilidades de actuación de la ciudadanía, a la vigencia de principio de la autonomía de la voluntad. Pero también se configura como un límite intrínseco al ejercicio de derechos, facultades y potestades[26]. A las partes de toda relación jurídica obligatoria el principio de buena fe les impone el deber de comportarse de

---

[24] En la actualidad aparecen superadas las concepciones sobre la norma tributaria basados en su carácter ajurídico o en su carácter restrictivo. Podrían apreciarse visos de tales concepciones en las teorías que afirman una especialidad de las normas tributarias atendiendo a su sustrato Ver al respecto PEREZ ROYO, Fernando: *Derecho Financiero y Tributario. Parte General.* 15 edición. Thomson-Civitas. Madrid. 2005, p. 103-104.

[25] En tal sentido resulta de interés la controversia que se plantea entre la inacción de la Administración y la adquisición de unas expectativas de resolución y legalidad por parte del administrado. La STS 22-11-2013 ROJ 5618/2013 plantea si existía la infracción de los principios de buena fe, confianza legítima y seguridad jurídica por regularizar la Inspección la situación en 2004 y 2005, a pesar de haber tenido conocimiento durante más de 20 años de la existencia de las dependencias dentro del recinto, y haber considerado correcta la manera de proceder la entidad en cuanto a la determinación del momento del devengo. En tal sentido acaba por concluir que el hecho de que la Administración tributaria conozca unos hechos y sin embargo no practique una regularización tributaria, no significa que en un futuro no pueda practicarla. O sea, el cambio interpretativo de la Administración no vulnera los principios de buena fe, confianza legítima y seguridad jurídica. Sin embargo, ello sí impide que puedan imponerse sanciones pese a que se hayan dejado de ingresar cantidades pues el obligado ha actuado en la creencia de que su conducta se encontraba amparada normativamente. En definitiva, se admite no la operatividad de tales principios sino la existencia de un error de derecho invencible en el plano punitivo.

[26] El principio de la buena fe equivale a sujetarse en el ejercicio de los derechos a los imperativos éticos exigidos por la conducta social y jurídica de un momento histórico determinado, esto es, implica la necesidad de tomar en cuenta los valores éticos de honradez y lealtad que la conciencia social exige en las relaciones de convivencia —STS de 17 de septiembre de 2010 (RJ\2010\7132) y STS de 1 de marzo de 2001, FJ 3º (RA 2588)—.

manera honrada y coherente para la satisfacción de los intereses tutelados que confluyen en la relación[27]. El acreedor, debe actuar sin contravenir las normas de confianza y de consideración que ostentan los intereses del deudor. El deudor, debe actuar con la debida diligencia y cooperar en la consecución del fin, no sólo del derecho de la contraparte sino de la relación en que se inscribe. Así para el acreedor la buena fe supone un límite al ejercicio de sus derechos y para el deudor un criterio que permite concretar la prestación, sus límites y su exigibilidad.

La existencia de la buena fe implica tanto una intención acorde a la misma como un comportamiento objetivo que se ajuste al patrón social y ético de conducta que aparece ínsito en su reconocimiento[28]. Es una regla de comportamiento social esperado en función de convicciones éticas imperantes que devienen jurídicas en su reconocimiento[29]. El uso y abuso de determinadas instituciones con una función preventiva puede llevar *de facto* a desconocer la vigencia de tal principio. Cuando las operaciones o negocios a prevenir no son concretos y específicos, sino genéricos y masivos, se cuestiona la confianza que supone la existencia de la buena fe. El establecimiento de obligaciones informativas múltiples, amplias y reiteradas sobre

---

[27] La buena fe constituye una noción omnicomprensiva como equivalente al ejercicio o cumplimiento de acuerdo con la propia conciencia contrastada debidamente con los valores de la moral, honestidad y lealtad en las relaciones de convivencia, de cuyas notas sobresale que se trata de una regla de conducta inherente al ejercicio o cumplimiento de los derechos, que se cohonesta con el fuero interno o conciencia del ejerciente y, por último, que se apruebe o sea conforme con el juicio de valor emanado de la sociedad —STS de 22 de febrero de 2001, FJ. 2º (RA 2609)—.

[28] Si bien y como afirma la STS de 11 de julio de 1986 la buena fe es un concepto quizá más fácil de sentir que de definir, pues en tanto que principio jurídico tiene muy distintas manifestaciones. Continuando que «En lo que ahora importa, implica una existencia de coherencia con la confianza de que en los demás ha podido razonablemente originar la conducta anterior del sujeto actuante...». En relación a la escisión conceptual entre la buena fe en sentido y objetivo HERNÁNDEZ GIL apunta una idea superado pues la buena fe, a decir del autor, incorpora siempre una unidad significativa, aunque cambien los presupuestos sobre los que se aplica (HERNÁNDEZ GIL, A.: *Reflexiones sobre una concepción ética unitaria de la buena fe*. Discurso de la Real Academia de la Jurisprudencia y Legislación. Madrid. 1979, p. 19).

[29] La Sentencia del Tribunal Supremo nº 236 de 21 de mayo de 1982 afirma que «[...] del artículo 7.º del Código Civil, precepto que habida cuenta su inserción en el título preliminar del referido Código consagra la exigencia de que los derechos subjetivos se ejerciten conforme a los postulados de la buena fe, postulado básico que, como dice la exposición de motivos que justifica la reforma del citado título, sin pretender una alteración del juego concreto de la buena fe en cada una de las instituciones jurídicas, representa una de las más fecundas vías de irrupción del contenido "ético-social" en el orden jurídico.[...]»

datos propios y ajenos, no solo puede resultar una practica desproporcionada, por las cargas que impone, sino que puede contrariar la buena fe, por la desconfianza que manifiesta.

La introducción de amplias obligaciones informativas que afectan a datos ajenos, o que conlleven comportamientos —activos o pasivos— que afectan a la negociación privada llevada acabo, pueden cuestionar la vigencia de principios básicos de la relación tributaria como la buena fe. Se ha de ponderar que el fundamento, la razón de ser, de la obligación de información de datos ajenos se aleja del propio deber de contribuir, reside en un genérico y colectivo deber que involucra a todos en la contribución. No se impone un deber informativo para preservar el propio deber de contribuir, sino para velar por un deber de contribuir genérico, de la colectividad, pues los datos son ajenos y no ayudan a determinar la propia contribución. También, dichas obligaciones informativas son cada vez más extensas y se aproximan peligrosamente al deber de denuncia, al comunicar eventuales incumplimientos que constituirán infracciones.

Son estas injerencias extensas e intensas en la vida económica las que pueden cuestionar de manera directa del principio de buena fe en el ámbito tributario o, al menos, a la forma como éste venia siendo entendido. En tal tesitura también se ha de huir del peligroso interrogante de si este principio ha de tener un sentido propio y diverso del ámbito tributario al resto del ordenamiento jurídico, so pena de abocarnos a denostados Guantánamos fiscales o situaciones donde impera una especial sujeción.

Lo anterior no impide que concretas operaciones requieran cautelas singulares por su especial peligrosidad. El reconocimiento y vigencia de la buena fe no supone negar el espacio a las normas que prevean el riesgo, evitándolo, y que impliquen una especial injerencia en la esfera privada. Ahora bien, la función preventiva de las obligaciones informativas impuestas a terceros no puede instaurar un genérico e inconcreto recelo o sospecha por la negociación realizada o por los sujetos que intervienen. Han de ser regulaciones que acoten de manera precisa y concreta los ámbitos a prevenir —respecto de su presupuesto de hecho— y adopten soluciones proporcionadas y adecuadas, tanto en las concretas medidas adoptadas como en los fines que se persigan. Las obligaciones preventivas así entendidas no niegan la vigencia del principio de buena fe de manera genérica, sino que ponen en valor el riesgo y peligrosidad de concretos actos u operaciones.

Bibliografía

BARCIELA PÉREZ, José Antonio, «Planificación fiscal agresiva y abuso del derecho en la jurisprudencia del Tribunal de Luxemburgo». *Revista de Fiscalidad Internacional y Negocios Transnacionales.* n°. 5. 2017.

BLANCO CORDERO, Isidoro, *El delito de blanqueo de capitales.* Editorial Aranzadi. Navarra. 2012.

BOBBIO, Norberto, *Teoría General del Derecho.* Madrid, Editorial Debate, traducción de E. Rozo, 1994.

BUSQUETS GALLEGO, Marta, «El secreto profesional de los abogados y la obligación de información en el marco de la Ley de blanqueo de capitales». Iuris: *Actualidad y práctica del derecho.* n° 190. 2013.

CALDERÓN CARRERO, J. M. y QUINTAS SEARA, A., «Una aproximación al concepto de "planificación fiscal agresiva" utilizado en los trabajos de la OCDE». *Revista de Contabilidad y Tributación.* n°. 394.

CASTRO DE LUNA, Manuel José, «La nueva obligación formal que se avecina: Directiva (UE) 2018/822 del Consejo, de 25 de mayo de 2018 que modifica la Directiva 2011/16/UE. Revelación de mecanismos transfronterizos de planificación fiscal agresiva. DAC 6». *Revista Quincena Fiscal* n° 7. 2019.

CONDE MARÍN, Emilia, *La buena fe en el contrato de trabajo. Un estudio de la buena fe como elemento de integración del contrato de trabajo.* Editorial LA LEY, Madrid, 2007. [Consultado el capitulo «El principio general de buena fe» en versión electrónica en La ley digital de 18 de febrero de 2019].

CÓRDOBA RODA Juan, *Abogacía, secreto profesional y blanqueo de capitales.* Madrid. Marcial Pons. 2006.

FERNÁNDEZ BERMEJO, Daniel, «El abogado ante el blanqueo de capitales y el secreto profesional». *Revista Aranzadi Doctrinal.* n°. 8. 2017.

GARCÍA DE ENTERRÍA, Eduardo, *Reflexiones sobre la Ley y los principios generales del Derecho.* Civitas. Madrid. 2016.

HERNANDEZ GIL, A., *Reflexiones sobre una concepción ética unitaria de la buena fe.* Discurso de la Real Academia de la Jurisprudencia y Legislación. Madrid. 1979.

LAMPREAVE MÁRQUEZ, Patricia, «El Intercambio de información sobre estructuras transnacionales potencialmente agresivas». Consultado en http://www.cisscompliancefiscal.com/documento.php?id=DT0000266701_20180515.html#nDT0000266701_NOTA23.

MARTÍNEZ-VALERA Paola Úbeda, «La prevención del blanqueo de capitales y la abogacía». *Revista de derecho UNED.* n°. 20. 2017.

MORENO GONZÁLEZ, Saturnina, *TAX RULINGS: Intercambio de información y ayudas de Estado en el contexto post-BEPS.* Tirant lo Blanch. Valencia. 2017.

NOCETE CORREA, F. J., «¿Es posible una planificación fiscal lícita y socialmente responsable en la UE?», *Quincena Fiscal,* n°. 5. 2016.

PÉREZ ROYO, Fernando, *Derecho Financiero y Tributario. Parte General.* 15 edición. Thomson-Civitas. Madrid. 2005.

PONT MESTRES, Magín, «En torno a la ausencia de presunción de buena fe del contribuyente en la Ley General Tributaria». *Quincena Fiscal*. nº 19. 2004 [consultado en el servicio westlaw el 15 de julio de 2015].

QUINTAS BERMÚDEZ, Jesús, «Planificación fiscal: obligaciones de comunicación de intermediarios fiscales y contribuyentes: Directiva (UE) 2018/822 del Consejo, de 25 de mayo de 2018 ("DAC6"): síntesis y crítica». *Quincena Fiscal*. nº. 22. 2018.

SANCHEZ HUETE, Miguel Ángel, *Tributación, fraude y blanqueo de capitales*. Marcial Pons. Madrid. 2019.

SANCHEZ HUETE, Miguel Ángel, «El riesgo del abuso normativo en la Unión Europea. Análisis de la Resolución 2012/772 y de la Directiva 2016/1164». *Quincena Fiscal*. nº 12. 2017.

SANZ GÓMEZ, Rafael, J., «Entre el palo y la zanahoria: la comunicación obligatoria de esquemas de planificación fiscal agresiva y su interacción con las iniciativas de cumplimiento cooperativo». *Crónica Tributaria*. nº 1. 2016.

SANZ GÓMEZ, Rafael J., *La «relación cooperativa» entre la administración tributaria y las grandes empresas: análisis de la experiencia española*. Tesis doctoral. Universidad de Sevilla. 2014.

SOLER ROCH, Mª T., «Prologo» en MORENO GONZÁLEZ Saturnina: *TAX RULINGS: Intercambio de información y ayudas de Estado en el contexto post-BEPS*. Tirant lo Blanch. Valencia. 2017.

ZAGREBELSKY, G., *El derecho dúctil. Ley, derechos, justicia*. Editorial Trotta. Madrid. 2009.

Capítulo 32

Un quinquenio revelando la identidad de los morosos a la Hacienda Pública[*]

Bernardo D. Olivares Olivares
Profesor Ayudante Doctor
Área de Derecho Financiero y Tributario
Universidad Complutense de Madrid

SUMARIO: 1. CINCO AÑOS DE PUBLICACIÓN DE LOS LISTADOS DE DEUDORES RELEVANTES A LA HACIENDA PÚBLICA. 2. DISEÑO DE LA INVESTIGACIÓN Y MÉTODO. 2.1. Muestra. 2.2. Hipótesis. 2.3. Diseño. 3. RESULTADOS. 4. CONCLUSIONES PRELIMINARES. Bibliografía.

1. CINCO AÑOS DE PUBLICACIÓN DE LOS LISTADOS DE DEUDORES RELEVANTES A LA HACIENDA PÚBLICA

La divulgación de la información fiscal ha generado y genera una gran controversia en los debates sobre su conveniencia[1]. Los partidarios de su publicación defienden que la divulgación fomenta el cumplimiento tributario. En cambio, sus detractores cuestionan abiertamente estos postulados y sostienen que, además de tratarse de una invasión de la privacidad, sus efectos pueden ser perversos, es decir, negativos en relación con el cumplimiento de las obligaciones tributarias.

Lo cierto es que, como recuerdan Hasegawa, Hoopes, Ishida y Slemrod, (2013; p. 572), ni unos ni otros cuentan con evidencia empírica en la que sustentar de modo incuestionable sus razonamientos, salvo en contados casos referidos a países concretos. En el resto el debate es fundamentalmente ideológico. No sabemos casi nada sobre el impacto de la divulgación de

---

[*] Este trabajo ha sido desarrollado en el marco del proyecto de investigación: «La protección de los derechos fundamentales y humanos en el Derecho Financiero y Tributario» (DER2015-65832-P), dirigido por los investigadores principales: Dr. José Manuel Almudí Cid y Dr. Miguel Ángel Martínez Lago (Universidad Complutense de Madrid).

[1] Véase BLANK (2012), BENEDICT & LUPERT (1978), GUTTMAN (2000), KORNHAUSER (2005), LAURY & WALLACE (2005) o SCHWARTZ (2008) y BITTKER (1981).

información fiscal en el comportamiento de los contribuyentes. Las afirmaciones que se realizan no se sustentan en la evidencia empírica, ni por lo que respecta a su supuesto efecto benéfico, ni en relación con ningún otro postulado relativo al comportamiento de los obligados tributarios.

Además, el «casi» del párrafo previo está referido a los datos del mundo empresarial (Devos y Zackrisson, 2015), no a la investigación de su impacto en relación con la divulgación de los niveles de renta de los contribuyentes (Slemrod, Thoresen, Thor y Erlend, 2013), ni al de la divulgación de información fiscal relativa a grupos concretos, como es el caso de los grandes deudores de la Hacienda pública (Olivares, 2019).

Para Slemrod, et al. (2013; p. 5) ello se debe principalmente a que muy pocos países practican la divulgación pública de información tributaria a nivel individual. En España y en relación con los grandes deudores a la Hacienda pública, dicha publicación viene practicándose desde que la Ley 34/2015, de 21 de septiembre, introdujo el artículo 95 bis de la LGT[2].

En este sentido, han sido publicados cinco listados de deudores relevantes a la Hacienda Pública desde que se introdujo el artículo 95 bis de la LGT.

El legislador ha optado por mantener este instrumento a pesar de las recurrentes críticas de la doctrina española, que ha puesto de relieve las carencias del listado y la injerencia que puede suponer tanto en bienes constitucionalmente protegidos como en los derechos a la intimidad, el honor y la protección de los datos de carácter personal. En este estudio analizamos especialmente su injerencia respecto al derecho a la protección de datos de carácter personal[3].

Como hemos puesto de relieve en anteriores trabajos, la injerencia en los bienes jurídicos señalados exige que el operador realice un juicio de proporcionalidad (en sus vertientes de adecuación, necesidad y proporcionalidad en sentido estricto) y que su superación sea necesaria para la validez del listado[4].

---

[2]　　Ley 58/2003, de 17 de diciembre, General Tributaria.

[3]　　VALERO TORRIJOS (2013 pp. 1-3); MARTÍN QUERALT (2013 pp. 4-6); FAR JIMÉNEZ (2013 pp. 1-2); OLIVARES OLIVARES (2015 pp. 1-23); CALVO VÉRGEZ (2015 pp. 1-23); ESCRIBANO LÓPEZ (2015 pp. 39-43); DELGADO GARCÍA y OLIVER CUELLO (2016 pp. 125-144); DONCEL NUÑEZ (2016 pp. 97-110); MALVÁREZ PASCUAL (2016); OLIVARES OLIVARES (2016 pp. 187-197); ZAPATERO GASCO (2016 pp. 259-273); SERRAT ROMANÍ (2017 pp. 795-807); ABERASTURI GORRIÑO (2017a pp. 77-91); y (2017 b pp. 383-421).

[4]　　Sobre la fundamentación del juicio de proporcionalidad véase OLIVARES OLIVARES (2015 pp. 17-20) y ABERASTURI GORRIÑO (2017 b pp. 411-420).

A este respecto, hay que recordar que la medida debe ser adecuada para alcanzar la protección del bien jurídico que persigue[5], pues de lo contrario su adopción no estaría justificada.

Los tribunales se han pronunciado en diversas ocasiones desde la publicación del primer listado sobre esta cuestión, reproduciendo el texto y los razonamientos que se alegan en el preámbulo de la Ley 34/2015 cuando deben realizar una ponderación entre los diversos bienes jurídicos implicados[6].

Sin embargo, creemos que el análisis que realiza la Audiencia Nacional no es acertado. Sus argumentos se basan en la repetición del mandato legal, sin realizar un análisis pormenorizado de la adecuación, necesidad y, en consecuencia, proporcionalidad del listado. A pesar de que algunos estudios ya ponen de relieve datos que podrían ser empleados para ello.

El listado persigue el cumplimiento del principio de transparencia y del deber de contribuir al sostenimiento de los gastos públicos del artículo 31 de la CE. Para ello, trata de: (i) reprimir las conductas contrarias al deber de contribuir al sostenimiento de los gastos públicos, para que el incumplidor pague; (ii) e ilustrar para promover una «conciencia cívica tributaria», dirigida a fomentar el cumplimiento voluntario de las obligaciones tributarias por los ciudadanos, a través de la transparencia de las conductas de los deudores que han incurrido en mora[7].

En línea con estos objetivos, la doctrina internacional como Murphy (2008) recuerda que la divulgación pública de información fiscal de los ciudadanos será efectiva solo cuando sea parte de una estrategia que busca el cumplimiento de las obligaciones tributarias. Sostiene asimismo que, en última instancia, para aumentar el potencial cumplimiento del contribuyente, es necesaria la combinación de los instrumentos normativos dirigidos al castigo y la disuasión[8].

Profundizando en esta posición, Van Erp (2011) señala que las medidas que emplean la publicidad de los deudores como castigo son un instrumento que funciona a través de emociones tales como el deseo de ser respetado y el temor a ser humillado, lo que haría más probable el logro del segundo objetivo que persiguen los listados porque, según el autor, exponer al incum-

---

[5]   Según el legislador, es el fomento del deber general de contribuir al sostenimiento de los gastos públicos del artículo 31 de la CE.

[6]   Véase el fj. 5 de la SAN 2334/2018 y los fjs. 1-3 de la SAN 950/2019.

[7]   Como ya se puso de manifiesto en OLIVARES OLIVARES (2015 p. 18).

[8]   MURPHY (2008 pp. 129-130).

plidor aumenta la expectativa de un mensaje moral sobre lo inapropiado de cierto comportamiento[9]. Es decir, como afirma Alm (2012), los obligados tributarios no están simplemente motivados por sus propios intereses, sino también por las normas del contexto social y por las nociones individuales de culpa o vergüenza[10].

Por lo tanto, el reproche que se persigue con la publicación del listado podría llegar a ser adecuado para «incentivar» el cumplimiento de las obligaciones tributarias, pero es un supuesto que es preciso probar, incluso para sustentar su encaje en el juicio de adecuación constitucional[11]. Además, la cuantificación de la efectividad del listado permitirá al legislador corroborar la pertinencia o la inadecuación de sus estrategias para regular las conductas que trata de evitar[12].

En España, la Administración tributaria divulga la identidad del ciudadano cuando tiene obligaciones o sanciones pendientes de pago con la Hacienda Pública por un importe igual o mayor a 1 000 000 € una vez transcurrido el plazo voluntario de pago[13]. En consecuencia, la configuración del presupuesto de inclusión se construye a partir del impago, tal como se constata en la configuración de las excepciones a la publicación, puesto que estas deudas no se publicitan previamente si han sido aplazadas o suspendidas[14].

La norma busca castigar al sujeto cuando no paga, sin distinguir entre quien no quiere y quien no puede. Así, el artículo 95 bis de la LGT no ampara supuestos de excepción para los obligados en situación concursal, ni tampoco cuando hubieran interpuesto un recurso. Por lo tanto, puede darse el caso de que la deuda tributaria o sanción no sean firmes cuando se publiquen[15].

---

[9]   VAN ERP (2011 p. 304).

[10]   ALM (2012 pp. 62 y 63).

[11]   OLIVARES OLIVARES (2015 pp. 20-23).

[12]   DATT (2016 p. 504).

[13]   Véase el artículo 95 bis.1 de la LGT. Además, el artículo 95 bis.3 de la LGT condiciona la deuda y la sanción a que provengan de tributos de titularidad exclusivamente estatal, incluyendo la deuda aduanera. Para un análisis en profundidad de las cuestiones que tratamos en este apartado véase OLIVARES OLIVARES (2017) (pp. 31-33).

[14]   Artículo 95 bis 1.b) de la LGT.

[15]   Incluso los deudores que aparecen en el listado puede que no hayan cometido ninguna infracción. En este mismo sentido véase DONCEL NUÑEZ (2016 p. 103).

Hasta la fecha carecemos de trabajos que examinen a largo plazo la efectividad de los listados con datos extraídos de éstos[16]. En respuesta a esta necesidad realizamos la presente investigación, que analiza a partir de datos empíricos la adecuación de las listas de incumplidores relevantes a la Hacienda Pública.

2. DISEÑO DE LA INVESTIGACIÓN Y MÉTODO

El método que hemos empleado para estudiar los cinco listados de deudores es hipotético-deductivo[17]. Partimos de elementos de carácter cuantitativo y cualitativo para contrastar varias suposiciones, por medio del razonamiento lógico aplicado a los resultados obtenidos en nuestro estudio, a fin de valorar en qué medida confirman la eficacia esperada del listado de incumplidores relevantes respecto de las conductas morosas y el efecto ejemplarizante para el cumplimiento voluntario de las obligaciones tributarias por los ciudadanos.

2.1. Muestra

Los sujetos que integran la muestra son las personas físicas que aparecen en los 26 233 registros que contienen listados de los años 2015, 2016, 2017, 2018 y 2019 así como las comunidades de bienes y herencias yacentes, a través de las que se identifica a las personas físicas, puesto que como expone Olivares Olivares (2015)[18], estas entidades quedan amparadas por el derecho a la protección de los datos de carácter personal. Los criterios de exclusión exigen que queden fuera de la muestra las personas jurídicas a través de las que pueden identificarse a personas físicas, ya que el nuevo Reglamento General de Protección de Datos 2016/679 las exime de amparo[19].

---

[16]   DEVOS y ZACKRISSON afirman que es sorprendente lo poco que se sabe sobre los efectos en el cumplimiento del comportamiento debido al modo en que se publica información tributaria de los ciudadanos. Estos autores urgen al desarrollo de más estudios empíricos, considerando qué tipo de contribuyentes reaccionan a las medidas de divulgación pública y qué clase de información deben publicar las administraciones tributarias para aumentar el grado de cumplimiento. Véase DEVOS y ZACKRISSON (2015 p. 126).

[17]   Hemos repetido el mismo diseño de investigación para garantizar la validez de los resultados, véase el estudio a tres años OLIVARES (2019).

[18]   Pp. 7-11.

[19]   Véase el considerando 14 de dicha norma.

2.2. Hipótesis

En línea con lo sostenido por ALM (2012), Murphy (2008) y Van Erp (2011) planteamos el contraste de las siguientes hipótesis específicas:

a) *Si los sujetos tienen miedo a la reprobación social generada por estar incluidos en el listado cumplirán las condiciones necesarias para no aparecer en las siguientes publicaciones.*

b) *La divulgación de la identidad de los deudores debe producir prontitud en el cumplimiento de sus obligaciones materiales, por lo que el número de deudores que aparecen por primera vez en un listado ha de verse drásticamente reducido en su siguiente publicación, alcanzándose diferencias significativas entre ambas publicaciones respecto de esta submuestra.*

c) *Si el castigo social lo es realmente entonces quienes no eliminen la deuda la reducirán produciéndose diferencias significativas entre la cantidad total adeuda por los integrantes de esta submuestra entre los listados publicados consecutivamente.*

d) *Si el listado ayuda a conformar una conciencia cívico-tributaria entonces en cada una de las publicaciones subsiguientes deberán de incorporarse un número menor de obligados tributarios.*

Asimismo, hipotetizamos que si el montante de la deuda es una variable relevante que influye en su pronto pago, entonces:

e) *La probabilidad de pagar la deuda será inversamente proporcional a la cantidad adeudada.*

2.3. Diseño

Utilizamos un diseño *ex post facto*, sobre las siguientes variables: (i) las personas físicas identificadas que integran los listados de 2015, 2016, 2017, 2018 y 2019; (ii) la cuantía económica de la deuda o sanción; (iii) y la tendencia de pago (aumento, reducción o liquidación).

3. RESULTADOS

A continuación, presentamos los resultados que hemos obtenido en nuestro estudio ayudándonos de tablas y de figuras para su representación gráfica.

En la Tabla 1 mostramos el número de deudores que figuran en cada uno de los listados, especificando en su caso el número de los que dejan de integrarlos («salen»), continúan o entran por primera vez.

Tabla 1. Evolución de los listados de deudores en España entre 2015 y 2019

		N	Entran	%	Salen	%	Continúan	%
	2015	345						
Año	2016	337	20	5,9	29	8,4	316	91,6
	2017	339	52	15,3	50	14,9	288	85,1
	2018	341	53	15,5	54	15,9	286	84,1
	2019	309	56	18,1	83	24,3	258	75,7

(Respecto del listado previo: Entran, %, Salen, %, Continúan, %)

N = Número de deudores % = Tanto por cien

El listado de deudores lo han integrado en todas sus ediciones un total de 518 personas físicas distintas, de las que 345 aparecieron por primera vez en 2015, 337 en 2016, 339 en 2017, 341 en 2018 y 309 en 2019 (véase Tabla 1).

Han dejado de cumplir los requisitos del presupuesto de inclusión 216 ciudadanos (41,69% sobre el total de los deudores incluidos), de los que 29 pertenecían al listado de 2015 (8,4% sobre el número de esa edición), 50 al de 2016 (14,9% del total de ese año), 54 al de 2017 (15,9%) y 83 al de 2018 (24,3%).

Los datos también muestran que entre el 91,6% y el 75,7 % de los ciudadanos que aparecen en los listados de los años 2015-2019, continuaron debiendo a la Administración tributaria importes mayores a 1 000 000 € por deudas tributarias o sanciones. Por lo tanto, la efectividad media del listado en los periodos es del 15,9% (8,4% [2015-2016], 14,9% [2016-2017], 15,9% [2017-2018] y 24,3% [2018-2019]).

En la Figura 1 representamos la proporción de los deudores que entran por primera vez a formar parte de los listados y los que permanecen en los periodos temporales que se indican.

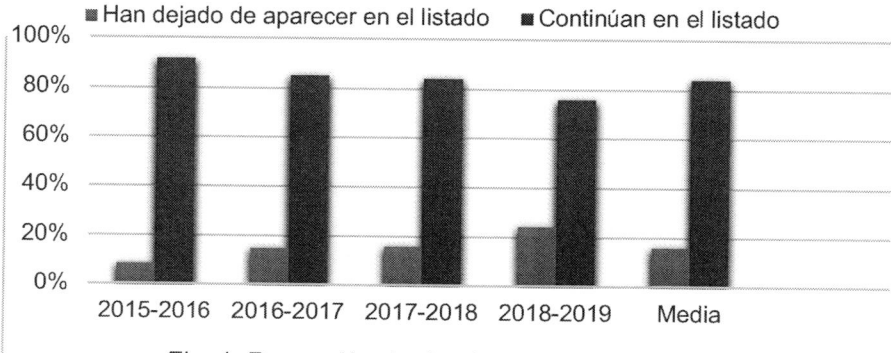

Fig. 1. Proporción de deudores que salen y que permanecen en los listados en cada periodo.

Del total de la muestra (518), el 18,3% (95) no cumplieron los requisitos para continuar en el siguiente listado, el 18,9% (98) tardaron dos ejercicios en cumplir con sus deberes, un 16,6% (86) tardó tres periodos consecutivos, el 14,1% (73) permanece cuatro listados y 32% (166) continúan desde el primer listado. En la Figura 2 presentamos la evolución del número de los ciudadanos que han dejado de aparecer en el listado y los periodos que han tardado en desaparecer, junto al conjunto de deudores y el periodo de tiempo que permanecen en el listado.

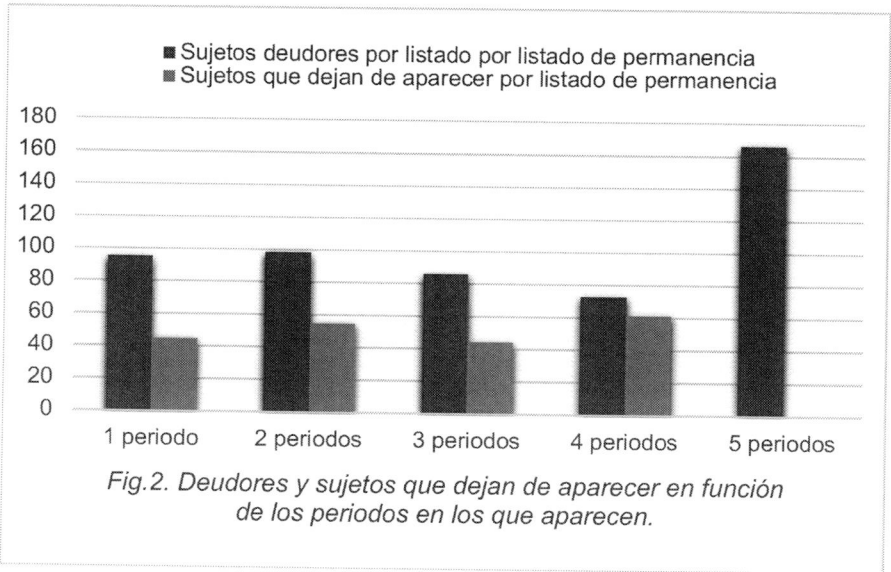

Fig.2. Deudores y sujetos que dejan de aparecer en función de los periodos en los que aparecen.

En cuanto al estudio de la evolución de los comportamientos de los deudores y las cantidades pendientes de pago, en la Tabla 2 mostramos los resultados de la tendencia clasificada en los grupos que aumentan, reducen, mantienen o liquidan las cantidades debidas hasta abandonar el listado. Esta tabla no recoge los individuos que aparecen en un único listado[20].

Tabla 2. Evolución del mantenimiento, incremento, reducción y liquidación de la deuda

	2016	2016 (%)	2017	2017 (%)	2018	2018 (%)	2019	2019 (%)
Aumenta importe	50	14.49	58	17.21	55	16.22	144	42.23
No varía importe	147	42.61	93	27.60	1	0.29	0	0.00
Disminuye importe	119	34.49	136	40.36	229	67.55	113	33.14
Desaparecen	29	8.41	50	14.84	54	15.93	83	24.34

Ahora bien, es preciso indicar que la mayoría de los sujetos que reducen las cantidades debidas lo hacen en pequeñas magnitudes respecto de la cuantía adeudada.

Tabla 3. Evolución del decremento de la deuda. Periodos 2015-2019

2015-2016. Rango decremento dedua:	Deudores	(%)
0% - 4.99%	113	**32.75**
5% - 9.99%	4	1.16
10% - 14.99%	0	0.00
15% - 19.99%	0	0.00
Más del 20%	31	**8.99**
2016-2017. Rango decremento dedua:	**Deudores**	**(%)**
0% - 4.99%	116	**34.42**
5% - 9.99%	8	2.37
10% - 14.99%	4	1.19
15% - 19.99%	1	0.30
Más del 20%	57	**16.91**

---

[20]   Es preciso destacar que hay dos sujetos que reinciden, aunque dicha submuestra no es representativa y puede deberse a un error en el listado.

2017-2018. Rango decremento dedua:	Deudores	(%)
0% - 4.99%	116	**34.22**
5% - 9.99%	10	2.95
10% - 14.99%	3	0.88
15% - 19.99%	1	0.29
Más del 20%	63	**18.58**
2018-2019. Rango decremento dedua:	**Deudores**	**(%)**
0% - 4.99%	72	**21.11**
5% - 9.99%	4	1.17
10% - 14.99%	0	0.00
15% - 19.99%	0	0.00
Más del 20%	87	**25.51**

Respecto de la relación entre impago y tamaño de la deuda, en la Tabla 4 presentamos el número de deudores por rango de deuda y el número de los que abandonan el listado tras aparecer en él una sola vez, dos, tres y cuatro veces.

Tabla 4. Total de deudores por rango de deuda y evolución del abandono del listado

	Frecuencia de aparición en los listados antes de abandonarlos			
Rango de la deuda	Una vez N (%) [1]	Dos veces N (%) [1]	Tres veces N (%) [1]	Cuatro veces N (%) [1]
[1 000 000, 1 500 000]	26 (57,77%)	39 (72,22%)	29 (65,90%)	35 (57,37%)
[1 500 000, 2 000 000]	8 (17,77%)	7 (12,96%)	8 (18,18%)	9 (14,75%)
[2 000 000, 2 500 000]	4 (8,88%)	6 (11,11%)	4 (9,09%)	5 (8,19%)
[2 500 000, 3 000 000]	1 (2,22%)	0 (0%)	0 (0%)	7 (11,47%)
[3 000 000, 4 000 000]	1 (2,22%)	2 (3,70%)	1 (2,72%)	3 (4,91%)
[4 000 000, 5 000 000]	2 (4,44%)	0 (0%)	0 (0%)	2 (3,27%)
Más de 5 000 000	3 (6,66%)	1 (1,80%)	2 (4,54%)	0 (0%)

T: total de los deudores por rango N: Número de deudores 1 (%): Tanto por cien sobre el total del rango

La distribución de los datos pone de relieve que la mayoría de los incumplidores que logran salir del listado poseen deudas por importe inferior a 1 500 000 €, produciéndose un decremento proporcional a la magnitud del rango de recursos públicos debidos respecto de su salida.

La Figura 3 ilustra la relación hallada entre las cantidades adeudadas agrupadas por diferentes tramos (entre 1 mill. y 5 mill.) y la probabilidad de pago calculada sobre los sujetos que han abandonado el listado en función del tramo al que pertenecían. Como puede observarse, de los 205 (extrayendo del cómputo a los reincidentes) sujetos que han dejado de aparecer en el listado desde 2015, 134 tenían deudas inferiores al 1 500 000 €, mientras que 71 poseían obligaciones por importe superior a dicha cantidad. Ello implica que hay un 65 % de probabilidad de que quienes aparecen en el listado, con deudas y sanciones pendientes de pago por un importe inferior, acaben pagando antes y en mayor proporción.

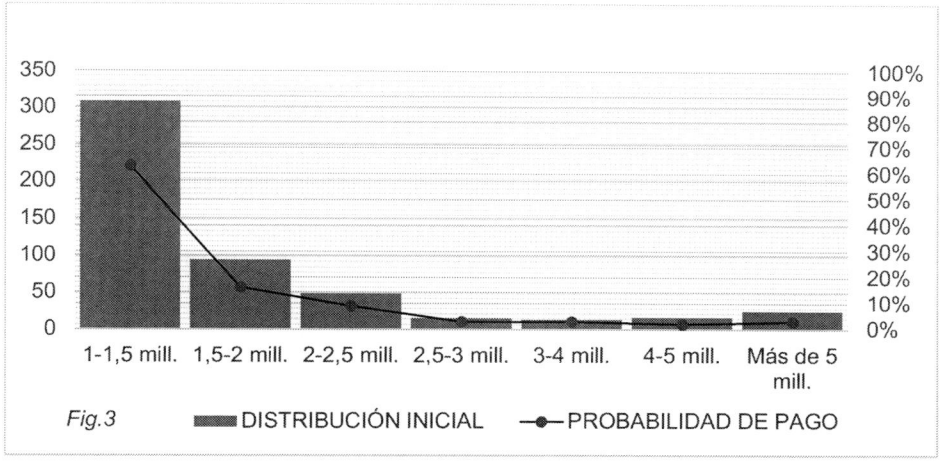

Fig.3   ▬▬DISTRIBUCIÓN INICIAL   —●—PROBABILIDAD DE PAGO

4. CONCLUSIONES PRELIMINARES

A falta de la discusión en profundidad de los resultados, así como la propuesta de alternativas de mejora, podemos concluir a la luz de los datos y en relación con las hipótesis planteadas que:

Primera. Este instrumento normativo ha demostrado ser poco eficaz y existe una baja probabilidad de que los sujetos cuya identidad es divulgada cumplan con sus obligaciones hasta el punto de no volver a aparecer en el listado.

Segunda. El miedo a aparecer en el listado no produce un efecto inmediato, salvo en una pequeña cantidad de personas de la muestra de deudores, siendo más relevante su efecto cuando aparecen en sucesivos listados y produciéndose un gran apalancamiento de deudores en el quinto año.

Tercera. Aunque el listado no es demasiado eficaz (15,88%) para que los sujetos dejen de cumplir con el presupuesto de inclusión, sí parece que resulta eficaz para el 43,88%, que logra reducir su deuda. Esta tendencia continúa al alza respecto a estudios anteriores. Sin embargo, en la mayor parte de los casos la reducción es inferior al 5% de la cantidad adeudada y no permite la exclusión del listado de los deudores.

Cuarta. Las listas continúan teniendo un efecto directo limitado en el cumplimiento voluntario de las obligaciones tributarias y el pago de las sanciones, puesto que se produce un incremento exponencial del número de incumplidores relevantes que se incorporan y cuya identidad es revelada (20, 52, 53 y 56 para el periodo 2016-2019).

Quinta. Los datos obtenidos ponen de relieve la escasa efectividad del listado respecto a los fines enunciados por el legislador. A pesar de ello, es cierto que la medida modifica la conducta de una buena parte de los deudores, aunque dicho efecto es insuficiente para que no continúen apareciendo en el listado. Por ello, a nuestro juicio esta medida resulta poco adecuada, desde la perspectiva del juicio de proporcionalidad constitucional respecto del derecho a la protección de los datos de carácter personal para alcanzar las finalidades enunciadas por el legislador.

Por último, al margen de las conclusiones indicadas, es preciso destacar que los resultados preliminares del estudio a cinco años han puesto de relieve un mejor resultado que en anteriores investigaciones respecto a dos aspectos: (**i**) los deudores que terminan desapareciendo del listado y (**ii**) el porcentaje de deudores que trata de reducir la cantidad adeudada.

Un estudio a un mayor número de años permitirá determinar si esta mejora se debe a la mejor coyuntura económica de los periodos analizados (2015-2019) o si realmente la medida tiene un efecto directo en el comportamiento de los incumplidores relevantes a la Hacienda Pública.

Bibliografía

ABERASTURI GORRIÑO, U., «La lista de deudores en la reforma de la Ley general tributaria. ¿Una cuestión de transparencia?». *IDP*. Nº 24, pp. 77-91, 2017a.

ABERASTURI GORRIÑO, U., «La lista de deudores de la Ley General Tributaria, ¿una medida sancionadora proporcional?». *Revista de Administración Pública*. Nº 203, pp. 383-421, 2017b.

ALM, J., «Measuring, explaining, and controlling tax evasion: lessons from theory, experiments, and field studies». *Tax Public Finance*. Vol. 19, pp. 54 y 77, 2012.

ALM, J. and GÓMEZ, J. L., «Social Capital and Tax Morale in Spain». *Economic analysis & policy*. Vol. 38, n° 1, pp. 73-87, 2008.

BENEDICT, J. N. & LUPERT, L. A., «Federal Income Tax Returns - The Tension Between Government Access And Confidentiality». *Cornell Law Review,* N° 64, pp. 115-132, 1978.

BITTKER, B. I., «Federal Income Tax Returns -Confidentialities Public Disclosure». *Washburn Law Journal,* N° 20, pp. 479-481, 1981.

BLANK, J. D., «In Defense of Individual Tax Privacy». *Emory Law Journal,* N° 61, pp. 265-348, 2012.

CALVO VÉRGEZ, J., «A vueltas con la publicación de las llamadas "listas de morosos" y de las sentencias condenatorias por delito fiscal en el proyecto de Ley de reforma de la LGT». *Diario La Ley*. N° 8584, pp. 1-23, 2015.

CORICELLI, G., RUSCONI, E. y VILLEVAL, M. C., «Tax evasion and emotions: An empirical test of re-integrative shaming theory». *Journal of Economic Psychology*. Vol. 40, pp. 49-61, 2014.

DATT, K., «To shame or not to shame: That is the question». *EJournal of Tax Research*. Vol. 14, n° 2, pp. 486-505, 2016.

DELGADO GARCÍA, A. M. y OLIVER CUELLO, R., «Régimen jurídico de la publicidad de deudores y defraudadores tributarios». *Nueva Fiscalidad*. N° 6, pp. 125-144, 2016.

DEVOS, K. y ZACKRISSON, M., «Tax compliance and the public disclosure of tax information: An Australia/Norway comparison». *EJournal of Tax Research*. Vol. 13, N°. 1, pp. 108-129, 2015.

DEVOS, K. Y ZACKRISSON, M., «Tax compliance and the public disclosure of tax information: An Australia/Norway comparison». *eJournal of Tax Research*, N° 13, pp. 108-129, 2015.

DONCEL NUÑEZ, S. L., «El listado de deudores de la Hacienda Pública y la publicidad de sentencias condenatorias por delito fiscal: ¿tienen carácter sancionador?». *Revista de contabilidad y tributación*. N° 395, pp. 97-110, 2016.

ESCRIBANO LÓPEZ, F., «Publicidad de los incumplimientos tributarios y derechos y garantías de los contribuyentes». *Civitas. Revista española de Derecho Financiero*. N° 165, pp. 39-43, 2015.

FAR JIMÉNEZ, J., «Publicación de las listas de morosos». *Actualidad Jurídica Aranzadi*. N° 859, Referencia bibliográfica *Westlaw-Aranzadi* BIB 2013\557, pp. 1-2, 2013.

FERNÁNDEZ SALMERÓN, M. y VALERO TORRIJOS, J., «La difusión de información administrativa en Internet y la protección de los datos personales: análisis jurídico de un proceso de armonización». *Revista Aragonesa de Administración Pública*. N° 1, pp. 306-342, 2005.

GUTTMAN, G., The Confidentiality Statute Needs Rethinking. *Tax Notes*, N° 86, pp. 318-319, 2000.

HASEGAWA, M., HOOPES, J. L., ISHIDA, R., & SLEMROD, J. B., «The effect of public disclosure on reported taxable income: Evidence from individuals and corporations in Japan». *National Tax Journal*, N° 66 (3), pp. 571-608, 2013.

KIRSCH, M. S., «Alternative Sanctions and the Federal Tax Law: Symbols, Shaming, and Social Norm Management as a Substitute for Effective Tax Policy». *Iowa Law Review*. Vol. 89, pp. 863-939, 2014.

KORNHAUSER, M. E., «Doing the Full Monty: Will Publicizing Tax Information Increase Compliance?». *Canadian Journal of Law and Jurisprudence*. Vol. 18, pp. 1-23, 2005.

KORNHAUSER, M. E., «Doing the Full Monty: Will Publicizing Tax Information Increase Compliance?». *Canadian Journal of Law and Jurisprudence*, N° 18, pp. 95-107, 2005.

LAURY, S. & WALLACE, S., «Confidentiality and Taxpayer Compliance». *National Tax Journal*, N° 58 (3), pp. 427-438, 2005.

MALVÁREZ PASCUAL, L. A., *Registros de deudores tributarios morosos y la publicidad de las sentencias por delitos fiscales*. Cizur Menor. Aranzadi, 2016.

MARTÍN QUERALT, J., «Listas de morosos o de defraudadores...esa es la cuestión», *Tribuna Fiscal*, CISS. N° 265, pp. 4-6, 2013.

MURPHY, K., «Enforcing Tax Compliance: To Punish or Persuade?». *Economic analysis & policy*. Vol. 38, N° 1, pp. 113-135, 2008.

OLIVARES OLIVARES, B. D., «La publicidad de los deudores tributarios desde la perspectiva del derecho a la protección de los datos personales». *Quincena Fiscal*. N° 11, documento digital Westlaw Aranzadi BIB 2015\1894, pp. 1-23, 2015.

OLIVARES OLIVARES, B. D., «El artículo 95 bis de la Ley General Tributaria y el derecho a la protección de los datos personales». *Documentos - Instituto de Estudios Fiscales*. N° 13, pp. 187-197, 2016.

OLIVARES OLIVARES, B. D., «Las listas de los incumplidores tributarios en Europa desde la perspectiva del derecho a la protección de datos personales». *Quincena fiscal*. N° 14, pp. 61-108, 2017.

OLIVARES OLIVARES, B. D., «La eficacia del listado de incumplidores relevantes a la Hacienda Pública». *IDP. Revista de Internet, Derecho y Política*, N° 28, pp. 85-97, 2019.

PÉREZ-TRUGLIA, R. y TROIANO, U., «Shaming Tax Delinquents Theory and Evidence from a Field Experiment in the United States». *NBER Working Paper*. N° w21264, pp. 1-28, 2016.

SCHWARTZ, P., «The Future of Tax Privacy». *National Tax Journal*, N° 61 (4), pp. 883-900, 2008.

SERRAT ROMANÍ, M., «La banalización de los datos con relevancia tributaria». En: COLOMER HERNÁNDEZ, I. (Dir.). *Cesión de datos personales y evidencias entre procesos penales y procedimientos administrativos sancionadores o tributarios*. Cizur Menor: Aranzadi, pp. 795-807, 2017.

SHELDON I., BANOFF, J. D., y RICHARD M., «Tax Delinquents Exposed! Are "Websites of Shame" Working (or Backfiring)?». *Journal of Taxation*. N° 1, pp. 1-2, 2014.

VALERO TORRIJOS, J., «Publicación de las listas de morosos y defraudadores en el ámbito tributario». *Actualidad Jurídica Aranzadi*. N° 859, documento digital Westlaw-Aranzadi BIB 2013\558, pp. 1-3, 2013.

VAN ERP, J., «Naming without shaming: The publication of sanctions in the Dutch financial market». *Regulation & Governance*. N° 5, pp. 287-308, 2011.

WENZEL, M., «The Social Side of Sanctions: Personal and Social Norms as Moderators of Deterrence». *Law and Human Behavior*. Vol. 28, n° 5, pp. 547-567, 2004.

ZAPATERO GASCÓ, A. (2016): «La publicación de la lista de deudores como excepción a la reserva tributaria: una perspectiva comparada». *Documentos - Instituto de Estudios Fiscales*. N° 13, pp. 259-273, 2016.

Capítulo 33

Las relaciones entre los obligados tributarios y la Administración: hacia un nuevo modelo de relación cooperativa

PAULA VICENTE-ARCHE COLOMA
Profesora Titular de Derecho Financiero y Tributario
Universidad Miguel Hernández de Elche

SUMARIO: 1. PLANTEAMIENTO DE LA CUESTIÓN. 2. LA DERIVA DEL DERECHO FINANCIE-RO Y TRIBUTARIO EN CUANTO A LAS RELACIONES ENTRE LA ADMINISTRACIÓN TRIBU-TARIA Y LOS PARTICULARES. 3. UN NUEVO HORIZONTE EN LAS RELACIONES ENTRE LA ADMINISTRACIÓN Y LOS OBLIGADOS TRIBUTARIOS: LA RELACIÓN COOPERATIVA.

1. PLANTEAMIENTO DE LA CUESTIÓN

Uno de los problemas que preocupa más en los momentos actuales, tanto a los académicos como a los profesionales vinculados al Derecho Tributario es, sin duda alguna, el desenvolvimiento de las relaciones entre los obligados tributarios y la Administración, dada la tensión existente entre la garantía de los derechos de los contribuyentes, por un lado, y las potestades de la Administración, por otro.

La ingente conflictividad en materia tributaria, en ocasiones reducida —aunque no a los niveles que serían deseables— gracias a la adopción de medidas normativas de distinto calado, constituye una buena muestra de que las relaciones entre los particulares y la Hacienda Pública no pasan por su mejor momento.

Y es que, en el ámbito de las reclamaciones económico-administrativas, los resultados han mejorado en los últimos años, dado que si bien el punto álgido se produjo en 2012 con un total de 223.417 reclamaciones interpuestas, dicha cifra se ha reducido hasta alcanzar la cuantía de 194.279 reclamaciones presentadas en el año 2017[1]. Además, a ello hay que añadir

---

[1]   El dato se ha extraído de la última memoria de los Tribunales Económico-Administrativos publicada en la fecha en que se redacta este trabajo, que se corresponde con el año 2017.

que, de manera inversa a lo indicado, el número de reclamaciones resueltas por los Tribunales Económico-Administrativos se ha ido incrementando a lo largo de los últimos años, ya que si en 2012 se resolvieron un total de 190.374 reclamaciones, en 2017 dicha cifra ha ascendido a 209.617.

En la vía contencioso-administrativa también se ha producido una relativa reducción en el número de recursos presentados, aunque en este caso también se ha reducido el número de sentencias emitidas. Así, si en 2012 se presentaron un total de 226.025 recursos y se resolvieron 282.937 asuntos, en 2017 han entrado 195.908 recursos contencioso-administrativos en la jurisdicción contencioso-administrativa, habiéndose resuelto un total de 205.396 casos en dicho período[2].

No obstante lo anterior, y aun reconociendo una cierta mejoría en algunos de los datos expuestos, creemos que las cifras de litigios planteados entre la Administración y los obligados tributarios y, sobre todo, el tiempo que se tarda en su resolución justifican la necesidad de implementar otro tipo de medidas que puedan reducir estos altos índices de litigiosidad existentes en materia tributaria en nuestro país.

Durante muchos años parece que la idea de la confrontación entre la Administración y los particulares era el único modo que tenían de relacionarse entre sí. La inamovilidad de ambos en sus posiciones iniciales parecía ser la técnica dominante en el actuar diario de los mismos. De ahí las cifras de litigios y conflictos tan elevadas que acaban de exponerse.

Sin embargo, desde hace unos años se viene desarrollando una línea argumental a todos los niveles que propugna, más allá del enfrentamiento directo entre ambas partes o la preeminencia de una sobre la otra, una relación basada en el equilibrio de fuerzas y, sobre todo, en su igualdad; relación presidida por la idea de la existencia de mutua confianza entre las partes.

A examinar ese nuevo tipo de relación vamos a dedicar el presente trabajo, intentando en la medida de lo posible que pueda servir como referencia a la hora de promover una mayor fluidez en la relación entre ambas partes y, por ende, una mayor seguridad jurídica y una menor litigiosidad en el ámbito tributario. Todo ello redundará, sin duda alguna, en logar una

Disponible en http://www.hacienda.gob.es/es-ES/GobiernoAbierto/Transparencia/Paginas/Impuestos%20TEAC.aspx.

2   Memoria anual de 2018 (correspondiente al ejercicio 2017) del Consejo General del Poder Judicial. Disponible en http://www.poderjudicial.es/cgpj/es/Poder-Judicial/Consejo-General-del-Poder-Judicial/Actividad-del-CGPJ/Memorias/

gestión tributaria mejorada, que es uno de los objetivos fundamentales a conseguir en los momentos actuales. Tal y como indica Rozas Valdés, «a ambas partes, contribuyente y Administración, lo que les interesa es lograr un cumplimiento razonable de la normativa tributaria con el menor coste posible para ambos»[3].

Ahora bien, es conveniente advertir en estos primeros momentos, que el estrecho marco del presente estudio no permite, claro está, analizar en profundidad todas las manifestaciones que podrían destacarse de la relación cooperativa, sino que simplemente pretendemos efectuar algunas reflexiones sobre la misma, planteando, en su caso, algunas consideraciones que pudieran servir como punto de partida para un nuevo tipo de relaciones entre los ciudadanos con el Fisco.

2. LA DERIVA DEL DERECHO FINANCIERO Y TRIBUTARIO EN CUANTO A LAS RELACIONES ENTRE LA ADMINISTRACIÓN TRIBUTARIA Y LOS PARTICULARES

De antiguo las relaciones entre la Administración y los particulares se han caracterizado por la tensión existente entre el ejercicio del poder tributario por parte del ente público y la posición de los obligados tributarios; tensión que se ha venido reflejando tanto en el terreno dogmático como en el normativo.

En el primero de los indicados, es sabido que se ha producido una evolución doctrinal desde la inicial concepción de la relación tributaria como una relación de poder (de la Administración sobre el contribuyente) a otra en la que las partes intervienen en una posición de igualdad. Así, frente a las iniciales posturas que propugnaban que el Estado, al encontrarse en una situación de supremacía o superioridad frente al particular, podía establecer y exigir tributos a los ciudadanos, hemos evolucionado a concepciones en la que ambas partes que intervienen en la relación tributaria se colocan en una situación de igualdad en el cumplimiento de los derechos y deberes que les corresponden.

A partir de un determinado momento, la obligación tributaria principal se convierte en el eje central de la relación jurídico-tributaria, configurán-

---

[3]   ROZAS VALDÉS, José Andrés. *Los sistemas de relaciones tributarias cooperativas*. Ed. Olejnik, Santiago de Chile, 2017, p. 63.

dose como una obligación sustancialmente idéntica a la obligación civil, alrededor de la cual se genera un variado elenco de obligaciones, derechos y deberes entre ambas partes, que actúan y se sitúan en pie de igualdad[4].

De manera equivalente, podría decirse que en el terreno legislativo se ha producido un incremento y consolidación de los derechos y garantías de los contribuyentes, primero a través de un reconocimiento expreso de los mismos mediante la aprobación de la Ley 1/1998, de 26 de febrero, de Derechos y Garantías de los Contribuyentes y su posterior recepción en la vigente Ley 58/2003, de 17 de diciembre, General Tributaria (en adelante, LGT).

Recordemos que, según la Exposición de Motivos de la primera norma citada, la aprobación de una Ley que contuviera los derechos y garantías de los contribuyentes *constituye un hito de innegable trascendencia en el proceso de reforzamiento del principio de seguridad jurídica característico de las sociedades democráticas más avanzadas. Permite, además, profundizar en la idea de equilibrio de las situaciones jurídicas de la Administración tributaria y de los contribuyentes, con la finalidad de favorecer un mejor cumplimiento voluntario de las obligaciones de éstos.*

---

[4]   Como se recordará, el principal exponente de la tesis de la relación de poder fue el autor alemán OTTO MAYER, para quien, al tener las relaciones entre el Estado y los particulares un carácter autoritario, no existían verdaderos derechos subjetivos, sino situaciones de supremacía y superioridad del primero frente a los segundos, que se encuentran en una situación de sujeción o subordinación. *Vid.* MAYER Otto. *Derecho Administrativo alemán.* Tomo II, traducción castellana. Ed. Depalma, Buenos Aires, 1950, pp. 263 y 275. Citado por RODRÍGUEZ BEREIJO, Alvaro. *Introducción al estudio del Derecho Fiananciero.* IEF, Madrid, 1976, pp. 256 y ss. Como contrapunto a la tesis indicada, en la doctrina italiana fue GIANNINI el que en un primer momento configuró la relación que une al ente público con el particular como una única relación, en la que se contenían todos los poderes, derechos y deberes que vinculaban a ambos sujetos; situaciones que se reunían en torno a la obligación que tenía el contribuyente de pagar el tributo, es decir, a la obligación tributaria principal, como una obligación legal de Derecho público, que se origina por la realización del presupuesto de hecho contemplado en la Ley, idéntica en su estructura a la obligación regida por el Derecho civil. *Vid.* GIANNINI, Achille Donato. *I concetti fondamentali del Diritto Tributario.* Ed. UTET, Torino, 1956, p. p. 145; Id. *Istituzioni di Diritto Tributario.* 5ª edición. Ed. Giuffrè, Milano, 1951, p. 77.
En relación con esta cuestión, puede consultarse BAYONA DE PEROGORDO, Juan José y SOLER ROCH, Mª Teresa. *Derecho Financiero.* Volumen I. 2ª Edición, corregida y aumentada. Ed. Compás, Alicante, 1989, pp. 96 y ss.

Pero, paralelamente, tal y como acertadamente plantea Soler Roch[5], también se han fortalecido las potestades de la Administración a través de diversas manifestaciones, algunas de las cuales consistirían en un reforzamiento de sus funciones en la lucha contra el fraude, o la aprobación de diversas normas anti-abuso, entre otros ejemplos que cabría citar.

Ante la situación de, podríamos denominarlo así, un *enfrentamiento* entre las partes que intervienen en la relación jurídico-tributaria, en los últimos años se han venido planteando nuevas concepciones sobre las que asentar las relaciones entre el ente público y los obligados tributarios[6]. Nos referimos a la nueva concepción de la *relación cooperativa*, como una relación fundamentada en la buena fe, la restitución de la confianza entre ambas partes sobre la base de un acuerdo voluntario en el cumplimiento de los deberes y obligaciones tributarias.

3. UN NUEVO HORIZONTE EN LAS RELACIONES ENTRE LA ADMINISTRACIÓN Y LOS OBLIGADOS TRIBUTARIOS: LA RELACIÓN COOPERATIVA

El modelo de relaciones cooperativas —o cumplimiento cooperativo— nace, como es sabido, a principios del presente siglo de los trabajos realizados por la Organización para la Cooperación y el Desarrollo Económico (en adelante, OCDE), al constatar la necesidad de establecer nuevas estrategias en las que basar las relaciones de las Administraciones con las grandes organizaciones, basándolas, más que en una confrontación, en una cooperación y confianza mutua, con el objetivo de lograr una actitud más cooperativa, un incremento en la recaudación y una disminución de la conflictividad en materia tributaria[7].

---

[5] *Vid.* En este sentido SOLER ROCH, Mª Teresa: «Los retos tributarios del siglo XXI». Civitas, Revista Española de Derecho Financiero, nº 183, julio-septiembre 2019, pp. 2 y ss. (edición digital)

[6] Sobre esta cuestión puede consultarse SOTO BERNABÉU, Laura. *Los programas de cumplimiento voluntario como medidas de estímulo al cumplimiento espontáneo de las obligaciones tributarias.* Tesis Doctoral, Universidad de Alicante, 2019, pp. 47 y ss., inédita.

[7] En este sentido, el Foro de Administración Tributaria de la OCDE (*Forum of Tax Administration*) (en adelante, FTA) elaboró en 2008 el papel de los intermediarios fiscales (*The role of Tax Intermediaries*) y en 2013 *La relación cooperativa: un marco de referencia. De la relación cooperativa al cumplimiento cooperativo (Co-operative Compliance: A Framework-From Enhanced Relationship to Co-operative Conmplian-*

Estas recomendaciones comenzaron a materializarse en España a través de la creación del Foro de Grandes Empresas en 2008 y la aprobación en 2010 del Código de Buenas Prácticas Tributarias (en adelante, CBPT) entre la Administración Tributaria —en concreto, la Agencia Estatal de la Administración Tributaria (en adelante, AEAT)— y las empresas que lo formaban.

Tal y como se indica en el CBPT, su contenido se refiere a «recomendaciones, voluntariamente asumidas por la Administración Tributaria y las empresas, tendentes a mejorar la aplicación de nuestro sistema tributario a través del incremento de la seguridad jurídica, la cooperación recíproca basada en la buena fe y confianza legítima entre la Agencia Tributaria y las propias empresas y la aplicación de políticas fiscales responsables en las empresas con conocimiento del Consejo de Administración»[8].

Con posterioridad, y en base a la experiencia acumulada hasta entonces, en 2015 se incorporaron como Anexo al mismo las Conclusiones relativas al desarrollo y seguimiento de la aplicación del «Código de Buenas Prácticas Tributarias» en el marco del modelo de relación cooperativa entre la Agencia Tributaria y las empresas[9]; documento con el que se pretende avanzar en la concreción de los criterios y compromisos asumidos por las partes que, de manera voluntaria, hayan asumido el CBPT.

En general, puede afirmarse sin duda alguna que se comienza a vislumbrar un nuevo régimen de relaciones entre la Administración tributaria y los particulares que, aún cuando en aquellos momentos tan sólo era aplicable a las grandes empresas, consideramos junto con otros autores[10], que, con las

---

ce), este último disponible en español, y donde se efectúa un repaso de los avances en el período transcurrido desde el anterior documento en la aplicación del cumplimiento cooperativo.

[8]   CBPT, parte Introducción, disponible en https://www.agenciatributaria.es/static_files/AEAT/Contenidos_Comunes/La_Agencia_Tributaria/Segmentos_Usuarios/Empresas_y_profesionales/Foro_grandes_empresas/CBPT_publicacion_web_es_es.pdf.

[9]   Dicho documento fue aprobado el 2 de noviembre de 2015, disponible en https://www.agenciatributaria.es/static_files/AEAT/Contenidos_Comunes/La_Agencia_Tributaria/Segmentos_Usuarios/Empresas_y_profesionales/Foro_grandes_empresas/Grupos_Trabajo/Conclusiones_GTRC.pdf.

[10] MARTÍN FERNÁNDEZ, Javier. *Cumplimiento cooperativo en materia tributaria. Claves para la implantación de un Manuel de Buenas Prácticas (Compliance)*. Ed. Francis Lefebvre, Madrid, 2018, p. 9. Id. VVAA. *Compliance fiscal. Buenas prácticas tributarias*. Coordinado por Javier Martín Fernández y Jesús Rodríguez Márquez. Ed. Francis Lefebvre, Madrid, 2019, p. 9.

debidas matizaciones, su ámbito subjetivo de aplicación podría ampliarse a otros obligados tributarios.

Comenzando por el primer documento de los indicados, el CBPT se centra en tres medidas fundamentales, a saber:

- Desde el punto de vista de la práctica fiscal empresarial, plantea la necesidad de llevar a cabo actuaciones de transparencia, buena fe y cooperación con la AEAT.

A estos efectos, se establecen una serie de medidas dirigidas a las empresas, debiendo fomentar buenas prácticas fiscales que les lleven a reducir sus riesgos significativos y a prevenir aquellas conductas que puedan generarlos, evitando la utilización de estructuras opacas con finalidades tributarias[11]. Deberán cooperar con la AEAT en la detección y búsqueda de soluciones respecto de las prácticas fiscales fraudulentas que puedan desarrollarse en los mercados donde actúen, con el objetivo de erradicarlas y de prevenir su extensión.

Asimismo, a nivel de control interno de la entidad, se establece la necesidad de informar al Consejo de Administración de las políticas fiscales de la compañía, con anterioridad a la formulación de las cuentas anuales y de la presentación de la declaración del Impuesto sobre Sociedades, así como la necesidad de informar a dicho órgano de representación de las consecuencias fiscales de determinadas operaciones que deban ser aprobadas por el mismo.

- Desde la perspectiva de la AEAT, las medidas se centran en una mayor transparencia y seguridad jurídica en la aplicación e interpretación de las normas tributarias.

Por lo que se refiere a este segundo tipo de medidas, las mismas se refieren a los criterios que deberán guiar la interpretación y aplicación de la normativa tributaria, y aquí es donde cabría advertir que se trata de un comienzo; un buen comienzo sin duda, pero de un comienzo al fin y al cabo, aunque hay que indicar que con posterioridad, como tendremos ocasión de comprobar, se han concretado y potenciado las actuaciones por ambas partes.

---

[11]   Definiéndose en dicho documento como tales «aquellas en las que, mediante la interposición de sociedades instrumentales a través de paraísos fiscales o territorios no cooperantes con las autoridades fiscales, estén diseñadas con el propósito de impedir el conocimiento, por parte de la Agencia Tributaria, del responsable final de las actividades o el titular últimos de los bienes o derechos implicados».

Y es que el propio CBPT explicita que la Agencia Tributaria velará porque en la interpretación de las normas se respete la unidad de criterio, aplicando los criterios que se desprendan de la doctrina administrativa y jurisprudencial, y ante la duda sobre cuál es el criterio a aplicar, solicitará informe a la Dirección general de Tributos en el ámbito de su competencia.

Asimismo, la Agencia Tributaria hará públicos los criterios que aplica en sus procedimientos de control, «en tanto sean susceptibles de ser aplicados con carácter general»[12].

Como decimos, este primer documento parece que establece una mera declaración de intenciones, al explicitar, por ejemplo, que la Agencia Tributaria «establecerá procedimientos adecuados para permitir que aquellos contribuyentes que tengan dudas sobre el tratamiento tributario de determinadas operaciones u operativas puedan conocer, con la rapidez requerida por el caso, los criterios que la Administración aplicaría en tales operaciones u operativas»[13].

Lo mismo cabría decir del apartado 2.4 del CBPT, cuando permite a los contribuyentes presentar un anexo explicativo junto con la declaración tributaria, en el que manifiesten los criterios seguidos en su cumplimentación, lo cual —y aquí es donde a nuestro juicio también puede comprobarse una cierta indefinición—, «si los hechos se adaptan a la realidad y los criterios están razonablemente fundamentados, será valorado favorablemente por la AEAT a efectos de determinar la diligencia, el dolo o culpa a que se refiere la Ley General Tributaria». O la última referencia a la necesidad de que la Agencia Tributaria, en su actividad de aplicación del sistema tributario, garantiza el pleno ejercicio de los derechos de los contribuyentes; derechos que, como sabemos, en la actualidad ya se encuentran integrados en el artículo 34 de la LGT. ¿Es necesario un reconocimiento expreso en el CBPT de algo que ya está incluido en la propia LGT?; ¿aporta algo nuevo? En breve retomaremos esta cuestión.

• El objetivo de reducción de la litigiosidad y la evitación de los conflictos.

Contiene esta tercera parte un conjunto de medidas destinadas a evitar los conflictos entre las partes y, por ende, a reducir la conflictividad entre ellas.

---

[12] Apartado 2.2 del CBPT.
[13] Apartado 2.3 del CBPT.

Aparte del objetivo inicial acerca de que las relaciones entre ambas deberán ser *constructivas, transparentes y basadas en la mutua confianza*, se indica que se procurará minorar los conflictos derivados de la normativa aplicable e implementar los instrumentos habilitados al efecto por la normativa tributaria. Especialmente, se establece un elenco de medidas aplicables al procedimiento inspector, potenciando los acuerdos en todas las fases del mismo en que ello sea factible.

Entre las prácticas a seguir cabría traer a colación, por ejemplo, aquellas referidas a facilitar al contribuyente el conocimiento, lo antes posible, de los hechos susceptibles de regularización, con el objetivo de facilitar el intercambio de pareceres y posibilitar la corrección de las actuaciones de la empresa a futuro. Ó la incorporación en la motivación de los actos en que se base la propuesta de regularización, de una valoración expresa de las alegaciones presentadas por el contribuyente.

Más relevante es, sin duda, la contemplada en el apartado 3.2 (6), al establecer que «la Agencia Tributaria y las empresas potenciarán los acuerdos y las conformidades en el procedimiento inspector». Nada tenemos que objetar a ello; todo lo contrario, tan sólo que este tipo de previsiones, en aras a promover su aplicación efectiva, deberían desarrollarse mediante la aprobación de normas tributarias positivas que garantizaran su efectiva aplicación.

Por tanto, podemos comprobar como el CBPT constituye, sin duda alguna, un hito importante en el Derecho tributario español, estableciendo compromisos en sus actuaciones, tanto para las empresas que de manera voluntaria se adhieran al mismo, como para la propia Administración tributaria; compromisos que podrían considerarse la semilla del establecimiento de un nuevo modo de entender las relaciones entre la Administración y los particulares, una relación de igual a igual.

Es cierto que, con posterioridad, se aprobaron las Conclusiones relativas al desarrollo y seguimiento de la aplicación del «Código de Buenas Prácticas Tributarias» en el marco del modelo de relación cooperativa entre la Agencia Tributaria y las empresas —incluyéndose como Anexo al CBPT—, avanzando en el sentido de concretar los compromisos entre las partes y mejorar en el establecimiento de una verdadera relación cooperativa entre ellas, estableciendo diferentes medidas que potencian la implementación de este nuevo modelo de relaciones. Veamos someramente algunos de sus hitos principales.

El citado Anexo contiene tres tipos de medidas, a saber: por una parte, aquellas que se refieren al seguimiento y valoración de las conductas de cumplimiento por las partes; por otro lado, medidas de reforzamiento de las buenas prácticas de transparencia empresarial[14] —entre las que destaca el suministro de información relativa a la presencia de la empresa en paraísos fiscales, esquemas de tributación internacional del grupo, explicación de las operaciones societarias más significativas, o la estrategia fiscal del grupo, entre otras— y, por último, otros compromisos que reforzarán el cumplimiento del mencionado Código —referidos por ejemplo, a la difusión de determinada información por parte de la AEAT, tales como los criterios que aplica en sus procedimientos de control, la difusión de los sujetos que han sido designados como responsables del cumplimiento cooperativo, la introducción de mecanismos de comunicación informal entre las partes, las acciones periódicas de comunicación interna para difundir los compromisos del Código, entre otras que cabría citar—.

Por lo que se refiere al primer tipo de medidas, nos parecen especialmente relevantes, dado que se concretan en mayor medida los compromisos a adquirir por parte, tanto de las empresas, como de la AEAT para considerar que se está cumpliendo de manera adecuada el CBPT, estableciéndose mecanismos de seguimiento y evaluación permanente de su cumplimiento y las consecuencias que, en su caso, se pudieran provocar ante el posible incumplimiento del mismo.

En el ámbito empresarial, cabría citar, por poner algún ejemplo, la necesidad de que el Consejo de Administración de la entidad haya fijado la estrategia fiscal de la misma, que está documentada y es conocida por los directivos, ó que se han aprobado las operaciones y las inversiones de especial riesgo fiscal, habiendo establecido reglas internas de gobierno corporativo para minimizar los riesgos fiscales identificados, cuyo cumplimiento puede ser objeto de verificación. Asimismo, la empresa debe suministrar información veraz a la Agencia tributaria, y lo que es más importante, que o bien al inicio o en el curso del procedimiento inspector, la empresa debe suministrar determinada información, de manera rápida y completa y preferentemente por medios electrónicos.

---

[14]   La transparencia por parte de las empresas se desarrolla a través de la *Propuesta para el reforzamiento de las buenas prácticas de transparencia fiscal empresarial de las empresas adheridas al Código de Buenas Prácticas Tributarias*, de 2016, que articula el Informe Anual de Transparencia que las empresas adheridas al CBPT deben presentar a la Administración Tributaria (disponible en https://www.agenciatributaria.es/AEAT. internet/Inicio/_Segmentos_/Empresas_y_profesionales/Foro_Grandes_Empresas/Codigo_de_Buenas_Practicas_Tributarias/Propuesta_para_el_reforzamiento_de_las_buenas_practicas_de_transparencia_fiscal_empresarial_de_las_empresas_adheridas_al_Codi__ctubre_de_2016_.shtml)

La AEAT, por su parte, tiene determinados compromisos que cumplir, tanto en el ámbito del procedimiento general —como sucede con la aplicación de los criterios administrativos y jurisprudenciales en sus actuaciones, que los criterios aplicados se han publicado con antelación, procurando minorar los posibles conflictos— como, sobre todo, en el procedimiento inspector, donde se establecen un elenco de medidas a través de las cuales se pretende una actitud de cooperación de la Administración con los obligados tributarios.

Así, la Administración deberá delimitar al máximo el objeto de los requerimientos formulados a la empresa en dicho procedimiento, facilitándole lo antes posible los hechos susceptibles de regularización. Con el objetivo de evitar el posible conflicto, también deberá poner en conocimiento de la entidad las cuestiones de hecho relevantes para la liquidación y la actividad probatoria correlativa, facilitando con ello la adecuada discusión de las mismas durante las actuaciones inspectoras, y estableciendo la forma de comunicación más adecuada con la empresa para asegurarla.

Por ejemplo, con anterioridad al trámite de puesta de manifiesto del expediente, se considera buena práctica la celebración de reuniones entre los responsables fiscales de la empresa y los de la AEAT en las que se pongan de manifiesto «las principales cuestiones conflictivas y potenciales contingencias fiscales que han surgido durante la tramitación del procedimiento de inspección, a los efectos de que en evitación de posibles conflictos, el obligado tributario pueda, en su caso, aportar información adicional a los responsables de la comprobación tributaria relativa a las cuestiones conflictivas planteadas»[15].

Una vez establecidas las medidas básicas a adoptar por las partes, el Anexo establece la posibilidad de que cualquiera de ellas pueda solicitar la evaluación del cumplimiento de las recomendaciones incluidas en el mismo, estableciendo el procedimiento a seguir en caso de incumplimiento.

A este respecto, en primer lugar, se da la posibilidad de que ambas partes puedan dejar constancia, en el ámbito de los procedimientos de aplicación de los tributos, de la valoración o evaluación del cumplimiento de las conductas, compromisos y recomendaciones del CBPT.

Pero, en el concreto ámbito del —nuevamente— procedimiento de Inspección tributaria, cuando la AEAT o la empresa consideren que se ha producido una inobservancia, dicha circunstancia será analizada y valorada

---

[15]   Apartado A.2.2 (4) de las mencionadas Conclusiones.

por representantes de ambas partes. Si tras dicho análisis se considera que persiste la inobservancia por parte de la empresa, se informará acerca de esta inobservancia grave al Consejo de Administración «y de las de las conductas y compromisos presentes o futuros a asumir por la empresa relacionados con el motivo de la inobservancia apreciada que sean consistentes con las recomendaciones y postulados del Código de Buenas Prácticas Tributarias»[16].

Si la persistencia en la inobservancia lo fuera por parte de la AEAT, la empresa podrá dirigirse al Director del Departamento de Inspección Financiera y Tributaria para ponerlo en su conocimiento e instarle a adoptar las medidas pertinentes para procurar que se subsanen sus efectos.

En general, valoramos muy positivamente la introducción de este elenco de medidas, dado que coadyuvan a concretar en mayor medida una mejor relación entre las empresas y la Administración tributaria, normalizándola y evitando conflictos futuros, aunque consideramos que debería avanzarse en el establecimiento de verdaderas medidas, no tanto de control, sino de consecuencias en caso de incumplimiento por cualquiera de ellas[17].

Y es que recientemente se han aprobado dos nuevos documentos relevantes en la materia siendo, por un lado, el Código de Buenas Prácticas de Profesionales Tributarios (en adelante, CBPPT[18]) y el Código de Buenas Prácticas de Asociaciones y Colegios de Profesionales Tributarios (en adelante, CBPACPT[19]), configurándose como documentos que permitan avanzar en el establecimiento de una relación cooperativa entre la AEAT y los

---

[16]   Letra C) del apartado 1 del mencionado Anexo.

[17]   Así lo entiende GONZÁLEZ DE FRUTOS, para quien «será fundamental hacer un seguimiento para rectificar las posibles debilidades cuando no se estén cumpliendo los objetivos deseados. También deberían estar acordadas, de antemano, las acciones para exigir responsabilidades por cada una de las partes en caso de incumplimiento». *Vid.* GONZÁLEZ DE FRUTOS, Ubaldo: «La relación cooperativa: un nuevo horizonte en el diálogo entre las grandes empresas y la Agencia Tributaria». Crónica Tributaria, nº 134, 2010, p. 93.

[18]   Disponible en https://www.agenciatributaria.es/AEAT.internet/Inicio/_Segmentos_/ Colaboradores/Foro_de_Asociaciones_y_Colegios_de_Profesionales_Tributarios/Codigos_de_Buenas_Practicas_Tributarias/Codigo_de_Buenas_Practicas_de_Profesionales_Tributarios/Codigo_de_Buenas_Practicas_de_Profesionales_Tributarios_.shtml.

[19]   Disponible en https://www.agenciatributaria.es/AEAT.internet/Inicio/_Segmentos_/Colaboradores/Foro_de_Asociaciones_y_Colegios_de_Profesionales_Tributarios/Codigos_de_Buenas_Practicas_Tributarias/Codigo_de_Buenas_Practicas_de_Asociaciones_y_Colegios_de_Profesionales_Tributarios.shtml.

profesionales que posibilite desarrollar buenas prácticas tributarias de los obligados tributarios con el apoyo de los intermediarios fiscales[20].

Ambos documentos han sido aprobados por el Foro de Asociaciones y Colegios Profesionales Tributarios, como un lugar de diálogo entre la AEAT y dichas instituciones en el que, además de difundir los criterios administrativos de aplicación de los tributos y de analizar las modificaciones normativas, se promueve el papel de los profesionales tributarios como colaboradores sociales en la aplicación de los tributos y su compromiso social para contribuir al rechazo por parte de los contribuyentes de las conductas defraudadoras.

La experiencia de trabajo de dicho Foro ha sido muy positiva, pues se ha avanzado en el establecimiento de unas relaciones entre el contribuyente y los intermediarios fiscales con la Administración tributaria, en el sentido de desarrollar una relación de cooperación capaz de adoptar soluciones conjuntas en defensa del interés general.

Fruto de estos trabajos, el 2 de julio de 2019 se aprobaron sendos Códigos de Buenas Prácticas, el de Profesionales Tributarios (CBPPT) y el de Asociaciones y Colegios de Profesionales Tributarios (CBPACPT), como documentos en los que se ha plasmado un conjunto de principios y compromisos para mejorar el proceso de comunicación entre dichos colaboradores —o las Asociaciones y Colegios Profesionales— y la Agencia Tributaria, con el objetivo fundamental de fijar líneas de actuación que permitan desarrollar el modelo de relación cooperativa entre las partes, incidiendo de manera directa en la generalización de buenas prácticas tributarias por parte de los contribuyentes.

En ambos documentos se parte de definir el concepto de buenas prácticas tributarias, conceptuándolas como «el conjunto de principios, valores, normas y pautas que definen un buen comportamiento de los intermediarios fiscales de los contribuyentes respecto a las obligaciones tributarias de estos últimos»[21], para lo cual es necesario propiciar un marco para conocer

---

[20] Ya en el ámbito de la Unión Europea, la aprobación de la Directiva (UE) 2018/822 del Consejo, de 25 de mayo de 2018, que modifica la Directiva 2011/16/UE, de 15 de febrero de 2011 por lo que se refiere al intercambio automático y obligatorio de información en el ámbito de la fiscalidad en relación con los mecanismos transfronterizos sujetos a comunicación de información —denominada coloquialmente como Directiva de intermediarios fiscales o DAC 6— impone a los intermediarios fiscales y, en ocasiones, al contribuyente, el deber de comunicar a la Administración determinados esquemas que pudieran considerarse de planificación fiscal agresiva a nivel internacional.

[21] Apartado I de ambos documentos.

y poner en común los problemas que puedan plantearse en la aplicación de los tributos, pues ello redundará en una mejora de la seguridad jurídica y en unos menores costes de cumplimiento, contribuyendo eficazmente a reducir la conflictividad.

Por lo que se refiere a los principios y compromisos contemplados en dichos Códigos, se establecen los de *voluntariedad* en la adhesión a los mismos; la *bilateralidad* en la adopción de compromisos —garantizando un equilibrio de los derechos y obligaciones de las partes—; la *transparencia* y la *confianza* que supone entregar información más allá de los requerimientos legales, sin perjuicio del secreto profesional y la obligación de sigilo; el *mutuo acuerdo* en el alcance y contenido de la información suministrada; la *colaboración* entre las partes; la *confidencialidad* y *privacidad* de la información suministrada; así como la *facilidad en la comunicación* a través del establecimiento de un canal online que permita agilizar la relación entre las partes.

En cuanto a los compromisos en sí mismos considerados, y en aras a una mayor claridad expositiva, trataremos ambos documentos de manera conjunta en aquellas cuestiones que coincidan, por lo que deberá tenerse en cuenta la adecuación, en cada caso, su posible aplicación a los profesionales tributarios o a las Asociaciones y Colegios de Profesionales en los que aquéllos se integran. A continuación, trataremos los compromisos específicos que se contemplan para cada colectivo en el respectivo Código de Buenas Prácticas.

Comenzando con los compromisos asumidos por la AEAT, los mismos se centran, por un lado, en una mayor y mejor comunicación con los interesados, publicando los criterios que aplica en sus procedimientos de control, organizar campañas de divulgación y comunicación específicamente dirigidas a estos colectivos, participación en jornadas o cursos en los que se traten temas de interés para ellos. Por otro, se pretenden mejorar los procedimientos tributarios —en orden a evitar la verificación presencial de documentación y evitar el desplazamiento a las oficinas de la AEAT—, reformando la aplicación del sistema tributario, reduciendo cargas fiscales indirectas e impulsando el uso de las nuevas tecnologías.

Por último, se compromete a garantizar, en la aplicación de los tributos, el pleno ejercicio de los derechos de los contribuyentes y de los profesionales y demás colaboradores sociales en el ejercicio de su profesión, a proceder al reconocimiento de todos aquellos que se adhieran a su respectivo Código de Buenas Prácticas, así como a analizar las solicitudes de unificación de criterio que presenten dichos colectivos, cuando comuniquen actuaciones dispares por parte de la AEAT en procedimientos similares.

Además de la fijación de acciones comunes a ambos Códigos, en el concreto ámbito del CBPPT, la AEAT se compromete a singularizar y personalizar a los intermediarios fiscales que se hayan adherido al mismo, mejorando las funcionalidades de la aplicación de cita previa, así como a identificar las declaraciones tributarias que se hayan presentado por intermediarios fiscales adheridos al Código.

Incluso, y a efectos relevantes en la práctica, en el marco de los procedimientos en los que el intermediario manifieste que es un sujeto adherido a dicho Código y su voluntad de agilizar la tramitación del procedimiento y reducir la litigiosidad, la Agencia tributaria le facilitará, lo antes posible, el conocimiento de los hechos susceptibles de regularización, al objeto de garantizar que pueda disponer, con la mayor antelación posible, «de toda la información que le permita desplegar la actividad probatoria que requiera en cada caso la defensa de sus intereses. Asimismo, y siempre que las circunstancias lo justifiquen, se facilitará la celebración de reuniones tendentes a poner de manifiesto y aclarar cuestiones de relevancia que se hubieran podido suscitar en el seno del procedimiento»[22]; previsión que se corresponde con la correlativa colaboración del profesional tributario, según el CBPPT, con la Administración para «clarificar, lo antes posible, las cuestiones controvertidas que sean puestas de manifiesto en el marco del procedimiento inspector, atendiendo a los requerimientos de información y documentación que le sean solicitados con la mayor agilidad posible, y aportando toda aquella información que pueda ser relevante para el desarrollo del procedimiento de la forma más rápida y completa posible»[23].

Por lo que se refiere a los compromisos asumidos por los intermediarios fiscales, se parte de la base de que la correspondiente Asociación o Colegio Profesional debe disponer de un Código Deontológico, al que debe estar adherido el propio profesional tributario. Aparte de ello, los compromisos por parte de ambos colectivos —los propios profesionales tributarios y las Asociaciones y Colegios profesionales en que se integran— se basan en la comunicación constante y la difusión de la información relevante a la Administración, fomentando sus relaciones con ésta en formato electrónico, aparte del deber de una actuación diligente de cara a sus clientes y a la Administración.

---

[22]   Último apartado de los compromisos adoptados por la AEAT en el CBPPT.
[23]   Apartado sexto de los compromisos por parte de los intermediarios fiscales del CBPPT.

En relación con esta última cuestión apuntada, el CBPPT prevé que los profesionales deberán informar a sus clientes de la necesidad de evitar y prevenir planteamientos que puedan suponer prácticas tributarias y aduaneras fraudulentas o ilegales, velando para que las actuaciones de aquéllos sean leales y conforme a la legislación vigente, debiendo advertirles de la ilegalidad de ciertas conductas y no colaborando en su ejecución. Asimismo, deberán difundir entre sus clientes el uso de instrumentos previstos en el ordenamiento tributario para evitar los conflictos.

Los intermediarios fiscales deberán evitar la utilización de estructuras opacas en sus operaciones de planificación, entendiéndose por tales «aquéllas en las que, mediante la interposición de sociedades instrumentales situadas en paraísos fiscales o territorios no cooperantes con las autoridades fiscales, estén diseñadas con el propósito de impedir el conocimiento por parte de la Agencia Tributaria de los responsables finales de las actividades o los titulares últimos de los bienes o derechos implicados». Asimismo, se considerarán estructuras opacas «la utilización de sociedades instrumentales en operaciones de importación o intracomunitarias, aun cuando no estén radicadas en paraísos fiscales, constituidas o utilizadas con el fin de impedir o dificultar el conocimiento por parte de la Agencia Tributaria de los responsables finales de las operaciones»[24].

En el mismo sentido que el indicado, el CBPACPT prevé que las Asociaciones y Colegios Profesionales establecerán estándares de calidad de los servicios prestados a sus asociados, debiendo disponer de un Manuel de Cumplimiento Voluntario —que deberá ser adoptado por los intermediarios fiscales, según el CBPPT— en el que se determinen los criterios de trabajo y las recomendaciones de los asociados a sus clientes «oponiéndose a conductas contrarias al ordenamiento jurídico, entre otras: llevanza de una doble contabilidad, interposición de personas jurídicas, opacidad de estructuras societarias, utilización de software de doble uso, realización de pagos en efectivo que superen los límites legales, operaciones de deslocalización fiscal ficticias, utilización fraudulenta de los procesos concursales, uso de estructuras de planificación fiscal agresiva que tiendan ilegalmente a la elusión o minoración de tributación en España, como la utilización improcedente de instrumentos híbridos o la deducción de gastos por compra de valores con apalancamiento cuando quede acreditado que la operación tie-

---

[24] Apartado cuarto de los compromisos por parte de los intermediarios fiscales del CBPPT.

ne como finalidad principal generar gastos financieros que sean fiscalmente deducibles»[25].

Ahora bien, en sendos documentos también se establecen compromisos a seguir por parte de los intermediarios fiscales frente a la Asociación o Colegio profesional donde se integran, y viceversa. Entre los primeros, cabría citar la necesidad de aquéllos de poner en conocimiento de éstos las irregularidades que detecte el profesional o el propio cliente «respecto de presuntas conductas fraudulentas generalizadas en un sector que puedan afectar al normal funcionamiento del sistema tributario o a la competencia en el mercado»[26], siempre respetando los límites que impone el deber de secreto profesional.

Por su parte, las Asociaciones y Colegios de Profesionales tributarios deberán proporcionar formación permanente y actualización de conocimientos técnicos a sus asociados, canalizando las cuestiones a formular a la Agencia Tributaria[27] y difundir entre sus asociados los criterios generales y principios mantenidos por la Administración Tributaria.

En definitiva, y una vez examinado el contenido de los tres Códigos de Buenas Prácticas en materia tributaria que han sido aprobados en nuestro país, puede afirmarse que, en general, nos encontramos ante un nuevo horizonte en el desenvolvimiento de las relaciones entre la Administración y los obligados tributarios, bien a través de sí mismos o mediante la participación de los intermediarios fiscales. Nuevo horizonte en el que se supera la tradi-

---

[25]   Apartado quinto de los compromisos por parte de las Asociaciones y Colegios Profesionales del CBPACPT.

[26]   Apartado noveno de los compromisos por parte de los intermediarios fiscales del CBPPT.

[27]   En relación con esta cuestión, con posterioridad a la aprobación del CBPPT se ha aprobado una Adenda al mismo, en base a la cual las Asociaciones y Colegios de Profesionales Tributarios que la suscriban, se comprometen a actuar como canales de comunicación de forma que para sus asociados y colegiados puedan hacerse efectivos íntegramente los compromisos siguientes:
· El establecimiento de un canal de comunicación con la Agencia Tributaria a través del cual se puedan formular cuestiones.
· La singularización y personalización de la atención a los intermediarios fiscales adheridos al Código de Buenas Prácticas de Profesionales Tributarios, mejorando las funcionalidades de la cita previa.
· La participación en cursos o jornadas de tratamiento de temas de interés para los intermediarios fiscales.
· El análisis de las solicitudes de unificación de criterio que planteen los intermediarios fiscales.

cional desconfianza entre las partes y se fijan nuevas relaciones basadas en la confianza mutua y cooperación.

Hemos podido comprobar que, en general, las medidas contempladas en los documentos analizados facilitan y promueven un diálogo intenso y, sobre todo, constante entre ambas partes, lo que sin duda, representa el verdadero motivo que guía la elaboración de este tipo de documentos: instaurar un nuevo modelo de relaciones basadas en la confianza mutua, el diálogo y la buena fe entre las partes.

Sin perjuicio de lo anterior, y avanzando un poco más en el objeto de nuestro trabajo, debemos tener en cuenta que los Códigos de Buenas Prácticas no tienen fuerza normativa, es decir, no forman parte de nuestro ordenamiento tributario positivo. Sin embargo, deberíamos plantearnos: ¿reconoce y regula de alguna manera el legislador tributario español las *relaciones cooperativas* (o el *cumplimiento cooperativo*) de manera expresa?

Respondiendo a esta cuestión hay que indicar, en primer lugar, que ninguna norma define en nuestro ordenamiento tributario el concepto de relación cooperativa (o cumplimiento cooperativo). Tan sólo, desde el año 2015[28], la LGT reconoce de manera explícita, en su artículo 92.2, la posible colaboración social mediante la adopción de acuerdos entre la Administración Tributaria *con otras Administraciones públicas, con entidades privadas (…) y, específicamente, con el objeto de facilitar el desarrollo de su labor en aras de potenciar el* **cumplimiento cooperativo** *de las obligaciones tributarias, con los colegios y asociaciones de profesionales de la asesoría fiscal.*

En otras palabras, no se define el concepto de relación cooperativa (o cumplimiento cooperativo), pero sí se menciona al regular la colaboración social en el cumplimiento de los tributos. Menos es nada, pero en aras a una posible implementación real de tales prácticas, consideramos que quizá sería deseable que nuestro legislador incluyera dicho concepto en la LGT, definiendo sus concepto, contenido y ámbito objetivo de aplicación para, con posterioridad, poder ser desarrollado por la normativa reglamentaria[29].

---

[28]   En este sentido, hay que recordar que la redacción actual de dicho precepto se incluyó por el artículo Único. Dieciséis de la Ley 34/2015, de 21 de septiembre, de modificación parcial de la Ley 58/2003, de 17 de diciembre, General Tributaria.

[29]   A juicio de MARTÍN FERNÁNDEZ, «el camino a recorrer en el futuro debe ser el de la reforma de la Ley General Tributaria y del Reglamento de Aplicación de los tributos, al objeto de incorporar de manera generalizada lo que hoy es el fruto de una suerte de pacto entre la Administración y el contribuyente». MARTÍN FERNÁNDEZ, Javier: «El código de Buenas Prácticas Tributarias». Diario Cinco Días, 10 de enero de 2011.

Y es que, en el sentido indicado con anterioridad, podríamos plantearnos, entre otras muchas, las siguientes cuestiones: ¿qué efectos prácticos tiene realmente para un obligado tributario adherirse al código de buenas prácticas?; ¿y si, una vez adherido, lo incumple? No debemos olvidar que, tal y como está configurado en la actualidad, al no tener fuerza normativa, hemos visto que se establece la posibilidad de comunicar a la otra parte dicha circunstancia e instarle a cumplirlo, pero más allá de ello, ¿se le podría sancionar? Evidentemente en la actualidad ello no es posible, y realmente éste no es el objetivo de la aprobación de los Códigos de Buenas Prácticas, sino todo lo contrario, fomentar una relación basada en el entendimiento, transparencia y buena fe entre las partes, aunque esta sería una cuestión sobre la que habría que reflexionar de cara a una futura regulación en la LGT de la relación cooperativa.

Para estos primeros momentos de implementación de la relación cooperativa y aplicación de los Códigos de Buenas Prácticas en el ámbito tributario, estamos de acuerdo con la AEDAF cuando indica que «un modelo de *hard law* probablemente redundaría en una mayor credibilidad del sistema y en un mayor compromiso de las partes en su cumplimiento. Sin perjuicio de lo anterior, debería valorarse en qué medida el modelo español de relación cooperativa, que aún se encuentra en una fase muy incipiente de desarrollo, debería mutar a un modelo de *hard law* o si, antes de dar este paso, debería rodarse suficientemente el actual modelo de *soft law*»[30].

Parece que lo más prudente podría ser experimentar el actual modelo, testar los Códigos de Buenas Prácticas aprobados en España y ver sus posibles fortalezas y debilidades para, a continuación, plantearse su regulación y desarrollo positivo. Ahora bien, ello no es óbice, a nuestro juicio, para elaborar una regulación básica conceptual, así como de sus elementos esenciales en nuestra LGT, pues ello redundaría en una mayor certeza y seguridad jurídica tanto para la Administración como para los obligados tributarios.

Lo que queda fuera de toda duda, a nuestro juicio, es que en la actualidad, nuestro ordenamiento tributario cuenta con herramientas suficientes para proseguir avanzando en un nuevo modelo de relaciones entre los obligados tributarios y la Administración, que suponga una evolución, como decíamos, desde una relación de confrontación entre las partes a otra cooperativa y de colaboración.

---

[30]   AEDAF: *La relación cooperativa en España. Propuestas para un modelo de éxito.* Junio 2017, pp. 11 y 12.

Son muchos los ámbitos en los que puede desarrollarse la relación cooperativa en nuestro ordenamiento tributario vigente, entre otros González de Frutos alude a la información con carácter previo a la adquisición o transmisión de bienes inmuebles, regulada en el artículo 90 LGT, o los acuerdos previos de valoración del artículo 91[31].

Pero es más, teniendo en cuenta el reflejo que tienen los compromisos incluidos en los Códigos de Buenas Prácticas en el procedimiento de Inspección Tributaria —que es el que, con carácter general, ha sido desarrollado en mayor medida en este sentido— consideramos que nos encontramos ante una situación óptima para desarrollar este nuevo modelo de relaciones entre la Administración y los obligados tributarios.

Mucho se viene hablando sobre la intervención de la voluntad de las partes en los procedimientos tributarios, de la posibilidad de su terminación convencional para reducir o evitar la conflictividad en materia tributaria. Mucho se ha escrito también sobre el carácter indisponible de la obligación tributaria y del principio de legalidad como límites a la intervención de la voluntad de las partes en los procedimientos tributarios. Y mucho, en fin, sobre el ámbito objetivo más o menos amplio de la posible intervención de aquella, de si se admite únicamente en aquellos supuestos donde existe una cierta discrecionalidad por parte de la Administración en la aplicación de los tributos.

Pues bien, recordemos que nuestros Códigos de Buenas Prácticas, al desarrollar las pautas aplicables al procedimiento de Inspección, prevén, entre sus compromisos, una comunicación constante y fluida entre las partes para facilitar su desarrollo, debiendo, por ejemplo, la AEAT facilitar lo antes posible al contribuyente los hechos susceptibles de regularización y aquellos que influyan en la eventual propuesta de regularización, o que todas las cuestiones de hecho relevantes para instruir el expediente sancionador se deberán conocer y discutir adecuadamente con anterioridad a la resolución del mismo.

A nuestro juicio, resulta muy significativo el contenido del apartado 3.2 (5) del CBPT, al indicar que «la Agencia Tributaria procurará que todas las cuestiones de hecho relevantes para practicar la liquidación así como la actividad probatoria correlativa, se conozcan y discutan adecuadamente durante las actuaciones inspectoras previas a la firma del acta o, en su caso, en las actuaciones complementarias que se acuerden al efecto».

---

[31]   GONZÁLEZ DE FRUTOS, Ubaldo: «La relación cooperativa: un nuevo horizonte...» *Ob. cit.*, p. 93.

Si nos fijamos bien en los términos utilizados, podremos comprobar cómo en todos los casos se alude a *cuestiones de hecho*, a comunicación de *hechos* relevantes para el procedimiento, nunca a disponer sobre elementos de la obligación tributaria o normas jurídicas indisponibles. Ante esta situación, creemos que no hay nada que objetar al impulso y desarrollo de este tipo de relación cooperativa entre las partes.

Al contrario, consideramos que en el marco de una relación como la que de manera incipiente se está implantando en nuestro país, el procedimiento inspector (y en su seno, la adopción de las actas con acuerdo previstas en el artículo 155 de la LGT) podrían ser una herramienta muy útil para desarrollar un verdadero modelo de relación cooperativa, cuya finalidad es promover una comunicación constante e intensa entre las partes, suministrando información relevante al efecto, fomentando un diálogo que, sin duda, redundará en beneficios para todos: se evitará el conflicto, se obtendrá una mayor seguridad jurídica, una mayor recaudación y, sobre todo, se logrará una actitud mucho más cooperativa por ambas partes.

Los anteriores son algunos ejemplos de las incipientes medidas que se están adoptando en España en este ámbito. Pero es necesario, en nuestra opinión, ahondar en este tipo de técnicas, analizar sus posibilidades y profundizar en la implementación de métodos que se dirijan, en el sentido indicado, a desarrollar un nuevo modelo de relaciones entre los obligados tributarios y la Administración basadas en la mutua colaboración, en el cumplimiento de las obligaciones y deberes tributarios, por un lado, y en el ejercicio de las potestades administrativas, por otro.

Sólo el tiempo nos dirá si la *deriva* del Derecho Financiero y Tributario en el ámbito de las relaciones cooperativas ha generado un nuevo marco de relaciones entre las partes, capaz de superar el tradicional esquema de enfrentamiento y confrontación, para pasar a un nuevo modelo basado en la confianza mutua y la colaboración. Es nuestra intención que la respuesta a dicha cuestión sea afirmativa y que la balanza se incline en favor de este recién estrenado escenario: la relación cooperativa.

Capítulo 34

El dilema de la «espontaneidad inducida» en la interpretación del artículo 27 de la Ley General Tributaria

LAURA SOTO BERNABEU
Profesora Ayudante del área de Derecho Financiero y Tributario
Universidad Miguel Hernández

SUMARIO: 1. EL CARÁCTER VOLUNTARIO DE LA REGULARIZACIÓN COMO ELEMENTO CLAVE EN LA IMPLEMENTACIÓN DE UN PROGRAMA DE CUMPLIMIENTO VOLUNTARIO. 2. LA IMPORTANCIA DE DETERMINAR EL ALCANCE DE LA VOLUNTARIEDAD O ESPONTANEIDAD EN EL RÉGIMEN DEL ARTÍCULO 27 DE LA LEY GENERAL TRIBUTARIA. 2.1. El interés casacional del significado de requerimiento previo. 2.2. Algunas referencias al alcance de la voluntariedad en los programas de cumplimiento voluntario implementados en Alemania, Bélgica, Canadá, Italia, Portugal y Estados Unidos. 3. LA ACEPTACIÓN DE LA «ESPONTANEIDAD INDUCIDA» COMO RESULTADO DE UNA INTERPRETACIÓN TELEOLÓGICA DE LA NORMA. Bibliografía.

1. EL CARÁCTER VOLUNTARIO DE LA REGULARIZACIÓN COMO ELEMENTO CLAVE EN LA IMPLEMENTACIÓN DE UN PROGRAMA DE CUMPLIMIENTO VOLUNTARIO

Los avances en materia de intercambio de información producidos en los últimos años y la adopción de un enfoque responsivo por parte del legislador y de las Administraciones tributarias permiten explicar el aumento experimentado en el número de jurisdicciones fiscales que han implementado un programa de cumplimiento voluntario. Estas medidas constituyen una oportunidad, permanente o temporal, otorgada por Ley a los contribuyentes mediante la que se permite la regularización espontánea de situaciones de incumplimiento de las obligaciones tributarias[1].

---

[1] SOTO BERNABEU, L. «El concepto de regulación responsiva como justificación para la implementación de los programas de cumplimiento voluntario y de un modelo de cumplimiento cooperativo en la relación entre las Administraciones tributarias y los contribuyentes», en *Actum Fiscal*, nº 147, 2019, p. 34.

La voluntariedad se configura como un elemento esencial de la regularización y constituye el fundamento de la implementación de este tipo de medidas como resultado de la aplicación de un enfoque responsivo por parte del legislador y de las Administraciones tributarias. El concepto de regulación responsiva descansa en la idea de que las normas deben ser elaboradas y aplicadas mediante la adopción de un enfoque que resulte proporcional al comportamiento de quienes se encuentren incluidos en su ámbito de aplicación[2]. De esta manera, con su aplicación en el ámbito tributario se pretende adecuar la respuesta del ordenamiento jurídico al comportamiento de los obligados tributarios[3] y, por tanto, abandonar la percepción generalizada de que la forma más eficaz para reducir el nivel de incumplimiento de las obligaciones tributarias es la implantación de medidas de carácter coercitivo o sancionador[4]. Se trata, por tanto, de una forma de organización jerárquica de los diferentes medios disuasorios y coercitivos de que disponen las Administraciones tributarias para llevar a cabo una efectiva aplicación del sistema tributario[5].

Mediante la implementación de un programa de cumplimiento voluntario se pretende estimular el cumplimiento espontáneo de las obligaciones tributarias por parte de aquellos contribuyentes que inicialmente incumplieron con sus obligaciones tributarias. De este modo, se evita que las Administraciones tributarias deban iniciar un procedimiento de comprobación e investigación frente a cada contribuyente incumplidor y se obtiene un ahorro en el volumen de recursos materiales y humanos empleados para liquidar y exigir las deudas tributarias previamente no declaradas[6].

En el régimen de declaraciones extemporáneas, la regularización se considera voluntaria siempre que no haya mediado requerimiento previo. Este concepto es definido en el artículo 27.1 de la Ley General Tributaria como «cualquier actuación administrativa realizada con conocimiento formal del obligado tributario conducente al reconocimiento, regularización, compro-

---

2   FREEDMAN, J. «Responsive regulation, Risk and Rules: Applying the Theory to Tax Practice», en *Univeristy of Oxford, Legal Research Paper Series*, nº 13, 2012, p. 630.
3   AYRES, I; BRAITHWAITE, J. *Responsive regulation*. New York: Oxford University Press, Inc., 1992, pp. 25-27.
4   KOLIEB, J. «When to punish, when to persuade and when to reward: strengthening responsive regulation with the regulatory diamond», en *Monash Univeristy Law Review*, vol. 41, nº. 1, 2015, pp. 139-140.
5   BRAITHWAITE, V. «Ten things you need to know about regulation and never wanted to ask», en *Australian Law Librarian*, Vol. 14, nº 3, 2006, pp. 19-20.
6   GUNNINGHAM, N; GRABOSKY, P. *Designing Smart regulation: designing enviromental policy*, Oxford: Oxford University Press, 1998.

bación, inspección, aseguramiento o liquidación de la deuda tributaria». Es decir, no solamente se establece el carácter voluntario de la declaración presentada por el contribuyente como requisito indispensable para proceder a la regularización de su situación tributaria, sino que también se determina expresamente qué debe considerarse requerimiento previo a tales efectos.

No obstante, el carácter didáctico de esta previsión no ha evitado que surjan ciertas dudas sobre el alcance del requisito de la voluntariedad. Ejemplo de ello es el auto del Tribunal Supremo de 23 de mayo de 2019, en el que se acuerda que presenta interés casacional objetivo para la formación de jurisprudencia aclarar qué debe considerarse requerimiento previo a efectos de la aplicación del citado régimen y si, dentro del mismo, se incluyen aquellos supuestos en los que se ha desarrollado un procedimiento de comprobación e investigación respecto de un concepto tributario y un período impositivo concreto, siendo el resultado de dicho procedimiento trasladable a un ejercicio posterior aún no comprobado.

De esta forma, adoptando una visión positiva del fenómeno denominado «la deriva del Derecho Financiero y Tributario», en el presente trabajo analizaremos las circunstancias que han dado lugar a la interposición y admisión a trámite del correspondiente recurso de casación y a los argumentos de las partes a favor y en contra de adoptar una interpretación estricta del concepto «requerimiento previo». Junto a ello, con el objetivo de aportar una solución al debate planteado en cuanto a la admisión de la «espontaneidad inducida» en el régimen de las declaraciones y autoliquidaciones extemporáneas, analizaremos el alcance de la voluntariedad en determinados programas de cumplimiento voluntario implementados a nivel europeo e internacional que consideramos que pueden ayudar a resolver el debate planteado.

2. LA IMPORTANCIA DE DETERMINAR EL ALCANCE DE LA VOLUNTARIEDAD O ESPONTANEIDAD EN EL RÉGIMEN DEL ARTÍCULO 27 DE LA LEY GENERAL TRIBUTARIA

La existencia de requerimiento previo de la Administración tributaria es el elemento que impide el acceso al programa de cumplimiento voluntario general regulado en el artículo 27 de la Ley General Tributaria. A pesar de que en el primer párrafo de dicho artículo se incluye una definición de este concepto, es cierto que su interpretación puede generar dudas en cuanto a la definición concreta de esas actuaciones administrativas de reconocimiento, regularización, comprobación, inspección, aseguramiento o liquidación sobre una deuda tributaria y un período impositivo específico y la posible incidencia de dichas actuaciones sobre otra deuda tributaria u otro período impositivo que se pretende regularizar extemporáneamente.

2.1. El interés casacional del significado de requerimiento previo

El recurso de casación presentado por el abogado del Estado contra la sentencia dictada el 25 de septiembre de 2018 por la Sección 3ª de la Sala de lo Contencioso-Administrativo del Tribunal Superior de Justicia de la Comunidad Valenciana ha sido admitido a trámite por considerar el Tribunal Supremo que concurre en el presente caso interés casacional objetivo para la formación de jurisprudencia mediante su auto de 23 de mayo de 2019.

Los hechos de la sentencia impugnada tienen su origen en la presentación de una autoliquidación complementaria de carácter extemporáneo por parte de un contribuyente-persona jurídica en relación con el Impuesto sobre el Valor Añadido (ejercicio 2013). Esta declaración extemporánea se presentó de forma simultánea a la tramitación de un procedimiento de inspección iniciado frente a dicho contribuyente cuyo objeto era el Impuesto sobre el Valor Añadido (ejercicio 2012) y que finalizó mediante una rectificación de las cuotas soportadas en dicho ejercicio y la notificación de la oportuna liquidación.

Como resultado de la presentación de dicha autoliquidación extemporánea le fue notificada al contribuyente una liquidación en concepto del recargo del 5%, al considerar la Administración tributaria que dicha autoliquidación y el pago de la correspondiente deuda tributaria se realizó con un retraso de 78 días. Frente a esta liquidación la mercantil interpuso una reclamación económico-administrativa ante el TEAR de la Comunidad Valenciana por entender que la presentación de dicha autoliquidación complementaria fue resultado de la existencia de un procedimiento de inspección en relación con el Impuesto sobre el Valor Añadido (ejercicio 2012) y que, por tanto, no tenía carácter de espontáneo. Esta reclamación fue resuelta por el TEAR en sentido desestimatorio y concluyó que la presentación de dicha autoliquidación extemporánea era «directamente atribuible al contribuyente» y no derivaba «en absoluto del resultado de la comprobación administrativa de períodos anteriores»[7].

---

[7]   Resolución del TEAR de la Comunidad Valenciana de 27 de febrero de 2015.

La citada resolución del TEAR fue recurrida por la entidad mediante la interposición de un recurso contencioso-administrativo ante la Sala de lo Contencioso-Administrativo del Tribunal Superior de Justicia de la Comunidad Valenciana. En línea con la Sentencia del Tribunal Supremo de 19 de noviembre de 2012, el Tribunal Superior de Justicia de la Comunidad Valenciana estimó el mencionado recurso en su sentencia de 25 de septiembre de 2018 por considerar que «mediando un previo procedimiento liquidatario de ejercicios anteriores la declaración extemporánea que deriva de los criterios establecidos por la administración»[8] no se podía calificar la autoliquidación extemporánea presentada por el contribuyente como una declaración realizada sin requerimiento previo de la Administración tributaria.

En el asunto planteado, el TEAR y el abogado del Estado que interpone el recurso de casación objeto de análisis defienden una interpretación restrictiva del concepto «requerimiento previo». Ambos entienden que, según el párrafo 1º del artículo 27 de la Ley General Tributaria, resulta posible la liquidación de un recargo por declaración extemporánea en aquellos supuestos en los que el contribuyente regulariza su situación tributaria respecto de un concepto tributario específico y un ejercicio concreto, con independencia de que dicha regularización resulte posterior a la finalización de un procedimiento inspector en relación con otro ejercicio de ese mismo concepto tributario. En estos supuestos, consideran que no se ha producido ninguna actuación administrativa conducente a la regularización o aseguramiento de la deuda tributaria que es objeto de regularización, interpretación que sigue la línea de definición amplia del requisito de la voluntariedad en la mayoría de los programas de cumplimiento voluntario a los que nos referiremos en el apartado siguiente.

En cambio, en su sentencia de 19 de noviembre de 2012, el Tribunal Supremo ha adoptado una definición amplia del concepto requerimiento previo como resultado de un análisis conjunto del artículo 27 y del artículo 122.2 de la Ley General Tributaria. De esta forma, concluye que no resultan exigibles los recargos por declaración extemporánea cuando la declaración no es espontánea en sentido propio, sino una reacción directa a una regularización previa de la Administración[9]. Es decir, se considera que en estos supuestos no puede hablarse de espontaneidad, ya que la presentación de la declaración o autoliquidación extemporánea está inducida y es resultado de una actividad inspectora sin la cual no se hubiera realizado.

8   Auto del Tribunal Supremo de 23 de mayo de 2019 (Hechos, segundo).
9   Sentencia del Tribunal Supremo de 19 de noviembre de 2012 (FJ 2º)

Ante esta dualidad de interpretaciones del alcance de la voluntariedad en el régimen de las declaraciones o autoliquidaciones extemporáneas el Tribunal Supremo concluye que la cuestión jurídica planteada presenta interés casacional objetivo para la formación de jurisprudencia. Por ello, considera necesario aclarar, matizar o precisar la doctrina contenida en la sentencia de la Sección 2ª de su Sala 3ª en el sentido de determinar qué debe entenderse por requerimiento previo y cómo debe entenderse la expresión legal «cualquier actuación administrativa realizada con conocimiento formal del obligado tributario conducente al reconocimiento, regularización, comprobación, inspección, aseguramiento o liquidación de la deuda tributaria».

2.2. Algunas referencias al alcance de la voluntariedad en los programas de cumplimiento voluntario implementados en Alemania, Bélgica, Canadá, Italia, Portugal y Estados Unidos

La voluntariedad debe configurarse como un aspecto fundamental de la regularización en los programas de cumplimiento voluntario, ya que permite justificar la adopción de un enfoque responsivo en los procesos de creación y aplicación de las normas correspondientes. Sin embargo, si analizamos diversos programas de cumplimiento voluntario implementados a nivel nacional, europeo e internacional podemos concluir que existen diferentes interpretaciones del término voluntario.

Por ello, al hilo de la cuestión planteada en el auto del Tribunal Supremo de 23 de mayo de 2019, vamos a hacer una breve referencia a la conformación de este aspecto en diferentes programas de cumplimiento voluntario implementados en Alemania, Bélgica, Canadá, Estados Unidos, España, Italia y Portugal.

Como hemos analizado previamente, en el régimen de los recargos por declaración extemporánea del artículo 27 de la Ley General Tributaria, la voluntariedad en la regularización se configura como un elemento esencial para el acceso al programa y su alcance se define expresamente en el apartado 1º de dicho precepto.

A efectos de la exención de responsabilidad penal derivada del delito contra la Hacienda Pública regulado en el artículo 305 del Código Penal, la voluntariedad en la declaración se deduce de lo establecido en el apartado 4º cuando se determina que «se considerará regularizada la situación tributaria cuando se haya procedido por el obligado tributario al completo reconocimiento y pago de la deuda tributaria, antes de que por la Administración Tributaria se le haya notificado el inicio de actuaciones de comprobación o investigación tendentes a la determinación de las deudas tributarias objeto de la regularización o, en el caso de que tales actuaciones no se hubieran producido, antes de que el Ministerio Fiscal, el Abogado del Estado o el representante procesal de la Administración autonómica, foral o local de que se trate, interponga querella o denuncia contra aquél dirigida, o antes de que el Ministerio Fiscal o el Juez de Instrucción realicen actuaciones que le permitan tener conocimiento formal de la iniciación de diligencias».

En el régimen español de la Declaración Tributaria Especial[10], el alcance del requisito de la voluntariedad en la declaración se definió en un sentido amplio. Así, se hacía referencia a la necesidad de que la declaración se produjera antes de la notificación del inicio de un procedimiento de comprobación o investigación por la Administración tributaria cuyo objeto fuera la determinación de deudas tributarias correspondientes a impuestos y períodos impositivos sobre los que versase la citada declaración. A este respecto, la Dirección General de Tributos, en su Informe de 27 de junio de 2012, precisó el alcance de este requisito determinando que sí era admisible la presentación de la Declaración Tributaria Especial cuando las actuaciones de comprobación hubieran finalizado en el momento de su presentación o cuando las citadas actuaciones hubieran tenido alcance parcial y no hubieran incluido elementos de la obligación tributaria sobre los que la regularización debía de producir sus efectos.

A nivel internacional, en el artículo 371 del Código Fiscal alemán se establece la posibilidad de que aquellos contribuyentes que hubieran cometido un delito de evasión fiscal puedan regularizar su situación tributaria y obtener una exención de la responsabilidad penal derivada de la comisión de dicho delito (programa conocido como *Selbstanzeige bei Steuerhinterziehung*).

En la vertiente penal de la *Selbstanzeige* alemana el carácter voluntario de la declaración se postula como un elemento determinante de la regularización. Para definir el alcance de la voluntariedad en este régimen se establece en el artículo 371.2 una lista de circunstancias cuya concurrencia implica que la regularización no produzca los efectos que le son propios sobre la exención de la responsabilidad penal. A este respecto, se regula que la regularización no será considerada voluntaria cuando antes de la presentación de la declaración el contribuyente o su representante hayan sido notificados del inicio de un procedimiento inspector, un inspector se haya

---

[10]   Disposición Adicional 1ª del Real Decreto Ley 12/2012, de 30 de marzo.

personado ante el obligado tributario con el objetivo de iniciar el citado procedimiento, se haya notificado el inicio de un procedimiento administrativo sancionador o un procedimiento penal, se haya personado un funcionario público con el fin de iniciar cualquiera de los citados procedimientos o se haya iniciado un procedimiento inspector respecto del Impuesto sobre el Valor Añadido. Junto a ello, en el citado régimen es también causa de exclusión que uno de los delitos cometidos haya sido total o parcialmente descubierto en el momento en que se presenta la declaración y el contribuyente haya sido informado al respecto o, incluso, deba esperar que se haya producido tal descubrimiento.

Sin embargo, en relación con las dos primeras circunstancias (inicio de un procedimiento inspector e inicio de un procedimiento administrativo sancionador o un procedimiento penal) se matiza que la exclusión de los efectos de la regularización no posee alcance total. En estos supuestos, las citadas causas de exclusión únicamente producirán sus efectos sobre aquellos conceptos tributarios que se encuentren dentro del ámbito material y temporal del procedimiento correspondiente.

A través del régimen italiano de *collaborazione volontaria* de los años 2014 y 2016 se permitió temporalmente a los contribuyentes que habían incumplido su obligación de declarar inversiones y actividades en el extranjero y a los contribuyentes que habían incumplido la obligación de declaración e ingreso respecto de determinados conceptos tributarios que regularizasen su situación tributaria. Para ello, se establecieron dos vías: la *collaborazione volontaria internazionale* y la *collaborazione volontaria nazionale*. Del mismo modo, las causas de inadmisibilidad de la declaración por considerar que no concurre el carácter voluntario se referían a aquellos supuestos en los que la declaración era presentada una vez que el contribuyente había tenido conocimiento formal del inicio de un procedimiento de comprobación por parte de la Administración tributaria o del inicio de un procedimiento penal por parte de la autoridad judicial competente, operando dichas causas únicamente respecto del ámbito objetivo y temporal a que se referían[11]. Es decir, de nuevo nos encontramos ante una interpretación amplia del carácter voluntario de la regularización.

Por su parte, diferentes preceptos facultan a la *Canada Revenue Agency* para reducir o eximir del pago de intereses de demora y renunciar a la imposición de sanciones cuando un contribuyente, previamente incumplidor,

---

[11]   Artículo 5 *quater*, apartado 2º, de la *Legge 15 dicembre 2014, n. 186* y en el artículo 5 *octies* del *Decreto-Legge 22 ottobre 2016, n. 193*, respectivamente.

regulariza su situación tributaria[12]. En el *voluntary disclosures program* canadiense, el carácter voluntario de la declaración también se establece como una condición necesaria para acceder al régimen de regularización y se interpreta en un sentido amplio[13]. En este programa de cumplimiento voluntario se considera que la declaración no es espontánea cuando el contribuyente tenga conocimiento de que se está llevando a cabo una comprobación o inspección tributaria o de que se había iniciado una investigación penal, cuando el contribuyente haya recibido un requerimiento de la Administración solicitando la entrega de determinada documentación, cuando la Administración haya recibido previamente información respecto de un potencial incumplimiento del citado contribuyente o cuando el propio contribuyente haya tenido contacto con un empleado de la Administración tributaria en relación con el cumplimiento de sus obligaciones.

A este respecto, debemos puntualizar que no todas las actuaciones llevadas a cabo por la Administración tributaria con el objetivo de aplicar efectivamente el sistema tributario suponen la exclusión del carácter voluntario de la declaración. Ejemplo de ello son los casos en los que la concreta actuación hubiera tenido por objeto la imposición sobre el consumo y la regularización se refiera a la imposición sobre la renta, o viceversa. Es decir, existen determinados supuestos en los que las citadas circunstancias solamente excluyen la posibilidad de regularización parcialmente.

El legislador belga ha previsto igualmente la voluntariedad como un aspecto fundamental para perfeccionar la regularización en la cuarta versión del régimen de la *déclaration libératoire unique*[14]. Mediante este programa pueden regularizar su situación los contribuyentes del Impuesto sobre la Renta de las Personas Físicas, las personas físicas o personas jurídicas sujetas al Impuesto sobre la Renta de los no Residentes, las personas jurídicas sujetas al Impuesto sobre Sociedades, las sociedades civiles y asociaciones sin personalidad jurídica y los demás contribuyentes del Impuesto sobre Personas Jurídicas. También podían regularizar su situación tributaria los

---

[12]   Estos preceptos son la Sub-sección 220 (3.1) del *Income Tax Act*, la sección 88 y 281.1 del *Excise Tax Act*, la sección 173 y 255.1 del *Excise Act*, la sección 30 y 55 del *Air Travellers Security Charge Act* y la sección 37 del *Softwood Lumber Products Export Charge Act*.

[13]   Apartados 29 a 31 del IC00-1R6 - Voluntary Disclosures Program y apartados 30 a 32 del GST/HST Memorandum 16-5.

[14]   Artículo 6 de la *Loi du 21 juillet 2016 visant à instaurer un système permanent de régularisation fiscale et sociale*.

contribuyentes cuyo incumplimiento se refiriera a operaciones sujetas al Impuesto sobre el Valor Añadido.

En cuanto al alcance de la voluntariedad, en este programa general se determina que la regularización no producirá los efectos que le son propios cuando, antes de la presentación de la correspondiente declaración, el contribuyente haya sido informado por escrito del inicio de actuaciones de investigación específicas por órganos judiciales, por la Administración tributaria o por los órganos de la Seguridad Social.

Con carácter genérico se determinó también la voluntariedad en las tres versiones del *regime excecionais de regularizaçao tributária* portugués[15]. Estos programas de cumplimiento voluntario especial permitían la regularización de su situación tributaria a aquellos contribuyentes que fueran titulares de determinados elementos patrimoniales situados en el extranjero y que no habían sido previamente declarados. En estos regímenes, la declaración se consideraba voluntaria siempre que hubiera sido presentada por un contribuyente antes de haber tenido conocimiento del inicio de un procedimiento de comprobación o inspección por parte de la Administración tributaria o del inicio de un procedimiento penal por la autoridad judicial competente. Si se habían producido dichas actuaciones la regularización no produciría los efectos que le eran propios.

De forma similar se determinó el alcance de la voluntariedad en los procedimientos italianos de la *dichiarazioni integrativa* y del *condono tombale*. Mediante la *dichiarazioni integrativa* se permitió la regularización de su situación tributaria a aquellos contribuyentes que hubieran incumplido sus obligaciones de declaración e ingreso respecto del Impuesto sobre la Renta de las Personas Físicas, del Impuesto Sustitutivo, del Impuesto sobre el Patrimonio Neto de las Empresas, del Impuesto sobre el Valor Añadido, del Impuesto Regional Italiano sobre las Actividades de Producción, de la Contribución Extraordinaria para Europa y de las cotizaciones a la Seguridad Social y al Servicio Nacional de Salud. Por su parte, en el *condono tombale* la regularización de dichos impuestos se llevaba a cabo mediante un sistema de determinación automática de la deuda tributaria.

La voluntariedad se configuró como un requisito indispensable en ambos procedimientos de regularización. Estos procedimientos resultaban inaplicables cuando se había notificado al contribuyente un acta con resul-

---

15   Artículo 5, sección 4º de la Ley nº 39A/2005, de 12 de agosto; en el artículo 131, sección 4º de la Ley de Presupuestos del Estado para el año 2010; y en el artículo 166, sección 4º de la Ley nº 64B/2011, de 30 de diciembre, respectivamente.

tado positivo; cuando se le había notificado el inicio de un procedimiento de comprobación (*atto di accertamento*) en relación con el Impuesto sobre la Renta de las Personas Físicas, con el Impuesto sobre el Valor Añadido o con el Impuesto Regional sobre las Actividades de producción; cuando éste había recibido una citación para un acuerdo en el seno de un procedimiento de comprobación (*invito al contadditorio per l' accertamento con adesione);* cuando hubiera recibido una notificación de comprobación parcial basada en información procedente de registros fiscales (*accertamento parziale in base agli elementi segnalati dall'anagrafe tributaria),* salvo que procediera al ingreso de la deuda tributaria resultante; o cuando hubiera sido ejercitada la acción penal respecto de la comisión de un delito fiscal[16].

Por último, en la *voluntary disclosure practice* llevada a cabo por la Administración tributaria estadounidense la voluntariedad constituye un requisito fundamental para proceder a la regularización. De esta manera, en el apartado 9.5.11.9 (7) del *Internal Revenue Code* se considera que una declaración se ha presentado voluntariamente si es recibida antes de que se haya iniciado un procedimiento administrativo o penal, antes de que se haya notificado al contribuyente la intención de iniciar un procedimiento de comprobación o investigación, antes de que la Administración tributaria haya recibido información de un tercero en relación con el incumplimiento o antes de que la Administración tributaria haya recibido información directamente mediante una investigación llevada a cabo con anterioridad. Sin embargo, a diferencia del resto de medidas analizadas, la interpretación del carácter voluntario de la declaración se realiza en un sentido estricto, ya que se impide acceder al procedimiento en aquellos supuestos en los que se haya iniciado cualquiera de los procedimientos de comprobación o investigación mencionados respecto de cualquier concepto tributario y de cualquier período impositivo.

Expuesto cuanto antecede, podemos concluir que la voluntariedad de la regularización se configura como un requisito esencial para el acceso a los programas de cumplimiento voluntario analizados. A pesar de su carácter fundamental, esto no es un obstáculo para que existan diferentes definiciones de su alcance, siendo la regla general la interpretación estricta de aquellos supuestos en los que se excluye el carácter espontáneo de la regularización.

De esta forma, tal y como se ha planteado a nivel interno como consecuencia del auto del Tribunal Supremo de fecha 23 de mayo de 2019, el

---

[16]   Artículo 8.10 y artículo 9.14 de la *Legge 27 dicembre 2002, n. 289.*

carácter voluntario de la regularización puede ser entendido en un sentido amplio o en un sentido estricto y esta interpretación tendrá una repercusión directa en el perfeccionamiento de la regularización y en la producción de los efectos que le son propios respecto de la exigencia de interés de demora, recargos y sanciones que pudieran resultar aplicables.

3. LA ACEPTACIÓN DE LA «ESPONTANEIDAD INDUCIDA» COMO RESULTADO DE UNA INTERPRETACIÓN TELEOLÓGICA DE LA NORMA

Con carácter previo a la exposición de nuestra postura respecto de la aceptación o no de la calificada como «espontaneidad inducida» debemos explicar que la voluntariedad o espontaneidad, junto a la entrega de información tributaria previamente ocultada y el pago de la deuda tributaria resultante de aplicar la normativa correspondiente, constituye el elemento caracterizador de la conducta de los contribuyentes que podrían denominarse «incumplidores arrepentidos». Es decir, el carácter voluntario de la información, la entrega de información completa y veraz en relación con el incumplimiento previo y el ingreso de la deuda tributaria resultante del procedimiento de regularización correspondiente son los elementos que justifican la implementación de un enfoque responsivo por parte del legislador y de las Administraciones tributarias y que, por tanto, sirven de fundamento para la introducción de un programa de cumplimiento voluntario.

Para adoptar un enfoque responsivo en el ejercicio de sus funciones, las Administraciones tributarias deberían implementar sistemas de gestión del riesgo fiscal por medio de los cuáles se lleva a cabo una clasificación de los contribuyentes en función de su mayor o menor aversión al cumplimiento de sus obligaciones tributarias[17]. De esta forma, el legislador y las Administraciones tributarias adaptan su respuesta al comportamiento de los contribuyentes[18].

Mediante este esquema de trabajo se permite llevar a cabo una gestión adecuada de los limitados recursos materiales y humanos de que disponen las Administraciones tributarias para conseguir una efectiva aplicación del

---

[17]   OCDE. *Co-operative Compliance: A Framework: From enhanced Relationship to Co-operative Compliance*, OECD Publishing, París, 2013, p. 42.

[18]   OCDE. *Compliance risk management: Managing and improving tax compliance*, OECD Publishing, París, 2004, pp. 47-53.

sistema tributario[19]. Como hemos comentado anteriormente, esta nueva forma de gestión de dichos recursos encuentra su fundamento en la consideración de que generalmente la aplicación de medidas de naturaleza coactiva o sancionadora suele precisar de mayores recursos materiales y humanos que la aplicación de medidas de carácter preventivo o disuasorio[20]. Así, se pretende que en un primer momento se apliquen medidas preventivas o disuasorias del incumplimiento y, únicamente en el caso de que no se consigan los efectos deseados, se apliquen aquellas medidas con mayor carácter sancionador[21].

Es decir, los programas de cumplimiento voluntario son medidas que forman parte de una estrategia general de aplicación del sistema tributario llevada a cabo por parte de las Administraciones tributarias[22]. Concretamente, estas medidas se dirigen a aquellos contribuyentes que, aunque inicialmente incumplieron sus obligaciones tributarias, posteriormente deciden regularizar espontáneamente esa situación. Son, por tanto, medidas de estímulo al cumplimiento espontáneo de las obligaciones tributarias por oposición al cumplimiento «forzoso» de las mismas como resultado del desarrollo de un procedimiento de comprobación o inspección dirigido a tal fin.

Estas precisiones resultan fundamentales a la hora de determinar el concepto y alcance de la voluntariedad en el régimen de las declaraciones extemporáneas del artículo 27 de la Ley General Tributaria. De esta forma, si realizamos una ponderación de los diferentes principios constitucionales en juego, la cuestión planteada en el auto del Tribunal Supremo de 23 de mayo de 2019 presenta dos posibles soluciones.

Por un lado, consideramos que aceptar la «espontaneidad inducida» supone dar primacía al principio de legalidad (artículos 31.3, 133.1 y 133.3 de la Constitución española) sobre la base de una interpretación literal de la norma y al principio de eficacia administrativa (artículo 103.1 de la Constitución española) por conllevar la introducción de un programa de cumplimiento un ahorro de los costes materiales y temporales que derivan

---

[19]   BRAITHWAITE, J. «Fasken Lecture. The essence of responsive regulation», en *UBC Law Review*, Vol. 44, N° 3, 2011, pp. 487-490.

[20]   MURPHY, K. «Enforcing tax compliance: to punish or persuade?», en *Economic Analysis and Policy*, 2008, p. 115.

[21]   BRAITHWAITE, J. «Restorative justice and responsive regulation: the question of evidence», en *RegNet Research Papers*, 2014, pp. 8-10.

[22]   OCDE. *Update on Voluntary Disclosure Programmes. A pathway to tax compliance*, OECD Publishing, París, 2015, pp. 19-20.

del desarrollo de un procedimiento de comprobación e investigación con el objetivo de determinar una deuda tributaria previamente no declarada.

A este respecto, no debe perderse de vista que el artículo 103.1 de la Constitución española establece que «la Administración Pública sirve con objetividad los intereses generales y actúa de acuerdo con los principios de eficacia, jerarquía, descentralización, desconcentración y coordinación con pleno sometimiento a la ley y al Derecho».

Este diferente comportamiento entre los que anteriormente hemos calificado como incumplidores «arrepentidos» y aquellos contribuyentes que se mantienen en el incumplimiento, así como las diferentes implicaciones de su conducta en la organización y funcionamiento de las Administraciones tributarias son los elementos fundamentales que permiten justificar la adopción de un enfoque responsivo por parte del legislador y de las Administraciones tributarias. Además de ello, es el elemento que permite fundamentar una interpretación amplia de la exigencia de la voluntariedad en la regularización mediante la aceptación del carácter voluntario de la declaración extemporánea cuando existe o ha existido un procedimiento de comprobación o investigación respecto de otro concepto tributario e, incluso, respecto del mismo concepto tributario en relación con un período impositivo diferente del que se refiere la regularización.

Por otro lado, el principio de igualdad en materia tributaria (artículo 31.1 de la Constitución española) prevalecería sobre los principios antes mencionados si se realizase una interpretación restrictiva del carácter voluntario de la declaración que impida el acceso a un régimen previsto para contribuyentes que regularizan espontáneamente su situación tributaria a aquellos contribuyentes incumplidores cuyo arrepentimiento haya sido promovido por el inicio un determinado procedimiento de comprobación e investigación, debiendo prestarse especial atención al objeto de dicho procedimiento.

A este respecto, debemos apuntar que el Tribunal Constitucional ha venido considerando que el principio de igualdad en materia tributaria no puede ser interpretado de forma tan rígida que impida al legislador, en su objetivo de establecer un sistema fiscal justo, «introducir diferencias entre los contribuyentes, bien sea atendiendo a la cuantía de sus rentas, al origen de éstas o cualesquiera condición social que considere relevante para atender al fin de la justicia»[23].

---

[23]   Véase a este respecto la Sentencia del Tribunal Constitucional nº 159/1997, de 2 de octubre (Fundamento jurídico 3º) y la Sentencia del Tribunal Constitucional nº 19/2012,

Con base en todo lo expuesto, entendemos que cuando se hace referencia a la presentación voluntaria de una declaración en el seno de un programa de cumplimiento voluntario, se deberían englobar todas aquellas situaciones en las que el contribuyente procede a regularizar espontáneamente una situación previa de incumplimiento. En otras palabras, entendemos que el requisito de la voluntariedad consiste en que el contribuyente corrige un comportamiento anteriormente incumplidor de forma previa a tener conocimiento formal del inicio de cualquier actuación administrativa conducente a la determinación de la deuda tributaria que es objeto de regularización o a la imposición de las sanciones administrativas correspondientes en relación con dicho incumplimiento, así como del inicio de un procedimiento penal dirigido a la determinación de la responsabilidad penal derivada de la comisión de un delito fiscal.

Por ello, defendemos una interpretación restrictiva del concepto «sin requerimiento previo» establecido en el artículo 27.1 de la Ley General Tributaria derivada de una interpretación literal de dicho precepto conforme a las exigencias del principio de legalidad (artículos 31.3, 133.1 y 133.3 de la Constitución española). De esta forma, esta conclusión nos lleva a realizar una interpretación amplia del carácter voluntario de la declaración supone dar primacía al principio de eficacia administrativa (artículo 103.1 de la Constitución Española) por conllevar el comportamiento del contribuyente que regulariza espontáneamente su situación tributaria un ahorro de los costes materiales y temporales que derivan del desarrollo de un procedimiento de comprobación e investigación por parte de la Administración tributaria.

Con la introducción de un programa de cumplimiento voluntario se permite a los contribuyentes previamente incumplidores que regularicen espontáneamente su situación tributaria. Esta situación derivará, como hemos comentado anteriormente, en una gestión más eficaz y eficiente de los limitados recursos de que disponen las Administraciones tributarias para garantizar la correcta aplicación de los tributos, ya que los niveles de gasto que se han reducido en los supuestos de aplicación de un programa de cumplimiento voluntario podrán ser empleados para la detección de aquellos contribuyentes que mantengan un comportamiento incumplidor.

A nuestro modo de ver, una interpretación excesivamente estricta del carácter voluntario de la declaración o autoliquidación presentada extemporáneamente puede suponer una reducción del ámbito subjetivo de aplica-

de 15 de febrero (Fundamento jurídico 4º).

ción de la norma que afectará, precisamente, a aquellos contribuyentes que con mayor probabilidad se acogerían al citado programa de cumplimiento voluntario general. A este respecto, entendemos que el acceso a un programa de cumplimiento voluntario se debe permitir a todos aquellos contribuyentes previamente incumplidores cuyo comportamiento sea corregido espontáneamente, es decir, sin una actuación administrativa tendente a la liquidación de la deuda tributaria que es objeto de la regularización o a una actuación judicial destinada a la determinación de la responsabilidad penal derivada de la comisión de un delito contra la Hacienda Pública.

No debemos perder de vista que el fundamento principal de la adopción de un enfoque responsivo por parte de los órganos encargados de la creación y la aplicación de las normas tributarias se encuentra en el diferente comportamiento de los contribuyentes que regularizan espontáneamente su situación tributaria, lo que conlleva un ahorro de los costes que hubieran derivado del inicio del correspondiente procedimiento de comprobación o investigación destinado a la correcta liquidación de una obligación tributaria previamente no declarada.

Siguiendo este razonamiento, entendemos que el diferente comportamiento del «incumplidor arrepentido» y el ahorro en los recursos destinados a la aplicación del sistema tributario son circunstancias que se producen igualmente en aquellos supuestos en los que las actuaciones de comprobación o investigación desarrolladas por la Administración tributaria tienen por objeto un concepto tributario o un período impositivo diferente a aquellos cuya regularización se pretende en el seno del programa de cumplimiento voluntario correspondiente. Sin embargo, esta situación no se produciría en aquellos casos en los que se permite la regularización de la situación tributaria en el seno de un programa de cumplimiento voluntario cuando el contribuyente está siendo objeto de un procedimiento de comprobación o investigación cuyo ámbito objetivo coincide con el contenido de la declaración o autoliquidación presentada como sucedió, por ejemplo, en el régimen de canje de activos financieros de la Disposición Adicional 13ª de la Ley 18/1991, de 6 de junio, del Impuesto sobre la Renta de las Personas Físicas.

Bibliografía

AYRES, I; BRAITHWAITE, J., *Responsive regulation*. New York: Oxford University Press, Inc., 1992.

BRAITHWAITE, J., «Fasken Lecture. The essence of responsive regulation», en *UBC Law Review*, Vol. 44, Nº 3, 2011.

BRAITHWAITE, J., «Restorative justice and responsive regulation: the question of evidence», en *RegNet Research Papers,* 2014.

BRAITHWAITE, V., «Ten things you need to know about regulation and never wanted to ask», en *Australian Law Librarian*, Vol. 14, n° 3, 2006.

FREEDMAN, J., «Responsive regulation, Risk and Rules: Applying the Theory to Tax Practice», en *Univeristy of Oxford, Legal Research Paper Series*, n° 13, 2012.

GUNNINGHAM, N; GRABOSKY, P., *Designing Smart regulation: designing enviromental policy*, Oxford: Oxford University Press, 1998.

KOLIEB, J., «When to punish, when to persuade and when to reward: strengthening responsive regulation with the regulatory diamond», en *Monash Univeristy Law Review*, vol. 41, n°. 1, 2015.

MURPHY, K., «Enforcing tax compliance: to punish or persuade?», en *Economic Analysis and Policy*, 2008.

OCDE, *Compliance risk management: Managing and improving tax compliance*, OECD Publishing, París, 2004.

OCDE, *Co-operative Compliance: A Framework: From enhanced Relationship to Co-operative Compliance*, OECD Publishing, París, 2013.

OCDE, *Update on Voluntary Disclosure Programmes. A pathway to tax compliance*, OECD Publishing, París, 2015.

SOTO BERNABEU, L., «El concepto de regulación responsiva como justificación para la implementación de los programas de cumplimiento voluntario y de un modelo de cumplimiento cooperativo en la relación entre las Administraciones tributarias y los contribuyentes», en *Actum Fiscal*, n° 147, 2019.

Capítulo 35

La aplicación de la Carta de los Derechos Fundamentales de la Unión Europea en materia tributaria: los artículos 47 y 48 en relación con la neutralidad en el IVA

Fátima Pablos Mateos
Profesora de Derecho Financiero y Tributario. Doctora en Derecho
Universidad de Extremadura

SUMARIO: 1. INTRODUCCIÓN. 2. PLANTEAMIENTO DE LA CUESTIÓN CONFLICTIVA. 3. PARÁMETROS DE VALIDEZ Y PREVALENCIA EN LOS PROCEDIMIENTOS DE COMPROBA-CIÓN E INSPECCIÓN EN RELACIÓN CON LA PROBLEMÁTICA PLANTEADA. 3.1. El derecho a la tutela judicial efectiva y los derechos de defensa en la jurisprudencia del Tribunal de Justicia de la Unión Europea. 3.2. El principio de neutralidad fiscal. 4. PROPUESTA DE REFORMA. Bibliografía.

1. INTRODUCCIÓN

El Capítulo VI de la Carta de Derechos Fundamentales de la Unión Europea (en adelante, CDFUE) recoge una serie de derechos en relación con la Justicia que son de especial relevancia, al albergar garantías elementales en los Estados democráticos. No puede decirse que sean nuevas garantías, pero su inclusión en la CDFUE supone su refuerzo y fortalecimiento, estableciéndose así, un marco de protección más intenso[1].

Tomando como punto de partida este marco de mayor proyección que ofrece la CDFUE, y de forma concreta, fijando nuestro interés en el derecho a la tutela judicial efectiva, del artículo 47 CDFUE, y los derechos de defen-

---

[1]   Esta última puntualización puede deducirse de la lectura del Preámbulo de la CDFUE, en el que, tras citar los que constituyen los valores comunes de la UE, se asevera que «La Unión contribuye a defender y fomentar estos valores comunes (...)», advirtiendo seguidamente la necesidad de otorgar una mayor proyección de los mismos, manifestando al respecto: «Para ello es necesario, dándoles mayor proyección mediante una Carta, reforzar la protección de los derechos fundamentales a tenor de la evolución de la sociedad, del progreso social y de los avances científicos y tecnológicos»

sa, que aparecen recogidos en el apartado segundo del artículo 48 CDFUE, nuestro objetivo principal es verificar su virtualidad ante situaciones internas de los Estados que, relacionadas con la materia tributaria[2], pudieran lesionar tales derechos, también comprobar en qué grado, ante tales situaciones, la CDFUE puede ofrecer una mayor proyección o especial refuerzo, de forma que su fin teleológico no quede reducido a una mera declaración programática, sino que revalide los objetivos señalados en su Preámbulo.

2. PLANTEAMIENTO DE LA CUESTIÓN CONFLICTIVA

El inicio de un procedimiento de comprobación e inspección representa la intención de la Administración tributaria de verificar si se han cumplido, o no, las obligaciones tributarias desde el respeto al ordenamiento jurídico-tributario y, en caso contrario, regularizar la situación tributaria declarada incorrectamente, u omitida, mediante la correspondiente liquidación.

La particularidad del supuesto que se plantea, en relación con el respeto de los derechos fundamentales contenidos en la CDFUE, y especialmente con la tutela judicial efectiva y los derechos de defensa, se pone de manifiesto cuando la regularización provenga de las obligaciones derivadas de las relaciones entre terceros, resultantes de la aplicación de los tributos, que contempla la LGT en su artículo 24, particularmente, para el caso que nos ocupa, la repercusión del IVA.

---

[2]   Acerca de la incidencia de la CDFUE sobre el ámbito tributario, MERINO JARA (2018) asevera: «De un tiempo a esta parte se ha caído en la cuenta que la materia fiscal es un campo propicio para que la "Carta" despliegue sus potencialidades. Todavía no se ha tomado conciencia exacta de la importancia de ello, aunque poco a poco ese estado de cosas va cambiando; no en vano puede leerse, por ejemplo, en la Directiva (UE) 2016/2258 del Consejo de 6 de diciembre de 2016 por la que se modifica la Directiva 2011/16/UE en lo que se refiere al acceso de las autoridades tributarias a información contra el blanqueo de capitales, que esta "Directiva respeta los derechos fundamentales y observa los principios reconocidos por la Carta de los Derechos Fundamentales de la Unión Europea. Cuando la presente Directiva exige que el acceso a los datos personales por parte de las autoridades fiscales se disponga por ley, no requiere necesariamente un acto del Parlamento, sin perjuicio del ordenamiento constitucional del Estado miembro de que se trate. No obstante, con arreglo a la jurisprudencia del Tribunal de Justicia de la Unión Europea y del Tribunal Europeo de Derechos Humanos, dicha ley debe ser clara y precisa, y su aplicación clara y previsible para las personas sujetas a ella"» (p. 353).

En estos supuestos, terminado un procedimiento de comprobación e inspección en el que se concluya la incorrecta repercusión del IVA se iniciará, en sede del destinatario, otro procedimiento con el fin de regularizar las cuotas soportadas y, a la postre, si el IVA ha sido deducido, con la finalidad de reingresar el que fue indebidamente deducido. En suma, el destinatario de las cuotas de IVA se enfrenta a la regulación en el seno de un procedimiento posterior, pero cuyo objeto, la referida regularización ya ha sido adoptada, o mejor, decidida, en otro procedimiento previo.

Atendiendo a criterios formales no se suscitan dudas en relación con el cumplimiento de las garantías de defensa del obligado tributario en el segundo procedimiento, en la medida que se cumplan los trámites previstos en el mismo y, de forma particular, el trámite de audiencia o alegaciones y el acceso al expediente. No obstante lo anterior, desde un punto de vista material la realidad toma otro cariz bien distinto, toda vez que el obligado tributario se ve privado de la presunción de certeza que, implícitamente, rige nuestro modelo de gestión tributaria, puesto que la Administración, que es la que tiene la carga de la prueba en aras a demostrar las irregularidades cometidas, basándose en la documentación obrante en el expediente previo, ya ha tomado una decisión al respecto: la incorrecta repercusión y, por tanto, la deducción incorrecta. En consecuencia, habida cuenta de que este segundo procedimiento estaría irremediablemente predeterminado por el procedimiento previo, en el que se concluyó la improcedencia de la repercusión del IVA, puede apreciarse una consecuencia jurídica desfavorable para el destinatario del IVA: la merma de su derecho de defensa.

Cuestión, insistimos, de especial trascendencia, puesto que, en el supuesto planteado, la decisión finalmente adoptada por la Administración tributaria tendrá consecuencias jurídicas en ambos obligados tributarios, tanto para el que repercutió las cuotas de IVA, como para el que las soporta.

La particularidad de las relaciones jurídicas-tributarias en cuyo marco se plantea el conflicto es que son independientes entre sí, pero pueden producir efectos recíprocos. Y ello es determinante en nuestro planteamiento, pues, debido a su carácter independiente, no requiere la legitimación del destinatario de las cuotas de IVA en el procedimiento de origen o previo, a pesar de que la actuación de la Administración en el mismo puede tener efectos sobre el repercutido.

Efectivamente, entre la Administración tributaria y el obligado a repercutir IVA existe una relación jurídico-tributaria independiente de la existente entre la misma Administración y el obligado a soportar las cuotas de IVA, además de, podríamos decir, una tercera relación que se desarrollará en el ámbito privado entre los dos obligados tributarios, pero con consecuencias en el ámbito tributario; el cumplimiento de las obligaciones de repercutir y soportar IVA.

Estas relaciones independientes determinan que uno y otro obligado tributario no tengan la condición de interesado en los procedimientos que se sigan con cada uno de ellos, pero, como ha quedado ya dicho, sí pueden asumir las consecuencias jurídicas que deriven de los mismos, como es el caso de las regularizaciones que procedan.

Por todo ello, nos cuestionarnos lo siguiente: *¿vulnera los derechos contenidos en los artículos 47 y 48 CDFUE la regularización en sede del destinatario del IVA soportado, por una incorrecta repercusión, que ha sido determinada en un procedimiento de comprobación e inspección previo? ¿Cómo afecta al principio de neutralidad?*

3. PARÁMETROS DE VALIDEZ Y PREVALENCIA EN LOS PROCEDIMIENTOS DE COMPROBACIÓN E INSPECCIÓN EN RELACIÓN CON LA PROBLEMÁTICA PLANTEADA

La Administración tributaria debe garantizar al contribuyente el ejercicio de sus derechos en el desarrollo de los procedimientos de aplicación de los tributos. No obstante, en el supuesto planteado, como se ha puesto de manifiesto a través de las cuestiones señaladas *ut supra*, se suscitan dudas sobre vulneración de los derechos contenidos en los artículos 47 y 48 CDFUE y el principio de neutralidad fiscal, considerando que todos ellos deben ser parámetros de validez y prevalencia en los procedimientos de comprobación e inspección seguidos en situaciones como las descritas en el apartado anterior.

3.1. *El derecho a la tutela judicial efectiva y los derechos de defensa en la jurisprudencia del Tribunal de Justicia de la Unión Europea*

Brevemente, debe señalarse que la aplicación de los derechos contenidos en la CDFUE al supuesto planteado está garantizada en la medida en que el conflicto se plantea en torno a la aplicación de normativa del IVA, que es regulada por nuestro Estado, pero que contiene Derecho de la Unión Europea, cumpliéndose así las directrices marcadas en el artículo 51.1 CDFUE.

Para una primera aproximación a los derechos contenidos en los artículos 47 y 48 CDFUE es esencial recurrir a la jurisprudencia vertida por el

Tribunal de Justicia de la Unión Europea (en adelante, TJUE), pues si bien del TJUE no puede predicarse su carácter de Tribunal Constitucional[3], sin embargo, no puede negarse que ha ido asumiendo un papel cada vez más relevante en la interpretación de los derechos fundamentales[4].

Sobre la tutela judicial efectiva, entre otras, la STJUE de 27 de febrero de 2018, *Associação Sindical dos Juízes Portugueses*, Asunto C-64/16, afirma: «El principio de tutela judicial efectiva de los derechos que el ordenamiento jurídico de la Unión confiere a los justiciables (…) constituye, en efecto, un principio general del Derecho de la Unión que emana de las tradiciones constitucionales comunes a los Estados miembros, que ha sido consagrado en los artículos 6 y 13 del Convenio Europeo para la Protección de los Derechos Humanos y las Libertades Fundamentales, firmado en Roma el 4 de noviembre de 1950, y que en la actualidad se reconoce en el artículo 47 de la Carta». El derecho a la tutela judicial efectiva, como principio general, garantiza que «toda persona tiene derecho a un juicio justo»[5]. Además, ha de precisarse que el mismo, de conformidad a lo recogido en el párrafo segundo del artículo 47 de la CDFUE, aglutina una serie de garantías, o, en otros términos; exigencias, que en su conjunto le dotan de contenido.

---

[3]   Según DE MIGUEL CANUTO (2014): «Si bien el Tribunal de la Unión no es un Tribunal constitucional, la presencia de la Carta origina una función constitucional en sentido amplio cuando el Tribunal de la Unión examina la conformidad de un acto de la Unión o un acto de un Estado con la Carta, especialmente cuando tales actos tienen naturaleza legislativa» (p. 1).

[4]   Así lo pone de manifiesto BUSTOS GISBERT (2017): «La Carta de Derechos Fundamentales de la Unión Europea (en adelante CDFUE) entró plenamente en vigor con el Tratado de Lisboa. Eso no implica que la jurisprudencia del Tribunal de Justicia de la UE (en adelante TJUE) no se hubiera ocupado con anterioridad de los derechos fundamentales aplicables al ordenamiento jurídico de la Unión, así como de los principios que debían regir las relaciones de aquellos con las normas constitucionales nacionales en materia de derechos. Pero la entrada en vigor de la CDFUE ha permitido que el TJUE cada vez con mayor frecuencia y profundidad se esté ocupando de la delimitación y alcance de tales derechos. En este sentido la Carta supone algo más que la mera codificación de las anteriores "tradiciones constitucionales comunes de los Estados miembros", si bien no ha cambiado sustancialmente la forma en que el TJUE entendía los derechos fundamentales en el ámbito de la UE. En tal sentido debe reseñarse que ha servido como catalizador del desarrollo de un cada vez más rico *discurso* de los derechos en las argumentaciones del Tribunal. Por otra parte, también ha producido una creciente preocupación en los poderes judiciales de los Estados miembros que, al disponer de un texto expreso, se han animado, en su función de jueces de la Unión, a solicitar interpretaciones sobre la Carta al Tribunal de Justicia mediante un uso frecuente del citado texto en sus cuestiones prejudiciales» (p. 333-334).

[5]   *Vide*. STJUE de 2 de mayo de 2006, *Eurofood IFSC*, Asunto C-341/04.

Así el artículo 47 de la CDFUE refiere que «Toda persona tiene derecho a que su causa sea oída». Al respecto, el TJUE asevera que el derecho a ser oído en todo procedimiento forma parte integrante del derecho de defensa y que tiene un fin concreto, resumiéndolo del modo siguiente: «El derecho a ser oído garantiza a cualquier persona la posibilidad de expresar de manera adecuada y efectiva su punto de vista durante el procedimiento administrativo y antes de que se adopte cualquier decisión que pueda afectar desfavorablemente a sus intereses»[6]. Tal es la relevancia del derecho a ser oído que el TJUE manifestó que: «el respeto del derecho a ser oído se impone incluso cuando la normativa aplicable no establezca expresamente tal formalidad».

El derecho a ser oído en todo procedimiento, además de aparecer contemplado en el artículo 47 de la CDFUE, también se menciona en el artículo 41 de la Carta[7], donde se recoge el Derecho a una buena administración, para cuyo fin, entre otras cuestiones, la Administración debe atender todas las observaciones formuladas por el destinatario de una decisión lesiva, de forma tal que, con el fin de garantizar la protección de la persona afectada, pueda tener en cuenta todos los elementos pertinentes.

Por lo que se refiere al derecho a un «plazo razonable» en el que la causa debe ser oída, la STJUE de 17 de diciembre de 1998, *Baustahlgewebw/Comisión,* Asunto C-185/95 P establece que «el carácter razonable de tal plazo debe apreciarse en función de las circunstancias propias de cada asunto y, en particular, de la transcendencia del litigio para el interesado, de la complejidad del asunto, del comportamiento del demandante y del de las autoridades competentes». Aseveraciones que posteriormente serían puntualizadas, entre otras, en la STJUE 16 de julio de 2009, *Der Grüne Punkt - Duales System Deutschland GmbH,* Asunto C-385/07 P, afirmado

---

[6]   *Vide.,* entre otras, *STJUE* de 5 de noviembre de 2014, *Mukarubega,* Asunto C-166/13.

[7]   Acerca de la aplicación del artículo 41 de la CDFUE, y más concretamente si este artículo de la Carta es de aplicación a los EEMM, MERINO JARA (2018) nos recuerda: «El Tribunal de Justicia indicó en su sentencia de 3 de julio de 2014, Kamino International Logisitics y Datema Hellmann Worldwide Logistics, C-129/13, que el derecho a una buena administración consagrado en el artículo 41 de la Carta también se aplica por los Estados miembros cuando adoptan decisiones que entran en el ámbito de aplicación del Derecho de la Unión. No obstante, la cuestión no acaba de estar zanjada en la medida en que de tanto en tanto se vuelve a suscitar que ese artículo solo se aplica a las instituciones, órganos, organismos y agencias de la Unión. En ese sentido se expresan las conclusiones del Abogado General Bobek presentadas el 7 de septiembre de 2017 Ispas, en el asunto C-298/16, apartados 74 a 85. No acoge su criterio la ST JUE de 9 de noviembre, Ispas, recaída en el propio asunto C-298/16, apartados 25, 26 y 27» (p. 358).

que: «la lista de los criterios pertinentes no es exhaustiva y la apreciación del carácter razonable de dicha duración no exige un examen sistemático de las circunstancias del asunto en función de cada uno de ellos cuando la duración del proceso se revela justificada en función de uno solo. Así, la complejidad del asunto o un comportamiento dilatorio del recurrente pueden tenerse en cuenta para justificar un plazo a primera vista demasiado largo»

En cuanto a la exigencia de un juez independiente e imparcial que contempla el artículo 47 del CDFUE, el TJUE ha manifestado que «A efectos de garantizar la tutela judicial efectiva, resulta primordial preservar la independencia de tal órgano»[8]. La garantía de independencia e imparcialidad, como recuerda el TJUE, es inherente a la misión de juzgar y debe manifestarse a través de dos aspectos, el primero de ellos, de orden externo, conlleva que: «(…) el órgano en cuestión ejerza sus funciones jurisdiccionales con plena autonomía, sin estar sometido a ningún vínculo jerárquico o de subordinación respecto a terceros y sin recibir órdenes ni instrucciones de ningún tipo, cualquiera que sea su procedencia, de tal modo que quede protegido de injerencias o presiones externas que puedan hacer peligrar la independencia de sus miembros a la hora de juzgar o que puedan influir en sus decisiones»[9]. El segundo, de orden interno, según el TJUE, «se asocia al concepto de imparcialidad y se refiere a la equidistancia que debe guardar el órgano de que se trate con respecto a las partes del litigio y a sus intereses respectivos en relación con el objeto de dicho litigio. Este aspecto exige el respeto de la objetividad y la inexistencia de cualquier interés en la solución del litigio que no sea el de la aplicación estricta de la norma jurídica»[10].

También se puntualiza en la STJUE de 25 de julio de 2018, *LM*, Asunto C-216/18 PPU, que: «la necesidad de independencia de los jueces está integrada en el contenido esencial del derecho fundamental a un proceso equitativo, que reviste una importancia capital como garante de la protección del conjunto de los derechos que el Derecho de la Unión confiere a los justiciables y de la salvaguarda de los valores comunes de los Estados miembros, enumerados en el artículo 2 TUE, en particular, del valor del Estado de Derecho»

Finalmente, sobre la justicia gratuita hay que decir que la misma está reconocida, además de en el artículo 47, en el Estatuto del TJUE.

---

[8]   *Vide.* STJUE de 27 de febrero de 2018, *Associação Sindical dos Juízes Portugueses*, Asunto C-64/16.

[9]   *Íbidem.*

[10] *Vide.* STJUE de 25 de julio de 2018, *LM*, Asunto C-216/19 PPU.

Íntimamente relacionados con la tutela judicial efectiva se encuentran los derechos de defensa contenidos en el aparado segundo del artículo 48 CDFUE. En relación con los mismos, las Explicaciones sobre la Carta de los Derechos Fundamentales expresamente indican, que el artículo 48 CDFUE coincide con el artículo 6, apartado 3, del Convenio Europeo de Derechos Humanos (en adelante, CEDH), aclarando que «De conformidad con el apartado 3 del artículo 52, este derecho tiene el mismo sentido y alcance que el derecho garantizado por el CEDH». Esta correspondencia nos permite delimitar más claramente el contenido de los derechos de defensa, por referencia al artículo 6.3 CEDH, según el cual «Todo acusado tiene, como mínimo los siguientes derechos:

a) a ser informado, en el más breve plazo, en una lengua que comprenda y de manera detallada, de la naturaleza y de la causa de la acusación formulada contra él;

b) a disponer del tiempo y de las facilidades necesarias para la preparación de su defensa;

c) a defenderse por sí mismo o a ser asistido por un defensor de su elección y, si carece de medios para pagarlo, a poder ser asistido gratuitamente por un abogado de oficio, cuando los intereses de la justicia así lo exijan;

d) a interrogar o hacer interrogar a los testigos que declaren en su contra y a obtener la citación e interrogatorio de los testigos que declaren en su favor en las mismas condiciones que los testigos que lo hagan en su contra;

e) a ser asistido gratuitamente de un intérprete si no comprende o no habla la lengua empleada en la audiencia».

Esta relación también es predicable del artículo 47 CDFUE respecto del apartado 1 del artículo 6 CEDH. En consecuencia, si el sentido y el alcance de los derechos de defensa será el mismo que les atribuye el CEDH, si bien, sin perjuicio, tal y como declara el artículo 52.3 CDFUE, que el Derecho de la Unión conceda una protección más extensa, también será un referente necesario para su interpretación la jurisprudencia del Tribunal Europeo de Derechos Humanos[11], a la que recurre el TJUE[12].

---

[11] *Vide*., entre otras, STJUE de 22 de diciembre de 2002, *DEB Deutsche Energiehandels- und Beratungsgesellschaft mbH*, asunto C-279/09, en la que se indica: «Por lo que respecta a la Carta, su artículo 52, apartado 3, precisa que, en la medida en que dicha Carta contenga derechos que correspondan a derechos garantizados por el CEDH, su

Tras las consideraciones previas, la posibilidad que adoptar decisiones que presenten un carácter lesivo para el obligado tributario hace necesario que se articulen las medidas necesarias para garantizar sus derechos de defensa. En este sentido, para garantizar tales derechos, es fundamental asegurar el ejercicio del derecho a ser oído en el procedimiento, lo que conlleva necesariamente, con el fin de lograr su plena eficacia, tal y como contempla el artículo 6 del CEDH, haber sido previamente «informado, en el más breve plazo, en una lengua que comprenda y de manera detallada, de la naturaleza y de la causa de la acusación formulada contra él».

En relación con el supuesto planteado, el menoscabo de los derechos contenidos en los artículos 47 y 48 CDFUE es patente, toda vez que la determinación sobre la regularización del IVA soportado, consecuencia, como se ha indicado, de un procedimiento previo donde se concluye la incorrecta repercusión, no ha permitido, debido a no existir legitimación, el ejercicio de tales derechos.

Hemos insistido anteriormente que, desde un punto de vista formal, el segundo procedimiento, seguido para la regularización en sede del sujeto pasivo repercutido, no ofrece ninguna duda en cuanto a las garantías del obligado tributario, pero *¿podría mantenerse tal adveración cuando la resolución del procedimiento está predeterminada?*

---

sentido y alcance serán iguales a los que les confiere este Convenio. Según la explicación de esta disposición, el sentido y alcance de los derechos garantizados no quedarán determinados únicamente por el texto del CEDH, sino también, en particular, por la jurisprudencia del Tribunal Europeo de Derechos Humanos (TEDH). El artículo 52, apartado 3, segunda frase, de la Carta dispone que la primera frase del mismo apartado no obstará a que el Derecho de la Unión conceda una protección más extensa (véase, en este sentido, la sentencia de 5 de octubre de 2010, McB., C-400/10 PPU, Rec. p. I-0000, apartado 53)».

[12] Entre otras, *vide.*, STJUE de 26 de febrero de 2013, *Melloni*, asunto C-399/11, donde se puede leer: «Esta interpretación de los artículos 47 y 48, apartado 2, de la Carta concuerda con el alcance reconocido a los derechos garantizados en el artículo 6, apartados 1 y 3, del CEDH por la jurisprudencia del Tribunal Europeo de Derechos Humanos (véanse en especial las sentencias del TEDH Medinaca c. Suiza, de 14 de junio de 2001, demanda nº 20491/92, § 56 a 59; Sejdovic c. Italia, de 1 de marzo de 2006, demanda nº 20491/92, *Recueil des arrêst et décisions* 2006-II, §84, 86 y 98, y Haralampiev c. Bulgaria, de 24 de abril de 201, demanda nº 29648/03, §32 y 33)».

3.2. *El principio de neutralidad fiscal*

Otra de las cuestiones que pueden verse comprometida en el supuesto conflictivo señalado es la neutralidad fiscal. La relevancia del principio de neutralidad fiscal es evidente cuando sobre el mismo se afirma que es principio rector y basilar de la imposición indirecta, y especialmente del IVA[13]. Sin embargo, el artículo 31 de la Constitución Española (en adelante, CE), que contiene los principios en los que debe fundamentarse la imposición en nuestro Estado, no lo menciona. No obstante, esta omisión no representa ninguna conflictividad en cuanto a la aplicación del principio de neutralidad fiscal si tenemos en cuenta la primacía del Derecho de la UE. Además, quedaría justificada si atendemos a los fines pretendidos a través de ellos. Los principios del artículo 31 CE presiden una imposición que tiene como fin primordial, aunque no exclusivo, la obtención de recursos que sirvan para sostener el gasto público, mientras el principio de neutralidad encuentra su fundamentación, principalmente, en criterios económicos[14].

---

13   En opinión de GARCÍA NOVOA (2018) «en relación con el IVA, la singularidad de la capacidad económica es tal que cabe afirmar que no es el principio esencial de este impuesto. Lo esencial en el IVA es el juego del principio de neutralidad». También MONDINI (2015) sobre el principio de neutralidad fiscal manifiesta: «La neutralidad se considera —como es latamente notorio y como se ha afirmado tantas veces por el Tribunal de Justicia— el principio fundamental que inspira y conforma todo el sistema europeo del Impuesto sobre el valor añadido, tanto desde el punto de vista de su estructuración normativa como del que se refiere a su interpretación y aplicación» (p. 209).

14   Acerca del principio de neutralidad, MACARRO OSUNA y MARTÍN RODRÍGUEZ (2014) manifiestan: «es un axioma jurídico basado en razones de tipo económico». (p. 650). Cuestión que MONDINI (2015) concreta, aseverando: «En el ámbito del ordenamiento europeo, por tanto, la neutralidad se refiere no a cualquier efecto económico de la tributación, sino esencialmente al efecto de la distorsión en la competencia. La libertad de competencia es el axioma fundamental sobre el que se funda el modelo económico de mercado propugnado por los Tratados constitutivos de la CE y, posteriormente, de la UE. La neutralidad fiscal, por tanto, identifica un fin/medio, un objetivo instrumental, merecedor de ser perseguido si y en la medida en que contribuya a convertir al factor fiscal en un factor sin influencia sobre las posiciones y sobre las elecciones de las empresas que operan en el mercado o que quieran entrar en él. El imperativo de armonización fiscal, sancionado originalmente por el art. 93 del TCE y hoy por el art. 113 del TFUE, responde exactamente a la exigencia de que la aplicación de los impuestos indirectos sobre los negocios de parte de los Estados miembros no genere efectos discriminatorios y restrictivos al ejercicio de la libertad de circulación de mercancías y servicios. En esta perspectiva, la armonización fiscal del IVA se considera por el Tratado necesaria (y limitada a lo necesario) para la instauración y el funcionamiento del mercado europeo como mercado único e interno» (pp. 209-210).

El principio de neutralidad se relaciona con otros principios. Ciertamente, presenta conexiones con el principio de igualdad[15], de forma que la neutralidad puede identificarse con ausencia de discriminación. También existe una relación directa del principio de neutralidad y el principio de libre competencia que debe presidir las relaciones en el ámbito del mercado interior[16]. Y finalmente, el principio de neutralidad también presenta conexiones con el principio de proporcionalidad, en cuanto que el segundo exige la adopción de medidas adecuadas que garanticen el primero[17]. No obstante lo anterior, principalmente nos interesa destacar que, como ya se ha indicado, el principio de neutralidad informa la configuración del IVA, pudiéndose diferenciar entre la neutralidad interna y la neutralidad externa[18], siendo la neutralidad interna y el derecho a deducción lo esencial para esta reflexión, por su relación con la cuestión conflictiva planteada.

---

[15]   No obstante, esta relación del principio de neutralidad y el principio de igualdad, donde conectan aspectos económicos y jurídicos, no puede llevarnos a concluir que ambos principios son plenamente coincidentes en todas las circunstancias. Así lo ha determinado el TJUE, aseverando: «es necesario recordar que el principio de neutralidad fiscal constituye la traducción, en materia de IVA, del principio de igualdad de trato (sentencia de 8 de junio de 2006, L.u.P., C-106/05, Rec. p. I-5123, apartado 48, y jurisprudencia allí citada). Sin embargo, mientras que la vulneración del principio de neutralidad fiscal sólo puede contemplarse entre operadores económicos competidores, como se ha recordado en el apartado 47 de la presente sentencia, la del principio general de igualdad de trato puede caracterizarse, en materia fiscal, por otros tipos de discriminaciones, que afecten a operadores económicos que no son forzosamente competidores, pero que se encuentran, no obstante, en una situación comparable en otros aspectos». Sobre la relación de ambos principios, MACARRO OSUNA (2015) concluye: «Consideramos, en conclusión, la neutralidad fiscal como un principio diferente del de igualdad de trato, aunque estrechamente relacionado con el mismo y cuyos contenidos pueden ser similares y, en algunos casos concretos, idénticos. Las infracciones del principio de igualdad de trato a nivel tributario conllevarían el incumplimiento del de neutralidad, pero podemos pensar en circunstancias en las que supuestos en que se trate de la misma manera situaciones idénticas no sean neutrales, siendo la vertiente del principio relacionada con la libertad de decisión la que se esté poniendo en duda» (p. 49-50).

[16]   En consecuencia, por su utilidad en el mercado único, se hablará de «neutralidad competitiva», exigida en la Directiva 2006/112/CE del IVA.

[17]   En este sentido, MONDINI (2015) indica que «la relación entre neutralidad y proporcionalidad atiende a la relación de adecuación y necesidad entre el modelo jurídico de imposición tal cual ha sido progresivamente construido y regulados por las Directivas comunitarias y los diversos fines que se persiguen a través de él, y su recíproco equilibrio» (p. 218).

[18]   RAMOS PRIETO y MACARRO OSUNA (2017) indican: «(...) a nivel estructural de impuesto, el IVA debe poder configurarse como un tributo que no privilegie determinadas formas de realizar la actividad comercial o que no perjudique unos consumos respecto a otros (neutralidad interna). Para ello, debe responder a su naturaleza teórica

Brevemente, la neutralidad interna está directamente relacionada con la propia configuración del IVA, por lo que los elementos configuradores del impuesto serán determinantes en aras a valorar la efectiva consecución en el IVA de la neutralidad en la vertiente interna, y de entre ellos, será el derecho de deducción el que centrará nuestra reflexión[19]. Dicho lo anterior, sobre el derecho de deducción, hay que recordar que es primordial en la aplicación del IVA, puesto que garantiza la neutralidad de impuesto al eximir de la carga fiscal a empresarios o profesionales por las actividades económicas realizadas, siempre que esas actividades estén sujetas al IVA[20].

El IVA, cuyo objeto es gravar el consumo, va a trasladar la carga tributaria hasta el consumidor final, que es quien realmente está llamado a soportarla, sin que pueda afectar a los empresarios o profesionales que intervengan en el proceso económico. Para ello, los sujetos pasivos del IVA

---

de ser un impuesto que, pese a ser formalmente un tributo sobre las ventas, recaiga exclusivamente sobre el consumidor final. El mecanismo de la deducción, entendida como derecho de crédito, será el encargado de permitir que el sujeto pasivo pueda librarse de las cuotas soportadas, y la repercusión la que le posibilite trasladar dicha cuantía al usuario final. Por otro lado, y debido a su implantación en los distintos EEMM, un impuesto neutral no debe incentivar la producción o el consumo en un mercado u otro, sino que debe dejar al libre funcionamiento del mercado la toma de estas decisiones (neutralidad externa)» (p. 16).

[19]   Empero, no es el único factor que debe analizarse para valorar el grado de consecución de la neutralidad interna del IVA. De entre los elementos de configuración del IVA, las exenciones se presentan como un elemento distorsionador en la consecución de neutralidad, pero, igualmente, la exigencia de cumplimiento de obligaciones formales o aspectos procedimentales pueden también ser determinantes en el logro de la neutralidad en el IVA.

[20]   Así lo manifiesta CHECA GONZÁLEZ (2006), al afirmar que la finalidad del derecho de deducción es «liberar completamente al empresario del peso del IVA, devengado o ingresado, en el marco de sus actividades económicas, garantiza, a diferencia de lo que sucede con un impuesto sobre ventas en cascada, la perfecta neutralidad con respecto a la carga fiscal de todas las actividades de esta índole, cualesquiera que sean los fines o los resultados de las mismas, a condición de que dichas actividades estén, a su vez, sujetas al IVA» (p. 19-20). También sobre el derecho a deducir en el IVA, CALVO VÉRGEZ asevera: «Con carácter adicional la aplicación del mecanismo de la deducción posibilita que el impuesto no constituya un coste para el empresario, exigiéndose en condiciones de neutralidad. Teniendo presente que nos hallamos ante un impuesto que persigue someter a gravamen el consumo, el IVA que los sujetos pasivos abonan a sus proveedores no ha de representar un coste para estos últimos. En otras palabras, la neutralidad requiere que el Impuesto no represente una carga para sus sujetos pasivos (empresarios y profesionales), recayendo únicamente sobre el consumidor final» (p. 18). Aspecto principal que también ha sido destacado en la jurisprudencia del TJUE, entre otras, en su Sentencia de 15 de septiembre de 2016, *Barlis 06 - Investimentos Imobiliários e Turísticos, S.A.*, Asunto C-516/04.

tendrán derecho a repercutir las cuotas del IVA al adquirente de los bienes y servicios y, también, deducir, de las cuotas del IVA devengado, las que hubieran soportado en la adquisición de bienes, prestación de servicios, adquisiciones intracomunitarias o importaciones, en la medida que los bienes y servicios adquiridos se empleen en la realización de operaciones que se encuentren sujetas y no exentas del IVA.

De esta forma, insistimos una vez más, el derecho de deducción cumple una labor inestimable en la consecución de la neutralidad interna del IVA. Así nos lo recuerda, entre otras, la STJUE de 21 de marzo de 2000, *Gabalfrisa y otros*, Asuntos acumulados C-118/98 a C-147/98, señalando: «Procede recordar a continuación que el régimen de deducciones tiene por objeto liberar completamente al empresario del peso del IVA devengado o ingresado en el marco de todas sus actividades económicas. El sistema común del IVA garantiza, por lo tanto, la perfecta neutralidad con respecto a la carga fiscal de todas las actividades económicas, cualesquiera que sean sus fines o resultados, a condición de que dichas actividades estén a su vez sujetas al IVA»

4. PROPUESTA DE REFORMA

Concretado el problema, debe buscarse una respuesta eficaz, capaz de garantizar unas consecuencias jurídicas concretas; en el caso que nos ocupa, garantizar el cumplimiento de los artículos 47 y 48 CDFUE y la neutralidad del IVA.

Antes de entrar a detallar el planteamiento, debemos hacer un nuevo inciso sobre la tipología de operaciones a las que nos venimos refiriendo, sobre todo tras la publicación de las Conclusiones del Abogado General Bobek, el pasado 5 de junio de 2019, en el Asunto C-1889/18, que plantea varias cuestiones prejudiciales íntimamente relacionadas con nuestro planteamiento del problema. En ese asunto, el destinatario del IVA cuestiona la legalidad del procedimiento tributario del que es parte, denunciando la falta de equidad y la vulneración de sus derechos de defensa. En dicho procedimiento se concluye que se había deducido indebidamente el IVA, debido a que conocía o debía conocer que sus proveedores habían emitido facturas falsas y cometido evasión fiscal[21]. No obstante, en este caso, al igual que en

---

[21]   Recordemos que la existencia de fraude en las operaciones realizadas por los proveedores determina que en caso de ser conocidas o que debieran ser conocidas por el sujeto

el planteamiento realizado *ut supra*, el que soporta el IVA no será parte del primer procedimiento, entendiendo que con este proceder se provoca una vulneración de los derechos de defensa, pudiendo afectar, en caso de denegar el derecho de deducción, a la neutralidad que informa al IVA.

El Abogado General Bobek en la descripción de los hechos señala que los inspectores acceden a los expedientes penales y administrativos de los proveedores investigados y tienen en cuenta parte de las pruebas obtenidas en esos procedimientos para concluir la participación «(pasiva)» del repercutido en la evasión fiscal. Sobre esta cuestión cabe hacer alguna reflexión puesto que si de lo que se trata es de concluir una participación, en este caso calificada de pasiva, debería advertirse la existencia de un interés legítimo en el primer procedimiento por parte del sujeto del que se presume tal participación. Si hay indicios de una posible participación en la evasión fiscal, *¿debería ser parte del procedimiento primero?* Para dar respuesta a esta cuestión, en nuestra opinión, debieran obviarse las consideraciones en torno a la relación jurídico-tributaria. Como se ha indicado, en la relación entre la Administración y el proveedor, el que soporta el IVA es un extraño, pero si atendemos a su participación pasiva para la realización del fraude, *¿debe mantenerse siempre tal consideración?* Entendemos que no, y, por tanto, en estos casos, debe considerarse la existencia de un interés legítimo que implica que el sujeto que soporta el IVA debe ser considerado parte del procedimiento, porque de no serlo puede dificultarse excesivamente demostrar a posteriori que no participó en la conducta delictiva.

Formalmente, considerando la tipología de la relación jurídico-tributaria debe afirmarse que son independientes, pero en la práctica están relacionadas, atendiendo a sus efectos. Por ello, entendemos que la mejor manera de saber y acreditar su participación y conocimiento sobre el fraude, garantizando todos los derechos de defensa, sería considerarle parte del primer procedimiento.

La utilización de las pruebas obrantes en el primer procedimiento para determinar la participación en el fraude por parte del sujeto pasivo repercutido en el desarrollo de un segundo procedimiento, podrían dar una percepción parcial de los hechos, con lo que, en nuestra opinión, sería más conveniente aceptar que el repercutido es parte del procedimiento primero y revisar toda la prueba en su conjunto, lo que tendría una clara repercusión en aras a la economía procesal y la garantía de los derechos del contribuyente.

---

repercutido la pérdida del derecho a deducir el IVA soportado.

El Abogado General hace referencia en sus Conclusiones a la STJUE de 17 de diciembre de 2015, *WebMindLicenses,* Asunto C-419/14, indicando: «(...) de la sentencia WebMindLicenses se deduce que ni las disposiciones de la Directiva del IVA ni el principio de respeto de los derechos de defensa se oponen, en principio, a que, con el fin de determinar la existencia de una evasión fiscal, las autoridades tributarias puedan utilizar pruebas obtenidas en el marco de un procedimiento penal paralelo aún no concluido contra la misma persona». Y continúa añadiendo: «No veo ningún motivo por el cual dicho principio no pueda ser igualmente válido en una situación como la del procedimiento principal, en que las pruebas han sido obtenidas en el marco de procedimientos administrativos o penales seguidos contra los proveedores de la empresa. Tal como ha señalado la Comisión, es una práctica extendida (y totalmente legítima) de las administraciones tributarias aquella que consiste en efectuar comprobaciones adicionales sobre los sujetos pasivos situados más arriba o más abajo en la cadena de suministro cuando, al inspeccionar a un sujeto pasivo, se suscitan sospechas relativas a la legalidad de determinadas operaciones. Estas inspecciones pueden derivar en la apertura de procedimientos paralelos (de carácter tanto penal como administrativo) contra diversos sujetos pasivos, a partir de los mismos hechos y basándose en las mismas pruebas».

Aunque sea práctica extendida, cuestionamos su legitimidad, especialmente al aplicarse a un tercero que no es parte en esos procedimientos de los que deriva la prueba, puesto que no podrá alegar nada frente a las mismas, y aunque sí podrá hacerlo posteriormente, puesto que servirán de fundamentación en el segundo procedimiento, entendemos que cuando se ha fundamentado una resolución, se dificulta la admisión de pruebas en contrario, cuando se presentan en los mismos contextos o instancias: procedimientos de inspección. No veríamos inconveniente cuando, como indica el propio Abogado General provengan de otro procedimiento «aún no concluido contra la misma persona». Así lo entendemos pues vemos poco claro que podamos concluir que estamos ante procedimientos totalmente autónomos, sino, más bien al contrario, vinculados, conexos, por más que la resolución del procedimiento esté fundamentada en las pruebas aportadas, y tenga la motivación necesaria, lo que hace que nuestra reflexión concluya con la necesidad de reforma[22].

---

22   Esa necesidad de probar y motivar, la pone de manifiesto el Abogado General al aseverar: «El hecho de que las conclusiones se hayan considerado acreditadas en resoluciones anteriores no puede eximir a las autoridades tributarias de su obligación de explicar debidamente su razonamiento, y de aportar las pruebas que lo respalden, en posteriores

Sobre la autonomía del segundo procedimiento, no creemos que en todos los casos pueda verificarse, tal sería el supuesto de una repercusión incorrecta a criterio de la Administración tributaria en operaciones que se desarrollan en un contexto donde puede hablarse de negligencia, pero en el que no existe fraude tributario, en estas situaciones si se iniciara un segundo procedimiento para regularizar el IVA soportado, *¿podría afirmarse que se trata de un procedimiento autónomo?*

Autonomía que queda más cuestionada si cabe, atendiendo al número de revocaciones que se producen en el ámbito tributario, por lo que cuestionamos que la Administración tributaria llegue a una conclusión diferente, en el segundo procedimiento, a la vista de los nuevos argumentos o pruebas. Esta posibilidad de modificar la conclusión es una de las dos matizaciones que el Abogado General resalta en sus Conclusiones indicando: «(…) dicha disposición solo será inadmisible en la medida en que no impida a las autoridades tributarias, *de iure* o *de facto,* llegar a una conclusión diferente, en un nuevo procedimiento, cuando se le presenten nuevos argumentos o pruebas». En nuestra opinión, la matización más importante es no poner en valor la posibilidad de cambiar la conclusión ya adoptada, sino que exista una única conclusión adoptada en un único procedimiento. Ciertamente es cuestión de matices, pero no es lo mismo llegar a una conclusión, que cambiar la ya previamente adoptada, lo que puede requerir un mayor esfuerzo probatorio, que a su vez introduciría un trato disímil que se proyecta en los derechos de defensa del sujeto repercutido.

Llegados a este punto, nos queda valorar la idoneidad de las medidas que podrían adoptarse y la formulación de una nueva regulación que consiga la óptima consecución del propósito de minimizar los riesgos puestos de manifiesto en este trabajo. La posible solución ha sido apuntada anteriormente cuando se ha considerado que el destinatario de las cuotas del IVA es un extraño en la relación jurídico-tributaria que se establece entre la Administración y el sujeto pasivo que repercute el IVA. Esta condición le impide ostentar la condición de interesado en el procedimiento, a pesar, como se ha dicho, de asumir las consecuencias que del mismo se deriven.

Frente a la regulación actual, la propuesta alternativa de regulación para subsanar el problema analizado sería optar por la legitimación en el proce-

---

resoluciones adoptadas contra otros sujetos pasivos. Toda resolución de las autoridades tributarias de denegar la deducción del IVA a un sujeto pasivo ha de ser, por principio, una resolución autónoma en que las conclusiones de la Administración queden justificadas y motivadas de forma adecuada e independiente».

dimiento primero al destinatario del IVA. Legitimación que, recordemos, se produciría en el marco de un procedimiento que trae causa de una relación jurídico-tributaria de la que no se es parte, de la que se es extraño, pero que podría tener consecuencias jurídicas[23].

Esta propuesta de legitimación está inspirada en el cambio de tendencia apreciada en la jurisprudencia del Tribunal Supremo[24] (en adelante, TS) que, dejando atrás posturas contrarias, reconoció la legitimación y el interés

---

[23]   No obstante, esta propuesta alternativa de regulación no es inédita en nuestro ordenamiento jurídico. En el marco de los procedimientos de devolución de ingresos indebidos, la solución adoptada fue justamente la legitimación del destinatario del IVA para solicitar la devolución de los ingresos indebidos, siempre y cuando se diera una determinada condición: no haber deducido el IVA soportado.

Debemos recordar que, según lo indicado en el artículo 14 del Real Decreto 520/2005, de 13 de mayo, por el que se aprueba el Reglamento general de desarrollo de la Ley 58/2003, de 17 de diciembre, General Tributaria, en materia de revisión en vía administrativa tendrán derecho a solicitar la devolución de ingresos indebidos los obligados tributarios y los sujetos infractores que hubieran realizado ingresos indebidos en el Tesoro público con ocasión del cumplimiento de sus obligaciones tributarias o del pago de sanciones, así como los sucesores de unos y otros, también la persona o entidad que haya soportado la retención o el ingreso a cuenta repercutido cuando consideren que la retención soportada o el ingreso repercutido lo han sido indebidamente y, finalmente, para las personas o entidades que hayan soportado la repercusión, en el caso que el ingreso indebido, tal y como indica el referido artículo 14, «se refiera a tributos para los cuales exista una obligación legal de repercusión». Seguidamente, en el apartado segundo del mencionado artículo, se establecen los sujetos o entidades con derecho a obtener la devolución de ingresos indebidos, concretamente se menciona a los obligados tributarios y los sujetos infractores que hubieran realizado el ingreso indebido, así como los sucesores de unos y otros, las personas o entidades que hayan soportado la retención o el ingreso a cuenta, y, por último, las personas o entidades que hayan soportado la repercusión.

Esta dualidad de sujetos, los que pueden solicitar la devolución y los que tienen derecho a obtener la devolución, pone de manifiesto que no necesariamente son plenamente coincidentes. En el caso de las cuotas de IVA repercutido, tanto el que repercute como que ha soportado la repercusión pueden solicitar la devolución de las cuotas de IVA, pero el que tiene derecho a obtener la devolución es el que soportó la repercusión.

La legitimación del sujeto pasivo que soporta la repercusión para solicitar la devolución de los ingresos indebidos, sin embargo, no siempre ha sido reconocida en nuestro ordenamiento jurídico. Concretamente, el ya derogado Real Decreto 1163/1990, de 21 de septiembre, por el que se regula el procedimiento para la realización de devoluciones de ingresos indebidos de naturaleza tributaria excluía tal posibilidad al establecerse en su artículo 9 lo siguiente: «La solicitud de devolución de ingresos indebidos correspondiente a cuotas tributarias de repercusión obligatoria, podrá efectuarse por el sujeto pasivo que las haya repercutido».

[24]   Vide. Sentencias de 9 de enero de 2008 (casación 210/04); 2 de abril de 2008 (casación 5682/02); 19 de noviembre de 2008 (casaciones 4009/05 y 5128/06); 17 de julio de

legítimo del destinatario del IVA para solicitar la devolución de los ingresos indebidos. El TS sobre esta cuestión asevera: «No obstante lo anterior, si llegamos, como tendremos ocasión de comprobar en este mismo FJ, a la conclusión de que efectivamente concurren todos los presupuestos reglamentariamente exigidos para calificar como procedente la devolución de un ingreso indebido a la persona que efectivamente soportó el pago de las cuotas, debemos entender legitimada a dicha persona para solicitar la correspondiente devolución, y ello, por mandato del art. 24.1 CE que impone a los tribunales la obligación de realizar la obligación más favorable para el ejercicio del derecho y para el acceso al pleno control jurisdiccional de los actos administrativos, en los supuestos en los que de esa interpretación dependa el reconocimiento efectivo de un derecho. Así las cosas, desde una interpretación conjunta de los art. 4 y 9.2 final de la norma reglamentaria citada, debemos concluir que la legitimación para solicitar la devolución de los ingresos indebidos se extiende a las «personas interesadas», concepto más amplio que el de obligado tributario, pues no cabe duda de que será interesada aquella persona a la que la propia norma reconoce de forma explícita un derecho como ocurre con el art. 9.2 final del RD citado, en el que expresamente se reconoce el derecho al cobro, bajo ciertas circunstancias, de dichas cantidades por quien soportó de forma efectiva el pago de un ingreso posteriormente calificado como de indebido, sin que por otra parte, el RD citado o el art. 155 prohíban esta interpretación pues se limitan a enumerar a los legitimados pero no excluyen de forma expresa a otros sujetos. Es éste pues, el fundamento en el que descansa el reconocimiento de la legitimación cuestionada por la defensa del Estado, y se asienta, en resumen, en la observación de que no puede a la vez concluirse que concurren los requisitos para hacer efectivo un derecho y no reconocer un cauce procesal para hacerlo efectivo».

En consecuencia, tomado como referente el cambio de tendencia que en su día se produjo en relación al procedimiento de devolución de ingresos indebidos, y extrapolando las reflexiones de nuestro TS, claramente aplicables a los supuestos que planteamos, entendemos que la legitimación del destinatario del IVA puede aportar la solución idónea que, fundamentado también en el principio de economía procesal, remedie su indefensión en los supuestos como el analizado, sin olvidar los efectos sobre la neutralidad. Puesto que los sujetos que van a soportar las consecuencias de las decisiones de la Administración deben poder reaccionar contra ellas mediante las

---

2009 (casación 7209/05); 17 de diciembre de 2009 (casación 1034/04) y 7 de marzo de 2011 (casación 1275/07).

fórmulas que de forma óptima garanticen el ejercicio de sus derechos. Cuestión distinta será concretar en qué condiciones es regulada tal propuesta en aras a garantizar los fines perseguidos, de lo que no tenemos dudas es de la idoneidad de la medida.

Ciertamente, esta propuesta de reforma elimina el riesgo que comporta que el sujeto pasivo que soporta el IVA deba asumir las consecuencias negativas que pudieran derivarse del primer procedimiento, concretamente la imposibilidad de deducir el IVA soportado, y que, en el peor de los casos, ni siquiera esas consecuencias dependan de su propia actuación, sino de la falta de cumplimiento de las oportunas obligaciones por parte del que repercutió el IVA. Es por ello, que entendemos la legitimación del sujeto que soporta el IVA obliga a la Administración valorar debidamente todos los medios de prueba que se aporten en el procedimiento y no limitarse a dictar una resolución, que determinará que las cuotas soportadas no son deducibles sin haber tenido en cuenta a una persona con un interés legítimo en ese procedimiento.

Bibliografía

BUSTOS GILBERT, R., «La aplicación judicial de la CDFUE, un decálogo a partir de la jurisprudencia del Tribunal de Justicia de la Unión Europea», *Teoría y Realidad Constitucional*, núm. 39, 2017.

CALVO VÉRGEZ, J., *El derecho de deducción en el IVA*. Madrid: La Ley, 2015.

CHECA GONZÁLEZ, C., *El Derecho a la Deducción del IVA. Criterios establecidos en la jurisprudencia del Tribunal de Justicia Comunitario, y su reflejo en nuestro Derecho Interno*. Cizur Menor: Aranzadi, 2006.

DE MIGUEL CANUTO, E., «Carta de la Unión y Derechos Fundamentales: Irrupción en Materia Tributaria», *Quincena Fiscal*, núm. 4/2014, 1-19 (BIB 2014/2525), 2014.

GARCÍA NOVOA, C., «Deducibilidad del IVA soportado. ¿La neutralidad en retirada?» Disponible en https://www.politicafiscal.es/cesar-garcia-novoa/deducibilidad-del-iva-soportado-la-neutralidad-en-retirada [Consulta realizada el 4 de septiembre de 2019], 2018.

MACARRO OSUNA, M., *El principio de neutralidad fiscal en el IVA*. Cizur Menor: Thomson Reuters Aranzadi, 2015.

MACARRO OSUNA, M. y MARTÍN RODRÍGUEZ, J. M., «La neutralidad fiscal como meta de la construcción europea. Análisis de la fiscalidad indirecta» en ADAME MARTÍNEZ, F. y RAMOS PRIETO, J. (Coords.), *Estudios sobre el sistema tributario actual y la situación financiera del sector público. Homenaje al Profesor Dr. D. Javier Lasarte Álvarez* (pp. 645-676). Madrid. Instituto de Estudios Fiscales, 2014.

MERINO JARA, I., «El derecho a una buena administración en materia tributaria» en ALMUDÍ CID, J. M., MERINO JARA, I. y UGARTEMENDIA ECEIZABARRENA, J. I. (Dirs.) *Derechos fundamentales y ordenamiento tributario*, (pp. 351-372). IVAP, 2018.

MONDINI, A., «El principio de neutralidad en el IVA, entre "mito" y (perfectible) realidad» en DI PIETRO, A. y TASSANI, T., *Los principios europeos del Derecho Tributario* (pp. 209-232). Barcelona. Altier, 2015.

RAMOS PRIETO, J. y MACARRO OSUNA, M., «Problemas de armonización del IVA: la tributación de los libros electrónicos y su adecuación al principio de neutralidad», *Quincena fiscal,* núm. 1/2017, 1-36 (BIB 2016/86011), 2017.

Capítulo 36

La incompatibilidad con el Derecho comunitario del régimen especial del grupo de entidades en el IVA desde el punto de vista de la configuración del grupo

Estefanía López Llopis
Universidad de Alicante

SUMARIO: 1. INTRODUCCIÓN. 2. EL CONCEPTO DE GRUPO IVA. 3. EL CONCEPTO DE ENTIDAD DOMINANTE. 3.1. Regla general. 3.2. Reglas especiales: la entidad holding pura como dominante del grupo IVA. 4. EL CONCEPTO DE ENTIDAD DEPENDIENTE. 5. CONCLUSIONES. Bibliografía.

1. INTRODUCCIÓN

En los términos señalados por el profesor Calderón Carrero (2009), la incidencia actual «del Derecho comunitario europeo sobre el ordenamiento financiero de los Estados miembros resulta incontrovertible»[1]. Por un lado, opera «limitando la creación de Derecho Financiero por parte de los Estados miembros»; por otro, «constituye una fuente creadora (y reconfiguradora) de Derecho Financiero y Tributario en plena expansión»[2]. Una de las manifestaciones de esta incidencia viene representada por el intenso proceso de armonización fiscal experimentado en las últimas décadas a través de la figura de las Directivas comunitarias; entre ellas, la Directiva IVA.

Aunque el artículo 298 del Tratado de Funcionamiento de la Unión Europea (TFUE) reconoce expresamente que las directivas comunitarias obligan «al Estado miembro destinatario en cuanto al resultado que deba conseguirse, dejando (...) a las autoridades nacionales la elección de la forma

---

[1]   CALDERÓN CARRERO, J. M. (2009), «Una introducción al Derecho comunitario como fuente del Derecho financiero y tributario: ¿Hacia un ordenamiento financiero "bifronte" o "dual"?», *Documentos de Trabajo del Instituto de Estudios Fiscales (Foro Sainz de Bujanda: Ley General Tributaria y Derecho Comunitario)*, núm. 2/09, p. 129.

[2]   CALDERÓN CARRERO, J. M. (2009), *Ob. cit.*, p. 130.

y de los medios», es bien sabido que esta libertad de elección está sometida a ciertos límites. Concretamente, y en lo que atañe a la Directiva IVA, el propio Tribunal de Justicia de la Unión Europea (TJUE, en adelante) ha señalado en más de una ocasión que, además de estar obligados a respetar los principios sobre los que se articula el sistema común del impuesto, para determinar el alcance de una disposición del Derecho de la Unión será necesario tener en cuenta sus propios términos, su contexto y las finalidades perseguidas por la misma.

Esta problemática se manifiesta especialmente interesante en relación con aquellas disposiciones de la Directiva que, además de revestir carácter opcional para los Estados miembros, se encuentran redactadas en unos términos amplios e imprecisos. Tal es el caso del artículo 11, por el que se confiere a aquéllos la facultad de tratar como un único sujeto pasivo a efectos del IVA a un conjunto de personas establecidas que, siendo jurídicamente independientes, se encuentran firmemente vinculadas entre sí en el orden financiero, económico y de organización (*VAT grouping*).

En el caso español, fue la Ley 36/2006, de 29 de noviembre, la que incorporó al ordenamiento jurídico interno el *Régimen especial del grupo de entidade*s (habitualmente abreviado como REGE). Lo hizo, no obstante, de un modo peculiar, empleando una técnica novedosa y una regulación que, desde su entrada en vigor, ha sido objeto de duras críticas por parte de la doctrina científica. Se alude, en este sentido, a una redacción «deplorable» y a una «falta de rigor jurídico absoluto»[3]; a la existencia de «deficiencias técnicas»[4]; a una «regulación extremadamente parca y tal vez por ello confusa o imprecisa en ocasiones»[5]; así como a una aparente falta de adecuación a los criterios interpretativos defendidos por el Tribunal de Justicia.

En efecto, el régimen especial de grupos diseñado por el legislador español ha planteado tradicionalmente dudas de compatibilidad con el Derecho comunitario. Y lo ha hecho, además, desde distintos puntos de vista: empezando por la delimitación del perímetro subjetivo del grupo, pasando por los medios empleados para hacer efectivo el principio de sujeto pasivo único y llegando, finalmente, a los resultados derivados de la aplicación práctica-

---

[3] FERNÁNDEZ JUNQUERA, M. (2008), «El régimen especial del Grupo de Entidades en el IVA», *Noticias de la Unión Europea*, núm. 280, p. 32.

[4] GÓMEZ ARAGÓN, D. (2012), «El régimen especial del grupo de entidades (REGE)», en *Comentarios a la Ley y Reglamento del IVA. Tomo II*, Chico de la Cámara y Galán Ruiz (eds.), Navarra: Civitas, p. 609.

[5] LÓPEZ TELLO, J. y CUESTA, G. (2008), «El régimen especial del grupo de entidades en IVA», *Actualidad Jurídica Uría Menéndez*, núm. 19-2008, p. 96.

ca del citado régimen. Por razones de extensión, dedicaremos las siguientes líneas de este trabajo al estudio del primero de los aspectos indicados.

2. EL CONCEPTO DE GRUPO IVA

Tras reconocer la posibilidad de que los empresarios o profesionales que formen parte de un grupo puedan acogerse al régimen especial, el artículo 163 quinquies.uno de la LIVA define el grupo como «el formado por una entidad dominante y sus entidades dependientes, que se hallen firmemente vinculadas entre sí en los órdenes financiero, económico y de organización, (…) siempre que las sedes de actividad económica o establecimientos permanentes de todas y cada una de ellas radiquen en el territorio de aplicación del impuesto». Tal y como se desprende del contenido de este precepto, la aplicación del REGE se encuentra condicionada al cumplimiento de tres requisitos por parte de los miembros del grupo; a saber:

a) Naturaleza de entidad.

b) Condición de empresario o profesional a efectos del IVA[6].

c) Establecimiento en el territorio de aplicación del impuesto (TAI).

A tales requisitos se sumaría la necesidad de que los miembros del grupo, jerárquicamente subordinados al dominio ejercido por la entidad dominante, se encuentren ligados entre sí por fuertes lazos de vinculación financiera, económica y organizativa[7].

Pues bien, un análisis de los elementos anteriores a la luz de la jurisprudencia del TJUE en materia de *VAT grouping* nos lleva a cuestionar la compatibilidad con el Derecho comunitario de algunos de ellos.

a) Condición de entidad.

La Real Academia Española define el término «entidad» por referencia a la persona jurídica[8]. En mi opinión, no obstante, resulta factible establecer

---

[6] El artículo 163 quinquies.dos de la LIVA prevé, no obstante, la posibilidad de que la entidad que actúa como dominante del grupo no cumpla los requisitos para ser considerada empresario o profesional, siempre que se trate de una sociedad con forma mercantil.

[7] La definición de este triple concepto de vinculación se encuentra recogida en el artículo 61 bis.7 del Reglamento del impuesto.

[8] Entre otras acepciones, el diccionario de la Real Academia Española define el concepto de «entidad» como: «Colectividad considerada como unidad, y, en especial, cualquier corporación, compañía, institución, etc., *tomada como persona jurídica*».

una separación entre ambos conceptos, de tal suerte que podría llegar a reconocerse la existencia de una entidad, susceptible de formar parte de un grupo IVA, aun careciendo de personalidad jurídica propia[9].

La amplitud con la que el legislador fiscal define el concepto de grupo, al menos en lo que se refiere a la personalidad y a la forma jurídica de sus miembros, choca, paradójicamente, con una clara prohibición de acceso al REGE por parte de las personas físicas, reúnan o no la condición de sujetos pasivos del IVA. Esta exclusión, que se desprende directamente del empleo del término «entidad» a lo largo de todo el articulado del régimen, queda reforzada si atendemos a las condiciones exigidas para adquirir la condición de dominante y la condición de dependiente en el ámbito de este impuesto (calificaciones que, en la práctica, resultan inaccesibles para quienes no tengan naturaleza de entidad)[10]. En este sentido, y como primer requisito para asumir la condición de dominante, el artículo 163 quinquies.dos de la LIVA establece la exigencia de que la *entidad* en cuestión tenga *personalidad jurídica propia*[11]. El artículo 163 quinquies.tres, por su parte, vincula la condición de *entidad* dependiente al cumplimiento de unos requisitos de participación que en modo alguno podrían cumplirse respecto de una persona física. En contra de lo que pudiera pensarse, por tanto, el legislador español no hace uso del término «entidad» como alternativa al concepto de empresario o profesional, sino con el firme propósito de limitar el ámbito de aplicación del REGE a determinadas categorías de sujetos.

Un análisis de la restricción señalada a la luz de la jurisprudencia del TJUE suscita ciertos interrogantes en cuanto a su compatibilidad con el Derecho comunitario. Considero oportuno tomar en consideración, a este respecto, el criterio defendido en la sentencia de 16 de julio de 2015, asuntos acumulados C-108/14 y C-109/14, *Larentia + Minerva,* en cuyo apartado 38 se advertía expresamente que, a diferencia de otras disposiciones de la Directiva IVA «que se refieren explícitamente a las "personas jurídicas"», el artículo 11 «no prevé la posibilidad de que los Estados miembros impongan otros requisitos a los operadores económicos para poder constituir un grupo a efectos del IVA (...) y, en particular, la posibilidad de que los

---

[9]   Cierto es que dicha previsión resultaría aplicable únicamente respecto de las entidades dependientes, ya que, conforme a lo dispuesto en del artículo 163 quinquies.dos.a) de la LIVA, la exigencia de personalidad jurídica sí rige para la entidad dominante del grupo.

[10] En un sentido similar: LÓPEZ TELLO, J. y CUESTA, G. (2008), *Ob. cit.*, p. 97, y GÓMEZ ARAGÓN, D. (2012), *Ob. cit.*, p. 617.

[11] Se contempla, no obstante, una excepción para el caso de los establecimientos permanentes ubicados en el TAI.

Estados miembros exijan que únicamente las entidades dotadas de personalidad jurídica puedan ser miembros de un grupo». Si bien es cierto que, en los términos señalados, el concepto de «entidad» no ha de entenderse, necesariamente, como sinónimo de «persona jurídica», parece claro que la jurisprudencia anterior nos llevaría a rechazar la compatibilidad con la Directiva de una normativa como la española, que, si bien de forma indirecta, excluye la posibilidad de acceso al grupo de las personas físicas, y, en general, de todos aquellos sujetos que no ostenten naturaleza de entidad.

Por otro lado, y en estrecha conexión con el razonamiento anterior, me parece procedente traer a colación la sentencia del TJUE de 7 de septiembre de 1999, asunto C-216/97, *Gregg*, donde, haciendo referencia a las exenciones relativas a la prestación de servicios hospitalarios, médicos y asistenciales, se afirmaba que «el principio de neutralidad se opone, en particular, a que los operadores económicos que efectúan las mismas operaciones sean tratados de forma distinta en relación con la percepción del IVA. De ello resulta que se incumpliría el mencionado principio si la posibilidad de acogerse a la exención [...] dependiera de la forma jurídica por medio de la cual el sujeto pasivo ejerce su actividad». Trasladado al ámbito que nos ocupa, este argumento nos llevaría igualmente a rechazar la compatibilidad con la Directiva comunitaria de una normativa nacional que, a efectos de limitar el ámbito de aplicación de un régimen especial como el examinado, confiere un trato distinto a los sujetos pasivos en función de su naturaleza (entidades Vs. personas físicas)[12].

b) Condición de empresario o profesional.

Del tenor literal del artículo 163 quinquies.uno de la LIVA se desprende la exigencia de que todos y cada uno de los miembros del grupo cumplan los requisitos necesarios para ser considerados empresarios o profesionales a efectos del IVA. La única excepción en este ámbito es la relativa a la entidad dominante, a la que se le permite adquirir dicha condición aun cuando no actúe como empresario o profesional, siempre que revista forma jurídica de sociedad mercantil.

La imposible integración en el grupo de quienes no tienen la condición de sujetos pasivos del IVA ha sido avalada expresamente por la DGT en al-

---

[12] En un sentido similar, defiende GÓMEZ ARAGÓN, D. (2012) que «la imposibilidad de que los empresarios o profesionales personas físicas puedan optar por el REGE es contraria a lo previsto en el artículo 11 de la Directiva (...), así como (...) al principio de neutralidad que rige la aplicación del IVA en la UE» (*Ob. cit.*, p. 615).

gunas de sus consultas[13]. A mi entender, no obstante, esta limitación contradice abiertamente la decisión adoptada por el TJUE en su sentencia de 9 de abril de 2013, asunto C-85/11, *Comisión / Irlanda*[14], donde, rechazando la tesis habitualmente sostenida por la Comisión, concluyó que el artículo 11 de la Directiva no somete su aplicación a la condición de sujeto pasivo de sus miembros. Así se desprende tanto del tenor literal del citado precepto, como de su contexto y de los objetivos perseguidos al reconocer la libertad de los Estados miembros para la implantación del régimen de grupos.

Desde mi punto de vista, una aplicación estricta del principio de unidad económica (fundamento último del régimen de grupos en todas sus vertientes) debería llevarnos a buscar la condición de empresario o profesional en el propio grupo, y no en cada uno de sus miembros individualmente considerados. Esta propuesta resulta coherente con el contenido del artículo 11 de la Directiva, en virtud del cual los Estados miembros podrán «considerar como *un solo sujeto pasivo*» a un conjunto de personas jurídicamente independientes cuando se cumplan ciertas condiciones. Tal y como señalaba el TJUE en la sentencia *Comisión / Irlanda*, por tanto, no parece que el legislador comunitario se proponga «exclusivamente permitir que se trate a varios sujetos pasivos como una entidad única, ya que esos términos no guardan relación con una condición de aplicación» del referido artículo, «sino con su resultado», que consiste en considerar como sujeto pasivo único a la entidad resultante de esa agrupación de personas jurídicamente independientes[15].

El legislador español parece ser consciente de la realidad señalada; de aquí su intento por aproximarse a la jurisprudencia comunitaria, y, consecuentemente, al contenido de la Directiva IVA, en el año 2014, cuando reconoció la posible consideración como dominante del grupo de una enti-

---

[13]   Es el caso de las consultas V2051-08, de 5 de noviembre; V2642-09, de 30 de noviembre; V0022-10, de 18 de enero; y V2289-12, de 3 de diciembre. Asimismo, y al amparo de la regulación vigente tras la reforma operada por la Ley 28/2014, véanse las consultas V0865-15, de 23 de marzo y V0986-15, de 27 de marzo.

[14]   El contenido de esta resolución se reproduce en las sentencias del TJUE de 25 de abril de 2013, asuntos C-65/11, *Comisión / Países Bajos* (disponible en francés y neerlandés); C-74/11, *Comisión / Finlandia* (disponible en francés y finés); C-86/11, *Comisión / Reino Unido* (disponible en inglés y francés); C-95/11, *Comisión / Dinamarca* (disponible en francés y danés) y C-109/11, *Comisión / República Checa* (disponible en checo y francés).

[15]   Sentencia *Comisión / Irlanda*, apartado 40.

dad *holding* pura[16]. Sin embargo, y en la medida en que la LIVA continúa exigiendo la condición de empresario o profesional a las entidades dependientes, la ampliación del perímetro de consolidación que entonces se llevó a cabo debe calificarse como insuficiente.

c) Relación de dominancia - dependencia.

En línea con la tendencia seguida por los países de nuestro entorno, la Ley 37/1992 vincula el nacimiento del grupo a la existencia de una entidad dominante y de una o más entidades dependientes. Se priorizan, así, en palabras de Franch Fluxà (2009), «los grupos de subordinación, que es la única tipología que contempla y regula el Derecho tributario»[17].

Por lo que respecta al encaje en el Derecho comunitario de la previsión normativa analizada, considero oportuno hacer referencia, nuevamente, al razonamiento esgrimido por el TJUE en la sentencia *Larentia + Minerva*, en la que se afirmaba que la existencia de una relación de subordinación «permite presumir el carácter estrecho de las relaciones entre las personas de que se trata», pero no puede «considerarse como un requisito necesario para la constitución de un grupo a efectos del IVA»[18]. Sobre la base de esta premisa, resolvía el Tribunal, el artículo 11 de la Directiva se opone a una normativa nacional que, tal y como sucede en el caso español, reserva «la posibilidad de constituir un grupo a efectos del IVA (...) únicamente a las entidades (...) vinculadas al órgano central de dicho grupo mediante una relación de subordinación», a menos que dicha exigencia venga justificada por razones de lucha contra el fraude o la evasión fiscal[19].

La conclusión defendida se refuerza si atendemos al contenido de las conclusiones del Abogado General, Sr Paolo Mengozzi, en este mismo asunto. Concretamente, al analizar la legislación alemana controvertida (cuya redacción en este punto presentaba notables similitudes con la LIVA) defendía, en primer lugar, que la existencia de vínculos «firmes» en los órdenes financiero, económico y de organización no implica necesariamente

---

[16]   Concretamente, la Ley 28/2014 añadió un nuevo párrafo al apartado dos del artículo 163 quinquies de la LIVA, en virtud del cual «las sociedades mercantiles que no actúen como empresarios o profesionales, podrán ser consideradas como entidad dominante, siempre que cumplan los requisitos anteriores».

[17]   FRANCH FLUXÀ, J. (2009), «Comentarios en torno al nuevo régimen de grupos de entidades en el Impuesto sobre el Valor Añadido», *Noticias de la Unión Europea*, núm. 288, p. 69.

[18]   Sentencia *Larentia + Minerva*, apartado 45.

[19]   Sentencia *Larentia + Minerva*, apartado 46.

la existencia de una relación jerárquica entre los miembros del grupo[20]. Sostenía, en segunda instancia, que, aunque la exigencia de una relación de subordinación no es en sí misma incompatible con el artículo 11 de la Directiva, la misma «debe estar justificada por la persecución de los objetivos de prevención de los abusos o de lucha contra el fraude y la evasión fiscales, de conformidad con el Derecho de la Unión, y en especial con el principio de neutralidad fiscal»[21].

En mi opinión, no parece que la lucha contra el fraude y la evasión fiscal sean los objetivos perseguidos por el legislador español al exigir la existencia de una relación de subordinación entre las entidades del grupo[22]. De hecho, una revisión del criterio administrativo sugiere que el origen de esta opción normativa se encuentra en una interpretación errónea del artículo 11 de la Directiva por parte de legislador nacional, al entender que el establecimiento de un porcentaje mínimo de participación (y, por tanto, de una relación de control) entra dentro del margen de apreciación que dicha norma concede a los Estados miembros. Así se infiere de la tesis esgrimida por la DGT en, al menos, dos de sus consultas: la V2561-14, de 1 de octubre, y la V0266-09, de 12 de febrero, en las que se afirma que «el porcentaje de participación establecido por la Ley resulta de la interpretación que el legislador nacional ha hecho de la vinculación a que alude la Directiva. No obstante, desvincular ambos preceptos resultaría en una contravención de la norma comunitaria y de su naturaleza prevalente respecto del Derecho interno. En estas circunstancias, el porcentaje de participación (…) debe verse acompañado (…) de una firme vinculación financiera, económica y de organización».

---

[20]   Conclusiones del Abogado General en los asuntos acumulados C-108/14 y C-109/14, *Larentia + Minerva,* apartado 90.

[21]   Conclusiones del Abogado General en los asuntos acumulados C-108/14 y C-109/14, *Larentia + Minerva,* apartado 97.

[22]   No debe confundirnos el hecho de que el REGE fuera introducido en el ordenamiento español a través de una Ley de medidas de lucha contra el fraude fiscal. Así, y según la propuesta inicialmente presentada, la finalidad que se persigue con dicho régimen no tiene nada que ver con esta lucha; radica, por el contrario, en combinar las ventajas que se derivan de la consideración del grupo como un único empresario con la mayor operatividad posible en la gestión del impuesto (BOE, Congreso de los Diputados, serie A, núm. 81-10, de 9/06/2006).

3. EL CONCEPTO DE ENTIDAD DOMINANTE

3.1. *Regla general*

Establece el artículo 163 quinquies.dos de la LIVA que se «considerará como entidad dominante aquella que cumpla los requisitos siguientes: a) Que tenga personalidad jurídica propia. No obstante, los establecimientos permanentes ubicados en el territorio de aplicación del Impuesto podrán tener la condición de entidad dominante respecto de las entidades cuyas participaciones estén afectas a dichos establecimientos (…). b) Que tenga el control efectivo sobre las entidades del grupo, a través de una participación, directa o indirecta, de más del 50 por ciento, en el capital o en los derechos de voto de las mismas. c) Que dicha participación se mantenga durante todo el año natural. d) Que no sea dependiente de ninguna otra entidad establecida en el territorio de aplicación del Impuesto que reúna los requisitos para ser considerada como dominante».

Como podemos comprobar, y al igual que sucede en el ámbito del Impuesto sobre Sociedades (IS), la condición de dominante en el régimen de grupos IVA se hace depender, entre otros requisitos, de la posesión de un determinado porcentaje de participación en el capital de las entidades dependientes. Esta exigencia choca, no obstante, con lo señalado por el TJUE en su sentencia *Larentia + Minerva*, en la que se rechazaba expresamente la posibilidad de que la constitución de un grupo a efectos del IVA pudiera condicionarse a la existencia de una relación de subordinación entre sus miembros[23].

Por lo que concierne a los efectos que el pronunciamiento anterior está llamado a tener en el ámbito en el que nos encontramos, considero oportuno tomar en consideración, en primer lugar, que la normativa alemana discutida en la sentencia mencionada hacía depender la inclusión en el grupo de la concurrencia de tres elementos: la posesión, por parte de la dominante, de una participación financiera de magnitud tal que le permitiese «imponer su voluntad mediante un voto mayoritario en la junta general de socios» (vinculación financiera); que la sociedad participada apareciese «en la estructura de la sociedad dominante, jerárquicamente superior, como una parte de ésta» (vinculación económica); y que, en la gestión diaria, la sociedad dominante ejerciese la facultad que «le otorga la integración financiera, al controlar el tipo y el modo de la gestión de la sociedad subordinada, así como al hacer prevalecer su voluntad dentro de esta última» (vinculación

---

23   Sentencia *Larentia + Minerva*, apartados 45 y 46.

organizativa)[24]. En el caso español, es cierto que la Ley 37/1992 configura los requisitos de vinculación indicados de un modo ligeramente distinto[25], pero no es menos cierto que, en la práctica, y con independencia de que nos acojamos a una interpretación literal o finalista del artículo 163 quinquies. dos.b), la exigencia de un control efectivo sobre las entidades dependientes a través de una participación mayoritaria en su capital social o en sus derechos de voto nos permite hablar, al igual que sucedía en el caso alemán, de un régimen de grupos construido en torno a las nociones de «dominio» o «subordinación»[26].

Desde mi punto de vista, el hecho de que el REGE se construya sobre la base de una relación jerárquica entre la entidad cabecera y el resto de miembros de la agrupación nos lleva a apreciar una incompatibilidad entre la definición de grupo ofrecida por el legislador español y la jurisprudencia comunitaria en materia de *VAT grouping*. Y ello porque, al rechazar la posibilidad de que la existencia de una relación de subordinación pueda configurarse como requisito necesario para la constitución de un grupo IVA, lo que a mi juicio pretendía el TJUE era dar cabida en este tipo de regímenes al denominado «grupo de cooperación o grupo ampliado», cuya definición gira en torno al concepto de unidad de decisión. Así, por ejemplo, el Real Decreto 1159/2010, sobre normas de consolidación de cuentas, define el grupo de cooperación como aquél que se encuentra «integrado por em-

---

[24]   Conclusiones del Abogado General en los asuntos acumulados C-108/14 y C-109/14, *Larentia + Minerva*, apartado 88.

[25]   En particular, dispone el artículo 61 bis.7 del Reglamento del IVA que «Se considerará que existe vinculación financiera cuando la entidad dominante, a través de una participación de más del 50 por ciento en el capital o en los derechos de voto de las entidades del grupo, tenga el control efectivo sobre las mismas. Se considerará que existe vinculación económica cuando las entidades del grupo realicen una misma actividad económica o cuando, realizando actividades distintas, resulten complementarias o contribuyan a la realización de las mismas. Se considerará que existe vinculación organizativa cuando exista una dirección común en las entidades del grupo. Se presumirá, salvo prueba en contrario, que una entidad dominante que cumple el requisito de vinculación financiera también satisface los requisitos de vinculación económica y organizativa».

[26]   Conviene tener en cuenta, asimismo, la referencia efectuada por el legislador en la introducción al Real Decreto 1159/2010, de 17 de septiembre, por el que se aprueban las Normas para la Formulación de Cuentas Anuales Consolidadas, donde el término «grupo de *subordinación*» es definido como el «formado por una sociedad *dominante* y otra u otras *dependientes controladas* por la primera». Dado que, en el ámbito del IVA, la definición de grupo también se hace depender de la existencia de una entidad dominante y de una o varias entidades dependientes efectivamente controladas por la primera, concluimos que el REGE se sustenta, asimismo, sobre la noción de «grupo de subordinación».

presas controladas por cualquier medio por una o varias personas, físicas o jurídicas, que actúen conjuntamente o se hallen bajo dirección única por acuerdos o cláusulas estatutarias»[27].

Por otro lado, ha de reconocerse que el objetivo de las modificaciones introducidas en el articulado del REGE por vía de la Ley 28/2014 no fue otro que el de adaptar la normativa española a los criterios interpretativos defendidos por la Comisión Europea en su Comunicación de 2009[28], en la que se aludía a la determinación del vínculo financiero por referencia al porcentaje de participación en el capital o en los derechos de voto, o por referencia a un contrato de franquicia. Debe tenerse en cuenta, sin embargo, que, en el año 2017, y a la vista de las decisiones adoptadas por el TJUE en este contexto, el Comité consultivo del IVA publicó un Documento de Trabajo en el que ponía de manifiesto la necesidad de ofrecer una nueva definición del concepto de vinculación financiera acorde con dicha jurisprudencia[29].

Concretamente, y tras resumir el contenido de la sentencia *Larentia + Minerva*, aclaraba el Comité IVA en su Documento de Trabajo n° 918 que, al definir el concepto de vinculación financiera, la Comunicación de 2009 no pretendía abarcar todas las circunstancias que permiten acreditar su concurrencia, como tampoco trataba de limitar la existencia de vinculación a aquellos supuestos en los que existe una relación de dominancia-dependencia entre las entidades del grupo. En contra de lo que parecía desprenderse del tenor literal de aquel documento, por ende, las definiciones sugeridas debían ser vistas como meras presunciones de casos en los que el vínculo financiero existe (esto es, como circunstancias suficientes, pero no necesarias, para que dicho requisito pueda considerarse cumplido). Sobre la base de este razonamiento, se defendía la compatibilidad con el Derecho comunitario de la interpretación inicialmente ofrecida por la Comisión, al

---

[27]   Introducción al Real Decreto 1159/2010. Ésta es, precisamente, la tipología de grupo a la que se refería la DGT en su consulta V2437-09, de 30 de octubre, en la que se rechazó la condición de dominante a «la entidad cabecera de un grupo cooperativo» que ejercía facultades y emitía instrucciones «de obligado cumplimiento para las cooperativas agrupadas», de forma que se producía «una unidad de decisión en el ámbito de dichas facultades».

[28]   Comunicación de la Comisión al Consejo y al Parlamento Europeo, de 22 de julio de 2009, referente a la posibilidad de formar grupos de IVA, prevista en el artículo 11 de la Directiva 2006/112/CE del Consejo relativa al sistema común del impuesto sobre el valor añadido {COM(2009) 325 final}.

[29]   VALUE ADDED TAX COMMITTEE (2017), «Meaning of "financial, economic and organisational links" among VAT group members», Working Paper No 918, {taxud.c.1(2017)982178-EN}.

tiempo que se advertía la necesidad de establecer el significado del requisito de vinculación financiera por referencia a criterios distintos al de la existencia de una relación de subordinación[30].

Como fácilmente se desprende del contenido de artículo 163 quinquies de la LIVA, las propuestas efectuadas por el Comité consultivo no han sido atendidas, hasta la fecha, por el legislador español, habida cuenta de que la participación en el capital social o en los derechos de voto de las entidades dependientes sigue configurándose como un requisito *sine qua non* para la aplicación del régimen de grupos. En lo que atañe al requisito de vinculación financiera, por tanto, la Ley española del impuesto ha presentado desde sus orígenes graves inconsistencias con el Derecho comunitario. Las recomendaciones contenidas en la Comunicación de 2009, referente a la posibilidad de formar grupos IVA, se incorporaron tarde, y ahora sabemos que mal, a la Ley 37/1992. No fue hasta el año 2014 cuando el legislador previó expresamente la necesaria existencia de firmes lazos de vinculación financiera, económica y organizativa como condición necesaria para el nacimiento del grupo[31]. La interpretación que se hizo entonces del contenido de la Comunicación fue errónea, puesto que dos los criterios que aquel documento mencionaba a modo de presunción (la participación mayoritaria en el capital social o en los derechos de voto) fueron incluidos en la LIVA como requisitos de obligado cumplimiento. Esta incorrecta interpretación del concepto de vinculación financiera provocó que, después de la modificación operada por la Ley 28/2014, el REGE siguiese construyéndose sobre el concepto de «grupo de subordinación», y, consecuentemente, que siguiese resultando incompatible con la Directiva del impuesto.

Los argumentos señalados nos llevan a concluir que el artículo 163 quinquies.dos.b) de la LIVA se encuentra necesitado de una reforma, a través de la cual se dé cabida en el REGE a aquellos grupos que no se encuentran basados en una relación de dominancia-dependencia entre sus miembros. La consecución de dicho objetivo requiere, en primera instancia, eliminar toda exigencia de una participación mínima en el capital o en los derechos de voto por parte de la dominante, y, en su caso, atribuir a tales circunstancias el carácter de presunción *iuris tantum*. En segundo lugar, considero necesario ampliar el contenido del requisito de vinculación financiera mediante la búsqueda de nuevos criterios que, en todo caso, tendrán naturaleza de pre-

---

[30]   Documento de Trabajo del Comité IVA nº 918, pp. 8-9.
[31]   Lo cierto, no obstante, es que la DGT vino exigiendo el cumplimiento de este requisito desde la entrada en vigor del REGE, el 1 de enero de 2008.

sunción. A estos efectos, podría resultar interesante el análisis que el Comité consultivo efectúa en su Documento de Trabajo de 2017, y, muy especialmente, los criterios propuestos por el Instituto de Contabilidad y Auditoría de Cuentas en la consulta 4 del BOICAC número 92, de diciembre de 2012, en la que se deja constancia de la dificultad asociada al establecimiento de criterios objetivos para la calificación como empresas del grupo de determinados entramados societarios, en la medida en que se trata de «una cuestión de hecho, que viene determinada por la existencia o la posibilidad de control entre sociedades o de una empresa por una sociedad» y «para cuya apreciación concreta sería preciso analizar todos los antecedentes y circunstancias del correspondiente caso».

Sea como fuere, y sin perjuicio de su innegable utilidad, debemos ser conscientes de que el legislador español nunca será capaz de abarcar todas y cada una de las situaciones que pueden darse en la práctica a través del establecimiento de presunciones. Por ello, e inspirándonos en la propuesta realizada por el Grupo de Expertos del IVA en su informe nº 070, de marzo de 2018[32], quizá la alternativa más razonable sea la instauración de un proceso de confirmación, en virtud del cual fuese la propia Administración tributaria quien, previa solicitud de los interesados, evaluara la concurrencia de los requisitos necesarios, y, en su caso, quien confirmara la existencia de un grupo a los efectos del IVA, así como la composición del mismo[33].

3.2. *Reglas especiales: la entidad holding pura como dominante del grupo IVA*[34]

La sentencia *Comisión / Irlanda*, de abril de 2013, reconoció expresamente que la posibilidad de establecer una asociación entre el término «personas», empleado en el artículo 11 de la Directiva, y el concepto de «sujeto pasivo» a efectos del IVA no se deduce de la literalidad de dicho precepto, de su contexto, ni de la finalidad perseguida por el legislador al regular la figura del *VAT grouping*. Partiendo del contenido de esta sentencia, afirma, de hecho, la DGT en su consulta V0865-15, de 23 de marzo, lo siguiente: «En consecuencia, los Estados miembros pueden establecer en su regulación del régimen del grupo de entidades la posibilidad de que determinadas en-

---

[32]   VAT EXPERT GROUP (2018), «Meaning of "financial, economic and organisational links" among VAT group members», VEG No 070 REV1, {taxud.c.1(2018)1668166 - EN}.

[33]   Véase, en este sentido, el informe del Grupo de Expertos del IVA, nº 070, pp. 2, 9 y 17.

[34]   Véase la nota a pie número 16.

tidades que no tienen la consideración de empresario o profesional puedan formar parte del grupo en los términos que los mismos determinen. (…) haciendo uso de esta facultad, la nueva regulación del régimen (…) contenida en la Ley 37/1992 permite que una sociedad mercantil que no actúe como empresario o profesional, como la entidad objeto de consulta, sociedad holding cabecera en España de un grupo multinacional de la que cuelgan las demás entidades del grupo, (…) pueda ser considerada como entidad dominante del grupo de entidades».

Desde mi punto de vista, y aunque parece evidente que la especialidad incorporada por la Ley 28/2014 vino motivada por la decisión del TJUE en su sentencia *Comisión / Irlanda*, son dos las razones que pueden llevarnos a calificar de incompleta la labor de adaptación al Derecho comunitario acometida en este punto por el legislador español. En primer lugar, debemos tener en cuenta que, en aquellos casos en los que la entidad en cuestión no tenga la condición de empresario o profesional, su posible calificación como dominante del grupo se hace depender de la adopción de una forma jurídica determinada (la de sociedad mercantil), lo cual resulta contrario al contenido de la propia sentencia *Comisión / Irlanda* y al principio de neutralidad fiscal. En relación con la primera, sostenía el Abogado General en el apartado 61 de sus conclusiones al asunto *Larentia+Minerva* que la jurisprudencia contenida en la sentencia *Comisión / Irlanda* implica que el alcance del artículo 11 de la Directiva «no se limita a una forma concreta de sociedad ni a que las entidades que formen parte de un grupo de IVA tengan personalidad jurídica». En lo que se refiere al principio de neutralidad, señalábamos anteriormente que el mismo «se opone (…) a que los operadores económicos que efectúan las mismas operaciones sean tratados de forma distinta en relación con la percepción del IVA»[35], de donde resulta que se incumpliría el mencionado principio si la aplicación de una determinada previsión normativa se hiciera depender «de la forma jurídica por medio de la cual el sujeto pasivo ejerce su actividad»[36].

En segunda instancia, considero que la inclusión en el grupo de quienes no posean la condición de sujeto pasivo del impuesto habría de predicarse respecto de todos sus miembros, y no sólo respecto de la entidad dominan-

---

[35] Véanse, entre otras, las sentencias del TJUE de 27 de junio de 2018, asuntos acumulados C-459/17 y C-460/17, *SGI*, apartado 44; de 31 de enero de 2013, asunto C-643/11, *LVK*, apartado 55; y de 18 de octubre de 2007, asunto C-97/06, *Navicon SA*, apartado 21.

[36] Sentencia *Gregg*, apartado 20.

te[37]. Tomando en consideración el razonamiento esgrimido por la DGT en su consulta V0865-15, este desfase entre el contenido de la LIVA tras la reforma de 2014 y el criterio defendido por el TJUE en la sentencia *Comisión / Irlanda* parece responder, de nuevo, a una interpretación errónea de dicho criterio, en el bien entendido de que, para la DGT, lo que la sentencia citada contempla es la «posibilidad» de permitir la integración en un grupo de quienes no cumplan los requisitos necesarios para adquirir la condición de empresario o profesional a efectos del IVA[38]. A mi entender, no obstante, de lo que verdaderamente habla el Tribunal en la sentencia *Comisión / Irlanda* es de la «prohibición» de vincular el acceso al grupo al hecho de ostentar aquella condición, a menos que ello venga motivado por razones de lucha contra el fraude y la evasión fiscal. Esta circunstancia justificaría la incompatibilidad con la Directiva de una normativa como la española, que, excepción hecha de la entidad dominante, continúa restringiendo el acceso al grupo por este motivo.

4. EL CONCEPTO DE ENTIDAD DEPENDIENTE

El artículo 163 quinquies.tres de la LIVA define el concepto de entidad dependiente sobre la base de tres elementos:

1) La condición de empresario o profesional distinto de la entidad dominante.

2) El establecimiento en el TAI.

3) La subordinación a la entidad dominante en los términos descritos en el artículo 163 quinquies.dos.

En relación con el segundo de estos elementos, dispone asimismo el legislador que en «ningún caso un establecimiento permanente ubicado en

---

[37] En una línea similar, destacaba VERDÚN FRAILE, E. (2013) la relevancia de la sentencia *Comisión / Irlanda* y advertía sobre la necesidad de una reforma normativa a corto plazo, o, cuando menos, de una flexibilización, «permitiendo a las entidades dominantes no empresarios aplicar el régimen especial» y revisando la definición del concepto de entidad dependiente («Novedades y controversias en los grupos IVA», *Estudios Financieros. Revista de Contabilidad y Tributación*, núm. 364, p. 119).

[38] En este mismo sentido se pronuncia PFEIFFER, S. (2015), para quien de la jurisprudencia comunitaria no se desprende la existencia de una obligación, a cargo de los Estados miembros, de aceptar como miembros del grupo a quienes no cumplan los requisitos para ser considerados como sujetos pasivos del IVA (*VAT grouping from a European perspective*, IBFD Doctoral Series, volume 34, Amsterdam: IBFD pp. 33-34).

el territorio de aplicación del Impuesto podrá constituir (…) una entidad dependiente».

Desde mi punto de vista, y sin perjuicio de las críticas anteriormente vertidas sobre las exigencias relativas a la condición de empresario o profesional y la existencia de una relación de subordinación, la exclusión de los establecimientos permanentes (EP) del perímetro subjetivo del grupo vulnera de forma directa el contenido del artículo 11 de la Directiva[39], al tiempo que atenta contra el principio de libertad de establecimiento y de forma jurídica consagrado en el artículo 49 del TFUE. Considero oportuno traer a colación, en este contexto, el razonamiento esgrimido por el Tribunal de Justicia en su sentencia de 21 de septiembre de 1999, asunto C-307/97, *Saint-Gobain ZN*, donde se declara la incompatibilidad con el Derecho comunitario de una normativa nacional que impide al EP de una entidad no residente disfrutar, en las mismas condiciones que las sociedades residentes, de determinadas ventajas fiscales.

Ha de reconocerse que, en la sentencia citada, el TJUE analizaba una serie de cuestiones relacionadas con la legislación alemana en materia de fiscalidad directa (en concreto, con el impuesto sobre sociedades y el impuesto sobre el patrimonio), y, consecuentemente, ajenas a la imposición sobre el consumo, sobre la que versa este estudio. Sin embargo, existe al menos un elemento común, a mi parecer determinante, entre el régimen de grupos IVA y la legislación controvertida en el asunto principal, a saber: la posibilidad de calificar al REGE como un régimen de ventajas fiscales para los sujetos pasivos del impuesto. Asimismo, y en línea con la tesis defendida en la mencionada sentencia, el artículo 49 del TFUE, relativo a la libertad de establecimiento, «es una disposición fundamental, directamente aplicable en los Estados miembros»[40], y no vinculada, por tanto, a ningún ámbito o impuesto en particular. En lo que atañe a su contenido, la «libertad de establecimiento (…) comprende (…) para las sociedades constituidas con arreglo a la legislación de un Estado miembro y cuyo domicilio social, administración central o centro de actividad principal se encuentre dentro de la Comunidad, el derecho a ejercer su actividad en el Estado miembro de que se trate por medio de una filial, sucursal o agencia (…). Estas mismas disposiciones garantizan a los nacionales comunitarios que hayan ejercido

---

[39]   En este mismo sentido, véase GÓMEZ ARAGÓN (2012), *Ob. cit.*, pp. 614.
[40]   Sentencia *Saint-Gobain ZN*, apartado 34.

la libertad de establecimiento (...) el disfrute del trato nacional en el Estado miembro de acogida»[41].

De una forma similar a lo sucedido en el asunto *Saint-Gobain ZN*, la prohibición de que los EP de entidades no residentes que se encuentren ubicados en el TAI puedan acogerse al régimen de grupos en calidad de entidades dependientes conlleva una diferencia de trato no justificada con respecto a las entidades cuya sede de actividad económica radica en dicho territorio; entre ellas, las filiales españolas de entidades residentes en terceros Estados. Por lo que se refiere a estos supuestos, procede tener en cuenta que, tal y como ha defendido la propia DGT, en aquellos casos en los que la participación de la dominante en la dependiente se alcance de forma indirecta, la aplicación de la correspondiente regla de cómputo no se verá afectada por el hecho de que alguna de las entidades interpuestas no cumpla los requisitos necesarios para formar parte del grupo[42]. De aquí se infiere la posibilidad de que las filiales ubicadas en el TAI de entidades no residentes en territorio español (y, por ende, no integradas en el grupo por incumplimiento de la condición prevista en la letra d) del artículo 163 quinquies.dos) puedan adquirir la condición de entidades dependientes de un grupo IVA.

A título de ejemplo, piénsese en la siguiente estructura societaria:

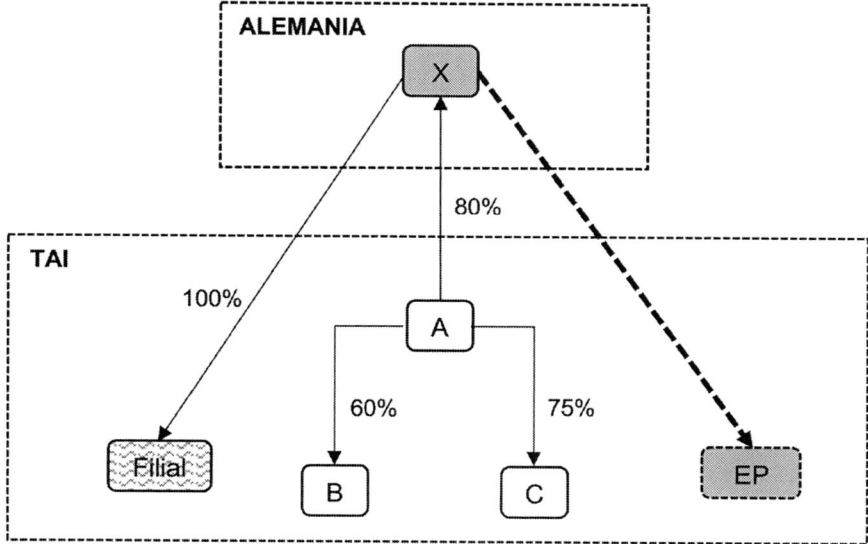

---

[41] Sentencia *Saint-Gobain ZN*, apartado 35.
[42] Véanse, en este sentido, las consultas V0358-17, de 13 de febrero, y V4320-16, de 6 de octubre.

Supongamos que X es una sociedad de capital con domicilio social en Alemania, que cuenta con una filial y un EP en el TAI. Las entidades A, B y C, por su parte, son sociedades de capital cuya sede de actividad económica radica en el TAI. Suponiendo que se cumplen todos los requisitos exigidos por la LIVA:

- La entidad A será la dominante de un grupo que puede optar por la aplicación del REGE. Las entidades B y C, controladas directa y efectivamente por la primera, formarán parte del mismo en condición de dependientes.

- La filial de la entidad X, ubicada en el TAI, también formará parte de dicho grupo en calidad de dependiente, ya que se encuentra participada indirectamente por la dominante (A) en más de un 50%. Para calcular el porcentaje de participación indirecta de A sobre la filial alemana, multiplicamos el porcentaje de participación directa de A sobre X (80%) por el porcentaje de participación directa que ésta última ostenta en el capital de la filial (100%). Esta relación de dominio efectivo no se ve afectada por el hecho de que la entidad interpuesta (X) no tenga la sede de su actividad económica en el TAI, y, consecuentemente, no se encuentre integrada en el grupo IVA.

- El EP de la entidad X ubicado en el TAI no podrá formar parte del grupo indicado, ni en condición de dominante ni en condición de dependiente. No podrá operar como dominante, en primer lugar, porque la sociedad de la que depende (X) es dependiente de otra entidad (A) que cumple todos los requisitos para ser considerada como dominante de un grupo a los efectos del impuesto, incumpliéndose así el condicionante previsto en la letra d) del artículo 163 quinquies.dos de la LIVA para asumir dicha condición. No podrá operar como dependiente, pese a cumplir todas las exigencias previstas en la Ley, por excluirse expresamente esta posibilidad en el artículo 163 quinquies. tres.

En tales circunstancias, y de acuerdo con los argumentos empleados por el TJUE en *Saint-Gobain ZN*, «la negativa a conceder las ventajas fiscales controvertidas (…) a los establecimientos permanentes (…) de sociedades no residentes hace que para estas últimas resulte menos interesante poseer participaciones en sociedades a través de sucursales». Y ello porque, en virtud de la legislación española, la aplicación de un régimen de ventajas fiscales como el REGE no beneficia en las mismas condiciones a las filiales de entidades no residentes y a los EP de dichas entidades que se encuentren ubicados en el TAI, «lo que restringe la libertad de elección de la forma jurídica apropiada para el ejercicio de actividades en otro Estado miembro»[43].

5. CONCLUSIONES

Haciendo uso de la facultad conferida en el artículo 11 de la Directiva IVA, la Ley 37/1992 incorpora, con efectos 1 de enero de 2008, el denominado régimen especial del grupo de entidades, cuya regulación confusa y técnicamente deficiente ha generado numerosos interrogantes y no pocas críticas desde su entrada en vigor. Un análisis de la normativa vigente en este contexto permite advertir que, al menos en lo referente a la configuración del grupo y a la delimitación del perímetro de la consolidación, el régimen español de grupos IVA presenta serias incompatibilidades con el contenido de la Directiva del impuesto y con la jurisprudencia del TJUE en materia de *VAT grouping*. Tales incoherencias reclaman, a mi juicio, una reforma de su articulado en aras a lograr una mayor aproximación a los parámetros del Derecho comunitario.

Entre las incoherencias advertidas destacan las siguientes:

1) Tanto la terminología empleada a lo largo del articulado del REGE, como los requisitos sobre los que el mismo se articula, excluyen toda posibilidad de que las personas físicas puedan ser miembros de un grupo a los efectos del IVA. Esta limitación resulta contraria, por un lado, a la jurisprudencia sentada por el TJUE en la sentencia *Larentia + Minerva*, y, por otro, al principio de neutralidad fiscal, que se concreta en un requerimiento de igualdad de trato entre «los operadores económicos que efectúan las mismas operaciones». Idéntica conclusión se alcanza en relación con la posibilidad de que una entidad que no tenga la consideración de empresario o profesional, pero sí revista forma mercantil, pueda actuar como dominante de un grupo IVA.

2) Los apartados Uno y Tres del artículo 163 quinquies excluyen la posibilidad de que las entidades que no ostentan la condición de empresarios o profesionales puedan adquirir la condición de entidades dependientes. De acuerdo con la decisión adoptada por el TJUE en su sentencia *Comisión / Irlanda*, sin embargo, esta exclusión no se

---

[43]   Sentencia *Saint-Gobain ZN*, apartado 43.

encuentra respaldada por el contenido del artículo 11 de la Directiva IVA.

3) La exigencia de un control efectivo sobre las entidades del grupo a través de una participación en el capital social o en los derechos de voto, y, en definitiva, la limitación del ámbito de aplicación del REGE a los grupos de subordinación o control, resulta contraria al criterio defendido por el TJUE en la sentencia *Larentia + Minerva*.

4) La exclusión de los EP como entidades dependientes de un grupo IVA, que tampoco se encuentra amparada por lo dispuesto en el artículo 11 de la Directiva, vulnera de forma directa el principio de libertad de establecimiento y de libertad de forma jurídica consagrados en el artículo 49 del TFUE.

Una consideración conjunta de los argumentos señalados me lleva necesariamente a concluir la pertinencia de acometer una reforma de la legislación vigente, en virtud de la cual, y siempre que la lucha contra el fraude o la evasión fiscal no justifiquen una opción distinta, la aplicación del régimen especial se haga extensible a todas las categorías de personas, con independencia de su naturaleza (físicas o jurídicas), de su forma jurídica y de su particular condición como empresarios o profesionales a efectos del IVA; a los EP de entidades no residentes en territorio español (que no sólo deberían poder actuar como dominantes del grupo, sino también como entidades dependientes); y a los grupos que, inspirándose en el principio de unidad de decisión, no se encuentren configurados sobre la base de una relación jerárquica entre sus miembros.

Bibliografía

CALDERÓN CARRERO, J. M., «Una introducción al Derecho comunitario como fuente del Derecho financiero y tributario: ¿Hacia un ordenamiento financiero "bifronte" o "dual"?», *Documentos de Trabajo del Instituto de Estudios Fiscales (Ejemplar dedicado a Foro Sainz de Bujanda: Ley General Tributaria y Derecho Comunitario)*, núm. 2/09, pp. 129-152, 2009.

CALVO VÉRGEZ, J., «El nuevo régimen especial de los grupos de entidades en el IVA», *Quincena Fiscal*, núm. 21, pp. 21-48, 2017.

FERNÁNDEZ JUNQUERA, M., «El régimen especial del Grupo de Entidades en el IVA», *Noticias de la Unión Europea*, núm. 280, pp. 31-37, 2008.

FRANCH FLUXÀ, J., «Comentarios en torno al nuevo régimen especial de grupos de entidades en el Impuesto sobre el Valor Añadido», *Noticias de la Unión Europea*, núm. 288, pp. 67-77, 2009.

GARCÍA CASTELAO, A., «El régimen especial del grupo de entidades en el impuesto sobre el valor añadido», *Estudios Financieros. Revista de Contabilidad y Tributación*, núm. 299, pp. 3-56, 2008.

GÓMEZ ARAGÓN, D., «El régimen especial del grupo de entidades (REGE)», en *Comentarios a la Ley y Reglamento del IVA. Tomo II*, Chico de la Cámara, P. y Galán Ruiz, J. (eds.), Navarra: Civitas, pp. 599-686, 2012.

HERNANDO POLO, B., «Régimen especial del grupo de entidades», en *La reforma del IVA*, Valencia: Tirant lo Blanch, pp. 80-81, 2015.

LÓPEZ TELLO, J. y CUESTA, G., «El régimen especial del grupo de entidades en IVA», *Actualidad Jurídica Uría Menéndez*, núm. 19-2008, pp. 96-100, 2008.

PFEIFFER, S., *VAT grouping from a European perspective*, IBFD Doctoral Series, volume 34, Amsterdam: IBFD, 2015.

SÁNCHEZ GALLARDO, F. J., *Consolidación fiscal en el IVA*, Madrid: Francis Lefebvre, 2008.

VERDÚN FRAILE, E., «Novedades y controversias en los grupos IVA», *Estudios Financieros. Revista de Contabilidad y Tributación*, núm. 364, p. 115-120, 2013.

VIEJO MADRAZO, A., «El Régimen Especial de os Grupos de Entidades en el Impuesto sobre el Valor Añadido. Análisis del Régimen a la Luz del Derecho Comunitario y Problemas Prácticos de Aplicación», *Revista Técnica Tributaria*, núm. 86, pp. 81-121, 2009.

Capítulo 37

Categorías y principios tributarios a la deriva en el Impuesto sobre el Incremento del Valor de los Terrenos de Naturaleza Urbana

VÍCTOR MANUEL SÁNCHEZ BLÁZQUEZ
Profesor Titular de Derecho Financiero y Tributario
Universidad de Las Palmas de Gran Canaria

SUMARIO: 1. INTRODUCCIÓN. 2. UN NUEVO HECHO IMPONIBLE E IMPUESTO TRAS LAS RECIENTES REGULACIONES SOBRE EL IIVTNU. 2.1. El hecho imponible del originario IIVT-NU. 2.2. El hecho imponible del IIVTNU tras las recientes regulaciones normativas. 2.3. El nuevo impuesto tras las recientes regulaciones normativas sobre el IIVTNU. 3. EL NUEVO HECHO IMPONIBLE COMO HECHO IMPONIBLE PECULIAR, SINGULAR, ATÍPICO, ANÓMALO O *SUI GENERIS*: SU RELEVANCIA PARA LA EXISTENCIA DE LA OBLIGACIÓN TRIBUTARIA PRINCIPAL PERO NO PARA SU CUANTÍA. 4. EL ORIGEN DE ESTE IIVTNU DESFIGURADO: LA DISTINCIÓN DEL PRINCIPIO DE CAPACIDAD ECONÓMICA COMO FUNDAMENTO Y COMO MEDIDA DE LA TRIBUTACIÓN EN LA DOCTRINA DEL TC. Bibliografía.

1. INTRODUCCIÓN

Tras la declaración de inconstitucionalidad de determinados preceptos de la gran parte de las normativas reguladoras del Impuesto sobre el Incremento del Valor de los Terrenos de Naturaleza Urbana[1] por varias sentencias del Tribunal Constitucional[2], se han aprobado diversas normas de modificación de las regulaciones de este impuesto local existentes hasta entonces —o se ha pretendido iniciar el proceso de aprobación normativa correspondiente— con la finalidad de dar cumplimiento a esta jurisprudencia constitucional o con el objeto de adaptar a la misma aquellas regulaciones anteriores[3]. Así lo ponen claramente de relieve las exposiciones de motivos

---

[1] IIVTNU, en adelante.

[2] TC, en adelante. Concretamente, son las sentencias 26/2017, de 16 de febrero, 37/2017, de 1 de marzo, 59/2017, de 11 de mayo, y 72/2017, de 5 de junio (en adelante serán citadas como STC o SSTC, con la numeración correspondiente)

[3] No entramos aquí en la cuestión acerca del exacto papel que desempeñan estas nuevas normas tras la declaración de inconstitucionalidad contenida en aquellas sentencias y

o preámbulos de estas nuevas regulaciones normativas cuando se señala que la norma correspondiente «tiene por objeto» «dar respuesta normativa de urgencia a los efectos de la sentencia (…)»[4], «dar respuesta normativa inmediata a los efectos de la (…) sentencia»[5], «dar rápida respuesta al mandato del Alto Tribunal de llevar a cabo las modificaciones o adaptaciones en el régimen legal del impuesto como consecuencia de la Sentencia»[6], constituye la «reacción urgente, que adecúe la normativa (…) a dicha jurisprudencia»[7] o cuando se afirma que con la nueva norma se logra «dar cumplimiento a la Sentencia del Tribunal Constitucional (…) ofrecer una respuesta normativa rápida (…)»[8].

En todas estas nuevas normas se ha pretendido trasladar a la regulación del IIVTNU las exigencias constitucionales en relación con este tributo que se desprenden de lo sostenido por el TC en estas sentencias, a través de unas que podrían denominarse reformas de mínimos, inmediatas, rápidas o urgentes[9]. Estas exigencias de la Norma Suprema en relación con este impues-

---

que tiene que ver con la polémica generada en torno a las dos tesis esenciales que se han mantenido al respecto, la llamada tesis maximalista y la denominada tesis posibilista, y que ha sido resuelta por el Tribunal Supremo a favor de la segunda. Sobre esto nos hemos pronunciado en otro lugar: SÁNCHEZ BLÁZQUEZ (2019).

[4]   Decreto Foral Norma 2/2017, de 28 de marzo, del Territorio Histórico de Gipuzkoa, por el que se modifica el impuesto sobre el incremento del valor de los terrenos de naturaleza urbana.

[5]   Decreto Normativo de Urgencia Fiscal 3/2017, de 28 de marzo, del Territorio Histórico de Álava, del Consejo de Gobierno Foral, relacionado con el Impuesto sobre el Incremento del Valor de los Terrenos de Naturaleza Urbana.

[6]   Proposición de Ley por la que se modifica el texto refundido de la Ley Reguladora de las Haciendas Locales, aprobado por el Real Decreto Legislativo 2/2004, de 5 de marzo, y otras normas tributarias, presentada por el Grupo Parlamentario Popular en el Congreso (Boletín Oficial de las Cortes Generales. Congreso de los Diputados. XII Legislatura. Serie B: Proposiciones de Ley, de 9 de marzo de 2018).

[7]   Decreto Foral Normativo 3/2017, de 20 de junio, del Territorio Histórico de Bizkaia, por el que se modifica la Norma Foral 8/1989, de 30 de junio, sobre el Incremento del Valor de los Terrenos de Naturaleza Urbana.

[8]   Ley Foral 19/2017, de 27 de diciembre, de la Comunidad Foral de Navarra, por la que se modifica la Ley Foral 2/1995, de 10 de marzo, de Haciendas Locales de Navarra.

[9]   Así lo ponen de relieve las Exposiciones de Motivos o Preámbulos de las nuevas a que hacíamos referencia con anterioridad al señalar que se llevan a cabo esas modificaciones inmediatas, rápidas o urgentes «sin perjuicio de, como señala el Tribunal Constitucional, establecer más adelante una opción normativa más sosegada en la determinación del sistema de cuantificación objetiva de capacidades económicas resultantes de las plusvalías generadas por la acción urbanística de los entes públicos» (Decreto Foral Norma 2/2017, del Territorio Histórico de Gipuzkoa), «sin perjuicio de establecer en un futuro una regulación normativa más profunda» (Decreto Normativo de Urgencia

to según la concepción mantenida en estos pronunciamientos del TC son, en esencia, las relativas a que no pueden someterse a tributación las situaciones de no incremento o de decremento en cuanto situaciones inexpresivas de capacidad económica[10], lo que no obstante debe entenderse en el contexto, también destacado por el TC en estas sentencias, de que es plenamente válida la opción de política legislativa dirigida a someter a tributación los incrementos de valor mediante el recurso a un sistema de cuantificación objetiva de capacidades económicas potenciales, en lugar de hacerlo en función de la efectiva capacidad económica puesta de manifiesto[11].

Esto queda resumido perfectamente en lo que afirma el propio supremo intérprete de la Constitución en los momentos finales del su argumentación cuando señalaba que «el impuesto sobre el incremento del valor de los terrenos no es, con carácter general, contrario al Texto Constitucional, en su configuración actual. Lo es únicamente en aquellos supuestos en los que somete a tributación situaciones inexpresivas de capacidad económica, esto es aquellas que no presentan aumento de valor del terreno al momento de la transmisión»[12].

La recepción en las nuevas normas de estas exigencias constitucionales del IIVTNU según la posición del TC en estas sentencias se concreta, fundamentalmente, en dos aspectos. Por un lado, en la previsión, bien de que será necesaria la existencia de incremento de valor de los terrenos para que nazca la obligación tributaria principal del impuesto[13], bien de que no se producirá la sujeción al impuesto cuando el sujeto pasivo acredite la inexis-

---

Fiscal 3/2017, del Territorio Histórico de Álava), o «sin esperar el completo desarrollo del proceso de reforma abierto con la creación por parte del Gobierno de la Comisión de Expertos para la revisión y análisis del sistema de financiación local» (proposición de ley, en la normativa del territorio de régimen común).

10 STC 26/2017 (FJ. 3º, párrafo 3º). Citaremos fundamentalmente esta sentencia, al ser la primera, puesto que las posteriores se limitan en gran medida a repetir lo señalado en ella, aunque en algún caso se introducen ligeras variaciones.

11 STC 26/2017 (FJ. 3º, párrafo 5º).

12 STC 26/2017 (FJ. 7º, párrafo 1º).

13 Artículo único. 1 del Decreto Foral Norma 2/2017, del Territorio Histórico de Gipuzkoa, Disposición Adicional Primera. Uno, añadida a la Norma Foral 46/1989, de 19 de julio, del Incremento del Valor de los Terrenos de Naturaleza Urbana, por el Artículo Único del Decreto Normativo de Urgencia Fiscal 3/2017, del Territorio Histórico de Álava y Disposición Adicional Primera. Uno, añadida a la Norma Foral 8/1989, de 30 de junio, del Incremento del Valor de los Terrenos de Naturaleza Urbana, por el Artículo Único del Decreto Foral Normativo 3/2017, del Territorio Histórico de Bizkaia.

tencia de incremento de valor[14]. Y, por otro lado, en el mantenimiento de los preceptos sobre la base imponible que establecen unas reglas objetivas de determinación del incremento de valor, esencialmente en torno al valor catastral en el momento del devengo y al número de años transcurridos desde la adquisición[15], introduciéndose en algún caso determinados cambios de carácter técnico respecto a la regulación precedente[16].

Desde nuestro punto de vista, lo que en realidad se hace con estas nuevas regulaciones, pese a parecer ser simples modificaciones parciales de la normativa anterior que se mantiene en gran medida, es la creación de un nuevo impuesto, que pese a que sigue denominándose IIVTNU, es distinto al que se estableció por la Ley 39/1988, de 28 de diciembre, Reguladora de las Haciendas Locales y posteriormente se recogió en el Real Decreto Legislativo 2/2004, de 5 de marzo, por el que se aprueba el Texto Refundido de la Ley Reguladora de las Haciendas Locales. Además, la creación de este nuevo tributo, aunque bajo la misma denominación que el anterior, y este es el aspecto que queremos resaltar especialmente, se hace a través del empleo de las categorías tributarias de hecho imponible, supuestos de no sujeción y de base imponible en un sentido muy distinto al que conocíamos hasta ahora, produciéndose como resultado, en nuestra opinión, un impuesto totalmente desfigurado.

Y es que, en efecto, desde nuestra perspectiva, no puede verse sino un impuesto totalmente desfigurado cuando se contempla la normativa de una figura tributaria que: por un lado, permite identificar el incremento de valor que determina el gravamen por este tributo, diferenciándolo del no incremento o decremento que quedarían fuera de él, a partir de unas reglas de cuantificación que tienen en cuenta, con unos u otros matices según la regulación territorial de que se trate, los valores de transmisión y de adquisición, de modo que se logra de este modo una aproximación a la capacidad económica manifestada en determinadas plusvalías inmobiliarias que pretende someterse a tributación a través de este impuesto; pero que, por otro lado,

---

[14] Apartado 4 del artículo 172 de la Ley Foral 2/1995, de 10 de marzo, de Haciendas Locales de Navarra, adicionado por el Artículo Primero de la Ley Foral 19/2017, de la Comunidad Foral de Navarra y apartado 5 del artículo 104 del Texto Refundido de la Ley Reguladora de Haciendas Locales, aprobado por el Real Decreto Legislativo 2/2004, de 5 de marzo, adicionado por el Artículo único de la proposición de ley antes citada, en cuanto al territorio de régimen común.

[15] Esto ocurre en todas las normas reguladoras del IIVTNU de la totalidad de los territorios.

[16] Sin poder entrar aquí en detalles, es el caso de las normas reguladoras del impuesto en la Comunidad Foral de Navarra y en el territorio de régimen común.

cuando a partir de estas reglas se llega a la existencia de un incremento, prescinde totalmente de las mismas para determinar la base imponible, al aplicarse entonces unas reglas objetivas de cuantificación distintas que giran en torno, esencialmente, al valor catastral en el momento del devengo y al número de años transcurridos desde la adquisición, con las que se llega a un resultado que no tiene nada que ver con aquel incremento, por lo que el gravamen que se lleva a cabo a través de este tributo recae en realidad sobre algo distinto a aquella capacidad económica manifestada en determinadas plusvalías inmobiliarias que inicialmente podía ser identificada.

Por este motivo, esta nueva realidad normativa del impuesto municipal sobre la plusvalía, que ha sido consecuencia, directa o indirecta, de aquellas sentencias del TC, podría insertarse dentro de ese fenómeno general que se está produciendo en los últimos tiempos de un Derecho tributario a la deriva, puesto de relieve con gran acierto por la profesora SOLER ROCH y que se caracteriza «por una preocupante degradación conceptual y de los principios que deben informar este sector del ordenamiento en el marco del Estado de Derecho»[17].

Podría parecer, en una primera aproximación, que la deriva del Derecho tributario que se habría producido en este caso afectaría únicamente al ámbito de los conceptos, y, por tanto, en un plano meramente teórico o académico, podría decirse, al relacionarse, según hemos adelantado, con los conceptos de hecho imponible, no sujeción y base imponible manejados por las nuevas regulaciones.

Sin embargo, por desgracia, la deriva del Derecho tributario que se ha producido recientemente en el ámbito de la imposición municipal sobre las plusvalías inmobiliarias ha alcanzado también al ámbito de los principios, puesto que se conecta de igual modo con los principios constitucionales de justicia tributaria y, en concreto, con el principio de capacidad económica. Y es que la razón última que está detrás de este que hemos calificado IIVTNU totalmente desfigurado se encuentra en realidad en la doctrina constitucional sobre el principio de capacidad económica que se contiene en las recientes sentencias del TC sobre este impuesto local. En ellas, sobre la base de algún pronunciamiento puntual anterior del propio TC, partiendo de la distinción entre dos vertientes que tendría este principio constitucional, la capacidad económica como «fundamento» y como «medida» de la tributación, llega al resultado de que este principio es relativizado, minimizado y, al menos en parte, vaciado de contenido.

---

[17]   SOLER ROCH (2019), p. 1.

2. UN NUEVO HECHO IMPONIBLE E IMPUESTO TRAS LAS RECIENTES REGULACIONES SOBRE EL IIVTNU

2.1. El hecho imponible del originario IIVTNU

El hecho imponible del IIVTNU configurado por la Ley Reguladora de las Haciendas Locales y que recogió posteriormente el Texto Refundido sobre esta materia no era un incremento del valor de los terrenos distinto a aquel incremento que se determinaba mediante la aplicación de un sistema objetivo de cálculo previsto en la regulación de la base imponible que giraba en torno, fundamentalmente, al valor catastral del terreno en el momento del devengo y al número de años transcurridos desde su adquisición, entre el mínimo de un año y el máximo de veinte. Por este motivo, como se señaló acertadamente por algunos, el impuesto «no somete a tributación una plusvalía real sino una plusvalía cuantificada de forma objetiva»[18].

Así se puso de relieve también por diversos autores que se aproximaron al estudio de este tributo local resultante de la reforma de las haciendas locales de finales de los años ochenta del siglo pasado, cuando señalaban que con la referencia a un incremento de valor en la nueva legislación se habría recogido una «norma abstracta que no pasa de ser una formulación conceptual sin efecto normativo alguno» o «una mera declaración de intenciones sin contenido normativo»[19] o que la base imponible «crea un hecho imponible diferente», «construye un hecho imponible alternativo», que estará implícito en las propias disposiciones reguladoras de la base imponible y su determinación[20]. Puesto que como ha destacado recientemente Palao Taboada, refiriéndose a este impuesto municipal, «las normas legales de determinación de la base imponible (de carácter indiciario) son las únicas materiales aplicables e integran también simultáneamente la definición legal del hecho imponible»[21].

Con ello no se hacía otra cosa que trasladar a este impuesto local muchas de las ideas de los estudios clásicos sobre la estructura y contenido de la norma tributaria material, de la relativa a la hoy denominada legalmente obligación tributaria principal, y en los que fueron decisivas también las

---

[18]   MARÍN-BARNUEVO FABO (2013), p. 108. También ORÓN MORATAL (2010), p. 733, entendía que se trataba aquí de «un incremento de valor o base imponible determinada objetivamente».
[19]   SIMÓN ACOSTA (1991), pp. 213-214.
[20]   BUENO MALUENDA (1997), pp. 356 y 415,
[21]   PALAO TABOADA (2017), p. 44.

aportaciones del profesor PALAO. En ellos se identificaba su consecuencia jurídica (el nacimiento de una deuda tributaria en una determinada cuantía)[22], a partir de la cual se deducía su presupuesto de hecho (el hecho imponible, entendido este en un sentido amplio)[23], compuesto por la práctica totalidad de los preceptos reguladores de la figura tributaria de que se trate, incluidos desde luego los de la base imponible, al influir todos ellos en aquella consecuencia jurídica[24].

---

[22] Esto es así puesto que a pesar de que como señalaba VICENTE-ARCHE DOMINGO (1965), pp. 923-924, de la norma tributaria se derivan «tanto el nacimiento de la obligación (...) cuanto la determinación del importe de la misma, que en el Derecho español recibe el nombre de cuota tributaria», no puede desconocerse que como puso de relieve PALAO TABOADA (1974), p. 50 (nota 53), «(n)ormalmente la determinación del an y del quantum del crédito tributario son dos operaciones íntimamente entremezcladas en la realidad y constituyen el resultado de la aplicación de todas las normas reguladoras de un tributo». También en esta línea, desde la óptica del hecho imponible y base imponible, CORTÉS DOMÍNGUEZ (1965), pp. 1041-1042, señaló que «cuando se comprueba si la acción realizadora del presupuesto de hecho es verdaderamente tal, se realiza la primera parte de una operación que es lógicamente indivisible. En efecto, determinar si se ha realizado el hecho imponible y determinar en qué medida se ha realizado ese hecho imponible es una misma operación. La prueba está en que la solución de la segunda contesta también a la primera». Por estas razones, PALAO TABOADA (1988), p. 159, identificó con precisión la consecuencia jurídica de la norma tributaria como «el nacimiento de una deuda tributaria en la cuantía X». Lo que estaba presente ya en algunas de las aportaciones de VICENTE-ARCHE DOMINGO (1965), pp. 924-925, cuando enunciaba el esquema «de la hipótesis y el mandato» al que reconducía la norma tributaria señalando que «quien realiza —o frente a quien se realiza— un determinado hecho, debe tanto en concepto de tributo. La hipótesis normativa —proseguía— es el hecho imponible; el mandato de la norma, el efecto jurídico, es la deuda tributaria del sujeto pasivo y el correlativo crédito del sujeto activo, o lo que es lo mismo, la obligación tributaria».

[23] Porque como puso de manifiesto BERLIRI y fue acogido por SÁINZ DE BUJANDA (1966), p. 832 y VICENTE-ARCHE DOMINGO (1960), p. 563, «el presupuesto de hecho se determina en función de los efectos y no éstos en función de aquél».

[24] En este sentido señalaba SÁINZ DE BUJANDA (1966), p. 833, siguiendo a RUBINO y BERLIRI, que el «presupuesto de hecho comprende todos los elementos necesarios para la producción de un determinado efecto jurídico y sólo esos elementos». En esta misma línea, PALAO TABOADA (1988), p. 159, consideraba que «dado que esta consecuencia jurídica es el nacimiento de una deuda tributaria en la cuantía X, entran en dicho presupuesto todas las circunstancias de hecho que es necesario tomar en consideración para fijar dicho importe». Y entran dentro del presupuesto de hecho «no sólo el hecho imponible en sí mismo, en sus aspectos objetivo y subjetivo, sino también, en rigor, la base imponible, las circunstancias de las que depende la aplicación de uno u otro tipo de gravamen y el presupuesto de la aplicación de deducciones y desgravaciones (...)».

El propio TC, en las recientes sentencias sobre el IIVTNU, ha interpretado de este mismo modo la regulación de este impuesto municipal. Así lo revela la identificación por el supremo intérprete de la Constitución del hecho o circunstancia al que realmente se anuda el gravamen del IIVTNU, que deduce de la regulación de la base imponible: «la mera titularidad del terreno durante un período de tiempo computable que oscila entre uno (mínimo) y veinte años (máximo)» en el momento de su transmisión, al anudar el legislador «a esta circunstancia, como consecuencia inseparable e irrefutable, un incremento de valor sometido a tributación que cuantifica de forma automática (…) con independencia no sólo del *quantum* real del mismo, sino de la propia existencia de este incremento». Y esto lo hace el TC a pesar de que «de acuerdo a la regulación del tributo su objeto es el "incremento de valor" que pudieran haber experimentado los terrenos durante un intervalo temporal dado»[25].

También refleja de forma clara esta concepción el TC cuando reitera estas mismas ideas en sus dos primeras sentencias para rechazar el «planteamiento alternativo a la conclusión de inconstitucionalidad de la norma» a través de «una interpretación constitucional conforme» que había sido alegado por algunas de las partes en estos procesos constitucionales. Según esta interpretación, que ya había sido empleada ampliamente por diversos pronunciamientos jurisdiccionales anteriores[26] que se hicieron eco de determinadas posiciones en la doctrina[27], «dado que el presupuesto que

---

25   STC 26/2017 (FJ. 3º, párrafo 2º).

26   La posición jurisprudencial en este sentido se muestra claramente en parte de la doctrina del Tribunal Superior de Justicia de Cataluña que se contiene, entre otras, en su sentencia de 21 de marzo de 2012 (rec. 432/2010), a la que se ha acudido por otros órganos judiciales: «Cuando se acredite y pruebe que en el caso concreto no ha existido, en términos económicos y reales, incremento alguno, no tendrá lugar el presupuesto de hecho fijado por la ley para configurar el tributo (art. 104.1 LHL), y éste no podrá exigirse, por más que la aplicación de las reglas del art. 107.2 siempre produzca la existencia de teóricos incrementos. (…)» (FJ. 6º).

27   Con unos u otros matices, entre otros, RUBIO DE URQUÍA y ARNAL SURÍA (1989), p. 398; los mismos autores (1996), p. 641; HERNÁNDEZ LAVADO (1991), p. 83; SÁNCHEZ GALIANA y CALATRAVA ESCOBAR (1993), pp. 876-877; y, CASANA MERINO (1994), pp. 125-126. La posición de los primeros ha estado muy presente en la jurisprudencia cuando señalaban que «en ningún caso, puede obviarse la referencia legal al "incremento real de valor" como definidor del objeto del impuesto, por lo que (…) sólo se pueden gravar incrementos de valor cuantitativamente ciertos, configurando ese "incremento real" como un elemento referencial que opere como límite máximo, en garantía de los derechos que asisten al contribuyente derivados de los principios constitucionales rectores del sistema tributario». «En consecuencia —concluían—, el sujeto pasivo podrá invocar el "incremento real" en aquellos casos en los que el incre-

provoca el nacimiento de la obligación tributaria es la existencia de un incremento de valor del terreno de naturaleza urbana puesto de manifiesto en el momento de la transmisión, cuando no exista tal incremento de valor, no nacería la obligación tributaria del impuesto, por inexistencia de hecho imponible»[28], estándose entonces «ante un supuesto de no sujeción»[29].

Sin embargo, tal como habían señalado ya con anterioridad algunos autores[30], y como acertadamente concluye el TC, tras advertir de los límites de la interpretación conforme[31], «no es posible asumir la interpretación salva-

---

mento resultante de la aplicación de la tabla de porcentajes sean superior a aquél. De no ser esto así, se estaría ante una situación en la que la Ley, en vez de ordenar realidades, se convierte en instrumento definidor de la verdad. Así, en efecto, debe mantenerse siempre clara la idea de que las necesidades de gestión no pueden prevalecer sobre la realidad económica y, mucho menos, sobre los derechos y garantías de los contribuyentes».

[28] STC 26/2017 (FJ. 6°, párrafo 1°).

[29] Como señalaban las Juntas Generales de Gipuzkoa en su argumentación, tal como se recoge en el antecedente de hecho 8° de la STC 26/2017.

[30] Especialmente claro y preciso fue, en el momento en que se extendió una posición jurisprudencial distinta, MARÍN-BARNUEVO FABO (2013), p. 109: «Los jueces y tribunales no pueden dejar de aplicar las reglas de determinación de la base imponible contenidas en el artículo 107 de la Ley Reguladora de las Haciendas Locales, aunque no les gusten o les parezcan poco idóneas para su finalidad, porque tienen carácter imperativo y ningún precepto prevé la posibilidad de utilizar otro método alternativo de cuantificación de las plusvalías. Si la aplicación de dichas reglas produjera un resultado injusto, como es probable en algunos casos —concluía con rotundidad—, la única solución que prevé el ordenamiento jurídico es el planteamiento de la cuestión de inconstitucionalidad». Ya con anterioridad habían defendido estas mismas ideas, entre otros, el mismo MARÍN-BARNUEVO FABO (1996), p. 181, entendiendo que en estas normas se recoge una regla de valoración, y, ESEVERRI MARTÍNEZ (1993), pp. 137 y ss., que encontraba una ficción en la nueva normativa de la Ley Reguladora de las Haciendas Locales. El TC, en las recientes sentencias sobre el IIVTNU, parece confirmar estas últimas posiciones al afirmar que «estamos en presencia de una auténtica ficción jurídica conforme a la cual la mera titularidad de un terreno de naturaleza urbana genera, en todo caso, en su titular, al momento de su transmisión y al margen de las circunstancias reales de cada supuesto, un incremento de valor sometido a tributación, respecto del cual, la norma no permite acreditar un resultado diferente al resultante de la aplicación de las reglas de valoración que contiene» (STC 26/2017, FJ. 6°, párrafo 4°).

[31] «Es cierto —afirma el TC— que "es necesario apurar todas las posibilidades de interpretar los preceptos de conformidad con la Constitución y declarar tan sólo la derogación de aquellos cuya incompatibilidad con ella resulte indudable por ser imposible llevar a cabo dicha interpretación" [SSTC 14/2015, de 5 de febrero, FJ 5; 17/2016, de 4 de febrero, FJ 4, y 118/2016, de 23 de junio, FJ 3 d)], de modo que "siendo posibles dos interpretaciones de un precepto, una ajustada a la Constitución y la otra no conforme con ella, debe admitirse la primera con arreglo a un criterio hermenéutico reiteradas veces aplicado por este Tribunal" [SSTC 185/2014, de 6 de noviembre, FJ 7, y 118/2016,

dora de la norma cuestionada que se propone porque, al haberse establecido un método objetivo de cuantificación del incremento de valor, la normativa reguladora no admite como posibilidad ni la eventual inexistencia de un incremento ni la posible presencia de un decremento (el incremento se genera, en todo caso, por la mera titularidad de un terreno de naturaleza urbana durante un período temporal dado, determinándose mediante la aplicación automática al valor catastral del suelo en el momento de la transmisión de los coeficientes previstos en el art. 4.3 de la Norma Foral 16/1989). Es más, tampoco permite, siquiera, la determinación de un incremento distinto del derivado de "la aplicación correcta de las normas reguladoras del impuesto" (art. 7.4 de la Norma Foral 16/1989)»[32].

2.2. El hecho imponible del IIVTNU tras las recientes regulaciones normativas

Ninguna de las nuevas normas que modifican la regulación del IIVTNU introducen variación alguna en el precepto que formalmente está dirigido a regular el hecho imponible del impuesto. En este sentido, por ejemplo, en relación con la normativa foral de Gipuzkoa, bajo el encabezamiento de «Naturaleza y hecho imponible», se sigue disponiendo:

«El Impuesto sobre el Incremento del Valor de los Terrenos de Naturaleza Urbana es un tributo directo que grava el incremento del valor que experimenten dichos terrenos y se pongan de manifiesto a consecuencia de la transmisión de la propiedad de los mismos por cualquier título, o de la constitución o transmisión de cualquier derecho real de goce, limitativo del dominio, sobre los referidos terrenos»[33].

Esto, además, sería coherente con la sentencia del TC referida a la normativa foral de este territorio, puesto que en ella se excluyó este artículo del

---

FJ 3 d)]. Pero igual de cierto es que la salvaguarda del principio de conservación de la norma encuentra su límite en las interpretaciones respetuosas tanto de la literalidad como del contenido de la norma cuestionada, de manera que la interpretación de conformidad con los mandatos constitucionales sea efectivamente deducible, de modo natural y no forzado, de la disposición impugnada [por todas, SSTC 185/2014, FJ 7, y 118/2016, FJ 3 d)], sin que corresponda a este Tribunal la reconstrucción de la norma en contra de su sentido evidente con la finalidad de encontrar un sentido constitucional, asumiendo una función de legislador positivo que en ningún caso le corresponde [SSTC 14/2015, de 5 de febrero, FJ 5; y 118/2016, FJ 3 d)]» (FJ. 6º, párrafo 2º).

32   STC 26/2017 (FJ. 6º, párrafo 3º).
33   Norma Foral 16/1989, de 5 de julio, del Territorio Histórico de Gipuzkoa, del Impuesto sobre el Incremento del Valor de los Terrenos de Naturaleza Urbana.

objeto del proceso de control constitucional, pese a ser mencionado en el auto de planteamiento de la cuestión de inconstitucionalidad como uno de los que podían ser contrarios a la Constitución[34]. Tampoco en las sentencias del TC referidas a las normas de los otros territorios, la inconstitucionalidad declarada alcanzó al precepto regulador del hecho imponible[35].

Sin embargo, la regulación añadida por las nuevas normas, pese a no referirse expresamente al hecho imponible y no realizar alteración alguna de la literalidad del precepto que parece estar dirigido a identificar este elemento esencial del tributo, en realidad sí que trae consigo una variación del hecho imponible del impuesto, tal como estaba configurado en la normativa precedente, y al que hacíamos referencia con anterioridad[36]. También las sentencias del TC sobre el IIVTNU, pese a que de una aproximación superficial a las mismas pudiera deducirse otra cosa, afectaron en realidad al hecho imponible de aquel impuesto[37]. Y la modificación del hecho imponible de este tributo local producido por las nuevas regulaciones normativas es así tanto en las normas en las que novedosamente se prevé que será necesaria la existencia de incremento de valor de los terrenos para que nazca la obligación tributaria principal del impuesto[38] como en aquellas otras en las que se introduce la previsión de que no se producirá la sujeción al impuesto cuando el sujeto pasivo acredite la inexistencia de incremento de valor[39], lo que revela que el contenido de todas ellas es sustancialmente idéntico, dejando a un lado algunas diferencias de detalle.

En el primer caso, porque si tras la nueva regulación es necesaria la existencia de incremento de valor de los terrenos para que nazca la obligación tributaria principal del impuesto y se dispone, también de forma novedosa, que a estos efectos «la existencia del incremento de valor de los terrenos se determinará por comparación del valor de adquisición de la propiedad o, en

---

34   STC 26/2017 [FJ. 1º, letra b].
35   Así puede apreciarse claramente a la vista de los fallos de las SSTC 37/2017, 59/2017 y 72/2017.
36   En la misma línea, ARANA LANDÍN (2018), p. 94, cuando refiriéndose a la normativa del Territorio Histórico de Gipuzkoa señalaba que «parece que el Decreto Foral Norma que comentamos comienza por hacer una enmienda al art. 1 sobre hecho imponible y supuestos de no sujeción (…)».
37   Como hemos puestos de relieve detalladamente en otro lugar: SÁNCHEZ BLÁZQUEZ (2019).
38   Como vimos, esto es lo que se recoge en la nueva normativa de los Territorios Históricos de Gipuzkoa, Álava y Bizkaia.
39   Es lo que contiene la nueva regulación de la Comunidad Foral de Navarra y la proposición de ley relativa al territorio de régimen común.

su caso, de la constitución o adquisición del derecho real de goce limitativo del dominio, y del valor de transmisión o, en su caso, de la constitución o transmisión del derecho real de goce limitativo del dominio»[40], la existencia de incremento del valor de los terrenos definido de este modo a partir del valor de adquisición y de transmisión es el nuevo hecho imponible del impuesto. Puesto que lo que «origina el nacimiento de la obligación tributaria principal», como prevé el artículo 20.1 de la Ley 58/2003, de 17 de diciembre, General Tributaria (LGT, en adelante), es la «realización del hecho imponible».

Y en el segundo caso, porque pese a que lo que se hace, siguiendo la literalidad empleada, es establecer un supuesto de no sujeción, al preverse que no se producirá la sujeción al impuesto cuando se acredite por el sujeto pasivo la inexistencia de un incremento de valor, de acuerdo a las reglas de cuantificación previstas que también comparan el valor de adquisición y el valor de transmisión, no se trataría aquí de un supuesto de no sujeción con un simple carácter didáctico, interpretativo o aclaratorio, sin contenido normativo real alguno, por tanto, como en ocasiones se ha entendido en este ámbito. Por el contrario, se trataría de un supuesto de no sujeción que contribuye a delimitar el hecho imponible mismo[41], completando así su delimitación, siguiendo lo dispuesto con carácter general en el artículo 20.2 de la LGT[42]. En definitiva, la delimitación de la capacidad económica gravada en este impuesto, del incremento de valor en cuanto situación expresiva de capacidad económica que pretende someterse a tributación en este tributo

---

[40] Hacemos referencia en el texto, a modo de ejemplo, a la nueva normativa del Territorio Histórico de Gipuzkoa.

[41] «Hecho imponible y supuestos de no sujeción —señala AGULLÓ AGÜERO (1995), p. 142— delimitan genérica y conjuntamente la manifestación de capacidad económica que el legislador pretende gravar con el tributo, por lo que ambas normas tienen idéntico valor normativo».

[42] «Y esta posibilidad de "completar" mediante una definición negativa —afirmaba también AGULLÓ AGÜERO (1995), pp. 141-142— permite algo más que realizar una delimitación negativa que repita en sentido inverso lo ya dicho por el legislador en otro momento. Los supuestos de no sujeción constituyen una aclaración o interpretación que el legislador realiza de su propia voluntad expresada positivamente a través de la definición del hecho imponible, y, en este sentido se puede decir que los supuestos de no sujeción son por definición implícitos pero que no siempre "repiten" en versión negativa sino que, en ocasiones, "completan" realmente la definición del hecho imponible. De ahí que no sea posible mantener que las normas que establecen los supuestos de no sujeción sean normas meramente interpretativas careciendo de contenido propio o incluso de valor normativo».

local, y que debe estar presente en su hecho imponible, se realiza realmente a través de la regulación de este supuesto de no sujeción[43].

Por este motivo, el precepto que formalmente se refiere al hecho imponible y que no ha sufrido variación alguna en su literalidad, solo puede ser entendido a partir de la nueva normativa a la luz que aporta la regulación de este supuesto de no sujeción. Cuando se dispone ahora que «(n) o se producirá la sujeción al impuesto en las transmisiones de terrenos de naturaleza urbana, respecto de las cuales el sujeto pasivo acredite la inexistencia de incremento de valor, por diferencia entre los valores reales de transmisión y de adquisición del terreno»[44], prescindiendo ahora de la perspectiva probatoria que se toma en este precepto, se está estableciendo, al mismo tiempo, interpretando este artículo *sensu contrario*, que se producirá la sujeción al impuesto, por la realización del hecho imponible, cuando tenga lugar «la (…) existencia de un incremento de valor, por diferencia entre los valores reales de transmisión y de adquisición del terreno», tomándose «como valores reales de transmisión y de adquisición del terreno —según se añade por la norma— (…) los satisfechos respectivamente en la transmisión y adquisición del bien inmueble, que consten en los títulos que documenten las citadas operaciones, o bien los comprobados por el Ayuntamiento o por la Administración tributaria a quien corresponda la gestión del impuesto que grava la transmisión del inmueble, en caso de que sean mayores a aquellos».

2.3. El nuevo impuesto tras las recientes regulaciones normativas sobre el IIVTNU

Además, si se ha establecido un nuevo hecho imponible, en los términos señalados, en la normativa resultante de las modificaciones realizadas, sustituyendo al hecho imponible que se encontraba en la normativa anterior, a partir de la consideración del hecho imponible como «presu-

---

[43] En este sentido, SIMÓN ACOSTA (1995), p. 724, cuando destacaba que «se deben considerar supuestos de no sujeción aquellos casos en los que la no tributación está justificada por la aplicación de los mismos principios jurídicos en que se funda el tributo», que es claramente en este caso el principio de capacidad económica. A diferencia de lo que ocurriría con las exenciones, puesto que «hay exención cuando el legislador establece la no tributación basándose en otros principios diferentes cuya legitimidad constitucional y compatibilidad con la institución del tributo es perfectamente defendible».

[44] Mencionamos ahora, también a modo de ejemplo, la normativa de la Comunidad Foral de Navarra.

puesto fijado por la ley para configurar cada tributo» (artículo 20.1 de la LGT), estas nuevas normas han transformado o convertido el IIVTNU que creó el legislador en la Ley Reguladora de las Haciendas Locales y que se recogió después en el Texto Refundido sobre esta materia, en un tributo diferente. Por tanto, en un nuevo impuesto desconocido en aquella normativa.

En concreto, no será ya un impuesto indiciario, que recae, pura y simplemente, sobre el incremento del valor del terreno determinado de modo objetivo según las reglas de la base imponible, como ocurría con el impuesto que creó la Ley Reguladora de las Haciendas Locales. Porque, efectivamente, en el anterior IIVTNU, al no existir dos conjuntos alternativos de normas sustantivas para la determinación de la base imponible, relativos, respectivamente, a la estimación directa y a la estimación objetiva, a diferencia de lo que ocurre en otras figuras de nuestro sistema tributario, «las únicas normas materiales reguladoras de la base imponible, *y por tanto también del hecho imponible*, son las que regulan el método objetivo y el impuesto se convierte en su totalidad en un impuesto indiciario»[45].

Aunque debe precisarse que el IIVTNU configurado en las recientes regulaciones normativas de este tributo local no será un impuesto indiciario solo desde la perspectiva de este impuesto en su integridad y de modo general. Puesto que no surgirá el gravamen en los casos de inexistencia de incremento de valor determinado según las reglas creadas por la nueva normativa que se basan en la comparación entre un valor de transmisión y un valor de adquisición, a través de las cuales se delimita la capacidad económica que pretende someterse a tributación en este impuesto. Sin embargo, en los casos en los que a partir de estas reglas de determinación del incremento de valor que comparan un valor de transmisión y un valor de adquisición se entienda que concurre un incremento de valor, el incremento reflejado en la base imponible que se somete a tributación mediante la aplicación del correspondiente tipo de gravamen será determinado mediante unas reglas distintas, que son las mismas de carácter objetivo que preveía la normativa anterior, a lo que haremos referencia a continuación.

---

[45]   PALAO TABOADA (2017), p. 38.

3. EL NUEVO HECHO IMPONIBLE COMO HECHO IMPONIBLE PECULIAR, SINGULAR, ATÍPICO, ANÓMALO O *SUI GENERIS*: SU RELEVANCIA PARA LA EXISTENCIA DE LA OBLIGACIÓN TRIBUTARIA PRINCIPAL PERO NO PARA SU CUANTÍA

Y es que, efectivamente, las nuevas regulaciones normativas son coincidentes en que las novedosas disposiciones que permiten identificar la existencia o no de incremento de valor a partir de la comparación entre un valor de transmisión y un valor de adquisición y, por tanto, la existencia o no de situaciones expresivas de capacidad económica, solo son relevantes en un primer momento. Porque si a partir de la aplicación de las mismas se llega a la conclusión de la efectiva existencia de un incremento de valor susceptible de someterse a tributación por este tributo, dichas normas pasan a ser abandonadas a efectos de cuantificar el impuesto a pagar, porque no se integran propiamente dentro de los elementos de cuantificación del tributo, al estar configurada la base imponible por unas normas distintas. Con lo cual se llega a una situación normativa en la configuración de un impuesto en el que existe un hecho imponible delimitado con la ayuda de un supuesto de no sujeción, que puede catalogarse como hecho imponible peculiar, singular, atípico, anómalo o *sui generis*, al ser muy distinto al hecho imponible o presupuesto de hecho de la norma tributaria material como se había venido entendiendo hasta ahora[46].

En este sentido, como antes poníamos de relieve, el hecho imponible o presupuesto de hecho de la norma tributaria material relativa a la obligación tributaria principal, entendido en sentido amplio, se deduce de la consecuencia jurídica de dicha norma que es el nacimiento de una deuda tributaria en una determinada cuantía. Por este motivo, está compuesto por todos los hechos y circunstancias determinantes de aquella consecuencia, que se encuentran en la práctica totalidad de los preceptos reguladores de la figura tributaria de que se trate, incluidos desde luego los de la base imponible.

---

[46] En esta misma línea crítica sobre las nuevas regulaciones normativas se han situado algunos autores. Así, ARANA LANDÍN (2018), pp. 93-94, encuentra en la normativa del Territorio Histórico de Gipuzkoa un supuesto de no sujeción «singular» o «anómalo», haciendo referencia también a «una técnica deficiente en elementos esenciales del tributo, cual es la propia definición del hecho imponible o el nuevo supuesto de no sujeción» (pp. 103-104). A un «nuevo supuesto de no sujeción especial» se refieren LÓPEZ LEÓN y VERA MESA (2018), p. 92, en relación con la proposición de ley del territorio de régimen común. También critica el supuesto de no sujeción establecido FERNÁNDEZ PAVÉS (2018), p. 45.

Sin embargo, el nuevo hecho imponible resultante de las normas recientemente aprobadas en relación con el IIVTNU es un hecho imponible, consistente en un incremento de valor de los terrenos de naturaleza urbana, determinado comparando el valor de transmisión y el valor de adquisición, en cuanto manifestación efectiva de capacidad económica, que sería determinante exclusivamente de uno de los dos efectos que se derivarían ahora de la nueva norma tributaria en que se habría desagregado el tradicional efecto unitario de nacimiento de una obligación tributaria en una determinada cuantía. Este hecho imponible, dotado de una dimensión cuantitativa propia, la resultante de la comparación entre los valores de transmisión y adquisición en los términos previstos en la normativa correspondiente, sería solo a efectos del nacimiento de dicha obligación, sin influir en absoluto en su cuantía, de existir aquella. Puesto que producido este hecho imponible, desaparecía su relevancia a efectos del impuesto al no tener influencia alguna en la determinación de la cuantía de la obligación tributaria surgida. Esta, por el contrario, viene dada por las reglas objetivas de cálculo de la base imponible, que siguen siendo las mismas que existían anteriormente, y que poco tienen que ver con aquel incremento de valor.

El resultado al que se llega, en nuestra opinión, es a un IIVTNU totalmente desfigurado, al componerse en realidad de dos hechos imponibles distintos, con sus respectivas dimensiones cuantitativas propias y separadas, y con funciones diferentes en la estructura del tributo: uno de estos hechos imponibles, la existencia de un incremento de valor determinado por comparación entre el valor de transmisión y el valor de adquisición, es el que determinará la existencia o no de la obligación tributaria; y el otro hecho imponible, el incremento de valor siempre existente según las reglas objetivas de cálculo en torno, fundamentalmente, al valor catastral en el momento del devengo y el número de años desde la adquisición, que deberá extraerse de los preceptos de la base imponible, es el que servirá, junto con el resto de elementos de cuantificación del impuesto, para determinar la cuantía de la obligación[47].

---

[47]   Igualmente crítico RUBIO DE URQUÍA (2018), p. 13, se refería a la «enorme *incongruencia* que supone acudir a valores reales para determinar la existencia o no de un incremento de valor del terreno, mientras que se acude a un valor administrativo —valor catastral— corregido en función de la extensión del período de generación de la plusvalía —coeficientes— para medir el importe del incremento de valor producido» y a la «no menos incongruencia de someter a gravamen todo incremento real de valor del terreno, por escaso que sea, valorándolo, seguidamente, no en función de su importe, sino en función de la extensión del período de generación de la plusvalía». MOCHÓN LÓPEZ (2018), p. 11, en esta misma línea, llega a afirmar que «el nuevo IIVTNU se

4. EL ORIGEN DE ESTE IIVTNU DESFIGURADO: LA DISTINCIÓN DEL PRINCIPIO DE CAPACIDAD ECONÓMICA COMO FUNDAMENTO Y COMO MEDIDA DE LA TRIBUTACIÓN EN LA DOCTRINA DEL TC

Y como adelantábamos al principio, el origen o causa de este IIVTNU desfigurado no se encuentra realmente en la decisión de los titulares del poder legislativo, sino en la doctrina de las sentencias del TC sobre el IIVTNU sobre el principio de capacidad económica, en su aplicación a este tributo local, que es la que procuran trasladar a las normas correspondientes. Esta doctrina constitucional es, en esencia, la siguiente:

- la exigencia constitucional de la capacidad económica como «fundamento» de la tributación, que impide que el legislador establezca impuestos que graven riquezas meramente virtuales o ficticias y, en consecuencia, inexpresivas de capacidad económica, se aplica al IIVTNU, como se pone de relieve en estas sentencias, que llegan a la declaración de inconstitucionalidad de determinados preceptos de sus normativas reguladoras por haberse vulnerado este principio constitucional[48];

- sin embargo, no es de aplicación a este tributo local, en opinión del TC, la exigencia desde la más alta norma de nuestro ordenamiento de la capacidad económica como «medida» de la tributación, que obliga a que la carga tributaria varíe en función de la intensidad en la realización del hecho imponible, modulándose así la carga tributaria en la medida de dicha capacidad; porque esta exigencia solo resulta predicable del «sistema tributario en su conjunto», lo que debe entenderse en el sentido de que solo se aplica «en aquellos tributos que por su naturaleza y caracteres resulten determinantes en la concreción del deber de contribuir al sostenimiento de los gastos públicos que establece el art. 31.1 CE», entre los cuales no se encuentra el IIVTNU[49].

Esto es lo que lleva al TC a declarar inconstitucionales determinados preceptos reguladores de la base imponible y de la gestión del IIVTN, pero

---

convierte en un impuesto *"Frankenstein"*. Por un lado, para la determinación de si se ha producido o no el hecho imponible habrá que aplicar la técnica elaborada en el seno del ITPAJD. Por otro lado, y una vez constatado que la operación queda sujeta, se aplicarán las reglas específicas del impuesto en cuestión».

[48]   STC 26/2017 (FJ. 2°, párrafo 9°).
[49]   STC 26/2017 (FJ. 2°, párrafo 10°).

no en su integridad, sino solo con un alcance parcial: «únicamente en aquellos supuestos en los que se somete a tributación situaciones inexpresivas de capacidad económica, esto es aquellas que no presentan aumento de valor del terreno en el momento de la transmisión»[50].

No podemos aquí analizar detenidamente esta doctrina constitucional, ni desde una perspectiva general ni desde la óptica de su aplicación al II-VTNU, como tampoco llevar a cabo un análisis de las consecuencias que puede tener consigo su mantenimiento y se extensión a otros ámbitos de la tributación.

Simplemente, debemos poner aquí de relieve la denunciada por Palao Taboada «injusticia de este fallo, pues un contribuyente que obtenga una pérdida como consecuencia de la transmisión del inmueble se verá libre del IIVTNU mientras que otro que haya obtenido una mínima plusvalía quedará sujeto él sobre una base imponible seguramente muy superior al importe de ésta»[51], que es lo que perdura en las nuevas regulaciones normativas. Así como también hacernos eco de las atinadas palabras de Rodríguez Bereijo, al hilo del Auto del TC 71/2008, de 26 de febrero, antecedente directo de la doctrina contenida en estas sentencias, cuando señalaba que «a menos que queramos convertir el juego de los principios constitucionales tributarios en el ordenamiento jurídico en una logomaquia, es preciso preguntarse de qué sirve a la garantía del contribuyente frente al poder fiscal que un tributo (un impuesto) haya de acomodarse a la capacidad económica (hechos imponibles que sean expresivos o manifestación de riqueza, real o potencial, susceptible de imposición) si luego, al medir la carga tributaria que ha de soportar el contribuyente, el legislador puede apartarse libremente de ella como criterio de medida de la *contribución*, sin que existan razones de *practicabilidad*, técnicas o fácticas, que puedan justificarlo y sin otro límite que una vaga remisión al sistema tributario en su conjunto»[52].

«Estamos —en mi opinión— ante una reducción difícilmente admisible del ámbito declarado de una norma constitucional, en este caso el principio de capacidad económica (art. 31.1 CE), al que se vacía de contenido»[53].

---

[50]   STC 26/2017 (FJ. 7º, párrafo 1º).
[51]   PALAO TABOADA (2017), p. 22.
[52]   RODRÍGUEZ BEREIJO (2009), pp. 394-395.
[53]   RODRÍGUEZ BEREIJO (2009), p. 396. Dado que la diferenciación entre los tributos a los que se aplicarían las exigencias de la capacidad como «medida» de la tributación está en la doctrina del TC sobre las materias sobre las que cabe la utilización del Decreto-Ley, se planteaba acertadamente este autor: «La cuestión es si y hasta qué punto cabe extender o trasladar la doctrina constitucional sobre qué sea *"afectar"* al deber de

Bibliografía

AGULLÓ AGÜERO, A., «Artículo 9 IRPF», en SIMÓN ACOSTA, E. (coord.), *Comentarios a la Ley del Impuesto sobre la Renta de las Personas Físicas y a la Ley del Impuesto sobre el Patrimonio. Homenaje a Luis Mateo Rodríguez*, Aranzadi, Pamplona, 1995.

ARANA LANDÍN, S., «Los primeros intentos de mantenimiento del IIVTNU tras la declaración de inconstitucionalidad: vuelta a la vulneración del principio de capacidad contributiva, de no confiscatoriedad y del derecho de defensa», en *Tributos locales*, núm. 134, 2018.

BUENO MALUENDA, M. C., «Reflexiones acerca del Impuesto sobre el Incremento del Valor de los Terrenos de Naturaleza Urbana (IIVTNU)», en *Revista de Hacienda Local*, núm. 80, 1997.

CASANA MERINO, F., *El impuesto sobre el incremento de valor de los terrenos de naturaleza urbana*, Marcial Pons, Madrid, 1994.

CORTÉS DOMÍNGUEZ, M., «El principio de capacidad contributiva en el marco de la técnica jurídica», en *Revista de Derecho financiero y Hacienda Pública*, núm. 60, 1965.

ESEVERRI MARTÍNEZ, E., «Impuesto sobre el Incremento del Valor de los Terrenos: de la presunción a la ficción jurídica», en *Gaceta Fiscal*, núm. 108, 1993.

FERNÁNDEZ PAVÉS, M. J., *¿En qué situación está el impuesto de «plusvalía»? La posibilidad de inaplicación y obtención de devoluciones*, Tirant lo Blanch, Valencia, 2018.

HERNÁNDEZ LAVADO, A., «El Impuesto Municipal sobre el Incremento del Valor de los Terrenos de Naturaleza Urbana», en CALVO ORTEGA, R. (Dir.), *La reforma de las Haciendas Locales*, II, Lex Nova, Valladolid, 1991.

LÓPEZ LEÓN, J. y VERA MESA, A. J., «Reflexiones sobre el Proyecto de Ley de modificación del TRLRHL relativo al Impuesto sobre el Incremento del Valor de los Terrenos de Naturaleza Urbana», en *Tributos Locales*, núm. 135, 2018.

MARÍN-BARNUEVO FABO, D., *Presunciones y técnicas presuntivas en Derecho tributario*, McGraw Hill, Madrid, 1996.

MARÍN-BARNUEVO FABO, D., «La inconstitucionalidad del Impuesto sobre el Incremento del Valor de los Terrenos de Naturaleza Urbana», en *Tributos Locales*, núm. 112, 2013.

MOCHÓN LÓPEZ, L., «La jurisprudencia constitucional y del Tribunal Supremo sobre el Impuesto sobre el Incremento del Valor de los Terrenos de Naturaleza Urbana y la comprobación de valores: la constatación de un sistema caduco», en *Quincena Fiscal*, núm. 21, 2018.

---

contribuir por un Decreto-Ley —en la cual lo que se está dilucidando es un problema del sistema de fuentes (…) a los casos de aplicación del principio de capacidad económica, sea como razón o fundamento sea como medida o parámetro de la imposición, en tanto límite a la libertad de configuración del legislador» (p. 389).

ORÓN MORATAL, G., «Impuesto sobre el Incremento del Valor de los Terrenos de Naturaleza Urbana», en MARÍN-BARNUEVO FABO, D. (Coord.), *Los tributos locales*, Civitas, Cizur Menor, 2010.

PALAO TABOADA, «Naturaleza y estructura del procedimiento de gestión tributaria en el Derecho español», estudio preliminar a BERLIRI, A., *Principios de Derecho Tributario*, vol. III, Editorial Derecho Financiero, Madrid, 1974.

PALAO TABOADA, C., «¿Quiénes son los sujetos pasivos en la unidad familiar?», en *Gaceta Fiscal*, núm. 59, 1988.

PALAO TABOADA, C., «Por qué yerra el Tribunal Constitucional en las sentencias sobre el IIVTNU», en *Nueva Fiscalidad*, núm. 2, 2017.

RODRÍGUEZ BEREIJO, A., «Una vuelta de tuerca al principio de capacidad económica (Comentario al ATC 71/2008, de 26 de febrero)», en *Revista Española de Derecho financiero*, núm. 142, 2009.

RUBIO DE URQUÍA, J. I. y ARNAL SURÍA, S., *Ley Reguladora de las Haciendas Locales*, Publicaciones Abellá, Madrid, 1989.

RUBIO DE URQUÍA, J. I. y ARNAL SURÍA, S., *Ley Reguladora de las Haciendas Locales*, I, 2ª ed., El Consultor de los Ayuntamientos y de los Juzgados, Madrid, 1996.

RUBIO DE URQUÍA, J. I., «El alcance de la declaración de inconstitucionalidad del Impuesto sobre el Incremento del Valor de los Terrenos de Naturaleza Urbana según el Tribunal Supremo», en *Tributos Locales*, núm. 135, 2018.

SÁINZ DE BUJANDA, F., *Análisis jurídico del hecho imponible, en Hacienda y Derecho*, IV, Instituto de Estudios Políticos, Madrid, 1966.

SÁNCHEZ GALIANA, J. A. y CALATRAVA ESCOBAR, M. J., «El Impuesto sobre el Incremento del Valor de los Terrenos de Naturaleza Urbana», en FERREIRO LAPATZA, J. J., *Tratado de Derecho financiero y tributario local*, Marcial Pons-Diputación de Barcelona, Madrid, 1993.

SÁNCHEZ BLÁZQUEZ, V. M., «La manipulación y desfiguración por el Tribunal Constitucional del Impuesto Municipal sobre la Plusvalía», en *Revista de Contabilidad y Tributación*, núm. 440, 2019.

SIMÓN ACOSTA, E., «La valoración en el Impuesto Municipal sobre el Incremento del Valor de los Terrenos y en el Impuesto Municipal sobre Solares», en AAVV, *Valoración en derecho tributario, Instituto de Estudios Fiscales*, Madrid, 1991.

SIMÓN ACOSTA, E., «Artículo 44 IRPF», en SIMÓN ACOSTA, E. (coord.), *Comentarios a la Ley del Impuesto sobre la Renta de las Personas Físicas y a la Ley del Impuesto sobre el Patrimonio. Homenaje a Luis Mateo Rodríguez*, Aranzadi, Pamplona, 1995.

SOLER ROCH, M. T., «Una reflexión sobre la deriva del Derecho tributario», en *Blog de la Red de Profesores de Derecho financiero y tributario*, 2019.

VICENTE-ARCHE DOMINGO, F., «Consideraciones sobre el hecho imponible», en *Revista de Derecho Financiero y Hacienda Pública*, núm. 39, 1960.

VICENTE-ARCHE DOMINGO, F., «Elementos cuantitativos de la obligación tributaria», en *Revista de Derecho financiero y Hacienda Pública*, núm. 60, 1965.

Capítulo 38

Una aportación desde el Derecho Financiero para colmar la ausencia de regulación de la dación en pago en el Código Civil

ISABEL PALADINI BRACHO
Profesora Asociada del área Derecho Financiero y Tributario
Universidad de Huelva

SUMARIO: 1. LA DACIÓN EN PAGO EN EL DERECHO PRIVADO. 1.1. Régimen jurídico. 1.2. Definición y características de la dación en pago. 2. LA DACIÓN DE BIENES DEL PATRIMONIO HISTÓRICO ESPAÑOL EN PAGO DE DEUDAS TRIBUTARIAS. 2.1. Antecedentes legislativos. 2.2. Terminología legal. 2.3. Naturaleza jurídica. 2.4. Procedimiento de dación de bienes del PHE en pago de deuda tributaria ante el Estado. 2.5. La valoración de los bienes del PHE y el informe sobre el interés de esta forma de pago. 2.6. La solicitud de dación en pago. 2.7. La resolución del procedimiento de dación de bienes del Patrimonio Histórico Español en pago de tributos. Motivación y discrecionalidad. 2.8. La resolución del procedimiento de dación de bienes del Patrimonio Histórico Español en pago de tributos. Efectos. 2.9. La entrega de los bienes ofrecidos. 2.10. Los efectos de la dación en pago. 3. CONCLUSIONES. Bibliografía.

1. LA DACIÓN EN PAGO EN EL DERECHO PRIVADO

1.1. *Régimen jurídico*

La dación en pago es una figura del derecho privado que no tiene una regulación sustantiva en esta rama del ordenamiento jurídico, las referencias que encontramos son escuetas y no articulan con suficiente concreción su régimen jurídico. Como han puesto de manifiesto la doctrina[1] y nuestro

---

[1] En este sentido, LACRUZ BERDEJO, José Luis. *Elementos de derecho civil. II, Derecho de obligaciones*. 3ª ed., Dykinson, 2003: «La dación en pago no viene directamente contemplada por el CC, pero está aludida en los arts. 1521, 1536.2 y 1636 CC (los tres, con ocasión de distintos retractos legales), y contemplado alguno de sus efectos en el art. 1849 CC, que juntamente con los 1166 1255 permiten intentar una construcción de esta figura (con ayuda de los principios generales del Derecho de obligaciones, claro está)». P. 154. DÍEZ-PICAZO Y PONCE DE LEÓN, Luis María. *Fundamentos del derecho civil patrimonial*. 5ª ed., Thomson-Civitas, 2008: «Nuestro Código no contiene una regulación especial de la dación en pago. (...) Su figura, por otra parte, no es

Tribunal Supremo (en lo sucesivo, TS)[2], este negocio jurídico carece de una regulación específica en el Código Civil, rigiéndose por las cláusulas pactadas por las partes, y en aquellas cuestiones no previstas, se aplican las normas de la compraventa y las reglas generales de obligaciones y contratos.

Es cierto que la dación en pago aparece en el Real Decreto-ley 6/2012, de 9 de marzo, de medidas urgentes de protección de deudores hipotecarios sin recursos, que aprueba el Código de Buenas Prácticas (en lo sucesivo, CBP). Éste prevé la dación en pago como «medida sustitutiva de la ejecución hipotecaria»[3], para solucionar la situación de los deudores, fiadores y avalistas de préstamos hipotecarios sobre la vivienda habitual que se encuentren en el umbral de exclusión (*vid*. art. 3). No obstante, se trata de un tipo específico de dación en pago —la *datio in solutum* necesaria— con características singulares, por ello, consideramos que su parco régimen jurídico no puede ser aplicable a operaciones celebradas fuera de los supuestos previstos en el CBP[4].

---

    desconocida para el legislador que, aunque en forma esporádica, hace alusión a ella a lo largo del articulado (*vid*. Arts. 1337, 1521, 1636 y 1849)» P. 632.

[2]   STS de 13 febrero 1989 (RJ\1989\831): «La *"datio pro soluto"*, (…) no tiene una específica definición en el derecho sustantivo civil, aunque sí en el ámbito fiscal». P. 3.

[3]   LASARTE ÁLVAREZ, C. *Derecho de Obligaciones. Principios de Derecho Civil II*. Marcial Pons, 2014. P. 123.

[4]   La doctrina diferencia dos tipos de dación en pago: voluntaria y necesaria. La primera, «parte de un acuerdo entre deudor y acreedor por el que el deudor da voluntariamente en pago una prestación distinta a la debida y el acreedor consiente en recibirla (el deudor, extingue la obligación con la entrega de la cosa objeto de garantía, y el acreedor adquiere la propiedad de esta cosa)» GÓMEZ BUENDÍA, C. en «Presente y pasado de la dación en pago» en *Housing: Revista de la Cátedra de Vivienda de la Universidad Rovira i Virgili*, Nº. 5, 2016, p. 26. En cambio, la *datio in solutum* necesaria (designada «legal» o «forzosa» por PÉREZ ÁLVAREZ, M. P. «La dación en pago necesaria y la protección de los deudores hipotecarios tras las últimas modificaciones legislativas» en *Revista de Derecho Patrimonial* núm. 39/2016. P. 27-64) se caracteriza por la «constricción de la voluntad creditoria» según EGUSQUIZA BALMASEDA, M. («Crisis económica, falta de liquidez y dación en pago necesaria: un estudio del párrafo segundo in fine de la Ley 493 del fuero nuevo» en *Revista de Derecho Patrimonial* núm. 28/2012, p. 14), es decir, no es necesario el consentimiento del acreedor. Esta institución que nació en el Derecho romano, se ha mantenido en el Derecho navarro (Ley 493, párr. 2º, in fine del Fuero Navarro) y, se ha rescatado en el Derecho común, en el CBP. Esta norma no establece una definición de dación en pago, ni afirma de que tipo es. No obstante, consideramos que se trata de una dación en pago necesaria puesto que reúne la característica que hemos indicado: constricción de la voluntad creditoria. El CBP se limita a establecer, en primer lugar, la facultad del deudor de solicitar la dación en pago de la vivienda habitual y la obligación del acreedor de aceptarla, aunque se prevén dos excepciones, así la entidad financiera no está obligada a admitir la dación en pago, si

1.2. Definición y características de la dación en pago

La dación en pago es un negocio jurídico bilateral, oneroso, sinalagmático y recíproco. Es admisible, en virtud de la autonomía de la voluntad, cuando deudor y acreedor (o acreedores) lo acuerdan. Este negocio se celebra *solvendi causa*, con efectos extintivos y traslativos.

Díez-Picazo define la dación en pago en sentido amplio como «todo acto de cumplimiento de una obligación que, con el consentimiento del acreedor, se lleva a cabo mediante la realización de una prestación distinta a la que inicialmente se había establecido»[5]. Identifica el elemento fundamental en el *aliud* o nueva prestación admitida por el acreedor, con efectos extintivos de una obligación prexistente que unía a las partes[6]. Por ello, la doctrina afirma que la finalidad perseguida es extinguir una deuda, «no buscan extinguir la anterior obligación, sustituyéndola por otra nueva, sino que tan solo pretenden señalar un medio de extinción de la obligación»[7].

Ahora bien, la dación en pago en sentido estricto «se produce cuando el acreedor acepta, para el cumplimiento de una obligación anteriormente constituida, la entrega de unos bienes distintos de aquellos en que la prestación consiste»[8]. La diferencia se encuentra en la delimitación de la nueva prestación, que consistirá en la transmisión del poder de disposición o pleno dominio sobre los bienes entregados. Entonces, se producirá el doble efecto extintivo y traslativo.

Existen numerosos pronunciamientos del TS sobre esta materia, de cuyo análisis podemos identificar las características de la dación en pago:

---

el inmueble se encontrase en un procedimiento de ejecución y se hubiese anunciado la subasta o si estuviese gravado con cargas posteriores. En segundo lugar, que los efectos extintivos se extienden a la cancelación total de la deuda garantizada con hipoteca y de las responsabilidades personales del deudor y de terceros frente a la entidad por razón de dicha deuda. En tercer lugar, la posibilidad de que el deudor continúe en posesión de la vivienda como arrendatario durante un plazo de dos años. Y, en cuarto lugar, las entidades financieras podrán pactar con los deudores la cesión de una parte de la plusvalía generada por la enajenación posterior de la vivienda, si colaboran en la consecución de dicha transmisión.

5   *Op. cit.*, DÍEZ-PICAZO, L., p. 631.

6   En el mismo sentido, LACRUZ BERDEJO, J. L. (*op. cit.*) y O'CALLAGHAN MUÑOZ, Xavier. *Compendio de derecho civil*. 6ª ed., Dijusa, 2008 y BELINCHÓN ROMO, María Raquel. *La dación en pago en Derecho Español y Derecho comparado*. Dykinson, Madrid, 2012.

7   *Op. cit.* DÍEZ-PICAZO, L., p. 633.

8   *Op. cit.* DÍEZ-PICAZO, L., p. 631.

- Régimen jurídico: No hay definición en el derecho sustantivo civil, por analogía se le aplican las normas de la compraventa, así el crédito que con ella se satisface adquiere la categoría de precio del bien o bienes que se entregan[9]. Su fundamento último es la autonomía de la voluntad.

- Debe abandonarse cualquier intento de asimilar la dación en pago a la permuta[10].

- Partes: El deudor, que es el transmitente, y el acreedor, que es el adquirente[11].

- Condición necesaria: existencia de una deuda que no puede ser cumplida en los términos pactados. Así el deudor, voluntariamente, realiza, a título de pago, una prestación diversa de la debida al acreedor, el cual consiente recibirla en sustitución de ésta[12].

- Requisito: El crédito que se extingue debe ser un crédito cierto[13].

- Contenido obligacional: la transmisión de un bien a cambio de la extinción de una deuda, por tanto, es un acto traslativo del dominio[14].

En este trabajo analizamos la dación de bienes del Patrimonio Histórico Español en pago de deudas tributarias, en especial, sus efectos, extrapolando en las conclusiones la interpretación a la dación en pago civil.

2. LA DACIÓN DE BIENES DEL PATRIMONIO HISTÓRICO ESPAÑOL EN PAGO DE DEUDAS TRIBUTARIAS

2.1. Antecedentes legislativos

La Ley 16/1985, de 25 de junio, del Patrimonio Histórico Español (en lo sucesivo, LPHE), introdujo en nuestro ordenamiento jurídico la dación de bienes integrantes del Patrimonio Histórico Español (emplearemos las

---

9   STS de 7 diciembre 1983 (Sala de lo Civil). Referencia Aranzadi RJ\1983\6923.
10 STS de 21 de enero de 2010 (sala de lo Contencioso-Administrativo). Iustel: §298404.
11 STS de 13 febrero 1989 (Sala de lo Civil). Aranzadi: RJ\1989\831.
12 STS de 21 de enero de 2010 (sala de lo Contencioso-Administrativo). Iustel: §298404.
13 STS de 8 febrero 1996 (Sala de lo Civil). Aranzadi: RJ\1996\952.
14 Sentencia del Tribunal Supremo (Sala de lo Civil) de 13 febrero 1989 (RJ\1989\831)

siglas, PHE) en pago de deudas tributarias[15]. Fue completada por el Real Decreto 111/1986, de 10 de enero, de desarrollo de la LPHE (RLPHE).

El siguiente hito es la aprobación de la Ley 58/2003, General Tributaria, que en su art. 60.2 incluye expresamente la dación en pago. El Real Decreto 939/2005, de 29 de julio, por el que se aprueba el Reglamento General de Recaudación (en lo sucesivo, RGR), en su art. 40 desarrolla la regulación de la dación en pago de deudas tributarias, tratando muchas de las cuestiones controvertidas que suscita como la solicitud en periodo ejecutivo, las causas de inadmisión o los efectos. Por último, como Derecho de aplicación supletoria, el art. 40.8 del RGR, señala «la legislación civil sobre la dación en pago» —cuestión que resulta paradójica, toda vez que el CC no contiene la regulación completa de este negocio jurídico.

2.2. Terminología legal

En la LPHE, así como, en las normas reguladoras del Impuesto sobre la Renta de las Personas Físicas, del Impuesto sobre Sociedades, del Impuesto sobre Sucesiones y Donaciones y del Impuesto sobre el Patrimonio el legislador usa la expresión «pago de la deuda tributaria mediante la entrega de bienes integrantes del Patrimonio Histórico Español». En cambio, la LGT y el RGR se refieren a ella como «pago en especie de la deuda tributaria».

Fernández Junquera ha criticado la falta de rigor jurídico de la LGT de 2003 «puesto que la misma alude al concepto de pago en especie cuando en

---

[15]   En 1985, estaba vigente la antigua Ley General Tributaria (Ley 230/1963), que no hacía mención alguna esta figura. *Vid.* Art. 59 de la Ley 230/1963, de 28 de diciembre. También, PEÑUELAS I REIXACH, Lluis, *El pago de impuestos mediante obras de arte y bienes culturales. La dación de bienes del Patrimonio Histórico Español.* Marcial Pons, Madrid, 2001 y GALAPERO FLORES, Rosa «Formas de extinción de la Deuda Tributaria (Estudio de la Ley General Tributaria y del Reglamento General de Recaudación)». *Jurisprudencia Tributaria Aranzadi* núm. 21/2005 (BIB 2005\2722). No es extraño, por ello, que las primeras referencias a la dación en pago en el ordenamiento tributario se produzcan en las leyes reguladoras de los Impuestos en los que se admitía. Así, la Ley 29/1987, de 18 de diciembre, del Impuesto sobre Sucesiones y Donaciones en su art. 36.3; el art. 97. Tres la Ley 18/1991, de 6 de junio, del Impuesto sobre la Renta de las Personas Físicas; el art. 36. Dos de la Ley 19/1991, de 6 de junio, del Impuesto sobre el Patrimonio y el art. 143.2 de la Ley 43/1995, de 27 de diciembre, del Impuesto sobre Sociedades. Entre 1994 y 2004 «como incentivo clarísimo al uso de este medio de pago, se declaran no sujetos al IRPF o al Impuesto de Sociedades los posibles incrementos o disminuciones patrimoniales originadas por la entrega al Erario público de dichos bienes»

realidad lo que está regulando es una dación en pago»[16]. Las expresiones utilizadas por el legislador coinciden sustancialmente con la definición en sentido estricto de dación en pago[17], de ahí que nuestra primera conclusión sea que el legislador evita el término «dación en pago», lo cual dificulta la labor de identificación y concreción de los efectos jurídicos de esta figura.

2.3. Naturaleza jurídica

Peñuelas i Reixach ha dedicado una monografía al estudio de esta figura. Tras intentar inscribir la operación que nos ocupa en una de las categorías jurídicas conocidas, concluye que en la que realmente encaja es en la de «dación en pago»[18], queriendo resaltar con ello su identidad propia. Además, atendiendo a su finalidad, el autor considera que la dación en pago es un *tertium genus* de extrafiscalidad en el ámbito tributario[19], pues con esta medida, se persigue el fomento de la cultura. Así, Solves Mira[20] afirma que «la dación resulta especialmente oportuna en aquellos casos en donde existe un patrimonio en obras de arte y un peligro de obtener liquidez inmediata para el pago de impuestos con operaciones de venta precipitadas que constituyan un perjuicio para sus legítimos propietarios o den lugar a exportación de obras representativas del patrimonio histórico español».

Por otro lado, la Audiencia Nacional, de forma reiterada y unánime desde el año 2001, afirma la excepcionalidad de la dación en pago de bienes del PHE. En la SAN de 10 mayo 2006 resume su doctrina, indicando que la regla general será el pago en efectivo o mediante efectos timbrados, es decir, que éstos constituyen las formas o medios ordinarios de satisfacción de la deuda tributaria. La entrega de bienes integrantes del PHE, por el contrario, es considerada regla excepcional, «se trata de una "medida de fomento", con

---

[16]   *Op. cit.* FERNÁNDEZ JUNQUERA, M. (pag. 595)
[17]   Definición de DÍEZ-PICAZO. *Vid.* Apartado 1.2.- Definición y características de la dación en pago.
[18]   PEÑUELAS I REIXACH, Lluis, *op. cit.* p. 77.
[19]   Definida por Peñeulas i Reixach como la categoría consistente en las «formas o modos de extinción extrafiscales (…) formada por todos aquellos casos en los que el legislador persigue fines extrafiscales a través del empleo de normas tributarias de procedimiento que operan sobre la forma de cumplir o extinguir las obligaciones tributarias sin alterar el valor económico de las prestaciones debidas», *op. cit.* p. 585.
[20]   SOLVES MIRA, Pedro, «Dación de bienes culturales en pago de impuestos», AAVV, edición del Ministerio de Cultura. Ed. Secretaría General Técnica. Subdirección General de Información y Publicaciones. 2004, p. 2.

el fin de facilitar el acceso a los bienes de nuestro Patrimonio Histórico»[21]. En la SAN de 3 junio 2002 deja claro que «la Ley no pretende que cada contribuyente pueda elegir entre pagar sus impuestos con dinero o con una obra de arte. El legislador ha arbitrado un procedimiento que permite que, en ocasiones especiales, el propietario de un bien integrante del Patrimonio Histórico Español pueda ofrecerlo en pago de ciertos tributos»[22]. El TS también afirma la excepcionalidad de este medio de pago[23].

Por último, de su ubicación en la LGT[24] deducimos que se trata de un medio para lograr la extinción de la deuda tributaria, en particular, es una clase de pago. Esta modalidad de cumplimiento no ha sido diseñada como el mecanismo general u ordinario de extinción de la obligación tributaria material (que es el pago en efectivo de la deuda tributaria), sino como una especialidad que el contribuyente puede solicitar y la Administración discrecionalmente puede admitir.

La dación en pago supone la modulación en el medio de pago y en el momento de cumplimiento de la obligación tributaria, con alcance singular o individual. La LGT confiere a la Administración la facultad de acceder motivadamente a dicha modificación.

Desde esta perspectiva diferenciamos, por un lado, la prestación inicial —entendida como la obligación tributaria material, es decir, prestación pe-

---

[21] SAN de 10 mayo 2006, FJ 4.

[22] SAN de 3 junio 2002, FJ 4º, Ref. Aranzadi: JUR\2003\69021. En el mismo sentido, SAN de 7 marzo 2002 (JT\2002\709). A favor de la excepcionalidad, Pedreira Menéndez, José «El devengo de intereses de demora en el procedimiento de pago de la deuda tributaria mediante la entrega de bienes del Patrimonio Histórico Español» *Jurisprudencia Tributaria Aranzadi*, núm. 3112/2002 (BIB 2002\1675), Galapero Flores, ibid., y Mata Sierra, ibid. En contra, Fernández Junquera.

[23] STS de 7 marzo (RJ\2017\1770): «El pago en especie de las deudas tributarias no es una alternativa en manos del contribuyente en lugar del pago en efectivo. Se trata de una modalidad excepcional, habida cuenta del sentido y función constitucional de los tributos (art. 31 CE), porque a través de ellos se contribuye al sostenimiento de los gastos públicos». (FJ 5º)

[24] La LGT regula la dación en pago en el art. 60 que se inscribe en la regulación de los medios de extinción de la deuda tributaria que está integrado en el Título II «de los Tributos», capítulo IV «de la deuda tributaria», en la sección 2ª sobre el pago. La sección 1ª contiene las disposiciones generales sobre la deuda tributaria y está conformada por los artículos 58 y 59. Este último relaciona los medios de extinción de la deuda tributaria, entre los que consta el pago. Ya dentro de la sección 2ª, se concretan en el art. 60 LGT las formas de pago que son: en efectivo, el pago mediante efecto timbrado y el pago en especie.

A su vez, la LPHE introduce en el art. 73 la dación de bienes del PHE para el pago de deudas tributarias, que se ubica en el Título VIII, «de las medidas de fomento».

cuniaria consistente en el ingreso de una cantidad de dinero en metálico— y la nueva prestación admitida posteriormente o *aliud* —que consiste en la transmisión de un bien integrante del PHE.

Por otro lado, si atendemos al mecanismo de extinción de la deuda tributaria, se contraponen el pago en metálico —autentico cumplimiento de la obligación tributaria material y regla general— y la entrega del bien del PHE cumplimiento de una prestación diversa a la definida legalmente como la regla general, pero admitida con efectos extintivos y liberatorios para el obligado tributario, que produce además, la adquisición por el Ente público de los bienes entregados o, dicho en otros términos, la realización de gasto público.

Nuestra propuesta está en consonancia con la doctrina *iusprivatista* más actual, que considera a la dación en pago como una forma especial de pago o como prestaciones que suplen el pago genuino, también conocidas como subrogado del cumplimiento (término de origen alemán, *erfüllungssurrogate*)[25].

2.4. *Procedimiento de dación de bienes del PHE en pago de deuda tributaria ante el Estado*

La dación de bienes del PHE en pago de deuda tributaria se canaliza a través de un procedimiento tributario específico en el que intervienen una pluralidad de Administraciones públicas.

Los primeros trámites se realizan con la Administración competente en materia de cultura, puesto que es necesario disponer de una valoración de los bienes y de un informe sobre el interés para el ente público de aceptar el bien del PHE en pago de la deuda tributaria (o al menos, habrá que justificar ante la Administración tributaria que han sido solicitados). En el ámbito estatal, son dictados por la Junta de Calificación, Valoración y Exportación de bienes del PHE[26] (en adelante, Junta CVE) con carácter preceptivo. El TS

---

[25]   La consideración de la dación en pago como un subrogado del cumplimiento de la obligación desde la perspectiva del Derecho privado se postula por varios autores: DÍEZ-PICAZO, Luis, *op. cit.* ALBALADEJO GARCÍA, M. en *Derecho Civil*, vol. II ed. Edisofer, S.L. 2008. LASARTE ÁLVAREZ, Carlos, ibid. O'CALLAGHAN, Xavier, *op. cit.* BELINCHÓN ROMO, María Raquel, *op. cit.*

[26]   *Vid.* art. 8 e) RPHE.

ha indicado que «el informe no es un trámite que de oficio ha de impulsar el órgano de recaudación, sino que debe ser aportado por el solicitante»[27].

La valoración de la Junta de CVE es recurrible puesto que se trata de un acto de trámite cualificado que decide directa o indirectamente el fondo del asunto (art. 112.1 Ley 39/2015, PAC), toda vez que la valoración determina el importe de la deuda tributaria a la que se pueden extender los efectos extintivos de la dación en pago[28].

El procedimiento de dación de bienes del PHE en pago de deudas tributarias se inicia propiamente con la presentación ante la Administración tributaria de una solicitud a estos efectos, a la que se acompaña la documentación indicada en el párrafo precedente (art. 40.1 RGR). La LGT reconoce efectos suspensivos automáticos a la solicitud de dación en pago cuando se presenta dentro del periodo voluntario.

En la tramitación, además de un plazo para subsanación[29], se debería conceder un trámite de audiencia previo a la propuesta de resolución, con la puesta de manifiesto del expediente y un plazo de entre 10 y 15 días para que los interesados formulen alegaciones y presenten los documentos y justificantes que consideren necesarios (art. 99.8 LGT y art. 82 Ley 39/2015, PAC), si bien, Peñuelas i Reixach[30], afirma que en la práctica no se realiza.

El procedimiento finaliza con la resolución del Director del Departamento de Recaudación. El plazo máximo para notificarla al obligado es de seis meses y el silencio implica su desestimación. La decisión de la Administración tributaria debe ser motivada. Puede ser estimatoria —aceptando la dación—, denegatoria —desestimándola o rechazándola— o de inadmisión. También se remitirá copia de la misma al Ministerio de Cultura y a la Dirección General de Patrimonio del Estado.

La eficacia de la resolución queda condicionada a la entrega o puesta a disposición de los bienes del PHE ofrecidos (art. 40.6 RGR). El obligado tributario dispone de un plazo de 10 días para realizar la entrega del bien, que inicia «a partir del siguiente al de la notificación del acuerdo de aceptación de pago en especie, salvo que dicha entrega o puesta a disposición se hubiese realizado en un momento anterior» (art. 40.8 RGR). La Administración

---

27   STS de 7 marzo, FJ 5º (RJ\2017\1770)
28   STSJ de Andalucía de fecha 28 de septiembre de 2015, FJ 2º. Id Cendoj: 18087330012015100423.
29   *Vid.* SAN de 24 octubre, FJ 4º (JUR\2016\237063)
30   PEÑUELAS I REIXACH *op. cit.*, sobre las manifestaciones concretas que parafraseamos, pp. 179 a 182.

entregará justificante de la recepción en conformidad al interesado y a los órganos de recaudación.

Si no se cumpliese la nueva prestación dentro del plazo indicado, «quedará sin efecto el acuerdo de aceptación» (art. 40.8 RGR) y se iniciará el periodo ejecutivo o continuará el procedimiento de apremio, dependiendo del momento en el que se hubiese presentado la solicitud.

Respecto a las posibilidades de impugnación de la resolución del procedimiento de dación en pago, se puede formular recurso de reposición potestativo o reclamación económico-administrativa, incluso si se ha acordado la inadmisión (art. 40.2 RGR).

La dación en pago produce al mismo tiempo un ingreso en especie y un gasto público que requieren una la dotación presupuestaria previa y un posterior registro contable (art. 65 RPHE).

Por último, se liquidarán los intereses de demora devengados.

2.5. *La valoración de los bienes del PHE y el informe sobre el interés de esta forma de pago*

La valoración consistirá en la tasación del bien (art. 65 RLPHE). Es el acto administrativo que establece «el valor de mercado del bien»[31] ofrecido en pago y cumple una función muy importante, pues determina el importe o *quantum* de la deuda tributaria susceptible de ser extinguida y el gasto público que ocasionaría la entrega. La valoración de bienes PHE se dicta ex proceso para la posible dación de bienes del PHE en pago de deudas tributarias.

El informe sobre el interés de aceptar esta forma de pago, por su parte, tiene carácter técnico y es preceptivo[32]. Es frecuente en la práctica que la Administración valore sólo aquellos bienes cuya adquisición tiene interés para el Estado, limitándose el órgano competente a certificar que se acordó no entrar en el estudio del valor de la obra ofrecida por considerar que, en virtud de sus características, no tiene suficiente interés para las colecciones del Estado[33].

---

[31]   PEÑUELAS I REIXACH, Luis, ibid., p. 152.
[32]   PEÑUELAS I REIXACH, Luis, ibid., sobre las manifestaciones concretas que parafraseamos, p. 159.
[33]   *Vid.* Sentencias de la Audiencia Nacional de 4 febrero 2013 (JUR\2013\54363), de 21 enero 2013 (JUR 2013\26539), de 25 noviembre 2013 (JUR\2013\357471), de 16 ene-

Existen discrepancias acerca del carácter vinculante del informe de la Junta CVE. La AEAT lo considera preceptivo y no vinculante[34], lo que implica que el Director del Departamento de Recaudación de la AEAT acordará de forma motivada aceptar o no los bienes en pago de la deuda, sin estar sometido al sentido del informe de la Junta CVE. No obstante, la Audiencia Nacional, en sus sentencias más recientes[35], considera que este informe es vinculante; en consecuencia, el Director del Departamento de Recaudación no tiene margen de decisión, precisamente, porque tiene que ajustarse al sentido favorable o no de dicho informe[36]. Ahora bien, no es un tema pacífico, puesto que hay pronunciamientos en sentido contrario[37], en particular, la STSJ de Andalucía de 28 de septiembre de 2015 ha considerado que el informe de la Junta CVE no es vinculante para el órgano de la Administración tributaria, pero es un acto de trámite cualificado que condiciona el progreso del procedimiento de dación en pago de la deuda tributaria[38]. O la STSJ de Madrid de 27 mayo de 2013, que considera al informe preceptivo y no vinculante[39].

Los efectos de la valoración de los bienes del PHE son:

- No vincula al interesado, que siempre puede optar por el pago en metálico (arts. 74 LPHE y 65.2 RPHE).

---

ro 2012 (JUR\2012\32625), de 18 junio 2012 (JUR\2012\219623) y de 16 julio 2012 (JUR\2012\256652).

[34] Información sobre el Procedimiento de Pago de deudas con bienes del Patrimonio Histórico Español publicada en la web https://www.agenciatributaria.gob.es/AEAT.sede/procedimientos/RD04.shtml (consultada 21 de julio de 2016). Y Resolución TEAC de 28 de mayo de 1999.

[35] Los recientes pronunciamientos de 2012 y 2013 suponen un cambio de criterio. En sentencias anteriores la Audiencia Nacional había sostenido el carácter no vinculante del informe. Así, SAN de 3 junio 2002, FJ 4º, ref. JUR\2003\69021. SAN de 16 julio 2012, ref. JUR\2012\256652.

[36] SAN de 4 febrero 2013, FJ 2º. ref: JUR\2013\54363. En el mismo sentido: SAN de 21 enero 2013, ref. JUR 2013\26539. SAN de 25 noviembre 2013, ref. JUR\2013\357471. SAN de 16 enero 2012, ref. JUR\2012\32625. SAN de 18 junio 2012, ref. JUR\2012\219623.

[37] SAN de 21 diciembre de 2015, FJ 4º (ref. JUR\2016\15568). Se confirma una resolución denegatoria de dación en pago aunque no se habían emitido la valoración ni el informe por la Junta de CVE, lo cual no sería posible si tuviese carácter preceptivo y vinculante. No obstante, los recurrentes no alegaban el defecto del procedimiento por inexistencia del informe preceptivo, lo que puede explicar el sentido de la decisión de la Audiencia Nacional.

[38] *Vid*. STSJ de Andalucía de 28 de septiembre de 2015, FJ 2º.

[39] STSJ de Madrid de 27 mayo, FJ 5º (ref. JT\2013\1388).

- Determina el valor de mercado del bien del PHE, que supone el límite máximo de los efectos solutorios o extintivos de la deuda tributaria (art. 65.3 RPHE y art. 40.5 segundo párrafo RGR).

- Determina el importe del gasto público que se produce con la entrega del bien del PHE.

- Tiene vigencia temporal durante dos años (art. 65.2 RPHE).

La Audiencia Nacional ha resumido estos efectos diciendo que «no se trata de un medio automático de pago, sino de que el bien entregado sea valorado con el fin de que, luego, pueda ser imputado su valoración al pago de la deuda tributaria; y tampoco es excluyente de los otros medios de pago»[40].

No está claro si el requisito de la valoración obliga a la equivalencia de prestaciones en la dación en pago. Fernández Junquera[41] entiende que la normativa no ha establecido este requisito y ve posible una diferencia al alza o a la baja entre el valor de mercado del bien entregado y la deuda tributaria. También, Peñuelas i Reixach considera que técnicamente es posible la existencia de esa discrepancia entre el valor del bien del PHE y la cuantía de la deuda tributaria, ahora bien, nos pone sobre aviso de que «en la práctica administrativa, hasta donde nosotros tenemos conocimiento, no se ha producido nunca esta situación. La Administración ha obviado este problema utilizando el procedimiento anómalo de no valorar el bien que se quiere dar por una cantidad superior a la deuda tributaria, ofreciéndole a su titular la única opción extrajurídica de vender el bien a un tercero por su valor de mercado, pagar con lo obtenido su deuda tributaria y quedarse, como es lógico, con el excedente»[42].

De la interpretación conjunta de los arts. 74 LPHE; 65.2 RPHE y art. 40.5 segundo párrafo RGR, deducimos, por un lado, el hecho de que el valor del bien no alcance la totalidad de la deuda no impide que se celebre la dación en pago, aunque la normativa no lo indique expresamente. Dicho de otro modo, es posible que la Administración tributaria admita la dación en pago parcial de la deuda tributaria, subsistiendo aquella parte de la deuda que exceda del valor del bien entregado. Y, por otro lado, consideramos que el valor del bien fija el alcance máximo de los efectos solutorios o extintivos de la deuda tributaria. Es decir, el Director del Departamento de Recauda-

---

[40]   SAN de 31 octubre 2002, FJ 3º, ref. JUR\2003\25573.
[41]   FERNÁNDEZ JUNQUERA, Manuela, *op. cit.*
[42]   PEÑUELAS I REIXACH, Lluis, *op. cit.*, p. 197.

ción resolverá con cierto margen de discrecionalidad si accede a la dación en pago, pero el alcance del acuerdo encontrará en la valoración emitida por la Junta CVE el límite máximo de la deuda tributaria cancelada. Esta interpretación garantiza la tutela del crédito tributario, ya que la Administración que no podrá cancelar una deuda tributaria por un importe superior al valor de mercado del bien del PHE entregado, sin embargo, no se garantiza al deudor la devolución de la diferencia a su favor cuando el valor del bien supere el montante de la deuda tributaria.

2.6. *La solicitud de dación en pago*

Los requisitos para alcanzar la dación en pago se pueden agrupar en:

- Temporales: puede referirse a obligaciones tributarias que se encuentren en periodo voluntario o ejecutivo (art. 60 LGT y art. 40 RGR), es más, Peñuelas i Reixach[43] considera admisible la dación en pago para deudas que se encuentran en periodo ejecutivo, para declaraciones extemporáneas sin requerimiento previo e, incluso, para deudas liquidadas por la Administración tributaria después de un procedimiento de comprobación.

- Objetivos: Se han excluido las deudas que no sean susceptibles de aplazamiento o fraccionamiento de pago, por remisión al art. 65.2 LGT. Atendiendo a la descripción de los supuestos excluidos, interpretada a *sensu contrario*, deducimos que pueden ser extinguidas mediante dación en pago las obligaciones materiales correspondientes a:

  a) Obligación tributaria principal derivada de la realización del hecho imponible con dos excepciones: «aquellas cuya exacción se realice por medio de efectos timbrados» [letra a)] y «las derivadas de tributos que deban ser legalmente repercutidos salvo que se justifique debidamente que las cuotas repercutidas no han sido efectivamente pagadas» [letra f)].

  b) Las obligaciones a cuenta consistentes en pagos fraccionados, salvo para el IS [letra g)]. Así mismo, se excluyen las retenciones y los ingresos a cuenta [letra b)].

  c) Los pagos relativos a obligaciones accesorias (intereses de demora, recargos, costas) y a las sanciones. El art. 40.6 RGR admite expre-

---

43   PEÑUELAS I REIXACH, Lluis ibid., en pp. 131 y 132 cita a ÁLVAREZ ÁLVAREZ, Jose Luis y MARTÍN FERNÁNDEZ, Javier.

samente la inclusión de los intereses de demora y consideramos implícitamente admitidos los demás conceptos, puesto que la normativa no los excluye expresamente.

La LGT excluye las deudas tributarias que se encuentre en alguna de las siguientes situaciones:

i. «En caso de concurso del obligado tributario, las que, de acuerdo con la legislación concursal, tengan la consideración de créditos contra la masa». [letra c)]

ii. «Las resultantes de la ejecución de decisiones de recuperación de ayudas de Estado reguladas en el título VII de esta Ley (LGT)». [letra d)]

iii. «Las resultantes de la ejecución de resoluciones firmes total o parcialmente desestimatorias dictadas en un recurso o reclamación económico-administrativa o en un recurso contencioso-administrativo que previamente hayan sido objeto de suspensión durante la tramitación de dichos recursos o reclamaciones». [letra e)]

- Causas de inadmisión (art. 40.2 RGR, vigente desde 1 de enero de 2018):

  i Cuando no se justifique que el bien ofrecido está inscrito en el Registro General de Bienes de Interés Cultural o figure en el Inventario General y, además, no reúna las características básicas para poder formar parte del Patrimonio Histórico Español.

  ii. Cuando sea reiterativa de una solicitud denegada con anterioridad y no contenga modificación sustancial, en particular, cuando la finalidad del obligado tributario sea «dilatar, ocultar o impedir el desarrollo de la gestión recaudatoria». [art. 40.2.letra d) LGT]

  Se considera reiterativa y con finalidad dilatoria o impeditiva la solicitud que ofrezca los mismos bienes que fueron rechazados en anteriores ocasiones.

  iii. Cuando la deuda cuya cancelación se solicita sea autoliquidable y no se haya presentado la declaración-liquidación.

  iv. Cuando se haya presentado una autoliquidación relativa a una obligación tributaria esté siendo objeto de un procedimiento de inspección que se encuentre suspendido —lo que sucederá, en virtud del Art. 150.3.a) LGT, cuando se remita el expediente al Ministerio Fiscal o la jurisdicción penal, porque se aprecien indicios de la comisión de un delito contra la Hacienda Pública y no proceda dictar liquidación, por concurrir los supuestos del art. 251.1 LGT.

- El TS afirma que «[n]o todos los impuestos son susceptibles de ser satisfechos mediante la entrega de bienes, pues debido a la remisión normativa que contiene el artículo 60.2 de la LGT, sólo lo son los que, *numerus clausus*, menciona el artículo 73 de la LPHE, es decir, el Impuesto sobre Sucesiones, del Impuesto sobre el Patrimonio y del Impuesto sobre la Renta de las Personas Físicas»[44].

- No se exige que el deudor se encuentre en una situación económica que le impida hacer frente al pago de la deuda tributaria[45], por tanto, no hay que acreditar situación de iliquidez transitoria o insolvencia. No obstante, «quien ofrezca los bienes (…) debe ser su propietario o tener el poder de disposición sobre ellos»[46].

- Plazo: la solicitud de dación en pago «podrá presentarse hasta el momento en que se notifique al obligado el acuerdo de enajenación de los bienes embargados o sobre los que se hubiese constituido garantía de cualquier naturaleza» (art. 40.1 RGR).

En resumen, consideramos que mediante dación en pago se puede extinguir una obligación tributaria material que esté cuantificada —mediante autoliquidación (incluso extemporánea), liquidación tributaria o recibo— que se encuentre dentro del plazo voluntario para su cumplimiento. No es necesario que al tiempo de presentar la solicitud la deuda se encuentre vencida, es más, la regulación de la dación en pago instada en periodo voluntario es más ventajosa para el obligado tributario que actúa de forma más diligente[47].

Los efectos de la solicitud de dación en pago (art. 40.1 RGR):

a) La solicitud de pago en especie presentada en periodo voluntario impedirá el inicio del periodo ejecutivo.

---

[44] STS de 7 marzo, FJ 5º (RJ\2017\1770)

[45] FERNÁNDEZ JUNQUERA, M. *op. cit.*: «aunque el procedimiento inicialmente estuvo previsto para situaciones en que el contribuyente carecía de liquidez pero tenía bienes que podían ser aceptados en pago de sus deudas, la realidad demuestra que la situación ha variado son los contribuyentes los que adquieren determinadas obras con la intención predeterminada de utilizarlas en pago de deudas tributarias». P. 610. No obstante, en la pag. 612 dice que, en su opinión, debe existir vinculación entre la dación en pago y la situación de iliquidez del deudor.

[46] STS de 7 marzo, FJ 5º (RJ\2017\1770)

[47] Art. 40 RGR. Aun cuando la decisión sea desestimatoria, se le concede un nuevo plazo voluntario para el pago del art. 62.2 LGT.

b) La solicitud en periodo ejecutivo no tendrá efectos suspensivos. No obstante, el órgano de recaudación podrá suspender motivadamente las actuaciones de enajenación de los bienes embargados u ofrecidos como garantía, hasta que se dicte la resolución del procedimiento de pago en especie.

c) En todo caso, se devenga el interés de demora desde el vencimiento del periodo voluntario.

2.7. *La resolución del procedimiento de dación de bienes del Patrimonio Histórico Español en pago de tributos. Motivación y discrecionalidad*

Existe discrecionalidad en algunos aspectos del procedimiento de dación en pago, en especial, en la valoración que implica la concreción de un concepto jurídico indeterminado, en el informe sobre el interés para el ente público de la adquisición de la obra, así como, en la disponibilidad presupuestaria. La dación en pago supone la realización de un gasto público que debe tener cobertura presupuestaria, de tal manera que su insuficiencia o incluso políticas de reducción del déficit público pueden motivar su denegación[48].

En este sentido, Peñuelas i Reixach[49] considera que la resolución del procedimiento de dación en pago es fruto de una potestad discrecional y no de una potestad reglada. Y nos recuerda que la decisión de la Administración tributaria puede ser controlada y revisada por los Tribunales Económico-Administrativos y por los Tribunales de Justicia.

Nuestros Tribunales han afirmado que «no existe imperatividad o vinculación, de forma que cumplidos los trámites procedimentales se deba aceptar esta forma de pago, sino que la parte acreedora tiene la facultad de admitir o no esa forma de pago»[50]. Entienden que la norma confiere a la Administración tributaria «la facultad (…) de no aceptar de forma expresa el pago en especie de deudas tributarias mediante la entrega de un determinado bien, motivando su decisión no ser conveniente para el Estado la aportación al Patrimonio Estatal de tal bien»[51]. En suma, la Audiencia Nacional afirma de forma concluyente «[n]o se puede pretender (…) que

---

48   PEÑUELAS I REIXACH, *op. cit. vid.* p. 185.
49   PEÑUELAS I REIXACH, ibid., *vid.* pp. 173 a 175.
50   SAN de 10 mayo 2006, FJ 5º, JUR\2006\158538.
51   SAN de 11 noviembre 2002, FJ 3º. JUR\2003\25760. Idem, SAN de 31 octubre 2002. JUR\2003\25573.

lo que son presupuestos para el pago en especie, la catalogación del bien y su valoración, (…) determinen "*per se*" la decisión de la Administración, obligándola, en todo caso, a la aceptación»[52]. La capacidad de decisión de la Administración tiene como contrapeso el requisito de la motivación[53].

2.8. *La resolución del procedimiento de dación de bienes del Patrimonio Histórico Español en pago de tributos. Efectos*

La resolución del procedimiento de dación en pago puede ser estimatoria, desestimatoria o de inadmisión. En cualquier caso, como supone el ejercicio de una potestad discrecional, requiere de la adecuada motivación[54].

La resolución estimatoria, concretará el contenido de la nueva prestación o *aliud*. Descrita de manera genérica, esta consiste en la entrega al ente público de los bienes del PHE identificados y determinados en la resolución del procedimiento de dación en pago, más exactamente, en la transmisión del derecho de propiedad sobre los mismos.

La resolución es estimatoria implica la concurrencia de voluntades entre el deudor tributario y la Administración. Por ello, Peñuelas i Reixach[55] y Fernández Junquera[56] consideran que la dación de bienes del PHE en pago de deudas tributarias es un acuerdo pactado, o al menos, aceptado por la Administración. Esta coincidencia de voluntades sobre el modo o forma de extinguir una determinada obligación tributaria, se concretaría para el deudor tributario en su intención de extinguir la deuda tributaria mediante la entrega de la propiedad de los bienes del PHE ofrecidos. Y para el ente público acreedor, en la voluntad de aceptar esta oferta, accediendo a la cancelación de la deuda tributaria por una cantidad equivalente al valor de mercado de los bienes del PHE que adquiere.

La doctrina mayoritaria considera que del acuerdo entre el deudor y el acreedor no surge obligación alguna a cargo del primero. Este no está en momento alguno obligado a entregar el bien objeto de su oferta y la resolución administrativa le otorga la facultad de escoger entre pagar (cumpliendo la prestación pecuniaria debida) o extinguir la obligación mediante la entrega y transmisión de la propiedad del bien del PHE. Es decir, el efecto

---

[52]   SAN de 13 junio 2002, FJ 2º (JUR\2003\50661).
[53]   Estas consideraciones han sido ratificadas en la STS de 7 marzo, FJ 5º (RJ\2017\1770).
[54]   Nos remitimos a lo expuesto en el apartado anterior.
[55]   PEÑUELAS I REIXACH, Lluis, *op. cit.*
[56]   FERNÁNDEZ JUNQUERA, Manuela, *op. cit.*

inmediato de la resolución es atribuir al deudor la facultad de decidir cómo extinguirá la obligación tributaria[57].

En nuestra opinión, el acuerdo de dación en pago otorga al deudor la facultad de extinguir su deuda con la entrega del bien durante un perentorio plazo de diez días, transcurrido el cual decaerá de manera definitiva. Entendemos que el deudor siempre puede optar por el pago en metálico. Como argumento podemos señalar, si estamos en la fase de valoración, que el art. 74 LPHE dispone que «las valoraciones citadas no vincularán al interesado, que podrá optar por el pago en metálico». Y, si nos encontramos en sede del procedimiento tributario de dación en pago, por dos motivos: el primero, porque nada obsta que el deudor cumpla con su obligación mediante el pago en efectivo. El segundo, porque la normativa no prevé que la Administración pueda obligar al deudor a entregar el bien del PHE ofrecido.

2.9. La entrega de los bienes ofrecidos

La entrega supone la transmisión efectiva del derecho de propiedad sobre dichos bienes del PHE. Respecto a los riesgos derivados de cualquier eventualidad producida hasta la entrega o puesta a disposición de los bienes a la Administración —caso de pérdida o destrucción, las responsabilidades derivadas de una acción reivindicatoria de un tercero (aplicando en este caso las normas del saneamiento por evicción de la compraventa) y de la evicción por vicios ocultos— nada dispone la normativa tributaria, por ello, entra en juego la aplicación supletoria de las normas de Derecho privado sobre la dación en pago. La solución por la que abogan los distintos autores depende de la consideración como negocio consensual o real de la dación en pago. Díez-Picazo[58] se sitúa en la primera de ellas, y en el polo opuesto, Albaladejo[59].

2.10. Los efectos de la dación en pago

La resolución de inadmisión «determina que la solicitud se tenga por no presentada a todos los efectos» (art. 40.2 RGR), por tanto, las consecuen-

---

[57]   Vid. PEÑUELAS I REIXACH, op. cit., expone la doctrina mayoritaria pero considera que cuando el deudor ofrece los bienes estando ya valorados, a partir del momento en que se le notifica la aceptación de su oferta deja de tener la facultad de elegir entre pagar con dinero o efectuar la entrega de los bienes.

[58]   DÍEZ-PICAZO, op. cit.

[59]   ALBALADEJO, op. cit.

cias derivadas de la presentación de la solicitud, finalizarán de inmediato y se recaudará la deuda a través del procedimiento de apremio.

La resolución desestimatoria supone que la Administración no acepta la dación en pago y la obligación tributaria debe ser cumplida mediante el pago en efectivo. Las consecuencias se describen en el art. 40.7 RGR. Así, si la solicitud fue presentada en periodo voluntario, se otorgará al deudor un nuevo plazo voluntario (del art. 62.2 LGT) y se liquidarán los intereses de demora. Tras el vencimiento de este nuevo plazo, comenzará el periodo ejecutivo. En cambio, si la dación en pago fue solicitada en periodo ejecutivo, se iniciará o continuará el procedimiento de apremio.

La resolución estimatoria contendrá el acuerdo aceptando la dación de bienes integrantes del PHE en pago y definirá la nueva prestación o *aliud*[60]. Este acuerdo implica que el acreedor no recibe lo que inicialmente quería para satisfacer sus intereses, aun así, acepta otra prestación distinta que el deudor ofrece otorgándole efectos liberatorios. Si el deudor no cumple con este *aliud*, una adecuada tutela del interés público justifica que esa dación en pago pactada no despliegue los efectos que le son propios y se mantenga la obligación inicial.

El efecto propio de la dación en pago es la extinción inmediata de la obligación tributaria originaria, que para el deudor representa una función liberatoria y para el acreedor una función satisfactiva. El art. 60.2 LGT se remite al reglamento y el art. 61.3 LGT tampoco resuelve cuándo se entienden producidos los efectos. El art. 40.6 RGR indica que los efectos extintivos propios de la dación en pago quedan condicionados al cumplimiento de la nueva prestación, de tal manera que, si no se produce la entrega del bien, «quedará sin efecto el acuerdo de aceptación» (art. 40.8 RGR). Las consecuencias previstas para esta situación son:

- Si se solicitó la dación en pago en periodo voluntario, al día siguiente de la finalización del plazo para efectuar la entrega del bien, se inicia el periodo ejecutivo y se incoará el procedimiento de apremio. Además, se liquidarán los intereses de demora devengados hasta la finalización de dicho plazo.

- En cambio, si se solicitó en periodo ejecutivo, continuará el procedimiento de apremio.

De lo expuesto queda claro que los efectos extintivos o liberatorios y traslativos propios de la dación en pago no se asocian a la resolución ad-

---

[60] PEÑUELAS I REIXACH, Lluis, *op. cit.*

ministrativa, sino que quedan condicionados a la entrega de los bienes del PHE. En suma, la resolución no surtirá ningún efecto pasados los diez días de plazo de los que dispone el deudor para entregar o depositar el bien en la Administración, salvo el devengo de intereses de demora por el tiempo transcurrido desde el vencimiento del periodo voluntario.

En resumen, dos son los requisitos para que la dación en pago produzca sus efectos extintivos y traslativos: i) una resolución administrativa accediendo al pago en especie, ii) que se produzca la entrega del bien en los términos establecidos en el acuerdo y en el RPHE (debe quedar documentada mediante una certificación administrativa de recepción en conformidad). Ahora bien, cumplidos ambos, los efectos extintivos de la deuda tributaria tienen carácter retroactivo, desde la fecha de la solicitud de dación en pago. Entonces, se procederá al registro contable de la adquisición y de la cancelación de la deuda tributaria, como si se tratase de una adjudicación en pago[61].

La dación en pago conlleva el devengo de intereses de demora por el retraso que se pueda producir en el cumplimiento de la deuda tributaria. En concreto, el art. 40.6 RGR, que establece el devengo de intereses de demora por el tiempo que medie hasta que los bienes hayan sido entregados o puestos a disposición de la Administración; lo cual resulta contradictorio con los efectos liberatorios retroactivos desde la fecha de la solicitud. Una solución a esta antinomia es interpretar que los intereses de demora resultan exigibles solo hasta la fecha de presentación de la solicitud de dación en pago[62].

Por último, el alcance de los efectos liberatorios de la dación en pago depende del valor asignado al bien del PHE, de tal manera que la extinción de la deuda tributaria puede ser total o parcial, pues solo tendrá efectos por la cantidad que resulte cubierta por el valor de mercado de los bienes del PHE entregados.

Si la resolución acordando la dación de bienes del PHE en pago de deuda tributaria no despliega efectos inmediatamente, no nova la obligación previa, ni altera su naturaleza pecuniaria[63], ni tiene un régimen de ejecución forzosa, podríamos concluir que la dación en pago no es asimilable a un contrato consensual. Los efectos extintivos y traslativos requieren dos requisitos: la resolución estimatoria y la entrega de los bienes en el plazo de diez días. Si ésta no se produce, el acuerdo se tiene por no producido. Esto

---

[61] PEÑUELAS I REIXACH, *op. cit.*
[62] SAN de 21 de junio de 2001, FJ 3º (Id Cendoj: 28079230022001100519)
[63] PEÑUELAS I REIXACH, *op. cit.*

traducido al ámbito privado implicaría que la perfección de la dación en pago se alcanza con la entrega de los bienes y no por el mero acuerdo entre deudor y acreedor. Esta interpretación se ajusta a la finalidad de la dación en pago —que es facilitar el cumplimiento de una obligación—, sin conferir consecuencias jurídicas cuando el deudor no cumple —en especial, el decaimiento de las garantías personales.

3. CONCLUSIONES

Sobre la dación en pago de tributos, se diferencian claramente cuatro elementos: I) La valoración del bien, que determina el alcance de los efectos extintivos; II) La solicitud de dación en pago, definiendo los supuestos de hecho en los que no procede y excluyendo la insolvencia del deudor como requisito; III) La resolución tributaria, con unos efectos concretos para el deudor (la facultad de escoger entre pagar o extinguir la deuda mediante la transmisión del bien). IV) La entrega del bien, que despliega para el deudor efectos liberatorios retroactivos (desde la fecha de presentación de la solicitud) y traslativos del dominio sobre el bien. Ahora bien, si la entrega no llegara a producirse, la resolución quedará sin efecto. Quedan por resolver numerosas incógnitas como el grado de discrecionalidad de los órganos de recaudación, el carácter vinculante del informe sobre el interés de la adquisición o el problema de la evicción o saneamiento del bien entregado.

Respecto a la interpretación de la dación en pago celebrada *inter privatos,* propondríamos:

1. Descripción del supuesto de hecho: Preexistencia de una obligación válidamente constituida y cuantificada. No es necesario que se encuentre vencida y sea exigible. Tampoco se requieren ni la insolvencia del deudor, ni la equivalencia entre el montante de la deuda y el valor del bien ofrecido en pago.

2. La perfección de la operación requiere el consentimiento de las partes vinculadas por la obligación inicial y la entrega del bien.

3. Respecto a las consecuencias jurídicas: Doble efecto extintivo de la obligación inicial u originaria y traslativo de los bienes entregados.

4. No es un requisito la equivalencia del valor de la prestación originaria y la nueva prestación pactada pero, salvo acuerdo en contrario, el valor de mercado del bien entregado determinará el alcance de los efectos extintivos de la obligación inicial.

5. Es posible celebrar una dación en pago para la cancelación parcial de la deuda originaria, al tratarse de una *datio pro soluto* voluntaria, no es imprescindible que siempre se extinga la totalidad de la deuda inicial.

6. En el caso de que no se cumpla el *aluid* inmediatamente o en el plazo pactado, no se desplegarán los efectos del acuerdo y se exigirá la obligación originaria, tal como fue configurada inicialmente.

7. El deudor siempre puede extinguir su deuda cumpliendo la prestación originaria.

Bibliografía

ALBALADEJO GARCÍA, M., *Derecho Civil*, vol. II. Edisofer. Madrid, 2008.

BELINCHÓN ROMO, M. R., *La dación en pago en Derecho Español y Derecho comparado*. Dykinson. Madrid, 2012.

DÍEZ-PICAZO Y PONCE DE LEÓN, L. M., *Fundamentos del Derecho Civil patrimonial*. 5a ed. Thomson-Civitas. Madrid, 2008.

EGUSQUIZA BALMASEDA, M., «Crisis económica, falta de liquidez y dación en pago necesaria: un estudio del párrafo segundo in fine de la Ley 493 del fuero nuevo». *Revista de Derecho Patrimonial*, núm. 28 (2012).

FERNÁNDEZ JUNQUERA, M., «La dación en el pago» en MARTÍN DÉGANO, I., VAQUERA GARCÍA, A. y MENÉNDEZ GARCÍA, G. (Dir.): *Estudios de derecho financiero y tributario en homenaje al profesor Calvo Ortega*. Vol. I. Lex Nova. Valladolid, 2005, pp. 575-614.

GALAPERO FLORES, R., «Formas de extinción de la Deuda Tributaria (Estudio de la Ley General Tributaria y del Reglamento General de Recaudación)». *Jurisprudencia Tributaria Aranzadi*, núm. 21 (2005), doi: BIB 2005\2722.

GÓMEZ BUENDÍA, C., «Presente y pasado de la dación en pago». *Housing: Revista de la Cátedra de Vivienda de la Universidad Rovira i Virgili*, núm. 5 (2016).

LACRUZ BERDEJO, J. L., *Elementos de derecho civil. II, Derecho de obligaciones*. 3a ed. Dykinson. Madrid, 2003.

LASARTE ÁLVAREZ, C., *Derecho de Obligaciones. Principios de Derecho Civil II*. Marcial Pons. Madrid, 2014.

MATA SIERRA, M. T., «La dación en pago de la deuda tributaria: una necesaria revisión». *Revista española de Derecho Financiero*, número 182 (2019), pp. 33-74.

O'CALLAGHAN MUÑOZ, X., *Compendio de Derecho Civil*. 6a ed. Dijusa. Madrid, 2008.

PEDREIRA MENÉNDEZ, J., «El devengo de intereses de demora en el procedimiento de pago de la deuda tributaria mediante la entrega de bienes del Patrimonio Histórico Español». *Jurisprudencia Tributaria Aranzadi*, núm. 3112 (2002), doi: BIB 2002\1675.

PEÑUELAS I REIXACH, L., *El pago de impuestos mediante obras de arte y bienes culturales. La dación de bienes del Patrimonio Histórico Español*. Marcial Pons. Madrid, 2001.

PÉREZ ÁLVAREZ, M.P., «La dación en pago necesaria y la protección de los deudores hipotecarios tras las últimas modificaciones legislativas». *Revista de Derecho Patrimonial*, núm. 39 (2016), pp. 27-64.

SOLVES MIRA, P., *Dación de bienes culturales en pago de impuestos*. Ed. Ministerio de Cultura, Subdirección General de Información y Publicaciones. Madrid, 2004.